यशदेव शल्य समग्र

मानवीय सर्जना की तत्त्वमीमांसा

यशदेव शल्य

यशदेव शल्य समग्र

मानवीय सर्जना की तत्त्वमीमांसा

खण्ड एक

ज्ञान और सत्

सम्पादक

अम्बिकादत्त शर्मा

प्रस्तावना

मुकुन्द लाठ

PRINTWORLD

Publishers of Indian Traditions

Cataloging in Publication Data — DK
[Courtesy: D.K. Agencies (P) Ltd. <docinfo@dkagencies.com>]

Śalya, Yaśadeva, 1928- **author.**
[Works]
Yaśadeva Śalya samagra : mānavīya sarjanā kī tattva-mīmāṁsā / sampādaka, Ambikādatta Śarmā ; prastāvanā, Mukunda Lāṭha.
volumes cm.
In Hindi.
On Indic philosophy.
ISBN: 9788124608791
Contents: khaṇḍa eka – Jñāna aura sat, khaṇḍa do – Cit aura mūlya, khaṇḍa tīna – Samāja aura saṁskr̥ti, khaṇḍa cāra – Dārśanika itihāsa dr̥ṣṭi.

1. Philosophy, Indic. I. Śarmā, Ambikādatta, editor. II. Title

B5131.S25 2016 DDC 181.4 23

ISBN: 978-81-246-0879-1 (set); 978-81-246-0880-7 (vol. 1)
प्रथम संस्करण 2017

मुद्रक एवं प्रकाशक
डी॰के॰ प्रिण्टवर्ल्ड (प्रा॰) लि॰
पंजीकृत कार्यालय : *वेदश्री*, एफ-395, सुदर्शन पार्क
(मेट्रो स्टेशन : रमेश नगर) नई दिल्ली - 110 015
फोन : (011) 2545 3975, 2546 6019
ई-मेल : indology@dkprintworld.com
वेब : www.dkprintworld.com

समर्पण

दिवंगत प्रोफेसर गोविन्दचन्द्र जी पांडे के प्रति
जिनकी मैत्री का प्रसाद जयपुर आने पर मुझे
परम सौभाग्य के समान अयाचित ही मिला।

विषय–सूची

आमुख

अम्बिकादत्त शर्मा

'दर्शन' पद के साथ 'भारतीय' विशेषण भौगोलिकता का वाचक न होकर विचार की एक विशिष्ट गोत्र और परम्परा का द्योतक है। इस दृष्टि से श्रीअरविन्द के बाद इस देश में दार्शनिक गतिविधियों से सरोकार रखने वाले बहुतेरे महत्त्वपूर्ण व्यक्तियों को 'भारत का दार्शनिक' तो कहा जा सकता है, लेकिन एक 'संस्थापक भारतीय दार्शनिक' की पदवी से केवल यशदेव शल्य (जन्म 1928) ही अभिहित किये जा सकते हैं। भारत के वैचारिक स्वराज और राष्ट्रभाषा हिन्दी के राजपथ पर अपने चिन्तन को पुरोगामी रूप से अग्रसारित करते हुए उन्होंने जो दार्शनिक स्थापनाएँ प्रस्तुत की हैं, वह स्वातंत्र्योत्तर भारत की एक महत्त्वपूर्ण दार्शनिक उपलब्धि है। यह एक ऐसी दार्शनिक उपलब्धि है जो 'समकालीन भारतीय दर्शन' को सार्थक बनाने वाले सभी दार्शनिक प्रयासों को पीछे छोड़ते हुए अकेले दम पर उसे सार्थकता प्रदान करने का सामर्थ्य रखता है। इसलिए उनके दार्शनिक सृजन परिवेश को पाश्चात्य विचारों के अंतराय से सींचीं हुई समसामयिक औपनिवेशिक भारतीयता का अपवाद कहना सर्वथा उचित होगा। उनके लिए 'दर्शन' तमाम ज्ञान-विधाओं की तरह कोई विषयमूलक-व्यवस्था नहीं बल्कि ज्ञान का एक आत्मोन्मुख व्यापार है जो निरन्तर अपने आरम्भ बिन्दु से प्रारम्भ कर उसी पर लौटता है। दर्शन के स्वरूप विषयक इस व्यावर्त्तक अन्तर्दृष्टि को आत्मसात् करते हुए मानवी स्तर पर आत्मचेतन हुई चेतना को अपने दार्शनिक अध्यवसाय का प्रस्थान-बिन्दु बनाकर उन्होंने 'मनुष्य के जगद्भाव' की जैसी तत्त्वमीमांसा प्रस्तुत की है, उससे मानवीय सर्जना के सभी पक्षों की व्याख्या एक चकित कर देने वाली मौलिकता के साथ सम्भव हुई है। यदि उनकी तुलना भारतीय परम्परा के किसी दर्शन से की जाये तो उनका चिंतन अद्वैत वेदान्त के गोत्र का प्रतीत होता है। यद्यपि वह भी एक अपूर्व मौलिकता के साथ कायाकल्प करते हुए आकार ग्रहण किया है। पुनः उनकी तुलना किसी पाश्चात्य दार्शनिक से की जाये तो वे हुस्सर्ल और हायडेगर के समकक्ष ही ठहरते हैं। यह बात अलग है कि भारत का दार्शनिक जगत् उनके दार्शनिक अध्यवसाय से पूरे तौर से परिचित नहीं हो सका है। इसका एक मात्र कारण भाषा है, क्योंकि भीष्म संकल्प के साथ उन्होंने बहुत लिखा लेकिन सब कुछ हिन्दी में लिखा है। यद्यपि अंग्रेजी जानते हुए सब कुछ हिन्दी में लिखने के पीछे भी शल्यजी की एक मूलगामी दृष्टि रही है। वह यह कि भाषा मानवीय सर्जना का एक रूप ही नहीं बल्कि आधारभूत आयाम भी है। अतः आत्मचेतन चेतना से परिभाषित 'मनुष्य' होने का अर्थ भाषा में होना है और निज भाषा में होने का औचित्य अपने को अपने सांस्कृतिक विश्व में पाना है। वह जो अपनी भाषा में नहीं, अपने ही घर से बेघर है। इस दृष्टि से शल्यजी की दर्शन-साधना वैचारिक स्वराज के भाषायी राजपथ को उद्घाटित और प्रशस्त करने की साधना भी कही जा सकती है।

यशदेव शल्य के अकादमिक जीवन-वृत्त पर दृष्टिपात करने से विदित होता है कि दार्शनिक अध्ययन और लेखन उनके लिए कभी विद्वता लाभ और पाण्डित्य प्रदर्शन का साधन नहीं होकर आत्मचरितार्थन और आत्मसर्जन का कर्म रहा है। वस्तुतः यह उनकी एक दार्शनिक स्थापना भी है कि मनुष्य के कर्म मात्र का औचित्य भी यही है कि वह आत्मचेतन पूर्वक किये गये अपने समस्त कर्मों के द्वारा अपना आत्मक्रियान्वयन ही करता है। यही आत्मक्रियान्वयन क्रिया और कर्म का भेदक और मानवी-प्रस्थिति की व्यावर्त्तक विशेषता है। अन्यथा मनुष्य न तो अर्थलोक की सृष्टि कर सकता है और न ही उसका अवगाहन। ऐसे यशदेव शल्य का जन्म 26 जून, 1928 को फरीदकोट (पंजाब) में हुआ। अपनी प्रारम्भिक शिक्षा की शुरुआत उन्होंने फरीदकोट के ही एक

प्राइमरी स्कूल से की और तत्पश्चात् रायकोट (लुधियाना) में स्थित एक गुरुकुल में सातवीं कक्षा तक पढ़ाई की। वहीं रहकर उन्होंने संस्कृत कॉलेज, जयपुर की 'साहित्योपाध्याय' और पंजाब विश्वविद्यालय की 'प्रभाकर' परीक्षाएँ किसी तरह से उत्तीर्ण कीं। इसके अनन्तर अपने घर पर ही रहकर उन्होंने अंग्रेजी की मैट्रिक और इण्टरमीडिएट की परीक्षाओं को उत्तीर्ण कर संस्थागत पठन-पाठन से अपने को मुक्त कर लिया और स्वतन्त्र अध्ययन की ओर प्रवृत्त हो गये। स्वतन्त्र अध्ययन के मार्ग पर चलते हुए प्रथमतया वे साहित्य की आलोचनात्मक विधा तथा कविता लेखन की ओर उन्मुख हुए और 1951 में किताब महल, इलाहाबाद से 'पन्त का काव्य और युग' शीर्षक से अपनी पहली पुस्तक को प्रकाशित किया। साहित्य के क्षेत्र में उनकी दूसरी पुस्तक 'काव्य-विमर्श' शीर्षक से 2003 में प्रकाशित हुई है। एक साहित्यकार के मानस में दर्शन का बीज कैसे अंकुरित हुआ, यह कहना तो कठिन है लेकिन 1952 में 'प्रतीक' पत्रिका के एक अंक में उन्होंने 'व्यष्टि और समष्टि' शीर्षक से एक लेख प्रकाशित किया। पुनः अचानक दर्शन के लिए इतना बड़ा कृत्यानुष्ठान कि 1954 में उन्होंने 'अखिल भारतीय दर्शन परिषद्' की स्थापना की और साथ ही साथ 'दार्शनिक त्रैमासिक' पत्रिका का प्रकाशन भी आरंभ किया। इस प्रकार 1954 से अद्यतन उनका जीवन भारत में दार्शनिक उन्नयन और अपने दार्शनिक चिन्तन को आकार देने में समर्पित रहा है। अनवरत् चिन्तन-मनन में निरत रहते हुए उन्होंने लगभग डेढ़ दर्जन मौलिक पुस्तकों का प्रणयन और आधे दर्जन से अधिक पुस्तकों का संपादन किया है। शल्यजी की मौलिक कृतियों के विचार-वितान और भाषा की संरचना बहुत ही नवोन्मेषी है। संपादित कृतियाँ अधिकांशतः समकालीन पाश्चात्य दर्शन और उसकी आलोचना से संबंधित हैं। इसके पीछे उनकी दृष्टि पाश्चात्य दर्शन के प्रति अन्ध श्रद्धा की गतानुगतिक रूप से पुनरावृत्ति करना नहीं, बल्कि उसके प्रति अविचारित मोह का भंजन कर भारतीय दर्शन के प्रति निष्ठा को बढ़ाना रहा है। उनकी रचनाओं को सर्वत्र सम्मान भी मिला और अपने समय के मूर्धन्य विद्वानों ने उन पर समीक्षाएँ लिखीं। उन्हें हिन्दी समिति उत्तर-प्रदेश द्वारा डॉ. भगवानदास पुरस्कार (1962), अखिल भारतीय दर्शन परिषद् द्वारा स्वामी प्रणवानन्द दर्शन पुरस्कार (1988), बिड़ला फाउण्डेशन द्वारा शंकर पुरस्कार (1995), हिन्दी साहित्य सम्मेलन, प्रयाग द्वारा मंगला प्रसाद पुरस्कार (2002), भारतीय ज्ञानपीठ द्वारा मूर्तिदेवी पुरस्कार (2004) और मध्य-प्रदेश राष्ट्रभाषा प्रचार समिति द्वारा नरेश मेहता स्मृति वाङ्मय पुरस्कार (2002) से सम्मानित भी किया गया है। वे दार्शनिक त्रैमासिक, दर्शन समीक्षा, तत्त्वचिन्तन और उन्मीलन जैसी पत्रिकाओं के संस्थापक सम्पादक भी रहे। विश्वविद्यालयीय व्यवस्था से किसी प्रकार की उच्च उपाधि से विमुक्त रहने के बावजूद भारतीय दार्शनिक अनुसन्धा''न परिषद् एवं भारतीय समाज विज्ञान अनुसन्धान परिषद् उन्हें अपना वरिष्ठ फैलो बनाकर अपने को सम्मानित किया है। इस प्रकार राष्ट्रभाषा 'हिन्दी' के माध्यम से इन्होंने दार्शनिक चिन्तन को जैसा उत्कर्ष प्रदान किया है वह विचार को उसका पुरुषार्थ प्रदान करने जैसा है। एक दार्शनिक के रूप में यशदेव शल्य भारत की उस गौरवशाली परम्परा के अंगभूत माने जा सकते हैं जिसके लिए 'मुनिनां उत्तरोत्तर प्रामाण्यम्' कहा जाता है।

यशदेव शल्य का अर्द्धशताब्दी से अधिक का अविचल चिन्तन ने अपने आप में एक सम्पूर्ण दार्शनिक तंत्र का रूप ले लिया है। यद्यपि उनका चिन्तन सर्वथा मौलिक है तथापि एक प्रकार से वे अद्वैत वेदान्त की परम्परा में आते हैं, किन्तु यह परम्परा उनके चिन्तन में आधारभूत रूप से नवीनीकृत हुई है। यशदेव शल्य ने स्वयं ही अपने दार्शनिक प्रस्थान को 'चिद्द्वैतवाद' (चेतनामूलक अद्वैतवाद) कह कर अपना आत्म-प्रकाशन किया है। ('सत् की चिन्मयता' नामक आलेख, उन्मीलन, वर्ष-15, अंक-1, 2001) सत्ता की चिद्द्वैतवादी अनुसंधित्सा में यशदेव शल्य की दार्शनिक यात्रा का आरम्भ आधुनिक पाश्चात्य अनुभववादी-तार्किक प्रत्यक्षवादी परम्परा के अन्तर्गत-चिन्तन के साथ हुआ और उन्होंने इसमें 'दार्शनिक विश्लेषण' (1961) नामक पुस्तक लिखी। किन्तु उन्हें अनुभववादियों की अनुभव की अवधारणा में कोई युक्तियुक्तता नहीं दिखाई दी। अनुभववाद में सबसे बड़ा दोष यह है कि यह परम्परा विषय को मात्र संवेदन प्रदत्त के रूप में स्वीकार करती है। इससे एक ओर प्रत्येक चैतसिक स्तर के समानान्तर विषय की परिकल्पना करने से अनावश्यक विषयों को मानना

पड़ता है तो दूसरी ओर उन्हें एक सूत्र में बाँधने की समस्या खड़ी होती है ताकि योजनाबद्ध क्रिया की व्याख्या की जा सके। इस प्रकार अनुभववाद अपने विकसित प्रारूप में भी संवेदन-प्रदत्त और वस्तु के बीच की खाई को नहीं पाट पाता है। अतः यशदेव शल्य एक प्रकार से 'सावधान अनुभववाद' को ध्यान में रखते हुए 'अवधारणा-सापेक्षतावाद' (वस्तु का स्वरूप अवधारणामूलक मानना) की ओर उन्मुख होते हैं, और इसका प्रतिपादन उन्होंने 'ज्ञान और सत्' (1967) नामक पुस्तक में किया है। परन्तु यह दृष्टि भी उनके लिए अधिक समय तक सन्तोषप्रद नहीं बनी रह सकी। स्वयं उन्होंने यह स्वीकार किया है कि बाह्य विषय के सम्बन्ध में अवधारणा-सापेक्षता की बात फिर भी किसी तरह चल सकती है किन्तु कर्त्तव्य, आत्मा आदि विषयों के सन्दर्भ में कैसे चल सकती है। अपनी इस दृष्टि का पल्लवन उन्होंने 'संस्कृति : मानव कर्तृत्व की व्याख्या' (1969) नामक पुस्तक में किया है। इस तरह यशदेव शल्य अपने ही अवधारणा-सापेक्षतावाद से उत्तीर्ण होकर अपने चिन्तन के दूसरे महत्त्वपूर्ण सोपान पर पहुँचते हैं जिसे चैत्त-सापेक्षतावाद (वस्तु को चित्-सापेक्ष मानना) से निरपेक्ष चैतन्य में उत्क्रमण के रूप में समझा जा सकता है। इन दोनों ही विचार-ध्रुवों के मध्य दोलायमान उनके चिन्तन को 'विषय एवं आत्म' (1972) नामक पुस्तक में देखा जा सकता है। इस पुस्तक में उन्होंने एक ओर बाह्य विषय को सापेक्षता से मुक्त कर उसे उसका वस्तुगत आधार लौटाने का प्रयास किया तो दूसरी ओर आत्मा को सापेक्ष विषयिता से मुक्त कर आत्मसत्ता में प्रतिष्ठित करने का एक विलक्षण प्रत्ययवादी प्रयत्न किया है। अपने दार्शनिक अध्यवसाय में लगभग डेढ़ दशक तक इस सोपान पर स्थित यशदेव शल्य को बाद में यह भान होता हुआ प्रतीत होता है कि वे अपने प्रयत्न में पूर्णतः सफल नहीं हो सके थे। उन्होंने स्वयं स्वीकार किया है कि मैं विषय की बाह्यता के चिद्गत स्रोतों एवं आत्मा की ऐसी तात्त्विकता की खोज में था जो वस्तुरूप न होकर भाव्यात्मक हो। उनके ही शब्दों में "अब 'विषय और आत्म' में जबकि मैं विषय के चिद्गत स्रोतों को देख पाया, स्वयं चेतना अथवा आत्मा के उस स्वरूप को नहीं देख पाया जिससे ये स्रोत उद्गत होते हैं।" (चिद्-विमर्श, प्राक्कथन, पृ. 2) इस प्रकार चेतना अथवा आत्मा के उस स्वरूप का सन्धान जिससे अनन्त विषयों के स्रोत उद्गत होते हैं, यशदेव शल्य के दार्शनिक चिन्तन का तृतीय और अन्तिम प्रस्थान है। उनकी इस गम्भीर दृष्टि का विकास 'चिद्-विमर्श' (1978) नामक ग्रन्थ में हुआ है। यहाँ वे विषय-जगत् और अर्थ-लोक की चिद्गत संरचनाओं की प्रतिष्ठा चेतना की आत्मगत प्राकृतिकता से आत्मोन्मुख निवर्तन में देखते हैं। चेतना का आत्मोन्मुख निवर्तन उसका प्रत्यङ्मुख अभिसरण है और इसी प्रत्यङ्मुख चेतना (चेतना की अन्तरोन्मुखता) का महाभाष्य करते हुए उन्होंने आत्मचेतन चेतना के ज्ञानात्मक, संकल्पात्मक और भावनात्मक तीनों ही अभिवृत्तियों एवं मानव पर्येषणा के समस्त पक्षों, यथा समाज, संस्कृति, सौन्दर्य, कला, साहित्य, भाषा, विज्ञान और इतिहास-दर्शन तथा मनुष्य के समस्त मूल्यात्मक अभिनिवेशों की मौलिक व्याख्या की है। यही यशदेव शल्य के दर्शन का चरम चिद्द्वैती प्रस्थान है जिसका बहुआयामी पल्लवन उनके परवर्ती ग्रन्थों, जैसे – सत्ताविषयक अन्वीक्षा (1987), समाज : दार्शनिक परिशीलन (1992), मूल्यतत्त्व मीमांसा (1994), तत्त्व चिन्तन (2003) और 'चित् की आत्मगवेषणा' (2009) में हुआ है।

यहाँ अवधेय है कि शल्यजी के चिन्तन के विभिन्न सोपानों में उन्हें 'पहले' और 'बाद' के शल्यजी में विभाजित नहीं किया जा सकता। उनके चिन्तन के विभिन्न सोपान एक-दूसरे से अनन्वित नहीं बल्कि पूर्णतया अन्वित हैं। यहाँ तक कि ये सोपान एक ही मूल के विभिन्न कल्प और उसी से अनुप्राणित भी कहे जा सकते हैं। वह मूल एक ऐसी चेतना है जो अपने में जगद्भाव का आक्षेप करती है और पुनः आत्मोन्मुख निवर्तन में अपने भाव्य स्वरूप का साक्षात्कार करती है। शल्यजी इस मूल चैतन्य को सर्वथा अपरिभाषेय बताते हैं। अपरिभाषेय इसलिए कि यह सब कुछ का पूर्ववर्ती है। यह पूर्ववर्तिता वास्तव में सब कुछ होने की पूर्वापेक्षा है। यदि चैतन्य को कम से कम 'पूर्वापेक्षा' के रूप में ही परिभाषित किया जाय तो यहाँ पूर्वापेक्षा भी अवधारणात्मक रूप से गृहीत हो सकेगी और तब परिभाषा स्वयं में एक प्रकार से 'व्यत्ययदोष' से ग्रसित हो जायेगी। इसलिए यह सदैव अनिधार्य, निरुपाधिक और अतलान्त गहन ही बनी रहती है।

इस तरह देखा जाय तो यशदेव शल्य के दार्शनिक चिन्तन की विकासात्मक यात्रा में सोपान क्रम से 'चित्सत्तावाद' (सत्ता को चिन्मय मानना) का ही बहुविध रूप से प्रतिपादन हुआ है। इनके चित्सत्तावाद में पारम्परिक दृष्टि से बुद्धिवाद और अध्यात्मवाद का समन्वय देखने के बजाय चेतना की विमर्शात्मकता के वाचक बुद्धिवाद और इस विमर्श के आत्मस्रोतान्वेषण के वाचक अध्यात्मवाद का यौगपद्य देखा जाना अधिक उपयुक्त है। यही कारण है कि यशदेव शल्य के दर्शन में तार्किक अनुभववाद और तर्कीय प्रत्यक्षवाद के तत्त्वमीमांसा प्रत्याख्यानवादी अभियान को एक जबरदस्त भारतीय प्रत्युत्तर प्राप्त हुआ है। यह उनके दर्शन की अति महत्त्वपूर्ण दार्शनिक पुनर्रचना है जिसे उनके चिन्तन में 1970 के बाद प्रकट रूप से देखा जा सकता है। यह किसी को प्रतीत हो सकता है कि यशदेव शल्य की दर्शन-साधना का प्रारम्भ तत्त्वदर्शन-विरोधी बौद्धिक परम्परा के अन्दर हुआ, परन्तु वास्तविकता यह है कि उनके चिन्तन का प्रौढ़ पक्ष तत्त्वमीमांसा के औचित्य प्रतिपादन में ही चरितार्थ हुआ है। यशदेव शल्य के अनुसार यूरोप में जन्मे ज्ञान की अधिकांश विधाओं का अगुआ, यहाँ तक कि उनका सांस्कृतिक नेता विज्ञान ही रहा है। विज्ञान के लिए जगत् की यथातथ्य प्रदत्तता ही उसका अन्तिम सत्य है। इस दृष्टि से सत् उनके लिए जगत्पर्यन्त ही है लेकिन ध्यातव्य यह है कि मनुष्य की कल्पना जगत्पर्यवसायी (जगत् तक ही सीमित होना) नहीं है। अतः सत् को जगत्पर्यन्त मानने वाली दार्शनिक प्रवृत्ति क्या इस प्रश्न पर कभी विचार कर सकती है कि जब मानवीय कल्पना जगत्पर्यवसायी नहीं तो उसका सत् किस प्रकार केवल जगत्पर्यन्त ही हो सकता है? ऐसा पूर्वाग्रह न तो सम्पूर्ण मानवीय पर्येषणाओं के साथ न्याय कर सकता है और न ही इस मर्म की समुचित व्याख्या कर सकता है कि मानवीय कल्पना क्यों जगत्पर्यवसायिता का अतिक्रमण करती है। वस्तुतः इसी अतिक्रमणशीलता में मनुष्य की विशिष्टता और सत्ता का मानो रहस्य छिपा हुआ है। मनुष्य के क्रिया-कलापों में प्राप्त स्थिति से उबरने और उससे आगे अपने को प्रतिष्ठित करने की प्रवृत्ति इसी बात का संकेत करती है, मानो उसका कोई गन्तव्य है जिसके सापेक्ष वह अपने को न्यून पाता है। यदि इस बात को स्वीकार किया जाय तो तत्त्वमीमांसा के गहरे पानी में गोता लगाना ही होगा और सत्ता की अन्वीक्षा उस रूप में करनी होगी ताकि मानवीय पर्येषणा की उत्तरोत्तरगामिता की समुचित व्याख्या की जा सके। यशदेव शल्य की सत्ताविषयक अन्वीक्षा में तत्त्वमीमांसा का जैसा प्रस्ताव हुआ है वह 'तत्त्वमीमांसा क्यों' और फिर 'तत्त्वमीमांसा कैसी' दोनों का समुचित उत्तर प्रदान करता है। इन दोनों को अपने में समाविष्ट करता हुआ उनका 'चिद्द्वैतवाद' सृजनशीलता का दर्शन और दर्शन की सृजनशीलता के रूप में सामने आता है।

शल्यजी अपने 'चिद्द्वैतवाद' में सत्ताविषयक एक व्यापक अवधारणा को सामने लाने का वरेण्य प्रयास करते हैं। उनका चिन्तन एक ऐसे अखण्ड सत्य का अन्वेषण है जो समस्त खण्ड सत्यों को अन्तर्निहित करता हुआ उनका अपनी भूमा में अतिक्रमण करता है। इसीलिए उन्होंने 'सत्ता' को 'अस्तित्व' और 'वस्तुतता' की कोटियों से हटाकर 'भाव्य-भाव' की कोटि में अवधारित किया है। उनके अनुसार अकेला 'भाव्य' कहने में यह दोष है कि तब सत् स्वरूपतः अपूर्ण हो जायेगा और केवल 'भाव' कहने से न अनिष्ट, अव्यवस्था और न्यूनता का कोई अर्थ रहेगा और न मूल्यपर्येषणा का। एक ओर सत्ता की गरिमा के लिए यह आवश्यक है कि वह भाव्य हो और दूसरी ओर भाव्य के सत् होने के लिए यह आवश्यक है कि वह निरपेक्ष पूर्ण भाव हो। यह अन्तर्विरोध ही सत्ता की विपुल पूर्णता का रहस्य है।

इस प्रकार सत्ता को उसकी विपुलता एवं पूर्णता में अवधारित करते हुए शल्यजी अस्तित्व एवं वस्तुता की कोटियों से उसे सर्वथा बहिष्कृत नहीं कर देते हैं बल्कि सत्ता को अस्तित्व और वस्तुता के आदिम स्रोत के रूप में ही देखते हैं। उनके ही शब्दों में "अस्तित्व को मैंने सत्ता के जीवन में एक आगन्तुक आविर्भाव के रूप में देखा है, उसे एक आयाम या घटक के रूप में नहीं।" पुनः 'अस्तित्व' मेरी विचार-व्यवस्था में सांवृतिक चेतना, वेदना, अन्नमय-प्राणमय-मनोमय कोश, ऐन्द्रिक-दैहिक-आविर्भाव है। सत्ता के संदर्भ में अस्तित्व को 'आगन्तुक आविर्भाव' कहने का तात्पर्य यह है कि अस्तित्व सत्ता की पूर्णता के लिए अनिवार्य नहीं है। यह सत्ता के इतिहास में एक अनादि व्यवधान है। यही व्यवधान चैतन्य के जगद्विवर्त का निमित्त भी है। इसलिए अस्तित्व के सत्य होने

के लिए यह अनिवार्य है कि वह सत्ता में अधिष्ठित हो, किन्तु सत्ता की पूर्णता के लिए यह आवश्यक नहीं है कि वह अस्तित्व की कोटियों में अभिव्यक्त भी हो। प्रपंच विषयक श्रुतियों की व्याख्या में शंकराचार्य भी "न हि सृष्ट्यादि प्रपञ्चो विवक्षितः" कहते हुए ब्रह्म के लिए सृष्टि-प्रपंच को आवश्यक नहीं पाते हैं। शल्यजी की व्याख्या भी कुछ इसी प्रकार की है जब वे कहते हैं कि 'ईश्वर का अस्तित्व है' का अर्थ यह नहीं है कि "जगत् की वस्तुओं और जीवों का अस्तित्व है" बल्कि यह ईश्वर के अपने अस्तित्व का ही कथन है, जिस प्रकार किसी कलाकार के अस्तित्व के सम्बन्ध में कथन का यह अर्थ नहीं है कि उसकी कृतियों का भी अस्तित्व है।

इसलिए अस्तित्व मात्र की आगन्तुकता अथवा अपर्याप्तता, जिसे शल्यजी सत्ता में आक्षिप्त एक व्यवधान के रूप में देखते हैं, उनकी सम्पूर्ण विचार-व्यवस्था में नाभिक जैसा है। अपनी रचनाओं में उन्होंने इसकी व्याख्या तत्त्वमीमांसीय, ज्ञानमीमांसीय, मूल्यमीमांसीय एवं प्रयोजनात्मक दृष्टि से बड़े विस्तारपूर्वक की है। यह उनके चिन्तन का सर्वाधिक अर्थ-गर्भ पक्ष है। इसके गूढ़ार्थ को उनके ही शब्दों में प्रस्तुत करते हुए कहा जा सकता है कि "वह सब कुछ जो है, आगन्तुक स्वभाव है और यह एक ही बात इसे सत्ता के लिए अपर्याप्त बना देती है। उदाहरण के लिए 'यह घट' देश, काल एवं अन्य वस्तु आदि-आदि सब में असत् से परिवेष्ठित है। किन्तु यह केवल इसी कारण से आगन्तुक नहीं है बल्कि इसलिए भी आगन्तुक है क्योंकि यह अपने प्रत्यय में ही आगुन्तक है। उदाहरणतः यदि जगत् न केवल देश और काल में ही सर्वत्र आपूरित हो बल्कि अपने अस्तित्व मात्र का भी समावेश करता हो, तो भी यह अनिवार्य नहीं होगा, क्योंकि इसका अन्यथात्व कल्पनीय है, अर्थात् यह अपने प्रत्यय के लिए पर्याप्त नहीं है। इसी प्रकार आहंकारिक चैतन्य, जो 'मैं' पद का वाच्य है, वह भी अनिवार्य नहीं है। यह केवल देश और काल में ही परिसीमित और व्यक्ति के रूप में अन्य व्यक्तियों से व्यावृत्त नहीं है बल्कि अपने प्रत्यय में भी घट और जगत् के समान ही आत्म-अपर्याप्त है।"

यशदेव शल्य के अनुसार मनुष्य, पशु और भौतिक वस्तुओं को अस्तित्व के इतिहास में क्रमशः जगद्भावापन्न चैतन्य, चित् और अचित् कहा जा सकता है। इसमें भौतिक अस्तित्व भीतर-बाहर उभयतः बंद है और पाशव अस्तित्व भीतर से बंद और बाहर से इतरोन्मुख रहता है। यह केवल मानवीय अस्तित्व ही है जो भीतर और बाहर दोनों ओर खुला रहता है। इस प्रकार खुले होने से उसमें अपर्याप्तता वास्तव में आत्म-अपर्याप्तता का रूप ले लेती है। इस आत्म-अपर्याप्तता के बोध में उस पर्याप्तता की स्मृति या आभास भी अन्तर्निहित होता है जिससे वह वियुक्त है। मानवीय चेतना में एक मूलगामी आत्म-अतिक्रामिता में, उसके आत्म-संशोधनात्मक सभी प्रयत्नों में यह सब कुछ भली-भाँति देखा जा सकता है। शल्यजी के अनुसार आहंकारिक चैतन्य की आत्म-अपर्याप्तता दूसरे अस्तित्वों से इस अर्थ में गम्भीर एवं तीव्र है कि इसका प्रत्यय आत्म-बाह्य नहीं हो कर आत्मप्रकाशित होता है। अर्थात् यह केवल अन्य-व्यावृत्त नहीं हो कर आत्म-व्यावृत्त या आत्मनिर्वासित भी होता है। यह अपने भीतर अपने अभाव से, अपने वैपरीत्य से, अनात्म से दंशित है। यह परिस्थिति इसे एक-दूसरा ही आयाम प्रदान करती है। अर्थात् इसे अपने से अतिक्रामी सत्त्व दे देती है। यही वह अतिक्रमण है जो प्लेटो द्वारा श्रेयस् को ज्ञान और सत् से ऊपर अतिसत् के रूप में रखने में अभिप्रेत है और जो 'तत्त्वमसि श्वेतकेतो!' में श्वेतकेतु का सत्त्व श्वेतकेतु से ऊपर ब्रह्म में स्थापित करने को सार्थकता देता है। इसलिए मानवीय चैतन्य की विशिष्टता उसकी आत्मप्रकाशित आत्म-अपर्याप्तता का बोध है जो स्वयं व्यक्ति में अपने भाव से ऊपर उठने के अतिक्रान्त संकल्प के रूप में दृष्टिगत होता है। मानो अस्तित्व के इतिहास में मानव इसी संकल्प के साथ अपनी आँखें खोलता है।

मनुष्य का एक अतिक्रामी संकल्प को लिए हुए अपनी आँखें खोलने का तात्पर्य यह है कि चेतना मनुष्य के माध्यम से पहली बार आत्मचेतन होती है और सत् के अन्वेषण में प्रवृत्त होती है। मनुष्य की यह अनुसन्धित्सा अपने होने के अर्थ, उसके आधार और गन्तव्य की जिज्ञासा के रूप में होती है। इस सृष्टि में मनुष्य के अतिरिक्त किसी अन्य सत्त्व में यह जिज्ञासा प्रकट नहीं होती, मानो मनुष्य के माध्यम से सत्ता स्वयं ही प्रश्न उठाती है कि सत्ता क्या है? शल्यजी के अनुसार इसका उत्स जगद्भाव में चेतना का अपने आप को आत्म-

अभावापन्न, आत्म-अपर्याप्त अथवा आत्मनिर्वासित पाना है। तत्त्वमीमांसीय गति और प्रवृत्ति इसी मूल अभाव और अपर्याप्तता के स्रोत की खोज है। इस स्रोत की खोज में जगद्भावापन्न चैतन्य (मनुष्य) अपार अर्थ-राशि का सृजन, अवगाहन और उसका अतिक्रमण करते हुए अपने मूल स्वरूप की ओर द्वितीयावर्तन करता है। यह द्वितीयावर्तन वास्तव में सत्कार्यात्मक नहीं बल्कि असत्कार्यात्मक अर्थ में आत्मोन्मुख निवर्तन है, जो चेतना के प्रत्यङ्मुख व्यापार में घटित होता है। सृष्टि के इतिहास में चेतना की प्रत्यङ्मुखता, जो मानवीय स्थिति की विलक्षण विशिष्टता है, एक मौलिक रूप से नव्य परिच्छेद है।

इस नव्य परिच्छेद की सर्वाधिक महत्त्वपूर्ण विशेषता 'अतिक्रमणशीलता', अर्थात् अपने प्राप्त रूप का निषेध और आदर्श-पर्येष्य रूप का आक्षेप है। इसी के चलते मनुष्य सदैव अपने आदर्श से परिभाषित अस्तित्व बना रहता है। शल्यजी के अनुसार 'मैं हूँ' यह अस्तित्व की ही आद्य और अधिष्ठानभूत घोषणा नहीं है बल्कि अधिक मौलिक रूप से यह अपनी भाव्यता की भी घोषणा है। यहाँ से ही सृजन की, आरोहण की, अनात्म से मुक्ति की, आत्मव्यवधान के निवारण की और अपने मूल स्वरूप की सिद्धि की यात्रा आरम्भ होती है। वस्तुतः शल्यजी के चिन्तन में प्रत्यङ्मुख चेतना की जैसी गम्भीर और गहन विवेचना हुई है वैसी अन्यत्र दुर्लभ है। ऐसा प्रतीत होता है कि उनका सम्पूर्ण दर्शन प्रत्यङ्मुख चेतना के भाष्य, वार्त्तिक और अलंकार रूप विवेचना में ही फलित और प्रमाणित होता है। चैतन्य की मानुषी स्थिति में पराङ्मुख और प्रत्यङ्मुख नामक दो विपरीत दिशाओं में गति देखी जाती है। विषयोन्मुख इन्द्रिय-वृत्ति में चेतना का अपने विषयों में निःशेष हो जाना, उसको समर्पित हो जाना, यह पराङ्मुखता की पराकाष्ठा है। इसके विपरीत प्रत्यङ्मुखता आत्मोन्मुख अतिक्रमण के रूप में एक पूर्णतः मूलगामी घटना है। शल्यजी की सत्ताविषयक अन्वीक्षा में यह मूलगामी आत्मोन्मुख अतिक्रमण विषय से उसकी मूलाग्र अवधारणाओं में, अवधारणाओं से उनकी मूलाग्र चिद्वृत्तियों में और इन चिद्वृत्तियों से निरूपाधिक चैतन्य में अपनी पर्यन्तता को अधिगत करता है।

इस प्रकार यशदेव शल्य के लिए अपनी दर्शन-व्यवस्था में यह देख पाना सुकर हो जाता है कि यह चित् ही है जो दैहिक, ऐन्द्रिक, मानसिक, बौद्धिक और यहाँ तक कि अतिबौद्धिक प्रज्ञात्मक चेतना-वृत्तियों के रूप में प्रवर्तित होकर अपने लिए अर्थों (विषयों) को प्रस्तुत करता है, और जो अर्थ उसे परतया प्राप्त होते हैं। अर्थों की यह परता वास्तव में चित् की स्वकीय परता ही होती है। यह ज्ञान में उनकी अपूर्ण या सदोष ग्राह्यता तथा इष्टता-अनिष्टता से सिद्ध होता है। यह और भी स्पष्ट चेतना के आत्मचेतन रूप से होता है, जिसमें यह स्वयं आत्म को विषय रूप में असम्यक्तः ज्ञेय और अवांछित चित्तवृत्तियों के रूप में दुस्साध्य पाता है। आत्मा को 'जानने' और चित्तवृत्तियों का निरोध करने के यावत् परामर्श इसके प्रमाण हैं। अतएव हमारी सम्पूर्ण ज्ञान-साधना और पुरुषार्थ-साधना चित् के इस आत्मव्यवधान के निराकरण के, चित् की आत्मगवेषणा के प्रयत्न ही कहे जा सकते हैं। चित् का यह आत्म-व्यवहितत्व, उसका यह आत्मगत-आत्मेतरत्व कितना इतर, कितना मलों-कर्दमों से आलिप्त और भ्रान्तियों-भटकाओं का हेतु होता है, यह हम अपने सुदीर्घ पाशव इतिहास से लेकर मानव-सभ्यताओं के इतिहास तक देख सकते हैं। इसी के अन्तराल में चेतना क्रमशः जड़ से वानस्पतिक, वानस्पतिक से पाशव और पाशव से मानव के सोपान तक उठती और मनुष्य में सांस्कृतिक, नैतिक, आध्यात्मिक और सृजनात्मक तथा अनुसन्धानात्मक शिखरों की ओर पुरुषार्थ-साधना में प्रवृत्त दिखाई पड़ती है। चेतना का यह विकास वास्तव में उसका अपना ही आत्मविस्तार और सृजन है जो चेतना के इतिहास में स्वकीय आत्मव्यवधान के निवारण की दुस्साध्य और अन्तहीन साधना है। इस साधना की दुस्साध्यता और अन्तहीन होना ही चेतना के इतिहास का प्रकट रहस्य है। यशदेव शल्य के दर्शन में चेतना द्वारा इस साधना की दुस्साध्यता की आत्मचेतन आत्मगवेषणा ही उनके 'चिदद्वैतवाद' का पार्यन्तिक स्वरूप है।

यशदेव शल्य के चिदद्वैतवाद में चित् की वैश्वयोजना अथवा उसके विश्वोन्मुखी प्रर्वतन की न केवल तत्त्वमीमांसा प्रस्तुत की गई है बल्कि साथ ही साथ मानवीय सर्जना के सभी प्रारूपों और आयामों की चिदद्वैतवादी व्याख्या भी हुई है। शल्यजी चित् के आत्मव्यवधान की निवारक साधना के रूप में जब धर्म, दर्शन, नीति,

साहित्य, संस्कृति, इतिहास, कला और यहाँ तक कि वैज्ञानिक प्रवृत्तियों की व्याख्या करते हैं तो मनुष्य के ऐसे सभी साभ्यतिक-सांस्कृतिक उपक्रम आत्मचेतन चित् की पुरुषार्थ-साधना के विभिन्न कल्प बन जाते हैं। इस पुरुषार्थ-साधना के अवधारणात्मक इतिवृत्त को उन्होंने 'संस्कृति : मानव कर्तृत्व की व्याख्या,' 'समाज : दार्शनिक परिशीलन,' 'काव्य-विमर्श' और 'चित् की आत्मगवेषणा' नामक कृतियों में विशेष रूप से उद्घाटित किया है।

समाज और संस्कृति विषयक शल्यजी के विचार-वितान प्रचलित नृतत्त्वविद्या और समाज-विज्ञान के वैज्ञानिकतावाद और उस पर आधारित संस्कृति की समझ से नितान्त भिन्न प्रकार की है। उनके अनुसार समाज और संस्कृति के सम्बन्ध में तीन प्रकार से विचार किया जा सकता है। प्रथमतः उसे बाह्यतः देखकर विवरणात्मक रूप से, द्वितीयतः उसे बाह्यतः देखकर उसके तात्त्विक-सैद्धान्तिक रूप में, और तृतीयतः चेतना की उन वृत्तियों के अवलोकन-परिशीलन द्वारा जो व्यक्तियों को समाज के रूप में धारण करती है। इसमें पहले के दोनों प्रकारों में समाज और संस्कृति विषयक नृतत्त्वशास्त्रीय और समाजवैज्ञानिक दृष्टिकोणों का समावेश हो जाता है। परन्तु चेतना की वृत्तियों के रूप में मनुष्य की सामाजिकता और सांस्कृतिक निर्मितियों को समझना एक मूलगामी विचार है। इस दृष्टि से समाज और संस्कृति के सामान्य-लक्षण और विशेष-लक्षण को निर्धारित करने का प्रयास किया जाये तो कहा जा सकता है कि संस्कृति अपने सारभूत अर्थ में चैत स्तर का अस्तित्व है और उसका व्यक्तित्व जातीय किस्म का होता है। इसका अधिष्ठान, वास्तव में, भौगोलिक क्षेत्र न होकर लोकमानस होता है। ऐसा होने से ही संस्कृति को मनोमयसत्ता के रूप में समाज की अन्तरात्मा से अभिहित किया जा सकता है। यही संस्कृतात्मा जब देहधारी व्यक्ति-समूह को अपने में अधिष्ठित कर उसके द्वारा एक भौतिक आयाम में अपने को प्रकट करती है तो संस्कृति के विशिष्ट-विशिष्ट रूप अस्तित्व में आते हैं।

आश्चर्य है कि विचारों के इतने मूलगामी और व्यापक आयामों को समेटे हुए उनके चिन्तन में मूलभूत दृष्टि से भटकाव और स्खलन नहीं देखने को मिलता। उनके चिन्तन में व्याप्त सघन और गहन अन्विति से उस मूलभूत दृष्टि की विदग्धता और व्यापकता का सहज ही अनुमान लगाया जा सकता है। अन्यथा, अर्द्ध शताब्दी से भी अधिक की अनवरत अनुसन्धान यात्रा में अद्यतन अन्विति को बनाए रखना सम्भव नहीं होता। 'चिद्-विमर्श' पुस्तक के 'मनुष्य, इतिहास तथा समाज विषयक वैदान्तिक अवधारणा' नामक अध्याय में शल्यजी ने किसी भी दर्शन-प्रणाली के संतोषप्रद हो सकने के लिए तीन कसौटियाँ बताई हैं। सर्वप्रथम तो यही कि वह अनुभव के निकट हो, दूसरे, वह अनुभव के विविध आयामों को किसी एक आयाम में अपचयित किये बिना व्याख्यायित कर सके और तीसरे यह कि ऐसा करने के लिए उसे तदर्थ अवधारणाओं का सहारा लेने की जरूरत न हो। देखा जाय तो शल्यजी स्वयं अपने चिन्तन, मनन और लेखन में इन तीनों कसौटियों के प्रति बहुत ही सजग रहे हैं। इसीलिए यह तीनों कसौटियाँ उनकी दर्शन-साधना में पूरे तौर से चरितार्थ हुई हैं। उनके चिन्तन में इसी कारण एक अप्रतिहत अन्विति, संगति और संसक्तता दिखाई पड़ती है। 'यशदेव शल्य समग्र' शीर्षक से उनकी सभी मौलिक कृतियों को एक साथ प्रकाशित करने का हेतु और औचित्य यही है। शल्यजी अनवरत लिखते रहे और निरन्तर उनका यत्र-तत्र प्रकाशन भी होता रहा। परन्तु इस प्रक्रिया में उनके चिन्तन को लेकर एक ठोस समझ के बदले आधी-अधूरी समझ की सम्भावना से इनकार नहीं किया जा सकता। न्यूनाधिक रूप से शल्यजी के साथ वस्तुतः हुआ भी ऐसा ही है। स्वातंत्र्योत्तर भारत में जबकि दर्शन के नाम पर हमारे पास कुछ दिखाने लायक है और जिस पर कोई भी बौद्धिक परम्परा गर्व कर सकती है तो वह यशदेव शल्य का ही दार्शनिक चिन्तन है। अतः समकालीन दार्शनिक परिदृश्य में यशदेव शल्य के सम्पूर्ण दार्शनिक चिन्तन को एक साथ प्रस्तुत और प्रकाशित करने का एक दार्शनिक औचित्य भी है। वास्तव में इसी उद्देश्य को आत्मसात् कर हमने उनकी समस्त मौलिक रचनाओं को चार खण्डों में सम्पादित कर प्रकाशित करने का प्रयास किया है। इस सम्पादन में उनकी रचनाओं को रचना-काल-क्रम में सम्पादित नहीं किया गया है बल्कि वैचारिक और सम्प्रत्ययात्मक संगति को ध्यान में रखते हुए उन्हें चार खण्डों (ज्ञान और सत्, चित् और मूल्य, समाज और संस्कृति, और दार्शनिक इतिहास-दृष्टि) में इस

तरह संकलित किया गया है ताकि उनके चिन्तन के विकासक्रम और सोपान अधिक से अधिक स्पष्ट हो सकें। साथ ही साथ मानवीय सर्जना की तत्त्वमीमांसा के रूप में उनके चिद्द्वैतवाद को एक स्वतंत्र और सम्पूर्ण दर्शन-व्यवस्था के रूप में प्रस्तुत किया जा सके।

शल्यजी ने मेरी ओर से प्रस्तावित इस कार्ययोजना को अपनी स्वीकृति प्रदान कर मुझ पर बड़ा उपकार किया है। मुकुन्द लाठ जी ने मेरे अनुरोध पर इसकी विस्तृत प्रस्तावना लिखकर मानों इस सम्पादन कार्य को अलंकृत ही कर दिया है। मुकुन्द जी की लेखनी जब कभी शल्यजी के दार्शनिक अध्यवसाय को उजागर करने के लिए प्रवृत्त होती है तो वह सहसा अलंकार भाष्य के स्वरूप को अख्तियार कर लेती है। डी.के. प्रिन्टवर्ल्ड के प्रोपराइटर श्री सुशील मित्तल जी इतने बड़े कार्य को प्रकाशित करने के लिए सहर्ष तैयार हुए, इसके लिए वे मेरी ओर से कोटिशः धन्यवाद के पात्र हैं। मित्तल जी एक पारखी प्रकाशक हैं। वे मूल्यवान ज्ञान को केवल समझते ही नहीं, बल्कि प्रकाशित करते हुए उसका यथोचित शृंगार करना भी अपना प्रकाशकीय स्वधर्म मानते हैं। विशाल कम्प्यूटर्स (जयपुर) मनोयोग के साथ निष्ठापूर्वक टंकण कार्य के लिए भूरिश: सराहना और साधुवाद के पात्र हैं। आशा है कि 'यशदेव शल्य समग्र' के प्रकाशन से शल्यजी की चिद्द्वैतवादी विचार-साधना को लेकर एक समग्र समझ विकसित हो सकेगी। यशदेव शल्य के दर्शन की समग्र समझ अपने आप में एक ओर सृजनात्मकता का दर्शन है तो दूसरी ओर दर्शन की सृजनात्मकता का आह्वान भी है। अतः उसे दीर्घायुष्य और उत्तरजीविता प्रदान करना हम सभी का कर्त्तव्य है।

प्रस्तावना

मुकुन्द लाठ

संस्कृति स्वातंत्र्य चाहती है, और इसके लिये वह निरंतर जागरूक आत्मचेतन आत्मविमर्श की अपेक्षा रखती है। स्वतंत्र विचार इसी का लक्षण होता है। विचार के स्वप्रतिष्ठ स्वातंत्र्य के बिना संस्कृति के अपनेपन की नींव दृढ नहीं होती। उसकी विभिन्न प्रवृत्तियां, परंपराएँ, व्यवस्थाएँ, अन्य संस्कृतियों से संबंध, उन्हें अपना पाना – ये जिस सिसृक्षा में रूप लेते हैं, वह आत्मस्थ आत्मदृष्टि का फल होता है, विचार में अपने को प्रकट करता है।

आज हममें, पराक्रांति के बाद भी, सिसृक्षा का स्वातंत्र्य है। प्रकट दिखता है। हम अपनी गहरी प्रवृत्तियों में : साहित्य में, कलाओं में, धर्म में, अध्यात्म में, अपने को स्वतंत्र और आत्मस्थित पाते हैं। पर एक विचित्र वैषम्य के साथ। क्योंकि हम अपने को उतने ही गहरे में परमुखापेक्षी भी पाते हैं। जिस विचार में हम आत्मावलोकन करते हैं, अपनी सिसृक्षा को आत्ममंथन का विमर्श और दृष्टि देते हैं, वह परापेक्षी है। यह बात विचित्र और विषम इसलिये भी है कि विचार की – स्वतंत्र, समृद्ध बहुमुखी विचार की – हमारी परंपरा पुरानी है। पर वह मानो हमारे लिये प्रासंगिक ही नहीं रही है। अपनी सिसृक्षा खो बैठी है। इतिहास की-सी बात हो गई है।

विचार कला या साहित्य की तरह ही – संस्कृति के किसी भी सार्थक अंग की तरह – सार्वभौमिक होता हुआ भी संस्कृति-विशेष का प्रतीक और वाहन भी होता है। विचार में आत्मविमर्श स्वभाव-निहित होता है। उसमें आत्मालोचन के साथ सिसृक्षा की गति भी स्वभाव-निष्ठ होती है – अगर हम उसे जगाये रखें। पर विचार की अपनी परंपराएँ भी होती हैं। विचार भाषा में होता है। भाषा संस्कृति-विशेष को सहज कुक्षिगत रखती है। विचार इसके प्रति आत्मचेतन रहता है; वह सार्वभौम होता है, भाषा-सीमित नहीं होता, पर भाषा विशेष के प्रवाह के भीतर रहता हुआ ही सार्वभौम होता है। हम आज अपने प्रवाह से च्युत-से हैं। हमने आज मान-सा लिया है कि विचार के लिये तो पश्चिम ही शरण है; और इससे भी बढ़ कर यह कि विचार अंग्रेज़ी में ही हो सकता है। बल्कि यों कहना चाहिये कि हमारी यह अनकही, निर्विचार निष्ठा बन गई है कि आज का सार्थक, प्रासंगिक, 'युगानुकूल', 'आधुनिक', विचार बाहर ही होता है, वहीं से आ ही नहीं सकता, वहीं की भाषा में हो सकता है। इसलिये हम अपनी भाषा में भी विचार करते हैं तो अनुवाद की एक ऐसी बोली अपनाते हुए करते हैं जहां विचार के प्रत्ययों और उनके संदर्भ को समझने के लिये पश्चिम का विचार-संभार ही नहीं, पश्चिम की भाषा (हमारे लिये अंग्रेज़ी) ऊह्य (पूर्वगृहीत) रहती है। हमारा अपना स्वतंत्र अधुनातन विचार-संस्कार रूप नहीं ले पाया है, या क्षीण है। इससे हम अवगत भी हैं। श्री कृष्णचंद्र भट्टाचार्य ने बरसों पहले विचार के स्वराज की बात की थी, जो हमें चुभती है। पर अब यह भी लगने लगा है कि बात बात-सी ही रह गई है।

पर इसका अर्थ यह नहीं कि हम अपनी परंपरा में ही आरूढ़ हो लें। पिष्टपेषण करें। गतानुगतिक बने रहें। सिसृक्षा का यह मार्ग नहीं। सिसृक्षा रूढ़ि-मुक्त होती है। परंपरा में रूप लेती हो, पर उससे बँधती नहीं है; बल्कि उसे रूप देती है, बनाती है, नया उन्मेष दे कर उसे स्फूर्त, जीवंत रखती है। परंपरा बनती ही सिसृक्षा की नई प्रतिभा से है। सृजन का यह विरोधाभास विदित ही है, वह परंपरा में जन्म लेता हुआ भी परंपरा से ऊपर उठ कर, निर्बंध होकर ही स्फुरित होता है। विचार में यह तत्त्व आत्मप्रकट रहता है। विचार स्वभाव से अपने ही आगे बढ़ने की ओर उन्मुख रहता है : अपने आग्रहों पर, अपने मूल पर प्रश्न उठाते चलना उसका स्वधर्म है। वह स्वभाव से

प्रश्नमय ही नहीं, प्रत्यङ्मुख होता है : अपने पीछे हट कर अपने को देखता-परखता चलता है। अपने परे से प्रेरणा भी पाता है।

विचार की यह प्रवृत्ति दर्शन में पूरा जागरूक रूप लेती है – कह सकते हैं कि यही प्रवृत्ति दर्शन का मूल भी है। और यह प्रवृत्ति मूलगत, तात्त्विक, प्रश्नों की ओर सहज ही मुड़ती है : सत् क्या, जगत् क्या, मनुष्य क्या, मनुष्य का श्रेय, उसका सत्य क्या, मनुष्य होने का अर्थ क्या? इन बातों का ज्ञान क्या, ज्ञान की प्रमाणिकता क्या? ये प्रश्न मनुष्य में सहज हैं, मनुष्य की जिज्ञासा को, अर्थ-संधान को ही नहीं, उसकी सिसाधयिषा को केन्द्र में रखते हैं। दर्शन में ये आत्मचेतना की अगाध प्रत्यङ्मुखता पा लेते हैं। विचार के अथाह में उतरता, प्रमाण का सतत संधान करता, अपने को अपने ही ईक्षण के माध्यम से जानता-परखता मनुष्य यहां सत्य-जिज्ञासु होता हुआ आत्मजिज्ञासु होता है। सत्य की जिज्ञासा उसे सहज ही आत्मतत्त्व के गभीरतम अवगाहन की ओर ले जाती है; तभी जो मूलग्राही प्रश्न हमें सदा सताता है, वह है : हमारा स्वरूप क्या? साध्य क्या? श्रेय क्या? उसका हमारे सत्य से संबंध क्या? जगत् से संबंध क्या?, दर्शन में ये प्रश्न स्फुटतम आत्म-बोध, आत्मपरीक्षा के साथ जागते हैं, जगत् और आत्म विषयक दृष्टियों में रूप लेते हैं; इन दृष्टियों को प्रौढ़, परीक्षित – प्रामाणिक – रूप देने की गहनतम ललक पालते हैं। दर्शन जगत्-विषयक और उससे संश्लिष्ट मनुष्य-विषयक दृष्टियों का आकलन करता है, उनको उभारता है, उनकी सम्भावनाओं को युक्त विस्तार देता है। आज दर्शन की गरिमा क्षीण है, दर्शन का प्रत्याख्यान, उसके सत्य और श्रेय से किसी सार्थक सबंध का निषेध 'दार्शनिकों' में आम है। तत्व क्या? वस्तु क्या? सत्य क्या? श्रेय क्या? ऐसे प्रश्नों को आज बड़े बड़े दार्शनिक असमाधेय ही नहीं, अप्रश्न मानते हैं, बुद्धि के मोह की उपज मानते हैं। सत्य का संबंध विज्ञान से जोड़ा जाता है आज। विज्ञान जड़-भौतिक को ही सत्य मानता है। अचंभा नहीं कि श्रेय फिर संस्कार या इच्छा की बात ठहर जाता है। पर सत्य और श्रेय की जिज्ञासा ऐसी सामयिक श्रद्धा से, विचार की प्रथा विशेष से क्षणप्रलुब्ध, क्षणभ्रांत या विचलित भले ही हो जाये, चुप नहीं हो जाती। आज की परिस्थिति को एक आगंतुक-से चलन की, आये-गये प्रवाह की बात ही समझना चाहिये। यों भी, दर्शन का प्रत्याख्यान कोई नई बात नहीं। आज से भी गहरे प्रत्याख्यान किये गये हैं दर्शन के; धर्म के और अध्यात्म के नाम पर ऐसा किया ही जाता रहा है। सत्य की उपलब्धि 'खटदर्शन में नाहीं', यह चली हुई उक्ति है ही अपने यहां। पर सच यह है कि विचार का प्रत्याख्यान किया नहीं जा सकता : यह हमारे अपने स्वरूप का ही प्रत्याख्यान होगा। और विचार में दर्शन की ओर उन्मुखता स्वरूपेण बनी रहती है। दर्शन में हमारी गभीरतम तत्त्व-जिज्ञासा आत्मचेतन रूप लेती है। हमारी आत्मचेतना स्वभावेन इस जिज्ञासा की ओर मुड़ती है। जिज्ञासा हममें सहज है और सहज ही एक विश्वदृष्टि, आत्मदृष्टि की ओर ले जाती है। दर्शन में यह युक्त, उदार, व्यापक, आत्म-स्वच्छ, पारदर्शी हो जाती है। हमारी सारी जिज्ञासाओं, सारे संधानों के अर्थ को एक सर्वतोग्राही, सर्वतोभद्र सूत्र में पिरो सकता है दर्शन।

हम थोड़ा भी आत्मद्रष्टा भाव रखें तो पाते हैं कि हमारे सारे प्रश्न, हमारी खोज, हमारी सत्य का संधान करती आत्मसाध्यता में, हमारी स्वरूप-निहित सिसाधयिषा में, जड़ करते हैं। हम अपनी सारी वृत्तियों-प्रवृत्तियों में अपने को साधते चलते हैं। तत्त्व-जिज्ञासा हमारी गहरी से गहरी प्रवृत्तियों में है। विचार में रूप लेती है। हां, विचार युक्ति का मार्ग है। खंडन-मंडन से चलता है। विप्रतिपत्ति, आत्मप्रत्याख्यान उसकी सहज प्रवृत्ति है। पर इससे विचार का ही प्रत्याख्यान नहीं हो जाता। यह संभव ही नहीं, क्योंकि विचार ही यह प्रत्याख्यान करता है। दर्शन खंडन-मंडन का ही नहीं, दृष्टि का माध्यम होता है। आत्मसाक्षात्कार का माध्यम होता है। हमारी तत्त्व-दृष्टि या तत्त्व-साक्षात्कार हमारे आत्मसाक्षात्कार के अभिन्न अंग हैं। खंडन-मंडन इसी व्यापार के अंग होकर सार्थक होते हैं। आवश्यक यह है कि दर्शन की सार्थक साधना बनाये रखी जाये।

पर सार्थकता सिसृक्षा की मांग करती है। स्वतंत्र सिसृक्षा की।

जो शल्य जी में है। शल्य जी एक सर्वतोग्राही व्यापक तत्त्व-दृष्टि की ओर आगे बढ़ते हैं, उसे समर्थ रूप देते हैं। कहना न होगा कि वे तत्त्व-दर्शन के निषेध की प्रवृत्ति का तीखा प्रत्याख्यान करते हैं।

प्रस्तावना

हम पाते हैं कि 'क्या है', और इसी से युगनद्ध, 'क्या होना चाहिये' की जिज्ञासा हमारे भीतर अपने आप दृष्टियों में रूप लेती है। अनिवार्यतः लेती है। हमारे भाषा-प्रयोग में, हमारे व्यवहार में ऊह्य रहती है – कितनी ही अस्पष्ट, अविचारित क्यों न हो। हर संस्कृति की भाषा – या भाषाओं में – इस ऊह्य जगत्-बोध और मनुष्य-बोध की पहचान देखी जा सकती है। यों, सत्य का, तत्त्व का ऊह हममें सहज है। दर्शन में यह ऊह अपने प्रति प्रबुद्ध हो जाता है। प्रमाण और युक्ति का मार्ग अपनाता है; आत्मपरीक्षण के प्रकाश में आगे बढ़ने की लौ पालता है। नये मार्ग, नई गंभीरतर, व्यापकतर दृष्टियों की ओर आत्मचेतन विमर्श के साथ बढ़ सकता है।

युक्ति का मार्ग स्वरूपेण विचार के स्वातंत्र्य की और तन्निहित सिसृक्षा की मांग करता है। हमने अपने यहां विचार में स्वतंत्र सिसृक्षा के अभाव की बात की। आज इस सिसृक्षा में हमारे यहां पश्चिम ही नहीं, परंपरा भी बाधक दिखती है। परंपरा कहती है कि नया हो ही नहीं सकता। पुराने का ही पिष्टपेषण चाहती है, करती है। पर बड़ा चेष्टा-साध्य होता है यह पिष्टपेषण भी। लकीरें बनाई रखनी पड़ती हैं। क्योंकि सच यह है कि हम सचमुच विचार करें, होते आये विचार के प्रतिपादन, प्रस्तुति, निरूपण, या उसके ईक्षण या सर्वेक्षण या इतिहास मात्र से उबर कर अपनी प्रेरणा से, ललक से, सहज स्वातंत्र्य से, विचार कर्म में अभिनिविष्ट हों तो नूतन का द्वार स्वतः खुल जाता है – आगे विचार-दृष्टि का उन्मेष जितनी दूर ले जाये। हो-चुके, होते-आ-रहे विचार की ईक्षा और पुनःप्रस्तुति कितनी ही विमर्शमयी क्यों न हो, होती रूढ़िस्पृष्ट ही है। प्रज्ञा का नवोन्मेष रूढ़ि से निकल कर ही लौ लेता है। बात वैसी ही है जैसे कविता में होती है। कविता का इतिहास या काव्यालोचन, अपने आप में कितने ही महिम क्यों न हों, कविता नहीं हैं। काव्य-सृजन की प्रेरणा और ही होती है। एक भाव-दृष्टि की मांग करती है, जिसे बिंबों में, रूपक-उत्प्रेक्षा में, भाषा की शतवर्ण ध्वनियों में अभिव्यंजित करती है। राग-संगीत में यह बात और भी प्रकट है – राग स्वतंत्र आलाप के बिना बनता ही नहीं, अपने स्वरूप में ही स्वतंत्र रागदृष्टि की मांग करता है। दर्शन भी विचार का उन्मुक्त आलाप चाहता है, पर इसके मूल में रूढ़िमुक्त स्वतंत्र अंतर्दृष्टि की अपेक्षा होती है। दृष्टि जितनी विराट हो, दर्शन उतना ही महत् होता है। दर्शन दृष्टि को प्रत्ययों में, युक्ति के रास्ते रूप देता है; इसके लिये समुचित भाषा भी साधता है, पर यह भाषा ध्वनि या व्यंजना के वक्र मार्ग से हट कर प्रत्यय की आत्मप्रकट स्पष्टता स्वच्छता-पारदर्शिता की ओर उन्मुख रहती है। समुचित भाषा की साधना कवि भी करता ही है। दार्शनिक अपनी तरह से, एक भिन्न मार्ग से करता है। यहां लक्ष्य है कि शल्यजी हिंदी में स्वतंत्र चिंतन करने लगे तो उन्हें अपने अनुकूल भाषा भी साधनी पड़ी।

शल्यजी हिंदी में ही नहीं, दर्शन परंपरा में ही रूढ़ि-मुक्त स्वातंत्र्य के विलक्षण उदाहरण हैं। उनका दर्शन भारतीय भी है और अपनी सिसृक्षा में अभिनव भी – आधुनिक भी। वे लिखने बैठे तो अनायास ही अपनी भाषा हिंदी को अपनाया। उन्हें सूझा तक नहीं, उनके मन में खटका तक न हुआ कि हिंदी तो दर्शन की भाषा ही नहीं है! दर्शन में उनकी रुचि पश्चिम के विचारों से ही जागी। इसके लिये उन्हें अंग्रेज़ी का अभ्यास करना पड़ा। बर्गसाँ और रसेल (एवं अन्य पश्चिमी वैज्ञानिक और दार्शनिक ग्रंथों को) पढ़ने के लिये उन्होंने अंग्रेज़ी में प्रवेश किया, कोशों की सहायता से उसमें समझ और पकड़ के साथ उतरे। पर स्वयं लिखने बैठे तो अंग्रेज़ी में लिखने की कभी न सोची। जैसे पश्चिम के विद्वान संस्कृत या यहां की दूसरी भाषाएँ गहराई से सीखते समझते रहे हैं (और अब भी ऐसा करते हैं), पर सोचते-लिखते स्वभावतः ही अपनी भाषा में ही हैं – अपने विचार अपनी ही भाषा में प्रस्तुत करते हैं, अपने प्रत्ययों में करते हैं, और अपने लोगों के लिये करते हैं – यहां के लोगों के लिये नहीं (यह बात और है कि हम भी अपने को उन्हीं की पंगत में रखने लगे हों)। हमारे यहां आधुनिक साहित्य में भी यही प्रवृत्ति रही है। बाहर का असर आया, गहरा आया, पर उसे हमने अपनी भाषा में ग्रहण करते हुए अपना बना कर आत्मभाव के साथ अपनाया। कहना न होगा कि हम आत्मस्थ हों तो यही सहज भी है। पर दर्शन में ऐसा नहीं हुआ। वहां हम अपना आपा पर को दे बैठे हैं।

कहना न होगा कि आज हमारे यहां जो पश्चिमी विचार की ईक्षा और प्रस्तुति का साम्राज्य है, उसे हम चाहे आधुनिकता का नाम दे लें उसे नया नहीं कहा जा सकता है। वह रूढ़ि-ग्रस्त ही है। हां, रूढ़ि हमारी नहीं

पश्चिम की है। पर रूढ़ि की गडार अंग्रेज़ी में ही नहीं, हिंदी में (और अपनी दूसरी भाषाओं में) भी देखी जा सकती है, जहां दर्शन अपने ही यहां के पुराने की पुनःप्रस्तुति को अपना धर्म समझता है। नये से उसे विराग है। उसे देखें तो उभरता यह है कि 'भारतीय' – या हमारा अपना विचार – हमारे लिये विगत-में-हो-चुका विचार ही है और वही हो सकता है। उसे हम आज के संदर्भ में आज के अनुकूल रूप देते हुए नये मुहावरों में सामने तो रख सकते हैं, पर उसमें सचमुच नये का कोई अवकाश नहीं है।

नई तरह से इस पुराने को सामने रखने का काम अंग्रेज़ी में भी प्रचुर होता रहा है। वहां यह देखने-दिखाने का प्रयास भी गहराई से जड़ करता है कि, देखो, पश्चिम में जो सोचा गया है हमारे यहां वह और पहले सोचा जा चुका है! अंग्रेज़ी में लिखनेवाले या तो यहां के पुराने विचार का इतिहास लिखते हैं, या पश्चिम के दार्शनिक मुहावरों में पुराने का निरूपण, मीमांसा, अपनी तरह से पुनर्विमर्श... करते हैं। तुलनात्मक विमर्श करते भी दिखते हैं, पर यहां भी पश्चिम को प्रदत्त प्रतिमान मान कर भारत के दर्शन को उसी के आदर्श पर समझने-समझाने का मार्ग लेते देखे जा सकते हैं। लेखन के पीछे आशय यह झलकता है कि हम आज अपने से ऐसे अपरिचित हो गये हैं कि पराये परिचित (पश्चिम) के घेर में आकर ही अपना परिचय पा सकते हैं : उनकी पंगत में बैठ कर ही अपने को पहचान सकते हैं।

संस्कृत में भी हमारे यहां दर्शन की परंपरा बची है। हालांकि बिलकुल ही हाशिये पर डाल दी गई है : शक्ति, प्रतिपत्ति, प्रचार, साधन, सामग्री, ये अंग्रेज़ी के हाथों में है – राज ही अंग्रेज़ीवालों का है और अंग्रेज़ी की महिमा बढ़ती जा रही है। पर यहां देखने-सोचने की बात यह है कि संस्कृत में विचार करनेवालों की जो परंपरा बची है वह चाहे उपेक्षित हो, नितांत अवहेलना की शिकार हो, पर निष्प्राण नहीं हुई है। यह ठीक है कि वह परंपरा पर चले-आते दर्शन की विचार-शैली, विचार-यात्रा, संप्रदायों के पिष्टपेषित रास्तों में ही बहुत कुछ अटकी रहती है, उन रास्तों पर चलना ही अपना मार्ग समझती है, पर उसमें विचार का स्वातंत्र्य हमारे यहां होते अंग्रेज़ी-लेखन से कहीं अधिक है और सहज-स्फूर्त है। उनके अपने चले-आते प्रश्न और वाद-विवाद हैं जिनके भीतर उनकी चिंतन-धारा आगे बढ़ती रही है। आज भी उसी रास्ते चलती है। पर चलती है। आज परिस्थितिवश ठिठक गई हो, रुकी नहीं है। यह बात मैं अपने अनुभव से कह रहा हूं। कुछ साल हुए, पूना के प्रोफ़ेसर रेगे और जयपुर के प्रोफ़ेसर दयाकृष्ण ने पारंपरिक संस्कृत में लिखने-सोचनेवाले दार्शनिकों का और अग्रेज़ीवालों का संवाद करवाया था, जहां दर्शन के एक आधुनिक रसेल-प्रचारित भाषा और वस्तु संबंधी अभ्युगम – प्रोपोज़िशन - को लेकर लंबी चर्चा-गोष्ठी रखी गई थी।[1] मुझे भी वहां होने का अवसर मिला था। चर्चा के विस्तार में जाने का यहां प्रयोजन नहीं, पर स्पष्ट था, सभी उपस्थित विचारकों के मन में यह बोध था कि संस्कृत के दार्शनिक किसी अर्थ में कम नहीं, अधिक ही ठहरते हैं। अभ्युपगम उनके लिये पराया था, पर भाषा पर और उसके वस्तु-संबंध पर हमारे यहां विचार पुराना है। गहरा है। संस्कृत के विचारकों को नये अभ्युपगम में प्रवेश करते देर नहीं लगी। उसको उन्होंने अपनी तरह से समझा ही नहीं, उनकी दार्शनिक सूझ, उनकी अग्रया बुद्धि, विचार-प्रज्ञा, अंग्रेज़ीवालों से कहीं खुली थी, कहीं सक्षम उन्मेषवती थी। यों, आज हमारी यह परंपरा किसी तरह जी तो रही है, पर हम इसे सचमुच जीवन देना नहीं चाहते, दूर ही रखना चाहते हैं, और दूरतर करते जा रहे हैं; यहां तक कि हम इसे जीवित तक नहीं मानना चाहते! इसमें सचमुच प्राण तभी प्रतिष्ठित हो सकता है जब यह हमारे सजीव विचार का सार्थक अंग बने। दया जी की चेष्टा के बाद इस के प्रति जागरूक जिज्ञासा के कुछ अंकुर जागे थे, पर अब बात कुतूहल-भर की रह गई लगती है। पर दया जी की चेष्टा के पीछे भाव यह भी था कि *अंग्रेज़ी में सोचने-समझनेवाले इधर ध्यान दें*, विचार की इस उपेक्षित पर प्रवहमान परंपरा में उतर कर इसे अपने अंग्रेज़ी-निष्ठ विचार में स्फोट दें। दया जी के मन में यह गहरा विश्वास था कि अब हमारे विचार की 'मुख्यधारा' तो अंग्रेज़ी में ही प्रवाहित है, और उसी प्रवाह को हमें उन्मेष देना है; हममें आज अंग्रेज़ी के प्रभुत्व का जो भी कारण हो - चाहे वह आगन्तुक और

---

1. आप चर्चा के विस्तार में जाना चाहें तो देखें, *संवाद : ए डॉयलौग बिट्वीन टू फ़िलसॉफ़िकल ट्रैडिशन्स,* प्रकाशक : भारतीय दार्शनिक अनुसंधान परिषद् और मौतीलाल बनारसीदास पब्लिशर्स प्राइवेट लिमिटेड, दिल्ली, 1991

अयुक्त ही क्यों न हो, पर उससे हम इनकार नहीं कर सकते, इनकार करना भी नहीं चाहिये : अंग्रेज़ी ही अब हमारी विचार की भाषा है, और रहनी चाहिये, हमें अपने पुराने चिंतन को आज के संदर्भ में जगाना हो तो उसी में जगाना होगा। अपनी चली-आती गहरी परंपरा को आज के संदर्भ में हम गतिशील रखना चाहें तो उसमें वैसे ही उतरना होगा जैसे हम राग-संगीत की परंपरा में गुरुमुखी शिक्षा के माध्यम से उतरते हैं और फिर अपने अनुभव से, अपनी परख और दृष्टि से, अपनी गायकी उभारते हैं। पर यह काम होना अंग्रेज़ी में चाहिये। यह विश्वास अकेले दया जी का ही नहीं है। फैला हुआ है।

हां, यह भी कह सकते हैं कि गहरा दार्शनिक चिंतन, स्वतंत्र चिंतन, अंग्रेज़ी में भी हुआ है। श्री अरविंद इसके महिम उदाहरण हैं। पर उन्हें अपवाद ही समझना चाहिये। उनसे यह नहीं निकलता कि हम अंग्रेज़ी को समर्पित हो जाएँ। यह भी युक्ति इस संदर्भ में दी जाती है कि हमारी अपनी भाषाएँ चिंतन-क्षम नहीं हैं। उनमें चिंतन की कोई समर्थ परंपरा नहीं। पर इस युक्ति में कोई सार नहीं। परंपराएँ बनती हैं। बनाई जाती हैं। अंग्रेज़ी में भी यही हुआ है। अपने यहां के आज के साहित्य को ही देख लें, जहां हमने नई परंपरा को आत्मस्थ रूप दिया है। सच पूछिये तो हमारे लिये हमारी अपनी भाषाएँ ही अधुनातम और व्यापकतम विचार का समीचीन माध्यम हो सकती हैं, क्योंकि ये बाहर-भीतर दोनों ओर खुली हैं। दोनों ओर उन्मुख हैं : हमारी भाषाएँ एक ओर जहां संस्कृत की समृद्ध दार्शनिक परंपरा में जड़ रखती हैं, वहीं बाहर को आत्मसात् करने में भी सशक्त हैं। साहित्य में हम यह देखते ही हैं।

और फिर ऐसा भी नहीं है कि हिंदी में (और हमारी अन्य भाषाओं में) दार्शनिक लेखन का अभाव हो। भाषाओं में लिखनेवाले ऐसे विद्वान कम नहीं हैं जो संस्कृत की परंपरा से घनिष्ठ हैं – भीतर से इसे जानते हैं – और इसे अपनी तरह से प्रस्तुत करते हैं। यह बात और है कि उनमें विद्वत्ता ही अधिक दिखती है, विचार का स्वतंत्र उन्मेष नहीं। पर यह बात तो अंग्रेज़ी के साथ भी उतनी ही सच है। बस प्रभुत्व का पलड़ा उधर झुकता है आज। पर प्रभुत्व का पलड़ा यादृच्छिक होता है। उसे प्रमाण नहीं माना जा सकता। काल किधर ले जायेगा हम जानते ही कितना हैं! पर उसी में हम अपनी स्वतंत्र यात्रा भी साधते ही हैं। कहना न होगा कि इस यात्रा का आधार युक्ति और विवेक होना चाहिये, इतिहास की यदृच्छा-जन्य परिस्थिति के आगे अवनति नहीं। कृष्णचन्द्र भट्टाचार्य ने जो विचार के स्वराज की बात की है, उसमें स्पष्ट ही अपनी भाषा की ओर इंगित है : स्वराज स्वभाव और स्वधर्म के अनुकूल ही हो सकता है; अंग्रेज़ी को अपनाना – और वह भी विचार में, जहां हम अपनी गहरी से गहरी आत्मनिष्ठ प्रेरणा को रूप देते हैं – यह परधर्म ही है।

अपनी भाषा में लिखनेवाले विद्वानों के कारण ही हिंदी में पुराना संस्कृत में किया हुआ विचार प्रचुर उपलब्ध है। रस-अलंकार परंपरा का पठन-पाठन तो जम कर होता रहा है। अलंकार और रस-परंपरा के कई ग्रंथों के अनुवाद और व्याख्याएँ की गई हैं। यहां तक कह सकते हैं कि इस परंपरा के ग्रंथों के अनुवाद और इनकी परंपरा-निष्ठ मीमांसा-व्याख्या ही विशेष प्रचार में है। पर अलंकार-दर्शन के ही नहीं, अन्य दर्शनों के – जिसे दर्शन का राजमार्ग कह सकते हैं – उसके भी बहुसंख्यक ग्रंथ हिंदी-लेखन की इस आधुनिक परंपरा में उपलब्ध हैं। पर यह परंपरा अपनी तरह की विद्वत्ता की ही परंपरा है, वैसे ही जैसे अंग्रेज़ी की भी सदृश और अपनी तरह से परंपरा को प्रस्तुत करती समतुल्य प्रथा है। यहां स्वतंत्र विचार की चेष्टा नहीं। विचार का कोई स्वतंत्र उभार यहां नहीं दिखता, जो संस्कृत की अवशिष्ट परंपरा में फिर भी प्रवाहित है। पर इस परंपरा की संभावना पर दृष्टि रखें। इसे अपनी भाषा में स्वच्छंद विचार के द्वार के रूप में भी देखा जा सकता है। इस उपलब्ध संभावना को हम उन्मीलित कर सकते हैं, उसे स्वातंत्र्य के साथ नये रूपों में ढाल सकते हैं। हिंदी की यह प्रतिष्ठित परंपरा नई सिसृक्षा को सहज ही सहारा दे सकती है।

मूल अवरोध यह है कि हमारा मानस ही मानो बन गया है कि हमारे यहां तो विचार जो होना था हो चुका है। वह विशद है, गंभीर है, व्यापक है, पर साथ ही परिपूर्ण और परिसिद्ध है, उसमें नया कुछ नहीं जुड़ सकता; नया उसको विकृत ही कर सकता है, उन्मिषित नहीं। वह बहुमूल्य है, पर है विगत की ही बात। आज उसे हम समझने-समझाने की ही बुद्धि पाल सकते हैं – उसे *आगे बढ़ाने* का कोई अर्थ नहीं बनता। उसमें नये का

अवकाश नहीं। आज का सार्थक 'साम्प्रतिक' 'आधुनिक' विचार हमें चाहिये तो वह पश्चिम से ही आ सकता है – वही *आज* 'विश्वजनीन' ही नहीं है, 'प्रासंगिक' है। प्रकट ही यह आत्महीनता का लक्षण है। विचार सब समय, सर्वत्र, विश्वजनीन ही होता है, जैसे कला, साहित्य... विश्वजनीन होते हैं। कला, साहित्य की तरह ही विचार भी देश–काल–पात्र के अपनेपन से उपरंजित होता है, पर यह विश्वजनीनता का भूषण ही होता है, दूषण नहीं। इसके बिना विश्वजनीनता रूप ही नहीं ले सकती। पर हम किसी संस्कृति विशेष को ही विश्वजनीन मान बैठें, जैसा हमारा पश्चिम के प्रति भाव है, तो अपनी विश्वजनीनता तो हमने मूल में ही अन्य–समर्पित कर दी! लेकिन भूलना न चाहिये कि हम अपनी ओर कभी भी मुड़ सकते हैं। इसका अर्थ अन्य की उपेक्षा, अनदेखी नहीं होती। आत्मोन्मेष की लौ होती है।

हमारी किसी भी प्रवृत्ति की तरह चिंतन सिसृक्षा और नूतन की एषणा पालता है। पर इस एषणा में एक विरोध जैसा भी है, जिसे हम जानते ही हैं : यह परिस्थिति से, परंपरा की गतानुगतिकता से, ऊपर उठ कर ही फलवती होती है। परिस्थिति अनुकूल हो तो इसे प्रश्रय मिल सकता है; पर होती यह कारण–मुक्त ही है। परिस्थिति, परंपरा में रहते हुए हम इसके लिये एक चेष्टा पालते हैं – पर जानते हैं कि इसका अपना स्फोट है, अपना अद्भुत स्वातंत्र्य है, जो हमारी चेष्टाओं से अछूता रहता है। स्वातंत्र्य की *बात* और स्वातंत्र्य का *होना* दोनों में तात्त्विक भेद है। शल्य जी के आत्मनिष्ठ स्वातंत्र्य की विलक्षणता इसी *होने* में है। यह भी ध्येय है कि शल्य जी के तत्त्वदर्शन का मर्म भी सृजन की धारणा में है (जैसा हम अभी आगे देखेंगे)।

शल्यजी की दर्शन के प्रति प्रेरणा पश्चिम के विचार से ही जागी। उन्होंने बर्गसाँ का *क्रिएटिव इवोल्यूशन* पढ़ा। और दर्शन की ओर मुड़ गये। एक ग्रंथ भी लिखा, *मनस्तत्त्व*, जिसे शल्यजी अपनी 'तुतलाहट' की रचना बताते हैं। फिर रसेल के अनुभववाद में रुचि हुई। इस दर्शन को अपनी तरह से प्रतिपादित करते हुए आप ने 1959–60 में *दार्शनिक विश्लेषण* की रचना की। अब तुतलाहट नहीं रही थी। भाषा पर अच्छा अधिकार हो गया था। ग्रंथ की दार्शनिकों में अच्छी सराहना भी हुई। पुरस्कार भी मिला।

बर्गसाँ और रसेल (एवं अन्य पश्चिमी वैज्ञानिक और दार्शनिक ग्रंथों को) पढ़ने के लिये शल्य जी ने अंग्रेज़ी में प्रवेश किया, कोशों की सहायता से उसमें समझ और पकड़ के साथ उतरे, पर उसमें लिखने की कभी न सोची। वैसे ही जैसे पश्चिम के विद्वान संस्कृत या यहां की दूसरी भाषाएँ गहराई से सीखते समझते रहे हैं (और अब भी ऐसा करते हैं), पर लिखते अपनी भाषा में ही हैं – अपने विचार की अभिव्यक्ति अपनी ही भाषा में, अपने प्रत्ययों में करते हैं, और अपने लोगों के लिये करते हैं – यहां के लोगों के लिये नहीं (यह बात और है कि हम भी अपने को उन्हीं की पंगत में रखने लगे हों)। कहना न होगा कि हम आत्मस्थ हों तो वही सहज है जो शल्य जी ने किया (हमारे साहित्य में यही हुआ ही है), पर हम अपना आपा ही किसी और को दे बैठें तो बात और हो जाती है।

पर अनुभववाद से शल्यजी की तत्त्व–जिज्ञासा को, उनकी दार्शनिक मनीषा को तुष्टि नहीं मिली। कुछ गहरे प्रश्न तो *दार्शनिक विश्लेषण* लिखते समय ही जाग उठे थे (और पुस्तक के अंत में उठाये गये हैं), पर आगे चल कर आत्म और जगत् को समझने में इस दृष्टि की 'विपन्नता' का बोध बढ़ता गया (मनुष्य की साध्यता, उसके श्रेय बोध के प्रति तो यह दृष्टि अंधवत् है)। शल्यजी आदर्शवाद - या कहिये, प्रत्ययवाद - की ओर झुके और उनका प्रौढ दर्शन वेदान्त से उभरी एक स्वतंत्र दृष्टि में बसा है जहां प्रत्ययवाद एक अभिनव सृजनात्मक रूप लेता है। 'प्रत्यय' शल्यजी में प्लेटो की तरह जगत् से विच्छिन्न, अछूता, विचार के अपने किसी ऊर्ध्व–लोक में – व्योम में – बसता हुआ पदार्थ नहीं है, जगत् जिसकी मिथ्या छायामात्र है। प्रत्यय जगत् में – प्रत्यक्ष जगत् में – रूप लेता है। यह हम अपने सृजन के अनुभव में देख सकते हैं। घट को ही लीजिये जो जगत् में स्वतः प्राप्त–प्रदत्त वस्तुओं के लिये दार्शनिकों का मूर्धन्य–सा उदाहरण है। थोड़ा भी सोचें तो यह तत्त्व जाग उठता है कि घट प्रदत्त नहीं, सृष्ट है। मनुष्य–सृष्ट। और इस सृष्टि के मूल में प्रत्यय है – ऊह है, या कल्पना कहिये, ऐसी कल्पना जिसे

'घटत्व' का नाम दिया जा सकता है, जो भौतिक उपादान के माध्यम से घट का रूप लेती है। स्पष्ट ही, घट-कल्पना के बिना घट संभव नहीं। यह कल्पना किसी घट विशेष की नहीं होती है, घटत्व का सामान्य प्रत्ययमय अरूप बोध ही जागता है इसमें। संभावना के रूप में एक आदर्शबोध के साथ जागता है। घटत्व प्रत्यय के साथ जागता आदर्श-बोध एक निरवद्य-भाव पालता उभरता है, जिसे प्लेटो से जोड़ा जा सकता है : प्लेटो के प्रत्यय में सत् से ही नहीं, शिव से अनुप्राणित एक निरवद्य, निर्दोषता का भाव है जो *वस्तु*-सृष्टि का रूप नहीं लेता पर रूप का उत्स कहा जा सकता है। शल्यजी के लिये प्रत्यय सृष्टि का बीज है। वह सृजन के आरंभ में ही निर्दोष आदर्श का भाव पालता हुआ असीम संभावनामय होता हुआ जागता है। हम अपने सृजन-व्यापार में इसका अनुभव करते ही हैं। हम पाते ही हैं कि सृजन-कल्पना-जन्य रूपों में एक ओर जहां उत्कर्ष-अपकर्ष का बोध सहज होता है, वहीं संभावना के असंख्य द्वार भी खुले दिखते हैं। अनुभव को आगे रखें तो सहज ही देख सकते हैं कि हमारी सृजन-कल्पना में एक नहीं अनेक रूपों की उन्मुखता सहज होती है। हर रूप में सृजन निरवद्य की ओर बढ़ने की ललक पालता दिखता है, जिसे हमारी प्रत्ययमयी सृजन-कल्पना की आदर्शमयता का प्रकट लक्षण कह सकते हैं। पर प्रत्यय में रूप लेती कल्पना अपने आप में कोई रूप नहीं रखती, सर्वथा अरूप होती है। रूप की जनक होती है पर स्वयं इसका कोई रूप नहीं होता। इसे निराकार चिन्मय प्रतिमान कहा जा सकता है। तभी संभावना का आनन्त्य पाल सकती है। निरवद्यता का आदर्श पाल सकती है। घट को ही लीजिये। उसकी संभावनाएँ सहज कल्पनीय हैं, और दिखता ही है कि कुछ ही भौतिक रूप ले पाती हैं – इन रूपों के नेपथ्य में ही नहीं, इन रूपों के भीतर ही, संभावना का निस्सीम भी बसा रहता है। और हर संभावना को रूप देनें में हम दोष-हीनता सहज ही साधते हैं : यह भी बोध में जागता रहता है। प्रकट ही घट-प्रत्यय की अपनी सत्ता है जो देश-काल से परे है, जिसका सत्, जिसका अपना 'होना' हमारी सृजन-कल्पना को प्रेरित करता हुआ साक्षात् रूप लेता है; तभी इसके बिना देशकालगत 'भौतिक' घट अकल्पनीय है। अपने ही सृजन-व्यापार पर थोड़ा भी मनन करें तो दिख जाता है कि जिस कल्पना को हम रूप देना चाहते हैं, उसका कोई रूप नहीं होता, पर वही रूप का उत्स होती है, यों मानो कि वह *है*, संभावनामयी, आदर्शमयी *है*, पर सिद्ध नहीं, साध्य स्वरूप है।

एक मूलगत प्रश्न यहां सहज ही उठता देखा जा सकता है जिसे शल्य जी के चिंतन, उनकी तत्त्व-दृष्टि के मर्म में रखा जा सकता है : घट का – किसी निर्मित या सृष्ट वस्तु का – अगर कोई निरवद्य रूप होता है तो होता कहां है, उसके *होने* का अर्थ ही क्या? स्पष्ट ही वह किसी प्रदत्त मान-चित्र जैसा कुछ नहीं हो सकता, अपने सृजन में हम जिसकी प्रतिकृति साधते हों। हम अपने सृजन-कर्म के प्रति थोड़े भी आत्मचेतन हों तो देख सकते हैं कि ऐसा कुछ नहीं होता। घट की संभावनाएँ, उसका निरवद्य रूप, हमारी कल्पना को अनुप्राणित करता है, पर सिद्ध-प्रदत्त कुछ नहीं होता, वह स्वरूपेण निराकार ही नहीं, स्वरूपेण साध्य बना रहता है। सच यह है कि उसके बारे में 'होने' की बात ही अटपटी है। किसी भी अर्थ में उसे 'है' कहना बनता नहीं है : यों उसे किसी भी तरह 'वस्तु' की संज्ञा दी ही नहीं जा सकती। वह अवस्तु ही होता है। पर एक अद्भुत विरोधाभास के साथ वस्तु-गर्भ भी होता है। वस्तु की अनंत संभावनाओं का उत्स होता है। उनके निरवद्य रूप का प्रतिमान होता है।

लक्ष्य है कि यह बात शल्यजी को प्लेटो से बहुत दूर कर देती है : प्लेटो में प्रत्यय निरवद्य होता हुआ एक अतिभौतिक प्रत्यय-लोक में 'रहता' है। वह अवस्तु नहीं होता, उलटे वही वस्तु होता है; प्राप्त रूप जो उसकी छाया है, प्रतीति के रूप में उपलब्ध है, उसे अवस्तु कहा जा सकता है पर प्रत्यय को नहीं। प्लेटो का पश्चिम के दर्शन पर गहनतम प्रभाव विदित ही है। यह भी विदित है कि भौतिक-लोक के प्रतिमान पर प्रतिपादित प्रत्यय-लोक जैसी अनहोनी 'कल्पनाओं' ने आज प्रत्यय-वाद को ही नहीं, दर्शन मात्र को खामखयाल की कोटि में रखने की दिशा ली है। शल्यजी तत्त्वैषणा की इन्द्रिय-गम्यता से ऊपर उठी विचार-गम्य की अगाधता को पूरा स्वीकार करते हैं, पर प्रत्यय-लोक जैसे किसी भौतिक-सदृश अतिभौतिक लोक के अस्तित्व से सर्वथा इनकार करते हैं। उनका प्रत्ययवाद उनके अपने स्वतंत्र वेदान्त-चिन्तन में निष्ठ चित्-सत्वाद से घनिष्ठ है, सत् जहां चित् का आत्मसर्जन है।

आगे की चर्चा में हम इस बात का कुछ विस्तार करेंगे।

पर यहां यह भी देखते चलिये। घट के विषय में पुरानी और बड़ी मान्य-सी उक्ति है कि सत् घट नहीं मिट्टी सत् है, घट तो मिट्टी का विकार मात्र है, कल्पना है, नाम-रूप है ('कल्पना' यहां मिथ्या का पर्याय है)। पर फिर यह सोचिये कि मिट्टी तो घट के लिये उपादान मात्र है; उपादान दूसरा भी हो सकता है – लोहा, पीतल, पत्थर, काँच...। घट घटत्व प्रत्यय के बिना संभव नहीं : उसका *घट*-रूप होना, घटत्व प्रत्यय की अनिवार्य अपेक्षा रखता है। उसके होने का मर्म उसके प्रत्यय में ही है। और घटत्व-प्रत्यय आदर्शमयता के साथ बहु-संभावनामयता भी पालता दिखता ही है : हमारा अनुभव साक्षी है कि घट कई रूप लेता है, और हर रूप में हमारा रूपायण-कर्म निरवद्यता की ओर उन्मुख रहता है।

प्रत्यय के सत्य से इनकार दर्शन में साधारण सी बात है; नई बात भी नहीं। दार्शनिक इन्द्रिय-प्रदत्त, देशकाल-गत भौतिक, स्थूल, दृश्य-स्पृश्य जगत् को ही वास्तव मानने की ओर झुकते रहे हैं। शल्यजी कांट से एक पते का उदाहरण देते हैं। कांट कहता है कि कौन नहीं जानता कि जेब में रखा रुपया ही सच है, विचार में, कल्पना में आया रुपया जो रुपये का प्रत्यय मात्र होता है, वह सच नहीं! पर सोचिये। रुपये के प्रत्यय बिना जेब का रुपया रुपया ही नहीं हो सकता! और रुपया ही क्यों, हमारे बैंक, हमारी सरकारें, हमारी सारी रहनी – हमारा व्यवहार, हमारे संबंध, हमारा जीवन ही – प्रत्यय के बिना अकल्पनीय है। (इससे यह भी उभर आता है कि प्रत्यय – सृजन-कल्पना-मूल प्रत्यय - सामान्य तो होता है, पर सामान्य-मात्र नहीं होता, क्योंकि सामान्य तो प्रदत्त के सादृश्य को आधार बना कर बुद्धि का उद्ग्रहण (ऐब्स्ट्रैक्ट) भी हो सकता है, जैसे कीचड़-त्व)। हम रहते ही प्रत्यय-निर्मित जगत् में हैं पर यह नहीं देख पाते कि निर्मित-वस्तु और प्रकृति-प्रदत्त वस्तु में तात्त्विक भेद होता है। प्रत्यय के बिना निर्मित वस्तु की कल्पना नहीं की जा सकती। इस *तत्त्व* की ओर दार्शनिकों ने ध्यान नहीं दिया है : निर्मिति और प्रदत्त को एक ही कोटि में रख देने की प्रवृत्ति विचार-परंपरा में प्रकट है। शल्य जी ने इस भेद को बड़ी सूझ और गहराई के साथ उभारा है।

पर विचार यह दिशा ले तो उसके व्यापकतर आशय की ओर भी लक्ष्य किया जा सकता है। हम प्रकृति में भी प्रत्यय-सृष्टि को उपलब्ध करने की दिशा में सहज ही बढ़ सकते हैं। जीव-जातियां को तो सहज ही प्रत्यय-सृष्ट देखा जा सकता है : हर जाति की संभावनाओं को, उनमें होते उत्कर्ष-अपकर्ष के भाव को ही देखें! हमारी अपनी प्रत्यय-प्रसूत सृष्टि की तरह ही हर जाति में ही उत्कर्ष-अपकर्ष का बोध अनायास है। जीव-जातियों के विकास-क्रम में यह बोध स्फुटतर है। क्रम की धुरी पर मनुष्य है, जिसमें आत्मचेतना सृजन के एक नये, सर्वथा अपूर्व स्फोट की तरह रूप लेती उभरती है। जगत् हमारी सृष्टि नहीं, पर हम अपने भीतर उभरते सृष्टि-तत्त्व के प्रति आत्मचेतन हों तो अपने भीतर सृष्टि के स्वरूप की व्यंजना पा सकते हैं, अपने सृजन व्यापार को उसके प्रतीक के रूप में देख सकते हैं।

यह भी देखिये कि अपनी निर्मितियों को, सृष्टियों को, हम आत्मसृष्ट होते हुए रूप देते हैं। सर्जक आत्मसृष्ट होता हुआ सृष्टि करता है। तभी हम अपनी निर्मितियों में रहते ही नहीं, बड़े मर्म-गत अर्थ में हम *वही होते* हैं। अपने को बनाते हुए अपनी निर्मितियों को बनाते हैं हम। हम संस्कृति में रहते हैं : अपने आत्मनिर्मित जगत् में। संस्कृति को हम ही रूप देते हैं। यह 'दिया-जाता रूप' हमारे भीतर ही उभरता हुआ बाहर प्रकट होता है, बल्कि, यह 'भीतर-बाहर' एक ही व्यापार का अभिन्न युगनद्ध अंग होता है – जहां हम अपने को बनाते हुए, अपना संसार बनाते हैं। तभी हम पाते हैं कि हम ही संस्कृति को रूप नहीं देते, संस्कृति भी हमें रूप देती है। पर इससे यह भी व्यंजित है कि हमारा आत्मसर्जन हमारे स्वरूप पर व्याप्त है, तलस्पर्शी है; उसे हमारे होने का मर्म कहा जा सकता है। ज्ञान, कर्म, भाव, हमारी सभी वृत्तियों में आत्मसर्जन देखा जा सकता है। इन्हीं का व्यापार हमें रूप देता है, अर्थ देता है (संस्कृति इसका प्रतीक है)। हमारा ज्ञान, हमारा भावन, हमारा संकल्प, इन्हीं में हम होते हैं, इन्हें रूप देते हुए इनमें होते हैं। प्रत्यय की धारणा को सहज ही व्यापक करते हुए देखा सकता है कि यह सारा व्यापार प्रत्यय-मूलक व्यापार है। हमारी प्रत्यय-चेतना व्यापक है। हमारे सम्पूर्ण पर, ज्ञान, भाव, कर्म, सब पर व्याप्त है।

प्रस्तावना

ज्ञान को लीजिये, जहां हम विषय को सिद्ध-प्रदत्त, 'यथातथ' – जैसा वह अपने आप में है वैसा ही उसे 'जानने' की ओर मुड़ते हैं। पर ज्ञान की बात विचार के बिना बेमानी है। यह कथन अयुक्त लग सकता है; इसमें यह वैषम्य तो अनायास ही देखा जा सकता है कि विचार विषयिनिष्ठ होता है, जबकि विषय का याथातथ्य विषय-निष्ठ होता है। उस याथातथ्य का निर्विकार ग्रहण ही उसका सम्यक् ज्ञान कहला सकता है; विचार ऐसा करने में समर्थ नहीं, वह सामान्य विकल्पों में – प्रत्ययों में – होता है, उसका प्रदत्त से कोई प्रत्यक्ष सन्निकर्ष नहीं होता। वह गृहीत पर सहज ही संशय कर सकता है। स्वरूप से ही संशय-प्राण है विचार, अपने पर भी संशय कर सकता है, करता रहता है। अपना ही अलग संसार गढ़ता है। एक नहीं, अनेक संसार गढ़ता है – उसका व्यापार स्वभाव से ही विप्रतिपत्ति-ग्रस्त होता है। उसे यथातथ ज्ञान का साधन कहा ही नहीं जा सकता। पर फिर यह सोचिये। ऐसी बात हम इन्द्रिय-ज्ञान को ज्ञान का प्रमाण मान कर करते हैं। इस मानने के पीछे यह ऊह्य रहता है कि विषय विषयी से सर्वथा अस्पृष्ट, सर्वथा पृथक् कुछ होता है और इन्द्रिय ही स्वभावेन विषयोन्मुख रहती हुई उसका यथातथ ग्रहण कर सकती है : उसके ग्रहण का स्वरूप ही ऐसा है कि विषय उस पर स्वतः, स्वरूपेण उभर आता है। विचार के लिये यह बिलकुल संभव नहीं। स्पष्ट ही, उसका विषय से कोई संस्पर्श नहीं होता। उलटे, विचार का व्यापार जितना आगे बढ़ता है, विषय से दूरतर होता चला जाता है, अपने ही भीतर व्यस्त होता जाता है।

पर विचार कीजिये। हम पाते यह हैं कि इन्द्रिय-सन्निकर्ष विषय का *संकेत* करता है, उसका *ज्ञान* नहीं देता – ज्ञान इन्द्रियों को नहीं होता। ज्ञान विषय के अध्यवसाय की अपेक्षा रखता है। अध्यवसाय के बिना वह 'जानने' की कोटि में ही नहीं आ सकता। अब, अध्यवसाय, स्पष्ट ही, विचार-चेतना का अंग होता है। जो चेतना विचार-क्षम नहीं होती, जैसे पशु-चेतना, उस चेतना में विषय-*ज्ञान* की बात ही नहीं की जा सकती, विषय वहां स्वतंत्र विषयत्वेन जागता ही नहीं है, क्योंकि इसके लिये विषयी का विषय से तटस्थ हो पाना आवश्यक है, और यह ताटस्थ्य विचार-चेतना की अपेक्षा रखता है, उसी चेतना में बनता है। पशु-चेतना का विषयी विषय-सात् होता है। विषयी से भिन्न विषय की अपनी स्वतंत्र सत्ता वहां रूप नहीं लेती। वहां 'ज्ञान' की बात ही कोई अर्थ नहीं रखती। सच यह है कि विषयी विषय से अपने को अलग न कर पाये तो 'ज्ञान' की कोटि ही नहीं बनती। यह कोटि बनती ही उस आत्मचेतना में है जो विचार-क्षम होती है, प्रत्ययों के माध्यम से देखती है। ज्ञान के लिये जो ताटस्थ्य अनिवार्य है, वह उभरता ही *नाम* में, प्रत्यय में, और यों विचार-चेतन चेतना में है। नाम को – और यों अध्यवसाय को – विचार की पहली सीढ़ी भी कह सकते हैं। नाम सामान्य होता है : प्रत्यय होता है, या विकल्प कहिये। उसके साथ ही प्रश्न, संशय, विमर्श, मीमांसा... प्रत्यय-चेतना का यह विचार-संसार खुल जाता है। यह ज्ञान का ही अंग है। प्रत्यय-व्यापार को ज्ञान से निकाल दीजिये, तो फिर बचता ही क्या है! ज्ञान होता ही विकल्पों में है और प्रत्यय-दृष्टि – या जिसे विकल्प-दृष्टि कहा गया है – उस दृष्टि के बिना इन्द्रिय-लब्ध 'ज्ञान' की भी बात नहीं हो सकती। हां, यह ठीक है कि बाह्य-जगत् के लिये इन्द्रिय का 'प्रमाण' आवश्यक है। पर दुहराना न होगा कि इन्द्रिय-प्रदत्त *वस्तु* क्या है इस ज्ञान रूपी अध्यवसाय के लिये इन्द्रिय संकेत-मात्र ही होती है। ज्ञान में हम रूप को नाम देते हैं, जो विचार-चेतना का – या कहिये, विकल्प-चेतना का – काम है। विकल्प-ज्ञान ही *प्रमाण* का अपेक्षी हो सकता है। इन्द्रिय को हम 'प्रमाण' कहते हैं। पर उसका प्रमाणत्व विकल्प-चेतना के लिये ही होता है। प्रमाण स्वप्रमाण का अपेक्षी रहता है, और यों प्रमाण की कोटि बनती ही इन्द्रिय से ऊपर उठ कर है : विषयी के उस स्वातंत्र्य की अपेक्षा रखती है जो विचार-चेतना में विषय-ताटस्थ्य के साथ जागता है। प्रमाण विमर्श का विषय होता है, और विमर्श विषयी में स्वातंत्र्य के साथ उस आत्मचेतन प्रत्यङ्मुखता की अपेक्षा रखता है जो विषय से तटस्थ हो, 'क्या है, है या नहीं है' इसे जाँचने-परखने में आत्मतंत्र हो। आत्मपरीक्षा में समर्थ हो। प्रत्ययों में जागती विचार-चेतना के बिना यह संभव नहीं। यह विचार-चेतना हममें आत्मचेतना के साथ जागती है। आत्मचेतन विषयी स्वरूपेण प्रत्यङ्मुख होता है; वह अपने आप को भी – अपने विषयी-भाव को भी – विषय बनाता हुआ अपने द्रष्ट्र-भाव में अपने पीछे हटता चला जाता है। उसकी यही वृत्ति विचार में प्रकट होती है। इस वृत्ति में ही चेतना की उस तटस्थता का, उसके प्रमाण-उन्मुख स्वातंत्र्य का मर्म है जो ज्ञान में ऊह्य है। विचार-चेतना में आत्मचेतन विषयी ही विषयिता के विषय-सात् भाव से ऊपर उठ कर विषय को स्वतंत्र विषय-रूपेण

देख-जान सकता है; विषयों के संबंधों को देख-परख सकता है, जो ज्ञान का अभिन्न अंग होते हैं। विषयसात् चेतना हम पशु में ही नहीं, अपने राग-द्वेष में, भोग-चेतना में भी पाते ही हैं । हम यह जानते भी हैं ही कि विषय के विषयत्व को जानने के लिये इस विषयसात् चेतना से हटना अनिवार्य है। इन्द्रिय में यह सामर्थ्य नहीं। मनुष्य की पशु-भिन्न आत्मचेतना ही विषयी को इसके लिये समर्थ बनाती है। आत्मचेतना स्वरूपेण भाषा और तन्नद्ध विचार से युगनद्ध होती है। विषय को विषय-रूपेण *जानने* की यह आधारगत अपेक्षा है।

'जानना' – ज्ञान – विषय के *अर्थ* का जानना होता है। विचार-चेतना विषय को – इन्द्रिय-दत्त विषय को भी – प्रत्ययार्थ के रूप में सृष्ट करती है। प्रत्ययों में होता 'ज्ञान' सहज ही एक प्रत्यय-तंत्र बुनता चलता है, उसे बढ़ाता है, विराट से विराटतर बनाता है। विविक्त विषय का ज्ञान भी ऐसे तंत्र के भीतर ही उभरता है, और जितना प्रत्यय-सात् होता जाता है, उतना ही स्फुटतर, सार्थकतर होता चलता है। संबंधों को आधार बनाकर एक बुनावट बुनता चलता है ज्ञान, जो बुनावट स्वरूपेण एक विचार-तंत्र का रूप लेती है। यह तंत्र अपना स्वतंत्र अवयवित्व पालता है, एक बहुस्यूत अवयवी खड़ा करने की ओर स्वरूपेण उन्मुख रहता है। यह अवयवी संभावनामय होता है, कई रूप ले सकता है (लेता ही है) और सत्य का निरवद्य आदर्श पालता है। इस व्यापार को सृजन के रूप में देखना सहज ही सार्थक ठहरता है। कल्पना की भूमा, उसकी प्रसृत दृष्टि इस व्यापार में ऊह्य है।

इसे विषय के विषयि-सात् होने का व्यापार भी कह सकते हैं। पर इसे किसी भी हेय अर्थ में विषयि*तंत्र* – या पुरुष*तंत्र* – व्यापार का नाम देना सर्वथा अनुचित, अयुक्त होगा। क्योंकि यह सारा व्यापार प्रमाण-तंत्र होता है। तभी हम इसे *ज्ञान* व्यापार कहते हैं। और तभी इसमें भ्रम की संभावना बनी रहती है। फिर हम यह भी पाते हैं कि विषय जितना विषयी की प्रत्यङ्मुख विचार-चेतना में समाता चलता है, उसका 'अपना' होता चलता है, विषय का अपना स्वतंत्र रूप उतना ही उज्ज्वलतर होता चलता है। या यों कहिये कि विषय जितना बुद्धि का – विचार-चेतना का – और यों विषयी की अपनी पकड़ का विषय बनता है उतना ही उसका स्वरूप प्रकट होता उभरता है।

यों इस सृजन-व्यापार को विषयी के उस परत्व की ओर बढ़ता भी देखा जा सकता है, जहां चेतना के परम सामान्य का, चित् का, संकेत मिलता है। इसमें हम चित् से सत् के उत्सृष्ट होने की व्यंजना भी पा सकते हैं।

पर, हां, पूर्वपक्ष लेते हुए हम कह सकते हैं, कि यह व्यापार, इसे जितने भी वितत रूप में क्यों न देखें, यह सृजन का नहीं, अव्यक्त के व्यक्त होने का व्यापार है – अन्यथा सत्य की बात नहीं की जा सकती। सत्य सृष्ट नहीं होता। हमारे जानने पर निर्भर नहीं करता, अपने आप में होता है, स्वप्रतिष्ठ होता है। नहीं तो सत्य नहीं होगा। तभी सत्य के 'आविष्कार' की बात की जाती है। उसके अनावृत से आवृत होने की बात की जाती है। यही उचित है। लेकिन सोचिये। अव्यक्त – या आवृत – क्या है, यह व्यक्त होने पर ही उभरता है। उसका अपने आप में होना क्या है, यह चेतना के जिस व्यापार के भीतर से उभरता है, उसमें हमने देखा कि हम सृजन-धर्म का साक्षात् कर सकते हैं। ज्ञान का व्यापार है ही अर्थ के साक्षात्कार का व्यापार है। इस व्यापार में अर्थ – या कहिये, सत्य – का साक्षात्कार और उसका उन्मिषित-उन्मीलित होना, ये दोनों एक ही प्रक्रिया के अविनाभूत, अन्योन्य-संश्लिष्ट पक्ष के रूप में उभरते हैं।

अर्थ के सृजन-गर्भ साक्षात्कार का व्यापार 'ज्ञान' तक सीमित नहीं। भावन और कर्म भी इसके अंग होते हैं। घट को ही फिर से लीजिये। घट का अर्थ उसके ज्ञान-विषय होने तक सीमित नहीं रहता। घटार्थ के स्पष्ट ही दूसरे आयाम होते हैं जो अर्थ की अभिधा को सहज ही व्यंजना की ओर मोड़ देते हैं, भावन के क्षेत्र में ले जाते हैं : 'घट घट में है राम समाना, कटुक वचन मत बोल रे'। इस विख्यात और गभीर उक्ति में अर्थ का भाव और कर्म दोनों ओर प्रकट इंगित है। यहां हम सहज ही विचार-चेतना को – या कहिये बुद्धि को – व्यापक अर्थ में ले सकते हैं, उसे आत्मचेतन प्रवृत्ति मात्र पर प्रसृत देख सकते हैं। हम भाव और कर्म के भी सत्य की बात कर सकते हैं। विचार-चेतना का इन्द्रियार्थ की बाह्यता से मुक्त अपना अंतः स्वातंत्र्य भी यहां प्रकटतर देखा जा सकता है। फिर यह भी है कि यहां, ऐसे उदाहरणों में, अर्थ के साक्षात्कार और उसके सृजन का युगनद्ध होना भी अधिक स्फुट उभर कर आगे आता है : व्यंजना-व्यापार में अर्थ का सृजन उसके साक्षात्कार का अनुषंगी होता ही है।

सृजन और साक्षात्कार के अन्योन्य-भाव को यहां *भावित, अनुभूत* किया जा सकता है। आपत्ति हो सकती है कि यह सारा व्यापार नितांत स्पष्ट भाव से विषयिनिष्ठ है, विषयि *तंत्र* है, विषयतंत्रता से कोसों दूर है, यहां सत्य की बात करना उचित नहीं; सत्य विषयनिष्ठ होता है। पर ऐसा कहते हुए हम विषय को इन्द्रियार्थ में अपचित कर लेना चाहते हैं। लेकिन भाव और कर्म के अपने विषय होते हैं। इनके सत्य की जिज्ञासा हममें बाह्य-विषयों के सत्य से गहरी और तीखी भी होती। और फिर स्पष्ट ही जिस विचार-चेतना की हम बात कर रहे हैं वह किसी विषयी की स्वगत, स्वसीमित चेतना नहीं, सामान्य-चेतना होती है। नहीं तो अर्थ-चेतना ही नहीं होगी। अर्थ-चेतना का व्यापार, किसी भी क्षेत्र में हो, प्रमाण-बोध को साथ रखता है। इसमें भ्रम की संभावना बनी रहती है। यों बात यहां किसी विषयी-विशेष-सीमित विषयिनिष्ठता की कदापि नहीं है, जैसा कि किसी अविचारित-से प्रतिपक्ष की दृष्टि से सोचा जा सकता है। बात यहां उसी सामान्य-चेतना की है जो ज्ञान में होती है।

हां, ज्ञान में हम विषयनिष्ठता की बात का सहज स्वीकार कर लेते है, नहीं तो उसे 'ज्ञान' की संज्ञा ही नहीं देंगे। पर विषयनिष्ठता वहां भी होती विषयी की ही है। कहना न होगा कि ज्ञान होता तो विषयी को ही है, विषय को नहीं। विषयनिष्ठता, स्पष्ट ही, विषयिता का ही धर्म है – पर, हां, यह विषयिता जिस चेतना में घर करती है उसमें द्रष्टृत्व का ताटस्थ्य आवश्यक होता है, सामान्यता आवश्यक होती है, वह 'मेरी' या 'आपकी' नहीं होती। तभी हम उसका संबंध सत्य से जोड़ते हैं। यहां विज्ञान को ही लें, जिस ज्ञान को आज विषयनिष्ठता में मूर्धन्य ज्ञान माना जाता है; बल्कि, विषयनिष्ठता का प्रतिमान ही माना जाता है आज उसे। अब, विज्ञान के 'ज्ञान' को थोड़ा भीतर उतर कर देखें। हमारी बात आगे उभर कर आती दिखेगी। प्रतिपक्ष के आशय का यहां सहज ही अनुमान किया जा सकता है : 'इन्द्रिय-लब्ध ज्ञान ही विषय-निष्ठ होता है और विज्ञान ऐसी विषयनिष्ठता का परम दृष्टांत है क्योंकि विज्ञान में ज्ञान का आधार ही नहीं, प्रमाण की परीक्षक भी (प्रयोगशाला में) इन्द्रियां ही होती हैं। अब, यह तो कहना ही न होगा कि विज्ञान जिस जगत् को – भौतिक-जगत् को – जानना चाहता है उसे मानता ही इन्द्रिय-लब्ध है। पर उसकी जिज्ञासा इन्द्रिय-लब्ध जगत् के *स्वरूप* की होती है। संबंधों में बुना गया यह स्वरूप, इन्द्रिय-लब्ध नहीं होता, हो ही नहीं सकता है। विज्ञान का जिज्ञास्य, 'भौतिक क्या है', यह संधान भौतिक के स्वरूप का संधान होता हुआ उस स्वरूप के अर्थ का ही संधान हो सकता है। पर भौतिकार्थ इन्द्रिय-गम्य नहीं, प्रत्यय-गम्य होता है। अचंभा नहीं कि हम पाते ही हैं कि विज्ञान का 'ज्ञान' विचार-चेतना के भीतर ही जागता है, और उस चेतना की अपनी बुनावट का अंग बन कर सिद्धांतों में रूप लेता है। अपनी अर्थ जिज्ञासा में यह जितना गहराता है, फैलता है, उतना ही इन्द्रिय से दूर होता जाता है। यह स्वभाविक भी है, क्योंकि विषय का *ज्ञान* – किसी भी वस्तु का *विषय-रूपेण ज्ञान* ही कह लीजिये – चाहे वह इन्द्रियगम्य हो या न हो, वह एक ज्ञान-तंत्र के अंतर्गत ही अर्थमय होता है, उसी संदर्भ में 'ज्ञान' का रूप लेता है। विज्ञान में तो यह बात बहुत ही उभर कर आगे आती दिखती है। विज्ञान के ज्ञान में विषय का इन्द्रिय-विषयत्व आद्य आधार हो, पर जितना विषय के स्वरूप-ग्रहण में वह ज्ञान अग्रसर होता है, उतना ही इन्द्रिय को पीछे छोड़ता हुआ विचार के अपने लोक में समाता चला जाता है। यहां तक कह सकते हैं कि विज्ञान के भूत-जगत् का इन्द्रिय-विषयत्व तो सिद्धांत-चेतना के भीतर एक ऊह्य सी – पर साथ ही अपेक्षया गौण सी – मांग रह जाती है (और अब तो प्रयोग द्वारा परीक्षा की बात भी गौण से गौणतर हो गई है)। यों भी, साधारण प्रत्यक्ष में भी (जैसा हम कह ही चुके हैं) इन्द्रिय की *लब्धि* अध्यवसाय की अपेक्षी होती है। हम इन्द्रिय से संकेत ग्रहण कर, 'इन्द्रिय-प्रत्यक्ष क्या है' का अध्यवसाय करते हैं। यों यह आद्य 'ज्ञान' भी इन्द्रिय के *अर्थ* का ही ज्ञान होता है। और जब इन्द्रिय-विषय का *अर्थ* साधारण व्यवहार के अध्यवसाय मात्र से ऊपर उठ कर एक पूरे विचार-तंत्र के अंतर्गत आ समाये, तो स्पष्ट ही 'इन्द्रिय क्या संकेत दे रही है', यह निर्णय भी अधिकाधिक इन्द्रियेण अप्रत्यक्ष विचार-निर्भर होता चला जाता है।

यह भी स्पष्ट है कि ज्ञान यहां किसी त्याज्य अर्थ में 'विषयि-निष्ठ' और यों ज्ञान की कोटि के बाहर नहीं हो जाता। हम जिस 'ज्ञान' को विषयि-निष्ठ कह कर उसका प्रत्याख्यान करते हैं, वहां विषयी स्व-सीमित होता है। पर यहां ऐसा बिलकुल नहीं है। विषयी यहां किसी स्व द्वारा परिभाषित नहीं होता, वह व्यक्ति-निष्ठता के वलय से उठा हुआ, विश्वजनीन होता है। बल्कि जितना स्व के संकोच से मुक्त हो पाता है उतना ही अर्थ-ग्रहण में समर्थ

हो पाता है। पर अर्थ को अब विषयी की परमता की – या कहिये चित् की – उत्सृष्टि के रूप में भी अनायास देखा जा सकता है। अर्थ के साक्षात्कार को अर्थ-सृष्टि के पर्याय के रूप में उपलब्ध किया जा सकता है।

यह बात भाव और कर्म के बारे में भी कही जा सकती है। हमारी संवेदना, हमारा संकल्प, ये भी सामान्य-शायी होते हैं। इनका सत्य भी स्व से ऊपर उठ कर ही बनता है। यहां अर्थ की सृष्टि और साक्षात्कार के सहकार को और स्पष्ट प्रतीत किया जा सकता है।

संकल्प को लीजिये। यह श्रेय-बोध की अपेक्षा रखता है और 'श्रेय क्या' यह प्रश्न हमारे लिये गहरे से गहरा प्रश्न होता है। बड़ा 'आत्मनिष्ठ' भी होता है। *आत्म* निष्ठ इस अर्थ में कि श्रेय स्व की या स्वार्थ की बात नहीं होती; ऐसा ही होता तो धर्म-संकट का बोध ही बेमानी होता। श्रेय का सत्य जिस आत्मचेतना का जिज्ञास्य होता है, वह उतनी ही विषय-निष्ठ – या कहिये *वस्तु*-निष्ठ होती है, जितनी कि ज्ञान-चेतना। उतनी ही, बल्कि उससे अधिक व्याकुल-भाव से, प्रमाण-कामी भी होती है। प्रमाण यहां आत्म होता है। वही आत्म जो ज्ञान में प्रवृत्त होता है, उसीमें श्रेयबोध जागता है और श्रेय-प्रेरित हो वही अपने सत्य की तलाश करता है। स्पष्ट ही वह आत्म 'मेरा' नहीं, सामान्य होता है। हां, यह ज़रूर कहा जा सकता है कि बाह्य-विषय के ज्ञान में, जिसे हम सहज ही ज्ञान का प्रतिमान मानते हैं, वहां इन्द्रिय जैसा एक ऐसा आधार होता है जो स्वभावेन सामान्य होता है, जहां विषयी का स्व, उसका व्यक्ति-निष्ठ संकीर्ण विषयित्व, सहज ही सर्वजनीन होता है; तभी यह ज्ञान व्यवहार का आश्रय बनता है। श्रेय-बोध में ऐसा नहीं होता। वहां तो 'व्यवहार क्या हो' यह भी प्रश्न ही बना रहता है – निरंतर जागता प्रश्न। श्रेय और ज्ञान के बीच का यह अंतर हम पर प्रकट ही रहता है : हम श्रेय-बोध की सामान्यता का अनुभव करते हुए भी यह जानते रहते हैं कि श्रेय का इन्द्रिय जैसा कोई सहज-सिद्ध सा सामान्य आधार नहीं। सुव्यक्त ही है कि इन्द्रिय के 'क्या है' के ज्ञान में, 'क्या होना चाहिये' का कोई इंगित नहीं होता।

पर यह भी व्यक्त ही है कि आत्मचेतन विषयी (मनुष्य) के श्रेयबोध की सार्वजनीनता ही उसके विशिष्ट मनुष्य-सुलभ व्यवहार को आधार देती है। हममें श्रेयबोध के साथ विवेक जागता है, परार्थ भाव जागता है, जो हमारे जीवन को ही पशु के जीवन से सर्वथा अलग कर देता है पर जिसके बिना हमारी रहनी अकल्पनीय है। श्रेयबोध ही मनुष्य के *समाज* को संभव करता है। कहना न होगा कि समाज अन्य में – पर में – आत्म-बोध की उपलब्धि का सापेक्ष होता है। पर में आत्मबोध हमारी भाषा-चेतना में, जिस चेतना के साथ ही हम *मनुष्य* होते हैं, वहीं स्वरूपेण निहित रहता है। भाषा इस बोध की सदा साक्षी है। शल्य जी भाषा के इस साक्ष्य को उभारते हुए यह तथ्य सामने लाते हैं कि अस्मिता के लिये प्रयुक्त 'मैं' शब्द ही एक सामान्य प्रत्यय है : *मैं* अन्य या पर को भी 'मैं' के रूप पाता हूं। वह मेरे लिये विषय ही नहीं विषयी होता है, उसे मैं बाह्य-वस्तु के रूप में नहीं, आत्मसम आंतर वस्तु के रूप में पाता हूं, सहज ही पाता हूं। उसमें अपना ही जैसा अंतः ही नहीं पाता, उसके अंतः में मैं उतर भी सकता हूं : तभी उसका अभिनय कर सकता हूं। उसके मैं से तादात्म्य होता हुआ उसकी कहानी कह सकता हूं : उसकी कहानी को 'रामकहानी' – 'आत्मकथा' – का रूप दे सकता हूं।

श्रेय-बोध की सामान्यता में 'पर' – या कहिये 'अन्य' – हमारे लिये आत्मसम ही नहीं, आत्मवत् होता है। तभी परार्थ-भाव रूप लेता है। और हमारे कर्म में उचित-अनुचित की कोटि आ बसती है। धर्म-बोध जाग उठता है। हमारी प्रवृत्ति संकल्प-प्राण हो जाती है, उसमें विवेक घर कर लेता है। संकल्प ही हमें व्यक्ति बनाता है, पर वह आत्मचेतना की सामान्यता और स्वातंत्र्य की अपेक्षा रखता है। हम समाज के भीतर ही व्यक्ति होते हैं। पर होते *व्यक्ति* हैं : अपने में अपना स्वातंत्र्य पालते हैं। हमारा स्वतंत्र व्यक्तित्व रूप ही ऐसे स्वतंत्र संकल्प के साथ लेता है जो समाज-निमज्जित नहीं होता। पर 'मेरे' संकल्प का स्वातंत्र्य उभरता उस चेतना में है जो मेरे अहं से उठकर रूप लेती है, जहां मैं अपने अहं का द्रष्टा, शास्ता हो पाने की क्षमता पालता हूं। आत्मचेतना की ज्ञान और संकल्प, इन दो वृत्तियों में यहां हम एक समान्तर-भाव देख सकते हैं। आत्मचेतना के साथ जहां हममें ज्ञान की स्वतंत्र जिज्ञासा जागती है जो कि प्रामाण्य को और अपनी तरह के विवेक को आधार बनाती है, वहीं हममें और भी गहराई से, एक दूसरा, संकल्प का विवेक जाग उठता है। बड़े अपूर्व-भाव से जागता है हममें श्रेय-प्राण,

श्रेय-काम संकल्प-बोध। हममें जागता हुआ यह अभूतपूर्व बोध प्राणि-जीवन में ही, चेतना में ही, एक नई क्रांति का लक्षण प्रकट करता है। उचित-अनुचित की कोटियां उभरती हैं, और पशु की करनी में जो प्रकृति-तंत्र क्रिया मात्र थी, वह 'कर्म' का रूप ले लेती है। उसमें स्वातंत्र्य आ समाता है। कारण यह है कि पशु के अनात्मचेतन अहं में श्रेय जैसा कोई बोध ही नहीं होता। इस बोध का आविर्भाव अहं-चेतन आत्मचेतना का अपेक्षी होता है। यह अहं में अस्मिताबोध के साथ रूप लेता है और अहं को पर और अवर – या कहिये, प्रत्यक् और अर्वाक् – के द्वित्व में पिरोता हुआ, मनुष्य को अपने अहं के सीमित वलय से निकल पाने में समर्थ बनाता है। तभी उसमें ज्ञान, भाव, कर्म की स्वतंत्र, प्रमाण-तंत्र वृत्तियां जाग पाती हैं। ये उस सामान्यता के साथ हैं जागती हैं, जहां अन्य आत्म-स्थानीय हो जाता है (तभी बाह्यज्ञान में भी अन्य प्रमाण होता है : मुझे कुछ प्रत्यक्ष हो पर अन्य को न हो तो मेरा प्रत्यक्ष मेरे लिये ही संदिग्ध बन जाता है)। यह अन्य-सामान्यता श्रेय-बोध में निविड़तम, आत्मीयतम होती है और इसके साथ ही हममें 'उचित क्या – धर्म क्या', यह प्रश्न – दूसरे शब्दों में 'क्या होना चाहिये' का प्रश्न – चुभता हुआ सर उठाता है। यहां यह भी लक्ष्य है कि आत्मचेतन बुद्धि में 'क्या *है*' का प्रश्न भी यथातथ सत्य की जिज्ञासा के रूप में आत्म-परीक्ष्य प्रमाण-बोध की अपेक्षा के साथ ही जागता है। पर प्रमाण-बुद्धि को – इस बुद्धि में निष्ठ अनुमान-बोध को – पशु में भी देखा ही जा सकता है। लेकिन पशु में जिसका अभाव ही सामने आता है वह है धर्म-बोध। तभी मनु ने (अरस्तू की तरह) युक्तिबुद्धि को नहीं, धर्म को ही मनुष्य का व्यावर्तक लक्षण कहा है – *धर्मो हि तेषां (मनुष्याणां) अधिको विशेषः*। शल्य जी मनु की इस उक्ति का बहुधा उल्लेख करते हैं। व्यवस्था और योजना-बुद्धि तो हम चींटियों, मधुमक्खियों जैसे पशु समाजों में बड़ी प्रखरता के साथ पाते हैं, पर ये काम और अर्थ को ही लक्ष्य रखते हैं। कह सकते हैं कि जिजीविषा ही – प्राणिमात्र की जिजीविषा ही – स्वरूपेण काम और अर्थ सापेक्ष होती है। पर मनुष्य जीवन ऐसी जिजीविषा से ऊपर उठ कर ही बनता है। मनुष्य धर्म के बिना अकल्पनीय है। मनुष्य का समाज धर्म से ही *मनुष्य*-समाज बनता है। धर्म मनुष्य की जिजीविषा को ही नई दिशा देता उभरता है। कह सकते हैं कि धर्म इस उदात्ततर जिजीविषा का लक्षण है, या, कहिये कि वह मनुष्य की नितांत अहं-सीमित प्रवृत्ति के श्रेयार्थोन्मुख हो जाने का प्रतीक है। श्रेयबोध मनुष्य चेतना पर ऐसा व्यापक होता है कि मनुष्य-समाज को ही आधार नहीं देता, हमारी सारी प्रवृत्तियों को अपने वलय में समेट लेता है। ज्ञान के लिये, भाव के लिये, हम पूछ सकते हैं, पूछते ही हैं कि क्या ज्ञान की, या भाव की, यह दिशा उचित है, धर्म्य है, क्या इसमें हमारा श्रेय है? कहना न होगा कि यहां यह संकेत भी स्फुट उभरता है कि श्रेय क्या, यह वस्तु-निष्ठ प्रश्न है – हां, यह वस्तु बाह्य-वस्तु नहीं है; पर विषयीगत आवेग-संवेग मात्र भी नहीं है, भावगत नहीं है, क्योंकि किसी भी भाव के बारे में हम पूछ सकते हैं कि क्या है उचित है, श्रेय है। शल्य जी कहते नहीं थकते कि हमारी सामान्य-चेतना में अनथक जागता यह प्रश्न कि 'श्रेय क्या', यह *तात्त्विक* प्रश्न है। श्रेय *वस्तु* है, कितनी ही दुरवगाह क्यों न हो। श्रेय को विषयी के स्व में अपचित कर देने का या संस्कृति-समाज-सापेक्ष कह देने का मार्ग उसके वस्तुसत्य से इनकार का मार्ग है – भूलना न चाहिये कि समाज क्या रूप ले, संस्कृति किधर प्रवृत्त हो, ये भी श्रेय के प्रश्न हैं। शल्य जी श्रेय के इन प्रश्नों की गहरी चर्चा करते हैं।

श्रेय क्या, इसका उत्तर हमें आत्म की ओर ही ले जाता है, और आत्म क्या, यह हमारे लिये निगूढ़तम प्रश्न है। पर यह आत्म की साध्यता का भी इंगित है। श्रेयबोध के साथ हम पाते हैं कि हमारा उपलब्ध आत्म वस्तु आत्म नहीं है। वह आत्म प्राप्त नहीं प्राप्य है। नितांत हमारा, 'अपने से अपना' होते हुए भी नितांत 'पर' है। पराया ही नहीं, अनजान, बेगाना है। निकटतम होते हुए भी सुदूरतम है। पर श्रेय का वही उत्स भी है। श्रेय का ठिकाना कहीं बाहर नहीं मिलता (*धर्मस्य तत्त्वं निहितं गुहायाम्*), पर परेशानी यह होती है कि यह उस 'भीतर' भी नहीं मिलता, जिस 'भीतर' को हम अपने अंतः के रूप में जानते हैं! हमारे परिचित विषयित्व से, जिसे हम अपना प्रस्तुत-प्रदत्त आत्म पाते हैं, उससे वह परे ही खड़ा प्रतीत होता रहता है। पर श्रेय का प्रश्न सहज ही आत्म क्या, इस निगूढ़ पर कचोटते हुए प्रश्न की लौ हमारे समूचे आपे में जगा देता है; आत्म के अपने तत्त्व की जिज्ञासा की ओर बरबस खींच ले जाता है।

आत्म क्या, यह प्रश्न हमारा प्रस्तुत आत्म, व्यवहार-लब्ध आत्म ही करता है। पर अपनी गहराई में, अपने अनुभूत मर्म में, प्रश्न उठता इसलिये है कि वह अपने को अनात्म पाता है। अपने प्रस्तुत आत्म के बारे में यह बोध हममें बार बार उभरता है कि 'यह मैं नहीं हूं'। हमारी श्रेयवृत्ति को साक्षी रखते हुए उभरता है यह प्रश्न, तभी अपने को श्रेय-च्युत पाने की अवस्था में प्रश्न की अनी तीक्ष्णतम होती है, और हम अपने को बड़े निबिड़ भाव से अनात्म पाते हैं। बड़े तीखे आत्मद्वैध के साथ ऐसा पाते हैं कि हम जिस आत्म में हैं वह हमारा वस्तु-आत्म नहीं है, हमारा स्वरूप, हमारा सत्य नहीं है। अचंभा नहीं कि 'आत्मानं विद्धि', यह जिज्ञासा हमारी गहरी से गहरी जिज्ञासा होती है। हम क्या हैं? यह जिज्ञासा एक अद्भुत वैषम्य जगाती हुई हमारे अपनेपन को ही अपने से परे किसी अगाध अज्ञात की ओर ले जाती है, क्योंकि अपने होने को, अपनी प्रस्तुत अस्मिता के सत्य को हम नितांत साध्य पाते हैं। आत्म क्या, यह प्रश्न हमारे लिये ऐसा प्रश्न होता है जो हमारे समूचे होने पर व्याप्त होता है; हमारे लिये घनिष्ठतम, आत्मीयतम प्रश्न होता है यह। दर्शन के मर्म में भी यह प्रश्न जागता देखा जा सकता है। सुकरात की विचार-प्रेरणा का यह उत्स था ही। शल्य जी के दर्शन के मर्म में भी बड़े आत्मचेतन भाव से जागता है यह प्रश्न।

यह प्रश्न हम करते ही इसलिये हैं कि हम आत्मचेतन हैं। मनुष्य में प्रत्यय-चेतना ही आत्मचेतन चेतना के साथ जागती है। पशु में नहीं जागता यह प्रश्न। क्योंकि पशुओं में आत्मचेतना हो भी तो अत्यंत क्षीण है। नहीं जैसी है। प्रत्यय-चेतना का अभाव इसका प्रकट इंगित है। शल्यजी का दर्शन आत्मचेतना को केन्द्र में रखता है – और यों मनुष्य को, उसके आत्मसृष्ट जगत् को, उसके आत्मसंधान को केन्द्र में रखता है।

हमारी आत्मचेतना एक गहरे आत्म-द्वैत के साथ आत्मचेतन होती है। हममें अस्मिता के साथ ही आत्मबोध रूप लेता उभरता है : हम अपने को कर्ता और ज्ञाता के रूप में पाते हैं। हम अपनी अस्मिता को संकल्प के स्वातंत्र्यबोध के साथ पाते हैं। पर यह भी पाते हैं कि हमारी अस्मिता अहं के द्वैत में प्रतिष्ठित है। यही हमारी अस्मिता का आधार है। अहं का द्वैत, या कहिये हमारे आत्म के भीतर उभरता अहं का दोहरापन, हमारी आत्मचेतना का प्रकट लक्षण है। *आत्म*चेतन हो पाने के लिये यह अनिवार्य भी है (अहं/अहं यह आत्मगत द्वित्व न हो तो आत्म*चेतन* कैसे होंगे हम?)। इस आत्मगत द्वित्व का स्वरूप यह है कि हमारा विषयी अपने को विषय बना सकता है। पर यह कोई इकहरा व्यापार नहीं, एक अनंत प्रत्यङ्मुख व्यापार है : या कहिये वृत्ति है। इस अथाह आनंत्य के बिना यह हो भी नहीं सकता – एक चरण में, एक ही कक्षा में सीमित, एक परत का व्यापार हो तो जिसे हम आत्मचेतना कहते हैं, जहां अपने वस्तु आत्म को अपने से परे ही पाते रहते हैं, यह होता नहीं। पर आत्मचेतना उभरती ही इस असीम, अथाह प्रत्यङ्मुखता के भीतर है। अंतहीन होती है हमारी प्रत्यङ्मुखता। अपने परे ही जाती रहती है। हमारा विषयिभाव स्वभावेन प्रत्यङ्मुख हो कर ही अपने को देखने की ओर उन्मुख होता है। एक निस्सीम-सा सोपान चढ़ती चली जा सकती है प्रत्यङ्मुखता : अपने को अपना विषय बनाती हुई, अपने ही ऊपर उठने में समर्थ होती है। इस प्रत्यङ्मुखता के साथ, जिसमें हम अपने को अपने से परे पाते हैं, इसके साथ ही हममें श्रेयबोध आविर्भूत होता है। हमारा आत्म अपने स्वरूपगत आत्मसंश्लिष्ट द्वित्व में अपने को अवर और पर आत्म के रूप में पाता है। हम अपने को अपना द्रष्टा पाते हैं तो साथ ही अपना शास्ता-नियंता भी पाते हैं। अपने स्रष्टा हो पाते हैं।

विषयित्व की निरंत प्रत्यङ्मुखता का, स्पष्ट ही, आत्म के परम परत्व की ओर भी इंगित है। यह बात नई नहीं; दर्शन में चर्चा का विषय रही ही है। इसका अर्थ क्या, तत्त्व क्या, इसको लेकर विमर्श, विप्रतिपत्तियां भी रही ही हैं। शल्य जी यहां एक बड़ी सूझ की, गहरी पते की बात उभारते हैं, जो नई है। जिस पर हम आगे आएँगे।

पर यहां शल्य जी की एक और गहरी सूझ की चर्चा करना चाहता हूं। आत्मचेतना का द्वित्व विषयि-विषय का ही द्वैत नहीं होता, विषयि-विषयी का भी द्वैत होता है। यह बात भावन के क्षेत्र में देखी जा सकती है। कला की निर्मिति में, साधना में, बड़ी स्पष्ट उभर कर आती है। कला विषयित्व में रहते हुए विषयी-स्वरूप के अर्थ का अवगाहन करती है, उसकी अभिव्यक्ति साधती है। कला की निर्मितियों को ऐसे प्रत्ययों के रूप में देखना

चाहिये जो विषयिभाव के स्वरूप को, उसकी संभावनाओं को – या कहिये उसके अर्थ को, सत्य को – सामान्य रूप देते हैं। प्रत्ययों को हम आम तौर पर भाषागत ही समझते हैं। संगीत चित्र वास्तु जैसी कलाओं में शब्दमयी भाषा माध्यम नहीं होती। वहां प्रत्यय की बात असमंजस-सी लग सकती है। पर कला का प्रेषकत्व, उसका सामान्य कल्पनागर्भ होना स्फुट है। तो, यहां युक्त निष्कर्ष यही उपपन्न होता है कि भाषा शब्दगत ही नहीं होती, उसके और भी माध्यम हैं : संगीत में स्वर; चित्र में वर्ण, रेखा; वास्तु और भास्कर्य में सघन द्रव्य – ये शब्दों की तरह ही प्रतीक-व्यवस्था बनाते हैं, उसमें बसे होते हैं। इन्हें 'भाषा' के रूप में ही देखना उचित है। इनके 'व्याकरण' की भी बात की जा सकती है, की ही जाती है। ये शब्दभिन्न कलाएँ, (संगीत में) काल का और (वास्तु, भास्कर्य में) देश का विन्यास करते हुए जो रूप साधती हैं, वे हमारी सामान्य अर्थग्राही प्रत्यङ्मुख चेतना को उद्दिष्ट होते हैं। यों, इनकी निर्मितियों को सामान्य प्रत्ययों के रूप में ही समझना चाहिये। पर प्रत्यय का उद्देश्य और अर्थ यहां – चाहे वह काव्य की तरह भाषा में ही क्यों न हो – अभिधा का नहीं, व्यंजना का सहारा लेता है। यहां विषयी विषयित्व में रहते हुए ही अपने विषयिभाव के अर्थ का ग्रहण करता है, विषयित्व के सत्य का साक्षात् करता है। या यों कहिये कि कला में हम अपने अनुभव के भोक्ता रहते हुए ही उसके द्रष्टा हो पाने में समर्थ होते हैं। विषयित्व के स्वरूप को, अर्थ को, विषय-रूप में भी हम देखते-आँकते-परखते ही हैं (जैसा कि मनोविज्ञान आदि में होता है)। पर वहां अर्थ *अभिहित* होता है। लेकिन कला में विषयित्व के अर्थ की प्रस्तुति विषय-रूप में नहीं होती। इसलिये वहां अध्यवसाय का (कुछ अपने आप में है, ऐसे ज्ञान का) भी अभाव होता है। वहां विषयित्व का सत्य, उसका स्वभाव, विषयित्व पर ही खुलता है। विषयभाव का अभाव वहां अर्थ-प्रस्तुति के प्रकार को नया रूप देता है – अभिधा नहीं, व्यंजना साधता है, जहां भाव भाव-चित्त पर ही प्रकट होता है, बुद्धि पर नहीं। तभी हम वहां अर्थ के ग्रहण को 'संवेदना' का अलग नाम भी देते हैं। वहां विषयित्व के भीतर ही हम एक विषय-विषयि-भाव से भिन्न आत्मचेतन द्वैत उभरता पाते हैं, प्रत्यङ्मुख हो कर विषयित्व में रहते हुए ही विषयित्व का स्वतंत्र अवगाहन करने में सक्षम हो पाते है, विषयित्व के स्वरूप को ही नहीं, उसकी संभावनाओं को, कल्पनाओं को प्रत्यय-चेतन रूप दे पाते हैं।

कला को यों देखना उसके तत्त्व की बड़ी गहरी पकड़ है। हमारे यहां काव्य (साहित्य) के संदर्भ में व्यंजना की बात की गई है। रस को व्यंजित कहा गया है, अभिहित नहीं। यह भी कहा गया है कि व्यंजित अर्थ ही होता है। सामान्य होता है। उसे साधारणीकृत कहा ही गया है। पर शल्य जी कहते हैं कि साधारणीकृत कह देने मात्र से यहां बात नहीं बनती, क्योंकि साधारणीकृत तो अर्थ मात्र होता है। व्यंजित ही नहीं अभिहित अर्थ भी साधारणीकृत ही होता है। पर कला का साधारणीकरण उसका अपना होता है, जिसे विषयित्व के भीतर ही विषयि-विषयी के आत्मचेतन, आत्मावगाही, आत्मार्थसंधानी द्वंद्व के रूप में समझना अधिक सार्थक है।

पर कला के संदर्भ में यह भी ध्येय है कि यहां हम सहज ही, और मानो अनुभव के भीतर से ही, देख पाते पाते हैं कि अर्थ का साक्षात्कार और अर्थ का सृजन, ये एक ही तत्त्व के दो युगनद्ध, अयुतसिद्ध पक्ष हैं।

ऊपर की चर्चा में यह भी ध्वनित है कि आत्मचेतना का प्रत्यङ्मुख व्यापार चेतना के प्रसार का व्यापार है। चेतना का यह प्रत्यङ्मुख व्यापार आत्मचेतना में ही संभव है। हम आत्मचेतना का अनुभव स्वसंवेद के रूप में करते हैं, और इस अनुभव के आधार पर आत्मचेतना को अपनी स्व चेतना का धर्म मानते हैं। यह भी मान लेते हैं कि यह अन्य में भी होती है (अन्य *मनुष्य* में तो होती ही है), पर उसे मनुष्यमात्र में मानते हुए भी हम उसे व्यक्तिगत धर्म मानने की ओर ही प्रवण रहते हैं : 'वह सबमें होती है, पर हरेक की अपनी होती है'। व्यक्ति (या कहिये, मनुष्य-व्यक्ति) न हो तो उसके होने की कल्पना नहीं की जा सकती; वह अपने आप में कुछ नहीं होती। इसके पीछे यह भी भाव रहता है कि मनुष्य में वह जीव-विकास की उपज है, और इस विकास को प्राकृतिक कारणों का फल कहा जा सकता है, या इसे यादृच्छिक कहा जा सकता है (सच पूछिये तो यादृच्छिकता का सिद्धांत विज्ञान में ऊह्य-सा उभरता है, क्योंकि विज्ञान 'प्रयोजन' या 'लक्ष्य' के प्रत्यय को अपने विचार-तंत्र से बहिष्कृत ही रखता है)। पर, ऊपर की चर्चा से स्फुट है कि आत्मचेतना चेतना का अपना धर्म है, यह चेतना परम

सामान्य होती है, व्यक्ति में इसका आविर्भाव होता है, या अवतरण कहिये, लेकिन इसे व्यक्तिनिष्ठ धर्म के रूप में देखना भ्रांति है। हां, यह पशुओं में अनुपलब्ध है। इसके मनुष्य में आ उतरने में विकास-व्यापार का इंगित है। पर इस विकास को जड़ का नहीं चेतना का – या कहिये चित् का – व्यापार ही समझना चाहिये (शल्य जी इसे कैसे देखते हैं, इस पर हम अभी आयेंगे)। अन्यथा यह निष्प्रयोजन ही नहीं, निरर्थक ठहरता है। फिर, अगर यह जड़ का व्यापार है तो किसी भी कुछ को किसी भी तरह 'समझने' का ही कोई अर्थ नहीं बनता : क्योंकि चेतना के स्वातंत्र्य के बिना प्रमाण-व्यापार ही संभव नहीं। ज्ञान ही नहीं, भावन और कर्म, ये सभी फिर बेमानी हैं, इनमें जो अर्थ-संधान का संसार रूप लेता है वह फिर यादृच्छिक है, मिथ्या है, भ्रांति है, किसी अर्थ में हो भी तो निरर्थक है।

आत्मचेतना की प्रत्यङ्मुखता को एक बड़े सीधे-सपाट अपने ही पीछे हटती जाती रेखा के रूप में भी देखा-समझा गया है। जैसे बात इतनी सी ही हो कि द्रष्टा अपनी ओर देखते हुए एक सीढ़ी से दूसरी सीढ़ी चढ़ते चला जाता है। बात कुछ वैसी ही सी है जैसी हम तब पाते हैं जब हम दो आमने-सामने रखे दर्पणों के बीच खड़े हों और हमारा बिंब एक-के-पीछे-दूसरा उभरता चला जाता हो, और इस क्रम का कहीं अंत न दिखता हो। पर बात इतनी सी नहीं हैं। बात चेतना के विस्तार की है। हम अपनी ही आत्मचेतना के भीतर थोड़ा भी झाँक कर देखें तो पाते हैं कि चेतना जितनी प्रत्यङ्मुख होती है, स्व के अहंभाव से मुक्त हो कर सामान्यता को विस्तार देती भूमा की ओर बढ़ती जाती है। उसमें अपना और अपने फैलते विषयलोक का साक्षात् गहराता जाता है। वह अपने दृश्य के अर्थ में, उसकी संभावनाओं में, साध्यता में और पैठ बना पाती है। इस व्यापार का संकेत हम बाह्य विषयबोध के स्तर पर ही अनायास पाते हैं। विषय को हम सामान्यता की सीढ़ी चढ़ता पाते ही हैं। वह एक आरोह के साथ संकुचित सामान्य से प्रसृततर सामान्य में खुलता चला जाता है – प्याला-त्व बरतन-त्व में, बरतनत्व निर्मित-वस्तु-त्व में, निर्मितत्व वस्तुत्व मात्र में ... और अंततः यह आरोह-व्यापार सत्ता के अव्याकृत असीम की ओर ले जाता है, जहां से हम विशेष सामान्यों को उभरता देख सकते हैं, इस अवरोह की संभावनामयता, और यों इसके समझने-आंकने-परखने की साध्यता को भी भाँप सकते हैं, क्योंकि इस व्यापार में यह उभरता रहता है कि व्याकृति भिन्न मार्ग ले सकती है, लेती ही है। कौन सा मार्ग 'सत्य' के साक्षात्कार के लिये सार्थकतर है, यह भी साध्य रहता है।

प्रत्यङ्मुखता के व्यापार में यह भी साक्षात् किया जा सकता है कि यह विषयी-उन्मुख ही नहीं, मानो विषयी का ही व्यापार होता है। विषयी-परक होता उभरता है यह। इसमें विषय को विषयी के कुक्षिगत ही नहीं देखा जा सकता, उसे विषयी से उत्कीर्ण होता भाँपा जा सकता है। यह बात प्रत्यङ्मुखता का स्वभाव ही प्रतीत होती है। पर इसे विचार की प्रत्यङ्मुखता में स्फुटतम देखा जा सकता है। विचार जितना अपने को विषय बनाता अपनी ओर बढ़ता है, उतना ही विचार-विषय और विचार-विषयी का भेद क्षीण होता अनुभूत होता है। विचार्य (विषय) और विचार के बीच एक भेदाभेद उभर आता है, जहां एक दूसरे के बीच की दरार सिकुड़ती चली जाती अनुभूत होती है। विषय को अपने भीतर समोये विषयी अपने पीछे, अपने परे, जाता हुआ चेतना की उस परम सामान्यता की ओर बढ़ता लगता है जहां दोनों एक अद्वय चेतना के – चित् के – दो पक्षों की तरह उभरते जान पड़ते हैं। ज्ञान, भाव, कर्म, सबमें हम विषय-विषयी के इस भेदाभेदमय 'अद्वय' का, विषयकी विषयी से उत्कीर्ण सी होती आत्मोद्भूति का अनुभव कर सकते हैं। इस व्यापार को आत्म या (चित्) के आत्मसृजन के रूप में देखने की दृष्टि इस व्यापार के भीतर से ही सहज व्यंजित होती है : यहां सत् को हम मानो चित् से उत्सृष्ट होता देख पाते हैं।

कहना न होगा कि सृष्टि एक परम गुह्य, अगाध रहस्यमय व्यापार है। विचार से – विचार की किसी अनुमानमयी उत्पुति से – उस तक पहुँचना संभव नहीं। पर विचार अपने से परे की ललक छोड़ता नहीं है। दृष्टियां रूप लेती हैं। बड़ी गहन, बड़ी अर्थमयी दृष्टियां रूप लेती हैं, (शल्य जी की दृष्टि का संकेत हम ऊपर की चर्चा में पा सकते हैं)। यह भी यहां अनुध्येय है कि शल्य जी का चिंतन सृजन को ही मूल में रखता है। फिर, ऊपर की चर्चा में यह भी उभरा है कि सृजन आत्मसृजन का स्वरूपतः अपेक्षी होता है।

प्रस्तावना

हमारे प्रस्तुत, अनुभूत आत्म में शल्य जी परम चित् का प्रतीक पाते हैं और आत्म के प्रत्यङ्मुख सृर्जन-मर्म में चित् के स्वरूप की व्यंजना। चित् उनके लिये आत्मसृष्ट है और यह आत्मसर्जन सृष्टि का मूल है।

हम आत्मचेतना में चेतना को प्रत्यङ्मुख होता पाते हैं। यह भी पाते हैं कि आत्मचेतना अहं/अहं के द्वैध में रूप लेती है। इसी द्वैध के साथ हममें आत्मसृजन रूप लेता है। आत्मसृजन के लिये यह द्वैध आवश्यक भी है : अपने से अलग हो कर ही मैं अपने को बना सकता हूं। शल्य जी आत्मचेतना में चित् के स्वरूप का प्रतीक देखते हुए उसके सृजन-व्यापार को समझने-आँकने में इस द्वैधभाव को आधारगत रखते हैं।

शल्य जी का चिंतन वेदांत-प्रभावित है, पर उनकी दृष्टि एक गहरी पैठ के साथ अपनी है, स्वतंत्र ही नहीं, नितांत अभिनव है, चले आते वेदांत के प्रसिद्ध दर्शनों से तत्त्वतः पृथक् है। वे चित्-सत् के वेदान्ती अद्वैत को मानते हैं, पर उनका यह अद्वैत एक सर्वथा नये, और साथ ही सर्वथा मूलगत द्वैतबोध में बसा है जिसका इंगित वे अनुभूत आत्मचेतना और उसके आत्मसंधान में पाते हैं। यों उनकी तत्त्व-दृष्टि वेदान्त-प्रभावित होते हुए भी नितांत उनकी अपनी है, नितांत आधुनिक है। सत् उनके लिये माया या मिथ्या या चिद्भिन्न नहीं है, पर चित् उनके लिये आत्मसृजन-व्यापार के भीतर ही सत् का उत्स बनता है, और इसी व्यापार में अनिवार्यतः आत्मभिन्न - आत्मविच्छिन्न - हो जाता है। यों वह स्वरूपेण भाव से भाव्य हो जाता है : अपने से अलग हो कर अपना ही साध्य, गवेष्य हो जाता है। सिद्ध वह कभी होता ही नहीं, साध्य - आत्मसाध्य - ही रहता है। सृजन के साथ ही उसका गवेष्य आत्मस्वरूप सृजन के साध्य निरवद्य प्रतिमान की तरह अवस्तु रूप हो जाता है। यों उसके आत्मस्वरूप के *होने* की बात ही नहीं की जा सकती। उसका स्वरूप, जो उसका निरवद्य *होना* है, साध्य ही रहता है। आत्मसाध्य।

बात विस्तार चाहती है।

शल्य जी के वेदान्त को उपनिषद्गर्भ कह सकते हैं। शल्य जी *उपनिषद्* के प्रातिभ अर्थगर्भ मार्मिक कथनों को अपनी तरह से समझते हुए और अपने विचार-तंत्र में समोते हुए, उन्हें अपनी सृजन-मीमांसा का आधार बनाते हैं। *तैत्तिरीय उपनिषद्* की एक उक्ति है : *असत् वै इदम् अग्र आसीत्। ततः वै सत् अजायत। तद् आत्मानं स्वयमकरुत। (तैत्तिरीय, ब्रह्मानन्दवल्ली, सप्तम अनुवाक)*। शल्य जी का अनुवाद है : 'आरंभ में असत् ही था। उससे सत् की उत्पत्ति हुई। और उसने अपने को स्वयं रचा'।

उक्ति में पैनी अंतर्दृष्टि है। सृजन आत्मसृजन ही हो सकता है, तभी आत्मतंत्र हो सकता है, किसी भी पर से अछूता, नहीं तो *सृजन* नहीं होगा, कार्य-कारण-शृंखला-भुक्त होगा। यों सृजन असत् को, सर्वथा न-होने को, ऊह्य रखता है। और तभी सृजन की संभावनाएँ अनंत होती हैं : कुछ नहीं अगर कुछ होने को प्रवृत्त हो तो कुछ भी हो सकता है – कुछ भी होने को स्वतंत्र, निर्बंध होता है। असत् के भीतर सत् की संभावनाओं को सीमित नहीं किया जा सकता : किस बिना पर सीमा उकेरेंगे हम! हमारी सृजनशील चेतना की ओर झांके तो सहज ही इस बात को ताड़ सकते हैं : हम अपनी सृजन-प्रवृत्ति में संभावना के निस्सीम की जीवंत, स्फूर्त झलक पाते ही हैं। और यह संभावनामयता सृज्य कृति के रूप लेने में भी बनी रहती है। कृति स्वरूपेण साध्य हो तो यह अनिवार्य है (कृति सचमुच सृज्य हो तो किसी सिद्ध-प्रदत्त प्रतिमान की अनुकृति नहीं हो सकती, ऐसी अनुकृति में कोई सृजन नहीं होता, तो संभावनामयता भी नहीं होती; पर प्रतिमान अरूप हो - अवस्तु हो - तो संभावना का आकाश खुला रहता है – हम ऐसा पाते ही हैं)। पर कृति रूप ले तो अनंत संभावनाओं में से एक को ही रूप दे सकती है, उसका रूप रूप-विशेष ही हो सकता है : एक विशेष अंतःसंगत आकृति के साथ एक विशेष विधान में ढला, एक विशेष ऋत में निष्ठ, जो सृजन के आद्य क्षण में ही उभर आता है; पर साध्य भी रहता है। सृजन के संभावनामय होने के कारण इस विशेष में भी 'हो सकने' का आनंत्य निगूढ़ रहता है। इसे सृजन मे निहित गहरा विरोध - या विरोधाभास – भी कह सकते हैं। या असत् से सत् के होने का अनिर्वाच्य रहस्य कहिये।

पर यह भी देखिये। जैसा हम कह आये हैं, आत्मसृजन एक अगाध आत्मद्वैध को ऊह्य रखता है। हम अपने से हट कर, अपने से अलग होकर, और यों आत्मभिन्न हो कर ही – या शल्य जी के शब्दों में कहिये, अपने से व्यवहित हो कर ही – अपना सृजन कर सकते हैं। इसे रहस्य ही कह लीजिये, पर यह *है* – तभी सृष्टि है। यों सृजन में जहां एक और चित् अपने को सृष्ट करता है, वहीं, उसी व्यापार में, अपने आप से अलग, विच्छिन्न ही नहीं हो जाता, विच्छिन्न रहने को बाध्य हो जाता है। नहीं तो सृष्टि का नैरंतर्य नहीं बना रह सकता। चित् अपने स्वरूप का सर्जन चाहता है, पर उसका आत्मसर्जन-व्यापार उसे स्वरूपेण अपने लिये ही सदा साध्य, गवेषणीय बना देता है (हम पाते हैं कि हममें भी आत्मसृजन का बीज अस्मि/अस्मि के आत्मविच्छेद को ऊह्य रखता है, जहां साध्य आत्म 'पर' ही नहीं, परे ही बना रहता है)। अपने से व्यवहित, विच्छिन्न चित् अपने स्वरूप को साकार करने की ओर उन्मुख होता है, अपने ही साध्य स्वरूप को सिद्ध करने की साधना करता है। यही सृष्टि है। पर चित् का आत्म-व्यवधान व्यवधान बना रहता है। चित् जब अपना इतर हो जाता है तो इतर ही रहने को बाध्य भी हो जाता है। वह अपने अवस्तुभूत व्यवहित आत्म की प्रतिकृति ही साध सकता है, साधता चला जा सकता है, उसे पा नहीं सकता, क्योंकि उसके व्यवहित अवस्तु स्वरूप की कोई प्रतिकृति वस्तुतः संभव नहीं। पर इसीलिये उसकी प्रतिकृति-साधना अब अरूप प्रतिमान की प्रतिकृतियों की तरह अनंत रूपों का उत्स हो जाती है।

चित् का आत्म-इतरत्व अमिट रहता है। आत्मेतर हुआ चित् अपने किसी सृष्ट रूप को इतर जान कर अपने 'सच्चे' आपे की ओर मुड़ना चाहे तो इस गति में वह इतर का इतर ही हो सकता है – उसका इतरत्व मिट नहीं सकता। पर उसकी यह आत्मप्रतिकृति-साधना की गति ही जगत् को अर्थ-विस्तार देती चलती है, अर्थ की नई नई संभावनाओं में फलवती होती है। और क्योंकि यह चित् की गति है, गति एक अपना अंतःविधान बनाये रखती है (इसके बिना अर्थ को *रूप* देना उसकी सार्थक *सृष्टि* संभव नहीं)। पर यह सब हो इसलिये पाता है क्योंकि आत्मव्यवहित चित् स्वरूपेण साध्य ही रहता है। चित् का आत्मस्वरूप, जो सृष्टि के साथ ही आत्मव्यहित हो गया है, वह अब आप्तव्य नहीं हो सकता, पर वही सारी आप्तियों का उत्स होता है। उसका न होना ही होने की योनि होता है। उसकी आत्मप्राप्ति की साधना ही जगत् को रूप देती है। गति देती है : क्योंकि चित् का आत्मसर्जन एक निरंतर व्यापार है, यह न हो तो 'जगत्' ही न रहे।

सृष्टि के अर्थ-विस्तार को चित् के आत्मज्ञान का व्यापार भी कह सकते हैं। इसे लक्ष्य में रखते हुए शल्य जी एक और उपनिषद् वाक्य आगे रखते हैं : *आत्मा वा इदमेव अग्र आसीत् नान्यत् किञ्चन मिषत्। स ऐक्षत लोकान्नु सृजा इति* – 'एक आत्मा ही आरंभ में था, ऐसा और कुछ नहीं था, जो देख रहा हो। उसने ईक्षण किया, 'लोकों की सृष्टि करूं'। (*ऐतरेय उपनिषद्*, 1,1)। आत्म-व्यवहित हो कर ही चित् आत्म-वीक्षण कर सकता है, अन्यथा यह संभव नहीं। पर आत्मवीक्षण का निमित्त आत्मज्ञान होता है। अपने को देखता चित् अपने को जानना चाहता है, अन्यथा देखने का अर्थ क्या? यों चित् का अर्थसृजनमय लोकावतरण उसका अपने को जानने का भी प्रयास कहा जा सकता है। अर्थ का ज्ञान या साक्षात्कार और उसका सृजन एक ही चेष्टा के दो अभिन्न पक्ष हैं। और यों सृष्टि ज्ञानोन्मुख व्यापार है तो प्रमाण-व्यापार भी है। यह निरी मिथ्या कल्पना नहीं। इसे स्वप्न से नहीं मिलाया जा सकता जो कि परतंत्र होता है। न इसे माया या वासना-दिग्ध विकल्प-सृष्टि कह सकते हैं, जो अनात्म होती है। और यह भी है कि सृष्टि-व्यापार के प्रमाणधर्मी होने के कारण भ्रांति की, दोष की संभावना भी इसमें घर करती है। चित् की आत्मगवेष्यता इसका लक्षण है। हम देखते हैं कि श्रेयबोध के साथ वह अपने ही पूर्ववर्ती रूप को त्याज्य पाता है।

उपनिषद् की उक्ति को ध्यान में रखते हुए चित् के लोकावतरण को लोक-विस्तार की एषणा के रूप में भी समझा जा सकता है (*लोकान्नु सृजा*)। कहा जा सकता कि सृष्टि मूल में आत्मा (चित्) की एषणा एक से अनेक होने की अभीप्सा है। लेकिन तो भी, इस चेष्टा में भी, चित् आत्मव्यवहित हो कर ही प्रवृत्त हो सकता है। सृष्टि का मर्म वही आत्मगवेष्य आत्मसाध्यता रहता है।

प्रस्तावना

आपत्ति की जा सकती है कि ज्ञान और सृजन परस्पर विरोधी धरणाएँ हैं : सृजन कल्पना-मूलक होता है, और ज्ञान याथातथ्य का ग्रहण। पर सोचिये। अपने ही ज्ञान-व्यापार की थाह लेकर देखिये। ज्ञान-व्यापार भी सृजन-कल्पना के बिना संभव नहीं। हम अपने को अर्थ की सृष्टि करते हुए ज्ञानोन्मुख पाते हैं। और ज्ञान-व्यापार को हम सृजन-कल्पना में निष्ठ पाते हैं। विज्ञान इन्द्रिय-लब्ध रूपों को भूत-जगत् के रूप में *कल्पित* कर एक प्रत्यय-जगत् का विस्तार करता है। भौतिक क्या है? इस आत्म-उपस्थापित *तत्त्व* को *जानने* के लिये विज्ञान के सिद्धांत-तंत्र का विस्तार होता है। इसमें ज्ञान-व्यापार कल्पनापेक्षी होता हुआ सिद्धांत-तंत्रों की रचना करता है। पर यह कल्पना-व्यापार निरी कपोल-कल्पना का मिथ्या-व्यापार नहीं होता, क्योंकि प्रमाण-बोध में निष्ठ होता है, और इसमें भ्रम की संभावना बीजभूत रहती है। पर विज्ञान को ही क्यों (जिसे हम ज्ञान मानते ही हैं), कला को लीजिये। वहां सृजन-कर्म में कल्पना की उपलब्धि अनायास होती है। कला हमारे अनुभूत विषयित्व का, या कहिये भाव-जगत् का, व्यंजना की अनंत संभावनाओं के माध्यम से अपनी तरह सृजन-प्रसार करती है। पर यहां भी कल्पना थोथी कपोल कल्पना नहीं होती। संगति की, प्रमाण की अपनी मांग यहां भी बनी रहती है – नहीं तो किसी कलाकृति की सदोषता की, साध्यता की, त्याज्यता की बात ही नहीं की जा सकती। दर्शन को देखें तो वहां भी हम यही देख पाते हैं – वहां तो उभरती दृष्टियां अपना विषय और अपनी प्रत्यय-निष्ठ विषयिता – या कहिये ज्ञान और ज्ञेय – दोनों को स्वातंत्र्येण सृष्ट करती देखी जा सकती हैं; पर प्रमाण-व्यापार वहां युक्ति-उपपत्ति की कठिन मांग करता भी देखा जा सकता है। श्रेयबोध जो आत्मचेतना के और तद्गत ज्ञान-व्यापार के साथ ही उभरता है वह तो एक स्वतंत्र ही नहीं अभूतपूर्व जगत् की सृष्टि करता उभरता है। इसे चित् की आत्मगवेषणा के ही एक नये पर्व के रूप में देखा जा सकता है। शल्य जी मनुष्य में ही नहीं, चित् में भी इसे आत्मचेतना के साथ ही एक उत्क्रांत स्फोट के रूप में देखते हैं। मनुष्य में इसे *प्रतिफलित* पाते हैं। इस प्रतिफलन को हम नये प्रत्ययों के रूप में भी देख सकते हैं : जैसे मानव-समाज का, तन्नद्ध संस्कृतियों का उदय, जो श्रेयबोध के बिना संभव नहीं। व्यक्तिभाव का भी उदय इस उत्क्रांति का फल है। व्यक्तिभाव संकल्प का अपेक्षी होता है जो श्रेयबोध की अपेक्षा रखता है। व्यक्ति और समाज में नई संभावनाएँ, साध्यताएँ रूप लेती हैं, जो अब तक अनहोनी थीं। संस्कृति के साथ चेतना ही एक प्रकृति से ऊर्ध्व स्वतंत्र धरातल पर आ जाती है। व्यक्ति में उतरती है, जहां श्रेयबोध बड़े नये उन्मुक्त रूप लेता दिखता है। व्यक्ति संस्कारों से उठ कर संस्कृति को नये रूप देने की प्रेरणा, व्रत, भी पालता है। ऐसी प्रधानतः व्यक्तिनिष्ठ प्रेरणा अध्यात्म में, विचार में, दर्शन में विशेष फलवती होती देखी जा सकती है।

अब तक चेतना पराङ्मुख थी, अपने अर्थ को अपने बाहर देख और पा रही थी, पर अब अपनी ओर मुड़ती है, प्रत्यङ्मुख होती है तो अर्थ का एक नया आयाम, नया संसार प्रकट होता है। सच पूछिये तो उसकी आत्मार्थ गवेषणा का आरंभ ही अब होता है। श्रेयबोध के जागने को इस नये आयाम का हृदय कह सकते हैं, पर इसमें यह भी व्यंजित है कि चेतना अब अपने पूर्ववर्ती रूप को हेय, सदोष समझती है।

श्रेय की कोटि रूप लेती है तो नये प्रत्ययों में रूप लेती दिखती है। इसका मार्मिक लक्षण अहिंसा के प्रत्यय में देखा जा सकता है। प्रकृति में हम 'जीवो जीवस्य भोजनम्' को जीवन का तत्त्व पाते हैं, अहिंसा का प्रकृति में कोई अर्थ ही नहीं। पर मनुष्य की अहिंसाबोध के बिना कल्पना नहीं की जा सकती। अहिंसा परार्थ भाव की सूचना है जो मनुष्य के व्यवहार का ही मूल है। अहिंसा में 'आत्मवत् सर्वभूतेषु' का स्फुट इंगित है। परार्थ-बोध के साथ ही सर उठाता अहिंसा का श्रेयत्व मनुष्य में (भाषा ही की तरह) आत्मचेतना के आविर्भाव के साथ ही रूप लेता दिखता है। मैत्री, प्रेम, करुणा, परदुःखदुःखित्व... ही नहीं, न्यायबोध, गृध्नुता की त्याज्यता, अस्तेय... इसी भाव की अभिव्यक्ति हैं। ये प्रत्यय हैं, अभूतपूर्व प्रत्यय : इनमें साध्यता, संभावनामयता प्रकट है।

मनुष्य में परार्थ-तत्त्व को रूप देने की साधना कई रूप लेती दिखती है। यह तत्त्व समाज-चेतना के धर्म-शासित होने के मूल में ही निहित है। इसमें नृशंस्यता की हेयता का बोध भी स्वरूप-निहित है। तभी सतयुग जैसी कल्पनाएँ रूप लेती हैं। व्यक्तियों में अहिंसा की साधना व्यापक से व्यापकतर रूप लेती दिखती है (और इस

माध्यम से कुछ अध्यात्मपंथों, समुदायों में)। तीर्थंकरों को देखें, या उन वायुभुक् मुनियों को जो साधना के पाक से साथ पेड़ों से गिरे सूखे पत्ते भी नहीं खाते थे। पर अहिंसा साध्य ही बनी रहती भी दिखती है। समाजों में क्षीण ही रहती है। समाज, राज्य, समूह-समुदाय, इस स्तर पर युद्ध जैसा परस्पर-संघर्ष तो मनुष्य का स्वभाव ही प्रतीत होता है। हां, कभी अहिंसा-बोध हमें इससे कदाचित् विमुख करता भी दिख जाता है, जैसे अशोक में, पर यह विरल अपवाद ही कहला सकता है। पर इसकी साध्य संभावना का भव्य समाजगत रूप भी हो सकता, यह गाँधी के जीवन में, उनकी साधना में देखिये। गाँधी ने अहिंसा को सत्य (मनुष्य का वास्तव स्वरूप) कहते हुए उसे समाज के, राज्य के, मनुष्यमात्र के सार्वजनीन स्तर पर साकार करने का महत् प्रयत्न किया। प्रयत्न क्षणिक-सीमित ही रूप ले पाया हो, पर रूप लेने की अद्भुत अविशिस्य शक्ति थी उसमें।

श्रेय का स्रोत और प्रमाण आत्मा ही होती है। तभी श्रेयबोध में हम चित् को अपनी ओर उन्मुख हो कर अपने स्वरूप को पाने के लिये व्यग्र देख पाते हैं। पर अपने पूर्वरूप को इतर पाकर वह अब जिधर बढ़ता है, वह नये अर्थों का विस्तार तो होता है, पर चित् की आत्मेतरत्व से मुक्ति नहीं!

तो सृष्टि का प्रश्न फिर सता सकता है : चित् सृजन-प्रवृत्त होता ही क्यों है? अपने को अपने से खोने के लिए! नहीं भी तो हो सकता था! सच यह है कि सृष्टि का होना एक उलटबाँसी ही बना रह सकता है। अनबूझ पहेली ही है सृष्टि, चाहे उसका स्रोत और स्वरूप (विज्ञान की तरह) जड़ में देखें या (वेदान्त की तरह) चित् में। हां, जड़ को आधारभूत रखें तो सृष्टि का कोई अर्थ नहीं रहता। हम, हमारी समझ, सब जड़ हो जाते हैं। समझ स्वातंत्र्य की मांग करती है, जड़ में स्वातंत्र्य की बात ही बेमानी है। और समझ जड़ हो तो वह प्रमाण-बुद्धि जो जड़ को ही सर्वस्व ठहराती है, वह भी फिर जड़ ही ठहरती है।

सांख्य जो सृष्टि को – विषय मात्र को – जड़ ठहराता है, वह भी विषयी को स्वतंत्र रखता है। उसे सृष्टि के मूल में रखता है : उसके सन्निकर्ष के बिना जड़ प्रकृति अव्यक्त ही रहती है, सृजन-प्रवृत्त नहीं होती। और प्रवृत्त होती है तो उसकी प्रवृत्ति का प्रयोजन ही चिन्मय पुरुष होता है। वह पुरुष-लक्षी ही नहीं होती, पुरुष-गर्भ होती हुई पुरुष-लक्षी होती है। सांख्य में बुद्धि का विशेष स्थान है, बोध या ज्ञान उसीको होता है। इन्द्रिय, मन, अहंकार, ये सभी वृत्तियां बुद्धि के करण हैं – ये 'द्वार' हैं, बुद्धि 'द्वारी' है। विषय का अवगाहन करती बुद्धि ही पुरुष के लिये भोग और मोक्ष, ये दोनों पुरुषार्थ साधती है (*सर्वं प्रत्युपभोगं यस्मात् पुरुषस्य साधयति बुद्धिः / सैव च विशिनष्टि पुनः प्रधानपुरुषान्तरं सूक्ष्मम् // सांख्यकारिका,* 37)। पर यह पुरुषार्थ व्यापार प्रवृत्त ही इसलिये होता क्योंकि पुरुष बुद्धिगत होता है; अन्यथा न यह संभव है, और न इसका कोई अर्थ है। लेकिन पुरुषार्थ साधना के केन्द्र में होते हुए भी बुद्धि सांख्य में तत्त्वतः जड़ है, स्वतंत्र नहीं है। और पुरुष (चित्) स्वतंत्र होते हुए भी तत्त्वतः अव्यापृत रहता है। सृष्टि उसके कारण होती है, पर सृजन उसका किया नहीं होता, हो नहीं सकता। जगत् को माया या प्रतीत्यसमुत्पन्न या विकल्पमात्र कहते दर्शनों में भी बुद्धि, या कहिये मनुष्य की आत्मचेतना, किसी भी रूप में स्वातंत्र्य का – और यों प्रमाण-व्यापार का – अधिष्ठान बनती नहीं दीखती, यों सत्य-साधना का आधार नहीं हो सकती। पर प्राचीन वेदान्त में (उपनिषद् वेदान्त में, जो कि सभी परवर्ती वेदान्त दर्शनों का मूल है), वहां ऐसा नहीं है – जैसा कि ऊपर के उन उद्धरणों से स्फुट है, जिनसे शल्य जी का सृष्टि-चिंतन प्रेरित है।

सृष्टि हो ही क्यों, इस निगूढ़ प्रश्न पर विचार हमारे यहां उपनिषद् से भी पुराना है। *ऋग्वेद* का विख्यात 'नासदीय' सूक्त सृष्टि को ऐसी कूटतम प्रहेलिका के रूप में आँकता जिसका कोई उत्तर संभव नहीं : क्योंकि जो उत्तर दे सकते हैं, देते हैं, वे भी सृष्ट ही हैं। पर एक और बात भी इस सूक्त में लक्ष्य है। सूक्त सृष्टि की मूल प्रेरणा की भी बात करता है। नासदीय सूक्त का ऋषि सृष्टि को असत् से विसृष्ट देखता है। सृष्टि की प्रेरणा *काम* में देखता है। कहता है : '(सृष्टि के पूर्व) तम में निगूढ तम ही था; यह सब कुछ निश्चिह्न, अप्रतर्क्य सलिल था, तुच्छता से आवृत। तब तपस् की महिमा से (उस) *एक* ने जन्म लिया। *काम* प्रवृत्त हुआ जो कि मन का प्रथम रेतस् (आदि वीर्य) था। अपनी मनीषा से अपने हृदय में (क्रांतदर्शी) कवि इसे (काम को) असत् में (जागती) सत् की ग्रंथि के

रूप में जानते हैं।'[1] स्पष्ट ही, काम को यहां व्यापकतम अर्थ में लिया गया है। सृजन-प्रवृत्ति ही काम है। या कहिये सृजन-व्यापार ही काम है।

पर जिस व्यापार की हम बात कर रहे हैं, वह काल में नहीं होता, काल तो उसके होने पर रूप लेता है (इसके देश में होने का तो प्रश्न ही नहीं)। व्यापार तात्त्विक है। यह गणित या विचार की तरह भी नहीं, जो अदेशकालिक होते हुए भी देशकाल में संवेद्य होते हैं। विचार में यह व्यापार संकेत्य ही हो सकता है – अध्यात्मानुभव में भी ऐसे संकेत की बात की जा सकती है। लेकिन भूलना न चाहिये कि यह व्यापार है, होता है, इसीलिये जगत् व्यापार है, और होता रहता है।

ऊपर हमने जीवसृष्टि और आत्मचेतना के उदय की बात की। पर सृष्टि की ओर देखते हैं तो चित् को नहीं हम अचित्, जड़ – भौतिक – को ही सर्वत्र प्रसृत पाते हैं। जीव का होना तो क्षुद्र सी घटना दिखती है। यह ठीक है, लेकिन परिमाण को युक्ति के रूप में नहीं लिया जा सकता। प्रश्न यह है कि भौतिक को हम तत्त्वरूपेण समझें कैसे? उसका चित् के आत्मसृजन व्यापार में क्या स्थान?

हम भौतिक का आकलन विज्ञान से करने के आदी हैं आज, और भौतिक में साध्यता का निषेध विज्ञान की स्वनियत दृष्टि है। पर यह पूर्वग्रह ही है, या जानबूझ कर अपनाया हुआ पूर्वाग्रह कहिये। भौतिक को प्रसुप्त चित् के रूप में सहज ही देखा जा सकता है, जैसा कि शल्य जी देखते हैं : चित् के जगद्भाव की गर्भावस्था के रूप में। अगर भौतिक को यों न देखें तो फिर भौतिक विशुद्ध इन्द्रय-विषय रह जाता है। और विशुद्ध इन्द्रियविषय क्या है, इसका ग्रहण इन्द्रिय नहीं कर सकती, यह विचार में ही संभव है। विचार इसे बौद्धों की तरह स्वलक्षण के रूप में उपपादित कर सकता है, या कांट की तरह स्वरूपतः अविज्ञेय कह दे सकता है। पर स्वलक्षण अनिर्वाच्य है, उसके बुद्धलक्षण होने में क्या उज्र हो सकता है, और जो अविज्ञेय है वह स्वरूपेण शिवमय भी हो ही सकता है। भौतिक को विशुद्ध उपादान के रूप में भी देखा जा सकता है – हमारा व्यवहार, और उस व्यवहार के विस्तार के रूप में विज्ञान भी, इसका इसी रूप में ग्रहण करता है। प्रयोग करता है।

भौतिक से हम वानस्पतिक का विकास देखते हैं – इसे जीवत्व और भौतिकत्व के बीच की कोटि कहा जा सकता है : यहां प्राण है, पर इन्द्रियां नहीं हैं – पर उस ओर उन्मुख प्रवणता इसमें पाई जा सकती है। चेतना इससे ऊपर उठ कर ही स्फुट रूप लेती है। चित् के जगद्भाव का चेतन प्रसार मनुष्य से पहले पाशव सृष्टि में ही पाते हैं हम। पशु में इन्द्रियाँ रूप लेती हैं, विकसित होती हैं, एक भोगमय विषयित्व उभरता-बढ़ता देखा जा सकता है। शल्य जी इसे चेतना के वासनात्मक प्रवर्तन के रूप में देखते हैं। विषय यहां भोग्यार्थ ही होता है, और विषयी तत्तसात् या तन्निमज्जित। उसके लिये विषय की अपनी सत्ता कुछ नहीं होती। यहां भी विषय ज्ञानेन्द्रियगम्य और कर्मेन्द्रियसाध्य ही होते हैं, पर विषयी के लिये उनकी सत्ता की कोई स्वतंत्र बाह्यजगत्-स्थित अवगति नहीं होती। हां, विषय की स्वगत सत्ता का इतना सा परिचय यहां पाया जा सकता है कि पशु के लिये विषय भोग्य ही नहीं, भोग-बाधक भी होता है।

विषयी के (मनुष्य में) आत्मचेतन होने पर (विषयी के अपने आप को विषय बना पाने पर ही), बाह्य जगत् की स्वस्थित बाह्यता, विषय का स्वस्थित विषयत्व और उसकी भौतिकता, ये गृहीत होते हैं। पर प्रत्यङ्मुखता में घर करती हुई आत्मचेतना बाह्योन्मुखता से, विषयोन्मुखता से निवृत्त हो कर ही, या कहिये आत्मोन्मुख हो कर ही, विषय-चेतन होती है। विषय से निवृत्त हो कर ही विषय को विषय की स्थिति देती है चेतना। इससे जिस अर्थ-सृष्टि का विस्तार होता है, उसकी चर्चा हम कर आये हैं। पर आत्मोन्मुख हो कर चेतना इस विषय-संसार

---

1. तम आसीत्तमसा गूळ्हमग्रेऽप्रकेतं सलिलं सर्वमा इदम्।
तुच्छ्येनाभ्वपिहितं यदासीत्तपसस्तन्महिनाजायतैकम्।।
कामस्तदग्रे समवर्तताधि मनसो रेत: प्रथमं यदासीत्।
सतो बन्धुमसति निरविन्दन् हृदि प्रतीष्या कवयो मनीषा।। — *ऋग्वेद*, 10, 129,3-4

को अनात्म भी पाती है। जगत्गत अर्थ–संसार को वितत से विततर करते हुए भी इस संसार में अपने को 'परदेशिनी' पाती है। यहीं श्रेयबोध के जन्म का बीज भी देखा जा सकता है। और इस बोध के साथ चेतना अपनी ही पूर्व वासनार्थ या भोगार्थ प्रवृत्ति को ही हेय नहीं पाती, अपनी आत्मचेतन अर्थ–सृष्टि से भी विमुख होती दिखती है।

तभी श्रेयबोध का तीव्रतम संवेग आध्यात्म में देखा जा सकता है, जहां परदेशिनी को घर लौटने के लिये उत्कंठ पाते हैं हम। शल्य जी ने *छांदोग्य उपनिषद्* में आये नारद–सनत्कुमार वार्ता का एकाधिक बार उल्लेख करते हैं। वार्ता में नारद सनत्कुमार से आत्मज्ञान की प्रार्थना करते हैं। नारद *ज्ञान*–कहलाते ज्ञान के सभी उपलब्ध रूपों में प्रवीण थे – इतिहास, पुराण, व्याकरण, कल्प, गणित, तर्क, नीति, नृत्य–संगीत...। पर इन्हें वे अनात्म पाते हैं। इनसे उस आत्म का ज्ञान नहीं मिलता जो अमृत है, सुख है, भूमा है, हमारा सत्य–स्वरूप है। ये ज्ञान अल्प हैं, इनमें भूमा नहीं, अमृत नहीं। ये आत्म से इतर हैं। उसकी ओर नहीं ले जा सकते।

पर शल्य जी के लिये अध्यात्म भी अर्थों का विस्तार ही है। अध्यात्म में अर्थ के नये शिखर खुलते देखते हैं। अर्थों का पूरा एक तुंगतम विभु–लोक खुल जाता है यहां। इस लोक की बड़ी उदात्त, बड़ी अपार–अगाध संभावनाएँ हैं, पर आत्म का आत्मेतरत्व यहां भी बना रहता है। अपने से तत्त्वतः आत्मव्यवहित चित्, अपने से एकात्म हो नहीं सकता, अपने को स्वरूपतः *पा* नहीं सकता। इस पाने की खोज में अर्थ का विस्तार ही करता चला जा सकता है। हम कल्पना कर सकते हैं – युक्तितः कर सकते हैं – कि उसकी आत्मोन्मुख यात्रा के और भी पर्व उभरेंगे – मनुष्य में और मनुष्य के आगे। पर यह यात्रा यात्रा ही बनी रह सकती है।

यहां शल्य जी की दृष्टि में एक अनाप्ति की, अकृतार्थता की – या कहिये नित्य विरह की – वेदना देखी जा सकती है, जिसे वे अपनी तरह से ध्वनित भी करते हैं : अपने अंतिम लेखन में।

ऊपर मैंने यथासंक्षेप शल्य जी और उनकी तत्त्व–दृष्टि का एक अपना–सा चित्र उकेरने की चेष्टा की है। पर कविता की तरह ही दार्शनिक विचार का अंतःस्पंद किसी निरूपण में नहीं समा सकता। मेरा आशय यह रहा है कि आप के भीतर उनके लेखन में उतरने की जिज्ञासा को कुछ लौ दे सकूं।

किसी भी गहरी और व्यापक तत्व–दृष्टि में मनुष्य के विभिन्न पक्षों को अपनी तरह से आँकने–समझने की आँख होती है, शक्ति होती है। शल्य जी ने स्वयं ही अपनी दृष्टि को यह फैलाव दिया है। मनुष्य के सर्वस्व को विस्तार से समझा–आँका है उन्होंने। संस्कृति, समाज पर उनकी स्वतंत्र पुस्तकें हैं; धर्मनीति, इतिहास, विज्ञान, काव्य... पर प्रसृत लेखन है। अन्य दार्शनिकों और दर्शनों पर भी शल्य जी ने बड़ी सूक्ष्म पैठ और पैनी सूझ के साथ लिखा है। तुलनात्मक दर्शन पर उनका लेखन मननीय है।

हर्ष का विषय है कि यह सारा कुछ यहां उनके इस दार्शनिक–रचना–संग्रह में संकलित है।

मेरा ध्यान शल्य जी के प्रौढ़ चिंतन पर रहा है। पर उनकी विचार–यात्रा लंबी है और उसमें स्फुट सोपान उभरते देखे जा सकते हैं। उनकी यात्रा के पड़ावों को देखने–जानने के लिये और उनके जीवन और लेखन–समग्र के समर्थ सांगोपांग और घनिष्ठतर परिचय के लिये प्रो. अम्बिकादत्त शर्मा का आमुख देखें।

1
दार्शनिक विश्लेषण

प्राक्कथन

हम सामान्यत: आन्तरिक या बाह्य घटनाओं अथवा वस्तुस्थितियों को एक परम्परागत और सुविधाजनक ढंग से देखते हैं और उनके साथ अभ्यासेन सम्पर्क स्थापित करते हैं। यह सब इतना सहज, इतना प्राकृतिक और इतना उपयोगी होता है कि इस के सम्बन्ध में किसी अन्य प्रकार से सोचना, इसके सम्बन्ध में सन्देह करना विचित्रता, मूर्खता और कल्पनाधिक्य प्रतीत होता है। किन्तु फिर भी कभी-कभी कुछ लोगों ने इस सहज, सामान्य संसार के सम्बन्ध में प्रश्न किये हैं।

प्रश्न अनेक प्रकार से किये गये हैं। प्रश्नों का एक प्रकार है—'मैं उत्पन्न हुआ, आखिर क्यों उत्पन्न हुआ?' 'यह संसार है, यह क्यों ऐसा है?' ये प्रश्न अपनी वस्तु (कांटेंट) में इस प्रकार के हैं—'राम ने रावण को मारा, आखिर उसने उसे क्यों मारा?' 'तारे रात्रि को दिखाई देते हैं, ये दिन में क्यों दिखाई नहीं देते?' हमारे ये दूसरे प्रश्न पहले प्रश्नों से इस बात में भिन्न हैं कि पहले प्रश्नों में एक रहस्यात्मकता है और भय-मिश्रित विस्मय है, जब कि दूसरे प्रश्न घटनाओं में कारण-कार्य सम्बन्ध से (उद्देश्य को भी कारण मानते हुए) अपरिचय के परिणाम हैं। पहले प्रश्न इन अतिरिक्त विशेषताओं, तथा एक अन्य विशेषता—अज्ञेयता—के कारण दार्शनिक प्रश्न समझ लिये गये। किन्तु कुछ दूसरी प्रकार के प्रश्न हैं, जो इस श्रेणी के प्रश्नों में नहीं रखे जा सकते जैसे—"मैं जब मेज़ को देखता हूँ तब यह एक प्रकार का प्रतीत होता है, जब मैं इसका स्पर्श करता हूँ तब यह दूसरे प्रकार का प्रतीत होता है, किन्तु यह वास्तव में किस प्रकार का है? और जब मैं न इसे देखता हूँ, न स्पर्श करता हूँ तब यह किस प्रकार का होता है?" इसी प्रकार, "मैं स्वप्न में मेज़ को देखता हूँ, जागने पर वह नहीं देखता, अब इस स्वप्न के मेज़ का क्या अस्तित्वमूल्य है? क्या स्वप्न का मेज़ वास्तव में मेज़ न होकर केवल मानसिक कल्पना थी, तब इस का क्या भरोसा कि यह सभी कुछ स्वप्न नहीं है?" ये प्रश्न किसी कारण-कार्य के सम्बन्ध में नहीं हैं, ये एक तथ्य या घटना के दूसरे उसी प्रकार के तथ्य या घटना से विरोध, अथवा संगति के अभाव, (अभाव कहें, संगति और व्याघात) अथवा परिणाम के सम्बन्ध में हैं। स्थूल रूप से ऐसे प्रश्नों को हम दार्शनिक प्रश्न कह सकते हैं।

मनुष्य तर्कशील या विचारशील प्राणी कहा जाता है। विचार की यह प्रकृति है कि यह एक संस्थान, एक नियमित समवाय में घटित होता है; दूसरे शब्दों में, प्रत्येक विचार अन्य अनेक विचारों को लागू करता है और कुछ अन्य विचारों का बाध करता है। विचार के बिना संसार (बाहरी या भीतरी) केवल असम्बद्ध, या इन सम्बन्धों से भिन्न प्रकार के सम्बन्धों (जिन्हें हम तथ्यात्मक सम्बन्ध कहते हैं) से सम्बद्ध, घटनाओं की भीड़ है। सामान्यत: मनुष्य का संसार भी घटनाओं की भीड़ का संसार ही है जिनमें सम्बन्ध केवल शरीर वैज्ञानिक (अभ्यासजनित) सम्बन्ध हैं। विचारशीलता के नाते वह इस नियमितता को कभी-कभी घटनाओं से पृथक् भी कल्पित कर लेता है, किन्तु वह ऐसे प्रश्नों तक नहीं पहुँचता जो विचार की अपनी विशेषताएँ हैं। 'मैं क्यों उत्पन्न हुआ?' प्रश्न ही लें। यह प्रश्न इस विश्वास से जनित है कि 'सब घटनाओं का कारण होता है,' जोकि विश्वास हमारे सामान्य व्यवहार में अर्जित अभ्यास पर आधारित है। विचार के स्तर पर (स्थूल रूप से) यह प्रश्न तब आता है जब हम पूछते हैं, "जितनी भौतिक घटनाएँ हमने देखी हैं उनका कुछ उद्देश्य था, अब यदि उत्पत्ति भौतिक घटना है तो इस का क्या कारण है, और यदि मानसिक घटना है तो इसका क्या उद्देश्य है (किस उद्देश्य की पूर्ति के लिए मेरी उत्पत्ति हुई?), अथवा क्या यह आवश्यक है कि सब घटनाओं का कुछ कारण हो? और क्या यह आवश्यक है कि सब मानसिक घटनाओं का कुछ उद्देश्य हो? अन्यथा इस विश्वास के लिए मेरे पास क्या आधार है?"

अब विचार के क्षेत्र में जो संगति और व्याघात के नियम हैं उनसे संसार (अथवा कहें, हमारा घटनाओं का संसार) कितना शासित है, यह कहना अनावश्यक है। सम्भवत: संसार तर्क के नियमों से शासित नहीं है, किन्तु

जो कुछ विचार के क्षेत्र में है, वह अवश्य विचार के नियमों से शासित है। इसीलिए जब हम खाना खाते हैं, अथवा जब हम अपनी कुर्सी पर बैठते हैं, अथवा जब हम अपने साथियों से वार्तालाप करते हैं तब हमें उनके सम्बन्ध में कोई सन्देह नहीं होता, होना चाहिये भी नहीं, क्योंकि बैठक में पड़ी कुर्सी बैठने के लिए है, बैठना हमारे जीवन के अनेक व्यापारों में से एक व्यापार है, और जीवन के व्यापार तार्किक नियमों से नहीं, व्यावहारिक सुविधाओं से शासित होते हैं।

इस का यह अर्थ नहीं है कि जीवन के व्यापारों का विचार से (जोकि स्वयं एक व्यापार है) कोई सम्बन्ध नहीं है, किन्तु विचार का जीवन-संघर्ष में सहायक होना एक बात है और विचार का स्वयं अपने ही क्षेत्र को अध्ययन का विषय बनाना दूसरी बात है। विचार की यह विशेषता है कि वह जैसे ही अपनी वर्गणा के नियमों को क्रियान्वित करता है वह एक संस्थान को तनता है। यह संस्थान एक पूर्ण संसार है। यदि हमारे संसार की सृष्टि विचार से हुई है तो अवश्य यह भी एक ताना है जो इस ताने के किसी भी एक सूत्र से तथा संस्थानीकरण के नियमों से निर्धारित होता है। यदि विश्व-विचारक ने किसी अन्य दिशा में तर्क आरम्भ किया होता तो यह संसार भिन्न होता। इस विश्व-विचारक के सम्बन्ध में हम आगे भी कल्पना कर सकते हैं—उसने अपने संसार की रचना (अथवा अपने वितान का तनना) सारी एक-साथ नहीं कर ली होगी और न शायद वह अपना ताना कभी पूरा कर पायेगा, किन्तु यदि वह अपने विचर के नियमों को ठीक प्रकार से समझता है तो वह ऐसी कोई रचना नहीं करेगा जो उस की शेष रचना से असंगत हो।

इसी प्रकार दार्शनिक एक ताना तनता है और यह ताना उसका संसार है। विभिन्न दार्शनिक या तो पृथक्-पृथक् ताना तनते हैं और वे विभिन्न संसारों की सृष्टि करते हैं, अथवा एक दार्शनिक दिखाता है कि दूसरे दार्शनिक ने अपने ताने के नियमों को ठीक प्रकार से नहीं समझा और कुछ असंगत रचनाएँ कर डालीं। इसके अतिरिक्त, दार्शनिक अपने संसार की रचना में जब प्रवृत्त होता है तो उसे अपने ताने की रूपरेखा, केवल एक ब्लू प्रिंट, तैयार करने में ही बहुत समय और परिश्रम की आवश्यकता होती है, एक पर्याप्त पूर्ण मानचित्र की रचना तो बहुत बड़ी बात है।

किन्तु क्या यह दार्शनिक का ही भाग्य (अथवा दुर्भाग्य) है कि वह एक निजी, और इस प्रकार काल्पनिक(?), संसार की रचना करने को बाध्य है?

दो कुत्तों को लें, जिनमें एक बहुत बलिष्ठ और दूसरा निर्बल है। क्या उनका संसार एक ही है? एक कुत्ते और एक मनुष्य को लें। कुत्ते का संसार गंध-प्रधान संसार है और मनुष्य का संसार चित्र-प्रधान है। एक अंधे मनुष्य का संसार स्पर्श और पेशीय-अभ्यास-प्रधान संसार है। एक आशावादी और एक निराशावादी के संसार क्रमश: करुणामय और हर्ष-पूर्ण संसार हैं। न्यूटोनियन विज्ञान तथा आईंस्टीनियन विज्ञान के संसारों में भी गम्भीर अन्तर है। डलस और स्टालिन के संसार कितने भिन्न थे, यह सब जानते हैं। इस प्रकार प्रत्येक व्यक्ति अपने संसार में रहता है। दार्शनिक केवल इस बात में भिन्न है कि वह देख सकता है कि ये संसार भिन्न-भिन्न संसार हैं, वह हमारे प्रदत्त संसार या संसारों के सम्बन्ध में सन्देह उत्पन्न कर देता है और हमारी एक ऐसी इन्द्रिय को जगाता है जो इन विभिन्न संसारों के पीछे झाँक कर इनके अर्थ को देखने में समर्थ होती है। आप कुर्सी देखते हैं? यदि आपके आँखें न होतीं तब? आपका मित्र दुःखी है? शायद वह केवल मशीन ही हो! सामने बैठा मनुष्य सिर काटने पर अवश्य मर जायगा? किन्तु शायद वह अमर हो! आखिर, इस विश्वास के लिए आपके पास क्या आधार है? संसार असत्य है? तब आप 'सत्य' से क्या अर्थ समझते हैं? 'य' सत्य है? किन्तु देखें आपकी ही सत्य की कसौटी से वह असत्य है। जीवन का क्या उद्देश्य है? आपका 'जीवन' और 'उद्देश्य' से क्या अभिप्राय है? अमुक-अमुक अभिप्राय है अब (1) जीवन का उद्देश्य पूछना अर्थहीन प्रश्न है, अथवा (2) जीवन का उद्देश्य आपके अर्थानुसार तर्कत: अमुक है, अथवा (3) आपकी जीवन की परिभाषा ग़लत है क्योंकि इस से अमुक-अमुक प्रतिज्ञाएँ लागू होती हैं, क्या आप इन्हें स्वीकार करने को तैयार हैं?...आदि-आदि।

किन्तु दार्शनिक स्वयं एक ताना तनने को बाध्य है। वास्तव में ताना तने बिना कुछ बात बनती भी नहीं, आप केवल ताने तोड़ते नहीं रह सकते, उस कार्य के लिए भी पहले आपको ताना तनना होगा। किन्तु दार्शनिक के कार्य की उपयोगिता हमें सन्देहशील बनाने, अर्थों को अधिक गहराई से देख पाने और अर्थों को समझ कर सज्ञान ताना तनने में है।

प्रस्तुत पुस्तक दार्शनिक पुस्तक है और इस प्रकार उपर्युक्त विशेषताओं के साथ ताना तनने का प्रयास है। ताना पूर्ण होने का तो प्रश्न नहीं, किन्तु कितना अधिक यह तना गया है, इसके तनने में कितनी सुचारुता और सुष्ठुता है, और जितना यह नहीं तना गया है (जिन समस्याओं पर विचार नहीं किया गया है) उसे इसी विधि और इसी पदार्थ से कितनी योग्यता के साथ तना जा सकता है, और क्या यह इस प्रकार तना जा सकता है कि पहले के साथ इस का सामंजस्य स्थापित हो सके? ये महत्त्वपूर्ण प्रश्न हैं।

इस पुस्तक के प्रथम निबन्ध में हमने ताने के उस पदार्थ और तनने की उस विधि पर विचार किया है जिससे हम भौतिक संसार की रचना करते हैं। दूसरे शब्दों में, उन प्रश्नों पर विचार किया गया है जो भौतिक वस्तुओं सम्बन्धी हमारे ज्ञान की समस्याओं के बारे में हैं, द्वितीय और तृतीय निबन्धों में हमने ताने के पदार्थ के चुनाव के औचित्य पर विचार किया है। ये निबन्ध हमारी अस्तित्व की सीमा ओर उस सीमा के सम्बन्ध में हैं। ताने की ही भाषा में, इन निबन्धों में ताने के लिए जो सूत्र प्रयुक्त किये गए हैं क्यों वही उचित सूत्र हैं, इस समस्या पर विचार है। द्वितीय निबन्ध में मूल–वाक्य किस वस्तु (अस्तित्व) का निर्देश करते हें, यह समस्या है और तृतीय निबन्ध की समस्या है कि ताना क्या है और सूत्र क्या है। कुछ दार्शनिक उस ताने को भी सूत्र (पदार्थ–अस्तित्ववस्तु) समझते हैं जिसे हमने समवाय दिखाया है। इस प्रकार हम पूर्णतः विशिष्टतावादी (नोमिनलिस्ट) हैं।

चतुर्थ निबन्ध में उस ताने के पदार्थ और तनने की विधि पर विचार किया गया है जिसे हम मानसिक संसार कहते हैं। इसके पदार्थ के चुनाव का औचित्य भी वही है जो भौतिक संसार के ताने के पदार्थ के चुनाव का औचित्य है। यह निबन्ध भी प्रथम तीन निबन्धों के समान सूत्र और तनने की विधि से ही सम्बन्धित है।

अधिकांश भाववादी ज्ञानमीमांसात्मक व्यवहारवादी (इपिस्टिमेलोज़ीकल बिहेव्यरिस्ट्स) हैं। किन्तु हमें वह स्थिति सन्तोषजनक प्रतीत नहीं हुई। इस प्रकार, जब कि हमारे ताने के सूत्र मानसिक और भौतिक विश्व के लिए समान रूप के हैं, ये अभिन्न नहीं हैं। हमने ज्ञानमीमांसात्मक विश्लेषण अथवा विघटन के लिए मानसिकता की वर्गणा को समाप्त करने, अथवा कहें, भौतिकता की वर्गणा में इसका समाहार करने की आवश्यकता अनुभव नहीं की, और यह हमारे सामान्य विश्वास के अनुरूप भी है।

अध्याय 5, 6, 7 में अर्थ सम्बन्धी समस्याओं पर विचार किया गया है। अध्याय 5 में हमने इस समस्या पर विचार किया है कि जब हम पूछते हैं 'आपका अमुक–अमुक कहने से क्या अभिप्राय है?' तब हम 'अर्थ' को किस अर्थ में प्रयुक्त करते हैं, अथवा कहें तब 'अर्थ' से हमारा क्या अर्थ होता है? अध्याय 6 में हमारी समस्या सत्य सम्बन्धी है। दार्शनिक पुस्तकों में हम 'सत्य' शब्द के एक विशेष अर्थ पर ही विचार करते हैं। उदाहरणः यदि कोई कहता है 'ब्रह्म सत्य है' तब या तो वह कहता है कि 'ब्रह्म है' अथवा वह कहता है कि 'अमुक–अमुक विशेषताओं से युक्त वस्तु ब्रह्म है।' इन में केवल दूसरा वाक्य ही उचित रूप से निर्मित वाक्य है। अब यह वाक्य सत्य है यदि कोई वस्तु वास्तव में कथित विशेषताओं से युक्त है, अन्यथा नहीं। हमने अध्याय 6 में 'सत्य' केवल इस अर्थ में ही इस समस्या पर विचार किया है। दर्शन में अर्थ और सत्य की समस्याएँ अन्य सब समस्याओं की आधारभूत हैं क्योंकि जब भी कोई कुछ कहना चाहता है तब उसका क्या अभिप्राय है, यह प्रश्न प्रासंगिक है। किन्तु हम कैसे देखें कि उसका अभिप्राय क्या है? इसी प्रकार, प्रत्येक कथन इस प्रकार कथित होता है कि यह प्रश्न उस में प्रासंगिक है कि वह सत्य है या असत्य है? अब किसी कथन की सत्यता किस बात में निहित है? यह जाने बिना हम उसकी सत्यता के सम्बन्ध में जानने के अधिकारी नहीं होते।

अध्याय 7 में भी इन्हीं दो समस्याओं पर विचार किया गया है, किन्तु कुछ भिन्न प्रकार से। वाक्य के अर्थ का वाक्य से क्या सम्बन्ध है? क्या अर्थ वाक्य में रहता है? अथवा क्या एक वाक्य या पद का अर्थ दूसरे समानार्थक वाक्य या पद में निहित है? इस निबन्ध की दूसरी समस्या है; सामान्यत: एक वाक्य दूसरे वाक्य को लागू करता है—'राम मनुष्य है' वाक्य लागू करता है कि 'राम प्राणी है'; किन्तु 'मुझे ज्ञात है कि राम मनुष्य है' वाक्य क्या यह लागू करता है कि 'मुझे ज्ञात है कि राम प्राणी है?' हम यह स्वीकार करके चले हैं कि यह लागू नहीं करता, ऐसा मानने का औचित्य निबन्ध 4 से गृहीत होता है, साथ ही यह समानार्थकता की विस्तारात्मक भाषा में व्याख्याओं की अनर्हता से स्थापित होता है। इस प्रकार, समानार्थकता की समस्या और उस भाषा की समस्या, जिसे हम भावात्मक कहते हैं, परस्पराश्रित हैं। इसी निबन्ध में एक तीसरी समस्या पर भी विचार किया गया है, वह है ऐसे वाक्यों के सत्य की समस्या जो केवल अपने अर्थ अथवा तार्किक रूप के कारण सत्य समझे जाते हैं। इस श्रेणी के अधिकांश वाक्यों की स्वत: सत्यता इन में प्रयुक्त पदों की समानार्थकता से गृहीत होती है। इस प्रकार ये तीनों समस्याएँ परस्पराश्रित हैं।

8वें निबन्ध में हमने दार्शनिक प्रविधि, ताना तनने की कला के रूप, इस के औचित्य और इसकी सीमाओं पर विचार किया है। हमने जिस विधि को अपनाया है उसे 'दार्शनिक विश्लेषण' नाम दिया जाता है। हमारी तत्त्वमीमांसा, अथवा कहें, हमारे विश्लेषण की प्रतिज्ञा अनुभववादी है। अनुभववादी प्रतिज्ञा को हम तत्त्वमीमांसात्मक (मेटाफिज़ीकल) प्रतिज्ञा मानते हैं, इस अर्थ में कि इसे विश्लेषण और तर्क द्वारा सिद्ध नहीं किया जा सकता। किन्तु इसका अर्थ यह नहीं कि यह केवल एक विश्वास है जिसका कोई औचित्य नहीं। इसका औचित्य वास्तव में स्वत:स्पष्ट है, केवल इसे देखने की आवश्यकता है।

यहाँ दो शब्द भारतीय दार्शनिक परम्परा के सम्बन्ध में भी। हमारे विचार में हमारे दार्शनिक तर्क और तत्त्वमीमांसात्मक कल्पनाओं का उतना ही सहारा लेते थे जितना यूरोप के तत्कालीन दार्शनिक लेते थे। निश्चितरूप से ये लोग साधक नहीं थे। शंकराचार्य, धर्मकीर्ति, नागार्जुन, गौडपाद, मण्डन मिश्र तथा उदयनाचार्य आदि कोई भी दार्शनिक साधक नहीं था। इन्होंने साधना को ज्ञान का साधन माना, यह एकदम दूसरी बात है क्योंकि इसका औचित्य सिद्ध करते हुए वे केवल तर्कशास्त्री या तत्त्वमीमांसक थे।

इसलिए आधुनिक दर्शन प्रणाली को मैं भारतीय प्रणाली का विरोधी नहीं मानता, इससे उसे इतना ही भिन्न मानता हूँ जितना हेगल की प्रणाली से मानता हूँ। अत: मैं उन विचारकों से सहमत नहीं हूँ जो इन दो प्रणालियों में कोई सामान्य आधार नहीं देखते। हमारे यहाँ एक दूसरी प्रणाली भी रही है, जिसे हम साधना अथवा रहस्यवाद की प्रणाली कह सकते हैं। यूरोप में इस प्रणाली के समानान्तर आजकल अस्तित्ववादी दार्शनिकों की प्रणाली है या पहले कुछ धार्मिक और आध्यात्मिक रहस्यवादियों की प्रणालियाँ रही हैं। किन्तु न किसी उपनिषद् के ऋषि ने शंकराचार्य की प्रणाली को अपनाया था और न शंकराचार्य ने उपनिषद् की प्रणाली को अपनाया था। हमारे विचार में इस अन्तर को ध्यान में रखना आवश्यक है।

× × ×

प्रस्तुत पुस्तक की एक विशेषता (कहें दोष) यह है कि यह हिन्दी में है, अथवा कहें कि, यह इंगलिश में नहीं है। हमारे कुछ अध्यापक यह समझते हैं कि दर्शन आदि विषयों पर केवल इंगलिश में ही विचार हो सकता है, हिन्दी या अन्य भारतीय भाषाओं में अधिक-से-अधिक अनुवाद या नकल हो सकती है। जब मैंने 'अनुभववाद' पुस्तक में लिखने के सम्बन्ध में कुछ प्रोफेसर्ज़ को लिखा तो उन्होंने नकारात्मक उत्तर के साथ यह भी लिखा कि हिन्दी में केवल परिचयात्मक और सामान्य स्तर की पुस्तक ही होनी चाहिये, क्योंकि इस विषय से परिचित पाठक तो इंगलिश में ही इस विषय पर पुस्तकें पढ़ेगा, हिन्दी में नहीं। मैं इससे बड़ी दुर्भाग्य की बात की कल्पना नहीं कर सकता। यदि हिन्दी में इस विषय पर सचमुच कोई अच्छी पुस्तक हो तो उसे विषय से परिचित पाठक क्यों नहीं पढ़ें? कुछ देशों में, जैसे इटली में, इस प्रणाली पर अभी हाल ही में लिखा जाना आरम्भ हुआ है, किन्तु मुझे

विश्वास है कि उन्होंने इटेलियन में पुस्तकें विषय से अपरिचित पाठकों के लिये नहीं लिखीं। इसके अतिरिक्त, ये प्रोफेसर्ज़ भारतीय दर्शन पर भी तो इंगलिश में पुस्तकें पढ़ना ही उचित समझते हैं? इस सारे दम्भ का जो एक हास्यास्पद पहलू है वह यह है कि ऐसा कहने वाले अधिकांश लोग किसी दर्शन प्रणाली से सुपरिचित भी नहीं हैं, कभी-कभी इसे समझने योग्य भी नहीं हैं। ऐसे लोग यदि पुस्तक को इसलिये नहीं पढ़ना चाहें क्योंकि हिन्दी में पुस्तक पढ़ना उनकी गौरवपूर्ण स्थिति के अनुकूल नहीं है, तो मुझे हर्ष ही होगा।

इस पुस्तक के 8 निबन्धों में से 3 निबन्ध पहले प्रकाशित हो चुके हैं। मूल-वाक्य निबन्ध हिन्दोस्तानी एकेडेमी इलाहाबाद की पत्रिका 'हिन्दोस्तानी' के जुलाई 1958 अंक में प्रकाशित हुआ था। 'हिन्दोस्तानी' पत्रिका के सम्पादक के प्रति हम यह निबन्ध इस पुस्तक में प्रकाशित करने की स्वीकृति देने के लिए आभारी हैं। विशिष्ट, सामान्य और अस्तित्व निबन्ध 'दार्शनिक' के अक्तूबर 1960 अंक में प्रकाशित हुआ था तथा सार्थकता निबन्ध अनुभववाद पुस्तक में अर्थमीमांसा नाम से प्रकाशित हुआ था। ये दोनों प्रकाशन परिषद् के हैं और इन दोनों का सम्पादन मैंने स्वयं किया था। अर्थमीमांसा निबन्ध का नाम परिवर्तन केवल कुछ टैक्नीकल कारणों से किया गया है। इस में यत्र-तत्र कुछ पंक्तियाँ भी बदली गयी हैं। इस पुस्तक के अन्तिम निबन्ध में अनुभववाद में प्रकाशित दार्शनिक-विश्लेषण निबन्ध का कुछ भाग संकलित किया गया है। किन्तु यह निबन्ध उससे बहुत बड़ा और भिन्न है।

अन्त में मैं श्री सुरेश चन्द्र (लखनऊ विश्वविद्यालय), डॉ. दयाकृष्ण (सागर विश्वविद्यलाय), प्रो. गस्टाव बर्गमान, प्रो. क्वाईन तथा प्रो. स्टोरर को धन्यवाद देना चाहता हूँ जिन्होंने इस पुस्तक के कुछ निबन्ध पढ़ कर उन मुझे परामर्श देने की कृपा की है। प्रो. बर्गमान, क्वाईन तथा स्टोरर ने इस पुस्तक के तृतीय अध्याय का इंगलिश अनुवाद, जो मैंने विशेष इसी उद्देश्य से किया था, देखा था। प्रो. बर्गमान के सुझाव विशेष रूप से उपयोगी प्रमाणित हुए हैं। वास्तव में इस पुस्तक का दूसरा अध्याय उनके पत्र तथा उनके एक लेख (जिसका अनुमुद्रण उन्होंने मुझे भेजने की कृपा की थी) का ही परिणाम है।

यशदेव शल्य
लाइन बाज़ार,
फरीदकोट (पंजाब), 20.08.1961

मूल-वाक्य

मूल-वाक्य वे वाक्य हैं जो किसी सद्य:प्रदत्त को प्रकट करते हैं। जैसे:—यह रक्त है, यह उष्ण है, अ आ के दाएँ है, अ आ से छोटा है, अ के सिर दर्द है, अ आनन्दित है, आदि। उपर्युक्त वाक्यों में 'यह' तथा 'अ' आदि पद उद्देश्य और तार्किक संज्ञाएँ हैं जब कि 'रक्त', 'उष्ण' आदि तथा 'दाएँ', 'छोटा' आदि विधेय हैं। तार्किक संज्ञा से अभिप्राय सद्य: अनुभव के विषय से है, सद्य: अनुभवेतर शब्द तार्किक संज्ञाएँ नहीं हैं, वे या तो निरूपणात्मक (डिस्क्रिप्शंज़) हैं अथवा केवल शाब्दिक परिभाषाएँ हैं, अथवा अगमनात्मक परिभाषाएँ हैं। अत: जब हम कहते हैं—'यह रक्त है' तब 'यह' शब्द ऐसा उद्देश्य पद नहीं है 'रक्त' जिसके अनेक विशेषणों में से एक विशेषण है और 'यह' स्वयं इनसे अतीत है। उस अवस्था में यह तार्किक संज्ञा नहीं रहेगा। उस अवस्था में 'यह' परिचय की सीमा से परे हो जायगा। इसी से कुछ दार्शनिकों ने 'यह' शब्द का ऐसे वाक्यों में प्रयोग त्याग दिया है और 'रक्तता', 'यहाँ', 'अब' ऐसे वाक्यों की रचना को वैध माना है। किन्तु यदि 'यह' शब्द का, रसल के अनुरूप, केवल सद्य: संकेत रूप में प्रयोग किया जाता है तब इस से भ्रम का निराकरण हो जाता है। ऐसे वाक्यों को हम '$ग_1 \supset (अ_1)$' इस प्रकार प्रकट कर सकते हैं और तार्किक नियमों के अनुसार '$ग_1$ $(अ_1)$ $(\exists$ य)ग(य)'[1] सत्य वाक्य है। अब यदि यह स्वीकार कर लिया जाय तो हम मूल-वाक्यों के लिए यह प्रस्थापना स्वीकार कर सकते हैं—($\exists$ य) (य=रक्तता) अर्थात् , (रक्तता, यहाँ, अब)। इस प्रस्थापना से हम सद्य:प्रदत्त के अतिरिक्त तथा सद्य:प्रदत्त से अतीत किसी अस्तित्व को मानने के लिए बाध्य नहीं हैं, क्योंकि हमारे मूल-वाक्य का उद्देश्य हमारे सद्य:प्रदत्त के विधेयों के अतिरिक्त अन्य कुछ नहीं है। मूल-वाक्यों के लिये यह आवश्यक नहीं है कि उन में एक ही संज्ञा-पद घटित हो, एक वाक्य में अनेक संज्ञा पद हो सकते हैं। उस अवस्था में यह सम्बन्ध वाक्य होगा और इस वाक्य में उतनी ही संज्ञाएँ होंगी जितनी इस सम्बन्ध वाचक पद के द्वारा अपेक्षित हैं। हम इन वाक्यों को एक अविभाज्य अथवा आणविक तथ्य के अभिव्यंजक वाक्य कह सकते हैं। ये वाक्य एक या अनेक संज्ञाओं तथा एक सम्बन्ध वाचक अथवा विधेय पद से संघटित होते हैं।

अब जैसाकि स्पष्ट है, ये मूल-वाक्य अथवा सद्य:प्रदत्त-वाक्य अनुभववाद को एक सुदृढ़ और तार्किक आधार देने के लिए रचे गये हैं। अनुभववादियों ने हमारी ज्ञान-सम्बन्धी कुछ सामान्य धारणाओं को चुनौती दी थी, क्योंकि उन धारणाओं को तार्किक आधार पर उचित प्रमाणित नहीं किया जा सकता। उदाहरणत: 'यह मेज़ है', 'मैंने कल खाना खाया था', इन वाक्यों में 'मेज़' तथा 'खाना' पद किसी स्वतन्त्र और स्वलक्षण अस्तित्व के वाचक हैं। जैसाकि इस वाक्य से स्पष्ट है, इस में मेज़ के किसी संवेद्य गुण का उल्लेख नहीं है। किन्तु यदि वाक्य 'मेज़ रक्त वर्ण है' ऐसा भी हो तो भी मेज़ और रक्तवर्णता का सम्बन्ध खण्ड और सम्पूर्ण तथा व्यष्टि और समष्टि का नहीं समझा जाता, सम्बन्ध आधाराधेयता अथवा विशेषण-विशेष्य का समझा जाता है। अनुभववादियों ने इस स्वलक्षण वस्तु की अवधारणा को चुनौती दी और इसे हमारे अनुभव से स्वतन्त्र अस्तित्व मानने से इन्कार कर दिया। अब जब हम कहते हैं 'यह मेज़ है', तब यह वाक्य वास्तव में जिस तथ्य को अभिव्यक्त करता है वह ऐसे वाक्यों, जैसे—'यहाँ रक्तता है' द्वारा व्यक्त होता है, क्योंकि, यदि तथाकथित मेज़ केवल हमारा दृष्टि-विषय हो तो, केवल रक्त वर्ण संस्थान घटित होता है न कि मेज़ घटित होता है। अनुभववादी तर्कशास्त्र में यह स्वीकार किया जाता है कि कोई तथ्य अथवा घटना किसी अन्य तथ्य अथवा घटना के होने को लागू नहीं करती। अत:

---

1. यहाँ 'ग' गुण-(रक्तता) आदि के लिए प्रयुक्त है तथा 'अ, विशिष्ट संज्ञा अथवा उद्देश्य के लिए,' '$\supset$' 'लागू करता है' के लिए, '$\supset$' के दोनों ओर के वाक्यों में यदि प्रथम सत्य और द्वितीय असत्य है तो वाक्य असत्य होता है और यदि प्रथम असत्य है तो वाक्य सत्य है। वाक्य के आरम्भ में व्यापारक (य) का अभिप्राय है, 'सब अवस्थाओं अथवा मूल्यों में', तथा व्यापारक (अ य) का अभिप्राय है, 'य के कम-से-कम एक मूल्य में'। इस प्रकार '(अ य) ग (य)' का अर्थ हुआ 'य के कम-से-कम एक मूल्य में ग'।

प्रस्तुत संवेद, जोकि निस्सन्देह घटित होता है, यह लागू नहीं करता कि अन्य संवेद भी घटित होंगे। अब मान लीजिये कि मैं दूर आकाश में एक काला धब्बा देखता हूँ और अनुमान करता हूँ कि यह कव्वा है। इन में प्रथम घटना को हम द्वितीय अथवा अनुगामी घटनाओं के लिए संकेत कह सकते हैं। अब अनुगामी घटनाएँ मेरे पूर्व अनुभव पर आधारित हैं और इन्हें हम 'पहचानना' के अन्तर्गत रख सकते हैं। यह उस अवस्था में भी सत्य है जब कि पहचानना अत्यन्त सहज होता है, जैसे सम्मुख खड़े किसी चिर-परिचित मित्र को देख कर। प्रत्येक 'पहचानने' में प्रथम संकेत घटित होता है और पीछे अनुगामी घटनाएँ, अथवा पहचानना। अब ये अनुगामी घटनाएँ पूर्णत: भ्रम प्रमाणित हो सकती हैं। जैसे वह मेरा मित्र न हो कर उस की मोम की अनुकृति हो सकती है, आकाश में काला धब्बा कव्वा न हो कर वायुयान हो सकता है। किन्तु संकेत अशोध्य है, क्योंकि संकेत-वाचक शब्द वास्तव में घटना के लिए प्रयुक्त होता है और यह शब्द उस घटना से अधिक दावा नहीं करता। 'पहचाना हुआ मित्र' पद यह लागू करता है कि कुछ प्रत्याशित घटनाएँ घटेंगी, जैसे वह बोलेगा, उस के स्पर्श से विशेष अनुभव होगा, वह विशेष प्रतिक्रिया करेगा, आदि। हम पढ़ते हुए उपर्युक्त प्रकार के उदाहरण प्राय: देखते हैं। जैसाकि इन उदाहरणों से स्पष्ट है, संकेत घटना किसी अन्य घटना को लागू नहीं करती। जब साँप में रस्सी का भ्रम होता है, अथवा झाड़ी को देख कर मनुष्य का भ्रम होता है, तब इन में संकेत-(विशिष्ट वर्ण संस्थान) जब कि निश्चित रूप से घटित होता है, साँप और मनुष्य के ज्ञान का बाध हो सकता है। इस प्रकार, अनुभववादियों के अनुसार, मूल-वाक्य अपने आप में पूर्ण है और वह अन्य किसी वाक्य को स्वत: लागू नहीं करता।

अब जैसाकि उपर्युक्त स्थापना से स्पष्ट है, मूल-वाक्यों की प्रस्थापना हमारे ज्ञान के उचित स्वरूप-निरूपण के लिए की गई है। हम कहते हैं 'यह मेज़ है' जब कि वास्तव में वहाँ तथाकथित मेज़ है, हम कहते हैं 'वहाँ मनुष्य है' जब कि वास्तव में वहाँ अनुकृति है, हम कहते हैं 'वहाँ साँप है' जब कि वास्तव में वहाँ कुछ भी नहीं है। किन्तु जब हम कहते हैं 'यह मेज़ है', तब वास्तव में वहाँ मेज़ है अथवा नहीं इस प्रश्न का उत्तर 'यह मेज़ है' वाक्य द्वारा प्रकट किसी तथ्य से नहीं मिल सकता, क्योंकि यह किसी तथ्य को स्वत: प्रकट नहीं करता। तब यह समाधान किस प्रकार होता है? यदि हम इस वाक्य को पुष्ट करना चाहते हैं तो इस से आगे बढ़ते हैं और इस का स्पर्श करते हैं, यदि हमें फिर भी सन्देह होता है तो इस पर चोट करते हैं और सुनते हैं। इस प्रकार हम अन्य भी प्रयोग कर सकते हैं। जैसाकि विभिन्न पोषक वाक्यों से स्पष्ट है, हम अनुभव के क्षेत्र से बाहर नहीं जाते, दूसरे शब्दों में, अनेक संवेद-वाक्य मिल कर हमें एक वस्तु-वाक्य के सम्बन्ध में समधिक निश्चय का अधिकार देते हैं। इस सिद्धान्त के अनुसार, वस्तु-वाक्य विभिन्न संवेद-वाक्यों से संघटित होता है। यह स्वीकार किया जाता है कि हमें विषयों के प्रागनुभविक (अ प्रायराह) अस्तित्व को स्वीकार करने का अधिकार नहीं है। केवल किसी या किन्हीं संवेदों का होना ही किसी विषय के होने का प्रमाण है। इस का अभिप्राय यह नहीं है कि हम 'मेज़' अथवा 'कुर्सी' को भ्रम या स्वप्न कह रहे हैं, हमारा कथन केवल यह है कि ऐसे वाक्य, जिन में वस्तु वाचक शब्द घटित होते हैं, उन वाक्यों में विश्लेष्य हैं जिन में केवल विशिष्ट संज्ञाएँ तथा संवेद वाचक शब्द घटित हो सकते हैं।

किन्तु स्पष्टत: यहाँ कुछ आधारभूत समस्याएँ उत्पन्न होती हैं—क्या ये विषय, जैसे मेज़, संवेदों से निर्मित हैं?—जैसे मशीन पुर्ज़ों से निर्मित होती है अथवा भवन ईंटों से निर्मित होता है? प्रथम दृष्टि में उपर्युक्त स्थापना इस प्रकार की अवधारणा को ही पुष्ट करती प्रतीत होती है। किन्तु ऐसा मानने में जब कि अन्य अनेक कठिनाइयाँ हैं, सर्वप्रमुख कठिनाई यह है कि यह अवधारणा उतनी ही और वैसी ही अत्यानुभविक (स्वलक्षण अथवा तात्त्विक) है जितनी और जैसी यह अवधारणा कि विषयों का अस्तित्व प्रागनुभविक है। क्योंकि जब कि हम मेज़ आदि के सम्बन्ध में, उन के अनुभवातीत होने से, मूक रहना चाहते हैं, हम दृष्टिकोणों अथवा अनुभव-विषयों को वही स्थान दे देते हैं। सी.डी. ब्राड, मूर तथा एच.एच. प्राइस ने इन अनुभव विषयों के सम्बन्ध में यहाँ तक प्रश्न कर डाले हैं कि 'क्या संवेद-विषय असंवेदित रूप में भी रह सकते हैं?' आदि। ऐसे भयानक भ्रमों से बचने के लिए दार्शनिकों ने अनेक व्याख्याएँ खोजी हैं, जिन को मुख्यत: दो भागों में बाँटा जा सकता है। एक भाषीय व्याख्या तथा दूसरी प्रचलित प्रयोगात्मक (कॉमन यूज़) व्याख्या। प्रथम श्रेणी के अन्तर्गत हम न्यूरथ, कार्नप तथा एयर

आदि तार्किक भाववादियों (लाज़ीकल पाज़िटिविस्ट्स) को रख सकते हैं, यद्यपि इन तीनों के प्रतिपादनों में पर्याप्त अन्तर है दूसरी श्रेणी में विट्गिंस्टाईन तथा राइल आदि को। कार्नप ने मूल-वाक्यों के उदाहरणरूप में 'आनन्द अब' अथवा 'यहाँ, अब, नीला' वाक्य प्रस्तुत किये हैं। 'लाजीकल साइंटेक्स ऑफ लेंग्वेज' में उन्होंने मूल-वाक्यों का भी भाषीय रूपान्तरण प्रस्तुत किया है। उसी के अनुसार, 'आनन्द, अब' जैसे वाक्य इसलिए मूल-वाक्य नहीं हैं कि ये किसी अनुभव से सम्मत हैं, प्रत्युत इसलिए मूल-वाक्य हैं क्योंकि ये इस प्रकार के वाक्य-रूपों के अनुरूप हैं। कार्नप इन वाक्यों को प्रमाण्यातीत मानते हैं। किन्तु प्रश्न किया जा सकता है कि क्यों कार्नप ऐसे वाक्य-रूपों को मूल-वाक्यों के रूप में चुनते हैं, अन्य वाक्यों को नहीं क्यों नहीं चुनते? और किस सिद्धान्त के अनुसार यह विनिश्चय होता है कि वाक्यों का यह रूप ही उचित है? तार्किकभाववादी किसी वाक्य की सत्यता का विनिश्चय उस की अन्य वाक्यों से अनुरूपता के द्वारा करते हैं, किन्तु जिन भी वाक्यों को आप मानदण्ड चुनते हैं उन की सत्यता का निश्चय करने के लिए अनुभवेतर स्तरों का आश्रय लेना आवश्यक है।

दूसरी व्याख्या मूल-वाक्यों की अवधारणा पर ही सन्देह प्रकट करती है। राइल के अनुसार—"कम-से-कम एक संवेदन का होना 'देखने' (आब्जर्वेशन) के होने के लिए अनिवार्य शर्त है और यह उस का भाग है। अत: संवेदन करना स्वयं प्रत्यक्षीकरणादि की जाति का नहीं हो सकता।"[1] वे आगे कहते हैं—"यह कहना कि हम संवेदों का प्रत्यक्ष करते हैं, भ्रामक है, क्योंकि वास्तव में हम मेज़ों अथवा क्रीड़ाओं को ही देखते हैं और संवेदों का उस से अनुमान करते हैं।" उन के अनुसार—"संवेदवाद यह प्रतिपादित करता है कि क्योंकि हम केवल संवेद-विषयों को ही देख सकते हैं अत: मेज़ आदि सम्बन्धी वाक्य संवेद-वाक्यों में अनुवाद्य हैं। किन्तु सत्य यह है कि 'संवेद विषय' एक अर्थहीन प्रयोग है, और यह सत्य होने के बजाय कि हम मेज़ आदि नहीं देख सकते, वास्तव में मेज़ आदि उन पूरकों के ठीक उदाहरण हैं जो ऐसे वाक्यों, जैसे 'जॉन...अमुक-अमुक देख रहा है' में अपेक्षित है।" प्रथम दृष्टि में राइल के तर्क जितने उपयुक्त प्रतीत होते हैं वास्तव में ये उतने ही भ्रामक हैं। ये तर्क व्यवहारवादी मनोविज्ञान तथा सामान्य प्रयोग से प्रेरित हैं, जब कि संवेदवाद एक दार्शनिक समस्या के समाधान का प्रयत्न है। संवेदवाद का यह दावा नहीं है कि उस के मूल-वाक्य, तथा सत्य प्रक्रियाओं (ट्रूथ फंक्शन्ज़) द्वारा उन से निर्मित मिश्रवाक्य, क्रमश: वस्तु-खण्डों तथा वस्तुओं के पर्याय हैं, न उस का यही दावा है कि 'संवेद' शब्द का उस का प्रयोग सामान्य प्रयोग के अनुकूल है। राइल की ही भूमि पर खड़े हो सैल्लर्ज़[2] ने उन के तर्कों का खण्डन किया है और उससे देखा जा सकता है कि संवेदवाद तथा राइल के तर्कों का आधार ही भिन्न है। हमारे सामान्य ज्ञान, तथा वैज्ञानिक की प्रविधि के भी, सम्मुख ज्ञान सम्बन्धी जो एक आधारभूत समस्या है, अथवा कहें, पहेली है, वह है ज्ञान और ज्ञेय, प्रागनुभविक तथा आनुभविक और आनुभविक तथा अनुभवातीत के द्वैत की। अनुभववाद मूल-वाक्यों का तर्कशास्त्र इस समस्या के सुलझाव के लिए प्रस्तुत करता है। जब हम कहते हैं—'यह मेज़ है' तब इस वाक्य की सत्यता का ग्रहण किस प्रकार होता है? सत्यता से हमारा क्या अभिप्राय है? क्या यह कहा जा सकता है कि यह उस मेज़ के प्रसंग से सत्य है जिस की परिभाषा में कोई दैशिक, कालिक तथा सांवेदनिक शब्द घटित नहीं होते? दूसरे शब्दों में, क्या मेज़ की परिभाषा करते हुए हम यह स्वीकार कर सकते हैं कि इन्द्रिय-गोचर-योग्यता इस में अप्रासंगिक है? स्पष्टत: नहीं, क्योंकि जब हम कहते हैं 'यह मेज़ है' और दूसरा यह स्वीकार नहीं करना चाहता, तो वह कहेगा—'मुझे यहाँ कुछ दिखाई नहीं देता', 'मैं यहाँ कुछ स्पर्शानुभव नहीं कर रहा' आदि-आदि। उस अवस्था में वहाँ मेज़ का होना या तो संदिग्ध होगा अथवा प्राय: निश्चित। संदिग्ध उस अवस्था में यदि हम निषेध करने वाले व्यक्ति के सम्बन्ध में यह सन्देह करें कि वह हिप्नोटाइज़्ड होने के कारण अथवा अन्य कारणों से मेज़ का प्रत्यक्ष करने के अयोग्य है, अन्यथा हम अपने सम्बन्ध में समझेंगे कि हम मोह-ग्रस्त हैं। किन्तु प्रत्येक अवस्था में मोह-ग्रस्त व्यक्ति कुछ अनुभव कर रहा है और हमारे सम्मुख यह समस्या है कि किस प्रकार इन दोनों अनुभवों को एक नियम के अन्तर्गत रखा जा सकता

1. दि कांसेप्ट ऑफ माइंड, पृ. 214.
2. सैल्लर्ज़ — सेंशेशन्ज़ एज़ गाइड्ज़ टू पर्सीविंग, माइंड, जनवरी 1959.

है? और फिर, जैसाकि डेकार्ट ने आलंकारिक रूप से इस स्थिति को व्यक्त किया है, यह सम्भव है कि किसी मायावी राक्षस ने हम सब को भ्रमित किया हो और हम केवल भ्रमवश वस्तुओं को देखते हों।

अब इस 'भ्रमवश' से क्या अभिप्राय है? यह इस पूर्वाग्रह से प्रेरित है कि हम उस अवस्था में मोह-ग्रस्त हैं यदि हम किसी 'वास्तव' मेज़ को नहीं देख रहे हैं। किन्तु हम मेज़ को देख रहे हैं या नहीं, इस का निर्णय कैसे हो? स्पष्टत: इस का निर्णय केवल राक्षस कर सकता है जो यह मेज़ नहीं देख रहा है और जिसने मायाजाल बिछाया है। किन्तु इस प्रकार समस्या घूम कर फिर वहीं आ जाती है—क्या वह राक्षस हिप्नोटाइज़्ड तो नहीं है? इस प्रकार का निर्णय केवल दो प्रकार से ही हो सकता है; या तो हमें ही प्रमाण माना जाय अथवा एक अन्य अधिक शक्तिशाली राक्षस की कल्पना की जाय। दूसरी अवस्था में हम अनवस्था (इन्फिनिट रीग्रेस) दोष से युक्त होते हैं तथा अप्रमाणीय अस्तित्व में विश्वास करते हैं। इस प्रकार, उस वाक्य की सत्यता, जिस में 'मेज़' शब्द घटित होता है, हम केवल संवेदों के प्रसंग से ही निर्णीत कर सकते हैं। अब यदि संवेद-वाक्यों के प्रसंग से ही 'विषय-वाक्यों' का अर्थ-ग्रहण होता है, तो भ्रम-संवेद क्या है?

जब हम कहते हैं 'रक्त, यहाँ अब', तब यह वाक्य जिस तथ्य का कथन करता है उस का प्रसंग तदितर कुछ नहीं है, अत: यह वाक्य उस तथ्य के साथ संगति के द्वारा सत्य है,[1] किन्तु 'यह मेज़ है' वाक्य इस प्रकार का नहीं है, क्योंकि जब कि प्रथम वाक्य के सम्बन्ध में किसी का यह कथन कि 'रक्त, यहाँ, अब' किन्तु साथ ही कि 'मैं यह नहीं देख रहा हूँ' एकदम निरर्थक है, वहाँ दूसरे के बारे में यह कथन एकदम उचित है, क्योंकि सम्भव है कि मैं चक्षुहीन होऊँ। इतना ही नहीं, जब कि प्रथम के सम्बन्ध में ये कथन कि 'यह कठोर है', 'यह ज्वलनशील है', 'यह अँधेरे में अदृश्य है' संगत हैं, दूसरे के प्रसंग में ऐसा कोई कथन सार्थक नहीं है। संक्षेप में 'मेज़' शब्द उतना ही हमारे वैचारिक अथवा सैद्धान्तिक ढाँचे का वाचक है जितना 'परमाणु' अथवा 'विद्युत्कण'। अत: जब कि प्रथम अन्य वाक्यों से बाधित हो सकता है, द्वितीय नहीं हो सकता।

दूसरे वाक्य की बाधितता का स्रोत क्या है? यह स्रोत इस में घटित उद्देश्य पद 'मेज़' का तार्किक रूप है। तर्क की भाषा में, यह पद संज्ञा न हो कर तार्किक रचना है जिसे हम उचित परिस्थितियों में मूल-वाक्यों में विघटित कर सकते हैं। अथवा यों कहें, मेज़ शब्द संज्ञा नहीं है प्रत्युत इस की परिभाषा में अनेक संज्ञाएँ और अनेक निरूपणात्मक पद (डिस्क्रिप्टिव टर्म्ज़) घटित होते हैं। इस प्रकार यह 'यह मेज़ है' इस वाक्य को '$ग_1$(य)' मानते हुए हम कह सकते हैं '$ग_1$(य)$\supset$$ग_1$(अ), $ग_2$(आ), $ग_3$(इ)...' आदि। जब हम किसी पद को तार्किक रचना कहते हैं तब उस का अभिप्राय होता है कि यह स्वयं अनुभवात्मक शब्द नहीं है, किन्तु यह उन वाक्यों में अनुवाद्य है जो किसी अनुभव के सम्बन्ध में हैं। किसी पद को तार्किक रचना (लाज़ीकल कंस्ट्रक्शन) कहने का अभिप्राय है कि न तो यह संज्ञा है और न संज्ञा-योग्य का निरूपण (डिस्क्रिप्शन) है।

यहाँ संज्ञा, संज्ञा-योग्य का निरूपण तथा तार्किक रचना में भेद और स्पष्ट रूप से समझ लेना आवश्यक है। मिस स्टैब्बिंग[2] के अनुसार 'यहाँ', 'अब' पद 'रक्त' को विशिष्ट संज्ञा पद बनाते हैं, अन्यथा यह सामान्य (यूनीवर्सल) पद हो सकता है, किन्तु 'अ ब है' इस को हम यदि इस प्रकार अनूदित करते हैं 'एक और केवल एक वस्तु मेरा चाक्षुष संवेद है और यह रक्त है' तो यह संज्ञा-योग्य का निरूपण है। किन्तु 'एक और केवल एक वस्तु आधुनिक युग है और यह विज्ञानवादी है' इस में घटित पद 'आधुनिक युग' तथा 'यह विज्ञानवादी है' किसी अनुभव के वाचक नहीं हैं। किन्तु इन की सार्थकता केवल इस बात में है कि ये अभिधानात्मक संज्ञा पदों में

1. मनस्तत्त्व, लेखक यशदेव शल्य — मन और पदार्थ अध्याय, हिन्दोस्तानी एकेडेमी, इलाहाबाद।

2. भावपक्ष के संवेद को रक्त कहने का हमारा यह अभिप्राय नहीं है कि 'रक्तता' तथा 'संवेद' विशेषण-विशेष्य हैं; इस के विपरीत, हम रक्त और विशिष्ट संवेद को अभिन्न मानते हैं। इस सम्बन्ध में हमने मनस्तत्त्व के 'मन और पदार्थ' अध्याय में विस्तारपूर्वक विचार किया है, और इसके विपरीत मत वाले सी.डी. ब्राड की आलोचना की है। स्टैब्बिंग तथा अन्य विद्वानों के उद्धरण हमने प्राय: अपने शब्दों में प्रस्तुत किये हैं, शब्दश: अनुवाद नहीं किया है। अनुवाद को हमने कोमों में कर दिया है।

विश्लेष्य हैं। प्रथम वाक्य का विश्लेषण जब कि समान स्तरीय है द्वितीय का भिन्न स्तरीय, द्वितीय में 'आधुनिक युग' का विश्लेषण सर्वथा भिन्न प्रकार के वाक्यों में किया जाना आवश्यक है। 'आधुनिक युग' के समान ही 'मेज़' की तार्किक रचना है, क्योंकि इसका विश्लेषण भी भिन्न स्तरीय विश्लेषण ही हो सकता है। अथवा दूसरे शब्दों में, 'एक और केवल एक वस्तु है और यह आयताकार है', इसमें मेज़ एक स्वतन्त्र अस्तित्व है जो स्वलक्षणतया विद्यमान है, और इस रूप में यह हमारी तत्त्वमीमांसा में सार्थक नहीं हो सकता। अत: इस का रूपान्तरण इस प्रकार करना होगा—'यहाँ कुछ चाक्षुष तथा स्पर्श-विषय हैं और ये आयताकार हैं।' इस प्रकार हमारी उपर्युक्त स्थापना के अनुसार ऐसे वाक्य, जिनमें ऐसे पद घटित होते हैं जो मूल-वाक्यों में घटित नहीं होते, मूल-वाक्यों से तार्किक रचनाएँ हैं। ऐसे पदों को अपूर्ण प्रतीक (इन्कम्प्लीट सिम्बल्ज़) भी कहते हैं।

किन्तु जैसाकि अनेक बार कहा जाता है, ये तार्किक रचनाएँ कल्पनाएँ अथवा हैल्यूसीनेशंज़ नहीं हैं, जैसे किसी नाटक के पात्र होते हैं अथवा विक्षिप्त की कल्पनाएँ होती हैं। वास्तव में मनोवैज्ञानिक रूप से हमारे लिए 'मेज़' या 'कुर्सी' ही मूल विषय हैं, न कि तथाकथित संवेद। और यदि हमें कोई कहता है कि 'आप जिस पर बैठे हैं वह मेज़ नहीं है, वह केवल आप की मानसिक रचना है, अथवा संवेद है' तब हम उसे केवल विक्षिप्त ही समझ सकते हैं। अत: संवेदवादी दार्शनिकों का यह विधान कि "'मेज़' तार्किक अथवा अपूर्ण प्रतीक है" तथ्यात्मक विधान न हो कर केवल तार्किक अथवा भाषीय विधान है। जैसाकि एयर कहते हैं—"जैसाकि हमारी 'तार्किक रचना' की अवधारणा की व्याख्या से स्पष्ट है, यह एक भाषीय विधान है, क्योंकि यहाँ प्रतीक 'मेज़' कुछ अन्य प्रतीकों के द्वारा, जो कि संवेद विषयों के वाचक हैं, परिभाषेय है।"[1] और भी "यह प्रश्न, कि एक भौतिक वस्तु की क्या प्रकृति है, किसी भी अन्य दार्शनिक प्रश्न के समान परिभाषा की माँग करता है, और वे तर्क-वाक्य जो इस प्रश्न के उत्तर के रूप में प्रस्तुत किये जाते हैं, भाषीय-तर्कवाक्य (प्रोपोज़ीशंज़) हैं, फिर चाहे वे इस प्रकार के ही क्यों न हों कि वे तथ्य-विधायक प्रतीत हों। ये प्रतीकों के सम्बन्ध के अभिव्यंजक तर्कवाक्य हैं न कि उन गुणों के जिन्हें कि ये प्रतीक अभिव्यक्त करते हैं।"[2] स्पष्टत: उपर्युक्त प्रतिपादन जब कि हमारी एक कठिनाई को दूर करता है, कि हम 'यह मेज़ है' इस वाक्य को संवेद-वाक्यों से तार्किक रचना मान कर भी मेज़ को मेज़ मान सकते हैं, यह एक दूसरी और अधिक गम्भीर कठिनाई उत्पन्न करता है—हमारी इन परिभाषाओं का मान-दण्ड क्या है? क्यों मूल-वाक्य ही परिभाषा के लिए उपयुक्त समझे गये? क्यों मूल-वाक्यों का यही रूप उचित समझा गया, आदि? दूसरे शब्दों में, क्या यह विधान कि मूल-वाक्य संवेदों के अभिव्यंजक हैं, भाषीय विधान है अथवा तथ्यात्मक विधान है?

जैसाकि हम पीछे कह आये हैं, ये भाषीय रचनावादी मूल-वाक्यों को संवेदों से सम्बन्धित नहीं करते, ये इन्हें केवल भाषीय परम्परा मानते हैं, जैसाकि कार्नप के मत से स्पष्ट है। किन्तु वास्तव में ये भाषीय रचनावादी भी, यदि यह नाम ये पसन्द करें तो, कभी-कभी सिद्धान्त में भी यह मान लेते हैं कि हमारे मूल-वाक्य हमारे अनुभव से अर्थ ग्रहण करते हैं और तार्किक रचनाएँ वास्तव में इन अनुभव वाक्यों में विश्लेष्य हैं। एयर कहते हैं—"जो विषय सद्य:प्रदत्त नहीं हैं उन के अस्तित्व के लिए कोई प्रागनुभविक प्रमाण की माँग करना भ्रामक है, क्योंकि, यदि ये अत्यानुभविक विषय नहीं हैं तो किसी संवेदानुभव का होना ही इन के अस्तित्व का एकमात्र प्रमाण प्रस्तुत करेगा, और वास्तव में यही एकमात्र वांछनीय तथा उपलभ्य प्रमाण हो सकता है। वांछित संवेदानुभव प्रासंगिक परिस्थितियों में वास्तव में घटित होते हैं अथवा नहीं, यह एक ऐसा प्रश्न है जिस का निर्णय केवल व्यवहार में हो सकता है, किसी प्रागनुभविक तर्क द्वारा नहीं।" तब क्या यह कथन कि 'वस्तु-विषय-वाक्य संवेद-वाक्यों से तार्किक रचनाएँ हैं' तथ्य प्रतिपादक कथन है, जिस प्रकार यह कथन कि 'यह पुस्तक 300 पृष्ठ की है' तथ्य प्रतिपादक है?

1. लेंग्वेज, ट्रूथ एण्ड लॉजिक, पृ. 645.
2. वही, पृ. 64-65.

सर्वप्रथम, 'इस कमरे में मेज़ है' वाक्य यह लागू नहीं करता कि कोई संवेद घटित हो रहा है अथवा होगा, क्योंकि मेज़ शब्द यहाँ अनिश्चित प्रतीक (वेरियेबल) के समान प्रयुक्त है। किन्तु यदि हम इस वाक्य को कोई अर्थ देना चाहते हैं तब हमें इस अनिश्चित प्रतीक को विशिष्ट अथवा विशिष्टों द्वारा स्थानान्तरित करना होगा। ये विशिष्ट हमारे मानदण्ड (क्राइटीरिया) होंगे, अन्यथा उपर्युक्त वाक्य अर्थ-हीन समझा जायगा। इस प्रकार, 'इस कमरे में मेज़ है' वाक्य उस अवस्था में कुछ लागू करता है यदि इस की रचना इस प्रकार की जाय, 'इसका क्या अर्थ है कि—इस कमरे में मेज़ है?' कार्नप के शब्दों में—"जब हम तर्क-वाक्य ब का अर्थ जानना चाहते हैं तब वास्तव में हम क्या चाहते हैं? हम जानना चाहते हैं कि ब से हमें क्या उपलब्ध होता है, हम ब के द्वारा क्या अनुभव करते हैं, हम ब से क्या निष्कर्ष निकालते हैं? दूसरे शब्दों में—हम पूछते हैं कि हम ब से क्या निगमित (डिड्यूस) करते हैं, अधिक ठीक शब्दों में—कौन-से तर्क-वाक्य ब से लागू होते हैं जोकि अन्य किसी तर्क-वाक्य से लागू नहीं होते और अतएव कुछ कथित नहीं करते?"[1] इसी को हमने दूसरे शब्दों में पीछे इस प्रकार प्रस्तुत किया था कि वस्तु-वाक्य हमारी अवधारणात्मक योजना (कांसेप्युअल स्कीम) का परिणाम है और उसके अनुसार ही सार्थक है।

जब मानदण्ड एकदम रूढ़ि हो, तब यह कोई आवश्यक नहीं है कि हम एक या दूसरे मानदण्ड को स्वीकार करें। उदाहरणत: एक भूतवैज्ञानिक के लिए 'इस कमरे में मेज़ है' का अर्थ हो सकता है कि अमुक-अमुक देश-काल बिन्दु पर अमुक-अमुक घनता की विद्युच्चुम्बकीय लहरें प्रसारित हो रही हैं, अथवा अमुक-अमुक देश-काल बिन्दु पर एक भंग (क्रिंकल) घटित हो रहा है। किन्तु जब हम उपर्युक्त वाक्य को दार्शनिक विश्लेषण के लिए प्रस्तुत करते हैं तब दार्शनिक मानदण्ड का ही प्रयोग कर सकते हैं।

हम इस बात से सहमत हैं कि दर्शन किसी भी क्षेत्र में प्रयुक्त अवधारणाओं (कांसेप्ट्स) का विश्लेषण करता है और ऐसे आधारभूत वाक्यों की खोज करता है जिन का विश्लेषण सम्भव नहीं है और जो वाक्य उन अवधारणाओं की परस्पर संगति अथवा विसंगति के लिए आधार प्रस्तुत करते हैं। ये मूल-वाक्य विश्लेष्य नहीं होते और न ही ये परस्पर संगत या विसंगत होते हैं, क्योंकि यदि ये परस्पर संगत या विसंगत होंगे तो पुन: इन के लिए किन्हीं संगतिविधायक वाक्यों की खोज करनी होगी। उदाहरणत: भूत विज्ञान में विद्युच्चुम्बकीय लहरों की अवधारणा विभिन्न भौतिक घटनाओं के विनश्चय अथवा व्याख्या के लिए प्रयुक्त होती है। किन्तु तब हम पूछ सकते हैं कि 'यहाँ अमुक घनता की विद्युच्चुम्बकीय लहरें घटित हो रही हैं' इस का क्या अर्थ है? इसका उत्तर हमारे अवधारणाओं के ढाँचे (कांसेप्चुअल स्कीम) का सापेक्ष है। आप यह नहीं कह सकते कि यह आधारभूत (मूल) वाक्य है, क्योंकि तब आप पूछ सकते हैं कि 'इस का क्या प्रमाण है कि यहाँ विद्युच्चुम्बकीय लहरें घटित हो रही हैं?' और आप विद्युच्चुम्बकीय लहरों के नियम को चुनौती दे सकते हैं और उस के स्थान पर कोई अन्य सिद्धान्त प्रस्तुत कर सकते हैं। अब इन दो नियमों के बीच निर्णय करने के लिए किसी आधार की आवश्यकता होगी। स्पष्टत: विद्युच्चुम्बकीय लहरों का नियम विभिन्न वस्तुस्थितियों(फिनोमिना) के व्यवहार में दृष्टिगत नियमितता के सम्बन्ध में कथन है और इस प्रकार यह अगमनात्मक वाक्य है। इसलिए इस की सार्थकता उन विशिष्ट वाक्यों में निहित है जो इसे प्रमाणित करते हैं। इस प्रकार 'यहाँ विद्युच्चुम्बकीय लहरें हैं' वाक्य 'यहाँ मेज़ है' वाक्य का भूतवैज्ञानिक अवधारणाओं के ढाँचे (फिज़ीकल फ्रेम ऑफ कांसेप्ट्स) में प्रस्तुतीकरण है और इन दोनों वाक्यों का अर्थ ग्रहण उन मूल-वाक्यों से हो सकता है जो इन वाक्यों द्वारा लागू होते हैं। यहाँ तक यह विश्लेषण भाषीय विश्लेषण है, किन्तु ये मूल-वाक्य सीधे हमारे विशिष्ट संवेदों अथवा प्रदत्तों के सम्बन्ध में हैं, यदि नहीं तो यह सम्पूर्ण ढाँचा या तो मात्र रूढ़ि हो जाता है अथवा हम अनवस्था दोष (इन्फिनिट रीग्रेस) में उलझ जाते हैं।

विट्गिंस्टाईन ने तार्किक रचना की इस पद्धति के औचित्य पर ही आक्षेप किया है। उन के अनुसार, "यदि कोई ऐसी भाषा हो जिस के शब्द निजी संवेदों के वाचक हों, तो यह भाषा हमारी सामान्य भाषा से पूर्णत: भिन्न

---

1. कार्नप — ओन दि करेक्टर ऑफ फिलासफीकल प्राब्लम्ज़, फिलासफी ऑफ साइंस, जनवरी 1934.

होगी, क्योंकि कोई दूसरे को यह नहीं बता सकेगा कि उस का क्या अभिप्राय है।" वे आगे कहते हैं, "यह तथ्य कि संवेद-भाषा का यह रूप इसे इससे एकदम भिन्न भाषा में, जोकि भौतिक विषयों के लिए है, समीकृत कर देता है, बताता है कि यहाँ मूल अवधारणा ही घपला गयी है। किन्तु जब कोई किसी शब्द का प्रयोग करता है तब वह कैसे जान पाता है कि उस का शब्द तथा संवेद में सम्बन्ध का स्मरण ठीक है? उस के पास कोई मानदण्ड नहीं है कि वह यह जान सके कि वह किसी शब्द का प्रयोग उसी संवेद के वाचक रूप में कर रहा है जिस का यह वाचक समझा जाता है।"[1] इस का उत्तर अत्यन्त स्पष्ट है। सर्वप्रथम, विट्गिंस्टाईन का तर्क यह मान कर चलता है कि स्मृति विश्वसनीय नहीं है, जोकि एकदम स्वतन्त्र प्रश्न है। इस के अतिरिक्त, यदि विट्गिंस्टाईन यह मानते हैं कि हम उस भाषा को समझ सकते हैं जो भाषा सर्वजन सुलभ है, तो यह समझना कठिन है कि वे क्यों नहीं मानते कि हम अपने अनुभव से सम्बन्ध रखने वाली भाषा को भी समझ सकते हैं? किसी वाक्य को हमारे (वक्ता के) अतिरिक्त अन्य कोई समझता है अथवा नहीं यह मूल-वाक्यों के तर्कशास्त्र में प्रासंगिक प्रश्न ही नहीं है। जैसाकि हम विट्गिंस्टाईन की आपत्तियों की आलोचना करते हुए देखेंगे, यह समाजवैज्ञानिक की रुचि का प्रश्न हो सकता है। मान लीजिये, हम कहते हैं—'रक्त, यहाँ, अब' जो कि हमारे सद्य: अनुभव का वाचक है। विट्गिंस्टाईन के अनुसार, यह इसलिए अनुचित प्रयोग है क्योंकि भाषा का प्रयोग अनुभव के पीछे होता है, समकालिक नहीं, अत: यह समृति का विषय हो जाता है। स्मृति का विषय हो जाने से हम यह नहीं कह सकते कि यह वाक्य हमारे जिस अनुभव के लिए प्रयुक्त है उस की यह ठीक व्यंजना करता है, जब तक हम स्मृति की सत्यता स्वीकार न करें। दूसरे, क्योंकि हमारे शब्द व्यक्तिगत हैं और अनुभव के साथ भाषा का सम्बन्ध अतीतोन्मुख है अत: हमारे पास कोई मानदण्ड नहीं है जिस के अनुसार हम यह कह सकें कि हमारा प्रयोग ठीक है। दूसरे शब्दों में 'रक्त, यहाँ, अब' में 'रक्त' शब्द का हम ठीक प्रयोग कर रहे हैं, यह कह सकना असम्भव है।

सर्वप्रथम, हम मूल-वाक्यों को अतीत अनुभव के वाचक नहीं मानते, क्योंकि यदि हम यह मानें कि कोई प्रतीक प जिस अनुभव अ को इंगित करता है, यदि वह अनवार्यत: उस से पूर्वगामी ही हो सकता है तो इस तथ्य का अनुभव कि प्रतीक प का प्रयोग किया गया है, पुन: प्रयोग के पश्चात् ही घटित हो सकता है और इस प्रकार हम अनवस्था में उलझ जाते हैं। क्योंकि किसी अनुभव का कथन (स्टेटमेंट) यदि अतीतोन्मुख हो तो उस कथन का अनुभव भी अतीतोन्मुख ही होगा, अत: पुन: यह कथन करना होगा कि हम ने अनुभव के कथन को अनुभव किया है। अन्यथा हम यह कैसे जान सकते हैं कि हमारा प्रयोग सामान्य भाषा के अनुरूप है? यदि यह कथन करना आवश्यक नहीं है कि मैंने कथन का अनुभव किया है क्योंकि यह अनुभव स्वत:प्रमाण है, तब 'रक्त, यहाँ, अब' को स्वत: प्रामाण्य मानने में क्यों आपत्ति होनी चाहिए? वास्तव में कथन के इंगित को अतीतोन्मुख कहने के आधार में यह धारणा कार्य कर रही है कि अनुभव $अ_1$ के कथन के लिए $अ_2$ का होना आवश्यक है। अन्यथा मूल-वाक्यों को अतीतोन्मुख कहने के लिए औचित्य नहीं है। किन्तु इस धारणा में विश्वास के लिए क्या औचित्य है?

दूसरा पूर्वाग्रह यहाँ और भी अतर्कसम्मत है। विट्गिंस्टाईन की आपत्ति है कि क्योंकि शब्दों का ठीक प्रयोग शिक्षा-साध्य है, अत: 'नीला' शब्द का प्रयोग स्मृति और सार्वजनिक की सम्यक्ता का अपेक्षी है। हम ने किसी संवेद के लिए ठीक (सामान्य प्रयोग के अनुसार) शब्द का प्रयोग किया है, इस के लिए मानदण्ड केवल सामान्य स्वीकृति ही है। उपर्युक्त धारणा दो आधारभूत भ्रान्तियों पर आधारित है। प्रथम यह कि मानदण्ड के लिए उस का बाह्य होना आवश्यक है। मान लीजिये कि हम केवल सार्वजनिक प्रयोग के साथ मिलान करके ही यह देख सकते हैं कि हमारा प्रयोग ठीक है। किन्तु तब इस विनिश्चय के लिए कि हमारा प्रयोग सामान्य प्रयोग के अनुरूप है, एक अन्य मानदण्ड की आवश्यकता होगी, क्योंकि हम सामान्य प्रयोग के साथ मिलान करके ही यह नहीं देख सकते हैं कि हमारा मिलान ठीक है। इस ज्ञान के लिए भी कि हमारा मिलान ठीक है—सार्वजनिक प्रयोग

1. इन्वेस्टीगेशंज़ — सूत्र 143 तथा 258.

के अनुरूप है—एक अन्य मानदण्ड की आवश्यकता होगी जिस के साथ हम इस मिलान को मिला कर जाँच सकें, और इस प्रकार अनन्त मानदण्ड अपेक्षित होंगे। अत: जब तक हम किसी वाक्य के ज्ञान के लिए अन्त:साक्ष्य को पर्याप्त नहीं मानते तब तक हम सार्थकतया कोई कथन नहीं कर सकते। इस प्रकार, यदि हम यह स्वीकार करते हैं कि हम लिखित अथवा दूसरों द्वारा प्रयुक्त शब्द बिना किसी बाह्य साक्ष्य के समझ सकते हैं तो यह समझना कठिन है कि हम अपने अनुभव के लिए प्रयुक्त शब्द को क्यों नहीं समझ सकते? वास्तव में मूल-वाक्य की सार्थकता के लिये सार्वजनिकता का प्रश्न अप्रासंगिक है।

दूसरी धारणा इस पूर्वाग्रह पर आधारित है कि हम भाषा का प्रयोग करते हुए अनिवार्यत: वर्गीकरण करते हैं। हमारा किसी वर्ण का वाचकशब्द उन सब उदाहरणों का वाचक है जो इस द्वारा इंगित होते हैं और अन्य सब वर्णों का बहिष्कार करता है। उदाहरणत: 'नीला' इस शब्द द्वारा व्यक्त वर्ण वर्ग विशेष के सब उदाहरणों को लागू करता है और अन्य सब वर्णों का बहिष्कार करता है। इस प्रकार प्रत्येक वाक्य में प्रयुक्त विधेय विशिष्ट न हो कर सामान्य हो जाता है, क्योंकि यह जो कम-से-कम विधान करता है वह यह है कि इस का वाच्य उस वस्तु के समान है जो मेरी उक्त वर्ण की मूल संकेतित परिभाषा (ओस्टेंसिव डेफीनीशन) का आधार है। किन्तु बर्ट्रेंड रसल इस विचार की भ्रामकता स्थापित करते हुए कहते हैं—"यह कहते हुए कि—'यह आभास मूल-आभास के अनुरूप है', मेरा 'अनुरूपता से क्या अभिप्राय है?' क्या मेरा अभिप्राय यह है कि वह सम्बन्ध, जो इस आभास का मूल आभास के साथ है, उस सम्बन्ध के अनुरूप है जोकि मेरे लिए 'अनुरूप' शब्द की मूल परिभाषा का विषय था? अब यदि सब विधेय तुलनाएँ हैं तो मेरा अभिप्राय कुछ ऐसा ही होना चाहिये। किन्तु यदि कहा जाय कि अनुरूपता अनुरूपों के प्रामाणिक द्वन्द्वों से अनुरूपता के सम्बन्ध द्वारा निर्मित है तो वही समस्या द्वितीय स्तरीय[1] अनुरूपता के प्रसंग में उत्पन्न होगी। (इस प्रकार) क्योंकि 'अनुरूपता' को हमें अनिवार्यत: तुलना से स्वतन्त्र विधेय के रूप में स्वीकार करना होगा, अत: तुलना से स्वतन्त्र अन्य विधेयों के बहिष्कार के लिए दुरारूढ़ साधनों को स्वीकार करना किसी प्रकार से भी योग्य न होगा। अत:, यह स्वीकार करने में कोई आधारभूत कठिनाई नहीं होनी चाहिए कि कोई तर्कवाक्य वर्तमान से परे संकेत किये बिना भी विश्लेषणात्मक (एनेलिटिकल) वाक्य हो सकता है।"[2] इस के अतिरिक्त, जब हम कहते हैं कि 'यह रक्त है' तब किसी भी प्रकार से इस से यह लागू नहीं होता कि इससे पहले किसी विषय, यथा रक्त अथवा किसी वस्तु अथवा वर्ण, का अस्तित्व था। अत: कोई शब्द तर्कत: किसी वर्गीकरण को लागू नहीं करता जब तक कि उस से यह अपेक्षा ही न की जाय।

उपर्युक्त विश्लेषण से यह स्पष्ट हो जाना चाहिये कि मूल-वाक्यों की अनुभव-सम्मतता का सिद्धान्त तार्किक आवश्यकता से प्रेरित है। हम निश्चय ही यह स्वीकार करते हैं कि विधेयों का अर्थ केवल सद्य: अनुभव से ही नहीं सामान्यों से भी ग्रहण होता है। इस प्रकार, 'मेरे दृष्टिपथ में रक्त वर्णहै' यह वाक्य ही सार्थक नहीं है प्रत्युत 'मेरे दृष्टिपथ में रक्त वर्णनहीं है' अथवा 'दीवार का दूसरी ओर का भाग रक्तवर्ण है' भी सार्थक प्रयोग हैं। किन्तु इन की सार्थकता का ग्रहण उस वाक्य से होता है जिनकीसार्थकता परिचय सिद्धान्त (लॉ ऑफ एक्वेंटेंस) के अनुसार निर्धारित नहीं होगी। जैसाकि हम ने सामान्यों के विश्लेषण के प्रसंग में देखा है, इनकी परिभाषा अनुरूपता के द्वारा ही निश्चित की जा सकती है। किन्तु इस प्रक्रिया में हम अनवस्था-दोष से केवल तभी बच सकते हैं यदि हम 'इस रक्त' को इस प्रक्रिया से मुक्त मानें। कार्नप आदि प्रत्यक्षवादियों ने यद्यपि मूल-वाक्यों को प्रमाण्यातीत तथा स्वत:सिद्ध माना है, तो भी उन्होंने इन की रूपात्मक परिभाषा (फार्मल डेफीनीशन) देने का प्रयास भी किया है। किन्तु जब वे इन्हें अप्रत्याख्येय, पुष्टीकरण-निरपेक्ष तथा वैज्ञानिक वाक्यों के मूल मानते हैं तब वे इन्हें सद्य: अनुभव के वाचक मानने को बाध्य हैं, और कभी-कभी वे ऐसा मानते भी हैं, यद्यपि तब वे

---

1. स्तरों का अभिप्राय यह है कि जो शब्द तथ्य, अथवा कहें, भाषेतर तथ्य का वाचक है वह प्रथम स्तरीय शब्द कहलाता है, जो शब्द इस शब्द का वाचक है वह द्वितीय स्तरीय शब्द होता है, इस द्वितीय स्तरीय शब्द का वाचक तृतीय स्तरीय, और इस प्रकार अनेक स्तर हो सकते हैं।

2. रसल, ह्यूमन नॉलेज, पृ. 435.

कहते हैं कि वे इसे वस्तुपरक विधा (मैटीरियल मोड) में प्रस्तुत कर रहे हैं, जोकि केवल स्थूलरूप से व्यक्त करती है; उचित विधि केवल रूपात्मक विधि (फार्मल मोड) ही है। किन्तु कार्ल पाप्पर जब कि यह स्वीकार करते हैं कि—"केवल प्रत्यक्षीकरण (आब्ज़र्वेशन) ही हमें तथ्यों का ज्ञान दे सकता है।" वे आगे कहते हैं कि—"हमारा यह ज्ञान किसी कथन को सत्य अथवा उचित सिद्ध नहीं करता। अत: मैं यह विश्वास नहीं करता कि ज्ञानमीमांसा का मूल प्रश्न यह है कि...हमारे ज्ञान का मूल आधार क्या है?...अथवा, अधिक ठीक शब्दों में, किस प्रकार मैं अनुभव विशेष प्राप्त कर लिए होने पर इस विवरण का औचित्य प्रमाणित कर सकता हूँ तथा सन्देह से इस की रक्षा कर सकता हूँ? मेरे विचार में ज्ञानमीमांसा को जो प्रश्न पूछना चाहिये वह यह कि हम वैज्ञानिक वाक्यों का उनके निगमनात्मक परिणामों के द्वारा किस प्रकार परीक्षण कर सकते हैं? और किस प्रकार के परिणाम हम इस उद्देश्य के लिए चुन सकते हैं कि ये सार्वजनिक रूप से परीक्ष्य हो सकें?"[1]

उपर्युक्त उद्धरण में लेखक स्पष्टत: वैज्ञानिक परीक्षण-पद्धति से इतना पराभूत है कि वह यह नहीं देख पाता कि न तो सब वाक्य परीक्षण-वाक्य होते हैं और न यही कि किस प्रकार परीक्ष्य वाक्य परीक्ष्य हैं। उदाहरणत: 'मेरे सिर दर्द है' यह परीक्ष्य वाक्य नहीं है। इस की हम आगे विस्तृत व्याख्या करेंगे। यहाँ हम कोई परीक्ष्य वाक्य लें, जैसे 'देश-काल-बिन्दु $द_1$ के दाईं ओर रक्त वर्ण है', अथवा 'इस दीवार के दूसरी ओर का वर्ण रक्त है।' प्रथम वाक्य को हम संकेतों में इस प्रकार रूपान्तरित कर सकते हैं—'स ($द_1$, द), र(द)' अर्थात् हमारे दृष्टिगत देश बिन्दु $द_1$ का द से सम्बन्ध $स_1$ है और द रक्त है। यहाँ सम्बन्ध $स_1$ तथा देश-बिन्दु $द_1$ प्रस्तुत अथवा परिभाषित है तथा द परिभाषित तथा अनिश्चित पद है। दूसरा वाक्य इस प्रकार रूपान्तरित किया जा सकता है—'स ($\exists$ य), र(य)।' यहाँ 'य' अपूर्ण प्रतीक अथवा परिभाषेय प्रतीक है जिस का अर्थ आभ्युपगमिक वाक्यों द्वारा परिभाषेय है किन्तु जिस की सत्यता का निर्धारण मूल-वाक्यों से ही हो सकता है। ये प्रतीक दीवार के उस ओर तथा इस ओर के अन्तर को स्पष्ट करते हैं। अब हमारे विचारानुसार ये दोनों वाक्य सार्थक हैं, क्योंकि इन में प्रयुक्त विधेय परिचय-सिद्धान्तानुसार सामान्य हैं। परिचय-सिद्धान्तानुसार यदि हमारे मूल-वाक्यों में कभी $र_1$ घटित हुआ है तो हमारे लिए यह एक सार्थक पद है। इसी प्रकार, यदि '$स_1$ (अ आ)' हमारी भाषा में मूल-वाक्य है और $स_1$ दाईं ओर होने का सम्बन्ध है तो हमारे लिए 'स (य र)' भी सार्थक है, जब कि 'य' और 'र' अनिश्चित पद हैं और स सामान्य है। किन्तु अनिश्चित पद वाला वाक्य जब कि हमारे लिए सार्थक है, यह सत्य नहीं है क्योंकि इस की सत्यता केवल तभी स्थापित होती है यदि इस के अनिश्चित पद विशिष्ट अथवा निश्चित हो जाएँ। इस प्रकार किसी वाक्य की परीक्ष्यता यह निर्धारित करना है कि किस प्रकार के मूल-वाक्य घटित हों तो अमुक वैज्ञानिक वाक्य सत्य समझा जाएगा, अथवा अधिक ठीक शब्दों में, जिन मौलिक (नवीन) मूल-वाक्यों के साथ मिलान के द्वारा हमारे सामान्य सार्थक हैं उसी प्रकार के परिणाम रूप मूल-वाक्यों के प्रसंग से परीक्ष्य वाक्य सत्य होते हैं। जहाँ तक सार्वजनिकता का सम्बन्ध है, यह अप्रासंगिक है, क्योंकि सार्वजनिकता पुन: परीक्ष्य पद है, क्योंकि सार्वजनिकता से एकमात्र यह अभिप्राय है कि अनेक मूल-वाक्य घटित होते हैं, जिन में सम्बन्ध स है। किन्तु यहाँ यह ध्यान रखना आवश्यक है कि यह स अत्यन्त उलझनपूर्ण, और कुछ दार्शनिकों के अनुसार, अप्रमाणीय भी है। जो भी हो, 'सार्वजनिकता' कम-से-कम अत्यन्त उलझनपूर्ण तार्किक रचना है। जहाँ तक ज्ञानमीमांसा के आधार का प्रश्न है, यह प्रश्न भी अनुचित नहीं है, क्योंकि चाहे हम मूल-वाक्यों से आरम्भ न भी करें तो भी केवल इसी आधार पर वैज्ञानिक वाक्यों की परिभाषा दे सकते हैं। अन्यथा पाप्पर का परीक्ष्यता और सार्वजनिकता से क्या अभिप्राय है? पाप्पर 'अनुभव' तथा 'परिदृश्यता' (ऑब्ज़र्वेबिलिटी) पदों से घबराते हैं, क्योंकि ये मनोवैज्ञानिकता का भान देते हैं, और इनसे नजात पाने के लिए वे परिदृश्यता को अपरिभाषेय पद मान लेते हैं। उनके अनुसार "मूल-वाक्य चित्र भाषा (मैटीरियल मोड ऑफ स्पीच) में वे वाक्य हैं जो प्रतिपादित करते हैं कि कोई प्रत्यक्षगम्य घटना किसी विशेष देश-काल में घटित हो रही है।...और परिदृश्यता यहाँ अपरिभाषेय है, किन्तु

1. कार्ल पाप्पर — लॉजिक ऑफ साइंटीफिक डिस्कवरी, पृ. 98.

यह सुचारु रूप से व्याख्येय है।"[1] अब देखें कि वे 'प्रत्यक्षगम्यता' को किस प्रकार विस्थापित करते हैं। उनके अनुसार, "मैं इस (प्रत्यक्षगम्यता) का प्रयोग इस प्रकारकर रहा हूँ कि इसे स्थूल भूत-पिण्डों की स्थिति और गति की घटना से भी स्थानान्तरित किया जा सकता है। अथवा, हम इसे अधिक ठीक शब्दों में इस प्रकार प्रस्तुत कर सकते हैं : कि प्रत्येक मूल-वाक्य या तो स्वयं भूत-पिण्डों की सापेक्ष स्थिति के बारे में हो अथवा यह इस प्रकार के किसी यान्त्रिकतावादी (मेकेनिस्टिक) अथवा भौतिकतावादी (मैटीरियलिस्टिक) मूल-वाक्य के अनुरूप हो।"[2] किन्तु वे 'भूत-पिण्ड', 'गति' तथा 'स्थिति' को क्या अर्थ देते हैं? क्या ये पद भी अपरिभाषेय हैं? यहाँ वे प्रत्यक्षगम्यता से अपील करने को बाध्य हैं, किन्तु इस की मनोवैज्ञानिकता से मुक्ति पाने के लिए वे सार्वजनिकता तथा सार्वजनिक संवेद्यता (इन्टर सेंसिबिलिटी) से अपील करने को बाध्य हैं। किन्तु यह एकदम गड़बड़झाला है।

2

हम ने देखा कि मूल-वाक्य अन्य वाक्यों के सत्यापन के लिए तार्किक रूप से आवश्यक हैं तथा अपने इस उद्देश्य की पूर्ति वे तभी कर सकते हैं यदि वे सद्यः-अनुभव के व्यंजक हों। दूसरे शब्दों में, मूल-वाक्य की सार्थकता किसी अनुभव के साथ सम्मतता के द्वारा उत्पन्न होती है। अब हमें देखना है कि इन मूल-वाक्यों की रचना किस प्रकार से होनी चाहिए।

सम्भवत: यहाँ एकदम जो उत्तर हमारे मन में उत्पन्न होगा वह यह होगा कि ये वाक्य हमारे सद्यः अनुभव के अनुरूप ही होने चाहिएँ। अथवा आप सद्यः अनुभव के स्थान पर 'मूल तथ्य' भी कह सकते हैं, जैसाकि अणुवादियों ने प्रतिपादित किया था। किन्तु क्या हमारी मूल-वाक्यों की अवधारणा किसी मनोवैज्ञानिक विश्लेषण पर आधारित है? यदि वह किसी मनोवैज्ञानिक सिद्धान्त पर आधारित है तब प्रत्येक दार्शनिक को पहले सद्यः अनुभव के मनोवैज्ञानिक विश्लेषण से आरम्भ करना होगा और इस प्रकार प्रत्येक दार्शनिक के मूल-वाक्य उसके मनोवैज्ञानिक सिद्धान्त से निर्धारित होंगे। अब, अनेक मनोवैज्ञानिक 'रक्त, यहाँ, अब' अथवा 'यहाँ, अब, रक्त संस्थान स$_1$ है' द्वारा व्यक्त तथाकथित अनुभव को दुरारूढ़ कल्पना मानेंगे, क्योंकि उनके अनुसार, हम ऐसा सद्यः तथा पृथक्कृत अनुभव नहीं करते। उदाहरणत: हमारे किसी भी चाक्षुष संवेद में वस्तु की स्थूलता, कठोरता-कोमलता आदि भी उतनी ही सहज रूप से घटित होती हैं जितनी सहजता से वर्ण; क्योंकि उकसाहट तथा प्रतिक्रिया के बीच केन्द्रीय सजीव शरीर क्रियान्वित होता है। इस सिद्धान्त को 'उ.क.प्र.' (एस.सी.आर.) का सिद्धान्त कहते हैं। विश्लेषणवादी मनोविज्ञान के विरुद्ध जेस्टाल्ट मनोविज्ञान एक ऐसा ही उत्तर है। वास्तव में कोई विश्लेषणवादी मनोवैज्ञानिक भी 'उकसाहट-केन्द्र-प्रतिक्रिया' सिद्धान्त से निषेध नहीं करेगा, जैसाकि पावलाव के विश्लेषण में देखा जा सकता है। इस प्रकार, वास्तव में मूल-वाक्यों द्वारा वांछित सद्यः अनुभव का अत्यन्त विशुद्ध रूप कोई भी मनोवैज्ञानिक सिद्धान्त स्वीकार नहीं करेगा। किन्तु जैसाकि हम पहले कह चुके हैं, मूल-वाक्यों का निर्माण एक तार्किक उद्देश्य की पूर्ति के लिए किया गया है, जिसे हम 'तार्किक प्रमाण' कह सकते हैं। प्रश्न किया जा सकता है कि हम ऐसे वाक्यों, जैसे 'यह मेज़ है' को मूल-वाक्य क्यों नहीं मान लेते? इस का कारण स्पष्ट है, इस वाक्य में घटित 'मेज़' पद से हम माँग करते हैं कि इसके द्वारा संकेतित विषय एक व्यक्ति के एक समय पर अनेक संवेदों का, एक व्यक्ति के अनेक कालों पर अनेक संवेदों का विषय होने का तथा, किसी भी संवेद विशेष का विषय न होने पर भी अस्तित्ववान होने का, कार्य सम्पादन करे। अब मान लीजिये कि मैं स्वप्न में मेज़ देख रहा हूँ, अथवा रस्सी को साँप समझ रहा हूँ। इन अवस्थाओं में मेरा यह कथन कि 'यहाँ मेज़ है' अथवा 'यहाँ साँप है' असत्य समझा जायगा। किन्तु यदि हम ऐसे वाक्यों जैसे 'यह मेज़ है' को ही मूल-वाक्य मान लें तो इन वाक्यों का सत्यापन अथवा असत्यापन असम्भव हो जायगा। इस प्रकार, परिभाषया ऐसे वाक्य मूल-वाक्य नहीं हो सकते। इसके विपरीत, ऐसे वाक्य जैसे 'यहाँ रक्त संस्थान स$_1$ घटित हो रहा है' परिभाषया ऐसे वाक्य हैं जो

---

1. लॉजिक ऑफ साइंटीफिक डिस्कवरी, पृ. 98.
2. वही, पृ. 103.

किसी आत्मेतर प्रमाण की अपेक्षा नहीं करते। 'मूल-वाक्य' इस प्रयोग में यह पूर्वकल्पित है कि यह इंगित के साथ ही प्रयुक्त होता है। इस प्रकार, यह कहना कि (1) शायद मैं रक्त संस्थान देख रहा हूँ, अथवा किसी अन्य द्वारा मेरे उपर्युक्त वाक्य प्रयोग करने पर यह आपत्ति करना कि (2) कथित रक्त संस्थान घटित नहीं हो रहा है, एकदम निरर्थक हैएकदमं। क्योंकि इस शास्ति के विधानानुसार उपर्युक्त वाक्य केवल तभी प्रयुक्त किया जा सकता है जब कि $स_1$ घटित हो रहा हो। और यह वाक्य यह कथन कभी भी नहीं करता कि संस्थान $स_1$ सार्वजनिक अथवा सर्वेन्द्रियता का भी विषय है। दूसरे शब्दों में, यह कथन निरर्थक है कि मैं रक्त संस्थान देख रहा हूँ किन्तु निश्चित नहीं हूँ कि रक्त संस्थान वास्तव में घटित हो रहा है, तथा, कि मैं देख सकता हूँ कि वह रक्त संस्थान देख रहा है, अथवा अनुभव कर रहा हूँ कि उस के सिर में दर्द है। ये वाक्य सामान्य प्रयोग के अनुसार निरर्थक अथवा ग़लत हैं।

मूल-वाक्यों सम्बन्धी उपर्युक्त अवधारणा के विरुद्ध अनेक आपत्तियाँ उठाई गई हैं और इन में से अधिकांश इस अवधारणा के मूल उद्देश्य को भुला देने के कारण उत्पन्न होती हैं। हमने पीछे राइल के आक्षेपों पर विचार किया था। यहाँ हम उनके कुछ और आक्षेपों पर विचार करेंगे। उनके अनुसार, "हमारे दैनिक व्यवहार में प्रयुक्त क्रिया-पद, जैसे 'खाना', 'सुनना' और 'चखना' विशुद्ध संवेदों के अनुसारी नहीं हैं, क्योंकि हम 'घुड़दौड़ देखने' का, 'गाड़ी की आवाज़ सुनने' का तथा 'अंगूरी शराब चखने' का प्रयोग करते हैं और दौड़ें, गाड़ियाँ तथा शराबें संवेद नहीं हैं।"[1] यहाँ राइल यह कहना चाहते हैं कि 'देखना' आदि शब्दों का प्रयोग ही हम इस प्रकार करते हैं कि इन का प्रयोग किसी संवेद के देखे होने या संवेद के चखे होने आदि के लिए अयुक्त है। किन्तु यदि हम कहें, जैसाकि अनेक संवेदवादी कहते हैं, कि 'घुड़दौड़ देखना' लागू करता है कि कम-से-कम एक संवेद घटित हुआ है, क्योंकि जब तक हम संवेदन नहीं करेंगे तब तक देखे होने का प्रश्न ही उत्पन्न नहीं होता, तो इसके विरुद्ध राइल आपत्ति करते हैं कि 'यदि घुड़दौड़ (ग्लिम्प्स) की झलक लागू करती है कि कम-से-कम एक संवेद घटित हुआ है; हमें इस संवेद का विश्लेषण इससे पूर्व एक अन्य संवेदन किये होने में करना होगा, और इस प्रकार अनवस्था प्रसंग को स्वीकार करना होगा।' किन्तु मूल-वाक्यों सम्बन्धी हमारी स्थापना के अनुसार उपर्युक्त आपत्ति निराधार प्रतीत होती है। जैसाकि हमने देखा है हमारा 'घुड़दौड़' का प्रयोग यह लागू करता है कि कम-से-कम एक संवेद घटित होता है और उपयुक्त परिस्थितियों में अनेक उपयुक्त संवेद घटित हो सकते थे, जब कि एक संवेद का घटित होना किसी अन्य संवेद को परिभाषया लागू नहीं करता। यहाँ यह स्पष्ट कर देना आवश्यक है कि संवेद का प्रतीयमान रक्तादि विशेषण वास्तव में उस की संज्ञा है, क्योंकि रक्त-वर्णता और संस्थान $स_1$ संवेद से भिन्न कुछ नहीं हैं। और केवल तर्कत: ही नहीं तथ्यत: भी घुड़दौड़ का प्रत्यक्ष जब कि कम-से-कम एक संवेद घटित हुए होने को लागू करता है, 'यह संवेद' किसी अन्य संवेद को लागू नहीं करता। हमने पीछे देखा है कि दूर से आते किसी मनुष्य को देख कर कभी-कभी मैं यह नहीं कह सकता कि यह मनुष्य है, भेड़ है अथवा कुत्ता है। किन्तु इस अवस्था में भी एक वर्ण-संस्थान घटित होता है। अब जब कि यह वाक्य कि 'यह मनुष्य है' प्रत्याख्येय है, यह वाक्य कि 'यह वर्ण संस्थान $स_1$ है' अप्रत्याख्येय है। इस प्रकार, जब मैं किसी मनुष्य को देखता हूँ और कहता हूँ—यह रमेश है, जब कि मैं इसे स्पष्ट देख रहा हूँ, तब पहले मैं केवल वर्ण-संस्थान देखता हूँ। जैसे, मान लें कि मेरे यदि स्मृति-भ्रंश हो जाता है तो मैं उसे नहीं पहचान सकता। सामान्य रूप से भी, हम पहले देखते हैं और पीछे पहचानते हैं। किन्तु इसीलिए यह नहीं कहा जा सकता कि मैं जब देखता हूँ तो उससे पूर्व भी देखता हूँ।

संवेदवाद इस संवेद विषय को अस्तित्व मूल्य देता है। उसके अनुसार, जब हम पानी में आधी डूबी छड़ी को देखते हैं तब वास्तव में ही 'कुछ वक्र होता है'। संवेदवाद की मूल-वाक्यों सम्बन्धी तार्किक अवधारणा का यह अनिवार्य अंग है। जब कि प्रत्येक वस्तु-वाक्य मूल-वाक्यों से तार्किक रचना है, तब मूल-वाक्य द्वारा व्यक्त अनुभव-विषय के सम्बन्ध में यह कथन कि 'सीधी छड़ी पानी में आधी डूबी होने पर वक्र दिखाई देती है और वक्र संस्थान कोई अतिरिक्त अस्तित्व नहीं है', तब वास्तव में यह वाक्य उस संवेद के सम्बन्ध में कुछ नहीं

1. कांसेप्ट ऑफ माइंड, पृ. 210.

कहता, यह एक सिद्धान्त वाक्य है। इस प्रकार राइल का यह कथन कि "जब वह कहता है कि यह वक्र-स्थित प्लेट अण्डवृत्ताकार दिखाई देती है, अथवा, ऐसा प्रतीत होता है कि मानो यह अण्डवृत्ताकार है", तबउसका अभिप्राय होता है कि वह ऐसी दिखाई देती है जैसी एक सरल-स्थित किन्तु अण्डवृत्ताकार प्लेट दिखाई देगी। गोलाकार किन्तु वक्र-स्थित वस्तुएँ कभी-कभी एकदम सरल-स्थित अण्डवृत्ताकार जैसी दिखाई देती हैं, पानी में आधी डूबी किन्तु सीधी छड़ी पानी से बाहर रखी टेढ़ी छड़ी जैसी दिखाई देती है।...यह कहने में कि प्लेट अण्डवृत्ताकार दिखाई देती है, वह किसी अतिरिक्त विषय, एक प्रत्यक्ष, को अण्डवृत्ताकार होने से विशेषित नहीं करता, वह (इस तथ्य को कि) एक सरल स्थित अण्डवृत्ताकार प्लेट कैसी दिखाई देती है, अथवा देगी, से उपमित करता है।"[1] अब यह स्पष्टत: सिद्धान्त-प्रतिपादन है, और राइल ने आगे स्वयं यह कहा भी है। वे कहते हैं—"यह प्लेट के वास्तविक प्रत्यक्ष रूप (लुक) पर सरल-स्थित अण्डवृत्ताकार प्लेटों के सम्बन्ध में नियम लागू करना है।" किन्तु राइल का यह इतना विस्तृत विश्लेषण इस आधार पर खड़ा है कि हम इस या उस वाक्य को सामान्य भाषा में किस प्रकार प्रयुक्त करते हैं। किन्तु संवेदवाद भाषा के प्रयोग के सम्बन्ध में प्रतिपादन नहीं है, यह एक तात्त्विक सिद्धान्त है। इसका प्रस्थान-बिन्दु यह है कि जब पानी में अर्ध-निमज्जित सरलाकार छड़ी टेढ़ी दिखाई देती है तब वास्तव में ही 'कुछ वक्राकार है' जब कि 'सीधी छड़ी पानी में वक्राकार दिखाई देती है' वाक्य एक सिद्धान्त वाक्य है और सिद्धान्त वाक्य स्वयं इन तथ्य वाक्यों के व्यवहार के सम्बन्ध में अभ्युपगम मात्र है। अन्यथा 'सरलाकार छड़ी पानी में अर्ध-निमज्जित होने पर वक्राकार दिखाई देती है' इसका क्या अभिप्राय है? जैसाकि हम पीछे कह आये हैं, दो मूल-वाक्यों में परस्पर व्याघात नहीं हो सकता, क्योंकि कोई मूल-वाक्य अन्य मूल-वाक्यों को लागू नहीं करता। व्याघात की विद्यमानता एक नियम को पूर्वकल्पित करती है। मूल-वाक्यों के सम्बन्ध में यह नियम आनुभविक सिद्धान्त नहीं है, यह इन की परिभाषा में निहित है। अब 'सरलाकार छड़ी वक्राकार दिखाई देखती है', यदि यह एक सिद्धान्त वाक्य नहीं है, और इस प्रकार हमारे आभ्युपगमिक संवेदों के सम्बन्ध में कथन नहीं है, तो यह एक ऐसा वाक्य है जिसको कोई अर्थ नहीं दिया जा सकता, क्योंकि 'सरलाकार' उतना ही संवेदापेक्षी है जितना 'वक्राकार'। इस प्रकार, एक ही छड़ी सरलाकार और वक्राकार कैसे दिखाई देती है? दो परस्पर विरोधी विधेयों का एक ही उद्देश्य होना व्याघात है। इस प्रकार, 'छड़ी सरलाकार है और वक्राकार है' व्याघात दोष युक्त है। इससे मुक्ति हमें तभी मिल सकती है जब 'यह छड़ी है' इसे तार्किक रचना मानें तथा विभिन्न आभ्युपगमिक संवेदों के सम्बन्ध में कथन मानें।[2]

जैसाकि हम पीछे कह आये हैं, संवेदवाद की यह स्थापना कि 'संवेदविषयों के अतिरिक्त कोई वस्तु ज्ञेय नहीं है' एक वैज्ञानिक स्थापना नहीं है, इस वाक्य की हमें एक तार्किक वाक्य के रूप में रचना करनी होगी। वैज्ञानिक विश्लेषण संवेद-वाक्यों से आरम्भ न हो कर संश्लिष्ट अनुभव वाक्यों से आरम्भ होता है, इस के विपरीत, तार्किक विश्लेषण में विश्लेषण मूल पदों से आरम्भ होता है तथा संश्लिष्ट पदों की ओर उन्मुख होता है। मनोविज्ञान में संवेद विश्लेषण के अन्तिम छोर पर प्राप्त होते हैं, जब कि तर्कशास्त्र में ये आधारभूत प्रतिज्ञाएँ हैं। जब हम कहते हैं कि हमारा सम्पूर्ण ज्ञान अनुभव पर आधारित है, यह तब उसी प्रकार का कथन नहीं है जिस प्रकार का यह कथन कि 'जहाँ धूम होता है वहाँ वह्नि होती है' है। यह नियम स्थापित करता है कि हमारा प्रत्यक्ष ज्ञान जिन पदों में अभिव्यक्त होता है उन्हें हम विशिष्ट संज्ञाएँ कहेंगे, और जिन वाक्यों में केवल विशिष्ट संज्ञाएँ तथा सम्बन्ध-वाचक पद घटित होते हैं वे मूल-वाक्य हैं, और प्रत्येक अन्य वाक्य की सार्थकता परिभाषया मूल-वाक्यों की सत्य-प्रक्रिया (ट्रूथ फंक्शन) द्वारा प्राप्त होती है। इस प्रकार, यह तथ्यात्मक नियम नहीं है, यह केवल एक शाब्दिक नियम है। वस्तु-वाक्यों अथवा सिद्धान्त-वाक्यों को मूल-वाक्यों की सत्य-प्रक्रिया मानने के विरुद्ध अनेक आपत्तियाँ की गई हैं,[3] और हम उनमें अधिकांश से सहमत हैं, किन्तु इससे उपर्युक्त स्थापना में कोई अन्तर

1. कांसेप्ट ऑफ माइंड, पृ. 217.
2. इस प्रसंग में द्रष्टव्य हमारा लेख — 'संवेद और भौतिक विषय', दार्शनिक, अप्रैल 1958.
3. द्रष्टव्य — उर्मसन की पुस्तक — **फिलासफीकल एनेलेसिस**, तथा वार्नाक की — **इंगलिश फिलासफी सिंस 1900**.

नहीं पड़ता। उस अवस्था में इतना मात्र परिवर्तन करने की आवश्यकता है कि 'वस्तु-वाक्य अथवा सिद्धान्त-वाक्य की सत्यता का ग्रहण अपूर्णत: ही सही, मूल-वाक्यों में होता है।

अब, जब यह कहा जाता है कि 'छड़ी' अथवा 'भौतिक विषय' आभ्युपगमिक संवेदों के सम्बन्ध में कथन हैं, तब इस का अभिप्राय यह है कि ये शब्द हमारी तार्किक भाषा की विशिष्ट संज्ञाएँ नहीं हैं, ये निरूपण पद (डिस्क्रिप्शंज़) अथवा अपूर्ण प्रतीक हैं तथा इन का अर्थ इतर स्तरीय विश्लेषण द्वारा गम्य है। इस प्रकार, 'एक और केवल एक वस्तु छड़ी है और वह देश-काल बिन्दु $द_1$ पर है' इस का विश्लेषण निम्न प्रकार के वाक्यों में होगा—'देश-काल बिन्दु $द_1$ पर कम-से-कम एक छड़ीवत् संस्थान-संवेद घटित हो रहा है।' यहाँ तक कोई आभ्युपगमिक वाक्य घटित नहीं होता, यदि 'यह छड़ी है' वाक्य 'यह छड़ीवत् संस्थान-संवेद है' का वाचक है। जैसाकि हम पीछे कह आए हैं, किसी शब्द द्वारा सद्यतर प्रसंग स्वयं निर्देशित नहीं होता। किन्तु यदि 'यह छड़ी है' में प्रयुक्त पद 'छड़ी' भौतिक विषय के वाचक रूप में प्रयुक्त हो रहा है तब इस का अनुवाद होगा 'देश-काल $द_1$ पर संवेद $स_1$ घटित हो रहा है और उचित परिस्थितियों में संवेद $स_2$...$स_न$ घटित होंगे', $स_न$ जब कि असीम संख्या के लिए भी हो सकता है। यहाँ पुन: यह स्पष्ट कर देना आवश्यक है कि 'देश-काल बिन्दु $द_1$ पर संवेद $स_1$ घटित हो रहा है' कथन यह सर्वथा लागू नहीं करता कि '$स_2$...$स_न$ घटित होंगे' क्योंकि कोई मूल-वाक्य दूसरे मूल-वाक्य को लागू नहीं करता, जैसाकि हम पीछे भी कह आये हैं। इस प्रकार 'वह छड़ी है' को प्रतीकों में परिवर्तित कर हम इस के लागू करने के रूप को इस प्रकार प्रस्तुत कर सकते हैं—[(य) (छड़ी) (य) ⊃ स(य).(स1(अ)))] सामान्य भाषा में, 'वहाँ छड़ी है' वाक्य लागू करता है कि 'उपयुक्त परिस्थिति में कम-से-कम एक संवेद घटित होगा।' प्रो. एयर ने इस स्थापना की आलोचना करते हुए कहा है कि 'यदि उस कमरे में डेस्क है'—वाक्य इस अभ्युपगम तथा अन्य अभ्युपगमों के संकलन के बराबर है, और यदि यह अभ्युपगम असत्य है तो यह वाक्य कि 'उस कमरे में डेस्क है' भी असत्य होगा। क्योंकि, प्राय: यदि 'प' 'क.र.स' के समुच्चय के बराबर है तो '~क' '~प' को लागू करता है। किन्तु यह स्पष्ट है कि यदि जोंस कमरे में आता है और वह डेस्क की ओर ध्यान न दे, अथवा वह अन्धा हो आदि, तब यह अभ्युपगम वाक्य असत्य हो जायगा।'[1] किन्तु यह एक स्पष्ट भ्रान्ति पर आधारित है। 'उस कमरे में डेस्क है' वाक्य यह लागू नहीं करता कि 'यदि जोंस कमरे में होगा तो विशिष्ट संवेद घटित होगा' और यह वाक्य को प्रामाणित करेगा, प्रत्युत वह यह लागू करता है कि 'यदि $द_1$ के उपलक्ष्य से $स_1$ घटित होता है तो यह स्थापित करेगा कि वहाँ मेज़ है।' ऊपर प्रतीकों में यह प्रतिपादित किया गया है कि किसी भी उपयुक्त संवेद का घटित न होना लागू करेगा कि वहाँ डेस्क नहीं है। किन्तु इस वाक्य का यह अर्थ कदापि नहीं है कि जोंस की उपस्थिति यह लागू करती है कि वहाँ संवेद घटित होगा। यहाँ केवल संवेद का घटित होना लागू होता है, किस प्रकार से घटित होना सत्यापक तथा किस प्रकार से घटित न होना असत्यापक माना जायगा, यह व्यवहार की बात है; और अन्धा जोंस मेज़ नहीं देखेगा, यह एक व्यावहारिक सत्य है। अब, हम सब अन्धे हो सकते हैं अथवा अन्यत्र ध्यानावस्थित हो सकते हैं; उस अवस्था में कोई मूल-वाक्य घटित नहीं होगा। किन्तु उस अवस्था में यह वाक्य प्रमाणित भी नहीं होगा। पर यह प्रत्याख्यात भी नहीं होगा, क्योंकि उस अवस्था में न तो क घटित होगा और न~क। उपर्युक्त स्थापना को हम इस प्रकार रख सकते हैं कि किसी वाक्य को आभ्युपगमिक संवेद-वाक्य कहने का अभिप्राय यह है कि उपयुक्त परिस्थितियों में कोई अभिधानात्मक मूल-वाक्य इस वाक्य की सत्यता को प्रतिष्ठित करता है, दूसरे शब्दों में, यदि एक सामान्य द्रष्टा कुछ संवेद-विषय देखता है, अथवा देख चुका है तो इससे यह प्रतिष्ठित होता है कि वहाँ डेस्क है। क्योंकि यदि मुझे कहा जाता है कि मेरे पास क्या प्रमाण है कि साथ के कमरे में डेस्क है, तो मैं इसका उत्तर केवल यही दे सकता हूँ कि '$द_1$ पर $स_1$ घटित हुआ था और $द_1$ पर $स_2$ घटित होगा।' इनमें से कोई भी एक वाक्य कथनात्मक वस्तु-वाक्य के लिए पर्याप्त आधार है, यद्यपि यह पूर्ण आधार नहीं है। इस प्रकार, जब कि 'यह डेस्क है'⊃$द_1$ पर $स_1$ $स_2$...$स_न$ घटित होंगे वहाँ 'स1(द1)⊃ वहाँ डेस्क है' उचित नहीं है, क्योंकि प्रथम वाक्य मूल-वाक्य है

1. प्राब्लम ऑफ नॉलेज, पृ. 156

और दूसरा वाक्य सामान्य वाक्य है। अब यहाँ पर प्रयुक्त '⊃' प्रतीक को आकारिक तर्क में प्रयुक्त इस प्रतीक से उपमित करना थोड़ा रोचक हो सकता है। आकारिक प्रतीक की शर्त यह है कि इसके उत्तर पद की असत्यता पूर्व पद की सत्यता के साथ वाक्य की असत्यता को प्रतिष्ठित करती है जब कि इसके पूर्व पद की असत्यता वाक्य की सत्यता को प्रतिष्ठत करती है। इस प्रकार, इस की सत्यता का आदर्श पूर्व पद की असत्यता से प्रतिष्ठित होता है। किन्तु स्पष्टत: उपर्युक्त वाक्यों में कथनों का यह आदर्श नहीं है। यहाँ केवल इतना मात्र लागू होता है कि यदि पूर्व पद सत्य है तो उत्तर पद अवश्य सत्य होगा, यदि पूर्व पद असत्य है और उत्तर पद सत्य है तो भी वाक्य सत्य होगा। इसमें अन्तिम के सम्बन्ध में कुछ आश्चर्य हो सकता है, किन्तु हमारे विचार में यह आधारभूत महत्त्व का है। वाक्य का यह रूप प्रतिपादित करता है कि पूर्व पद (वस्तु-वाचक) की सत्यता या असत्यता अप्रासंगिक है, क्योंकि वाक्य की सत्यता अथवा असत्यता के लिए आधार केवल उत्तर पद ही हो सकता है, पूर्व पद उत्तर पद के बिना निर्देश-रहित है। किन्तु यदि यहां पूर्व पद की असत्यता अभिप्रेत है, जैसाकि '⊃' में है, तब इसका अभिप्राय यह हो जाता है कि हम कहना चाहते हैं कि भ्रम अथवा सन्निपात की स्थिति में घटित संवेद, अथवा संवेदाभाव भी, हमारे वाक्य के आदर्श हैं। संवेदाभाव इसलिए क्योंकि दोनों पदों की असत्यता भी वाक्य की सत्यता की प्रतिष्ठा करती है। किन्तु हमारा वाक्य प्रतितथ्यात्मक हेतुहेतुमत् (कौंटर्फेक्चुअल कंडीश्नल) भी नहीं है, जिससे दोनों पदों की सत्यता ही वाक्य को प्रमाणित कर सकती है और पूर्व पद की असत्यता पूर्व निश्चित है। संवेद-वाक्य में उत्तर पद की सत्यता वाक्य की सत्यता का आधार है जब कि आपादक वाक्यों तथा प्रतितथ्यात्मक हेतुहेतुमत् (कौंटर्फेक्चुअल) वाक्यों में ऐसा नहीं है।

किन्तु बर्लिन इस पर आपत्ति करते हैं कि "जब हम कहते हैं कि 'साथ के कमरे में मेज़ है' तब हमारा यह अभिप्राय कदापि नहीं होता कि यदि कोई साथ के कमरे में जाएगा तो वहाँ संवेद घटित होंगे।" उनके अनुसार कथनात्मक वाक्य ऐसी किसी सम्भावना की अपेक्षा नहीं करते, वे इससे स्वतन्त्र और निरपेक्ष अर्थ रखते हैं। इस प्रकार के तर्क के विरुद्ध हम पर्याप्त प्रकाश डालते आये हैं, अत: यहाँ केवल प्रो. एयर का तर्क उद्धृत कर आगे बढ़ेंगे। उनके अनुसार "कुर्सियों तथा मेज़ों के सम्बन्ध में निश्चयात्मक (कैटेगोरीकल) वाक्यों को और संवेदों के सम्बन्ध में निश्चयात्मक वाक्यों को भूतवैज्ञानिक परीक्षण के परिणाम सम्बन्धी वाक्यों में स्थानान्तरित करने में अथवा लोगों की अचेतन अनुभूतियों सम्बन्धी निश्चयात्मक वाक्यों को उनके प्रकट व्यवहार सम्बन्धी आभ्युपगमिक वाक्यों से स्थानान्तरित करने में कोई कठिनाई नहीं है।"[1] किन्तु बर्लिन की यह आपत्ति कि 'साथ के कमरे में मेज़ है' वाक्य को संवेदों के सम्बन्ध में कथन कहना वैसे ही अनुचित है, क्योंकि वस्तु-वाक्य का संवेद-वाक्यों में विश्लेषण मनोवैज्ञानिकता से दूषित है, वास्तव में स्वयं उनकी आपत्ति के लिए अधिक सत्य है। क्योंकि जैसाकि वे स्वयं स्वीकार करते हैं, पदार्थ वाक्य के लिए आधार केवल संवेद-वाक्य ही हैं। तब यह कथन कि वस्तु-वाक्य केवल विनिश्चयात्मक विधान के कारण आभ्युपगमिक नहीं है, इस कथन जैसा है कि चाहे वस्तु-वाक्य के लिए आधार केवल संवेद-वाक्य ही हैं, किन्तु इससे हमारी सन्तुष्टि नहीं होती कि हम उसके विनिश्यात्मक रूप को आभ्युपगमिक रूप से स्थानान्तरित कर दें। कुछ दार्शनिकों ने बर्लिन की इस आपत्ति को और भी अधिक स्पष्ट और सबल शब्दों में प्रस्तुत किया है। उनके अनुसार—

(i) यह कहना कि 'मेरे कमरे में डेस्क है', मेरे संवेदों के सम्बन्ध में उससे अधिक कथन नहीं करता जितना यह किसी भी अन्य के संवेदों के सम्बन्ध में।

(ii) यदि मैं अपने कमरे में हूँ और अपना डेस्क देख सकता हूँ, तब भी जब मैं कहता हूँ कि 'मेरे कमरे में डेस्क है', तब मैं यह नहीं कहता कि 'मैं संवेद विषय देख रहा हूँ।'

(iii) अपने कमरे में होने पर मैं डेस्क रूप संवेद-विषय देख रहा हो सकता हूँ, और तब भी यह सम्भव है कि वहाँ डेस्क न हो, सम्भव है ये संवेद सन्निपातजन्य हों, अथवा मैं दर्पणादि द्वारा छला गया होऊँ।

1. प्राब्लम ऑफ नॉलेज, पृ. 121.

किन्तु ये तीनों तर्क, हमारे प्रतिपादन के अनुसार, संवेदवादी विश्लेषण को तनिक भी खण्डित नहीं करते। तृतीय आपत्ति वास्तव में जितनी ठोस दिखाई देती है यह उतनी ही भ्रान्त तथा थोथी है : संवेदवाद का भौतिक-विषय-वाक्यों की अविश्लेष्यता के विरुद्ध एक आधारभूत तर्क यह है कि हम सन्निपात में भी डेस्क देखते हैं और स्वस्थावस्था में भी, इन दोनों में से कोई भी एक-दूसरे से अधिक ठोस होने का दावा स्वत: नहीं कर सकता। और यह निर्णय कि इनमें कौन भ्रम-जन्य है, केवल संस्थान के प्रसंग से हो सकता है, जोकि तथाकथित भौतिक विषय है। यह संस्थान तथा संस्थान और सदस्य का सम्बन्ध हमारे अवधारणाओं के ढाँचे की उपज (प्राडक्ट्स ऑफ आवर कांसेच्युअल फ्रेम वर्क) हैं। प्रथम भ्रम केवल इस बात में है कि यह अगमन-तर्क के जिस नियम की अपेक्षा करता है उस पर पूरा नहीं उतरता, जब कि दूसरा कम-से-कम उस सीमा तक पूरा उतरता है जिस सीमा तक हम जाते हैं। अब मान लीजिये कि हम कहते हैं कि 'यह डेस्क है', जब कि हम पूर्ण स्वस्थ और चेतन हैं, किन्तु थोड़ी देर बाद जब हम उसे छूने को जाते हैं और वहाँ हमारा हाथ किसी कठोर अवरोध से नहीं बाधित होता, अथवा कोई अन्य व्यक्ति आता है और कहता है कि वह कुछ देख या स्पर्श नहीं कर पा रहा है, और इसी प्रकार अन्य भी अनेक व्यक्ति कहते हैं, तब हम समझते हैं कि हम भ्रम में हैं। अब न तो कभी पूर्णत: यह स्थापित किया जा सकता है कि मैं भ्रम में हूँ, क्योंकि दस या बीस व्यक्तियों को जब कि कोई संवेद घटित नहीं होता तब सम्भव है अन्य सौ अथवा अधिक को घटित हो; यह केवल सम्भाव्य हो सकता है, और सम्भाव्यता का आधार केवल वास्तव संवेद ही हैं। अब मान लें कि अतीत, वर्तमान तथा भविष्य में संवेदानुभवों की सम्भाव्य संख्या $स_न$ है, जब कि $स_न$ कोई भी सीमित संख्या है, तब $स_1$—$स_न$ संख्या के परस्पर प्रतिपोषक होने पर किन्तु $स_1$ के बाधक होने पर यह स्थापित होगा कि $स_1$ भ्रमजन्य है, क्योंकि किसी वस्तु-वाक्य का प्रामाण्य अथवा प्रत्याख्येयता अन्य किसी प्रकार से उपलब्ध नहीं होती। कोई कह सकता है कि इसका प्रमाण है कि $स_1$ भ्रम संवेद है। उससे प्रश्न किया जाएगा 'आपका भ्रम-संवेद से क्या अभिप्राय है?' स्वभावत: वह इसका उत्तर देगा कि जब संवेद-विशेष किसी वस्तु का उचित प्रकाशन नहीं करता तब वह भ्रम-संवेद है। उससे आगे प्रश्न होगा, 'वस्तु के उचित प्रकाशन' से आपका क्या अभिप्राय है? उत्तर हो सकता है, साँप में साँप का ज्ञान उचित प्रकाशन है जब कि रस्सी में साँप का ज्ञान अनुचित प्रकाशन है। अब प्रश्न पुन: वहीं घूम कर आता है जहाँ से आरम्भ किया था; इसका आपके पास क्या प्रमाण है कि आपने जब रस्सी देखी तब वास्तव में वह रस्सी नहीं साँप था और पश्चात् जब साँप देखा तब वास्तव में वह रस्सी नहीं थी, साँप ही था अथवा, इसका आपके पास क्या प्रमाण है कि जब आप रस्सी को देख रहे थे तब वास्तव में आपने साँप को रस्सी समझा था और जब आप निर्णय कर रहे थे कि 'यह साँप है, मैंने भूल से इसे रस्सी समझ लिया था' तब वास्तव में आप रस्सी को साँप नहीं समझ रहे थे? इस अवस्था में हम केवल अन्य संवेदों को ही प्रतिपुष्टीकरण के लिए प्रस्तुत कर सकते हैं। यहाँ एक और स्पष्टीकरण की आवश्यकता है—यह सामान्य वाक्य ऐसा वाक्य नहीं जैसा 'सब कव्वे काले हैं' वाक्य है, जब कि एक के अतिरिक्त सब कव्वे देखे जा चुके हैं, और एक अदृष्ट कव्वा काला नहीं है। वैसा वाक्य यह तब होगा जब कहा जाय 'देश-काल $द_1$ के प्रसंग से सब डेस्क-रूप संवेद रक्ताभ हैं' जब कि एक के अतिरिक्त सब संवेद प्रस्तुत हों और यह एक संवेद प्रस्तुत होने पर रक्ताभ हो। विषय-वाक्य की सत्यता विभिन्न परस्पर पोषक संवेद-वाक्यों के घटित होने में है। अब यदि कोई एक या कुछेक संवेद बाधक भी घटित होते हैं, किन्तु उनकी संख्या बहुत कम है, तब भी वस्तु-वाक्य की सम्भाव्य सत्यता खण्डित नहीं होगी। इसके विपरीत स्थिति में ये संवेद भ्रान्त संवेद समझे जाएंगे।

किन्तु इस स्पष्टीकरण तथा आपत्ति-निराकरण के अन्त में हम कुछ नवीन तथा अधिक गम्भीर आपत्तियों के सम्मुख आ खड़े होते हैं। कितने प्रतिपोषक संवेद-वाक्य वस्तु-वाक्य की सम्भाव्यता स्थापित करेंगे? क्या संवेद-वाक्यों की कितनी भी बड़ी संख्या वस्तु-वाक्य के बराबर हो सकती है? यदि नहीं, तब वस्तु-वाक्य पूर्व प्रमाण के अयोग्य है, कभी यह नहीं कह सकते कि 'मैं जानता हूँ कि यह मेज़ है।' और फिर, क्या वस्तु-वाक्य संवेद-वाक्यों में बिना अवशेष के विश्लेष्य है?

जैसाकि हम ने कहा है, वस्तु–वाक्य संवेद–वाक्यों की असंख्यता में अनुवाद्य है। यदि काल में इस संख्या को सीमित भी माना जाय तब भी देश में यह असीम ही होगी। अतः सैद्धान्तिक रूप से कोई वस्तु–वाक्य असंदिग्धतया स्थापित नहीं किया जा सकता।

प्रो. मूर के अनुसार, हम कुछ वस्तु–वाक्यों को असंदिग्धतया जान सकते हैं, जैसे 'यह मेरा हाथ है' वाक्य को, चाहे हम इसे प्रमाणित नहीं कर सकते हों। उनके अनुसार, हम उन वाक्यों को भी जान सकते हैं जिन्हें हम प्रमाणित नहीं कर सकते। श्री सुरेश चन्द्र ने इसके विरुद्ध आपत्ति की है कि यह कथन अनुचित है, क्योंकि सम्भव है हम स्वप्न में हाथ देख रहे हों अथवा हिप्नोटाइज़्ड हों।[1] किन्तु इस तर्क को थोड़ा भिन्न प्रकार से प्रस्तुत करना अधिक युक्त है। इस तर्कानुसार, जब हम दार्शनिक विचार कर रहे हैं तब हम ऐसा वाक्य प्रयोग नहीं कर सकते कि 'मैं जानता हूँ कि ये मेरे हाथ हैं।' आपको कहना होगा कि 'ये मेरे हाथ हैं' वाक्य पूर्णतः प्रामाण्य है, अथवा अपूर्णतः प्रामाण्य है अथवा प्रामाण्य–निरपेक्ष है। अब हम ऐसे वाक्यों, जैसे 'यह रक्ताभ है' को बिना प्रामाण्य के जान सकते हैं, क्योंकि ऐसे वाक्यों का प्रामाण्य पूछना निरर्थक है। किन्तु क्या 'यह हाथ है' वाक्य भी प्रामाण्य निरपेक्ष है? स्पष्टतः यह प्रामाण्य–निरपेक्ष नहीं है, क्योंकि 'मैं देखता हूँ कि यहाँ विशेष वर्णाभ संस्थान है', 'वह स्पर्श से जानता है कि यहाँ तापमान तथा काठिन्य तथा संस्थान विशेष है' आदि वाक्य 'यह हाथ है' वाक्य के साथ संगत हैं और इनमें से किसी भी वाक्य का विरोधी अन्य वाक्यों की सत्यता को संदिग्ध कर देता है, जब कि 'यह रक्ताभ है' वाक्य को कोई वाक्य संदिग्ध नहीं कर सकता, क्योंकि कोई वाक्य इसके प्रसंग से न संगत है और न असंगत है।

जैसाकि मूर स्वयं कहते हैं—"मैं असंदिग्धतया यह जान सकता हूँ कि यह हाथ है, किन्तु 'यह हाथ है' वाक्य की सत्यता 'मैं असंदिग्धतया जागृत हूँ' वाक्य पर निर्भर करती है, किन्तु स्वयं 'मैं असंदिग्धतया जागृत हूँ' वाक्य भी प्रामाण्य सापेक्ष है, क्योंकि यह पूछा जा सकता है कि 'यह आप कैसे जानते हैं कि आप स्वप्न नहीं देख रहे थे?' वास्तव में, 'मैं असंदिग्धतया जानता हूँ कि मैं स्वप्न नहीं देख रहा हूँ' कथन इस कथन का स्थूल पर्याय है कि 'मैं असंदिग्धतया जानता हूँ कि 'यह हाथ है' वाक्य से लागू होने वाले मूल–वाक्यों की केवल परस्पर पोषक शृंखला ही घटित होगी, बाधक नहीं।' क्योंकि यदि मेरे इस समय के मूल–वाक्यों का पीछे खण्डन हो जाता है तो हम इसका कारण इस समय की भ्रान्त मानसिक स्थिति को समझ सकते हैं।" अतः उपर्युक्त कथन पुनः प्रामाण्य का विषय हो जाता है।

किन्तु तब क्या वस्तु–वाक्य की प्रतिष्ठा सम्भाव्यतया भी की जा सकती है? प्रथमतः नहीं, क्योंकि वस्तु–वाक्य के प्रसंग से असीम मूल–वाक्य घटित हो सकते हैं, अतः मूल–वाक्यों की कितनी भी बड़ी संख्या यह स्थापित नहीं कर सकती कि ये वाक्य असत्य नहीं थे, क्योंकि इनसे अनेक गुणा अधिक संख्या इनके बाधक वाक्यों की घटित हो सकती है। किन्तु यदि यह माना जाए कि मूल–वाक्यों की एक बड़ी संख्या वस्तु–वाक्य को सम्भाव्य बनाती है, तब एक भी मूल–वाक्य वस्तु–वाक्य को तर्कतः सम्भाव्य बनाता है। अतः यह प्रश्न कि कितने परस्पर–पोषक मूल–वाक्य वस्तु–वाक्य को स्थापित करेंगे, निरर्थक है। संगत प्रश्न यहाँ यह है कि क्या मूल–वाक्य वस्तु–वाक्य को सम्भाव्यतया स्थापित करता है? इसका उत्तर हो सकता है कि जिस प्रकार 'शंकर है' स्थापित करता है कि 'मनुष्य है' उसी प्रकार मूल–वाक्य वस्तु–वाक्य को स्थापित करता है। किन्तु मूल–वाक्य तथा वस्तु–वाक्य में सम्बन्ध व्यक्ति और जाति का–सा नहीं है, और यदि ऐसा हो तो मूल–वाक्य वस्तु–वाक्य को पूर्णतया ही स्थापित कर सकता है। यह सम्बन्ध सदस्य और समवाय का है। समवाय यह लागू करता है कि सदस्य हैं, इसी प्रकार सदस्य और अंश समवाय परिभाषया यह लागू करते हैं कि समवाय है। किन्तु सदस्य और अंश समवाय समवाय को तभी लागू करते हैं यदि इनकी परिभाषा समवाय के प्रसंग से की जाए। इस प्रकार, जब कि समवाय सदस्यों को पूर्वकल्पित करता है, सदस्य समवाय को पूर्वकल्पित नहीं करते। वस्तु–वाक्य के प्रसंग

1. डिफेंडिंग स्केप्टीसिज़्म (अप्रकाशित निबन्ध)।

में, डेस्क रूप संवेद स्वत: यह लागू नहीं करता कि डेस्क है और न ही ऐसे संवेदों की कोई भी संख्या यह लागू करती है, किन्तु वस्तु–वाक्यों के प्रसंग से संवेद–वाक्य वस्तु–वाक्यों को लागू करते हैं। यहाँ यह भ्रम नहीं होना चाहिये कि हम वस्तु–वाक्य को मूल–वाक्यों के लिए पूर्वकल्पित करना आवश्यक समझते हैं, प्रत्युत हम यह कह रहे हैं कि वस्तु–वाक्य मूल–वाक्यों का समवाय है, यह इन्हें पूर्वकल्पित करता है। किन्तु अमुक मूल–वाक्य अमुक समवाय का सदस्य है, वह उस विशेष सम्बन्ध संस्थान की पूर्व–कल्पना करता है जिसके अनुसार हम उस समवाय का नामकरण करते हैं। अब, इस समवाय के असंख्य सदस्य हो सकते हैं, और ये सभी समवाय के लिए प्रासंगिक हैं, किन्तु समवाय का ज्ञान इनमें प्रत्येक के ज्ञान पर निर्भर नहीं करता, समवाय का नामकरण विशेष संस्थान के अनुसार होता है, और इस संस्थान को हम परिभाषा दे सकते हैं। यह सम्भव है कि यह परिभाषा अल्पव्यापक हो, किन्तु यह कितनी व्यापक हो कि हम इसे पर्याप्त कहेंगे, यह व्यावहारिक प्रश्न है। उदाहरणत: स्कूल अथवा सेना की परिभाषा कितनी पूर्ण हो तो गम्य होगी, यह व्यक्तिगत रुचि–सापेक्ष है। अब परिभाषा पूर्ण होने पर भी पहचानने में भूल हो सकती है, किन्तु इससे यह स्थापित नहीं होता कि समवाय परिभाषा से व्यतिरिक्त कुछ है। इसी प्रकार यह भी स्पष्ट है कि समवाय के ज्ञान के लिए सदस्यों का ज्ञान भी आवश्यक है, किन्तु पुन: यह प्रासंगिक नहीं है कि कितने सदस्य हों तो समवाय की पहचान हो सकेगी।

हमारा यह प्रतिपादन उपर्युक्त आपत्तियों का समाधान कर देता है। इस प्रकार “क्या हम असंदिग्धतया यह प्रतिपादित कर सकते हैं कि ‘यह मेज़ है’ वाक्य सत्य है?” इसका उत्तर होगा कि नहीं, किन्तु हम सम्भाव्यतया यह स्थापित कर सकते हैं कि ‘यह मेज़ है’ वाक्य सत्य है। तब क्या मेज़ हमारे लिए अविज्ञेय है? इसका उत्तर होगा कि यदि आप कहना चाहते हैं कि ज्ञेय केवल असंदिग्धतया प्रमाणित ही हो सकता है, तब यह अविज्ञेय है, किन्तु व्यवहार्यत: मेरे पास पूर्ण आधार विद्यमान है कि मैं कह सकूँ कि ‘यह मेज़ है’।

जब कि वस्तु–वाक्यों को हमने तर्कत: सम्भाव्य वाक्य कहा है, मूल–वाक्यों को तर्कत: असंदिग्ध स्वीकार किया है। हमने प्रमाणीकरण मात्र के लिए यह स्वीकार किया है कि अन्तत: किन्हीं वाक्यों को प्रमाण्यातीत अथवा स्वत:प्रमाण मानना तर्कत: अनिवार्य है। हमने यह भी देखा है, यद्यपि स्पष्टत: प्रतिपादित नहीं किया है, कि ये वाक्य दो भिन्न प्रकारों से प्राप्त होते हैं : नवीन संवेद–विषय के अभिव्यंजक रूप में : अथवा विशुद्ध भाषीय शब्दावली में, नवीन विशिष्ट संज्ञाओं के साथ; और दूसरे कुछ अन्य तर्क–वाक्यों के द्वारा परिणाम रूप में। इनमें प्रथम का उदाहरण ‘यह विशिष्ट रक्ताभ संस्थान स$_1$ है’ है और द्वितीय का उदाहरण है ‘यह सूर्य ग्रहण है’, जब कि सूर्य ग्रहण प्रतीक्षित था। यहाँ किसी को इस कारण से आपत्ति नहीं होनी चाहिए कि ‘सूर्य ग्रहण’ पद वस्तु–वाक्य है, क्योंकि यह पद वास्तव में ‘विशिष्ट छायाभ संस्थान’ के लिए प्रयुक्त हुआ है, जिस प्रकार, पीछे हम ‘डेस्करूप वर्णाभ संस्थान’ पद का प्रयोग कर चुके हैं। इनमें प्रथम प्रकार के वाक्यों को हम नवीन मूल–वाक्य और दूसरे प्रकार के वाक्यों को प्रमाण मूल–वाक्य कहेंगे। ये दूसरी प्रकार के वाक्य ऐतिहासिक वाक्यों अथवा भविष्यवाणियों का सत्यापन करते हैं। किन्तु इन दो प्रकार के वाक्यों में कोई आन्तरिक भेद नहीं है, दोनों का तार्किक वाक्य रूप एक ही प्रकार का है और दोनों का उपलक्ष्य भी एक ही प्रकार का है।

जैसाकि हमने पीछे कहा है, ये वाक्य अशोध्य हैं। दूसरे शब्दों में, इसका कुछ अर्थ नहीं हो सकता कि ‘सम्भव है मुझे सिर दर्द हो रहा हो’, ‘सम्भव है यहाँ, अब, रक्ताभ संस्थान घटित हो रहा हो’ आदि। कुछ दार्शनिकों, जैसे ब्रॉड, मूर तथा प्राइस ने असंवेदित संवेद विषयों की सम्भावना पर भी विचार किया है। ब्रॉड जब कि असंवेदित सिर दर्द की कल्पना असम्भव मानते हैं, असंवेदित रक्ताभ संस्थान की कल्पना को पर्याप्त उचित समझते हैं; क्योंकि, उनके अनुसार, संस्थान संवेद का गुण नहीं हो सकता। उनके विचार में, चाक्षुष संवेद को आयताकार आदि कहना भ्रामक है। उनके इस विचार को राइल ने एक–दूसरे प्रकार से प्रस्तुत किया है, उन्होंने केवल सिर दर्द को संवेद माना है जब कि रक्ताभ संस्थान को (आब्जर्वेशन) के अन्तर्गत रखा है, और इस प्रकार इसे ‘खेल देखना’ अथवा ‘घुड़दौड़ देखना’ से भिन्न प्रकार का नहीं माना है। ब्रॉड की विस्तृत आलोचना हमने ‘मनस्तत्व’ में की है, तथा राइल के विचारों की भ्रामकता प्रो. एयर, जी.ए. पाल तथा इ.एम. एडम तथा पैप आदि

ने अपने-अपने ढंग से प्रदर्शित की है।[1] यहाँ हम इन मतों पर विचार नहीं करेंगे। यहाँ हम केवल यह प्रतिपादित करना चाहते हैं कि हम किस प्रकार इन वाक्यों को अप्रत्याख्येय मानते हैं। इस प्रसंग में हम एयर तथा रसल के विचारों की आलोचना भी करेंगे।

जैसाकि हमने पीछे कहा है, प्रत्येक मूल-वाक्य स्वत: अशोध्य है, किन्तु यह उस वर्ग के प्रसंग से असत्य अथवा भ्रम-वाक्य भी हो सकता है जिसका यह सदस्य स्वीकार किया जाता है। अब इस वाक्य को लें—'यह रस्सी है।' यह वाक्य एक तथ्य के सम्बन्ध में है, जिसे हम 'एक प्रत्यक्ष का तथ्य' कह सकते हैं। इसे अशोध्य कहने का अभिप्राय है कि कोई भी अन्य तथ्य इसे असत्यापित नहीं कर सकता, क्योंकि कोई भी अन्य वाक्य इस वाक्य से अधिक सत्य होने का दावा नहीं कर सकता। 'यह रस्सीवत् है' वाक्य उतना ही एक तथ्य के बारे में है जितना 'यह सर्पवत् है' वाक्य है। यदि दूसरा कोई वाक्य प्रथम वाक्य का संशोधन कर सकता है तब प्रथम वाक्य भी दूसरे वाक्य का संशोधन कर सकता है। किन्तु क्योंकि एक तथ्य दूसरे का संशोधन नहीं कर सकता इसीलिए एक मूल-वाक्य दूसरे मूल वाक्य का संशोधन नहीं कर सकता, क्योंकि मूल-वाक्य परिभाषया तथ्य की संज्ञा है। दूसरे शब्दों में, जब तक मूल-वाक्य की वाच्य घटना घटित नहीं हो रही है तब तक मूल-वाक्य का उच्चारण नहीं हो सकता। दूसरी अवस्था में वह मूल-वाक्य ही नहीं कहा जाएगा। यहाँ एक और स्पष्टीकरण की आवश्यकता है : 'मूल-वाक्य अशोध्य है' का अभिप्राय यह नहीं है कि इसमें शाब्दिक गलतियाँ भी सम्भव नहीं हैं। कोई कह सकता है 'यह गुलाबी है' जब कि उसका अभिप्राय है कि 'यह कुसुम्भी है', कोई कह सकता है कि 'यह दाएँ हैं' जब कि वह कहना चाहता है कि 'यह बाएँ है'। दूसरे शब्दों में, 'प्रत्येक तथ्य सद्य:प्रदत्त है, सद्य:प्रदत्त का संशोधन नहीं किया जा सकता, मूल-वाक्य प्रदत्त तथ्य का अभिधान करता है तथा यह उसका समकालीन है, अत: यह अशोध्य है।' इस प्रकार 'यह रस्सीवत् है' द्वारा व्यक्त तथ्य 'इस प्रकार से' प्रदत्त है, 'इस प्रकार से' प्रदत्त तथ्य का संशोधन नहीं हो सकता क्योंकि 'यह' अन्य प्रकार से प्रदत्त नहीं हो सकता। अत: इसका वाचक वाक्य भी अशोध्य है। वाचक वाक्य की अशोध्यता इस कारण से है कि यह अशोध्य तथ्य का व्यंजक है, इसी से इसकी शाब्दिक अशोध्यता स्वीकार की गई है। इस प्रकार, मूल-वाक्य की शोध्यता तर्कत: असम्भव है। अशोध्यता का यह गुण नवीन मूल-वाक्य में उतना ही विद्यमान है जितना परिणामत: अथवा परिणाम रूप में प्राप्त मूल-वाक्य में। मान लीजिये, मैं कहता हूँ, 'कल सूर्य ग्रहण लगेगा'। इस कथन के द्वारा मैं कल विशेष क्षण पर एक तथ्य घटित होने की भविष्यवाणी करता हूँ। यह किस आधार पर करता हूँ, यह यहाँ अप्रासंगिक है; प्रासंगिक यह है कि यदि यह तथ्य घटित नहीं होता तो 'सूर्य ग्रहण, यहाँ, अब' इस वाक्य का प्रत्याख्यान नहीं होता, क्योंकि तब यह वाक्य घटित नहीं ही होता, यहाँ केवल अनुमान वाक्य का प्रत्याख्यान होता है।

किन्तु रसल तथा एयर तथ्यात्मक संदिग्धत तथा तथ्यात्मक शोध्यता को स्वीकार करते हैं। रसल के अनुसार, "हम से क्रमश: दूर हटते हुए वायुयान की आवाज़ क्रमश: कम होती जाती है और एक समय आ जाता है जब कि यह कहना कठिन हो जाता है कि हमें आवाज़ सुनाई दे रही है अथवा नहीं।" एयर के अनुसार, दो रेखाएँ देखने पर, जिन की लम्बाई में इतना कम अन्तर है कि हम आसानी से यह नहीं कह सकते कि इनमें से कौन-सी छोटी है और कौन-सी बड़ी, हम तथ्यात्मक-संदिग्धता की अवस्था में हैं। ऐसी अवस्था में हम छोटी को बड़ी अथवा बड़ी को छोटी कह सकते हैं और पीछे किसी मानक से नाप कर जान सकते हैं कि हमने भूल की थी। हमारे विचार में, ये दोनों विचार मूल-वाक्यों की अवधारणा को घपलाने के कारण उत्पन्न हुए हैं। रसल के उदाहरण को ही पहले लें; रसल कहना चाहते हैं कि काल $क_1$ पर हम यह नहीं कह सकते कि मैं ध्वनि $ध_1$ सुन रहा था अथवा नहीं। अब वास्तव में यह स्थिति इस प्रश्न का उत्तर है कि 'क्या मैं ध्वनि $ध_1$ सुन रहा था?' ठीक उसी प्रकार, जिस प्रकार यह प्रश्न होगा 'क्या दूर पर कुछ दीखने वाली वस्तु मनुष्य है?' इन प्रश्नों का उत्तर मूल-वाक्य होगा यदि यह सकारात्मक या नकारात्मक होता है तो, अन्यथा यह या तो प्रश्न की स्थिति है अथवा सन्देह

1. एयर — प्राब्लम ऑफ नॉलेज, पाल — इज़ देयर ए प्राब्लम अबौट सेंस डाटा? (शल्य द्वारा सम्पादित, लेंगवेज एण्ड लॉजिक में), एडाम — माईंड, अप्रैल, 1958 अंक।

की। ये दोनों स्थितियाँ मूल-वाक्य का उपलक्ष्य नहीं हो सकतीं। 'शायद मैं रक्ताभ देख रहा हूँ' अथवा, 'शायद मैं स्वर सुन रहा हूँ' को मूल-वाक्यों की श्रेणी में स्थान नहीं प्राप्त है, क्योंकि ये स्थितियाँ 'मूल तथ्य' की नहीं वस्तु की परिभाषा को पूर्व-कल्पित करती हैं—'वहाँ वायुयान है जो ध्वनि प्रसारित कर रहा है।' इस प्रकार, यह एक केन्द्र के सम्बन्ध में कथन है, जो तार्किक रचना है।

रसल ने 'ह्यूमन नॉलेज' में संवेदों के लिए भौतिक कारणता का सिद्धान्त स्वीकार किया है। उनके अनुसार, बाहर भौतिक देश-काल में भौतिक घटनाएँ घटित होती हैं, जिनके संस्थान को वे भूतवैज्ञानिक समीकरणों (इक्वेशंज़) द्वारा व्यंजनीय मानते हैं। भौतिक मेज़-रूप भौतिक शृंखलाओं को उसी प्रकार देश-काल में अवस्थित नहीं मानते जिस प्रकार हमारा संवेद्य मेज़ है, अथवा देश-काल रेखा में भंग है, अथवा विद्युच्चुम्बकीय लहरों की प्रक्रिया है। इन वस्तुओं अथवा देश-काल भंग का रूप संवेदनात्मक नहीं है, यह विशुद्ध-रूप से गाणितिक समीकरणों द्वारा बोध्य मात्रात्मक (क्वांटीटेटिव) ढाँचा है। मान लें कि यह सब उचित व्याख्या है और संवेदों तथा वस्तुओं के बीच कारण शृंखलाएँ प्रसरित होती हैं। तब भी ये व्याख्याएँ मेज़ों और कुर्सियों में हमारे विश्वास, अथवा ज्ञान, का आधार नहीं हो सकतीं, क्योंकि हम कारणता की किसी भी व्याख्या को अस्वीकार कर सकते हैं और फिर भी इन वस्तुओं के अस्तित्व में विश्वास रख सकते हैं। कारण-सिद्धान्त के विरुद्ध सबसे बड़ी आपत्ति यह है कि यह दृश्य तथा प्रमाणीय घटनाओं का सम्बन्ध अदृश्य तथा अप्रमाणीय घटनाओं से स्थापित करता है, और अतएव यह सम्बन्धी भी अप्रमाणीय हो जाता है। अथवा, और भी ठीक शब्दों में, यह एकदम दो भिन्न प्रकृति की घटनाओं में सम्बन्ध स्थापित करता है जो परिभाषया अनुचित है। तथाकथित भौतिक घटनाओं, जैसे विद्युत्कण अथवा देश-काल भंग, की अवधारणाएँ केवल इस रूप में ही स्वीकार की जा सकती हैं यदि ये हमारे उन सिद्धान्तों में सार्थकतया घटित हो सकती हों जो बाह्य वस्तुस्थिति (फिनोमिना) की व्याख्या करते हैं।[1]

इस प्रकार हम रसल द्वारा प्रस्तुत संशोध्यता की व्याख्या को स्वीकार नहीं कर सकते। यहाँ यह बता देना उचित होगा कि रसल मूल-वाक्यों को ही अन्तिम प्रमाण मानते हैं तथा इनकी स्वतन्त्र विश्वसनीयता को स्वीकार करते हैं। वे कहते हैं—"मैं यह स्वीकार करने को तैयार हूँ कि सब प्रस्तुत दृश्य किसी सीमा तक सन्देह योग्य हैं, इसलिएयदि सम्भव हो तो अन्य प्रस्तुतों द्वारा इनकी पुष्टि की जानी चाहिए। किन्तु वह अन्य प्रस्तुत एक सीमा तक स्वतन्त्र रूप से विश्वसनीय नहीं होंगे तो ये मूल प्रस्तुत की पुष्टि नहीं करेंगे।"[2]

रसल का यह उद्धरण हमें एयर के शोध्यता के उदाहरण तक पहुँचा देता है। किन्तु इसके निराकरण के लिए हमें यहाँ कुछ अधिक कहने की आवश्यकता नहीं है, केवल यह दिखाने की आवश्यकता है कि यह वास्तव में मूल-वाक्यों के सम्बन्ध में कुछ नहीं कहता। जब हम दो रेखाओं को देखते हैं और कहते हैं 'दाईं बाईं से लम्बी है' और फिर पीछे इस का बाध कर कहते हैं कि 'बाईं दाईं से लम्बी है', तब यह बाध मूल-वाक्य का नहीं है, ठीक उसी प्रकार जिस प्रकार 'प्लेट सरल वृत्ताकार है' और 'प्लेट वक्र वृत्ताकार है' परस्पर बाधक नहीं हैं। इनकी यह परस्पर बाधकता 'तार्किक रचना' के प्रसंग से उत्पन्न होती है। इस का हम पर्याप्त स्पष्टीकरण पीछे कर आये हैं। इस प्रकार, मूल-वाक्यों की अशोध्यता पर ये दोनों आपत्तियाँ अनुचित हैं।

किन्तु मूल-वाक्यों की शोध्यता एक अन्य प्रकार से प्रतिपादित की जा सकती है। एयर के अनुसार, 'यह रक्ताभ है', 'यह रक्ताभ था' आदि वाक्य एक ही तथ्य की ओर संकेत करते हैं, उनक शब्दों में, ये एक ही वाक्यीय प्रतिज्ञा का कथन करते हैं। अब जब कि 'यह रक्ताभ है' वाक्य सत्य, अथवा कहें, तथ्य-संगत, हो सकता है हम भविष्य में इस पर सन्देह कर सकते हैं। इस प्रकार, मूल-वाक्य की तथाकथित अशोध्यता खण्डित

---

1. द्रष्टव्य — एयर — प्राब्लम ऑफ नॉलेज, पृ. 114-115। द्रष्टव्य, यशदेव शल्य — संवेद और भौतिक विषय, दार्शनिक, अप्रैल 1958.
2. रसल — इन्क्वारी इन्टू मीनिंग एण्ड ट्रूथ, पृ. 125.

हो जाती है। एयर ने 'मेरे सिर दर्द है' को उदाहरण रूप में प्रस्तुत किया है। उनके अनुसार, "यद्यपि यह वाक्य जब लिखा गया था तब यह असंदिग्ध था और इस प्रकार मेरा पश्चात् निर्णय ठीक नहीं होगा, किन्तु यह निर्णय करने का मुझे पूर्ण अधिकार है।" यह प्रश्न एयर से पूर्व रसल ने उठाया था, उनके अनुसार, "निजपरक पदों (मैं, यहाँ, यह) की उपलक्ष्यता में वैविध्य हमारे इन पदों से युक्त वाक्यों के उच्चारणों की कारणभूत भौतिक घटनाओं में कालिक सम्बन्ध का व्यापार (फंक्शन) है।" इस प्रकार, 'यह है' तथा 'वह था' के साथ प्रारम्भ होने वाले वाक्यों में भेद इनके अर्थ में नहीं प्रत्युत इनकी कारणता में निहित है।[1]

हमें रसल से इस बात में सहमत होने में कोई आपत्ति नहीं है कि दोनों वाक्यों का संकेत्य एक ही तथ्य है, किन्तु इन दोनों वाक्यों का सम्बन्ध संकेत्य से भिन्न होने के कारण ये वाक्य बहुत भिन्न हो जाते हैं। 'यह रक्ताभ है' तथा 'वह रक्ताभ था', 'मुझे पीड़ा हो रही है' तथा 'मुझे पीड़ा हो रही थी' वाक्य लें। अब जब कि 'सम्भवत: यह रक्ताभ है' अथवा 'सम्भवत: मुझे पीड़ा हो रही है' वाक्य उचित नहीं हैं, अथवा कहें, सार्थकतया कथित नहीं हो सकते, 'सम्भवत: वह रक्ताभ था' अथवा 'सम्भवत: मुझे पीड़ा हो रही थी' सार्थकतया कथित हो सकते हैं। इन दोनों प्रकार के वाक्यों में अन्तर स्पष्ट है : प्रथम जब कि प्रामाण्य-निरपेक्ष हैं, दूसरे प्रामाण्य सापेक्ष हैं और इनकी सत्यता केवल परोक्षतया, अथवा कहें, अन्य वाक्यों द्वारा ही स्थापित की जा सकती है। वास्तव में इन वाक्यों का कथन ही किसी अन्य तथ्य के आधार पर तथा किसी साधारणीकरण की सहायता से हो सकता है। इनकी उपलक्ष्यभूत घटना उसी प्रकार उनकी प्रमाणक है जिस प्रकार 'कल सूर्य ग्रहण लगेगा' की उपलक्ष्यभूत घटना इस वाक्य की प्रमाणक है। 'कल सूर्य ग्रहण लगेगा' वाक्य का वाच्य कोई भावी घटना तथा भूतवैज्ञानिक सिद्धान्त है। अत: 'कल सूर्य ग्रहण लगेगा' तथा 'यह सूर्य ग्रहण लगा है' को एक ही वाक्यीय प्रतिज्ञा के दो कथन कहना युक्त है, किन्तु इसी प्रकार से 'मेरे सिर दर्द हो रहा होगा' अथवा 'मेरे सिर दर्द नहीं था' को 'मेरे सिर दर्द है' वाक्य का बाधक अथवा शोधक कहना भ्रामक है, जैसाकि एयर कहते हैं।

अन्त में, प्रमाणीकरण सिद्धान्त में मूल-वाक्यों की स्थिति पर दो शब्द कह देना भी अप्रासंगिक नहीं होगा। प्रमाणीकरण सिद्धान्तानुसार, सब अनुभव-वाक्यों की सार्थकता का ग्रहण उनकी प्रमाणीकरण-विधि से होता है। मूल-वाक्य भी अनुभव-वाक्य हैं अत: उनका अर्थ ग्रहण भी उनकी प्रमाणीकरण-विधि से ही होना चाहिए। किन्तु हमने देखा है कि मूल-वाक्यों का प्रमाणीकरण तर्कत: असम्भव है, क्योंकि प्रमाणींकरण की प्रक्रिया इनसे ही सार्थकता ग्रहण करती है। इसका विवेचन हम रसल की 'मूल-वाक्यों में संदिग्धता' के प्रतिपादन की आलोचना के प्रसंग में कर आये हैं। किन्तु इन वाक्यों के आधार पर यह कहना कि प्रमाणीकरण सिद्धान्त खण्डित होता है, भ्रामक है, क्योंकि न केवल प्रमाणीकरण के ये आधार हैं, प्रत्युत इन्हें अप्रमाणीय भी नहीं कहा जा सकता, क्योंकि ये विशेषण केवल अनुभवातीत विषयों के वाचक पदों के लिए ही प्रयुक्त किये जा सकते हैं, जैसे 'संवेदों के बाह्य कारण', 'स्वलक्षण-वस्तुएँ' आदि पद अप्रमाणीय हैं, क्योंकि ये न प्रमाणित किये जा सकते हैं, न ये प्रमाणक वाक्य हैं और न नवीन मूल-वाक्य, जो प्रमाणीकरण की आवश्यकता से इसलिए मुक्त हैं क्योंकि प्रमाणीकरण का उद्देश्य इनसे स्वत: अर्थवान है। हम नवीन मूल-वाक्यों को प्रमाणीकरण का आदर्श अथवा सीमा भी कह सकते हैं, क्योंकि प्रमाणीकरणीय वाक्य असंदिग्धता की उस स्थिति को प्राप्त करने की ओर उन्मुख होते हैं जिसके मूल-वाक्य आदर्श हैं।

1. इन्क्वारी इनटू मीनिंग एण्ड ट्रूथ, पृ. 140.

वस्तुएँ, तथ्य और अस्तित्वमीमांसा

मूल वाक्य अध्याय में हमने मूल-वाक्यों के '(रक्त, यहाँ)' रूप को स्वीकार किया था। यहाँ जब कि हम अपनी अस्तित्व मीमांसा के सिद्धान्तों की व्याख्या करना चाहते हैं, यह स्थापना विशेष रूप से महत्त्वपूर्ण हो जाती है, क्योंकि मूल-वाक्य उन तथ्यों के वाचक हैं जो सरलतम हैं, और इसलिए जो अस्तित्वमीमांसा की सीमा निर्धारित करते हैं। हमारी स्थापना के अनुसार सद्य:प्रदत्त घटनाएँ सरलतम तथ्य हैं और 'यह रक्त है' जैसे वाक्य इन तथ्यों के व्यंजक हैं। प्रदत्त[1] कोई तथ्य किसी अनुभव को होता है। 'सद्य:' का प्रयोग सरल सद्वस्तु को सरलतम दिखाने के लिए है। यह प्रदत्त तथ्य इतना सरल है कि इसका वर्णन नहीं किया जा सकता, क्योंकि वर्णन करने के लिए हमें ऐसे पदों की आवश्यकता होती है जो वर्ण्य के सरलतर तथ्यों के वाचक हों। इसीलिए सद्य:प्रदत्त के वाचक पद वाच्य तथ्य का अभिधान करते हैं, नामकरण करते हैं, वर्णन नहीं करते।

यहाँ तक पूर्णत: स्पष्ट है, और अनुभववादी दार्शनिकों की परम्परा में निर्विवाद है। किन्तु सद्य:प्रदत्त तथ्यों को ले कर विवाद के लिए सर्वाधिक अवकाश है। यहाँ हमें दो युयुधान सम्प्रदायों के बीच अपना मत निर्धारित करना है।

'यह रक्त है' वाक्य का प्रतीकात्मक रूपान्तरण इस प्रकार होगा : 'ग$_1$(अ)।' इस वाक्य में, जैसाकि कहा जाता है, 'ग$_1$' सद्य:प्रदत्त गुण की संज्ञा (अभिधा) है और 'अ' सद्य:प्रदत्त व्यष्टि, अथवा विशिष्ट (यहाँ प्रदत्त-बिन्दु) की संज्ञा है। इस प्रकार, 'ग$_1$(अ)' वाक्य में कम-से-कम दो प्रकार के पद हैं, जो, जैसाकि कुछ दार्शनिक कहना पसन्द करते हैं, दो "वस्तुओं" की संज्ञाएँ हैं। इस प्रकार, इन दार्शनिकों के अनुसार, एक 'तथ्य' सरलतम अस्तित्व नहीं है, क्योंकि यह दो "वस्तुओं", अथवा कहें, अस्तित्वों, से संघटित है, सरलतम अस्तित्व "वस्तुएँ" हैं। अब जैसाकि हमने अभी कहा, सरलतम तथ्यों को केवल संज्ञा पदों द्वारा व्यक्त किया जा सकता है। अत: यदि 'ग$_1$(अ)' अथवा 'यह रक्त है' वाक्य में हम 'यह' तथा 'रक्त' दोनों पदों को संज्ञा पद मानें तो हम एक तथ्य को, जोकि एक मूल-वाक्य द्वारा व्यक्त होता है, सरलतम नहीं कह सकते, क्योंकि यह कम-से-कम दो वस्तुओं का संघात है।

यह स्थापना, संक्षेप में, विट्गिंस्टाईन तथा गस्टाव बर्गमान की है। विट्गिंस्टाईन के अनुसार, विशिष्ट स्वत: गुणहीन (वर्णहीन) हैं और गुणों के एक निश्चित वर्ग में से किसी से भी अध्युषित होने की सम्भावना से युक्त हैं। उदाहरणार्थ 'अ रक्त है' वाक्य लें। यह एक तथ्य का व्यंजक है। व्यष्टि अपनी अभिव्यक्ति केवल तथ्य में करता है। तथ्य में घटित हुए बिना वह स्वत: अगोचर रहता है। "वस्तु" एक "तथ्य" और "गुण" का समवाय होता है।[2]

---

1. " " द्वारा चिह्नित पद या वाक्य दार्शनिक अर्थ में वास्तवता का वाचक है जबकि ' ' द्वारा चिह्नित पद वाच्य वस्तु का नहीं प्रत्युत स्वयं पद का ही वाचक है।

2. सम्भावना के प्रसंग में यहाँ विट्गिंस्टाईन के निम्न कथन द्रष्टव्य हैं—

   2.01 एक अणु-तथ्य वस्तुओं का समवाय है। 2.11 एक वस्तु के लिए यह आवश्यक है कि यह अणु-तथ्य की भाग हो सकती है। 2.121 जिस प्रकार हम दैशिक विषयों को देश से बाहर तथा कालिक वस्तुओं को काल से बाहर सोच ही नहीं सकते, इसी प्रकार हम किसी विषय को उसके अन्य वस्तुओं के साथ सम्बन्ध के बिना नहीं सोच सकते। 2.031 जो विषय है उससे निर्धारित होता है कि क्या स्थिति हो सकती है, किन्तु यह नहीं कि क्या स्थिति वास्तव में है। यदि रक्त संस्थान (बिन्दु) एक विषय हो, तो इसका अस्तित्व यह निर्धारित करेगा कि कुछ वस्तुस्थिति है—कि कुछ रक्त है। 2.032 यह कहने का एक ढंग मात्र है कि विषय वे हैं जो रक्त हो सकते हैं, न कि जो पहले से रक्त हैं।

विट्गिंस्टाईन की वस्तुएँ इस प्रकार स्वत: अस्तित्ववान् हैं। वस्तुओं की इस अवधारणा को स्वीकार करने के पक्ष में विट्गिंस्टाईन का तर्क यह था कि यदि एक तथ्य में वस्तु को अनिवार्यत: उस गुण से अध्युषित मानें, जिससे कि वह अध्युषित है, तो प्रत्येक विशिष्ट वस्तु अनिवार्यत: उस गुण से युक्त होगी जिससे कि वह अध्युषित है, (अथवा जिससे उसने अध्युषित होना है?)। इस प्रकार 'अ रक्त है' वाक्य एक तार्किक अनिवार्यता हो जायगा।

विट्गिंस्टाईन की इस स्थापना में अनेक कठिनाइयाँ हैं जिन पर हम आगे विचार करेंगे। यहाँ कुछ प्रश्न प्रासंगिक हैं : एक तथ्य एक सद्य:प्रदत्त का पर्याय है। इस प्रकार 'अ रक्त है' में 'अ' तथा 'रक्त' सद्य: में प्रदत्त दो अस्तित्वों (जैसाकि बर्गमान तथा विट्गिंस्टाईन कहेंगे) की संज्ञाएँ हैं। 'रक्त' गुण का वाचक होने से सामान्य है, अथवा बर्गमान के शब्दों में, कालातीत है, किन्तु क्या 'अ' के लिए भी यही कहा जा सकता है? यदि हाँ, तो कोई वाक्य सद्य:प्रदत्त का वाचक नहीं कहा जा सकता; यदि नहीं, तो "अ" में सम्भावना का क्या अभिप्राय है? "अ" जब कि सद्य:प्रदत्त है और "रक्त" द्वारा अध्युषित है, तब इसके सम्भाव्य रूप से "हरित" द्वारा अध्युषित होने का क्या अभिप्राय है?

यहाँ यह समझ लेना आवश्यक है कि "विशिष्ट वस्तु" संस्थान (बिन्दु) जैसी कोई वस्तु नहीं है, जैसाकि बर्गमान कहने की भूल करते हैं,[1] क्योंकि संस्थान अथवा बिन्दु उतना ही "सामान्य", अथवा कहें "गुण", है जितना "रक्त", क्योंकि 'बिन्दु' विशिष्ट दैशिक गुणों का वाचक है। इसके अतिरिक्त, यह काल में सद्य:प्रदत्त की सीमाओं के बाहर भी अवस्थित रहता है। स्वयं बर्गमान ऐसी वस्तु को "वस्तु" अथवा "विशिष्ट" नहीं मानते हैं। इस प्रकार विट्गिंस्टाईन तथा बर्गमान हमारे साथ इस बात में सहमत हैं कि "अ" किसीबिन्दु के समान काल में प्रलम्बित तथा सामान्य, जैसे दैशिक आकारयुक्त, नहीं है।[2] विशिष्ट का इस प्रकार निर्धारण करने के पश्चात् विट्गिंस्टाईन के "सम्भावना" के अध्यारोप पर हमारी आपत्ति का औचित्य स्पष्ट है।

बर्गमान द्वारा "तथ्य" को वस्तुओं का संघात मानने के दो प्रयोजन हैं—एक तथाकथित नकारात्मक तथ्यों की व्याख्या करना और दूसरे असत्य तथ्यों की व्याख्या करना। उदाहरणत: एक तथ्य लें जोकि 'र(अ)' (यह बिन्दु हरा है) द्वारा व्यंजनीय है। अब एक वाक्य '~र(अ)' लें, जो 'यह बिन्दु हरा नहीं हैं' का पर्याय है। यह वाक्य किस तथ्य का वाचक है? सामान्यत: यह कहा जायगा कि यह इस तथ्य का वाचक है कि बिन्दु अ हरित नहीं है, क्योंकि यह वाक्य सत्य है। इस प्रकार, यदि हम तथ्य को मूल अस्तित्व मानें, अथवा बर्गमान के शब्दों में, यदि हम तथ्य-अस्तित्ववादी हों, तो हमें नकारात्मक तथ्यों को भी अपने अस्तित्वों की श्रेणी में स्थान देना होगा। क्योंकि इस बात से इन्कार नहीं किया जा सकता कि '~र(अ)' सत्य वाक्य है। किन्तु वस्तु-अस्तित्ववादी के लिए इस प्रकार अवांछित तथ्यों को स्वीकार करना आवश्यक नहीं है। बर्गमान के अनुसार, "प्रत्येक व्यष्टि एक और केवल एक कालाणु के साथ संयोजित है। किन्तु गुण कालातीत होने से इस प्रकार संयोजित नहीं है, अर्थात्, ये विभिन्न कालाणुओं के साथ संयुक्त विभिन्न व्यष्टियों के द्वारा उदाहरित हो सकते हैं। अब मान लीजिये कि 'अ' और '$ग_1$' क्रमश: एक व्यष्टि तथा एक गुण की संज्ञाएँ हैं और '$ग_1$' न तो 'अ' के द्वारा उदाहरित हो रहा है और न इस कालाणु विशेष के साथ संयोजित किसी अन्य व्यष्टि के द्वारा उदाहरित हो रहा है। तब '~$ग_1$(अ)' सुरचित वाक्य है।...इस प्रकार हमें उस गुण से, जिसे वह उदाहरित नहीं करता, नकारात्मक रूप से विधेयित करने से झिझकने की आवश्यकता नहीं है।"[3] उनका यही तर्क असत्य तथ्यों के सम्बन्ध में भी है। इस प्रकार, उनके अनुसार, तथ्य-अस्तित्ववाद असत्य तथ्यों तथा नकारात्मक तथ्यों को स्वीकार करने को बाध्य है और उसकी तत्त्वमीमांसा सत्य तथा सार्थक की अवधारणाओं में भेद नहीं कर सकती।

---

1. इन्फेबिलिटी, ओंटोलोजी एण्ड मैथड, फिलासफीकल रिव्यू, जनवरी 1960, पृ. 20.
2. वही, पृ. 22-23, तथा मीनिंग एण्ड एक्सिस्टेंस, पृ. 239-240. यूनीवर्सिटी ऑफ विस्कांसिन प्रेस, 1960.
3. वही, पृ. 228.

2

दर्शन में कुछ भी स्वत:स्पष्ट नहीं होता। प्रत्येक स्थापना अपने साथ समस्याओं की एक पूरी शृंखला को जन्म देती है, जिसका दार्शनिक को समाधान करना होता है और इसी समाधान के द्वारा वह अपने दार्शनिक सिद्धान्तों का ताना तनता है। वस्तु–अस्तित्ववाद एक ताना है और तथ्य–अस्तित्ववाद दूसरा ताना है। हम इस ताने को अवधारणात्मक योजना कहना चाहेंगे। किसी अवधारणात्मक योजना की योग्यता इस बात में निहित होती है कि वह कुछ आधारभूत समस्याओं का सुलझाव प्रस्तुत करती है, कि वह ऐसे परिणामों को लागू नहीं करती जिनको वह स्वीकार नहीं करना चाहती, और कि वह हमारी सामान्य दैनिक अवधारणाओं के निषेध को अनावश्यक रूप से लागू नहीं करती।

हम अपनी अस्तित्वमीमांसा का ताना तनने से पूर्व यहाँ कुछ प्रतिज्ञाओं की स्थापना करेंगे जो आधारभूत हैं और जिनके बिना भ्रान्तियों का भय हो सकता है—

1. संज्ञा–पद केवल सद्य:प्रदत्त का अभिधान करते हैं, अत: किसी संज्ञा–पद के घटित होने की यह आवश्यक शर्त है कि वह वस्तु, जिसका अभिधान किया गया है, प्रदत्त हो।

2. केवल प्रदत्त वस्तुएँ ही "वस्तुएँ" हैं।

3. प्रदत्त "वस्तुएँ" सरलतम हैं, और केवल 'सरलतम वस्तुएँ' अस्तित्वमय हैं।

अब एक मूल–वाक्य लें और इन प्रतिज्ञाओं को ध्यान में रख कर देखें कि ये किस प्रकार अभिधानित करती हैं। किन्तु इस आधारभूत प्रश्न पर विचार किये बिना भी इन प्रतिज्ञाओं से यह पूर्णत: स्पष्ट है कि बर्गमान जिन तार्किक परिणामों से बचना चाहते हैं उनसे बचना असम्भव है। उदाहरणत: 'र(अ)' —'अ रक्त है' वाक्य लें। वस्तु–अस्तित्ववादी के अनुसार 'अ' एक विशिष्ट को तथा 'र' सामान्य को अभिधानित करता है। 'र' को अभिधान कहने का अभिप्राय है कि यह पद अनिवार्यत: (परिभाषया) मूल–वाक्यों में सद्य:प्रदत्त "रक्त" का संकेत करता है। इस प्रकार, 'अ रक्त है' कथन करता है कि "अ" तथा "र" घटित हो रहे हैं—ये अस्तित्ववान् हैं। अब एक दूसरा वाक्य '~र(अ)' लें। वस्तु–अस्तित्ववादी की योजना में '~र' उतना ही संज्ञा–पद होना चाहिए जितना 'अ' तथा 'र'। कम–से–कम तथ्य–अस्तित्ववादी पर नकारात्मक तथ्य थोपने के प्रयास का यह सीधा परिणाम है। इस प्रकार वस्तु–अस्तित्ववादी नकारात्मक संज्ञाएँ और अतएव नकारात्मक अस्तित्व अपनी योजना में स्वीकार करने को बाध्य है। और यदि नकारात्मक "वस्तुएँ" उसकी योजना में स्वीकार्य हैं तो असत्य "वस्तुएँ" क्यों स्वीकार्य नहीं होंगी? 'अ रक्त है' वाक्य ही लें, जब कि तथ्य वास्तव में "अ हरित है" रूप है। अब प्रथम वाक्य वस्तु–अस्तित्ववादी की भाषा में असत्य विधेयता का उदाहरण है, और अतएव यह "असत्य वस्तु" की संज्ञा है।

किन्तु ये दोनों परिणाम स्वभावत: वस्तु–अस्तित्ववादी के लिए उतने ही अवांछित हैं जितने तथ्य–अस्तित्वादी के लिए। क्योंकि, हमारे विचार में, वस्तु–अस्तित्वादी इससे इन्कार नहीं कर सकता कि उसके नकारात्मक विधेय संज्ञाएँ नहीं हैं, और अतएव वह इससे भी इन्कार नहीं कर सकता कि असत्य विधेय संज्ञाएँ नहीं हैं।

वस्तु–अस्तित्ववादी के नकारात्मक विधेयन के सिद्धान्त से एक और अवांछित परिणाम उपस्थित होता है, और वह है अनुपस्थित गुणों के अस्तित्व का। उदाहरणत: 'अ' और '$ग_1$' को ही लें, जब कि '$ग_2$' 'अ' को विधेयित नहीं करता और न किसी अन्य व्यष्टि (बिन्दु?) को ही विधेयित करता है जोकि इस कालाणु विशेष में घटित होता है। इस अवस्था में, वस्तु–अस्तित्ववादी के अनुसार, 'अ' को '$ग_1$' विधेयित करता है और $ग_2$ किसी को विधेयित नहीं करता। किन्तु विधेयन की यह प्रक्रिया प्लेटो के सामान्यों को एक विलक्षण अस्तित्व प्रदान करती है, और यह पुन: अवांछित परिमाण है।

इन तार्किक कठिनाइयों के अतिरिक्त कुछ व्याख्या की कठिनाइयाँ हैं जो वस्तु-अस्तित्ववाद की स्थिति को स्वीकार करने में बाधक है। उदाहरणत: 'अ' किस अस्तित्व की संज्ञा है? बर्गमान ने इन "व्यष्टियों" को कभी बिन्दु और कभी संवेद कहा है। इनके अतिरिक्त, वे अवगति की एक घटना को भी इस श्रेणी के अन्तर्गत रखते हैं। बिन्दु को व्यष्टि कहने के विरुद्ध हम ने पीछे तर्क दिये हैं, और बर्गमान भी काल में प्रलम्बित बिन्दु को व्यष्टि मानने को तैयार नहीं हैं। सम्भवत: वे देश में सीमित तथा कला में सद्य:प्रदत्त बिन्दु को व्यष्टि स्वीकार करते हैं और यह पुन: नकारात्मक विधेयन को अस्वीकार्य सिद्ध करता है। यही बात संवेद को व्यष्टि मानने पर भी सत्य है। अब वर्णहीन बिन्दु और संवेद्यगुणहीन संवेद क्या है? सम्भवत: बर्गमान का उत्तर होगा कि ये अपने निजी वर्ग—'विशिष्टता' के वर्ग—का निर्माण करते हैं।[1] हमारे विचार में बर्गमान की इस स्थापना से असहमत होने के लिए कोई कारण नहीं है, यदि यह स्थापना व्यष्टि-पदों तक सीमित है, जैसाकि हम आगे देखें, किन्तु व्यष्टियों के सम्बन्ध में उनके विचारों से सहमत होना हम कठिन पाते हैं, क्योंकि उनके "व्यष्टि" वास्तव में देश-काल में सीमित सब्स्टांस मात्र रह जाते हैं।

3

वस्तु-अस्तित्वाद का आधार शायद हमारी भाषा का उद्देश्य-विधेयात्मक रूप है। हमारा छोटे-से छोटा वाक्य भी कम-से-कम तीन पदों से निर्मित होता है, जिन में एक पद वाक्य-रचनामूलक होता है, शेष दो पद भिन्न-भिन्न प्रकार से कुछ विधान करते हैं। उदाहरणत: 'मोहन मनुष्य है' वाक्य ही लें। इस में 'मोहन' तथा 'मनुष्य' पद भिन्न-भिन्न प्रकार से कुछ निर्देश करते हैं। इसी प्रकार 'मोहन राम का मित्र है' वाक्य में 'मोहन' तथा 'राम का मित्र' भिन्न प्रकार से निर्देश करते हैं। इसी प्रकार हमारे मूल-वाक्यों, जैसे 'अ रक्त है' में भी उद्देश्य तथा विधेय दो निर्देशक पद हैं। विधेय पद उद्देश्य पद के सम्बन्ध में कुछ विधान करता है और उद्देश्य पद वह है जिसके सम्बन्ध में कुछ विधान किया जाता है। किन्तु विधेय पद का निर्देश उद्देश्य पद से भिन्न होता है। जैसे, हमारे इस मूल-वाक्य में 'रक्त' पद का निर्देश एक विशिष्ट वर्णाभा है। अब 'अ' का निर्देश क्या है? इस प्रश्न का उत्तर हमें व्यक्तिवाचक संज्ञाओं के अर्थ सम्बन्धी विवाद में ले जायगा। यहाँ वह सब प्रासंगिक नहीं है। यहाँ द्रष्टव्य केवल यह है कि 'अ' पद व्यक्तिवाचक संज्ञा है और अतएव अद्वितीयरूप से, तथा बिना वर्णन किये, निर्देश करता है। यहाँ 'रक्त' पद भी संज्ञा है किन्तु भिन्न प्रकार की, क्योंकि यह सद्य:प्रदत्त गुण की संज्ञा है; किन्तु गुण सद्य:प्रदत्त की सीमा तक सीमित नहीं होते। इस प्रकार, विधेय पद एक वाक्य में अन्य पद का विशेषण है। यह दूसरे वाक्यों में दूसरे व्यष्टियों का विशेषण हो सकता है। किन्तु विशेष्य "वस्तु" का किसी भी विशेषण से विशेषित होना अनिवार्य नहीं है (बर्गमान की स्थापनाओं से यह आवश्यक रूप से परिणाम निकलता है)। संक्षेप में, यह वस्तु-अस्तित्ववाद को प्रतीयमान औचित्य प्रदान करता है।

किन्तु वास्तव में हमारी भाषा के उद्देश्य-विधेयात्मक वाक्यों में अनिवार्यत: उद्देश्य तथा विधेय के निर्देश भिन्न-भिन्न नहीं होते। उदाहरणत: 'मोहन मनुष्य है' वाक्य ही लें। इसमें 'मोहन' पद केवल 'मनुष्य' द्वारा अनिश्चित रूप से कथित (संकेतित नहीं) वस्तु का निश्चित रूप से कथन करता है। इसी प्रकार, 'मोहन राम का मित्र है' वाक्य में भी 'मोहन' पद उस वस्तु का बिना वर्णन किये निर्देश करता है जिस का 'राम का मित्र' पद अनिश्चित निर्देशात्मक वर्णन करता है। यहाँ अनिश्चितता केवल इस बात में है कि 'मनुष्य' पद अनेक उद्देश्यों का विधेय हो सकता है, किन्तु यह सम्भव नहीं है कि राम मनुष्य है किन्तु वह मनुष्य न होता। और न ही 'राम' तथा 'मनुष्य' दो भिन्न वस्तुओं का निर्देश करते हैं। किन्तु निर्देश-भिन्नता इसी प्रकार के अन्य वाक्यों में विद्यमान है, यथा 'राम श्यामवर्ण है', जब कि राम एक मनुष्य-विशेष की संज्ञा है। यहाँ यह स्पष्ट है कि जब कि राम श्याम वर्ण है (यदि यह वाक्य सत्य है तो) यह अनिवार्य नहीं है कि वह गौर वर्ण का नहीं हो सकता था। इसका कारण स्पष्ट है—जबकि 'राम' एक गुण-समवाय का वाचक है, 'श्याम' समवाय में से एक गुण का वाचक है। और यह

1. गस्टव बर्गमान — मेटाफिज़ीक्स ऑफ लाजीकल पाज़िटिविज़्म, पृ. 203। लांगमैन, न्यूयार्क, 1954.

आनुभविक सत्य है कि हम किसी समवायी में गौण महत्त्व के कुछ गुण भिन्न प्रकार से होने पर भी उसे भिन्न नाम नहीं देते। किन्तु 'राम मनुष्य है' में 'राम' पद 'मनुष्यता' सामान्य के उदाहरित होने का वाचक है।

'मनुष्य' पद उस अर्थ में संज्ञा नहीं है जिस अर्थ में हमारे सरलतम पद, अथवा अपरिभाषित विधेय पद, संज्ञाएँ हैं। इसलिए यह पद भी भ्रामक हो सकता है। उदाहरणत: 'राम मनुष्य और रक्त वर्ण है' वाक्य में दो विधेय हैं और 'राम' दोनों के साथ घटित हो सकता है। यहाँ तक कि 'राम मनुष्य तथा सपुच्छ है' वाक्य भी सार्थक तथा सत्य दोनों हो सकता है, जब कि सामान्यत: ये दोनों विधेय परस्पर विरोधी हैं। अत: यह भ्रम रह सकता है कि 'राम' पद किसी स्वतन्त्र वस्तु की संज्ञा है। वास्तव में यही भ्रम 'अ रक्त है' का भी आधार है, क्योंकि, जैसाकि अनुभव में होता है, रक्त कोई प्रदेश होता है। किन्तु जैसाकि हम "विशिष्ट, सामान्य और अस्तित्व" निबन्ध में देखेंगे, 'दैशिक संस्थान' उसी प्रकार अपरिभाषित विधेय पद है जिस प्रकार 'रक्त' अपरिभाषित विधेय पद है। अत: मूल-वाक्य में '' को देश-काल बिन्दु का वाचक समझना भ्रमाधारित है। ऐसे वाक्य हो सकते हैं जिन में यह भ्रम न हो, जैसे 'अ मधुर है' अथवा 'अ पीड़ा है'। हमारे ये वाक्य उचित रूप से पुनारचित होने पर इस प्रकार होंगे—'मधुर अब' तथा 'पीड़ा, अब'। अब 'अ मधुर है' वाक्य लें। 'अ' यहाँ लड्डू का वाचक नहीं है, यह बात वस्तु-अस्तित्वादी भी स्वीकार करेंगे। 'अ' केवल 'मधुर' की उस घटना विशेष का वाचक है जो सद्य:प्रदत्त है। अन्यथा 'मधुर' सामान्य पद है और अतएव किसी "वस्तु" का वाचक नहीं है।

इस प्रकार, हमारी स्थापना के अनुसार, विधेय पद तब तक किसी "वस्तु" की संज्ञा नहीं है जब तक यह उद्देश्य पद के साथ संयुक्त हो कर विशिष्ट घटना का अभिधान नहीं करता। और इसीलिए स्वयं 'अ' किसी वस्तु की संज्ञा नहीं है, क्योंकि यह केवल सामान्य पद के विशिष्ट के रूप में घटित होने और इस प्रकार सास्तित्व वस्तु का निर्देशक होने का विधायक मात्र है। अथवा, हमारी स्थापनानुसार उचित शब्दों में, यह सामान्य पद का उदाहरित विशिष्ट के वाचक रूप में प्रयोग करता है।

वस्तु-अस्तित्वादी के भी कम-से-कम दो सम्प्रदाय हो सकते हैं, अथवा, कम-से-कम दा सम्प्रदाय हैं। विट्गिंस्टाईन की स्थापनानुसार, वस्तुवाचक पद अपने आप में किसी अस्तित्व का विधान नहीं करते। यह परिणाम उनके निम्न कथनों से स्पष्टत: अनुगत होता है, यथा: '1.1 विश्व तथ्यों की सकलता है, वस्तुओं की नहीं। 2.011 एक वस्तु के लिए यह आवश्यक है कि वह अणु-तत्त्वों का भाग हो सके। 2.0121 जैसे हम दैशिक विषयों का देश से बाहर नहीं सोच सकते तथा कालिक विषयों को काल से बाहर नहीं सोच सकते, उसी प्रकार हम एक विषय को इसके अन्य विषयों से सम्बन्ध की सम्भावना के बना नहीं सोच सकते। 2.13 विषय वर्णहीन हैं।'

इस प्रकार वे "वस्तुएँ" वास्तव में उद्देश्य तथा विधेय पदों की पर्याय अधिक हैं किसी अस्तित्व की कम। किन्तु वर्तमान दो स्वतन्त्र "वस्तुओं" का अस्तित्व स्वीकार करते हैं, जैसाकि उनके दोनों पदों को संज्ञाएँ स्वीकार करने से तथा अपने आपको वस्तु-अस्तित्ववादी कहने से स्पष्ट है। तब वाक्य एक तृतीय अस्तित्व का वाचक होगा। किन्तु वास्तव में इस प्रकार इसे किसी तृतीय अस्तित्व का वाचक नहीं होना चाहिए, क्योंकि यह सरल नहीं है, और मिश्र पद किसी अस्तित्व का विधान नहीं करते। इस प्रकार, उनकी स्तित्वमीमांसा में "अ" का अस्तित्व है और "रक्त" का अस्तित्व है किन्तु "अ रक्त है" वाक्य द्वारा विहित किसी तृतीय तत्त्व का अस्तित्व नहीं है। किन्तु "तथ्य" को वे एक अन्य प्रकार से प्रवेश देते हैं। उनके अनुसार "जब मैं यह जानता हूँ कि यह हरित संस्थान (बिन्दु) है, तब मैं यह भी जानता हूँ कि (1) संस्थान एक व्यष्टि है, (2) वर्ण गुण है, और (3) प्रथम द्वितीय को उदाहरित करता है, और कि द्वितीय प्रथम को उदाहरित नहीं करता। मैं यह सब कैसे जान सकता था यदि ये सब मुझे प्रदत्त न होते?"[1] इसे वे अवाच्यता (इन्इफेबिलिटी) का सिद्धान्त कहते हैं। इस प्रकार, उनके अनुसार, एक ढाँचा, जोकि तथ्य का वाचक है, हमें प्रदत्त होता है और इसका भाषा द्वारा कथन नहीं हो सकता, यह केवल देखा जा सकता है।

1. इन्फेबिलिटी, ओंटोलोजी एण्ड एग्ज़िस्टेंस।

यहाँ उनके अवाच्यता के सिद्धान्त की आलोचना प्रासंगिक नहीं है, किन्तु फिर भी यहाँ हम अपने इस कुतुहल का संवरण करना कठिन पाते हैं कि वे मिश्र वाक्यों के रूप के सम्बन्ध में क्या कहना चाहेंगे? क्योंकि मैं यह कैसे जान सकता हूँ कि अमुक वाक्य मिश्र है जब तक उसका यह ढाँचा मुझे प्रस्तुत नहीं हो? खैर, वे वाक्य-रूप को तृतीय तत्त्व मानते हैं।

4

'मेज़$_1$ रक्त है' वाक्य सत्य है यदि वास्तव में मेज़$_1$ रक्त है, किन्तु यदि यह मेज़ पीत रंग का है तो यह वाक्य असत्य है। किन्तु यह वाक्य असत्य होने पर भी सार्थक है, यह स्पष्ट है, क्योंकि मेज़ न होने पर भी हम इस वाक्य का अर्थ समझते हैं। 'काला कव्वा रक्त नहीं है' वाक्य सत्य है, किन्तु इसकी सत्यता कव्वे के "काले तथा अरक्त" होने पर निर्भर नहीं करती, यह केवल इसके "काले" होने पर निर्भर करती है। हमारी ये दो स्थापनाएँ क्रमश: इन दो विधानों पर आधारित हैं—1. सब वाक्यों की सार्थकता उनकी सत्यता पर निर्भर नहीं है। तथा (2) नकारात्मक विधेय किसी अस्तित्व का विधान नहीं करते। इनमें प्रथम विधान भाषीय नहीं है, जब कि द्वितीय विधान भाषीय है। किन्तु ये दोनों विधान परस्पर पूरक तथा अस्तित्वमीमांसा की दृष्टि से महत्त्वपूर्ण हैं।

'मेज़ रक्त है' वाक्य या ऐसे ही अन्य वाक्य हमारी आदर्श भाषा में प्रयुक्त वाक्य नहीं हैं। 'मेज़' को आकार विशेष का वाचक मानते हुए, यह पद उतना ही विधेयात्मक है जितना 'रक्त' पद विधेयात्मक है। अत: यह वाक्य इस प्रकार पुनारचित होगा—'अ$_1$ मेज़ है' तथा 'अ$_2$ रक्त है', 'अ$_1$ तथा अ$_2$ समकालिक हैं'। 'अ$_1$' तथा 'अ$_2$' निश्चित संज्ञाएँ हैं। हमारे विचारानुसार, जोकि अनुभवादी तर्क का आधारभूत विधान है, संज्ञाएँ केवल वे पद हैं जो सद्य:प्रदत्त के वाचक हैं। इस प्रकार, यह वाक्य तब तक घटित नहीं हो सकता जब तक कि मेज़वत् तथा रक्तिम संस्थान सद्य: प्रस्तुत नहीं हों। प्रस्तुत नहीं होने पर ये वाक्य इस प्रकार होंगे 'य मेज़वत् है' तथा 'य रक्त है'। इस और केवल इस अवस्था में यह वाक्य सत्य तथा असत्य होने से निरपेक्षत: सार्थक है। इस की सार्थकता इसमें प्रयुक्त सामान्य पदों के द्वारा है। जिन वाक्यों के उद्देश्य पद अनिश्चित हों उनके विधेय पद किसी सरल की संज्ञा न हो कर सामान्य पद होते हैं, और हमारी विवेचना के अनुसार, सामान्य पद किसी अस्तित्व के वाचक नहीं होते। इस प्रकार 'य मेज़ है' तथा 'य रक्त है' वाक्य सत्य या असत्य होने के अयोग्य हैं।

यहाँ यह ध्यान रखना आवश्यक है कि 'अ$_1$ मेज़ है' तथा 'अ$_2$ रक्त है' भौतिक विषय या विषयों के वाचक नहीं हैं। इन वाक्यों में उद्देश्य पदों के द्वारा दोनों विधेय पद विशिष्टीकृत हैं और सद्य:प्रदत्त के वाचक हैं। किसी वाक्य में उद्देश्य पद के अनिश्चित होने पर विधेय पद सामान्य के वाचक होते हैं। भौतिक विषय-वाक्य 'मेज़$_1$ रक्त है' भिन्न प्रकार का है। 'मेज़' केवल चाक्षुष विषयवाचक होने पर और इस प्रकार 'अ$_1$ मेज़ है' तथा 'अ$_1$ रक्त है' प्रदत्त के वाचक होने पर भी भौतिक विषय वाक्य 'यह मेज़ रक्त है' पूर्णत: सत्यापित नहीं हो जाता[1] क्योंकि 'मेज़' पद के अर्थ में अनेक प्रदत्त और सम्भाव्य गुण अपेक्षित हैं। उदाहरणत: विशेष चाक्षुष प्रदत्त घटित होने पर भी यदि विशिष्ट स्पर्श-प्रदत्त घटित नहीं होते तो भौतिक विषय वाक्य कम-से-कम आंशिक रूप से खण्डित हो जाता है। अत: 'यह मेज़ रक्त है' इस प्रकार पुनारचित होगा—[(य)(मेज़)(य)$\subset$रक्त(य);मेज़वत् (य).कठोर(य).———(य)].[मेज़वत.(अ$_1$).रक्त (अ$_2$)] (प्रत्येक वस्तु, यदि यह मेज़ है तो यह वर्णयुक्त, मेज़वत्, कठोर आदि-आदि है, अ$_1$ मेज़वत् है तथा अ$_2$ रक्त है)। इस पुनारचना की यह विशेषता है कि यह इस वाक्य की सत्यापन-सापेक्षता तथा अपूर्णत: सत्यापनीयता को व्यक्त करता है। व्यष्टिवाचक पद (अ) के साथ संख्या देने का कारण यह नियम है कि ऐसे पद केवल एक ही विधेय के साथ घटित हो सकते हैं।

जहाँ तक मूल-वाक्य 'ग$_1$(अ$_1$)' का सम्बन्ध है, यह प्रदत्त का वाचक होने से असत्य होने के अयोग्य है। बर्गमान का 'ग' प्रस्तुत न होने पर 'ग$_1$(अ$_1$)' वाक्य को उचिततया निर्मित मानना हमें समझ नहीं आया, क्योंकि

1. द्रष्टव्य — इसी पुस्तक में 'अर्थमीमांसा' निबन्ध।

ऐसा वाक्य परिभाषया प्रदत्त की संज्ञा हो कर ही उचिततया निर्मित कहा जा सकता है। इस प्रकार असत्य मूल-वाक्यों तथा असत्य तथ्यों की समस्या का प्रश्न नहीं उठता।

यहाँ एक और नियम की स्थापना आवश्यक है—मूल-वाक्य तथा मूल-वाक्य रूप भिन्न वस्तुएँ ("वस्तुएँ" नहीं) हैं। सद्यःप्रदत्त के वाचक न होने पर 'ग$_1$(अ$_1$)' जैसे वाक्य मूल-वाक्य रूप हैं, मूल-वाक्य नहीं। अतः "ग$_1$(ग$_1$)" तथ्य प्रस्तुत होने पर 'ग$_1$(अ$_1$)', का प्रयोग मूल-वाक्य रूप का प्रयोग करना है। तथ्य-अस्तित्ववादी पर बर्गमान द्वारा असत्य तथ्य लादने की भूल यह भेद न करने पर आधारित है कि जब कि वे मूल-वाक्यों को अनिवार्यतः तथ्य की संज्ञा मानते हैं तब वे तथ्य प्रस्तुत न होने पर भी किसी वाक्य को मूल-वाक्य और अतएव संज्ञा वाक्य मानते हैं। प्रत्येक वाक्य रूप के लिए तथ्य खोजना एक बात है और तथ्य प्रस्तुत होने पर वाक्य द्वारा उसका अभिधान करना दूसरी बात है। तथ्य-अस्तित्ववादी को अपने ऊपर प्रत्येक मूल-वाक्य-रूप के लिए तथ्य प्रस्तुत करने का असम्भव तथा अनुचित उत्तरदायित्व नहीं लेना चाहिए। रसल तथा विट्गिंस्टाईन ने यह उत्तरदायित्व ले कर भूल की थी। किन्तु यह अवांछित परिणाम तथ्य-अस्तित्ववाद को स्वीकार करने से अनिवार्यतः लागू नहीं होता, जैसाकि बर्गमान कहते हैं।[1]

इस प्रकार तथ्य-अस्तित्ववादी बर्गमान की इस आपत्ति का कि "असत्य मूल-वाक्य कुछ अभिहित न करने पर भी सार्थक हैं" उत्तर देने में समर्थ है। संक्षेप में, उपर्युक्त विवेचन स्थापित करता है कि—(1) मूल-वाक्य अभिधानात्मक वाक्य हैं। (2) अभिधानात्मक वाक्यों द्वारा अभिहित तथ्य अस्तित्वमय हैं। (3) यह असम्भव है कि अभिधानात्मक वाक्य अभिहित न करें। (4) अभिहित न करने वाले वाक्य मूल-वाक्य न होकर मूल-वाक्य रूप हैं। (5) सामान्य पद किसी सास्तित्व वस्तु को अभिहित नहीं करते, किन्तु ये सार्थक होते हैं।[2]

5

एक विशिष्ट वाक्य (मूल-वाक्य) एक "तथ्य" का वाचक होता है। एक स्थानित गुण एक तथ्य है। "तथ्य" अथवा "स्थानित गुण" विश्व के भाग हैं। 'स्थानित होने' से हमारा अभिप्राय है 'एक सद्यः प्रस्तुत का भाग होना'। 'सद्यः प्रस्तुत' में हमारा अभिप्राय किसी देश-काल बिन्दु विशेष से नहीं है, यद्यपि "सद्यः प्रस्तुत" से काल की अवधारणा में आवश्यक तत्त्व है। 'सद्यः प्रस्तुत' एक 'अनुभव घटना' है। एक सद्यः-प्रदत्त में दो गुण घटित हो सकते हैं, जैसे रक्त और पीत, शीतल और कोमल, मन्द और गम्भीर स्वर आदि-आदि। इसी प्रकार, विशेष संस्थान तथा वर्ण, यथा 'मेज़वत्' तथा 'रक्त' घटित होते हैं। अतएव "'अ हरित है' लागू करता है कि 'अ विस्तारयुक्त है'" विश्लेषणात्मक वाक्य नहीं है।

उचित रूप से निर्मित प्रत्येक वर्णनात्मक वाक्य अनिवार्यतः सार्थक है, किन्तु प्रत्येक ऐसा वाक्य सत्य नहीं है। वाक्यों की सत्यता उनसे कथित घटना के घटित होने में है, किन्तु सार्थकता उपयुक्त मानसिक प्रतिक्रियाओं के घटित होने में है। 'ब्रह्मा चतुर्भुज नहीं है' असत्य वाक्य है किन्तु यह सार्थक है, क्योंकि यह वाक्य उन कल्पनाओं को प्रजागरित करता है जिन को व्यक्त करना वांछित है। मूल-वाक्यों के अतिरिक्त कोई वर्णनात्मक वाक्य अनिवार्यतः सत्य नहीं है, किन्तु यह अनिवार्यतः सार्थक है। इस प्रकार, मूल-वाक्य अनिवार्यतः सार्थक हैं, किन्तु ये अनिवार्यतः सत्य भी हैं। इस प्रकार मूल-वाक्यों में सत्यता और सार्थकता सहगामी हैं। किन्तु इसका यह अभिप्राय नहीं कि मूल-वाक्यों की सार्थकता इनकी सत्यता से अनुगत होती है।

1. इन्इफेबिलिटी, ओंटोलोजी एण्ड मैथड, फिलासफीकल रिव्यू, जनवरी 1960.
2. द्रष्टव्य — विशिष्ट, सामान्य और अस्तित्व अध्याय।

विशिष्ट, सामान्य और अस्तित्व

हमने 'मूल-वाक्य' अध्याय में मूल-वाक्यों की समस्या पर विचार करते हुए मूल-वाक्य के उद्देश्य-विधेयात्मक रूप को स्वीकार किया था। वहाँ हमने मूल-वाक्यों के ऐसे रूप को भी स्वीकार किया था जिसमें सामान्यत: विधेयों के स्थान पर प्रयुक्त होने वाले पद उद्देश्यों के स्थान पर प्रयुक्त होते हैं, जैसे '(∃ य)(य=रक्तता) (रक्तता, यहाँ, अब)।' 'रक्तता' पद यहाँ उद्देश्य है और 'यहाँ, अब' विधेय हैं। किन्तु 'रक्तता' पद सामान्य का वाचक है और इस पद को उद्देश्य के रूप में स्वीकार कर हम सामान्यों के अस्तित्व को स्वीकार कर लेते हैं। रसल ने **एन इन्क्वारी इन्टू मीनिंग एण्ड ट्रूथ** में इस स्थिति को ही स्वीकार किया है। वे स्थान-निर्देशक संकेतों (स्पेश्यल को-आर्डिनेट्स) को गुणवाचक मानते हैं। इस प्रकार, उनके अनुसार, 'रक्तता' पद अनेक मूल-वाक्यों का एक-साथ उद्देश्य हो सकता है, अथवा दूसरे शब्दों में, एक ही सामान्य "रक्तता" दो स्थानों पर अस्तित्ववान हो सकती है।

किन्तु हमने पीछे 'रक्तता' पद का प्रयोग इस प्रकार से नहीं किया है—हम सामान्यों के अस्तित्व को उस प्रयोग के कारण स्वीकार करने के लिए बाध्य नहीं हैं। हमारा प्रयोग वहाँ विशिष्ट वर्तमान अथवा विशिष्ट संवेद, जो एक घटना, अथवा विट्गिंस्टाईन के अनुसार, तथ्य है, का वाचक है। हम इस सम्पूर्ण वाक्य को एक ज्ञानात्मक इकाई (इपिस्टिमेलोज़ीकल यूनिट) का वाचक भी कह सकते हैं जैसाकि हमारे "वस्तुएँ, तथ्य और अस्तित्वमीमांसा" निबन्ध से स्पष्ट है। 'रक्तता' पद को 'उद्देश्य' के स्थान पर प्रयुक्त करने के पीछे हमारा उद्देश्य ज्ञानातीत परतत्व (ट्रांसेंडेंट थिंग) के सिद्धान्त से बचना है। विशिष्ट संवेद में वर्णादि गुण तथा दैशिक सम्बन्ध ही घटित हो सकते हैं, कोई परतत्व नहीं।

किन्तु हम देखते हैं कि यह मेज़, यह टमाटर, यह गाजर, यह कपड़ा, ये ओष्ठ, सब रक्त वर्ण हैं और इस प्रकार, दूसरे शब्दों में, एक रक्तता इन सबमें तथा अन्य अनेकों में विद्यमान है। विट्गिंस्टाईन के अनुसार, वस्तुएँ (आब्जेक्ट्स) निर्गुण हैं तथा किसी वस्तु का विशेष गुणयुक्त होना केवल सम्भाव्य है। यह सम्भावना आनुभविक न हो कर तार्किक है।[1]

कुछ दार्शनिकों के अनुसार, ये रक्तता आदि गुण उन वस्तुओं से स्वतन्त्र रूप में विद्यमान होते हैं जिनको ये विशेषित करते हैं। गुणों के स्वतन्त्र अस्तित्व की अवधारणा के आधार में अनेक विषयों की विभिन्न पहलुओं में समानता है। जब कि टमाटर और बाल-सूर्य में वर्णैक्य है, दो बिल्लियों में अथवा दो टमाटरों में अनेक समानताएँ होती हैं। कभी-कभी दो वस्तुओं में लगभग अभिन्नता भी पायी जाती है, जैसे एक ताले की दो चाभियों में, एक

---

1. 'तर्कत:' पद के प्रयोग से अभिप्राय है, जो तार्किक नियमों के अनुसार सत्य है, इस प्रकार, जिसकी सत्यता तार्किक नियमों के रूप से निर्धारित होती है, अनुभव से नहीं। आनुभविक सत्य आकस्मिक हैं, क्योंकि कोई भी वाक्य, जो किसी आनुभविक तथ्य का कथन करता है, उसके सत्य-मूल्य (सत्यता या असत्यता) का निर्णय अनुभव पर निर्भर करता है। विट्गिंस्टाईन का 'सम्भावना' का प्रयोग तार्किक है। उनके अनुसार "2.011 एक वस्तु के लिए यह आवश्यक है कि यह आणविक तथ्य का भाग हो सकती हो। 2.012 तर्कशास्त्र में कुछ भी आकस्मिक नहीं है, यदि एक वस्तु एक आणविक तथ्य में घटित हो सकती है तो उस आणविक तथ्य की सम्भाव्यता उस तथ्य में अनिवार्यत: पूर्व निर्णीत होनी चाहिये।" (Tructatus, Lgoco Philosophicus.)

हमनें विट्गिंस्टाईन की 'विषय की अवधारणा' के सम्बन्ध में पिछले अध्याय में विचार किया है। यहाँ हम केवल उनकी इस आपत्ति की ओर संकेत करना चाहते हैं कि यदि उनकी इस सम्भाव्यता की अवधारणा को स्वीकार नहीं किया जाता तो 'यह रक्त' एक पुनरुक्ति मात्र रह जायगा, क्योंकि 'यह' तथा 'रक्त' का सम्बन्ध तर्कत: अनिवार्य होगा। इसके विपरीत उनके अनुसार, "एक वस्तु वह है जो आणविक तथ्य में अमुक-अमुक प्रकार से घटित हो सकती है।" उनकी यह आपत्ति केवल तभी उचित है यदि विशिष्ट और सामान्य को दो अस्तित्व माना जाय तो।

कागज़ से काटे गये दो भागों में, एक कापी के दो कागज़ों में, आदि। इस प्रकार विभिन्न वस्तुओं के गुणों की समानता उन गुणों के अस्तित्व की धारणा का आधार है। वास्तविकता यह है कि जिन्हें हम वस्तुएँ कहते हैं वे भी विभिन्न गुणों के समवायों के रूप में देखी जाती हैं। उदाहरणत: टमाटर खटास, रक्तता, कोमलता आदि-आदि के अतिरिक्त और क्या है? अत: कुछ दार्शनिक वस्तुओं का अस्तित्व स्वीकार नहीं करते, केवल गुणों का ही अस्तित्व स्वीकार करते हैं।

यहाँ हमने तीन पारिभाषिक पदों का प्रयोग किया है—'सामान्य', 'विशेषण' तथा 'वस्तुएँ'। सामान्य हम स्वतन्त्र तथा अनुदाहरित गुणों को कहेंगे, जैसे 'रक्तता' अनुदाहरित गुण का वाचक पद है, विशेषण उदाहरित अथवा घटित गुणों को कहेंगे, जैसे 'यह कुर्सी रक्त वर्ण की है'; 'वस्तु' पद उन अस्तित्वों का वाचक है जिन को विशेषण विशेषित करते हैं।

अब जैसाकि स्पष्ट होना चाहिये, हम ओष्ठ, मालटा अथवा बाल-सूर्य की ओर संकेत कर सकते हैं, जैसे 'वह सूर्य' अथवा 'वह मालटा', किन्तु ये संकेत केवल उदाहरित सामान्यों की ओर ही सम्भव हैं, अनुदाहरित सामान्यों की ओर नहीं। जैसे, 'यह रक्तता', 'यह कोलता' आदि ग़लत प्रयोग हैं। नि:सन्देह 'यह रक्त' अथवा 'ऐसा कोमल' उचित प्रयोग हैं, किन्तु यह संकेत उदाहरित सामान्यों, अथवा कहें विशेषणों, के ही साथ प्रयुक्त हो सकते हैं। और जैसाकि हम इस अध्याय के अन्त में देखेंगे, वे संकेतेन बोध्य पद वास्तव में न सामान्य हैं और न विशेषण। इन शब्दों का प्रयोग हम केवल अन्य सिद्धान्तों का ध्यान रखते हुए यहाँ कर रहे हैं। जब ये 'रक्त' आदि उदाहरित होने पर सामान्य भी होतेहैं तब वास्तव में ये संकेतेन बोध्य नहीं होते, जिस प्रकार 'इस गाँव में बड़ी भीड़ है' वाक्य में 'भीड़' पद किसी व्यक्ति-तथ्य का व्यंजक नहीं है।[1] किन्तु वस्तु की अवधारणा इस प्रकार की है कि यह (वस्तु) दो स्थानों पर एक-साथ घटित नहीं हो सकती। इसी प्रकार, वस्तु की अवधारणा का एक आधार दैशिक एकता तथा संकेत्यता है।

दूसरा आधार वाक्यों का उद्देश्य-विधेय रूप है। कुछ पद ऐसे हैं जो केवल उद्देश्य के स्थान पर ही वाक्य में प्रयुक्त हो सकते हैं और दूसरे ऐसे हैं जो उद्देश्य और विधेय दोनों रूपों में प्रयुक्त हो सकते हैं। 'रक्त यह' में प्रयुक्त 'यह' पद केवल उद्देश्य के रूप में ही प्रयुक्त हो सकता है जब कि 'रक्त' पद दूसरे प्रकार के वाक्यों में उद्देश्य के रूप में भी प्रयुक्त हो सकता है—'जैसे रक्त हरित नहीं है' अथवा 'रक्त वर्ण है' में। इन वाक्यों में 'रक्त' पद उद्देश्य के स्थान पर प्रयुक्त हुआ है। अब, यह आवश्यक नहीं है कि किसी पद के किसी वाक्य में उद्देश्य के रूप में घटित होने के लिए उसका सर्वत्र उद्देश्य के समान घटित होना आवश्यक हो। गीश के अनुसार, "विधेय वह पद है जो किसी पद के साथ संयुक्त होने पर उस के सम्बन्ध में कुछ विधान करता है, और उद्देश्य वह पद है जिस के साथ विधेय संयुक्त होने पर दोनों उसके सम्बन्ध में विधान करते हैं जिसका उद्देश्य वाचक है।"[2] हमारे विचार में, 'यह' पद गीश द्वारा दी गई उद्देश्य की अवधारणा पर पूरा उतरता है, क्योंकि यह केवल उस 'कुछ' का वाचक हो सकता है जिसके सम्बन्ध में विधेय पद कुछ विधान करता है तथा जिस के सम्बन्ध में दोनों पद मिल कर विधान करते हैं। इस प्रकार 'यह' पद निरपवाद रूप से उद्देश्य है। उद्देश्य और विधेय का यह भेद वस्तु की अवधारणा का दूसरा आधार है। किन्तु उद्देश्य और विधेय के इस भेद के लिए यह आवश्यक नहीं है कि कोई पद अनिवार्यत: ऐसे हों कि वे कभी भी विधेय के रूप में प्रयुक्त ही न हो सकते हों। जैसाकि गीश का प्रस्ताव है, उद्देश्य और विधेय की अवधारणा आधारत: भिन्न है, इस प्रकार कि यदि किसी वाक्य में एक पद उद्देश्य के रूप में प्रयुक्त होता है तथा दूसरे वाक्य में वही पद विधेय के रूप में प्रयुक्त होता है तो इन वाक्यों में वह पद मूलत: भिन्न रूप का है, अथवा कहें, भिन्न प्रकार का वाचक है। प्रो. क्वाइन ने एक विधि प्रस्तावित की है, जिसके अनुसार संज्ञा पद विधेय पदों में विघटित किये जा सकते हैं। उनके अनुसार, 'ट्रूमन राजनीतिज्ञ है' वाक्य को इस प्रकार रूपान्तरित किया जा

1. आउट लाइन ऑफ फिलासफी (रसल), पृ. 268.
2. पी.टी. गीश — सब्जेक्ट एण्ड प्रेडीकेट, माईंड, अक्टूबर 1950, पृ. 461-482.

सकता है 'एक और केवल एक वस्तु ट्रूमन तथा राजनीतिज्ञ है।'[1] किन्तु हमारे विचार में यह विधि उद्देश्यों की आवश्यकता को समाप्त नहीं कर देती, क्योंकि यह केवल निरूपणात्मक वाक्यों में ही व्यवहार्य है, मूल-वाक्यों में विशिष्ट संज्ञाएँ ही घटित हो सकती हैं, जैसाकि हम आगे देखेंगे। यहाँ केवल इतना ही प्रासंगिक है कि स्वयं उद्देश्य की अवधारणा का आधार संकेत है। उपर्युक्त वाक्य 'रक्त हरित नहीं हो सकता' को लें। इसमें रक्त पद या तो 'यह रक्त' का संक्षेप है अथवा यह स्वयं भी विधेय है, जैसे 'कोई वस्तु, यदि वह रक्त हो तो वह हरित नहीं हो सकती'।

यहाँ हमारा उद्देश्य 'उद्देश्य-विधेय' के सम्बन्ध में किसी विस्तृत चर्चा में पड़ना नहीं है, हमारा उद्देश्य केवल यह दिखाना है कि वस्तु की कल्पना के आधार में यह भेद निहित है। उदाहरणत: टमाटर रक्त, गोल, कोमल तथा खट्टा होता है। इस प्रकार, टमाटर (वस्तु) में उदाहरित रक्तता, गोलाई, कोमलता तथा खटास अनुबद्ध हैं—सहावस्थित हैं।

किन्तु वस्तु की अवधारणा के आधार में सब से प्रमुख विशेषता यह है कि सम्पूर्ण सम्भव विशेषणों का परिगणन उसकी परिभाषा के बराबर नहीं हो सकता, वह अपने विशेषणों से स्वतन्त्र होती है। 'मूल-वाक्य' अध्याय में हमने इसका ज्ञानमीमांसात्मक आधारों पर प्रत्याख्यान किया था। यहाँ उसकी अवधारणाओं के अन्य आधारों पर विचार करना अप्रासंगिक होगा। यहाँ हम इसकी स्थानापन्न एक आधुनिक अवधारणा-विशिष्टों के सिद्धान्त पर विचार करेंगे।

किन्तु उससे पूर्व हमें सामान्यों के सम्बन्ध में थोड़ा और स्पष्ट हो लेना चाहिए। सामान्यों के अस्तित्व के सिद्धान्तानुसार 'रक्तता', 'मनुष्यता', 'मानव' (जाति अथवा वर्ग) तथा '7' आदि पद उसी प्रकार वास्तव अस्तित्वों के वाचक हैं जिस प्रकार 'कुछ मनुष्य काले हैं' वाक्य में 'मनुष्य' (विशेष) तथा 'काला' पद वास्तव अस्तित्व के वाचक कहे जा सकते हैं, अथवा और भी ठीक शब्दों में, जैसे हमारे मूल-वाक्य 'यह रक्त है' में 'यह रक्त' वास्तव अस्तित्व का वाचक है। यहाँ यह आपत्ति की जा सकती है कि सामान्यों के सिद्धान्त के पोषक प्लेटो आदि सामान्यों को उसी अर्थ में अस्तित्ववान स्वीकार नहीं करते जिस अर्थ में 'यह मनुष्य' अथवा 'यह रक्त' के द्वारा व्यक्त विशिष्टों को अस्तित्व के लिए 'सबसिस्ट' पद का प्रयोग किया गया है।[2] किन्तु हमारे विचार में यह भेद तभी तक उपयुक्त है जब तक हम ज्ञानमीमांसा की आधारभूत अवधारणाओं पर विचार नहीं करते। जैसे रसल के एक उदाहरण को लें—"एडिन्बरा लन्दन के उत्तर में है।"[3] उनके अनुसार, यहाँ एडिन्बरा तथा लन्दन के साथ उत्तर भी अस्तित्ववान है, केवल इसका अस्तित्व भिन्न प्रकार का है। वे 'उत्तर' को आत्यन्तिक रूप में तथा द्रष्टा से स्वतन्त्र रूप में अस्तित्ववान मानते हैं। यहाँ द्रष्टा से स्वतन्त्रता अथवा अस्वतन्त्रता अप्रासंगिक है, प्रासंगिक केवल इतना है कि 'उत्तर' सामान्य किस अर्थ में है तथा यह कि एडिन्बरा तथा लन्दन के अस्तित्व का क्या अर्थ है?

जैसाकि स्पष्ट है, 'लन्दन' (और अतएव 'एडिन्बरा)' उसी अर्थ में किसी अस्तित्व के वाचक नहीं हैं जिस अर्थ में (लन्दनवासी) 'रसल' अस्तित्व का वाचक है। यह हम 'मूल-वाक्य' निबन्ध में अपूर्ण प्रतीकों के प्रसंग में देख ही आये हैं। उसी प्रकार स्वयं 'रसल' उस अर्थ में अस्तित्व का वाचक नहीं है जिस अर्थ में 'यह रक्त' अस्तित्व का वाचक है। हमने पीछे देखा है कि ज्ञानमीमांसा के दृष्टिकोण से हमें वाक्यों को अन्ततः इस प्रकार विश्लेषित करना होगा जिससे अविश्लेष्य संवेद-वाक्य अथवा अपरिभाषेय पद प्राप्त हो सकें। अब हम सम्बन्धचाक पद 'उत्तर' को लें। इस पद को यहाँ हम सुविधा के लिए अपरिभाषेय मान लेते हैं। उस अवस्था में

---

1. प्रो. क्वाइन — फ्राम ए लोजीकल प्वाइंट ऑफ व्यू, में 'ओन ह्वाट देयर इज़'।

2. विशेष के लिए देखें — रसल की **प्राब्लम्ज़ ऑफ फिलासफी** में 'दि वर्ल्ड ऑफ यूनीवर्सल लॉजिक एण्ड नॉलेज' में 'यूनीवर्सल्ज़ एण्ड पर्टिकुलर्ज़', ब्रॉड के **माईंड एण्ड इट्स प्लेस इन नेचर** में 'सेंस पर्सेप्शन एण्ड मेटर', जार्ज सान्तायाना के 'स्केप्टीसिज़्म एण्ड एनिमल फेथ' तथा **एस्सेज़ इन क्रिटीकल रियलिज़्म**।

3. **प्रोब्लम्ज़ ऑफ फिलासफी**, पृ. 97-98.

यह सम्बन्ध सामान्य केवल तभी है जब कि यह अन्य इसी प्रकार के सम्बन्धों के समान है। स्वयं रसल के ही शब्दों में, जो उन्होंने रक्तता के अस्तित्व के प्रसंग में कहे हैं, इस वाक्य में प्रयुक्त 'उत्तर' पद द्वारा संकेतित सम्बन्ध "विशेष" है तथा सामान्य सम्बन्ध "उत्तर" का उदाहरण मात्र है। इस प्रकार हमारे विचार में, सामान्यों के अस्तित्व का प्रश्न यह प्रश्न है कि—"क्या 'यह रक्त' तथा 'वह रक्त' दो विशिष्ट अस्तित्व हैं अथवा एक रक्तता इन दोनों में उदाहरित होती है?" उपर्युक्त उदाहरण में, "एडिन्बरा तथा लन्दन में सम्बन्ध सामान्य सम्बन्ध—उत्तर का—उदाहरण मात्र है, अथवा यह एक विशिष्ट सम्बन्ध है?"

अब जहाँ तक 'इस उत्तर' अथवा 'इस रक्त' का प्रश्न है, इनका अस्तित्व असंदिग्ध है। इनकी विशेषता इस बात में है कि ये दुहराये नहीं जा सकते, गीश के शब्दों में, विषय की आवृत्ति नहीं हो सकती, अत: विषय के साथ अनेकता का प्रयोग अयुक्त है, जब कि सामान्यों के साथ 'अनेकता' का प्रयोग युक्त है। जैसे 'दश श्वेत संस्थान' उचित प्रयोग है। अत: उनके अनुसार, प्लेटो का यह सिद्धान्त कि सामान्य (फोर्म) अपने अनेक विशिष्ट उदाहरणों के अतिरिक्त तथा ऊपर एक तथा स्वतन्त्र अस्तित्व (या वस्तु) है, अस्वीकार्य है, क्योंकि यह 'अनेक' द्वारा विशेषित हो सकता है। अब यह आपत्ति इस पूर्वधारणा पर आधारित है कि केवल उसी का अस्तित्व सम्भव है जिसकी आवृत्ति नहीं हो सकती। किन्तु यह क्यों नहीं कहा जा सकता कि यह तथ्य, कि सामान्य की आवृत्ति हो सकती है, स्वयं इस बात का प्रमाण है कि सामान्य एक तथा सास्तित्व है? यदि यह "एक" न हो तो इसकी आवृत्ति कैसे हो सकती है? यह क्यों नहीं कहा जा सकता कि "इन सब गुलाब के फूलों में एक ही रक्त र अस्तित्ववान है?"

अब इस तर्क को ऐसे ही नहीं उड़ाया जा सकता। किसी एक विशिष्ट दृष्टि-क्षेत्र को लें। इसमें ठीक एक ही वर्ण के अनेक बिन्दु हो सकते हैं जो भिन्नवर्णी पृष्ठभूमि द्वारा परस्पर विभाजित हैं—जैसे एक डाली के पत्ते, अथवा एक पौधे के कोई दो फूल। यहाँ यह प्रश्न अप्रासंगिक है कि यह कैसे कहा जा सकता है कि फूल 1-2 का वर्ण एक ही है? 'एक जैसा वर्ण' की तार्किक परिभाषा सम्भव है (द्रष्टव्य: इन्क्वारी, पृ. 104), और जहाँ तक अनुभव का सम्बन्ध है, 'संवेद्य रूप से अभिन्न' हमारी भाषा का स्वीकृत अपरिभाषेय पद है। इस वस्तुस्थिति को इस प्रकार से भी प्रस्तुत किया जा सकता है कि 'यहाँ स. संख्यक विशिष्ट घटित होते हैं' और इस प्रकार से भी कि 'यहाँ एक विशिष्ट अनेक बिन्दुओं पर घटित हो रहा है।' अभिव्यक्ति के ये दोनों रूप समान रूप से उचित प्रतीत होते हैं। कम-से-कम अस्तित्व के सम्बन्ध में कुछ आधारभूत सिद्धान्तों को स्वीकार किये बिना इनमें निर्णय असम्भव है।

यहाँ पहले हमें देश-काल सम्बन्धी कुछ प्रश्नों को समझ लेना चाहिये। ये प्रश्न अत्यन्त व्यापक तथा उलझनपूर्ण हैं और उनके सम्बन्ध में यहाँ विस्तृत विवेचन अप्रासंगिक है। हम यहाँ केवल संक्षेप में कुछ आवश्यक प्रासंगिक प्रश्नों पर विचार करेंगे।

हमने ऊपर एक वर्ण के अनेक संस्थानों के एक दृष्टि-क्षेत्र में होने की बात कही थी। यदि एक ही 'रक्तता' अनेक बिन्दुओं पर घटित होती है तो हम उन बिन्दुओं को अनेक किस प्रकार कह सकते हैं? क्यों हम इन्हें एक ही संस्थान नहीं कहते? प्रथमत: इसका उत्तर यह हो सकता है कि अपनी पृष्ठभूमि के द्वारा विभाजित दो बिन्दु अन्य भिन्न गुणों के द्वारा सहावस्थित हो सकते हैं। जैसे दो फूलों के आकार तथा पत्तियों की संख्या में भिन्नता हो सकती है। यदि ये संस्थान कपड़े पर दो धब्बे हैं तो इनके आकार तथा रूप में भेद हो सकता है। किन्तु यदि ये दोनों पूर्णत: एक ही आकार के हैं तब वे सब प्रकार से अभिन्न होंगे किन्तु दैशिक सम्बन्धों से भिन्न होंगे। कार्नप ने इस देश-काल भिन्नता को व्यक्तिवाचक संज्ञाओं का आधार बनाया है और इस प्रकार सामान्यों से पृथक् किया है। उनके अनुसार, इनकी अभिव्यक्ति इस प्रकार होनी चाहिए, यथा—'हरित(3)' का अभिप्राय है, स्थान 3

हरित है।[1] अब परदे के दो धब्बों को लें। ये दोनों मेरी सापेक्षता में कपड़े के दाहिने किनारे के साथ भिन्न-भिन्न दैशिक सम्बन्ध रखते हैं। यदि हम दैशिक सम्बन्धों की भिन्नता के आधार पर विषयों को भिन्न करते हैं तो दो 'अभिन्न' धब्बों को हम एक नहीं कह सकते, वे पूर्णत: अभिन्न होंगे क्योंकि दैशिक सम्बन्ध उतने ही मौलिक हैं जितने वर्ण, क्योंकि प्रत्येक वर्ण दैशिक विस्तार को पूर्वकल्पित करता है। कुछ दार्शनिक तो 'य वर्ण युक्त है⊃य आकार युक्त है' को तार्किक सत्य मानत हैं यद्यपि कुछ इसे केवल आनुभविक सत्य ही मानते हैं। जो भी हो, इतना बिल्कुल ठीक है कि जैसा 'यह रक्त' असंदिग्ध है उसी प्रकार से 'यह आकार युक्त है' भी असंदिग्ध वाक्य है। अब यदि कुछ आकारयुक्त है तो वह सीमायुक्त भी है और यदि कोई दो आकार हमारे दृष्टि-क्षेत्र में सर्वथा समान हैं तो उनका द्वैत इस बात में है कि उनकी सीमाएँ पृष्ठभूमि द्वारा पृथक्कृत हैं। इस प्रकार, संस्थानों और बिन्दुओं की अनेकता आनुभविक सत्य है। अत: यहाँ हमें यह निर्णय करना है कि हम वर्ण की अभिन्नता के तथ्य को किस प्रकार व्यक्त करें। इसको हम दो प्रकार से व्यक्त कर सकते हैं। एक परस्पर समानता के द्वारा इस प्रकार—प्रत्येक बिन्दु अन्य बिन्दु से एक पक्ष में समान है और इस पक्ष को हम 'रक्त होने' की संज्ञा देते हैं। दूसरे, सामान्यों की भाषा में—रक्तता र देश-काल बिन्दु क, ख, ग आदि पर घटित हो रही है। अब प्रथम अभिव्यक्ति दूसरी अभिव्यक्ति की पूर्वकल्पनाओं की अपेक्षा जितनी युक्त प्रतीत होती है उतनी यह वास्तव में नहीं है, क्योंकि सामान्यों का समर्थक यहाँ आपत्ति कर सकता है कि आप जिस "एक पक्ष" की बात करते हैं वास्तव में वह क्या है यदि वह सामान्य नहीं है तो? विशिष्टतावादी कह सकता है कि उसका 'अमुक पक्ष में समान' प्रयोग किसी सामान्य का बोधक नहीं है, क्योंकि वह यह नहीं कहना चाहता कि 'ये सब बिन्दु रक्तता में समान हैं' बल्कि यह कि 'अ रक्त है तथा आ, ई, ऊ आदि अ के समान हैं।' किन्तु सामान्यवादी इससे भी सन्तुष्ट नहीं होता, क्योंकि विशिष्टतावादी केवल अपनी मोर्चेबन्दी में एक के स्थान पर दूसरे सामान्य को मान लिया है—वह है 'समानता'। किन्तु सामान्यवादी पुन: कह सकता है कि इस सामान्य के प्रवेश से न केवल सामान्यों का अपसारण ही नहीं होता प्रत्युत जिन सामान्यों का अपसारण करने के लिए इसका प्रवेश करवाया गया है वे भी अपसारित नहीं होते। क्योंकि आप 'अ रक्त है तथा आ, ई, ऊ इसके समान हैं' के द्वारा इससे अधिक क्या कहना चाहते हैं कि अ, आ, ई, ऊ परस्पर समान हैं क्योंकि ये सब रक्त हैं? यहाँ स्पष्टत: दोनों का अन्तर दोनों की आधारभूत धारणाओं के अन्तर पर आधारित है, विशिष्टतावादी केवल देश-काल विशेषित को ही अस्तित्ववान मानता है जब कि सामान्यवादी देश-काल विशेषता को केवल एक सामान्य तथा अन्य सामान्यों के साथ आकस्मिकतया सहावस्थित मानता है। अत: विशिष्टतावादी का 'समान' सामान्य नहीं है, क्योंकि वह तो सामान्यवादी से उसके सामान्यों अथवा भाववाची (एब्स्ट्रैक्ट) अस्तित्वों को स्वीकार करने का औचित्य पूछ रहा है, अत: उसके 'समानता' पद को भाववाची कहना तब तक अयुक्त है जब तक आप सामान्यों के अस्तित्व को स्वीकार करने का औचित्य इस से स्वतन्त्र सिद्ध नहीं कर देते।[2] "दो वस्तुएँ रक्त वर्ण हैं और अतएव समान हैं" यह अनुभव हमें 'रक्त' तथा 'समान' को अपरिभाषित विधेय स्वीकार करने के लिए औचित्य प्रदान करता है। हम 'समानता' को इन तथा इसी प्रकार के अन्य दृष्ट उदाहरणों से ऊपर तथा पृथक् स्वीकार करने को बाध्य नहीं हैं।

किन्तु विशिष्टतावाद का पक्ष अनेक प्रकार से प्रस्तुत किया गया है और अनेक बार यह दोषपूर्ण है तथा सामान्यवाद की आपत्तियों का उत्तर देने में असमर्थ है। इस प्रसंग में स्टाउट[3] की युक्तियों का विश्लेषण स्थाने होगा, विशेषत: इसलिए क्योंकि मूर ने[4] इनके खण्डन का प्रयास किया है और हमें वह असन्तोषजनक प्रतीत होता

1. कार्नप — **लोजीकल साइन्टेक्स ऑफ लेंग्वेज़**, पृ. 13-14.
2. प्राइस — **थिंकिंग एण्ड एक्सपीरियेंस**, पृ. 19-23.
3. **स्टडीज़ इन फिलोसोफी एण्ड साइकोलोजी**, पृ. 384-394.
4. प्रोसीडिंग्ज़ ऑफ अरिस्टोटेलियन सोसाईटी, सप्ली. वोल्यूम III.

है। स्टाउट के अनुसार—"प्रत्येक वस्तु के ज्ञान का विषय होने के लिए यह आवश्यक है कि उसका कोई विधेय हो, अथवा कहें, वह किसी गुण द्वारा विशिष्ट हो।"

"प्रत्येक वस्तु स्थानित है, और वस्तु अपने गुणों से स्वतन्त्र कुछ नहीं है, अत: गुणों का स्थानित होना आवश्यक है, क्योंकि यह आवश्यक है कि ये स्थानित होने के गुण में भाग लें।"

"अत: जिस प्रकार पृथक् स्थानित होने से प्रत्येक गेंद पृथक् है उसी प्रकार उनकी गोलाई का पृथक् होना भी आवश्यक है। हम गुणों को पृथक्-पृथक नहीं पहचान सकते यदि हम उन गुणों को परस्पर पृथक् नहीं देखते।" वे गेंद के प्रसंग में कहते हैं कि वस्तु को विशेषित करने वाला गुण उतना ही व्यष्टि है जितनी विशेषित होने वाली वस्तु।[1]

किन्तु ये तर्क जितने ठोस प्रतीत होते हैं वैसे ये वास्तव में नहीं हैं। हमारे विचार में ज्ञानमीमांसा की दृष्टि से यह एक स्वीकृत तथ्य है कि एक "सद्य: अनुभव" मौलिक घटना है। इस घटना को हम '$ग_1$(अ)' के द्वारा व्यक्त करते हैं जहाँ 'ग' एक विशिष्ट गंध, वर्ण अथवा स्वर का वाचक है। अब इस घटना को देश-युक्त अथवा काल-युक्त कहने का क्या अभिप्राय है? एक रक्त वर्ण संस्थान, एक स्वर-लहरी अथवा एक गंध-संवेद किस अर्थ में पूर्व अथवा पश्चात् तथा दाएँ अथवा बाएँ हैं? ये विशेषण यहाँ उतने ही अयुक्त हैं जितने 'वर्ण गंधयुक्त है' अथवा 'गंध स्वरित है' अयुक्त हैं। दो गेंदों को लें—'दो गेंदें परस्पर दाएँ-बाएँ हैं', और 'गेंद उछलती है' परस्पर अप्रासंगिक हैं, जब कि गेंद शब्द यहाँ विशिष्ट का वाचक है न कि भौतिक विषय का। अत: देश-कालिक स्थानितता सामान्यों के विरुद्ध कोई तर्क नहीं है। और अब इस स्थिति से स्टाउट के चतुर्थ मोर्चे पर सफल आक्रमण कर सकते हैं : 'अविशिष्टों की अभिन्नता' (आइडेंटिटी ऑफ इंडिस्सर्नीबल्ज़) सामान्यों के सिद्धान्त के विरुद्ध कोई गारण्टी नहीं है, वास्तव में यह इस का समर्थक सिद्धान्त है। उदाहरणत: दो रक्त-वर्ण बिन्दुओं को लें। हम जब कि यह कह सकते हैं कि ये परस्पर भिन्न हैं क्योंकि ये भिन्नतया स्थानित हैं, हम यह नहीं कह सकते कि ये वर्ण में भी भिन्न हैं। अब मान लीजिये दो रक्त संस्थान सब गुणों में समान हैं। तब स्टाउट कहेंगे कि उस अवस्था में वे एक ही वस्तु की दो संज्ञाएँ हैं, क्योंकि "यदि 'अ=आ' सत्य है तो 'अ=आ' सत्य है" यह केवल पुनरुक्ति है। किन्तु इस प्रकार वास्तव में स्टाउट सामान्यों के सिद्धान्त को स्वीकार कर लेते हैं, यदि विशिष्ट के लिए उनकी कसौटी विशिष्ट स्थानितता ही है तो। क्योंकि यदि स्थान-अभिन्नता अन्य गुणों के अभिन्न होने पर अभिन्नता को लागू करती है और स्थानित होना केवल एक गुण है, तो स्थान-भिन्नता केवल स्थान भिन्नता को लागू करती है न कि वर्ण-भिन्नता अथवा आकार-भिन्नता को भी लागू करती है। इस तर्क के थोड़ा और स्पष्टीकरण की आवश्यकता है। दो वस्तुओं को लें, जिनके गुण क्रमश: $र_1$ $स_1$ $ग_1$ $द_1$ तथा $र_1$ $स_1$ $ग_1$ $द_2$ हैं, जब कि र वर्ण विशेष, स स्वाद विशेष, ग गंध विशेष तथा द देश विशेष के वाचक हैं। इसी प्रकार दो अन्य वस्तुओं को लें जिनके गुण क्रमश: $र_1$ $स_1$ $ग_1$ $द_1$ और $र_2$ $स_1$ $ग_1$ $द_1$ हैं। (इन में 1-2 आदि संकेत विशिष्टता के द्योतक हैं। इस प्रकार, प्रथम युगल में स्थान भेद है जो $द_1$ तथा $द_2$ द्वारा प्रदर्शित है तथा दूसरे हैं वर्ण भेद $र_1$ तथा $र_2$ द्वारा प्रदर्शित हैं।) अब प्रथम युगल को स्टाउट दो वस्तुएँ कहना चाहेंगे क्योंकि इन में देश-काल वाचक प्रतीक द के मूल्य भिन्न हैं। किन्तु दूसरे युगल के सम्बन्ध में वे कहेंगे कि ऐसा कोई युगल नहीं है, क्योंकि या तो केवल प्रथम वस्तु ही हो सकती है अथवा दूसरी वस्तु ही हो सकती है—ऐसी कोई दो वस्तुएँ नहीं हो सकतीं जिनके देश-काल अभिन्न हों किन्तु वर्ण भिन्न हों। इसी प्रकार अन्य सब गुणों के लिए भी। किन्तु इससे लागू होता है कि यदि देश-काल गुण है तो इस की भिन्नता अन्य गुणों की भिन्नता को लागू नहीं करती, अथवा देश-काल गुण ही नहीं हैं, अथवा कम-से-कम भिन्न प्रकार का गुण है। दूसरे शब्दों में, या तो 'कुछ रक्त (अथवा स्वरित आदि) है' अनिवार्यत: (तर्कत:) लागू करता है कि 'यह सीमित देश-काल में है', और इस प्रकार 'कुछ सीमित देश-काल में भिन्नतया स्थानित है' तर्कत: लागू करता है कि 'ये दो व्यष्टियाँ हैं, एक नहीं' अन्यथा 'कुछ स्थानित है' उसी प्रकार का

1. प्रोसीडिंग्ज़ ऑफ अरिस्टोटेलियन सोसाईटी, सप्ली. वोल्यूम III, पृ. 383.

वाक्य है जिस प्रकार का 'रक्त तथा स्वरित सहावस्थित हैं' वाक्य। प्रथम स्थापना स्वीकार करने में अनेक कठिनाइयाँ हैं—'भिन्नतया स्थानित होने' का क्या अभिप्राय है? 'एक स्थान' का क्या अर्थ है? गेंद एक स्थान पर कैसे है? उसको अनेक स्थानों का समवाय क्यों नहीं माना जाय? आदि अनेक प्रश्न यहाँ प्रासंगिक हैं।

इस प्रकार स्टाउट का विशिष्टों सम्बन्धी तर्क खण्डित हो जाता है और इस प्रकार विशिष्टों सम्बन्धी वे सब तर्क खण्डित हो जाते हैं जो स्थान-वैशिष्ट्य को अपना आधार बना कर चलते हैं।

यहाँ यह तर्क किया जा सकता है कि 'वर्ण स्थान को लागू करता है', इस अर्थ में कि यह असम्भव है कि वर्ण स्थान के बिना हो। अत: यह लागू करता है कि दो भिन्न स्थान दो भिन्न वर्णों से अध्युषित हैं, चाहे वर्ण संवेद्य रूप से कितने भी अभिन्न क्यों न हों।

सर्वप्रथम, यह तर्क आधारत: भ्रान्त है, क्योंकि यदि 'वर्ण स्थान को लागू करता है' यह वाक्य तर्कत: तथा विश्लेषणात्मकतया (एनेलिटीकली) सत्य है तो भी इससे यह लागू नहीं होता कि एक वर्ण दो स्थानों पर नहीं हो सकता। यही कारण है कि मूर जब कि 'वर्ण स्थान को तर्कत: लागू करता है' की स्थिति स्वीकार करते हैं, वे दूसरी स्थिति स्वीकार नहीं करते। एक वर्ण-संस्थान को लें। यह आवश्यक है कि इसका कुछ विस्तार होगा। अब हम इसमें दो बिन्दुओं की कल्पना कर सकते हैं। उस अवस्था में यह एक स्थान दो स्थानों में विभक्त हो जायगा। तब हम यह नहीं कह सकते कि क्योंकि एक वर्ण-बिन्दु दो वर्ण बिन्दुओं में विभक्त हो गया है अत: यह दो वर्णों से अध्युषित है। इसके विरुद्ध दूसरा तर्क है कि सब गुण अनिवार्यत: स्थान में नहीं होते, कम-से-कम सब गुणों के साथ स्थान का निर्देश उसी प्रकार प्रासंगिक नहीं दीखता जिस प्रकार वर्ण के साथ दीखता है। जैसे यह कहना एकदम अनुचित प्रतीत होता है कि एक स्वाद को दूसरे स्वाद के दाएँ कहा जाय। इस प्रकार, यदि वर्ण स्थान को लागू करता है तो भी यह सामान्यों के विरुद्ध कोई तर्क नहीं है।

2

हम अपने विवेचनों में परिचय-सिद्धान्त को आधारभूत मान कर चलते हैं, जिसका प्रस्थान-बिन्दु यह है कि हमारी भाषा के मूल तथा अपरिभाषेय पद अपरोक्ष अनुभव से प्राप्त हैं, अथवा, जैसाकि इससे लागू होता है, ये हमारे सद्य: अनुभव में पूर्ण प्रस्तुत के वाचक हैं। इसके अनुसार '$र_1$(अ)' हमारी भाषा का मूल-वाक्य है और यह हमारे सद्य:अनुभव में पूर्ण प्रस्तुत का वाचक है। इस स्थापना को शायद वे सब स्वीकार करेंगे जो अनुभववाद के किसी भी रूप को स्वीकार करते हैं। वाक्य के इस उद्देश्य-विधेयात्मक रूप की शायद अनेक व्याख्याएँ हो सकती हैं। पूर्ण विशिष्टतावादी शायद स्वीकार करेंगे कि 'अ' जिस विशिष्ट का वाचक है '$र_1$' उसे विशेषित करता है और इससे अधिक कुछ विशेषित नहीं करता। दूसरे विशिष्टतावादी '$र_1$' को जब कि सद्य: में पूर्णत: प्रस्तुत स्वीकार करेंगे, इसे वे पूर्णत: निहित स्वीकार नहीं करेंगे। इन दो प्रयोगों में भेद समझ लेना आवश्यक है। पूर्णत: प्रस्तुत से अभिप्राय है कि जब कि रक्त का एक उदाहरण हमारे सद्य: अनुभव में घटित हो रहा है, जिसे '(अ)' उदाहरित करता है, '$र_1$' के अन्य उदाहरण घटित हो सकते हैं जो इस उदाहरण से स्वतन्त्र हैं। इसके विपरीत, पूर्णत: सन्निहित के सिद्धान्त को स्वीकार करने का अभिप्राय है कि 'यह अनुभव' एक पूर्ण विशिष्ट है तथा '$र_1$' एक विशिष्ट का वाचक है। प्रथम मतावलम्बियों के अनुसार, जब कि '$र_1$' पूर्णत: प्रस्तुत है, यह पूर्णत: सन्निहित नहीं है, क्योंकि '$र_1$' सामान्य है। दूसरे शब्दों में, दूसरी श्रेणी के दार्शनिक पूर्णत: प्रस्तुत तथा पूर्णत: सन्निहित को समानार्थक मानते हैं। अब इन दूसरे मतावलम्बियों के अनुसार '$र_1$(अ)' का क्या अर्थ हो सकता है? '(अ)' किस का वाचक है? वास्तव में यह किसी का वाचक नहीं है, क्योंकि इनके अनुसार स्वयं '$र_1$' यहाँ पूर्णत: विशिष्ट है और अतएव स्वयं विद्यमान है। क्योंकि इनकी भाषा में '$र_1$' की विद्यमानता उसकी प्रस्तुति है। अथवा आप कह सकते हैं, यहाँ '$र_1$' अनावश्यक है क्योंकि '(अ)' ही यहाँ सब कुछ है, '$र_1$' का प्रयोग भ्रामक हो सकता है। इस प्रकार, उद्देश्य-विधेय का प्रयोग पूर्णत: सन्निहित तथा पूर्णत: प्रस्तुत के भेद को पूर्वकल्पित करता है। परिचय-सिद्धान्त की तथा इसकी पूर्वकल्पनाओं का संयुक्त परिणाम होगा कि '(अ)' जब कि पूर्ण प्रस्तुत का

वाचक है, अथवा, परिचय की सम्पूर्ण घटना जब कि एक विशिष्ट है, यह एक विशिष्टातीत को उदाहरित करती है। किन्तु परिचय-सिद्धान्त की शब्दावली में 'विशिष्टातीत' को क्या अर्थ दिया जा सकता है? आलंकारिक भाषा में—'क्या ये विशिष्ट विशिष्टातीत के असीम सागर में तरंगों के समान हैं?' किन्तु यह परिचय-सिद्धान्त की जड़ पर ही आघात होगा। हम केवल तरंगों को ही जानते हैं, सागर हमारे परिचय की सीमा से बाहर कुछ है। यदि हम परिचय की सीमा से बाहर कुछ मानने को बाध्य हैं तो परिचय-सिद्धान्त का भवन गिर जायगा। हमारे विचार में, सामान्यों के अस्तित्व का निषेध इसी कारण से किया गया है।

यही कारण वर्गों के अस्तित्व के निषेध का भी है। बहुत-से दार्शनिक तो विधेयों को भी वर्ग ही मानते हैं। एक टोकरे में कुछ सेब लें। तर्क के लिए, मान लें कि सेब व्यष्टियाँ हैं और मेरे टोकरे के सेबों के नाम, जो सीमित संख्या में हैं, राम, श्याम, मोहन आदि हैं। अब यहाँ विधेय है राम, अथवा श्याम, अथवा मोहन के साथ समानता होना। इसकी विशेषता दो प्रकार से कही जा सकती है। प्रथम, कि इसमें केवल संज्ञाएँ घटित होती हैं, कोई निरूपण-पद (डिस्क्रिप्टिव साइन) नहीं, विशेषत: कोई निरूपणात्मक विधेय नहीं। दूसरे, संज्ञाओं के प्राप्त होने पर इसका निर्माण केवल तार्किक पदों ('और', 'अथवा', 'लागू करता है' आदि) से ही किया जा सकता है। अब यदि हम चाहें तो भाषीय टोकरे में नेपोलियन, चाँद, पूसी (मेरी मृत बिल्ली) को एकत्र कर सकते हैं। तो अब कोई ऐसा विधेय नहीं है, सिवाय ऐसे कुछ विचित्र विधेयों के, जिसके विस्तार ये तीन हैं। क्योंकि, 'एक-साथ वर्णन किया जाना' वर्णित विषयों का कोई गुण नहीं है। मेरे विचार में, वर्गों के अस्तित्व को अस्वीकार करने के पीछे यही धारणा है।[1]

वर्गों के रूप को समझने के लिए उपर्युक्त उद्धरण-उपयुक्ततम है। यह स्थापित करता है कि गुणवाचक विधेय तथा वर्गवाचक विधेय भिन्न-भिन्न हैं। और वास्तव में यह वर्गों के "अस्तित्व" को स्वीकार करने के विरुद्ध कारण भी स्पष्टत: स्थापित करता है, क्योंकि नेपोलियन, चाँद तथा पूसी केवल एक-साथ वर्णित होने से ही एक वर्ग का निर्माण करते हैं। किन्तु बर्गमान गुणों को सास्तित्व स्वीकार करते हैं। रसल ने तर्कवाक्यीय व्यापारों (प्रोपोज़ीशनल फंक्शंज़) के द्वारा वर्गों की परिभाषा दी है। तर्कवाक्यीय व्यापार (प्रोपोज़ीशनल फंक्शन) 'म(य)' तथा 'त(य)' को लें, जहाँ प्रथम का सामान्य भाषा में रूपान्तरण होगा 'य मनुष्य है' तथा दूसरे का रूपान्तरण होगा 'य तर्कशील है'। अब यदि इन दोनों तर्कवाक्यीय व्यापारों का विस्तार एक ही है तो ये एक ही वर्ग को निर्धारित करत हैं। इस प्रकार, 'म(य)' एक वर्ग का निर्धारण करता है। अब जब कि 'म(अ)' अर्थात्, 'राम मनुष्य है' तथा 'त(अ)' अर्थात् 'राम तर्कशील है' असंदिग्धतया अस्तित्व के वाचक हैं, 'म(य)' किसी अस्तित्व का विधान नहीं करता। किन्तु क्वाइन के अनुसार, "तर्कवाक्यीय व्यापारों के द्वारा 'वर्गों' के अपसारण का यह प्रयास व्यर्थ है। रसल की प्रविधि वर्गों का निराकरण तो करती है किन्तु उतनी ही एब्स्ट्रेक्ट तथा सामान्य वस्तुओं-उद्गृहीत को स्वीकार करके यह उसी प्रकार के अन्य अस्तित्वों को मान लेती है। प्रिंकिपिया मैथेमैटिका में तर्कवाक्यीय व्यापारों का प्रयोग कुछ अस्पष्ट रूप से हुआ है, कभी इसका अर्थ खुला वाक्य है और कभी इसका अर्थ विशेषण है। रसल का वर्गों के अनस्तित्व का सिद्धान्त तर्कवाक्यीय व्यापारों को दूसरे अर्थ में, बन्द अनिश्चितों (बाउंड वेरियेबल्ज़) के मूल्यों के रूप में, प्रयुक्त करता है, अत: इस सिद्धान्त के द्वारा कुछ सामान्यों के अन्य सामान्यों में विघटन के अतिरिक्त कुछ उपलब्ध नहीं होता।"[2]

किन्तु यदि हम तर्कवाक्यीय व्यापारों को केवल खुले वाक्यों के रूप में प्रयुक्त करते हैं तब सम्भवत: यह भय समाप्त हो जाता है, जैसाकि क्वाइन ने स्वयं अन्यत्र प्रतिपादित किया है[3]—जैसे 'य मनुष्य है', अथवा 'य बुद्धिमान् है' में। इसी अर्थ में वास्तव में हमने पीछे रसल के तर्कवाक्यीय व्यापारों को स्वीकार किया है। इसे

1. गस्टाव बर्गमान — **मेटाफिज़ीक्स ऑफ लोजीकल पोज़िटिविज़्म**, पृ. 124.
2. फ्राम ए लोजीकल 'प्वाइंट ऑफ व्यू', पृ. 122-123.
3. मैथड्ज़ ऑफ लोजिक, पृ. 205-206.

क्वाइन के अनुसार और भी निश्चितता दी जा सकती है। उनके अनुसार 'य मनुष्य है' में दो भाग हैं, एक 'य' और दूसरा '0 मनुष्य है'। द्वितीय भाग एक अविश्लेष्य इकाई है और 'मनुष्य' शब्द उसी प्रकार इसका भाग है जिस प्रकार 'ष्य' 'मनुष्य' का भाग है। इस प्रकार, 'य मनुष्य है' अनिवार्यत: किसी के विधेय के रूप में ही प्रयुक्त हो सकता है, स्वतन्त्र नहीं। 'य' के अनिश्चित पद (वेरियेबल) होने पर यह वाक्य केवल एक ढाँचा रह जाता है जो रंग भरने के लिए प्रस्तुत है; जब तक इसे कोई मूल्य नहीं दिया जाता तब तक यह किसी सत्य मूल्य से रहित है। इसे कोई मूल्य देने पर ही वाक्य सत्य अथवा असत्य बनता है। जैसे 'य मनुष्य है' में 'य' को 'राम' द्वारा स्थानान्तरित करने पर वाक्य सत्य है किन्तु 'गंगा' मूल्य देने पर यह असत्य है। अब 'य' को हम ऐसा ही मूल्य दे सकते हैं जो संज्ञा हो, अन्यथा यह निरर्थक है, अथवा कहें, ग़लत वाक्य-रचना है। उदाहरणत:, हम यह नहीं कह सकते 'हरिण मनुष्य है' क्योंकि 'हरिण' स्वयं उसी तार्किक प्रकार का पद है और यह वाक्य में केवल उसी स्थान पर प्रयुक्त हो सकता है जहाँ 'मनुष्य' पद का प्रयोग हुआ है। तर्कवाक्यीय व्यापारों के लिए यह आवश्यक नहीं है कि इनका विधेय-पद निश्चित (कांस्टेंट) हो, हम विशुद्ध रूप से अनिश्चितों का प्रयोग भी कर सकते हैं, उदाहरणत: 'ग(य)' ठीक रचना है और इसका रूपान्तरण होगा—'य ग है', अथवा 'वह किसी गुण-युक्त है'। अब इस वाक्य का सत्य मूल्य इन दोनों अनिश्चितों को संगत मूल्य देने पर निर्भर करता है।

खुले वाक्यों की यह योजना इस पूर्वधारणा पर आधारित है कि प्रत्येक सार्थक सरल वाक्य में कम-से-कम एक उद्देश्य घटित होगा। उद्देश्य पद जब कि किसी अस्तित्व, किसी स्थूल का वाचक है, विधेय किसी अस्तित्व का वाचक नहीं है। यह केवल उद्देश्य का वर्गीकरण करता है।[1] अब अकेला उद्देश्य पद यहाँ निरर्थक है, 'राम' का अकेले कुछ अर्थ नहीं है जब तक कि यह पूरे वाक्य का अंग नहीं है। उदाहरणत: यह वाक्य उचित नहीं होगा '(∃ य) य=राम', अर्थात् 'कुछ राम से अभिन्न है'। इसी प्रकार यह भी ग़लत है '(अ ग) ग=रक्त' अर्थात् 'कम-से-कम एक वस्तु रक्तता से अभिन्न है।'

किन्तु जब कि 'मनुष्य' अथवा 'रक्त' अनिवार्यत: विधेय ही हो सकते हैं, हम इनसे ऐसे पद भी बना सकते हैं जो उद्देश्य हो सकें, उदाहरणत: 'मनुष्यता' तथा 'रक्तता' आदि पद उद्देश्यों के समान प्रयुक्त हो सकते हैं। जैसे 'मनुष्यता एक सद्‌गुण है' तथा 'रक्तता नीलिमा से भिन्न है', इसी प्रकार, 'बुद्धिमत्ता बड़ा गुण है।'

अब, 'मनुष्यता', 'रक्तता', 'नीलिमा' तथा 'बुद्धिमत्ता' पद इन वाक्यों में उद्देश्य हैं और अतएव संज्ञाएँ हैं—ये किन्हीं उद्‌गृहीत वस्तुओं को इंगित करती प्रतीत होती हैं। किन्तु वास्तव में ये उद्‌गृहीत वस्तुएँ क्या हैं? क्या केवल संज्ञाएँ होने से ही किसी वस्तु का होना आवश्यक हो जाता है? तब तो हमारा संसार असंख्य नवीन वस्तुओं से भर जायगा। तब न केवल 'मनुष्यता' और 'रक्तता' संज्ञक वस्तुएँ ही होंगी प्रत्युत 'अनेकता', 'असंख्यकता' आदि संज्ञक वस्तुएँ भी अस्तित्व के क्षेत्र में भीड़ लगा देंगी। किन्तु सौभाग्यवश आज हम ऐसी वस्तुओं के अस्तित्व को स्वीकार करने को बाध्य नहीं हैं।

हमारी अस्तित्वमीमांसा हमारी दार्शनिक प्रविधि के आधारभूत सिद्धान्तों से, अथवा कहें, हमारी अवधारणाओं के ढाँचे से, निर्धारित होती है। हम किन वस्तुओं को अस्तित्व के क्षेत्र में स्वीकार करना चाहते हैं और किन अन्य को केवल कल्पनाएँ अथवा रचनाएँ मानना चाहते हैं, यह हमारे आधारभूत दार्शनिक सिद्धान्त पर आधारित है। हमारी दार्शनिक भाषा के अपरिभाषेय पद तथा संज्ञाएँ केवल ऐसी ही वस्तुओं को इंगित करते हैं जिन्हें हमारी दर्शन-प्रणाली हमारे विश्व की रचना में स्थान देती है। प्लेटो का संसार हमारे संसार से भिन्न था, क्योंकि उसमें ऐसी वस्तुएँ रह सकती थीं जिन्हें हमारे विश्व की रचना में कोई स्थान नहीं है—'रक्त', 'वर्ण', 'मानवता' आदि पद वास्तव अस्तित्वों की संज्ञाएँ थीं। अन्य दार्शनिकों के संसार में असंख्य सम्भाव्य तथा कल्पित अस्तित्व उचित तथा स्वीकृत अस्तित्व थे। उनके अनुसार, 'विधुशेखर नीलकण्ठ है' क्योंकि वाक्य है

---

1. हमारे ये विधान आनुभविक क्षेत्र से सम्बन्धित हैं, तार्किक पुनरुक्तियों से नहीं। अत: तर्कशास्त्र के इस सिद्धान्त वाक्य [अ व) (ग(य) V ~ ग(य)] सम्बन्धी विवाद से हमारी स्थापना का कोई सम्बन्ध नहीं है।

अत: अदृश्य कोई नीलकण्ठ विधुशेखर भी है, अथवा क्योंकि 'विधुशेखर' सत्य वाक्यों में घटित हो सकता है, इसलिए कोई "विधुशेखर" है। उदाहरण: [(विधुशेखर नील कंठ है) असत्य है] वाक्य सत्य है अत: विधुशेखर का अस्तित्व है, यद्यपि यह अस्तित्व हमारे विचार में है, अथवा कुछ अन्य के अनुसार, सम्भावना में है। अब, जहाँ तक विचार में होने का सम्बन्ध है, यह "होना" उस प्रकार का नहीं है जिस प्रकार का कमरे में होना "होना" है। विचार निश्चित रूप से तथ्य है, अथवा कहें "है", किन्तु विचार का विषय, विचार से स्वतन्त्र कुछ नहीं है, जिस प्रकार कि मेरे मित्र के विचार से मेरा मित्र स्वतन्त्र है। 'विधुशेखर का विचार' तथा 'एक निरूपण को सन्तुष्ट करने वाला विधुशेखर' निश्चित रूप से दो पृथक् तथ्यों के वाचक हैं। जैसाकि रसल ने निरूपणों के सिद्धान्त द्वारा दिखाया है,[1] सब प्रतीयमान संज्ञाएँ वास्तव में संज्ञाएँ नहीं हैं, ये निरूपण पद हैं। इस सिद्धान्तानुसार उपर्युक्त वाक्य का रूपान्तरण इस प्रकार कर दिया जायगा—'एक और केवल एक वस्तु विधुशेखर और नीलकण्ठ है'...आदि। इस वाक्य में विधुशेखर केवल एक विधेय है, उसी प्रकार जिस प्रकार नीलकण्ठ, और अब यह केवल सत्य वाक्य में प्रयुक्त होने से किसी अस्तित्व का वाचक नहीं है क्योंकि इसका व्यापारक (ओपरेटर), 'एक और केवल एक वस्तु...है', जो वास्तव में किसी अस्तित्व का विधान करता है, निरूपणत्मक नहीं है। यह केवल 'न—(प्रत्येक वस्तु इस प्रकार की नहीं है)' का तार्किक बाध मात्र है। इसी प्रकार उपर्युक्त का निषेध वाक्य, जिसकी सत्यता के द्वारा 'विधुशेखर' संज्ञक वस्तु का अस्तित्व स्थापित किया जाता है,इस प्रकार रूपान्तरित हो जायगा—'या तो कोई वस्तु विधुशेखर नहीं है अथवा दो या दो से अधिक वस्तुएँ विधुशेखर हैं'। इस प्रकार ये तथाकथित संज्ञाएँ हमारी दर्शन की भाषा से बहिष्कृत कर दी गईं।

निरूपणों का सिद्धान्त यद्यपि संज्ञाओं और अस्तित्वों के सम्बन्ध में अन्तिम निर्णय नहीं देता, किन्तु यह एक बड़ा साधन है जिस के द्वारा हम अनेक भ्रमों से बच सकते हैं। उदाहरणत: 'मानवता ने दर्शन को जन्म दिया है' का रूपान्तरण होगा 'एक और केवल एक वस्तु दर्शन की जनक तथा मानवता से अभिन्न है, अन्यथा या तो कोई वस्तु ऐसी नहीं है जो दर्शन की जनक तथा मानवता से अभिन्न है, अथवा कम-से-कम दो वस्तुएँ दर्शन की जनक तथा मानवता से अभिन्न हैं।' अब यहाँ 'मानवता' पद संज्ञा के रूप में प्रयुक्त हुआ है और इसीलिए यह वाक्य ठीक प्रकार से रचित वाक्य नहीं है, क्योंकि 'एक और केवल एक' तथा 'कम-से-कम दो' प्रयोग 'मानवता' के साथ उपयुक्त प्रतीत नहीं होते। इस प्रकार, हमारे विचार में भाववाचक संज्ञाओं का निश्चित निरूपणों में उपयोग उचित नहीं है।

अब, कोई पद निरूपणात्मक किस प्रकार है? यह एक महत्त्वपूर्ण तथा आधारभूत प्रश्न है। अनुभववाद का उत्तर है कि केवल वही पद उचित रूप से निरूपणात्मक पद है जो हमारे किसी अनुभव से प्रमाणित अथवा अप्रमाणित होते हैं किन्तु जो संकेतात्मक नहीं हैं। संकेतात्मक पद (ओस्टेंसिव टर्म्ज़) संज्ञाएँ हैं तथा अविश्लेष्य विशिष्ट हैं। ये इस अर्थ में संज्ञाएँ हैं कि ये उन तथ्यों के वाचक हैं जो संकेत द्वारा बोध्य हैं। अथवा कहें, उन तथ्यों के वाचक हैं जो "यह" हैं, कोई अन्य पद उनका बोध नहीं करा सकता और न इनका विश्लेषण अथवा निरूपण सम्भव है। अन्य पदों के साथ इनका सम्बन्ध निर्धार्य-निर्धारित का है, जैसे 'ग(य)' तर्कवाक्यीय व्यापार (प्रोपोज़ीशनल फंक्शन) निर्धार्य तथा '$र_1$(अ)' निर्धारित वाक्य है। इस सिद्धान्त के अनुसार, 'यह रक्त है', मूल-वाक्य है, 'रक्त वर्ण है' मूल-वाक्य नहीं है और न 'रक्तता आकार को लागू करती है' मूल-वाक्य है। निरूपण-वाक्य अतीत मूल-वाक्यों से अर्थ ग्रहण करते हैं तथा भावी मूल-वाक्यों से सत्य मूल्य ग्रहण करते हैं। अन्तिम दो वाक्यों के सम्बन्ध में हम अभी आगे विचार करेंगे। यहाँ प्रो. क्वाइन के प्रतिपादन पर विचार करना प्रासंगिक होगा।

हमने पीछे प्रो. क्वाइन की व्यक्तिवाचक संज्ञाओं को विधेयों में रूपान्तरित करने की विधि का उल्लेख किया था और कहा था कि यह मूल-वाक्यों के अतिरिक्त शेष वाक्यों में व्यवहार्य है, जैसे 'एक और केवल एक

1. द्रष्टव्य रसल — **लोजिक एण्ड नॉलेज** में — 'ओन डिनोटिंग', **'प्रिंकिपिया'** तथा **'इंट्रोडक्शन टू मैथेमैटीकल फिलासफी'** में — 'थयोरी ऑफ डिस्क्रिप्शंज़', तथा क्वाइन के **'फ्राम ए लोजीकल प्वाइंट ऑफ व्यू'** में — 'ओन ह्वाट देयर इज़' और **'मैथड्ज़ ऑफ लोजिक'** में पृ. 196 से 252.

वस्तु नेहरू तथा राजनीतिज्ञ है'...आदि। किन्तु प्रो. क्वाइन इस विधि को मूल-वाक्यों के लिए भी उचित मानते हैं। उनके अनुसार—"हम मान सकते हैं कि जो संकेत द्वारा बोध्य है, अथवा प्रत्यक्षतगम्य है, उसके व्यंजक पद भी संज्ञाएँ नहीं हैं। प्रत्युत मात्र विधेय हैं। यह आग्रह हम ज्ञानमीमांसा को कोई हानि पहुँचाए बिना भी कर सकते हैं, क्योंकि हम ज्ञानमीमांसा द्वारा ऐसे किन्हीं भी शब्दों के प्रयोग स्वीकार कर सकते हैं जो इस संकेत की (अथवा साम्मुख्य की) स्थिति के व्यक्तीकरण के लिए आवश्यक हों, हम केवल उस का वाक्य में विभाजन भिन्न प्रकार से करते हैं। संकेत द्वारा सीखेगए पद को संकेतित की संज्ञा स्वीकार करने के बजाय हम इसे संकेतित को अनन्यरूप से व्यक्त करने वाला विधेय स्वीकार करेंगे, जो केवल संकेतित विषय के लिए ही प्रयुक्त हो सकता है। और तब हम संज्ञा की रचना इस प्रकार करेंगे—'(∃य) ग य' जहाँ 'ग' अपरिभाषेय विधेय है।"[1]

उपर्युक्त रूपान्तरित संज्ञा को सामान्य भाषा में हम इस प्रकार व्यक्त कर सकते हैं—'कोई वस्तु य ग है' अथवा 'एक और केवल एक वस्तु यह रक्त है'। 'यह-रक्त' हमने विधेय को अनन्य रूप से सम्बद्ध करने के लिए प्रयुक्त किया है। आशा है क्वाइन को यह अनुवाद मान्य होगा। अब यह समझना कठिन है कि क्वाइन इस प्रक्रिया से विशिष्टता की रक्षा किस प्रकार कर सकते हैं। प्रथम, जैसाकि प्रो. एयर ने आपत्ति की है, "यह हमें सर्वनामों से मुक्त नहीं कर सकता, और न, हमारे विचार में, यह हमारे व्यक्तिवाचक संज्ञाओं के सामान्य भाषा में प्रयोग को उचित रूप से रूपान्तरित करता है। क्योंकि यदि 'नेहरू होने' का विधेय अनन्य रूप से भी उदाहरित होता है तो भी यह केवल आकस्मिक है कि यह उदाहरित होता है। हमें इस सम्भावना को स्थान देना होगा कि कोई वस्तु 'नेहरूरूप धारण नहीं करती' अथवा 'एक से अधिक वस्तुएँ नेहरूमय होती हैं'। और इनमें से किसी भी अवस्था में हम इस व्याख्या के आधार पर यह स्वीकार करने को बाध्य हैं कि वे सब कथन, जिनका हम नेहरू के सम्बन्ध में कथन करते हैं, असत्य हैं।"[2] उपर्युक्त आपत्ति व्यक्तिवाचक संज्ञाओं के सामान्य प्रयोग को ध्यान में रख कर की गई है, किन्तु यह और भी अधिक उस दृष्टि से सत्य है जिसको अपनी अवधारणाओं के ढाँचे का आधार स्वीकार कर हम चल रहे हैं, वह है परिचय-सिद्धान्त। इस सिद्धान्त की दृष्टि से क्वाइन का उपर्युक्त उद्धरण और भी दोषपूर्ण हो जाता है। वास्तव में एयर ने क्वाइन के 'ओन ह्वाट देयर इज़' में प्रतिपादित विधि पर आक्षेप किया है, जब कि उपर्युक्त उद्धरण अन्य पुस्तक से है। यह सीधे हमारी समस्या से सम्बन्धित है। क्वाइन परिचय-सिद्धान्त को स्वीकार करते प्रतीत नहीं होते, वे केवल परिचय सिद्धान्त द्वारा स्वीकृत संज्ञाओं को निरूपण पदों में विघटित करना चाहते हैं और ऐसा करने का उद्देश्य है तर्कशास्त्र में सरलता लाना। किन्तु जैसाकि हम देखेंगे, संकेतक संज्ञाओं में यह सम्भव नहीं है।

हम 'यह रक्त है' में 'रक्त' को भी विशिष्ट मानते हैं क्योंकि यह पद 'यह' (संकेत-पद) द्वारा एक ऐसी वस्तुस्थिति का व्यंजक है जो केवल देखी गई है। यह सिद्धान्ततः ऐसी स्थिति है जो भ्रान्ति की सम्भावना से परे है, जिससे शब्द अर्थ ग्रहण करते हैं। 'एक और केवल एक वस्तु इस-इस प्रकार की है' में अनिवार्यतः अनिश्चित पद (वेरियेबल) घटित होता है और अनिश्चित पद सिवाय एक ढाँचे के कुछ विधान नहीं करता, यह अर्थवान केवल उचित विधेय से स्थानान्तरित होने पर होता है और सत्य केवल उचित संज्ञा-पद के घटित होने पर होता है। अतः जब तक हम 'यह $ग_1$ द्वारा विशेषित है' का प्रयोग नहीं करते, जहाँ '$ग_1$' अपरिभाषित विधेय है और अनिश्चित व्यक्तिवाचक 'यह' द्वारा निर्धारित है, हम ऐसे वाक्यों को कोई अर्थ नहीं दे सकते जिनमें सिंगुलर टर्म घटित नहीं होता। वास्तव में क्वाइन का यह प्रतिपादन इतना विचित्र है कि वे इसमें स्वयं उलझे प्रतीत होते हैं। वे संकेत-संज्ञाओं (अथवा प्रदर्शित के वाचक पदों) का अपसारण जिन विधेयों द्वारा करना चाहते हैं उनके सम्बन्ध में यह भी कहते हैं कि वे विधेय अनन्य रूप से प्रदर्शित के प्रसंग से ही सत्य हैं, इस प्रकार वे 'यह' पद से मुक्त नहीं हो सकते, क्योंकि वाक्यीय व्यापारक (य) प्रदर्शित के लिए प्रयुक्त नहीं हो सकता।

1. क्वाइन — **मैथड्ज़ ऑफ लोजिक**, पृ. 218.
2. एयर — 'इंडीविडुअल्ज़' **माइंड**, 1952, पृ. 454.

यहाँ थोड़ी देर के लिए इस चर्चा को स्थगत कर हम 'रक्त वर्ण है'—'व(र)' तथा 'मनुष्यता पीड़ित है', '(य) व (य)⊃प (य)' वाक्यों के स्वरूप पर विचार करेंगे। यह समस्या हमारे इस विवेचन से सीधे सम्बन्धित न होने पर भी अपरिभाषित व विधेयों के स्वरूप के स्पष्टीकरण में सहायक है, अत: यहाँ इस पर विचार प्रासंगिक है।

'रक्त वर्ण है' वाक्य में हमारे मूल-वाक्यों का विधेय उद्देश्य के रूप में प्रयुक्त हुआ है तथा एक अन्य पद 'वर्ण' इसके विधेय के रूप में प्रयुक्त हुआ है। इस वाक्य का रूप और भी स्पष्ट करने के लिए इसे इस प्रकार लिखा जा सकता है—'र (अ), व (र)' अथवा संक्षेप में 'व ($र_{अ}$)', जिसका साधारण भाषा में अनुवाद होगा—'यह रक्त है, तथा रक्त एक वर्ण है'। अब 'रक्त' का प्रयोग जब कि 'यह रक्त है' में उचित है, 'यह वर्ण है' में 'वर्ण' का प्रयोग अनुचित है, क्योंकि 'वर्ण' पद से किसी संवेद्य का संकेत नहीं होता। केवल तार्किक भाषा में, जब कि 'रक्त' पद केवल व्यक्तिवाचक संज्ञाओं के साथ ही प्रयुक्त हो सकता है, 'वर्ण' पद केवल उन पदों का विधेय ही हो सकता है जो मूल-वाक्यों में विधेय होते हैं। अथवा दूसरे शब्दों में, 'रक्त' प्रथम स्तरीय पद है और 'वर्ण' द्वितीय स्तरीय पद है। इसका एक अन्य प्रमाण भी दिया जा सकता है, जब कि '$र_1$(अ).~$र_1$(अ)' अनुचित प्रयोग है, 'वर्ण (र).~वर्ण (र)' आत्मबाधक है। प्रथम का अनुवाद है '$यह_1$ रक्त है' और '$यह_1$ रक्त नहीं है'। किन्तु नियमानुसार एक विशिष्ट का प्रयोग दो वाक्यों में नहीं हो सकता। द्वितीय का अभिप्राय है—'रक्त वर्ण है तथा रक्त वर्ण नहीं है' यह आत्मबाधक है, किन्तु यह दोषपूर्ण वाक्य रचना नहीं है।

दूसरे वाक्य का प्रतीकों में अनुवाद होगा '(य) म (य)⊃प (य)' अर्थात् 'प्रत्येक वस्तु, यदि यह मनुष्य है तो यह पीड़ित है'। यहाँ आपत्ति की जा सकती है कि 'मनुष्यता पीड़ित है' का यह अनुवाद उचित नहीं है, क्योंकि इस वाक्य का यह अभिप्राय नहीं है कि प्रत्येक मनुष्य पीड़ित है, इसका अभिप्राय केवल यह है कि (आजकल) अधिकांश लोग दुःखी हैं यद्यपि इनमें से कुछ लोग दुःखी नहीं भी हो सकते। उस अवस्था में 'मनुष्यता पीड़ित है' उचित रूप से निर्मित वाक्य नहीं है, इस आशय को इस प्रकार व्यक्त किया जा सकता है '(अय) म (य)⊃प (य)'—'कुछ वस्तुएँ ऐसी हैं जो यदि ये मनुष्य हैं तो पीड़ित हैं', अथवा 'सब वस्तुएँ ऐसी नहीं हैं कि यदि ये मनुष्य हैं तो ये पीड़ित नहीं हैं।' किन्तु इस वाक्य का कम-से-कम एक अर्थ और हो सकता है, कि 'कुछ भावनाएँ ऐसी हैं जिन्हें हम मानवता की भावनाएँ कहते हैं, ये भावनाएँ आज के (पूँजीवादी, कम्यूनिस्टिक, अथवा वैज्ञानिक, जैसा भी किसी को रुचता हो) युग से पीड़ित हैं। उस अवस्था में इस वाक्य का अर्थ सर्वथा भिन्न हो जाता है और उस अवस्था में इसका अनुवाद होगा—कुछ वस्तुएँ ऐसी हैं जो यदि ये मानवता की भावनाएँ हैं तो वे त्रस्त हैं।'

यहाँ रूपान्तरित वाक्यों में प्रयुक्त विधेयों से यह नहीं समझना चाहिए कि ये हमारे मूल अथवा अपरिभाषित विधेय हैं। इसलिए इस रूपान्तरण को केवल एक आकार समझना चाहिए। पूर्ण विश्लेषण करने का यहाँ प्रसंग नहीं है।

इस अवान्तर चर्चा के पश्चात् हमें पुन: अपनी पूर्व समस्या पर लौटना चाहिए। हम पीछे 'अपरिभाषित विधेय' पद का, जिसके अनिश्चितार्थक पदों के साथ प्रयुक्त होने पर हम वाक्य को परिचय-सिद्धान्तानुसार सार्थक मानते आये हैं, प्रयोग करते रहे हैं। हमने इनका स्पष्टीकरण भी किया है। यहाँ हमें यह देखना है कि 'इस परिचित होने' का क्या अभिप्राय है तथा ऐसे वाक्यों की, जिनमें ये घटित होते हैं, सार्थकता का क्या अभिप्राय है। एक उदाहरण लें—'चाँद का दूसरी ओर का भाग चपटा है', रूपान्तरण से 'कोई वस्तु चाँद का दूसरी ओर का भाग है और यह चपटा है'। यहाँ 'चाँद का दूसरी ओर का भाग' केवल एक अनिश्चित (वेरियेबल) पद है, जिसका मूल्य विशिष्ट पद है तथा 'रक्त' और सम्बन्ध वाचक 'दूसरी ओर' पद अपरिभाषित विधेय हैं। इस वाक्य में जब कि हम विधेयों से परिचित हैं, एक वस्तु "(य)" से परिचित नहीं हैं। विधेयों से परिचित होने से उपर्युक्त वाक्य हमारे लिए सार्थक है। अब यह सार्थक किस प्रकार है?

जैसाकि, 'मूल-वाक्य' अध्याय में हमने देखा है, हमारे परिचय के मूल-वाक्य 'यह रक्त है'—'र(अ)' सद्य: में पूर्ण प्रस्तुत के वाचक हैं। हमने उस अध्याय में, तथा इस अध्याय में भी पीछे, देखा है कि ये 'पूर्ण प्रस्तुत'

हमारे विशिष्ट हैं। पीछे हमने 'पूर्ण प्रस्तुत' तथा 'पूर्ण सन्निहित' को भिन्नार्थक अथवा पर्याय मानने में जो कठिनाइयाँ हैं, उनकी चर्चा भी की थी, किन्तु वहाँ इस प्रश्न को अनिर्णीत ही छोड़ दिया गया था। अब समय है कि उस प्रश्न पर निर्णय किया जाय।

जैसाकि हम पीछे देख चुके हैं, 'र' को पूर्णत: सन्निहित मानने में यह कठिनाई है कि 'र(य)' का कोई अर्थ नहीं रह जायगा और अतएव निरूपणों का ढाँचा ही गिर जायगा। यदि 'कुछ चाँद का दूसरी ओर का भाग है और यह चपटा है' वाक्य को सार्थक होना है तो 'र' पूर्णत: सन्निहित नहीं होना चाहिये। इससे लागू होता है कि 'र' उस अवस्था में एक सामान्य है। तब विशिष्ट क्या है? क्या '(अ)' 'र' से अतिरिक्त "कुछ" को व्यक्त करता है? जैसाकि "मूल-वाक्य" तथा "वस्तुएँ, तथ्य और अस्तित्वमीमांसा" में हमारे प्रतिपादन से स्पष्ट है, '(अ)' स्वयं किसी अस्तित्व का वाचक नहीं है, अन्यथा हम किसी अनुभवातीत अस्तित्व को मानने के लिए बाध्य होंगे। '(अ)' यहाँ केवल 'रक्त' के सद्य: का विषय होने का वाचक है, अथवा कहें, पूर्ण प्रस्तुत होने का वाचक है। इस प्रकार, हमारा '(अ)' किसी विशिष्ट तथा 'र' किसी सामान्य का पृथक्-पृथक् द्योतन नहीं करते। स्वभावत: उस अवस्था में हमारे मूल-वाक्य में प्रयुक्त विधेय पूर्णत: प्रस्तुत ही नहीं प्रत्युत पूर्णत: सन्निहित भी हैं। 'र (अ)' किसी भी अवस्था में यह पूर्वकल्पित नहीं करता कि 'र' किसी अन्य विशिष्ट के साथ भी संयुक्त होगा। अत: 'र(अ)' वाक्य में ही 'र' अस्तित्व का वाचक है, यह निरपेक्षतया सत्तायुक्त है। जिस प्रकार अकेले '(अ)' का कुछ अर्थ नहीं है उसी प्रकार अकेले 'र' भी किसी अस्तित्व का वाचक नहीं है। अनिश्चित (वेरियेबल) किसी अस्तित्व का वाचक नहीं होता।

तब निरूपणों की सार्थकता का ग्रहण किस प्रकार होता है? यह स्पष्ट है, यद्यपि पीछे हमने इन्हें अर्थ देना समस्यात्मक बताया है। वास्तव में समस्यात्मक केवल इनके अस्तित्व की बात करना है, अर्थ देना नहीं। 'र(अ)' वाक्य हमारा मूल-वाक्य है तथा 'समान' हमारा स्वीकृत अपरिभाषेय विधेय है, क्योंकि 'यह रक्त तथा वह रक्त समान हैं' भी मूल-वाक्य है। अब यदि हम एक वाक्य 'अ य र (य)' का प्रयोग करते हैं तो इस की सार्थकता का ग्रहण इस प्रकार होता है—'[(अ य,र) र (य)].[(रय) स(रअ)].' अर्थात् 'कुछ रक्त है जो इस रक्त के समान है'। 'कुछ रक्त' 'इस रक्त' के समान होने से सार्थक है। और जब कि यह अस्तित्व का दावा करता है, इसकी सार्थकता 'र(य)' के प्रमाणित होने में नहीं है। यह और भी स्पष्ट इस वाक्य से हो जाता है 'यह रक्त है, और प्रत्येक वस्तु, जो इसके समान है, रक्त है'। अब यदि संसार में कोई भी अन्य वस्तु रक्त नहीं है तो भी यह वाक्य पूर्णत: सार्थक है यद्यपि इसको कोई मूल्य सन्तुष्ट नहीं करता। यदि हम सामान्यों के अस्तित्व को किसी अन्य अर्थ में स्वीकार करते हैं तो "(∃ य) र(य)" के अस्तित्व का हम किसी प्रकार से निषेध नहीं कर सकते, क्योंकि "र" सर्वत्र विद्यमान होने से केवल विशेषीकरण की प्रतीक्षा में रहता है। और तब हम द्रव्य का भी निषेध नहीं कर सकते, क्योंकि यदि यह वाक्य सत्य होता है तो यह लागू करता है कि सामान्य-अस्तित्व विशिष्ट-अस्तित्व को विशेषित करता है। अथवा अधिक उचित शब्दों में, यदि कोई मूल-वाक्य 'यह रक्त है' घटित नहीं भी होता तो भी '(∃ य) र(य)' सत्य वाक्य होगा यद्यपि यह सार्थक नहीं है, क्योंकि यदि कोई सामान्य 'र' अस्तित्ववान है तो वह विशिष्टों से निरपेक्ष अस्तित्ववान है और परिणामत: विशिष्ट भी है, यद्यपि कोई भी विशेषित-विशिष्ट नहीं है। विट्गिंस्टाईन के ट्रक्टेटस के रंग-हीन विशिष्ट तथा स्वतन्त्र गुण कुछ इस प्रकार के विश्व की सम्भावना को तर्कत: लागू करते हैं।

इस प्रकार, हमारे विचारानुसार, अस्तित्व की समस्या इन प्रश्नों में केन्द्रित हो जाती है—(1) कौन पद हमारी भाषा के अपरिभाषित विधेय हैं (सार्थकता), और (2) किन वाक्यों में इनका सत्य मूल्य सत्य है (अस्तित्व)। अपरिभाषित विधेय वे विधेय हैं जो अन्य विधेयों में विश्लेष्य अथवा अन्य विधेयों द्वारा स्थानान्तरणीय नहीं हैं। हमारी भाषा के उद्देश्य-विधेय रूप की अपरिहार्यता हमारे केवल विशिष्टों को स्वीकार करने के सिद्धान्त को पुष्ट करती है तथा अस्तित्व के प्रसंग में प्रश्न (2) की अनिवार्यता को पुष्ट करती है, क्योंकि उद्देश्य तर्कत: तभी उद्देश्य है यदि वह विधेय के अस्तित्व का वाचक है। अन्यथा सब उद्देश्य क्वाइन की प्रविधि के

अनुसार विधेयों में विघटित किये जा सकते हैं। किन्तु क्वाइन की प्रविधि वास्तविक उद्देश्य, अथवा कहें, वास्तविक संज्ञा को विधेय में विघटित नहीं कर सकती।

अब अन्त में दो शब्द 'अस्तित्व' पद के स्पष्टीकरण में भी। हमारा 'अस्तित्व' से क्या अभिप्राय है? सार्थकता को केवल अपरिभाषित विधेयों का व्यापार मान कर 'अस्तित्व' शब्द का हम क्या अर्थ समझते हैं? हमारी इस योजना में अस्तित्व का परम्परागत अर्थ प्रासंगिक नहीं है, जिस अर्थ में ईश्वर सत् है, प्रकृति सत् है अथवा प्लेटो के सामान्यों का अस्तित्व है। 'अस्तित्व' का यह अर्थ हमारी शब्दावली में वास्तव में सार्थकतया कहा ही नहीं जा सकता, हमारी भाषा इस प्रकार के शब्दों को कोई अर्थ नहीं दे सकती। हमारे विशिष्ट सद्यः प्रस्तुत के वाचक हैं। 'एक घटना' पद एक अविश्लेष्य तथा पूर्णतः सन्निहित का वाचक है। 'घटना का अस्तित्व है' का स्पष्टतः और कोई अर्थ नहीं हो सकता कि यह घटना घटित हो रही है। घटना का घटित होना स्वयं घटना से स्वतन्त्र कुछ नहीं है, यह घटना स्वयं है। अतः 'अस्तित्व' शब्द किसी स्वतन्त्र तथ्य का व्यंजक नहीं है। यह विशेषण भी नहीं है, क्योंकि यह किसी वाक्य में कोई गुण का कथन नहीं करता, यह केवल पुनरुक्ति करता है। आप कह सकते हैं, "तो आप कहना चाहते हैं, विश्व में केवल अस्तित्व है और कुछ नहीं है और जो अस्तित्वमय नहीं है वह विश्व में नहीं हो सकता!" आप ऐसा भी कह सकते हैं, क्योंकि यह केवल एक पुनरुक्ति है, किन्तु जो 'अस्तित्व' शब्द की विभिन्न अवधारणाओं के कारण भ्रामक हो सकता है। "जो भी है केवल वही है और जो नहीं है वह नहीं है" विधान हमें कोई जानकारी नहीं देता। किन्तु इस वाक्य का निर्माण ठीक प्रकार से न करने पर यह हमें भूलभुलैया में डाल सकता है। अतः हमारा प्रतिपादन है : 'अस्तित्व' पद केवल 'है' क्रिया से भाववाचक संज्ञा है। 'है' पद कोई विधान नहीं करता, वास्तव में वह प्रतीकात्मक वाक्यों में इसी कारण से अपसारित कर दिया जाता है। अतः 'अस्तित्व' का प्रयोग भी कोई विधान नहीं करता, इसका प्रयोग ही ग़लत है, क्योंकि इसका अनुवाद होगा 'राम है है', जो अनुचित है। 'राम है' भी अतिरंजित प्रयोग है, क्योंकि यह केवल कहता है 'राम', किन्तु जैसाकि हम देख आये हैं, केवल उद्देश्य पद का प्रयोग उचित नहीं है, अतः 'राम है' वाक्य ग़लत है। कुछ लोग समझते हैं कि निरूपणात्मक वाक्य 'कुछ ऐसा ऐसा है' अस्तित्व का विधान करता है। किन्तु इस भ्रम का भी हम पीछे निराकरण कर आये हैं। अस्तित्व-वाक्य के ये व्यापारक केवल तार्किक हैं तथा शेष पद केवल अनिश्चित हैं, इनको मूल्य केवल विशिष्टों द्वारा स्थानान्तरित करने से ही प्राप्त होता है।

मानसिक और भौतिक

मन के अस्तित्व के प्रश्न ने दार्शनिकों को सम्भवत: पदार्थ के अस्तित्व के प्रश्न से, और शायद अन्य किसी भी वस्तु के अस्तित्व के प्रश्न से, अधिक चक्कर में रखा है। किन्तु जैसाकि हमने पीछे[1] देखा है, 'मन का अस्तित्व' अथवा 'पदार्थ का अस्तित्व' हमारी पुनारचित भाषा में अनुचित प्रयोग है। इस प्रकार, हमारे दर्शन की अत्यन्त उलझनपूर्ण समस्या—'इस या उस वस्तु के अस्तित्व की समस्या' लुप्त हो जाती है। किन्तु कुछ अन्य महत्त्वपूर्ण समस्याएँ, अथवा कहें, प्रश्न—यदि इन्हें प्राचीन समस्याओं से भिन्न करना आवश्यक हो तो—पुन: उत्पन्न होते हैं। कुछ दार्शनिक यह दावा करते हैं कि कोई प्रश्न तब तक उचित दार्शनिक प्रश्न नहीं है जब तक कि उसके उचित सुलझाव की कम–से–कम दिशा की ओर संकेत नहीं किया जा सके। जिन प्रश्नों का उत्तर सम्भव नहीं है वे वास्तव में उचित प्रश्न ही नहीं हैं। यह ठीक भी है, क्योंकि अधिकांश दार्शनिक समस्याएँ या तो ऐसी हैं जो भाषा के स्वभाव को न समझ सकने से उत्पन्न होती हैं अथवा ऐसी हैं जो स्वत: रचित परिभाषाओं के द्वारा निर्मित होती हैं। द्रव्य की समस्या प्रथम भूल का परिणाम है और मन सम्बन्धी समस्या दूसरे प्रकार से निर्मित है। अत: यदि हम इस सम्बन्ध में स्पष्ट हो जाएँ तो ऐसी समस्याएँ स्वत: विलीन हो जाएँ। उदाहरणत: यदि हम मन की परिभाषा ऐसी करें कि यह दैशिक–कालिक गुण रहित तत्त्व है तथा यह चेतन है, और पदार्थ की परिभाषा ऐसी करें कि यह दैशिक–कालिक गुणों से युक्त तत्त्व है तथा अचेतन है, और पुन: कारणता की ऐसी परिभाषा करें कि एक वस्तु दूसरी को तभी कारित कर सकती है यदि वह दैशिक–कालिक गुणयुक्त हो, अथवा दोनों वस्तुएँ एक ही प्रकार के गुणयुक्त हों, तो यह तर्कत: असम्भव हो जाता है कि शरीर मन को अथवा मन शरीर को कारित कर सके। किन्तु हम देखते हैं कि सूई चुभने पर दर्द होता है, इच्छा होने पर शरीर तदनुसार क्रिया करता है, इत्यादि। ऐसी परिस्थिति में स्वभावत: एक समस्या, अथवा कहें पहेली, उत्पन्न हो जाती है, जिसे हम "शरीर–मन की परस्पर क्रिया–प्रतिक्रिया की पहेली" कह सकते हैं। इस पहेली ने प्राचीन दर्शन को युगों तक आलोडित किया है। किन्तु इसका सुलझाव, अथवा कहें विलीनीकरण, जैसाकि कुछ दार्शनिक कहना पसन्द करते हैं, सम्भव नहीं हुआ।

किन्तु इस पहेली की स्थिति से निकलने का उपाय यह नहीं है कि हम ऐसी परिभाषाओं का निर्माण करें जिनसे हमारे प्रश्नों के हमारी इच्छानुकूल उत्तर तर्कत: अनुगत हों। इसके विपरीत, हमें किसी पद से सम्बन्धित अवधारणा का विश्लेषण करना है और उसका अपनी "सम्पूर्ण अवधारणात्मक योजना" में स्थान नियत करना है। इसका अर्थ यह नहीं है कि हम परिभाषाओं का निर्माण नहीं करते, किन्तु सर्वप्रथम, परिभाषाएँ परिभाषित के प्रयोग–प्रसंग के स्पष्टीकरण के लिए होती हैं,[2] और दूसरे, हम उनके उपयोग के सम्बन्ध में पहले से स्पष्ट रहते हैं और इस प्रकार उनके कारण पथ–भ्रष्ट नहीं होते। और पुन:, इसका यह अर्थ भी नहीं है कि हमारी व्याख्या में कोई पूर्वपक्ष तथा उनसे तर्कत: अनुगत परिणामों के लिए स्थान नहीं है। यह एकदम असम्भव है, क्योंकि सब कथन कुछ अन्य कथनों को तर्कत: लागू करते हैं। किन्तु भ्रम से बचने के लिए यह आवश्यक है कि हम उनके इस स्वभाव के प्रति स्पष्ट हों।

हमने पीछे तथा ऊपर की पंक्तियों में भी, 'अवधारणात्मक योजना' पद का प्रयोग किया है। इसके सम्बन्ध में थोड़ा स्पष्टीकरण प्रासंगिक होगा। हम शब्दों का वाक्यों में प्रयोग करते हैं और वाक्य कुछ शब्दों के समवाय होते हैं। प्रत्येक शब्द का अपना निजी कुछ अर्थ होता है। किन्तु वाक्य में ये शब्द एक "अर्थ संस्थान" का निर्माण करते हैं। वाक्यों का निर्माण उचित और अनुचित दोनों प्रकार का हो सकता है। वाक्यों के इस औचित्य और

---

1. विशिष्ट, सामान्य और अस्तित्व।
2. आगे — दार्शनिक विश्लेषण।

अनौचित्यपूर्ण निर्माण का निर्णय अवधारणात्मक योजना से होता है। इस प्रकार, किसी भाषा के उचित वाक्य उस भाषा में निहित अवधारणात्मक योजना के वाचक होतेहैं। उदाहरणत: 'राम जाता है' अथवा 'राम बैठा है' उचित प्रयोग हैं, किन्तु 'कुर्सी बैठी है' अथवा 'कुर्सी जाती है' उचित प्रयोग नहीं हैं। इसी प्रकार 'कुर्सी रखी है' उचित प्रयोग है, किन्तु 'राम रखा है' उचित प्रयोग नहीं है। इसी प्रकार 'राम चाहे शरीर से कुरूप है किन्तु सज्जन है' तथा 'राम चाहे शरीर से सुन्दर है किन्तु दुष्ट है' उचित प्रयोग हैं किन्तु 'राम चाहे शरीर से दुष्ट है किन्तु मन से सुन्दर है' अथवा 'राम चाहे शरीर से सज्जन है किन्तु कुरूप है' अनुचित प्रयोग हैं। वाक्यों के प्रयोग का यह औचित्य अथवा अनौचित्य हमारी इस अवधारणात्मक योजना का व्यंजक है कि हम कुछ वस्तुओं को मनयुक्त और दूसरी वस्तुओं को मनरहित मानते हैं और मन की हमारी अवधारणा ऐसी है कि उसके साथ हम 'सुन्दर', 'कुरूप' आदि विशेषणों का, (रूपकात्मक शैली के अतिरिक्त) प्रयोग नहीं कर सकते और न उन उद्देश्य पदों के साथ 'रखा है', 'पड़ा है' जैसे क्रिया-पदों का प्रपयोग कर सकते हैं जो मनयुक्त वस्तुओं की संज्ञाएँ हैं। अब हमारी इस स्थापना से स्पष्ट है कि भाषा स्वयं अवधारणात्मक योजना नहीं है, यह हमारी अवधारणात्मक योजना का चित्र (अथवा रेखाचित्र) है। हमारी अवधारणात्मक योजनाएँ भिन्न हो सकती हैं और तदनुसार ही हमारा वाक्यों का निर्माण भी भिन्न हो जायगा।

दार्शनिक, (और यदि इस शब्द के प्रयोग पर यहाँ किसी को आपत्ति हो तो, हम कहेंगे, विश्लेषणात्मक दार्शनिक) का कार्य हमारी इन अवधारणात्मक योजनाओं का स्पष्टीकरण, विशदीकरण, तथा विभिन्न योजनाओं में सम्बन्धों का उद्‌घाटन करना है। जैसाकि सब जानते हैं, प्रत्येक वाक्यीय प्रतिज्ञा कुछ अन्य वाक्यीय प्रतिज्ञाओं से लागू होती है। इन वाक्य-समुदायों को हम संस्थान कह सकते हैं। किन्तु यह सदैव स्पष्ट नहीं होता कि कोई वाक्य किन-किन वाक्यों से लागू होता है तथा किन-किन वाक्यों को लागू करता है। बल्कि यह कहा जा सकता है कि कभी भी वे सब वाक्य ज्ञात नहीं होते जो किसी वाक्य को लागू करते हैं अथवा उससे लागू होते हैं। इस प्रकार कहा जा सकता है कि प्रत्येक वाक्य हमारी अवधारणात्मक योजना को लागू करता तथा उससे लागू होता है, यद्यपि हम कभी भी इस संस्थान की रचना पूर्णत: जान नहीं पाते। दार्शनिक का कार्य इस संस्थान का उद्‌घाटन करना ही है। कुछ दार्शनिक कहेंगे कि उसका कार्य पूर्व विद्यमान संस्थान का उद्‌घाटन करना नहीं प्रत्युत निर्माण करना है। किन्तु इन सृजनशील दार्शनिकों ने इतिहास में जो वायवी रचनाएँ की हैं हम उनसे सुपरिचित तथा त्रस्त हैं। वास्तव में 'नवीन अवधारणात्मक योजना का निर्माण' प्रयोग का स्थूल विश्लेषण इस की उपहासास्पदता को सामने ला देता है। सर्वप्रथम, आप नवीन अवधारणात्मक योजना का निर्माण क्यों करना चाहते हैं? स्वभावत: इसका उत्तर होगा, सामान्य अवधारणात्मक योजना अनुपयुक्त है। किन्तु जब आप इस योजना का अनौचित्य सिद्ध करना चाहते हैं तब आप केवल यही दिखाते हैं कि इस योजना में प्रयुक्त अन्य वाक्य अमुक वाक्य से संगत नहीं हैं। किन्तु इस एक वाक्य को अन्य वाक्यों से अधिक उचित क्यों माना जाय? और दूसरे, यदि आप वायु में ही अपनी योजना का निर्माण करना चाहते हैं तो वह एक निगमनात्मक (डिडक्टिव) योजना मात्र होगी, और उससे कभी भी व्याख्यात्मक उद्देश्य की पूर्ति नहीं होगी। किन्तु सब दार्शनिक स्पष्टीकरण करना चाहते हैं और अपनी योजनाओं का निर्माण तथ्यों के आधार पर करते हैं। यही कारण है कि उनमें मतभेद उत्पन्न होता है और एक दार्शनिक अन्यों से अधिक उचित रूप में "योजना के उद्‌घाटन" का दावा करता है।

वास्तव में कभी-कभी विभिन्न योजनाएँ किन्हीं तथ्यों की उचिततर व्याख्या के लिए, अथवा वायवी योजना-निर्माण के उत्साह से, प्रेरित नहीं होतीं, वे स्वयं तथ्यों की स्वीकृति सम्बन्धी मतभेद पर आधारित होती हैं। उदाहरणत: कुछ लोग दावा करते हैं कि वे ईश्वर का अनुभव करते हैं और इस प्रकार वे ईश्वर की अपनी अवधारणा को शेष अवधारणाओं के मध्य में रखना चाहते हैं; दूसरे पदार्थ को तथ्य नहीं मानते और इसके निषेध की अवधारणा को अवधारणात्मक योजना में स्थान देना चाहते हैं। इसी प्रकार कुछ मन को एक तथ्य स्वीकार करते हैं जब कि दूसरे इसे तथ्य स्वीकार नहीं करते। हेगल ने केवल "प्रत्यय" को तथ्य माना है और शंकर ने केवल "ब्रह्म" को तथ्य माना है। इसी प्रकार मार्क्स ने केवल "भौतिक" को तथ्य माना है।

यहाँ थोड़ा स्पष्टीकरण अपेक्षित है। 'तथ्य' का हमारा प्रयोग थोड़ा घपला उत्पन्न कर सकता है क्योंकि यहाँ यह पद कम-से-कम दो अर्थों, अथवा कहें, प्रसंगों में प्रयुक्त हुआ है। 'तथ्य की उचिततर व्याख्या' इस प्रयोग में 'तथ्य' का अर्थ अन्य प्रयोगों में 'तथ्य' के अर्थ से भिन्न है। प्रथम प्रयोग में यह 'वस्तुस्थिति' का पर्याय है। अब प्रथम अर्थ में मार्क्स, हेगल अथवा शंकर सब 'यह कुर्सी है' अथवा 'राम सज्जन है' वाक्यों को किसी वस्तुस्थिति के उचित रूप से वचक मानने में सहमत होंगे। किन्तु वे "भूत" अथवा "मन" के अस्तित्व को स्वीकार करने में सहमत नहीं होंगे। यहाँ आधुनिक विश्लेषणात्मक दार्शनिक अन्य दार्शनिकों से अधिक लाभप्रद स्थिति में है। वह "अस्तित्व" की भ्रामक तथा भावुकतापूर्ण समस्या का अपने विश्लेषण द्वारा विलयन कर सकता है और "मन" अथवा "भूत" अथवा "प्रत्यय" को वस्तुस्थितियों के अन्दर अवधारणात्मक संस्थान के अंगों के रूप में पुन: प्रवेश दे सकता है। इसी प्रकार, उसकी योजना में "यह कुर्सी है" तथा "वह सज्जन है" पुनारचित वाक्य हैं, जब कि "केवल प्रत्यय का अस्तित्व है" अनुचित रूप से रचित वाक्य है, और इसी प्रकार 'कुर्सी सज्जन है' तथा 'रक्त पीत है' अनुचित रूप से रचित बाक्य हैं।

पिछले सूत्र को ही पुन: पकड़ते हुए, दार्शनिक अवधारणात्मक संस्थान का निर्माण ऊर्णनाभ के समान नहीं करता, वह विवेचक है, किन्तु उसकी विवेचना का क्षेत्र अवधारणाओं की तार्किक शक्तियों का अनुसन्धान करना होता है। दूसरे शब्दों में, उस योजना का अनुसन्धान करना होता है जो किसी अवधारणा के स्वरूप में निहित है। किन्तु जब कि वह किसी अवधारणा के सम्बन्ध-सूत्र की खोज करता है, वह उन अन्य अवधारणाओं तथा वस्तुस्थितियों का ध्यान रखने को बाध्य है जिनका वह निषेध नहीं कर सकता, अथवा कम-से-कम, जिनका वह केवल इसीलिए प्रत्याख्यान नहीं कर सकता कि वे किसी प्रस्तुत अवधारणा से तर्कत: असंगत हैं। किन्तु ऐसी अवस्था में उसके लिए यह आवश्यक हो जाता है कि वह एक कसौटी का अनुसन्धान तथा एक सर्वतायी संस्थान का सृजन करे।

अब जब हम इस प्रकार से एक सर्वतायी अवधारणात्मक योजना के निर्माण में अग्रसर होते हैं तब हम उन वस्तुस्थितियों तथा अवधारणाओं की रक्षा करने के लिए सर्वाधिक उत्सुक रहते हैं जो हमारे दैनिक जीवन तथा अनुभव के कठोरतम तथ्य हैं। हमारा यह कथन क्वाइन के इस कथन से, कि गणित और रूपात्मक तर्क हमारी अवधारणात्मक योजना के केन्द्र बिन्दु पर हैं और सामान्य दैनन्दिन की अवधारणाएँ वृत्तरेखा पर हैं,[1] एकदम उलट प्रतीत होगा। किन्तु वास्तव में यह कथन क्वाइन के कथन से विपरीत नहीं है, यद्यपि हम उनके एतत्सम्बन्धी विवेचन से पूर्णत: सहमत नहीं हैं। हमारा अभिप्राय यहाँ केवल इतना ही है, और इससे तनकि भी अधिक नहीं है, कि हम 'कुर्सी कमरे में है' तथा 'रक्त पीत से भिन्न है' इत्यादि वाक्यों की सार्थकता की रक्षा के लिए सर्वाधिक उत्सुक रहते हैं। किन्तु जैसाकि सर्वविदित है, दार्शनिकों ने सबसे अधिक आक्रमण ऐसी अवधारणाओं पर ही किया है जिन्हें हम कठोरतम तथ्य सम्बन्धी अवधारणाएँ कहना चाहते हैं। इसका कारण स्पष्ट है : ये अवधारणाएँ वास्तव में हमारे अवधारणात्मक संस्थान के कठोरतम भाग में नहीं हैं, क्योंकि यह आकारिक संस्थान है जोकि "लागू होना", "लागू न होना" के नियमों के आधार पर निर्मित है। किन्तु ये अवधारणाएँ ऐसी हैं कि हम इनकी संगति तथा विसंगति के निश्चय के लिए सर्वाधिक उत्सुक रहते हैं और आकारिक संस्थान की रचना इस प्रकार करना चाहते हैं कि ये अवधारणाएँ परस्पर संगत हो सकें। दार्शनिकों ने ऐसे संस्थानों की खोज की उत्सुकता में स्वयं इन कठोर अवधारणाओं का ही निषेध कर दिया। किन्तु जैसाकि आधुनिक तर्कशास्त्र ने दिखाया है, यह उनके स्वयं इन संस्थानों के निर्माण में भूल के कारण हुआ। इसका कारण स्पष्ट है, उन्होंने अवधारणाओं की एक वर्गणा (कैटेगरी) को अन्य वर्गणाओं से घपला दिया। उदाहरणत: हेगल ने 'बिल्ली प्राणी है' तथा 'प्रसाद कामायनी का लेखक है' में निर्णयों में अन्तर के स्वभाव को नहीं समझा और हमारे नैयायिकों ने घड़े से कुम्हार के अनुमान तथा संसार से ईश्वर के अनुमान में प्रयुक्त "अनुमान" की प्रकृति में भेद को नहीं समझा। शंकर ने स्वप्न

1. क्वाइन — **मैथड्ज़ ऑफ लोजिक**, प्राक्कथन।

और जागृति के ज्ञान-विषयों में अभेद को जागृति के विषयों के निषेध के लिए प्रयुक्त किया। किन्तु आधुनिक तर्कशास्त्र तथा दार्शनिक विश्लेषण ने यह दिखा दिया है कि सामान्य अवधारणाओं की रक्षा केवल हमारे मनोवैज्ञानिक सन्तोष के लिए ही आवश्यक नहीं है प्रत्युत यह एक तार्किक अनिवार्यता है। दूसरे शब्दों में, यदि हमारा अवधारणात्मक संस्थान इन सर्वसामान्य, अथवा कहें, हमारे व्यावहारिक, जीवन की अवधारणाओं का निषेध करता है, इन्हें भ्रम अथवा प्रतीति मात्र सिद्ध करने का प्रयत्न करता है, तो उसमें कुछ आधारभूत ग़लती है; दूसरे शब्दों में, यह निर्णय कि मेरे कमरे का मेज़ वास्तव में मेरे संवेदों के अतिरिक्त तथा स्वतन्त्र कुछ नहीं है और इस प्रकार, जो मैं "वहाँ" कमरे में देखता हूँ वह वास्तव में "यहाँ" मेरे मस्तिष्क में है, भ्रमपूर्ण है। ठीक इसी प्रकार, 'मैं दुःखी हूँ' वाक्य 'मेरा अन्तःशरीर अवस्था अ में है' का पर्याय है, भ्रामक है। यह भ्रम उसी प्रकार का है जिस प्रकार का यह भ्रम कि 'प्रत्येक अवस्था में' '2+2=4' से यह निष्कर्ष कि 'प्रत्येक अवस्था में दो मनुष्य तथा दो मनुष्य चार मनुष्यों के बराबर होते हैं' अथवा 'क्योंकि हम किसी घड़े से यह अनुमान कर सकते हैं कि किसी ने यह बनाया है अतः हम संसार के होने से यह अनुमान कर सकते हैं कि किसी ने इसे बनाया है' है। ये सब वर्गणा-दोष हैं। इन भ्रमों के स्रोत भिन्न-भिन्न हैं और अनिश्चित रूप से अन्तिम वाक्य-युगलों द्वारा व्यक्त भ्रम अधिक स्थूल हैं, किन्तु इनमें कोई मौलिक भेद नहीं है, क्योंकि ये सभी एक वर्गणा की अवधारणा की दूसरी वर्गणा को अवधारणा के साथ घपलाने के परिणाम हैं।

अपने विवेच्य विषय के विश्लेषण में प्रवृत्त होने के पूर्व यहाँ "अवधारणा" की अपनी अवधारणा बता देना उचित होगा। अवधारणात्मक संस्थान से हमारा अभिप्राय वाक्यीय प्रतिज्ञाओं के उस समवाय से है जो संगत अथवा विसंगत होने के सम्बन्ध से सम्बद्ध है। हमारी प्रत्येक प्रतिज्ञा किसी अवधारणात्मक संस्थान की अंग है। इस प्रकार, 'यह मेज़ है' तथा 'रक्त, अब' दोनों वाक्य अवधारणाओं के व्यंजक हैं। अब, जैसाकि स्पष्ट है, अवधारणात्मक संस्थान असंख्य हो सकते हैं, और वास्तव में हैं भी, अतः इनमें निर्णय कैसे हो कि कौन-सा संस्थान उत्कृष्टतर है? कुछ दार्शनिक शायद आपत्ति करेंगे कि 'रक्त, यहाँ, अब' जैसे वाक्य वास्तव में अवधारणात्मक हैं ही नहीं, ये तथ्य-व्यंजक हैं; ये अवधारणात्मक संस्थान के लिए तथ्यात्मक प्रदत्त प्रस्तुत करते हैं। किन्तु जैसाकि हमने अध्याय 1 में पीछे देखा है, यह भ्रामक है, यह वास्तव में संवेदों के मनोवैज्ञानिक पक्ष को तार्किक पक्ष से घपला देता है। तार्किक उपयोग की दृष्टि से 'संवेद' अथवा 'संवेद-वाक्य' अवधारात्मक हैं। अतः जब कि हमारे मूल-वाक्य भी अवधारणात्मक हैं, अथवा, दूसरे शब्दों में, अवधारणात्मक संस्थान के अंग हैं, तो हमारे दार्शनिक व्यापार का पथ-प्रदर्शक तत्त्व क्या होना चाहिये?

इसका उत्तर हम सीधे न देकर पहले स्पष्टीकरण द्वारा देंगे—'यह मेज़ है' वाक्य एक सामान्य तथ्य को, अथवा कहें, एक वस्तुस्थिति को, व्यक्त करता है, इसी प्रकार 'यह मेज़ उस मेज़ के दाएँ है' एक सामान्य वस्तुस्थिति को व्यक्त करता है। किन्तु, 'मेज़ तथ्य नहीं प्रतीति है', 'सम्बन्ध वास्तव नहीं भ्रम हैं' वाक्य किसी वस्तुस्थिति के व्यंजक नहीं हैं, ये अत्यन्त उलझनपूर्ण अवधारणात्मक संस्थान के अंग हैं, और इसी प्रकार उपर्युक्त तथ्य-व्यंजक वाक्य भी, जब हम इनके निषेधक तर्कों से इनकी रक्षा करते हैं। हमारे प्रतिपादनानुसार, हमारा अवधारणात्मक संस्थान ऐसा होना चाहिए कि उपर्युक्त प्रकार की तथ्य-व्यंजक प्रतिज्ञाओं का उनके द्वारा निषेध लागू न हो तथा इनकी सार्थकता की रक्षा हो सके। किन्तु, जैसाकि हम पीछे भी कह आये हैं, यह कोई नैतिक विधान नहीं है, यह हमारे अवधारणात्मक संस्थान के तार्किक सौष्ठव की आवश्यक शर्त है। यह एक सीमा तक हमारे इस विवेचन का प्रस्थान-बिन्दु है और 'अर्थमीमांसा' तथा 'दार्शनिक विश्लेषण' अध्याय इसके लिए उचित प्रमाण प्रस्तुत करते हैं।

2

उपर्युक्त प्रतिपादन के पश्चात् हम "मानसिक" तथा "भौतिक" की समस्या को विस्तृत तथा सर्वतायी परिप्रेक्ष्य में रख कर देख सकते हैं। कुछ समस्याएँ तब भी ऐसी प्रतीत होंगी जिनका समाधान शायद सन्तोषजनक

प्रतीत न हो, अथवा जिनका उत्तर यहाँ न दिया जाय, किन्तु ये उत्तरहीन, अथवा कहें, समाधान रहित, समस्याएँ नहीं कही जा सकतीं। क्योंकि दार्शनिक समस्याएँ ऐसी नहीं होतीं जैसी किसी समाज-सुधारक की होती हैं। दार्शनिक की समस्या का समाधान उस समस्या को ठीक तरह से समझ लेने में ही निहित होता है।

जैसाकि हम पीछे देख चुके हैं, शब्दों का अर्थ संकेतात्मक (ओस्टेंसिव) अथवा शाब्दिक होता है और वाक्य का अर्थ घटक शब्दों अथवा वाक्य-रचना के नियमों से उपलब्ध होता है। किन्तु इस प्रतिपादन में थोड़ा परिवर्तन अपेक्षित है। संकेतात्मक पद 'कुत्ता' 'यह कुत्ता है' वाक्य का भाग है। शाब्दिक अर्थ दो प्रकार का होता है, अनुवादात्मक तथा परिभाषात्मक। अनुवादात्मक अर्थ पर्यायवाची शब्दों द्वारा तथा परिभाषात्मक अर्थ किसी शब्द के प्रयोग-प्रसंग के वाचक अथवा उद्घाटक वाक्यों द्वारा उपलब्ध होता है। जैसे 'कुत्ता=कुक्कुर' तथा 'कुत्ता'=प 'अमुक-अमुक प्रकार का प्राणी विशेष' आदि। अब कुछ पद ऐसे हैं जो हमारे मूल-वाक्यों में घटित हो सकते हैं, जो हमारी पुनारचित भाषा में विशिष्ट संज्ञाएँ हैं, और दूसरे ऐसे हैं जो इस प्रकार से घटित नहीं हो सकते। इन दूसरी प्रकार के वाक्यों को हम अस्तित्वात्मक अभ्युपगम (एक्सिस्टेंश्यल हाइपोथिसिस) कहते हैं। ये अभ्युपगम वाक्य 'एक और केवल एक वस्तु इस इस प्रकार की है' अथवा 'कुछ इस इस प्रकार का है' इस रूप के होते हैं। ये वाक्य सत्यापित अथवा असत्यापित होने की अपेक्षा रखते हैं। इन दो प्रकार के वाक्यों में बड़ा अन्तर है, किन्तु जैसाकि हमने "विशिष्ट, सामान्य और अस्तित्व" अध्याय में देखा है, हमारी पुनारचित भाषा के अस्तित्व वाचक वाक्यों में 'रक्तता', 'वर्ण', 'कुत्ता' आदि पद घटित नहीं हो सकते, और यह और भी अधिक 'मन' तथा 'पदार्थ' जैसे अत्यन्त उलझनपूर्ण शब्दों पर लागू होता है। इसके विपरीत, हम कह सकते हैं कि हमारे कुछ मूल तथा अस्तित्व वाचक वाक्य मनोवैज्ञानिक भाषा में प्रयुक्त होते हैं और कुछ भौतिक भाषा में। यह स्थापना हमारी अस्तित्व की सीमा का निर्धारण करती है। इस प्रकार, विश्लेषण-दर्शन के विभिन्न प्रवक्ताओं के शरीर-मन सम्बन्धी मतभेद को इस प्रकार प्रस्तुत किया जा सकता है : कुछेक के अनुसार हमारी आदर्श भाषा के विशिष्ट (संज्ञाएँ) केवल शरीर को इंगित करते हैं। दूसरों के अनुसार, ये केवल मन को इंगित करते हैं, और अन्य शरीर तथा मन दोनों को विशिष्ट संज्ञाओं की पदावली में कथनीय मानते हैं। यहाँ 'शरीर', 'मन' आदि के प्रयोग से यह नहीं समझ लेना चाहिए इसमें किसी भौतिक तत्त्व अथवा मानसिक तत्त्व के अस्तित्व की स्वीकृति है। यह केवल कथन का स्थूल ढंग है। अधिक उचित शब्दों में, वे अपने मूल-वाक्यों तथा अस्तित्व-वाक्यों का क्षेत्र मनोवैज्ञानिक विषयों तक, अथवा भौतिक विषयों तक, अथवा दोनों प्रकार के विषयों तक सीमित रखते हैं। 'मनोवैज्ञानिक विषय' तथा 'भौतिक विषय' पद किन्हीं तत्त्वों के वाचक न होकर अवधारणात्मक संस्थानों के वाचक हैं, जिनके स्पष्टीकरण के लिए हम यहाँ प्रवृत्त हैं। मतभेदों के इस प्रसंग में ही व्यवहारवाद का उल्लेख भी अनुचित न होगा। एक सम्प्रदाय जब कि 'मैं क्रुद्ध हूँ' को अपनी आदर्श भाषा के मूल-वाक्यों में 'मेरा शरीर क्रोधात्मक व्यवहार प्रदर्शित कर रहा है अत: क्रोध घटित हो रहा है'[1] के रूप में स्वीकार करता है, और इस प्रकार उसके लिए 'मैं क्रुद्ध हूँ' तथा 'वह क्रुद्ध है' में कोई मौलिक अन्तर नहीं रहता, अन्य इन दोनों में मौलिक भेद समझते हैं। उनके अनुसार जब कि प्रथम मूल-वाक्य है, द्वितीय अस्तित्व-वाक्य है। वास्तव में दोनों स्थितियों की कुछ कठिनाइयाँ हैं।

हम अपने अवधारणात्मक संस्थान की पुनारचना में दो उद्देश्यों से प्रेरित होते हैं। प्रथम उद्देश्य है पुनारचना में सामान्य अवधारणाओं के प्रसंग तथा वस्तु की रक्षा। उदाहरणत: भौतिक भाषावाद तथा उभय भाषावाद दोनों तब इन उद्देश्यों से प्रेरित होते हैं जब वे 'मैं क्रुद्ध हूँ' तथा 'वह मेज़ है' वाक्यों को अपनी आदर्श भाषा में पुनारचित करते हैं। किन्तु जैसाकि हम आगे देखेंगे, भौतिक भाषावादी मितव्ययिता के आग्रह के लिए सामान्य अवधारणाओं की वस्तु तथा प्रसंग की उपेक्षा कर देता है।

---

1. कार्नप — **साइकोलोजी इन फिज़ीकल लेंग्वेज** (एयर द्वारा सम्पादित लोजीकल पोज़िटिविज़्म, पृ. 177).

हमारी साधारण भाषा में 'यह पदार्थ है' अथवा 'कम-से-कम एक वस्तु पदार्थ है' प्रयोग उचित नहीं समझे जायेंगे। ठीक इसी प्रकार 'यह मन है' अथवा 'कम-से-कम एक वस्तु मन है' अथवा 'कुछ वस्तुएँ मन हैं' भी उचित प्रयोग नहीं समझे जायेंगे। ऐसे वाक्यों का प्रयोग होता है, जैसा 'मेरा मन दुःखी है', किन्तु इसे हम शिथिल प्रयोग कह सकते हैं। 'मैं दुःखी हूँ' साधारण भाषा का उचित प्रयोग है। इसी प्रयोग को हमारी आदर्श भाषा के मूल-वाक्य के रूप में इस प्रकार रूपान्तरित कर दिया जाता है, जैसे 'दुःख, यहाँ, अब'। हमारे विशेष, सामान्य और अस्तित्व अध्याय के प्रतिपादनानुसार 'यह दुःख' अधिक उचित प्रयोग होगा। अब जैसाकि 'मूल-वाक्य' अध्याय में हमने देखा है, 'यह रक्त' आदि वाक्य भौतिक-विषय-वाक्यों की रचना के लिए प्रयुक्त होते हैं। इनका परस्पर सम्बन्ध 'लागू करने' तथा 'लागू होने' का है। जैसे, 'यहाँ मेज़ है'$\supset$'यहाँ संवेद स$_1$, स$_2$...स$_n$ घटित हो रहे हैं' आदि। मूल-वाक्यों का उपयोग "लागू करने वाले" वाक्यों के प्रयोग प्रसंग का उद्घाटन तथा एक सर्वतायी ज्ञानमीमांसा की स्थापना करना है। अनेक बार हमें मेज़ दिखाई देता है, किन्तु वास्तव में वहाँ मेज़ नहीं होता। ऐसी स्थिति भी हो सकती है जब कि मेज़ हो किन्तु मुझे दिखाई न दे। ये दोनों सम्भावनाएँ 'मेज़' पद के प्रयोग-प्रसंग की भाग हैं। मूल-वाक्यों के प्रयोग-प्रसंग में इन सम्भावनाओं की प्रतिष्ठा नहीं है। अत: मूल-वाक्य इन सम्भावनाओं को एक संस्थान के भीतर व्याख्या करने के लिए उपयुक्त हैं। हमें 'मेज़' पद के सामान्य प्रयोग के निषेध का कोई अधिकार नहीं है, किन्तु यदि इसके प्रयोग-प्रसंग में कोई तार्किक स्खलन है तो हमें उसके अपसारण का पूर्ण अधिकार है।

अब, मानसिक विषयों की इस प्रकार व्याख्या में थोड़ी कठिनाई है। 'क्रोध, अब' तथा 'मैं क्रुद्ध हूँ' एक जैसे ही वाक्य प्रतीत होते हैं, प्रथम द्वितीय की आदर्श भाषा में रचना कहा जा सकता है। 'मेज़' पद जब कि विभिन्न प्रकार के असंख्य संवेद-वाक्यों को लागू करता है, उसी प्रकार 'मैं क्रुद्ध हूँ' वाक्य अनिवार्यत: इस प्रकार का नहीं है। इस वाक्य में 'मैं' पद केवल वाक्यीय उद्देश्य के रूप में प्रयुक्त भी हुआ हो सकता है और व्यक्तित्व की एकता का वाचक भी हो सकता है। दूसरी अवस्था में यह वाक्य 'क्रोध, अब' का अरचित रूप नहीं है, क्योंकि यह ऐसा ही वाक्य कहा जा सकता है जैसा 'मेज़ रक्त है' वाक्य, जब कि 'मेज़' एक भौतिक विषय का वाचक है। अब जब 'मैं' केवल एक वाक्यीय उद्देश्य है तब 'मैं क्रुद्ध हूँ' केवल 'क्रोध, अब' का पर्याय है। और जब कि 'क्रोध, अब' उस व्यक्ति के इतिहास का अंग है जो मेरे से अभिन्न है, यह मेरे से भिन्न व्यक्ति के इतिहास का भाग भी हो सकता था और यह भी सम्भव है कि यह किसी इतिहास का भाग न होता, क्योंकि यह इतिहास से निरपेक्ष है। जैसे 'यह रक्त' भौतिक विषय व$_1$ का भाग है, किन्तु यह अन्तर्विरोधपूर्ण नहीं है कि यह भौतिक विषय व$_2$ का भाग होता, अथवा किसी भी भौतिक विषय का भाग न होता।

मूल-वाक्यों का यह रूप तार्किक आवश्यकता से निर्धारित है, मनोवैज्ञानिक परीक्षा से नहीं, यह हमने मूल-वाक्य अध्याय में पर्याप्त विस्तारपूर्वक स्पष्ट किया है। यहाँ यह पुन: स्पष्ट है। 'क्रोध, अब' किसी मानसिक वस्तुस्थिति का वाचक नहीं है, ये वाक्य मानसिकता की अवधारणा के तार्किक विश्लेषण के लिए आनीत हैं। मूल-वाक्यों के इस स्तर पर मेरे अनुभव तथा अन्यों के अनुभव की समस्या उत्पन्न नहीं होती, क्योंकि वास्तव में ये इस समस्या के समाधान के लिए ही आनीत होते हैं। 'मेरा मन' तथा 'अन्य मन' वाक्य इन मूल-वाक्यों से पुनारचनाएँ हैं।

यहाँ हम एक आधारभूत समस्या के सम्मुख हैं : क्या हम मूल-वाक्यों को अनुभव-वाक्य स्वीकार करते हैं अथवा नहीं? एयर ने यह समस्या उठाई है और इसका समाधान करने का प्रयत्न किया है। उनके अनुसार— "ऐसा कहने में, कि अनुभवों में सम्बन्ध तथ्यात्मक है, मैं कहना चाहता हूँ कि यह तर्कत: अनिवार्य नहीं है कि कोई दो विशेष अनुभव इनके द्वारा सम्बद्ध किये जाएँ। दो में से कोई भी एक अनुभव दूसरे के घटित हुए बिना घटित हो सकता है। अब जब कि इससे यह लागू होता है कि ऐसे विशेष कोई दो अनुभव नहीं हैं जिनसे कोई विशिष्ट अनुभव सम्बद्ध किया जाय, इससे यह कदापि लागू नहीं होता कि इस अनुभव का किसी अनुभव से भी सम्बन्ध नहीं हो। न ही इससे यह कदापि लागू होता है कि कोई अनुभव पूर्णत: असम्बद्ध रूप से घटित हो सकता

है।"[1] यहाँ उसका अभिप्राय यह है कि मूल-वाक्य अनुभव-वाक्य हैं। इस प्रकार यदि "व्यक्ति" की रचना मूल-वाक्यों से की जाय तो लागू होता है कि अनुभव अनुभवकर्त्ता से पूर्व हैं, जब कि ऐसा नहीं हो सकता। अत: यह मानना होगा कि एक अनुभव अन्य अनुभव-विशेष के होने को लागू नहीं करता, यह किन्हीं अनिश्चित अनुभवों की परम्परा के होने को अवश्य पूर्वकल्पित करता है।

कोई वाक्य किसी अन्य वाक्य से उस अवस्था में तर्कत: लागू होता है जब वह पूर्व वाक्य के अर्थ का भाग हो। जैसे 'कुछ मनुष्य हैं' तर्कत: लागू करता है कि 'कुछ तर्कशील द्विपद हैं'। तर्कत: लागू होने के इस अर्थ में 'अनुभव अ घटित हो रहा है' तर्कत: लागू नहीं करता कि 'अनुभव आ घटित हुआ है, होगा, अथवा हो रहा है'। यदि इन दो वाक्यों में तर्कत: लागू होने का सम्बन्ध माना जाए तो 'राम इस समय क्रुद्ध है' तथा 'राम एक घंटा पूर्व प्रसन्न था' परस्पर अर्थ के भाग होंगे और तब प्रथम या द्वितीय वाक्य ज्ञात होने पर अन्य वाक्य पुनरुक्ति मात्र होगा। अत: तर्कत: लागू होने का यह नियम जब कि सर्वस्वीकृत है और अतएव स्पष्ट है, यह सब अवस्थाओं में कभी भी स्पष्ट नहीं है कि एक वाक्य को दूसरे के अर्थ का भाग स्वीकार किया जाय या नहीं? यह हमारे उपर्युक्त उद्धरण से स्पष्ट है : कुछ दार्शनिक 'तर्कशील' तथा 'द्विपद' को संयुक्त रूप से 'मनुष्य' पद के अर्थ का भाग स्वीकार करना चाहेंगे जब कि अन्य ऐसा नहीं मानेंगे। फिर भी कुछ पदों तथा वाक्यों में सम्बन्ध स्पष्टत: तार्किक होता है, जब कि कुछ अन्यों में स्पष्टत: अतार्किक होता है। दो अनुभवों में सम्बन्ध स्पष्टत: अतार्किक होता है। किन्तु क्या यह तर्कत: अनिवार्य है कि प्रत्येक अनुभव किसी अन्य अनुभव से अनुगत हो? अथवा अधिक उपयुक्त शब्दों में, प्रत्येक अनुभव किन्हीं भी अन्य अनुभवों से सम्बद्ध हो? हमारे विचार में 'तर्कत: अनिवार्य' के उपर्युक्त अर्थ में यह तर्कत: अनिवार्य है; क्योंकि 'क्रोध का अस्तित्व है' अथवा 'क्रोध घटित होता है' वाक्य के प्रयोग-प्रसंग के अनुसार यह असम्भव है कि यह वाक्य सत्य हो किन्तु कोई व्यक्ति क्रुद्ध न हो। किन्तु सर्वप्रथम, 'क्रोध का अस्तित्व है' वाक्य मूल-वाक्य नहीं है, और दूसरी तथा अत्यन्त महत्त्वपूर्ण बात यहाँ यह है कि मूल-वाक्य हमारी तार्किक आवश्यकताओं के सापेक्ष हैं, इनका प्रयोग-प्रसंग सामान्य अवधारणाओं से निर्धारित नहीं होता। यदि 'रक्त, यहाँ, अब' के समान ही 'क्रोध, यह' भी मूल-वाक्य है तो जिस प्रकार 'रक्त, यहाँ, अब' यह लागू नहीं करता कि कोई वस्तु रक्त है, उसी प्रकार 'क्रोध, यह' होने पर यह लागू नहीं होता कि कोई व्यक्ति क्रुद्ध है।

मानसिक मूल-वाक्य केवल ऐसे ही नहीं हैं जैसे 'क्रोध, यह', प्रत्युत ऐसे भी हैं जैसे 'मैं जानता हूँ कि रक्त, यहाँ, अब', अथवा 'मैं जानता हूँ कि क्रोध, यह'। वास्तव में यह कहा जा सकता है कि 'क्रोध, यह' तब तक मानसिक मूल-वाक्य नहीं है जब तक कि यह 'यह अवगत है कि...' वाक्यांश से संयुक्त नहीं होता, क्योंकि 'क्रोध, यह' उसी प्रकार से किसी भौतिक वस्तुस्थिति का वाचक हो सकता है जैसे 'मेज़ रक्त है' वाक्य है, क्योंकि 'क्रोध, यह' किसी व्यवहार की संज्ञा हो सकता है।

किन्तु 'क्रोध, यह' की इस प्रकार रचना उचित प्रतीत नहीं होगी। किसी का लाल चेहरा, चढ़ी हुई आँखें आदि गोचर वस्तुएँ हैं। अब चाहे इन्हें 'क्रोध' का पर्याय ही कहा जाय, किन्तु इनमें से एक-एक को क्रोध का पर्याय नहीं कहा जा सकता, जैसे एक संवेद को मेज़ का पर्याय नहीं कहा जा सकता। ऐसी अवस्था में 'क्रोध, यह' मनोवैज्ञानिक वाक्य तो हो सकता है किन्तु यह मूल-वाक्य नहीं कहा जायगा। अत: यदि इसकी रचना कार्नप के अनुरूप इस प्रकार की जाय 'जब मैं (मेरा शरीर) क्रोध-व्यवहार करता हूँ तब क्रोध घटित होता है', तो 'क्रोध, अब' वास्तव में मूल-वाक्य नहीं रहता, यह एक अनुमान वाक्य हो जाता है, जैसे 'यह इस्पात वर्ण है' से अनुमान वाक्य 'यह कठोर है' है। यह निम्न उद्धरण से और भी स्पष्ट है—"अपने मन की वर्तमान स्थिति के सम्बन्ध में वाक्य होने की अवस्था में, यथा, 'मैं क्रुद्ध हूँ', हमें संस्थान-वाक्य $प_1$ तथा मूल-वाक्य $प_1$ में, जोकि इसी प्रकार

1. ए.जे. एयर — **प्राब्लम ऑफ नोलेज**, पृ. 197.

का (जैसे 'मैं अब क्रुद्ध हूँ') हो सकता है, में भेद करना चाहिए। अन्तर इस बात में निहित है कि संस्थान-वाक्य का किन्हीं परिस्थितियों में बाध किया जा सकता है, जब कि मूल-वाक्य ज्ञानमीमांसात्मक आधार-स्थानीय होने से, उसका बाध नहीं हो सकता। मूल-वाक्य $प_1$, इस प्रकार के होते हैं—'मैं अपने हाथ काँपते देख रहा हूँ', 'मैं अपने हाथ काँपते अनुभव कर रहा हूँ', 'मैं अपनी आवाज़ काँपती हुई सुन रहा हूँ', आदि।"[1] जैसाकि इस उद्धरण से स्पष्ट है, कार्नप के अनुसार 'मैं क्रुद्ध हूँ' जैसे वाक्य मूल-वाक्य होने ही नहीं चाहिएँ, ये केवल संस्थान-वाक्य ही हो सकते हैं, क्योंकि 'मैं क्रुद्ध हूँ' केवल 'हाथ काँप रहे हैं' आदि वाक्यों के लिए अवधारणात्मक स्थानापन्न हैं। किन्तु यही इस व्याख्या की दुर्बलता भी है। 'मेरे हाथ काँप रहे हैं' आदि वाक्यों का प्रत्याख्यान तर्कत: असम्भव नहीं है। यह सम्भव है कि जब कि मैं देखता हूँ कि मेरे हाथ काँप रहे हैं तब वास्तव में मेरे हाथ नहीं काँप रहे हों। इसके विपरीत, जब यह अनुभूत है कि 'मैं क्रुद्ध हूँ' तब यह तर्कत: असम्भव है कि मैं क्रुद्ध नहीं हूँ।

यहाँ आपत्ति की जा सकती है कि 'मैं क्रुद्ध हूँ' वाक्य 'य क्रुद्ध है' से स्थानान्तरण नियम[2] द्वारा उपलब्ध होता है और इस प्रकार यह 'वह क्रुद्ध है' से भिन्न प्रकार का नहीं है। और जहाँ तक 'मेरे हाथ काँप रहे हैं' आदि मूल-वाक्यों का सम्बन्ध है, इनमें 'हाथ काँपना' आदि वाक्य भौतिक विषयों के पर्याय रूप में प्रयुक्त न होकर सद्य: अनुभव के वाचक रूप में प्रयुक्त हैं। अत: कार्नप का उपर्युक्त प्रतिपादन ठीक है। यह तर्क एक सीमा तक ठीक है। किन्तु वास्तव में केवल हमारे एक उद्देश्य की पूर्ति का ध्यान रखते हुए ही यह ठीक तर्क है। वह उद्देश्य है मनोवैज्ञानिक भाषा की सर्वसामान्य स्तर पर पुनारचना करना। किन्तु यह तभी तक ठीक है जब तक इस उद्देश्य की सीमाओं का ध्यान रखा जाता है। अब कार्नप के ही मूल-वाक्य 'मैं देखता हूँ कि मेरे हाथ काँप रहे हैं' को लें। यहाँ इस वाक्य की मूलता इस बात में निहित हो सकती है कि यह ज्ञानमीमांसात्मक दृष्टि से असंदिग्ध है और इसकी असंदिग्धता इसमें है कि 'यह अन्तर्विरोधपूर्ण है कि 'रअ और रअ नहीं है"। इस प्रकार, मूल-वाक्यों की असंदिग्धता सद्य: प्रस्तुत के वाचक रूप में है। किन्तु ऐसे वाक्यों में सद्य:प्रदत्त कोई तथ्य किसी अवगति को होता है। चाहे यह आवश्यक नहीं है कि अवगत तथ्य मेरे अनुभव को प्रस्तुत हो, किन्तु जिस भी अनुभव को यह प्रस्तुत हो केवल वही इसे 'रअ' के रूप में व्यक्त कर सकता है। अन्य तो इसे 'कुछ अमुक-अमुक प्रकार का है' के रूप में ही व्यक्त कर सकते हैं। इस प्रकार वास्तव में, स्थानान्तरण नियम से 'य क्रुद्ध है' से प्राप्त 'मैं क्रुद्ध हूँ' तथा 'वह क्रुद्ध है' वाक्य मूलत: भिन्न हैं। इनमें केवल एक ढंग से अभेद किया जा सकता है, कि ये एक उपवाक्य के रूप में 'मैं जानता हूँ कि...' के साथ प्रयुक्त किये जाएँ। इस प्रकार 'वह क्रुद्ध है' द्वारा व्यक्त तथ्य मेरे ज्ञान का उतना ही प्रस्तुत विषय है जितना 'मैं क्रुद्ध हूँ' द्वारा व्यक्त तथ्य। इससे 'मैं क्रुद्ध हूँ' तथा 'वह क्रुद्ध है' 'अमुक-अमुक प्रकार के व्यवहार' के लिए संक्षेप मात्र होंगे। किन्तु इससे समस्या के समाधान में कोई प्रगति नहीं होती क्योंकि हम केवल समस्या का भार 'मैं क्रुद्ध हूँ' से उठा कर 'मैं जानता हूँ...' पर रख देते हैं।

यहाँ हम 'मैं' और 'तुम' पदों की समस्या के सम्मुख हैं। किन्तु इस पर विचार करने से पूर्व हम 'ज्ञान' तथा 'ज्ञान विषय' की अवधारणाओं पर विचार करेंगे। सामान्यत: ज्ञानस्थिति को दो भागों में बाँटा जा सकता है : ज्ञान तथा ज्ञान-विषय। इसका वाक्य-रूप होगा 'मैं जानता हूँ कि यह वृक्ष है' अथवा 'मुझे अवगत है कि मेरे सम्मुख वृक्ष है'। इन वाक्यों में 'अवगति' तथा 'विषय' ये दो पक्ष हैं। इसीलिए ज्ञानस्थिति में इस द्वैत की विद्यमानता लागू की जाती है। किन्तु इसके विरुद्ध यह तर्क दिया जाता है कि इस अवधारणा में अनवस्था दोष है : यदि 'यह वृक्ष है' वाक्य के ज्ञानविषय का वाचक होने के लिए यह आवश्यक है कि यह 'मैं जानता हूँ कि यह वृक्ष है' वाक्य का अंग हो तो इस वाक्य के लिए यह भी आवश्यक है कि यह 'मैं जानता हूँ, कि मैं जानता हूँ, कि यह वृक्ष है' वाक्य का अंग हो। ऐसी स्थिति में ज्ञानस्थिति में ज्ञान की विषय से पृथक् कल्पना दोषपूर्ण है। किन्तु हमारे विचार में इस

1. कार्नप, वही, पृ. 177.
2. पीछे 'वि.सा.अ.' तथा 'अर्थमीमांसा' अध्याय द्रष्टव्य।

दोष का परिहार एक अन्य प्रकार से हो सकता है। हमने **मनस्तत्व**[1] में यह प्रतिपादित किया है कि ज्ञान–स्थिति में ज्ञान–व्यापार को ज्ञान–विषय से पृथक् नहीं दिखाया जा सकता। इस प्रकार, जब वृक्ष मेरे ज्ञान का विषय है तो इस ज्ञान–स्थिति में ज्ञान स्वयं विषय से पृथक् कोई अस्तित्व नहीं है। हमारे प्राचीन दार्शनिकों ने ज्ञान की उपमा प्रकाश से दी है जो विषयों को प्रकाशित करता है। इस कल्पना का कारण यह है कि वे विषय को एक स्वतन्त्र और सर्वसामान्य अस्तित्व मानते हैं जो किसी रहस्यमय ढंग से इस रहस्यमय अस्तित्व—ज्ञान के सम्पर्क में आता है। यह कल्पना साँख्य के प्रकृति–पुरुष की कल्पना जैसी है। किन्तु यह कल्पना न केवल तार्किक दृष्टि से दोष–पूर्ण है प्रत्युत यह किसी भी अन्य दृष्टि से अनावश्यक है। हमारी मूल–वाक्यों की अवधारणा में यह स्वयं तिरोहित हो जाती है। 'यह रक्त है' द्वारा व्यक्त ज्ञान–स्थिति में विषय स्वतन्त्र नहीं है। इसके अतिरिक्त, भ्रम की व्याख्या ज्ञान–स्थिति में विषय की स्वतन्त्र कल्पना से असम्भव हो जाती है। यदि ज्ञान–स्थिति में ज्ञान विषयों को प्रकाशित करता है तो रस्सी में साँप का भ्रम होने पर यह किस विषय को प्रकाशित करता है? किन्तु हम "अवगति" को एक अन्य प्रकार से पुन: प्रवेश दे सकत हैं। 'यह वृक्ष है' एक अवगति की स्थिति का वाचक है और इसी प्रकार 'मैं जानता हूँ कि यह वृक्ष है' एक अन्य अवगति की स्थिति का वाचक है और इसी प्रकार 'मैं जानता हूँ कि यह वृक्ष है' एक अन्य अवगति की स्थिति का वाचक है। प्रथम स्थिति में अवगति केवल 'यह वृक्ष है'—वत् है और द्वितीय में यह 'मैं जानता हूँ कि यह वृक्ष है'—वत् है। इस प्रकार द्वितीय स्थिति प्रथम स्थिति का समावेश करती है। इसी प्रकार 'मैं जानता हूँ कि मैं जानता हूँ कि यह वृक्ष है'—वत् स्थिति भी हो सकती है और इसी प्रकार अनन्त स्थितियाँ तर्कत: सम्भव हैं; किन्तु 'यह वृक्ष है' तथा 'मैं जानता हूँ कि यह वृक्ष है' वाक्यों में अन्तर है। प्रथम वाक्य में जब कि एक ही स्थिति है और इस प्रकार इसमें एक स्थिति दूसरी स्थिति की अन्तर्वस्तु नहीं है, द्वितीय वाक्य में दो स्थितियाँ हैं और एक दूसरी में निहित है। इस स्थापना का लाभ स्पष्ट है। जब कि 'मैं जानता हूँ कि...' आदि वाक्यों को उचिततया निर्मित वाक्य स्वीकार किया जाता है, इस स्वीकृति से अनवस्था–दोष उत्पन्न नहीं होता।

यहाँ प्रश्न किया जा सकता है कि 'यह वृक्ष है' वाक्य को अवगति के प्रसंग से पूर्णत: निरपेक्ष क्यों नहीं मान लिया जाता?—क्योंकि यह वाक्य केवल वृक्ष की विद्यमानता का कथन करता है और यह पूर्वकल्पित नहीं करता कि यह किसी की अवगति का विषय है। ब्राड की असंवेदित संवेदों की अवधारणा का एक आधार यह भी है। किन्तु जैसाकि हमने **मनस्तत्व** में दिखाया है, यह अवधारणा पूर्णत: भ्रान्त है। इसकी भ्रान्तता केवल इस बात में नहीं है कि 'जो संवेद है वह असंवेदित है' वाक्य परिभाषया अन्तर्विरोधपूर्ण है, प्रत्युत इस बात में भी है कि यह प्रदत्त (कांस्टेन्ट) तथा अनिश्चित (वेरियेबल) के भेद को भी समाप्त कर देता है। जैसाकि हमने 'विशेष, सामान्य और अस्तित्व' अध्याय में दिखाया है, 'यह रक्त' वाक्य में 'यह' तथा 'रक्त' एक ही विशिष्ट स्थिति के वाचक हैं और इन्हें अस्तित्व–वाक्य में नहीं बदला जा सकता। प्रदत्त तथा अनिश्चित का यह विभेद आधारभूत है और इसका विलय तार्किक रूप से घातक है। ब्राड की कठिनाई यह है कि संवेद विषयों को मानसिक किस प्रकार कहा जाय? उनके अनुसार, मानसिक स्थितियाँ रक्त, त्रिकोण आदि नहीं हो सकतीं। किन्तु जैसाकि हमने इस अध्याय के आरम्भ में ही कहा है, "मानसिक" तथा "भौतिक" की अवधारणाएँ मूल–वाक्यों की अवधारणा में पूर्वकल्पित नहीं हैं प्रत्युत "मानसिक" तथा "भौतिक" की अवधारणाओं में मूल–वाक्यों की अवधारणा पूर्वकल्पित है। और मूल–वाक्यों में प्रदत्त वस्तु तथा संवेद में भेद के लिए कोई अवकाश नहीं है, क्योंकि यदि संवेद 'यह रक्त है' रूप नहीं है तो 'यह रक्त है' वाक्य इस प्रकार विश्लेष्य होगा 'यह संवेद है, तथा कुछ रक्त है जो इस संवेद में प्रदत्त है'। और यह स्थापना समस्याओं की एक दीर्घ शृंखला को जन्म देती है। सबसे महत्त्वपूर्ण समस्या यह है कि मूल–वाक्यों की तार्किक अवधारणा का सम्पूर्ण उद्देश्य ही इससे पराजित हो जाता है। यह

1. द्रष्टव्य — **मनस्तत्त्व** में मन और पदार्थ अध्याय।

व्याख्या तार्किक अवधारणा को वैज्ञानिक विवेचन से घपला देती है। और वैज्ञानिक विवेचन के स्तर पर भी, जैसाकि मनस्तत्त्व में हमने दिखाया है, यदि संवेद रक्त–वत् है, तो संवेद को रक्त मानने में क्या आपत्ति है? "रक्तता" आदि संवेदों के उचित विशेषण नहीं हो सकते, किन्तु यह प्रश्न कि "रक्त के संवेदन में रक्तता संवेदन से पृथक् और स्वतन्त्र अस्तित्व है क्योंकि संवेद रक्त नहीं हो सकते" भिन्न प्रकार का है और भ्रमात्मक है। ब्राड की समस्या परिभाषा की समस्या है और वे इसके प्रति सचेत प्रतीत नहीं होते। मानसिकता की अवधारणा परिभाषया ऐसी है कि उसके संज्ञा पद 'रक्त', 'त्रिकोण' आदि से विशेषित नहीं किये जा सकते। किन्तु वे यह नहीं देख पाते कि जिस स्तर पर 'रक्त', 'पीत' आदि का प्रयोग वे कर रहे हैं वह "मानसिकता" की अवधारणा के स्तर से अधिक प्राथमिक है।

इस प्रकार हम 'यह रक्त है' में संवेद तथा प्रदत्त में भेद नहीं करते प्रत्युत इसे सद्य:प्रदत्त का वाचक अथवा संवेद–वाक्य ही मानते हैं। किन्तु यह कहा जा सकता है कि 'यह अवगत है कि यह रक्त है' में प्रदत्त का वाचक केवल 'यह रक्त है' ही है, 'यह अवगत है' नहीं। 'यह अवगत है' तो प्रदत्त तथा ग्राहक में भेद के स्वीकार पर आधारित है। अब इसमें सन्देह नहीं है कि यह मिश्र वाक्य है और इसमें दो उपवाक्य हैं, तथा ये उपवाक्य परस्पर सम्बद्ध हैं। यहाँ अनेक मनोवैज्ञानिक और दार्शनिक समस्याएँ सिर उठाती हैं : इस मिश्र वाक्य में उपवाक्यों का क्या सम्बन्ध है? कुछ दार्शनिकों के अनुसार प्रथम उपवाक्य मानसिक व्यापार का वाचक है और द्वितीय भौतिक वस्तुस्थिति का। (यहाँ हम 'यह रक्त है' द्वारा व्यक्त वस्तुस्थिति को उसी प्रकार 'अवगति' की वस्तु (कांटेंट) (अथवा अधिक ठीक शब्दों में–विषय) के रूप में स्वीकार्य समझते हैं जिस प्रकार 'यह वृक्ष है' द्वारा व्यक्त वस्तुस्थिति को। इनके अनुसार ऐसे वाक्य मानसिक और भौतिक में सम्बन्ध के वाचक हैं। दूसरों के अनुसार 'यह रक्त है' अथवा 'यह पत्थर है' आदि भी मानसिक वस्तुस्थिति के ही वाचक हैं, क्योंकि 'यह पत्थर है' द्वारा व्यक्त वस्तुस्थिति मानसिक वस्तुस्थिति की अंग मात्र है। प्रथम स्थिति परम्परागत मानसिक व्यापारवादियों की है और द्वितीय, जैसाकि कभी–कभी कहा जाता है, प्रदृश्यतावादियों (फिनोमिनलिस्ट्स) की। हमारे विचार में ये दोनों ही स्थितियाँ युक्त हैं। प्रथम स्थिति की कठिनाई दर्शन के इतिहास से परिचित लोग जानते हैं। यह कठिनाई तब उत्पन्न होती है जब हम उस स्तर पर "मानसिक" तथा "भौतिक" की अवधारणाओं को ले जाते हैं जिस स्तर पर इन अवधारणाओं के विश्लेषक वाक्य प्रयुक्त होते हैं। 'मानसिक' अथवा 'भौतिक' परिभाषित विधेय हैं जब कि 'अवगत' आदि पद अपरिभाषित विधेय हैं। 'यह वृक्ष है' आदि में प्रयुक्त वृक्ष आदि पद समस्याएँ उत्पन्न करते हैं, क्योंकि ये सद्य:प्रदत्त के वाचक नहीं हैं और हम यह अस्वीकार नहीं कर सकते कि हम ऐसी वस्तुस्थितियों से भी अवगत होते हैं। किन्तु इसका अर्थ यह नहीं है कि हम ऐसी मिश्र वस्तुस्थितियों को भौतिक नहीं मानें अथवा इन्हें सरल वस्तुस्थितियाँ मानें। उचित यह है कि हम मानसिकता तथा भौतिकता की अवधारणाओं की रचना इस प्रकार न करें कि ये 'यह अवगत है कि...यह वृक्ष है' जैसी वस्तुस्थितियों को अबूझ पहेली बना दें। यही तर्क हमारा उस स्थिति के विरुद्ध है जिसे प्रदृश्यतावादी की स्थिति कहा जाता है। किन्तु वास्तव में प्रदृश्यतावादी का इस स्थिति को स्वीकार करना न केवल आवश्यक ही नहीं प्रत्युत अनुचित भी है। प्रदृश्यतावाद एक विश्लेषण प्रणाली है जो अवधारणाओं की व्याख्या सरल विधेयों की पदावली में करती है। इस पदावली के अनुसार 'यह अवगत है' अथवा 'यह स्मृत है' तथा 'यह सद्य:प्रदत्त है' आदि वाक्यांश अपरिभाषित विधेयों को व्यक्त करते हैं, अथवा कहें, ये सरल वस्तुस्थितियों के वाचक हैं और एक अन्य वस्तुस्थिति की अपने टेक्स्ट के रूप में अपेक्षा करते हैं।

किन्तु इस स्थिति की एक दूसरी कठिनाई है : दो वस्तुस्थितियाँ तर्कत: स्वतन्त्र हैं, इस प्रकार कि एक वस्तुस्थिति के होने पर दूसरी का होना तर्कत: अनिवार्य नहीं है। किन्तु 'यह अवगत है...' वाक्य अपने आप में पूर्ण नहीं है, यह एक अन्य वाक्य की अपेक्षा करता है जो किसी वस्तुस्थिति का वाचक हो। इस प्रकार प्रथम वाक्य स्वयं किसी वस्तुस्थिति का घटक नहीं हो सकता। हमारे विचार में इस समस्या का एक समाधान यह है कि

'यह अवगत है...' वाक्य को विधेय तथा अधीन वाक्य को उद्देश्य के रूप में पुनारचित किया जाय। इस तरह यह वाक्य इस प्रकार पुनारचित किया जा सकता है—'यह अवगत है [वृक्ष (यह)]'। ब्रैकटों के भीतर के वाक्य को 'व.' संज्ञा देते हुए तथा बाहर के वाक्य को 'अव.' संज्ञा देते हुए इसे 'अव.(व.)' के रूप में रखा जा सकता है। अब 'व.' उसी प्रकार 'अव.' की विशिष्टता का विधान करता है जिस प्रकार 'र(अ)' में 'अ' विशिष्टता का विधान करता है। इन वाक्यों में 'अव.' एक विशेष अवगति की स्थिति है जो 'व.'-वत् है। अत: अपने मूल रूप में ये वाक्य होंगे : 'यह दृष्ट है कि (यह वृक्ष है)', 'यह स्मृत है कि (यह वृक्ष है)' आदि। जैसाकि हमने अभी पीछे कहा है 'व.' वाक्यों का सरल वस्तुस्थितियों का वाचक होना अनिवार्य नहीं है, अत: ये वाक्य कितने भी श्लिष्ट हो सकते हैं—यथा 'यह अवगत है कि (यह वृक्ष नहीं है)'। इन उद्देश्य वाक्यों के इस प्रकार श्लिष्ट (मिश्र) होने से स्थिति में कोई अन्तर नहीं आता। 'यह अवगत है', 'यह मेज़ है' द्वारा व्यक्त स्थिति को एक नवीन गुण से युक्त करता है जो अपने आपमें अविश्लेष्य है। किन्तु यह इसे इस प्रकार से किसी गुण से युक्त नहीं करता जिस प्रकार 'मेज़ लाल है' में 'लाल' पद 'मेज़' को करता है, क्योंकि 'यह अवगत है' वाक्य विशेषण वाक्य नहीं है।

'अवगति' इन प्रयोगों में किसी घटना का वाचक नहीं है, जैसे 'राम खेल रहा है' अथवा 'राम सोच रहा है' घटनाओं के वाचक हैं, और न ही यह यहाँ किसी योग्यता का वाचक है, जिस प्रकार 'राम वीर है' अथवा 'राम बुद्धिमान् है' योग्यताओं के वाचक हैं। इसमें सन्देह नहीं कि 'राम को अवगत है कि...' वाक्य योग्यता का वाचक भी है। वास्तव में यह अन्य अनेक प्रयोगों में योग्यता का वाचक है, जैसाकि राइल[1] ने दिखाया है, और इस अर्थ को इसका एकमात्र उचित प्रयोग-प्रसंग माना है। किन्तु यह पद 'यह अवगत है कि यह मनुष्य है' आदि वाक्यों में एक वस्तुस्थिति के वाचक रूप में भी प्रयुक्त हो सकता है, क्योंकि यहाँ इसका अनिवार्यत: यह अभिप्राय नहीं है कि वस्तुस्थिति स में य अमुक-अमुक प्रकार का व्यवहार करेगा। इसके विपरीत, इसका अभिप्राय यह है कि वस्तुस्थिति $स_1$ के प्रसंग से एक घटना $घ_1$ घटित होती है जो एक अन्य वस्तुस्थिति है, और यह $घ_1$ केवल $स_1$ के प्रसंग से ही घटित हो सकती है, स्वतन्त्र रूप से नहीं। जैसाकि हम पीछे कह आये हैं, 'अवगत' पद सदैव 'ज्ञात' का पर्याय नहीं है, क्योंकि 'अवगत' पद 'यह स्मृत है कि मैं अभी सो रहा था', 'यह स्मृत है कि मैंने प्रातराश किया था', 'यह अपरोक्षत: प्रदत्त है कि यह रक्त है' में प्रयुक्त 'स्मृत', 'अनुभूत' आदि के स्तर पर प्रयुक्त किया गया है। इस प्रकार यह 'अवगत' के घटनात्मक तथा योग्यतात्मक प्रयोगों से भिन्न है।

हमारे पिछले प्रतिपादनानुसार 'यह अवगत है' वाक्य 'यह रक्त है' वाक्य के अर्थ का भाग है, क्योंकि यह असम्भव है कि 'अ संवेद है' और 'अ संवेदित नहीं है'। किन्तु यह प्रतिपादन दोषपूर्ण है। उस अवस्था में 'यह अवगत है कि...' का प्रयोग कोई नवीन सूचना नहीं दे सकता और तब 'यह अवगत है कि यह अवगत है कि...' भी कोई नवीन सूचना नहीं देगा, क्योंकि 'कि...' के पश्चात् अपेक्षित वाक्यांश पूर्व वाक्यांश 'यह अवगत है' के अर्थ का भाग हो जायगा। किन्तु स्पष्टत: 'यह अवगत है' का प्रत्येक नवीन प्रयोग नवीन सूचना देता है, यह अधीन वाक्य का समावेश कर उसका अतिक्रमण करता है। इस प्रतिपादन के अनुसार 'यह रकत है' वाक्य अवगति की स्थिति का वाचक नहीं है; क्योंकि यदि 'यह अवगत है' वाक्य सार्थक है तो कम-से-कम एक वाक्य ऐसा होना आवश्यक है जो इसके साथ पूरक रूप में प्रयुक्त हो। 'यह अवगत है कि' यह अवगत है कि यह अवगत है कि यह रक्त है' में प्रथम 'यह अवगत है कि...' का अपसारण करने पर द्वितीय 'यह अवगत है कि...' अवगत वस्तु का वाचक नहीं रहता और इसी प्रकार द्वितीय 'यह अवगत है कि...' अवगत वस्तु का वाचक नहीं रहता। किन्तु अन्तिम 'यह अवगत है' का अपसारण एक नवीन स्थिति उत्पन्न कर देता है, उस अवस्था में हमारा वाक्य उसी प्रकार एक विधेय से वंचित हो जाता है जिस प्रकार बाहरी वृत्तों का क्रमश: अपसारण अन्त में सबसे भीतरी वृत्त को 'भीतर होने' के विशेषण से वंचित कर देता है।

---

1. जी. राइल — **दि कांसेप्ट ऑफ माइंड** में 'नोइंग हाउ एण्ड नोइंग देट' अध्याय।

अनवस्था प्रसंग दोष इस व्याख्या में भी नहीं है, क्योंकि यह मूल–वाक्य में अवगति तथा अवगत वस्तु में भेद नहीं करती। यह दोष केवल तभी उत्पन्न होता है यदि मूल–वाक्य में यह भेद किया जाय तो। यह प्रतिपादन पूर्व प्रतिपादन से अधिक उचित है, क्योंकि मूल–वाक्यों को इस प्रकार हम उनके प्रसंग तक सीमित रखते हैं। 'यह रक्त है' वाक्य सर्वप्रथम एक घटना का वाचक है, जिसे हम रक्त संवेद की घटना कह सकते हैं, और दूसरे, यह वस्तु–वाक्यों से लागू होता है।

यहाँ एक स्पष्टीकरण आवश्यक है। हमने पीछे 'यह वृक्ष है' को अवगति से युक्त वस्तु का वाचक माना है और इस सम्पूर्ण स्थिति को 'यह वृक्ष है'–वत् अवगति कहा है। इसके पश्चात् इसका निषेध करते हुए हमने कहा है कि न ऐसे वाक्य "अवगति"–मय[1] हैं और न ये "अवगति" की अनिवार्यत: अपेक्षा करते हैं। इस प्रकार हमने द्वितीय प्रतिपादन से प्रथम का निषेध किया है। किन्तु प्रथम स्थिति में हमने अवगत तथा अवगति में भेद नहीं किया, इसके पश्चात् इस स्थिति का प्रत्याख्यान करते हुए यह भेद किया है, जो आवश्यक है। ब्राड भी वास्तव में 'यह रक्त है' वाक्य में 'अवगत' तथा 'अवगति' में भेद नहीं करते प्रत्युत संवेदन तथा संवेद–प्रदत्त में भेद करते हैं। संवेदन तथा संवेद–प्रदत्त में भेद करना अनुचित है, जैसाकि हमने मनस्तत्त्व में दिखाया है, और पीछे भी संकेत किया है। किन्तु अवगत तथा अवगति में भेद अनिवार्य है।

'अवगत' को विधेय स्वीकार करने का यह अभिप्राय नहीं है कि हम "अवगत करने वाले" को भी स्वीकार करते हैं, जिस प्रकार 'रक्त है' स्वीकार करने का यह कदापि अभिप्राय नहीं है कि कोई वस्तु रक्त है। हम अनेक बार ऐसी स्थितियों का अनुभव करते हैं, अथवा कहें, ऐसे अनुभव घटित होते हैं, जो 'अवगत है' द्वारा व्यक्त होते हैं, जब कि हम ऐसी स्थिति का अनुभव नहीं करते जिसमें अनुभवकर्त्ता घटित हो। इस प्रकार 'रक्त है' के समान ही 'अवगत है' भी सरल तथा अपरिभाषित विधेय है, अन्तर केवल इतना है कि जब कि 'रक्त' आदि विधेयों के उद्देश्य 'रक्त' की विशिष्टता से अधिक कुछ व्यक्त नहीं करते, उद्देश्य के रूप में 'यह रक्त है' आदि उपवाक्य तथ्य को व्यक्त करते हैं।

भौतिक भाषावादी 'यह रक्त है' जैसे वाक्यों की व्याख्या इस प्रकार करते हैं कि 'अमुक–अमुक पदार्थ रक्त दिखाई देता है।' 'दिखाई देता है' को वे भौतिक भाषा की सीमा के अन्दर ही रखते हैं। इससे आगे, वे ऐसे वाक्यों जैसे 'मैं क्रुद्ध हूँ' को भी इस प्रकार पुनारचित करते हैं, यथा 'मैं (मेरा शरीर) अमुक–अमुक प्रकार का व्यवहार कर रहा हूँ'। अब यह पुनारचना न तो तर्कत: युक्त है और न सामान्य प्रयोग के अनुसार है। उदाहरणत: यह कहना अन्तर्विरोधपूर्ण नहीं है : "मैं क्रुद्ध हूँ यद्यपि मेरा व्यवहार सर्वथा इसके विपरीत है" अथवा "मैं क्रुद्ध था यद्यपि मुझे नहीं मालूम कि यह मेरे व्यवहार में भी प्रकट था"। किन्तु भौतिक भाषावादी कहेंगे कि उनकी प्रतिज्ञा यह नहीं है कि सब मनोवैज्ञानिक वाक्यों का अनुवाद प्रकट व्यवहार की भाषा में सम्भव है। किन्तु उनका दावा है कि सब मनोवैज्ञानिक वाक्यों का अनुवाद शरीर की भौतिक अवस्थाओं के वाचक वाक्यों में सम्भव है। उदाहरण: 'मैं क्रुद्ध हूँ' का अनुवाद वे करेंगे 'मेरा शरीर अमुक–अमुक प्रकार की अवस्था में है' इत्यादि। 'मैं क्रुद्ध हूँ' जैसे वाक्यों को हम व. वाक्य कहेंगे। तर्क के लिए यह मान लेने पर भी कि व. वाक्य भौतिक भाषा में अनुवाद्य हैं, उससे हम अव. वाक्यों की अनुवाद्यता मानने के लिए बाध्य नहीं हैं, क्योंकि ये वाक्य व. वाक्यों से आधारत: भिन्न हैं, व. वाक्य अव. वाक्यों में एक घटक मात्र हैं। जैसे 'मैं क्रुद्ध हूँ' का अनुवाद भौतिक भाषा में कर लेने पर 'यह अवगत है कि मैं क्रुद्ध हूँ' वाक्य के स्थान पर 'यह अवगत है कि मेरा शरीर अवस्था अ में है' हो जायगा। अत: यदि 'यह अवगत है...' उचित विधेय है तो इसका अनुवाद भौतिक भाषा में असम्भव है।

राइल ने अव. वाक्यों को व्यवहार–वाक्यों में अनूदित करने का प्रयत्न किया है। यहाँ हम उस विवाद के विस्तार में नहीं जाना चाहते। हम केवल इतना कहना चाहते हैं कि 'यह अवगत है...' के कुछ प्रयोग निश्चित रूप

1. यह अभिव्यक्ति संक्षेप के कारण अपनायी गई है। वाक्य अवगतिमय नहीं होते। अभिप्रेत है — ऐसे वाक्यों से वाचित स्थितियाँ।

से उस प्रकार से अनुवाद्य नहीं हैं। कुछ अवस्थाओं में 'यह अवगत है' योग्यता या प्रवृत्ति का वाचक नहीं है, यह स्वयं एक घटना है जो 'यह रक्त है' आदि तर्क-वाक्यों द्वारा व्यक्त घटनाओं से स्वतन्त्र और इनकी सहगामी है। इसके विरुद्ध उनकी अनवस्था-प्रसंग दोष युक्त होने की आपत्ति भी परिहार्य है, यह हम देख ही चुके हैं।

किन्तु भौतिक भाषावाद की अप्रतिष्ठा प्रदर्शित करने के लिए 'अव.' वाक्यों की आवश्यकता नहीं है, इनकी अप्रतिष्ठा प्रदर्शित करने के लिए 'व.' वाक्य ही पर्याप्त हैं। 'रक्त संवेद घटित होता है' वाक्य ही लें। अब यह पूर्णत: स्थापित हो जाने पर भी कि अमुक-अमुक प्रकार से शरीर व्यापारित होने पर रक्त संवेद घटित होता है, दोनों को किसी भी प्रकार से समानार्थक नहीं कहा जा सकता। सर्वप्रथम, शारीरिक व्यापार सम्बन्धी वाक्य संवेद-वाक्यों में विघटनीय हैं, और दूसरे 'रक्त संवेद' तथा 'अमुक-अमुक प्रकार का शारीरिक व्यापार' उतने ही परस्पर भिन्नार्थक हैं। यहाँ पुटनम तर्क करता है कि यद्यपि ये दोनों वाक्य अर्थ में भिन्न हैं किन्तु इनका संकेत्य एक ही है, जिस प्रकार, 'भोर का तारा' तथा 'संध्या का तारा' के संकेत्य एक ही हैं किन्तु अर्थ भिन्न हैं। किन्तु पुटनम का यह तर्क यहाँ पूर्णत: निराधार है, क्योंकि जब कि 'भोर का तारा' तथा 'संध्या का तारा' का एक ही संकेत्य होना पूर्वज्ञात है, 'रक्त संवेद' या 'शारीरिक व्यापार' का एक ही संकेत्य होना न केवल पूर्वज्ञात नहीं है प्रत्युत यह किसी खोज के आधार पर भी कभी स्थापित नहीं किया जा सकता; क्योंकि कोई खोज अधिक-से-अधिक यह दिखा सकती है कि अमुक प्रकार की शारीरिक स्थिति होने पर अमुक-अमुक प्रकार के संवेद घटित होते हैं, किन्तु वह यह नहीं दिखा सकती कि 'शरीर स्थिति' तथा 'संवेद' समानार्थक पद हैं। यह घपला तीन भ्रान्तियों के कारण हुआ हो सकता है। सर्वप्रथम, यह भुला दिया गया है कि 'अमुक-अमुक प्रकार की शरीर स्थिति' स्वयं 'अमुक-अमुक संवेद' में विघटनीय है; और दूसरे, जब कि संवेद अ किसी भौतिक स्थिति भ का घटक कहा जा सकता है, यह उस स्थिति का घटक नहीं कहा जा सकता जो इससे सम्बन्धित की जाती है। तीसरे, 'भोर का तारा' तथा 'संध्या का तारा' का संकेत्य एक ही वस्तु है जो न मात्र भोर का तारा है और न मात्र संध्या का तारा है, किन्तु 'रक्त अब' तथा 'शरीर स्थिति...' द्वारा संकेत्य ऐसी किसी वस्तु की कल्पना भी नहीं की जा सकती जो दोनों में समान हो। कार्नप आदि भौतिक भाषावादियों ने इस अर्थ तथा संकेत के भेद का लाभ इस प्रसंग में नहीं उठाया है, उन्होंने तो मानसिकता सम्बन्धी वाक्यों को शरीर सम्बन्धी वाक्यों में विघटनीय माना है। उनका तर्क है कि मनोवैज्ञानिक वाक्य सर्वसामान्य रूप से प्रमाणीकरणीय नहीं है, अत: यदि ये भौतिक भाषा के वाक्यों में विघटनीय नहीं हैं तो ये निरर्थक हैं। किन्तु प्रमाणीकरण की शर्त से भौतिक भाषावादी द्वैतवादी स्थिति का खण्डन नहीं कर सकता क्योंकि द्वैतवादी मानसिकता की अवधारणा के लिए विषयिपरकता (सब्जेक्टिविटी) को अनिवार्य शर्त मानता है। अत: भौतिक भाषावादी को दिखाना यह है कि किन्हीं भी वाक्यों का वाच्य-विषय व्यक्तिगत नहीं है। कार्नप ने ऐसा दिखाने का प्रयत्न किया है, किन्तु वे न केवल सफल ही नहीं रहे हैं प्रत्युत उन्होंने भ्रामक रचनाओं का आश्रय भी लिया है। वास्तव में सर्वसामान्यता को भाषा की सार्थकता की आवश्यक शर्त मानने वाले यह स्वीकार करने को बाध्य हैं कि कुछ व्यक्तिगत है, चाहे वे इसे भाषा द्वारा अवक्तव्य ही मानें। और जैसाकि हमने मूल-वाक्य अध्याय में दिखाया है, भाषा की सार्थकता व्यक्तिगतता को पूर्वकल्पित करती है। उदाहरणत:, कार्नप वाक्य $प_2$ 'मैं अब आवेश में हूँ' तथा $प_2$ 'मैं अब आवेश में हूँ' को क्रमश: व्यवस्था (सिस्टम) वाक्य तथा मूल-वाक्य कहते हैं और मूल-वाक्य को अप्रत्याख्येय मानते हैं। पुन:, व्यवस्था-वाक्य को मूल-वाक्य $प_1$—'मैं अपने हाथ काँपते देख रहा हूँ', 'मैं अपने हाथ काँपते अनुभव कर रहा हूँ' आदि द्वारा प्रमाणीकरणीय मानते हैं, और फिर इस व्यवस्था-वाक्य को भौतिक वाक्य $प_2$—'मेरा शरीर अब उस अवस्था में है जो मेरे अपने निरीक्षणों में अमुक-अमुक प्रकार के आवेशात्मक गुण प्रकट करता है' का पर्याय बताते हैं और तब आगे कहते हैं कि ये गुण वे हैं जो मेरे $प_1$ प्रकार के तथा $प_2$ प्रकार के मूल-वाक्यों में घटित होते हैं।[1] यह एक अत्यन्त विचित्र स्थिति प्रतीत होती है

1. पोज़ीटिविज़्म — सं. ए.जे. एयर, पृ. 191.

कि व्यवस्था–वाक्य, जिसके मूल–वाक्य 'मैं अपने हाथ काँपते देखता हूँ' आदि हैं, उसी के ऐसे मूल–वाक्य भी हों जैसे 'मैं अब आवेश में हूँ', क्योंकि इन दो प्रकार के मूल–वाक्यों के निर्देश सर्वथा भिन्न हैं। दूसरे, 'मैं अपने हाथ काँपते देख रहा हूँ' केवल इतना लागू करता है कि 'चाक्षुष संवेद घटित हो रहे हैं', जब कि 'मैं अब आवेश में हूँ' लागू करता है कि आवेशवत् अनुभव विद्यमान है। इसके अतिरिक्त, जब कि व्यवस्था–वाक्य, 'मैं आवेश में हूँ' और 'मैं अपने हाथ काँपते नहीं देखता हूँ' आत्मबाधक नहीं है, इसके विपरीत, यह आत्म बाधक है कि 'मैं आवेश में हूँ' और 'न (मैं अब आवेश में हूँ)'।

कार्नप का उत्तर होगा कि अनुभव सम्बन्धी वाक्य भी वास्तव में व्यक्ति के व्यवहार अथवा उसकी शरीर–स्थिति के सम्बन्ध में वाक्य हैं। इस प्रकार कार्नप, 'भौतिकवादी भाषा' उन कथनों को कहते हैं जो भौतिक विषयों अथवा घटनाओं के सम्बन्ध में कथन हैं, तथा "प्रोटोकोल भाषा" उन कथनों के लिए प्रयुक्त करते हैं जो व्यक्ति के व्यक्तिगत अनुभवों के वाचक हैं, पुन: यह प्रतिपादित करते हैं कि हम भौतिक भाषा को तभी समझ सकते हैं यदि प्रोटोकोल भाषा का समावेश भी इसी में किया जाए। उनके अनुसार, भौतिक वाक्यों के प्रमाणीकरण के लिए यह आवश्यक है कि वे प्रोटोकोल वाक्यों को लागू करें, अन्यथा भौतिक वाक्य अनुभवों से विच्छिन्न हो कर अधर में लटकेंगे। किन्तु यदि प्रोटोकोल वाक्य भौतिक वाक्यों से लागू होते हैं तो स्वयं इन वाक्यों को भी भौतिक तथ्यों के सम्बन्ध में होना चाहिए, क्योंकि अन्यथा इसका एकमात्र अन्य सुलझाव यह है कि भौतिक वाक्य अनुभव के विषयों के सम्बन्ध में हों। किन्तु अनुभवों के व्यक्तिगत होने पर यह असम्भव हो जाता है। इस प्रकार यह तर्क–परम्परा अन्तर्विरोधपूर्ण है। कार्नप की इस पहेली का समाधान हम मूल–वाक्य तथा अर्थमीमांसा अध्यायों में कर चुके हैं। जैसाकि हमने वहाँ प्रतिपादित किया है, भौतिक–विषय–वाक्य अनुभवों से विच्छिन्न नहीं हैं, वे अनुभव–वाक्यों के सम्बन्ध में ही कथन हैं, किन्तु वे किसी व्यक्ति के अनुभवों के सम्बन्ध में कथन नहीं हैं, वे किसी के भी अनुभवों के सम्बन्ध में कथन हैं।

इस प्रकार, भौतिक भाषावाद सामान्य अवधारणाओं का निषेध कर किसी समस्या का अधिक सरल समाधान प्रस्तुत नहीं करता, प्रत्युत प्रश्नों को घपला देता है। यह कहना एकदम भ्रामक है कि यदि मन को व्यवहार अथवा शरीर–स्थिति न माना जाय तो मनोवैज्ञानिक वाक्य अप्रमाणीय होंगे। यदि इनका यह तर्क मान लिया जाय तो 'मेरे हाथ काँप रहे हैं', 'मेरा चेहरा लाल है' आदि वाक्य सत्य होने पर यह केवल पुनरुक्ति मात्र होगी कि 'मैं क्रुद्ध हूँ', जिस प्रकार 'मेज़ वर्गाकार है' सत्य होने पर 'मेज़ के चारों कोने परस्पर समान दूरी पर हैं' पुनरक्ति मात्र है। किन्तु मनोवैज्ञानिक वाक्यों के प्रमाणीय होने के लिए उनको व्यवहार आदि से अभिन्न मानना आवश्यक नहीं है। आवश्यकता इस बात की है कि ऐसे मनोवैज्ञानिक नियमों की स्थापना की जाय जिनके आधार पर मन:स्थितियों के सम्बन्ध में कथन पश्चानुभविकरूप से व्यवहार (अथवा शरीर स्थितियों) के सम्बन्ध में कथनों को लागू करें। यही वास्तव में सामान्यत: होता है। किसी की विशेष प्रकार की मुद्रा देख कर हम कहते हैं, वह दु:खी है। उससे हमारा यह अभिप्राय नहीं होता कि मुद्रा म तथा 'दु:खी' विधेय पर्याय हैं। हम केवल इन दो विधेयों में सम्बन्ध स्थापित करते हैं, अत: भौतिक भाषावादी को अधिक–से–अधिक यह दावा करना चाहिए कि प्रत्येक मनोवैज्ञानिक विधेय के लिए कोई सम्बद्ध भौतिक विधेय खोज पाना सम्भव है, और कि इस प्रकार प्रत्येक मनोवैज्ञानिक विधेय सिद्धान्तत: भौतिक विधेयों द्वारा प्रमाणीय है।

यहाँ पुन: एक स्पष्टीकरण आवश्यक है। सर्वप्रथम, भौतिकभाषावाद की यह संशोधित प्रतिज्ञा भी स्वीकार्य नहीं है, किन्तु इसे मान लेने पर भी, मानसिक विधेय प्रमाणीय भौतिक विधेयों अथवा आरोपितों के समान स्थायी अभ्युपगम नहीं होंगे। मानसिक विधेय, जैसे 'दु:ख', 'संवेद' आदि, कुछ अवस्थाओं में (उदाहरणत: जब 'वह दु:खी है' में कहने वाला 'वह' से अभिन्न है) प्रदत्त के वाचक होते हैं और अतएव अभ्युपगम नहीं होते।

मनोवैज्ञानिक भाषा तथा भौतिक भाषा में यह आधारभूत अन्तर है कि जब कि भौतिक भाषा के विधेय स्थायी अभ्युपगम होते हैं, यथा 'यह मेज़ है' में 'मेज़' स्थयी अभ्युपगम का वाचक है, मनोवैज्ञानिक भाषा के कोई

विधेय स्थायी अभ्युपगम नहीं होते। वास्तव में इसी से अन्य मनों की समस्या एक समस्या है। जब कि कोई 'मैं दुःखी हूँ', 'मेरे सिर दर्द है' आदि वाक्यों को अपने व्यवहार तथा शरीर-स्थिति का पर्याय नहीं मानता, 'उसके सिर दर्द है', 'वह दुःखी है' आदि वाक्य न तो सद्यःप्रदत्त के वाचक हैं और न कोई ऐसी विधि ही है कि इन्हें व्यवहार अथवा शरीरस्थिति से सम्बद्ध किये बिना सत्यापित किया जा सके। इस प्रकार, 'मैं दुःखी हूँ' तथा 'वह दुःखी है' वाक्य आधारतः भिन्न प्रकार के हो जाते हैं। वास्तव में यदि 'वह दुःखी है' वाक्य के सत्यापन का अन्य कोई उपाय नहीं है, सिवाय विशेष व्यवहार अथवा शरीर-स्थिति सम्बन्धी वाक्यों का सत्यापन करने के, तो यह वाक्य या तो व्यवहार-वाक्यों का पर्याय है अथवा व्यवहार-सम्बन्धी परोक्ष वाक्यों द्वारा प्रस्तावनीय है। प्रथम अवस्था में ऐसे कुछ निश्चित व्यवहार-वाक्य हो सकते हैं जो प्रस्तुत मनोवैज्ञानिक वाक्य की परिभाषा कहे जा सकें। द्वितीय अवस्था में, व्यवहार-वाक्य अपूर्णरूप से ऐसी अवस्थाओं का विशेषीकरण करते हैं जिनमें प्रस्तावित वाक्य को सत्यापित किया जा सके। ये विघटन वाक्य किसी भी अवस्था में प्रस्तावित विधेय के पर्याय नहीं होते, ये केवल हमारा पथ-प्रदर्शन करते हैं कि अमुक-अमुक अवस्था में किसी विधेय को स्वीकार करने के लिए अमुक-अमुक आधार हैं। ये विघटन वाक्य प्रस्तावित विधेय के अर्थ को अधिकाधिक निश्चित करते हैं, किन्तु ये इसके पर्याय नहीं हो सकते। यदि हम प्रयोग की किसी स्थिति में सिद्धान्त वाक्य—'यदि किसी का मुख लाल है और हाथ काँप रहे हैं तो वह क्रुद्ध है' को विशिष्ट वाक्य 'उसका चेहरा लाल है और हाथ काँप रहे हैं, किन्तु वह क्रुद्ध नहीं है' द्वारा खण्डित पाते हैं तब हम सिद्धान्त वाक्य अथवा विशिष्ट वाक्य किसी का भी निषेध कर सकते हैं। इस प्रकार विघटन वाक्यों का सिद्धान्त स्वीकार करते हुए, यह स्वीकार्य है कि 'राम की मुख-मुद्रा दुःखाभिव्यंजक है किन्तु सम्भव है कि वास्तव में वह दुःखी न हो'। यहाँ हम राम के व्यवहार के परे नहीं पीछे झाँकते हैं। 'पीछे झाँकने' का यह अभिप्राय नहीं है हम किसी मानसिक वस्तु का अस्तित्व स्वीकार कर रहे हैं, प्रत्युत यह कि 'राम दुःखी है' सार्थक वाक्य है और यह ऐन्द्रिक संवेद-वाक्यों में विश्लेष्य नहीं है। इस स्थिति को स्वीकार करने के विरुद्ध अनेक कठिनाइयाँ हैं जिन पर विचार करना यहाँ आवश्यक है। 'राम अमुक-अमुक प्रकार का व्यवहार कर रहा है' वाक्य श्याम के लिए कुछ मूल-वाक्यों द्वारा सार्थक है, जो ऐन्द्रिय संवेद-वाक्य है। ये सब वाक्य, जिनमें उत्तम पुरुष सर्वनाम घटित नहीं होते, हमारी अवधारणात्मक योजना के अनुसार ऐसे ही ऐन्द्रिय संवेद-वाक्यों द्वारा सत्यापित होते हैं। किन्तु 'राम दुःखी है' को हम ऐन्द्रिय संवेद-वाक्यों द्वारा परिभाषित स्वीकार नहीं करते। अन्य मनों की समस्या का यही आधार है। किन्तु ऐसे वाक्यों को अनुमानात्मक कहना भी तार्किक भ्रम है, क्योंकि अनुमानात्मक वाक्य अगमनात्मक होते हैं : दृष्ट से अन्य अदृष्ट दृश्यों की ओर संक्रमण अनुमान है। अतः अनुमित वाक्य सिद्धान्ततः सत्यापनीय है। 'वह दुःखी है' तर्कतः अदृश्य स्थिति का वाचक है यदि 'दुःखी' पद ऐन्द्रिय संवेदों के वाचक वाक्यों द्वारा प्रमाणीय नहीं है। अतः यह वाक्य अनुमान वाक्य नहीं हो सकता।

यह तर्क-प्रणाली हमें निम्न परिणाम पर पहुँचाती है : प्रत्येक व्यक्ति के अनुभव व्यक्तिगत हैं और एक अनुभव परिभाषया दो मनों का अनुभूत नहीं हो सकता। अतः जब कि 'मैं दुःखी हूँ' वाक्य सद्यःप्रदत्त का वाचक है, 'वह दुःखी है' या तो विशेष व्यवहार-वाक्यों का वाचक है अथवा निरर्थक है।

किन्तु यह निष्कर्ष कम भयावह नहीं है। सर्वप्रथम, यदि कोई मेरे से यह प्रश्न करता है कि 'क्या तुम दुःखी हो?' तब मेरे लिए यह प्रश्न सिद्धान्ततः मेरे अनुभव के सम्बन्ध में नहीं होगा और इस प्रकार मैं इसका उत्तर हाँ या न में नहीं दे सकता। दूसरे, प्रश्नकर्त्ता का यह प्रश्न मेरे लिए उसके व्यवहार-संस्थान का पर्याय होगा, मेरे अनुभव अथवा व्यवहार-संस्थान के सम्बन्ध में प्रश्न नहीं होगा। तीसरे, इससे यह सिद्धान्त, कि प्रत्येक व्यक्ति अपने ही अनुभव को जान सकता है अन्य के अनुभव को नहीं, निराधार हो जायगा, क्योंकि 'अन्य व्यक्तियों के अनुभव' का प्रश्न ही उत्पन्न नहीं होता, अन्य व्यक्ति केवल व्यवहार समवाय हैं। यह पहेली, हमारे विचार में, बहुत कठिन पहेली नहीं है। 'वह दुःखी है' वाक्यों को हम पीछे भी सार्थक कह आये हैं और इनकी सार्थकता हमारी भाषा के तर्क में निहित है। 'दुःख (अ)' वाक्य में 'अ' उत्तम पुरुष सर्वनाम का स्थानीय होने पर सद्यःप्रदत्त का वाचक है

और अस्तित्व-वाक्य 'कम-से-कम एक व्यक्ति है और वह दुःखी है' को लागू करता है। और अस्तित्व-वाक्य किसी एक के लिए ही सत्य होने पर भी किसी के भी लिए सत्य हो सकता है। अब यदि इसका सत्यापन केवल तभी सम्भव हो जब कि यह उत्तम पुरुष सर्वनामी वाक्यों द्वारा स्थानान्तरित होता हो, इसकी सार्थकता के लिए स्थानान्तरण वाक्य की आवश्यकता नहीं है। इस प्रकार, 'वह दुःखी है' वाक्य हमारे लिए सार्थक है क्योंकि इसमें प्रयुक्त विधेय हमारे लिए सार्थक है। समस्या केवल इसके सत्यापन की है।

सत्यापन की समस्या अर्थ की समस्या से सर्वथा भिन्न है। 'वह दुःखी है' वाक्य ही लें। यह कैसे कहा जा सकता है कि राम दुःखी है जब तक कि राम के व्यवहार या कथन से यह प्रकट नहीं होता कि वह दुःखी है? यह दावा करने का, कि हम राम के दुःख-व्यवहार के बिना भी यह देख सकते हैं कि वह दुःखी है, यह अभिप्राय होगा कि यह देखना कि "राम दुःख-व्यवहार कर रहा है" तथा यह देखना कि "राम दुःखी है" दो भिन्न बातें हैं। किन्तु राम के व्यवहार को दुःख-व्यवहार कैसे कहा जा सकता है जब तक 'दुःख' पद या तो सद्य:प्रदत्त का वाचक नहीं है अथवा परिभाषित पद नहीं है? और पुनः, राम के दुःख-व्यवहार के बिना यह कैसे जाना जा सकता है कि वह दुःखी है? इस प्रकार किसी व्यवहार को दुःख-व्यवहार कहते हुए हम अनिवार्यत: मनोभौतिक द्वैतवाद को पूर्वकल्पित करते हैं। जहाँ तक दूसरी समस्या (व्यवहार से अनुभव के अनुमान की समस्या) का सम्बन्ध है, कुल लोग उत्तर देना चाहेंगे कि हम टेलीपेथी के द्वारा व्यवहार से अनुमान करने के बजाय प्रत्यक्ष रूप से भी अन्यों के मानसिक व्यापारों को देख सकते हैं। किन्तु यह उत्तर केवल ऊपरी दृष्टि से ही ठीक है, क्योंकि टेलीपेथी की स्थिति में भी मेरी मानसिक घटना राम की मानसिक घटना से तर्कत: भिन्न है, स्वयं राम के दुःख के सम्बन्ध में हम केवल विश्वास की स्थिति में ही रहते हैं और अतएव इसका प्रमाणीकरण केवल राम द्वारा ही कराया जा सकता है। यह केवल राम के व्यवहार से ही निश्चय हो सकता है कि हमारा विश्वास सत्य था या नहीं? अत: पालज़िफ के साथ यह कहा जा सकता है कि यह निश्चय करने में कि वह दुःखी है या नहीं, तथा यह निश्चय करने में कि वह दुःख-व्यवहार कर रहा है या नहीं, कोई अन्तर नहीं है।[1] किन्तु इससे यह परिणाम नहीं निकलता कि 'कभी-कभी मैं यह नहीं जान पाता कि तुम दुःखी हो' निरर्थक वाक्य है, क्योंकि जब कि मैं यह कभी प्रमाणित नहीं कर सकता कि 'वह दुःख-व्यवहार नहीं कर रहा है किन्तु वह दुःखी है' मैं यह निश्चित रूप से कह सकता हूँ कि 'वह दुःख-व्यवहार नहीं कर रहा है किन्तु सम्भव है वह दुःखी हो'। मान लीजिये कि कोई मनुष्य $म_1$ काल $क_1$ पर कोई दुःख-व्यवहार नहीं करता किन्तु काल $क_2$ पर वह कहता है कि वह काल $क_1$ पर दुःखी था। अब उसके इस कथन से हम यह जानते हैं कि वह काल $क_1$ पर दुःखी था यद्यपि तब उसने अपना दुःख प्रकट नहीं किया था। यह सम्भव था कि वह अपना काल $क_1$ पर अनुभूत दुःख कभी व्यक्त न करता। उस अवस्था में हम यह कभी नहीं जान सकते थे कि वह दुःखी था। इस प्रकार यह कथन कि 'कभी-कभी मैं यह नहीं जान पाता कि तुम दुःखी हो', निरर्थक नहीं है। (यहाँ 'जान पाता' तथा 'सिद्धान्तत: नहीं जान सकता' में अन्तर का ध्यान रखना आवश्यक है)। इसे निरर्थक कहना सार्थकता तथा सत्यापन की समस्याओं को परस्पर घपलाना है।

किन्तु इस निष्कर्ष से, जो कि अनिवार्य तथा स्वाभाविक दिखाई देता है, एक दूसरी उलझन उत्पन्न होती है जिसका संकेत हम पीछे भी कर आये हैं—यदि 'वह दुःखी है' का सत्यापन केवल व्यवहार द्वारा ही सम्भव है (जब कि व्यवहार में भाषा-प्रयोग भी सम्मिलित है) और 'यह ज्ञेय है कि वह दुःखी है' और 'यह ज्ञेय है कि वह दुःख-व्यवहार कर रहा है' पर्याय हैं, और पुनः यदि 'वह दुःखी है' तथा 'वह दुःख-व्यवहार कर रहा है' के अर्थ भिन्न-भिन्न हैं, तो क्या 'वह दुःखी है' वाक्य स्थायी अभ्युपगम (अथवा आरोपित) का वाचक नहीं है? इस प्रकार, इसके अर्थ की भिन्नता केवल इस बात में नहीं है कि यह विभिन्न व्यवहार-वाक्यों का एक द्रष्टा होनेअथवा विभिन्न द्रष्टाओं के लिए होने को लागू करता है?

---

1. Paul Ziff — About Behaviourism, Analysis, June 1950.

हम पीछे इसका उत्तर नकारात्मक दे चुके हैं और यहाँ पुनः द्विगुणित बल के साथ इसका निषेध करना चाहते हैं। इसका कारण स्पष्ट है। 'यह मेज़ है' वाक्य कुछ ऐसे वाक्यों द्वारा प्रमाणीकरणीय है जिनमें 'मेज़' पद घटित नहीं होता है और इसीलिए यह अस्तित्ववाक्य '(∃ य) मेज़ (य)' को लागू नहीं करता, क्योंकि 'यह मेज़ है' वाक्य स्वयं प्रमाणीय है। इसके विपरीत'वह दुःखी है' कम-से-कम एक अवस्था में प्रमाणीकरण निरपेक्ष तथा सद्यःप्रदत्त है और अतएव यह उचिततया अस्तित्व-वाक्य को लागू करता है। अतः विधेय 'दुःख' की सार्थकता सार्वभौम है, क्योंकि किसी पद के अर्थ की सार्वभौमता का अभिप्राय केवल यही है कि यह अस्तित्व-वाक्य को लागू कर सकता है।

इस प्रकार 'वह दुःख-व्यवहार कर रहा है⊃वह दुःखी है' एक ससम्बन्ध के नियम के सम्बन्ध में विधान है, यह समानार्थकता का विधान नहीं है।

हमारे उपर्युक्त विवेचन में व्यक्तित्व-अभिन्नता को पूर्वकल्पित किया गया है। किन्तु दृष्टिमूलकता-वाद (फिनोमिनलिज़्म) को स्वीकार करते हुए 'व्यक्तित्व अभिन्नता' स्वयं एक समस्या है और विश्लेषण का विषय है। इसका बहुत सुन्दर विवेचन एयर ने अपनी पुस्तक प्राब्लम ऑफ नोलेज में किया है। उससे सामान्यरूप से सहमत होते हुए भी हम यत्र-तत्र उससे कुछ भिन्न मत हैं। यहाँ पहले संक्षेप में समस्या को प्रस्तुत करना अनुचित न होगा। किन्तु हम उस सम्पूर्ण प्रसंग को यहाँ नहीं उठायेंगे जिस पर एयर ने विचार किया है।

सर्वप्रथम व्यक्तित्व-अभिन्नता के दो सर्वथा भिन्न प्रसंगों का ध्यान रखना आवश्यक है, जिसका ध्यान सम्भवतः एयर ने नहीं रखा। राम के व्यक्तित्व की एकता, सामान्यरूप में, उसके शारीरिक रूप की दो कालों में समता तथा उसकी देश-काल में निरन्तरता पर आधारित कही जा सकती है। किन्तु जब मेरे निजी व्यक्तित्व के अभिन्नता का प्रश्न प्रस्तुत होता है तब इस अभिन्नता को इन कसौटियों पर आधारित नहीं कहा जा सकता। अतः व्यक्तित्व की अभिन्नताके निकष के रूप में शारीरिक समता तथा आनुभविक एकता दो पूरक अथवा विकल्प नहीं हैं, जैसाकि एयर समझते प्रतीत होते हैं। क्योंकि राम से पूछने पर कि तुम कैसे जानते हो कि तुम वही व्यक्ति हो जो कल थे?—वह यह उत्तर नहीं देगा कि मेरे कल तथा आज के शारीरिक रूप में कोई अन्तर नहीं आया है। उसके लिए अपने शरीर की एकता अपने व्यक्तित्व की एकता का आधार नहीं है। कि मैं शरीर की मृत्यु के पश्चात् भी रह सकता हूँ, पूर्णतः कल्पनीय है। इसका अर्थ यह नहीं है कि हम "अन्य व्यक्तियों" के व्यक्तित्व की एकता की अवधारणा का 'उनकी शारीरिक एकता की अवधारणा' के साथ अभेद स्थापन कर रहे हैं। किन्तु अन्य व्यक्तियों के व्यक्तित्व की अवधारणा में शारीरिक अभिन्नता की प्रायिकता जब कि प्रासंगिक है, "मेरे व्यक्तित्व" की अवधारणा में यह अभिन्नता प्रासंगिक नहीं है।

यहाँ केवल दृष्टिमूलकतावादी दृष्टिकोण से हमें इस समस्या पर विचार करना है। इस दृष्टिकोण के अनुसार 'शरीर' अथवा 'मन' पद सद्यः प्रदत्तों के वाचक पदों में विश्लेष्य हैं। अतः प्रदत्तों की अवधारणा शरीर अथवा मन की एकता की अवधारणा को पूर्वकल्पित नहीं करती। स्मृति, अवगति, परिचय, कल्पना आदिगत प्रदत्त मानसिक प्रदत्त हैं तथा रूप, रस, गंध, स्पर्श आदिगत प्रदत्त संवेद-प्रदत्त हैं। भौतिक आदि विशेषण लगाने का यह अर्थ नहीं है कि "मानसिक" तथा "भौतिक" आदि अवधारणाएँ प्रदत्तों में पूर्वकल्पित हैं, स्वयं प्रदत्तों के साथ वास्तव में इनका उपयोग अप्रासंगिक है। इस प्रकार, 'रक्त', 'समान', 'पीड़ा' तथा 'ऐसा हुआ' प्रदत्त के वाचक हैं और "मानसिक" तथा "भौतिक" की अवधारणाओं से निरपेक्ष हैं। "मानसिक" तथा "भौतिक" की अवधारणाएँ इन पर प्रतिष्ठित हैं। अतएव न 'रक्त अब' यह लागू करता है कि "कुछ वस्तु रक्त है" और न 'ऐसा हुआ' ही यह लागू करता है कि "वर्तमान से पूर्व भी कुछ था"। अब "मानसिक" की अवधारणा "ऐसा हुआ" का उपयोग "आत्म" की एकता की रचना में करती है, अथवा कहें, "आत्म" की रचना "ऐसा हुआ" प्रदत्तों से की जाती है। जैसाकि मूल-वाक्य अध्याय में स्पष्ट किया गया है, यह किसी मनोवैज्ञानिक तथ्य का विवरण नहीं है, यह "भौतिक" तथा "मानसिक" की अवधारणाओं का तार्किक विश्लेषण है।

प्रदत्तों की इस अवधारणा के अनुसार, प्रत्येक प्रदत्त अपने आप में स्वतन्त्र अस्तित्व है और कोई प्रदत्त $प_1$ अन्य प्रदत्तों के अस्तित्व को लागू नहीं करता। अब यह स्थापना एयर के लिए समस्या उत्पन्न करती है। उनके अनुसार "यदि किसी व्यक्तित्व व का अस्तित्व प्रदत्तों में विद्यमान सम्बन्धों पर आधारित किया जाता है तो ये सम्बन्ध आनुभविक (एम्पीरिकल) होंगे। दूसरे शब्दों में, किन्हीं प्रदत्तों का अभीष्ट सम्बन्ध केवल आकस्मिक होगा, अनिवार्य या तार्किक नहीं। यह कल्पनीय है कि ये अभीष्ट प्रकार से सम्बन्धित प्रदत्त घटित न होते। किन्तु इसका अर्थ होता है कि कम-से-कम यह तर्कत: सम्भव है कि ऐसे संवेद हों जो किसी व्यक्ति (संवेद कर्त्ता) के संवेद न हों अथवा उनका अन्य संवेद-प्रदत्तों से सम्बन्ध ऐसा नहीं हो जो "व्यक्ति" अथवा किसी भी प्राणी की रचना करने के लिए आवश्यक हो। उदाहरणत: (मतिभ्रंश) हेल्यूसीनेशन की अवस्था में ऐसे संवेद प्रदत्त होते हैं जो किसी भौतिक विषय की प्रतीति नहीं कहे जा सकते। अत: उन के स्वभाव के सम्बन्ध में इस दृष्टिकोण के अनुसार, ऐसे वास्तव संवेद हो सकते हैं जो किसी संवेदनशील प्राणी के संवेद न हों। यह स्पष्ट है कि यदि ऐसे संवेद प्रदत्त हों तो उनका अस्तित्व किसी को अवगत नहीं होगा।"[1] इस समस्या का समाधान वे इस प्रकार करते हैं कि "यद्यपि कोई संवेद $स_1$ के अस्तित्व को लागू नहीं करता, किन्तु वह किन्हीं अन्य संवेदों $स_य$ को अवश्य लागू करता है।"[2]

किन्तु हमारे विचार में, एयर की यह समस्या तर्कत: अप्रतिष्ठित है। संवेद प्रदत्तों के प्रसंग में संवेदकर्त्ता अथवा संवेदी प्राणी की कल्पना अयुक्त है। किन्तु यह मान कर भी हम इससे असंवेदित संवेदों की अतर्कसम्मत स्थिति को स्वीकार करने को बाध्य नहीं हैं। संवेदों की पदावली के स्तर पर 'घटित होना' उचित प्रयोग है 'संवेदित होना' नहीं, यदि 'संवेदित होना' किसी संवेदनकर्त्ता के अस्तित्व को लागू करता है तो। अतर्कसम्मत (अथवा कहें अकल्पनीय) अघटित संवेद-प्रदत्त हैं, असंवेदित संवेद-प्रदत्त नहीं। यहाँ अभिप्रेत यह स्थापित करना नहीं है कि वास्तव में संवेदनकर्त्ता के बिना संवेद होते हैं अथवा नहीं, प्रत्युत यह कि इनका होना तर्कत: युक्त है, और वास्तव में, तर्कत: आवश्यक है। संवेद $स_1$ होने पर संवेद $स_2 \ldots स_न$ भी हों, यह रचनाओं को पूर्वकल्पित करता है और इस पूर्वकल्पना के होने पर यह अनिवार्य है कि $स_1$ होने पर $स_2 \ldots स_न$ घटित हों।

इसका यह अभिप्राय नहीं है कि संवेदवाद यह दावा करे कि विषयों (मानसिक व भौतिक) की हम वास्तव में रचना करते हैं, अथवा, कि वे कल्पित हैं। यह तो विचारणीय ही नहीं है। विचारणीय केवल यह है कि हम किस प्रकार हैल्यूसीनेशन, भ्रम, कल्पना तथा वास्तव आदि को एक अवधारणात्मक योजना के अन्तर्गत लाते हैं। इस प्रकार, 'वहाँ मेज़ है' लागू करता है कि 'संवेद $स_1$, $स_2$ $स_न$ घटित होते हैं।' किन्तु 'संवेद $स_1$, $स_2$, $स_न$...' यह लागू नहीं कर सकते कि 'यहाँ मेज़ है'। इसके विपरीत 'यहाँ मेज़ है' वाक्य की सत्यता के लिए यह आवश्यक शर्त है कि 'संवेद $स_1$, $स_2$, $स_3 \ldots स_न$ घटित हों'।

अब व्यक्तित्व-अभिन्नता की क्या कसौटी है?—यह प्रश्न संवेदवाद से इस प्रकार सम्बन्धित है : उदाहरणार्थ यह वाक्य लें—'राम की मृत्यु हो गयी है किन्तु उसका दुःख अभी तक नहीं मिटा'। अथवा 'राम मर कर पुन: भी उत्पन्न हो सकता है'। इन वाक्यों में राम का व्यक्तित्व उसके शरीर के अस्तित्व पर निर्भर नहीं माना गया है। अब क्या ये वाक्य सार्थक हैं? हमारे विचार में ये वाक्य उसी प्रकार सार्थक हैं जिस प्रकार 'राम दुःखी है चाहे वह इसे प्रकट न होने दे' वाक्य सार्थक है। ये वाक्य सत्यापनीय नहीं हैं, क्योंकि न इनका कथन करने वाला और न इनको सुनने वाला इनका सत्यापन कर सकता है। किन्तु यदि सत्यापन की श्लिक की तथा एयर की कसौटी स्वीकार की जाय तो सत्यापन की समस्या भी समाप्त हो जाती है, क्योंकि इनका सत्यापन राम कर सकता है। इन वाक्यों की सत्यापनीयता राम के अतिरिक्त अन्य के लिए असम्भव है किन्तु इनकी सार्थकता सम्भव है। इनकी सत्यापनीयता तथा सार्थकता की यह अवधारणा संवेदवादी अवधारणा में मूलित है।

---

1. पोज़ीटिविज़्म — सं. ए.जे. एयर, पृ. 191.
2. पोज़ीटिविज़्म — सं. ए.जे. एयर, पृ. 192.

'मानसिकता' तथा 'भौतिकता' की अवधारणाओं में मौलिक अन्तर यह है कि द्वितीय प्रकार की अवधारणाओं के वाचक पद ऐन्द्रिक संवेदों के वाचक पदों को लागू करते हैं जब कि प्रथम प्रकार के पद इन पदों को सर्वथा लागू नहीं करते, ये अन्तरनुभव सम्बन्धी पदों को लागू करते हैं। द्वितीय अन्तर यह है कि भौतिक विषय सर्वसामान्य हैं और मानसिक सर्वसामान्य नहीं हैं, ये व्यक्तिगत हैं। इस प्रकार यह उचित वाक्य है कि 'राम तथा श्याम मेज़$_1$ देख रहे हैं' और यह अनुचित वाक्य है कि 'राम तथा श्याम पीड़ा प$_1$ अनुभव कर रहे हैं।' जिन्होंने मानसिकता की अवधारणा का भौतिकता की अवधारणा में समावेश करने का प्रयत्न किया है उन्होंने यह दिखाने का प्रयत्न किया है कि तथाकथित मानसिकता के वाचक वाक्य व्यक्तिगतता को लागू नहीं करते। इस प्रकार, उपर्युक्त विवेचन के अनुसार, उनकी यह स्थापना तर्कत: अप्रतिष्ठित है।

सार्थकता

आधुनिक विश्लेषणात्मक दर्शन-प्रणाली में अर्थ का प्रश्न एक आधारभूत प्रश्न बन गया है और इस समस्या पर किसी भी अन्य दार्शनिक समस्या से कम विचार नहीं किया गया है। यह प्रश्न उस समय और भी अधिक ज्वलन्त प्रश्न बन गया जब विट्गिंस्टाईन ने दार्शनिक वाक्यों को निरर्थक कहा। विट्गिंस्टाईन के पश्चात् तार्किक-भाववादियों ने वाक्यों का अर्थ उनकी प्रमाणीकरणविधि को बताया और प्रतिपादित किया कि अनुभववादी दार्शनिकों के अतिरिकत शेष दार्शनिकों के अधिकांश प्रतिपादन अर्थहीन हैं।

भाववादियों की प्रमाणीकरण सम्बन्धी यह प्रतिज्ञा बहुत संकुचित और दोषपूर्ण थी, यह स्वयं पीछे इसके प्रतिपादकों ने स्वीकार किया। वास्तव में अर्थ के प्रमाणीकरण-सिद्धान्त की कोई भी प्रतिज्ञा पर्याप्त संकुचित है। किन्तु इसमें सन्देह नहीं कि हम अर्थ की कोई भी ऐसी कसौटी स्वीकार करें, जो सामान्य धारणा के विपरीत न हो, तो भी हम पाएंगे कि बहुत-से दार्शनिक, और दूसरे लोग भी, ऐसे वाक्यों का प्राय: ही प्रयोग करते हैं जिन्हें अर्थ नहीं दिया जा सकता। ऐसे वाक्यों अथवा वाक्य-समूहों का प्रयोग अस्पष्ट और अर्ध-पक्व तर्क, भावुकता और कभी-कभी शब्द-मोह से होता है। उदाहरणत: डॉ. राधाकृष्णन के एक भाषण से दो उद्धरण देखें। वे लिखते हैं—"पहले केवल अस्तित्व था,...पहले केवल ब्रह्म था...ईश्वर सर्वज्ञ और सर्वशक्तिमान है...अहं को अनिवार्यत: अपनी वास्तव सत्ता में निहित होना चाहिए"[1] आदि। इसी प्रकार, "हमें सर्वातीत, ज्ञानातीत की अभिज्ञता दी जाती है। विश्व जो है वह वही क्यों है, अन्य प्रकार का क्यों नहीं है? यह (प्रश्न) अस्तित्व को मुक्ति के साथ सम्बद्ध करता है। प्राकृतिक तथ्यों का वैज्ञानिक अध्ययन हमें तथ्यों से परे ज्ञानातीत सत्ता की ओर ले जाता है, जो मुक्ति भी है।"[2]

अब इन वाक्यों को देखें। ये वाक्य केवल इसीलिए अर्थहीन नहीं हैं क्योंकि इनमें 'सर्वातीत', 'ज्ञानातीत' आदि पद घटित होते हैं, प्रत्युत 'पहले केवल अस्तित्व था...' आदि वाक्य तथा 'ज्ञानातीत सत्ता का मुक्ति से सम्बन्ध' आदि वाक्य किसी भी अवधारणात्मक संस्थान में कुछ कथन करने अथवा कुछ व्यक्त करने में असमर्थ हैं। किसी वाक्य की सार्थकता के लिए यह आवश्यक नहीं है कि उसके द्वारा कथित वस्तुस्थिति वास्तव में हो, किन्तु उसके लिए यह आवश्यक है कि वह वाक्य स्वयं अथवा अन्य वाक्यों को लागू करने के द्वारा यह कथन करने में समर्थ हो कि कौन-सी वस्तुस्थिति उसे सत्यापित करेगी। अब जब तक यह दिखाया नहीं जाता कि कोई वाक्य किस प्रकार की वस्तुस्थिति का कथन करता है तब तक यह वाक्य निरर्थक है; और हमें नहीं पता कि उपर्युक्त उद्धरण किस प्रकार कोई कथन करने में समर्थ कहे जा सकते हैं।

अब मान लीजिए कोई कहता है "सब प्राणी अपनी वास्तव सत्ता में शीर्षस्थ होते हैं, पेड़-पौधे प्रत्येक अवस्था में शीर्षस्थ हैं, अत: वे प्रत्येक-अवस्था में अपनी वास्तव सत्ता में अवस्थित हैं।"

अब यह कथन इसलिए निरर्थक नहीं है कि इसको प्रमाणित नहीं किया जा सकता, यह इसलिए निरर्थक है क्योंकि 'वास्तव सत्ता' पद द्वारा किसी वास्तव, सम्भाव्य या असम्भाव्य वस्तुस्थिति का निर्देश नहीं होता। अब मान लें कि इस पद की इस प्रकार परिभाषा की जाती है कि यह किसी वस्तुस्थिति का निर्देश करने में समर्थ होता है, उस अवस्था में हम पाएंगे कि वे परिभाषा-वाक्य अन्ततः अनुभव से निर्धारित होंगे।

---

1. राधाकृष्णन् — उद्घाटन भाषण, प्रोसीडिंग्ज़ ऑफ इण्डियन फिलोसफ़ीकल कांग्रेस, 1950, पृ. 16.
2. वही, पृ. 13

यहाँ निरर्थक वाक्यों या वाक्य-समूहों का एक और उद्धरण देना उपयुक्त होगा। यह उद्धरण कार्नप ने अपने एक निबन्ध—इलिमिनेशन ऑफ मैटाफ़िज़ीक्स में दिया है और इसकी निरर्थकता दिखाई है। उद्धरण इस प्रकार है—"हम अनस्तित्व (नकारता) को कहाँ खोजते हैं? हम अनस्तित्व को किस प्रकार प्राप्त करते हैं?...हम अनस्तित्व को जानते हैं...उत्सुकता (भय) अनस्तित्व का अनावरण करती है...जिसके लिए तथा जिसके कारण हम भयाकुल हैं। वास्तव में अनस्तित्व ही था। वस्तुत: अनस्तित्व स्वयं विद्यमान था। यह अनस्तित्व स्वयं अपना निषेध करता है।"[1] इन वाक्यों को कोई अर्थ नहीं दिया जा सकता, वास्तव में इनका विधान करने वालों ने कभी इनका प्रयोग इनका अर्थ विचार कर किया भी नहीं, ऐसे वाक्यों का स्रोत भावुकता तथा पूर्वाग्रहों में है। कुछ दार्शनिक, भारतीय और पाश्चात्य, यह समझते हैं कि ऐसे कथन सार्थक तो हैं किन्तु केवल आनुभविक तथा वैज्ञानिक अर्थ में सार्थक नहीं हैं। जहाँ तक 'आनुभविक' का सम्बन्ध है, हमारे विचार में इसके सिवाय सार्थकता का कोई निकष (क्राइटीरिया) तर्कसम्मत नहीं है, जहाँ तक 'वैज्ञानिक' का सम्बन्ध है, यह आग्रह कुछ भाववादी दार्शनिकों का होने पर भी, यह सभी अनुभववादियों का आग्रह नहीं है।

किन्तु इस निबन्ध की समस्या किन्हीं वाक्यों के अर्थ का विचार नहीं है प्रत्युत स्वयं अर्थ ही यहाँ विचारणीय है। 'अर्थ क्या है?' यह प्रश्न जितना आधारभूत है उतना ही उलझनपूर्ण और अतएव दु:साध्य है। इसके अतिरिक्त, अर्थ विभिन्न स्वतन्त्र अध्ययनों का विषय हो सकता है; उदाहरणत: मनोविज्ञान, भाषाविज्ञान, कोश-रचना-शास्त्र, व्याकरण, दर्शन इन सब में यह पृथक्-पृथक् स्वतन्त्र प्रश्न है, यद्यपि ये अध्ययन एक-दूसरे के क्षेत्र में सहायक भी होते हैं।

हमारी समस्या यहाँ दार्शनिक है। किन्तु दार्शनिक दृष्टि से भी अर्थ का विचार कम उलझनपूर्ण नहीं है। 'यह मेज़ है' इस वाक्य को लें। इसका क्या अर्थ है? क्या अन्य भाषाओं में इसके अनुवाद के नियम इसका अर्थ हैं? अथवा, क्या अन्य समानार्थक वाक्य (समानार्थकता) इसका अर्थ हैं? अथवा इस वाक्य का व्याकरण इसका अर्थ है? सरलतर वाक्यों में रूपान्तरण के नियम इसका अर्थ हैं? याकि इसके प्रमाणीकरण की विधि इसका अर्थ है? या इस वाक्य से सम्बद्ध मानसिक कल्पनाएँ इसका अर्थ हैं? इसी प्रकार, सार्थक शब्द अथवा वाक्य क्या विशिष्ट प्रयोग के रूप में अर्थ का वाचक है अथवा सामान्य रूप में (सब वास्तव-सम्भाव्य प्रयोगों के समवाय के रूप में) अर्थ का वाचक है? अर्थात्, क्या अर्थ 'मेज़' शब्द के एक उच्चारण अथवा घटना का होता है याकि 'मेज़' के सब वास्तव-सम्भाव्य उच्चारणों का होता है? और फिर, क्या अर्थ शब्दों अथवा वाक्यों से अभिन्न है याकि इनसे स्वतन्त्र है? दूसरे शब्दों में, 'यह मेज़ है' का अर्थ इस वाक्य की वास्तव-सम्भाव्य घटनाओं से स्वतन्त्र कुछ तथ्य है याकि कोई अन्य समानार्थक वाक्य ही इसका अर्थ है? एक शब्द के सब उच्चारणों को एक ही शब्द मानते हुए, प्रश्न किया जा सकता है कि क्या उच्चारण-साम्य मात्र के आधार पर ही यह कहा जा सकता है कि वे एक ही शब्द के उच्चारण हैं अथवा किसी अन्य मानदण्ड की आवश्यकता है? उदाहरणत:, यदि 'मेज़' शब्द के उच्चारण के समान ही उच्चारण वाला शब्द किसी अन्य भाषा में भी हो और उसका अर्थ हिन्दी में प्रयुक्त 'मेज़' से भिन्न कुछ हो तो यह कठिनाई उत्पन्न होगी। इसी प्रकार, एक ही भाषा तक सीमित रहते हुए, उच्चारण में कितनी समता होने पर किन्हीं ध्वनियों को एक ही शब्द के उदाहरण कहा जायगा? इत्यादि अनेक प्रश्न इस सम्बन्ध में किये जा सकते हैं और कोई भी एक प्रश्न विवादों की शृंखला को जन्म दे सकता है।

'अर्थ क्या है?' प्रश्न को हम यहाँ सीमित कर सकते हैं—"शब्द का अर्थ क्या है?" क्योंकि 'अर्थ' शब्द का प्रयोग कम-से-कम दो भिन्न तथा स्वतन्त्र प्रसंगों में होता है, अथवा कहें, 'अर्थ' शब्द के कम-से-कम दो

---

1. "Where do we seek the nothing? How do we find the nothing....We know the Nothing...Anxiety reveals the Nothing, Nothing...That for which and because of which we were anxious, was 'really'—Nothing. Indeed; the Nothing itself—as such—was present. What about this nothing?—The Nothing itself nothings." (R. Carnap;s "Elimination of Metaphysics." से उद्धृत A.J. Ayer (Ed.), Logical Positivism, P. 69.

भिन्न अर्थ हैं। उदाहरणत: आकाश में काले बादलों का अर्थ है कि शीघ्र वर्षा होगी, मुँडेर पर कव्वा बोलने का अर्थ है कि अतिथि आएगा, म्याऊँ म्याऊँ आवाज़ हो रही है का अर्थ है कि यहाँ कहीं बिल्ली है, आदि। इन प्रयोगों में 'अर्थ' का प्रयोग 'शब्द का अर्थ' से सर्वथा अथवा कम-से-कम बहुत अधिक, भिन्न प्रयोग है। इसमें एक घटना दूसरी घटना का संकेत है, क्योंकि दो घटनाओं में पूर्व-दृष्ट सहगामिता का सम्बन्ध है। किन्तु शब्दों का घटनाओं से अथवा अर्थों से सम्बन्ध इसी प्रकार का नहीं है। उदाहरणत: "'गधा' का अर्थ है 'पशु विशेष'" में द्वितीय पद प्रथम पद का अर्थ है, और इसी प्रकार, "'गधा' का अर्थ है "यह पशु जो कि तुम्हारे सामने विद्यमान है" भी है। वास्तव में, प्रथम प्रकार से अर्थव्यंजना जब कि स्पष्टत: भाषीय है, इसका अन्तिम आधार प्रत्यक्ष अनुभव कहा जा सकता है। उदाहरणत: 'पशु-विशेष' का क्या अर्थ है? इसकी भी भाषीय परिभाषा दी जा सकती है, किन्तु अन्ततः परिभाषाओं की यह शृंखला हमें ऐसे वाक्यों पर ले जायगी जिनकी भाषीय परिभाषा नहीं दी जा सकती, ये वाक्य किन्हीं अपरोक्ष अनुभवों के वाचक होंगे। भाषा में अधिकांश शब्द संश्लिष्ट होते हैं। इनका अर्थ अधिक सरल शब्दों द्वारा दिया जा सकता है। किन्तु सरलतर की ओर संक्रमण की यह शृंखला अनन्त नहीं है, अन्ततः हम सरलतम शब्दों पर पहुँचेंगे जिनका आगे अन्य शब्दों द्वारा अर्थ व्यक्त नहीं किया जा सकता। 'रक्त', 'कोमल' आदि पद ऐसे ही हैं।

इस प्रकार, शब्दों की सार्थकता अन्ततः उनके किसी अनुभव के वाचक होने में है। यह स्वीकार करने पर ऐसा प्रतीत होगा कि 'गधा' का अर्थ है 'वह पशु' तथा "काले बादलों का अर्थ है कि वर्षा होगी", में 'अर्थ' किन्हीं भिन्न सम्बन्धों का वाचक नहीं है, दोनों में दो घटनाओं का परस्पर सम्बन्ध सहगामिता का है। गधा देखने पर मेरे 'गधा' शब्द सुनने पर 'गधा' शब्द तथा गधा पशु में सम्बन्ध स्थापित हो जाने से मेरे लिए 'गधा' शब्द का अर्थ गधा पशु हो गया। ठीक इसी प्रकार, काले बादलों को देखने के पश्चात् वर्षा होती मैंने अनेक बार देखी तो काले बादलों का अर्थ मेरे लिए वर्षा की सम्भावना हो गया। रसल का 'प्रोपोज़ीशनल एटीट्यूड' तथा 'प्रासेस ऑफ लीडिंग' से कुछ ऐसा ही अभिप्राय है।[1] किन्तु इस समानता के बावजूद इनमें गम्भीर भेद भी है : सर्वप्रथम 'गधा' शब्द का अर्थ जब कि गधा है, तब इससे यह लागू नहीं होता कि वास्तव में कोई वस्तु गधा यहाँ विद्यमान है। हम कह सकते हैं 'गधे के कान लम्बे होते हैं', किन्तु इसका यह अभिप्राय नहीं है कि जब यह वाक्य बोला गया है तब वहाँ कोई गधा विद्यमान हो, यह भी आवश्यक नहीं है कि गधा कहीं भी विद्यमान हो। उदाहरणत:, हम विधान कर सकते हैं "यदि कोई प्राणी ऐसा होता जो शेष सब प्रकार से गधे जैसा होता किन्तु कान मनुष्य के से होते तो हम उसे 'गधा' कहते"। किन्तु इससे भी महत्त्वपूर्ण अन्तर यह है कि जबक 'गधा' शब्द का अर्थ भाषीय अनुवाद द्वारा सम्भव है, जैसे 'गधा=गर्दभ=डंकी' उसी प्रकार "काले बादल का अर्थ है वर्षा" का अनुवाद सम्भव नहीं है। इसी प्रकार जब कि शब्द के भावात्मक तथा संकेतात्मक अर्थ होते हैं, जैसे 'गधापन' तथा 'सब गधे', उस प्रकार से निर्देशक घटना का अर्थ सम्भव नहीं है। एक घटना द्वारा दूसरी घटना की प्रत्याशा को हम कारणात्मक अर्थ अथवा अगमनात्मक अर्थ (इंडक्टिव मीनिंग) कहेंगे। अब, शब्द भी अगमनात्मक होते हैं, किन्तु केवल अत्यन्त आदिम प्रयोग में, जब कि घटनाओं का अर्थ-बोध-व्यापार अगमनात्मकता की स्थिति से आगे बढ़ ही नहीं सकता।

शब्द का अर्थ उससे निर्मित वाक्यीय व्यापार है, यथा : 'य गधा है', जो न किसी वस्तु के अस्तित्व को लागू करता है और न किसी अगमनात्मक मानसिक स्थिति को; यह एक ढाँचा है जिसका विस्तार वे सब संकेतात्मक वाक्य हैं जो 'य' के संज्ञा पद द्वारा स्थानान्तरित होते हैं। फिंडले से उपमा लेते हुए, शब्द का अर्थ 'बाँह भर दूरी' के समान है; 'बाँह भर दूर' एक विस्तार है, और कोई भी वस्तु जो अढ़ाई फुट दूर है उस पर यह लागू होता है। किन्तु इससे यह लागू नहीं होता कि "हमने बाँह फैलाई है और अँगुली के अग्रभाग से किसी वस्तु का स्पर्श किया हुआ है।"[2] जब किसी वाक्य का प्रयोग इस प्रकार से भी किया जाता है कि वह किसी वस्तुस्थिति

1. Meaning of Propositions in **Logic and Knowledge**, (Allen & Unwin; London; 1956).
2. J.N. Findlay — Some Reflections on Meaning. The Indian Journal of Philosophy, Aug. 1959.

का कथन करता है, जैसे 'उस कमरे में मेज़ है', तब यह वाक्य दो प्रकार से अर्थवान् होता है—अगमनात्मक रूप में तथा वर्णनात्मक रूप में। मान लीजिये कि संकेतित कमरे में जाने पर मैं मेज़ नहीं पाता हूँ; तब भी यह वाक्य निम्न वाक्यों के द्वारा सार्थक है—"य मेज़ है, व कमरा है, य तथा व में सम्बन्ध स है"। इन वाक्यों में सब उद्देश्य पद अनिश्चित हैं और अतएव सब वाक्य वाक्यीय व्यापार हैं। किसी वाक्य अथवा शब्द का अर्थ[1] समझने के लिए यह आवश्यक है कि हम जानते हों कि कौन-सी वस्तुस्थितियों में यह सत्य होगा, किन्तु इससे यह लागू नहीं होता कि कोई वस्तुस्थिति वास्तव में ऐसी है। इस प्रकार, 'गधा' शब्द का अर्थ है 'य गधा है'; 'य गधा है' का अर्थ है 'अमुक-अमुक प्रकार की वस्तुस्थिति (अथवा अवस्था थ) होने पर वाक्यीय व्यापार 'यह गधा है' सत्य होगा।' अब जैसे 'य गधा है' यह लागू नहीं करता कि कोई वस्तु वास्तव में गधा है, उसी प्रकार 'य अवस्था है' वाक्यीय व्यापार भी किसी अवस्था-विशेष के होने को लागू नहीं करता। शब्द अथवा वाक्य का अर्थ कोई संकेतित विषय-विशेष नहीं है, यह सामान्य वाक्यों अथवा हेतुहेतुमद् वाक्यों से और भी स्पष्ट हो जाता है। 'कव्वे काले होते हैं' अथवा 'सब पक्षी अण्डज हैं' (सामान्य) अथवा 'यदि वर्षा हुई होती तो खेती अच्छी होती' (हेतुहेतुमद्) वाक्यों का सत्यापन परिभाषया असम्भव है, क्योंकि 'सब पक्षी' अथवा 'सब कव्वे' अथवा 'न हुई हुई वर्षा' उपलब्ध नहीं किये जा सकते। किन्तु यह वाक्य किसी एक पक्षी, अथवा पक्षियों की किसी संख्या, का भी वाचक नहीं है। फिर भी हम इसका अर्थ समझते हैं क्योंकि हम जानते हैं कि इन वाक्यों में प्रयुक्त शब्द सार्थक हैं और इस प्रकार हम जानते हैं कि किन अवस्थाओं में ये वाक्य बाधित होंगे।

किन्तु इसका अर्थ यह नहीं है कि किसी वाक्य के सत्यापन की अवस्थाएँ कम-से-कम सम्भाव्य अवश्य हों। हम यह विश्वास करते हुए भी कि अमुक वाक्य के सत्यापन की अवस्था कभी चरितार्थ नहीं होगी, वाक्य का अर्थ समझ सकते हैं। वैसे तो सामान्य वाक्य के सत्यापन की कोई 'अवस्था' भी कभी चरितार्थ नहीं हो सकती, किन्तु सामान्य वाक्य के अगमनात्मक होने से इसका अर्थ-ज्ञान विशेष-अवस्थाओं में निहित होता है। किन्तु 'अगस्त ऋषि ने सागर पी लिया' अथवा 'त्रिनयन ताण्डव करेंगे' वाक्य के सम्बन्ध में हम यह विश्वास करते हुए भी कि कोई अवस्था इन्हें चरितार्थ नहीं करेगी, हम उनका अर्थ समझ सकते हैं। इस प्रकार हम किसी वाक्य के सत्यापन की अवस्था तथा उसकी अर्थाभिव्यक्ति की अवस्था में भेद कर सकते हैं। 'सब मनुष्य मरते हैं' का अर्थ समझने के लिए इतना पर्याप्त है कि हमने कोई मनुष्य तथा कोई मृत्यु की घटना देखी हो। 'मनुष्य' तथा 'मृत्यु' का अर्थ अन्य विघटन-वाक्यों अथवा अनुवाद के द्वारा भी जाना जा सकता है। इस प्रकार 'इस कमरे की सब कुर्सियाँ लाल हैं' में 'सब' का अर्थ है '$क_1$, $क_2$ $क_3$...$क_न$ कुर्सियाँ हैं और इनके अतिरिक्त यहाँ कोई कुर्सी नहीं है'। यद्यपि इस वाक्य में 'सब' का अर्थ सब 'मनुष्य' में 'सब' के अर्थ से भिन्न प्रतीत होता है, किन्तु 'सब' के केवल इस प्रयोग में ही हम इस पद के अर्थ को जानते हैं और इसी अर्थ में इसका प्रयोग दूसरे प्रकार के वाक्यों में करते हैं। प्रथम प्रकार के वाक्यों में 'सब' का अर्थ पूर्ण परिगणन है और इनमें यह पूर्ण परिगणन सम्भव है, 'सब मनुष्य' प्रयोग में यह सम्भव नहीं है। इसीलिए हम दूसरे वाक्यों में सत्यापन को असम्भव मानते हैं।

रसल ने पूर्ण परिगणन को प्रत्येक अवस्था में असम्भव माना है। उनके अनुसार, जब हम कहते हैं 'इस कमरे की सब कुर्सियाँ...', सम्भव है उस समय कोई कुर्सी हमारी दृष्टि से छिपी हो, और हमने उसे गिना न हो। किन्तु हमारे विचार में, यह आपत्ति उचित नहीं है। मान लीजिये एक छोटे कमरे में केवल तीन कुर्सियाँ ही हैं अन्य कुछ नहीं। उस अवस्था में पूर्ण परिगणन सम्भव है। अब मान लीजिये कि कोई आपत्ति करता है कि "सम्भव है हम किसी कारण से एक कुर्सी को न देख पा रहे हों।" उस अवस्था में वाक्य का निर्देश और सीमित किया जा सकता है : हम कह सकते हैं "इस कमरे में मुझे दिखाई देने वाली केवल तीन कुर्सियाँ हैं।" एक दूसरा उपाय और है, एक कमरे में परिभाषया कुर्सियों की संख्या स. ही समा सकती है, इससे अधिक नहीं। हम उतनी कुर्सियाँ उस कमरे में रख देते हैं और कहते हैं 'इस कमरे में स. संख्या में कुर्सियाँ हैं।' इस प्रकार, सब कुर्सियाँ गिन लेने पर हम

1. वाक्य का अर्थ शब्द के अर्थ के समान ही ग्रहण नहीं होता, इनमें कुछ भेद है, जो आगे विश्लेषण में स्पष्ट होगा।

कह सकते हैं कि 'इस कमरे की सब कुर्सियाँ रक्त हैं।' रसल इस प्रसंग में एक अपरिगणनीय सामान्य को आवश्यक मानते हैं। उनके अनुसार, 'इस कमरे में केवल तीन कुर्सियाँ हैं' वाक्य 'अन्य कुछ भी ऐसा नहीं है जो इस कमरे में है और कुर्सी है' वाक्य को पूर्वकल्पित करता है। वे निषेधात्मक सामान्य वाक्यों को प्रत्यक्ष अनुभव के परिणाम मानते हैं, जैसे 'यहाँ कौन है?' 'कोई नहीं!' इसमें उत्तर वाक्य सामान्य निषेधात्मक वाक्य है और प्रत्यक्ष संवेद का परिणाम है।[1]

हमारे विचार में, ऐसे वाक्य उचित सामान्य वाक्य नहीं हैं। जब हम कहते हैं 'यहाँ कोई मनुष्य नहीं है' तब 'यहाँ' पद को भुला नहीं देना चाहिए। मान लीजिये कोई कहता है 'इस कमरे की सब कुर्सियाँ रक्त हैं', तब वह सामान्य वाक्य का प्रयोग करते हुए भी परिगणनीय सामान्य वाक्य का प्रयोग कर रहा है, क्योंकि 'इस कमरे' अथवा 'यहाँ' पद परिगणनीयता को लागू करते हैं। इसी प्रकार, 'इस कमरे में कोई कुर्सी रक्त नहीं है' सामान्य वाक्य है, किन्तु परिगणनीय है, क्योंकि सब कुर्सियाँ देख कर इस परिणाम पर पहुँचा गया है। अब जब 'यहाँ कोई मनुष्य नहीं है' कहा जाता है तब 'कोई मनुष्य नहीं' द्वारा "यहाँ" की वस्तुओं के "मनुष्य" होने का निषेध है। किन्तु तार्किक दृष्टि से यह अपरिगणनीय सामान्य ही है, इसमें सन्देह नहीं, क्योंकि यह 'राम अथवा मोहन...' किसी के भी 'यहाँ' होने का निषेध करता है। मान लीजिये, कोई पूछता है "यहाँ राम है?" इसका सकारात्मक उत्तर 'कम-से-कम एक यहाँ है' वाक्य को लागू करता है। अब इसका निषेध—यहाँ कोई नहीं है को तर्कत: लागू करता है। इस प्रकार, यदि प्रमाणीयता एक-एक को गिन गिन कर निषेध करने में है तो निषेधात्मक सामान्य वाक्य पूर्णत: प्रमाणीय भले ही न हों किन्तु यह अनुभवीय तथा प्रत्यक्षगम्य अवश्य है।

हमने ऊपर देखा कि वाक्यों अथवा शब्दों का अर्थ समानार्थक वाक्यों के प्रयोग द्वारा, अथवा विघटन वाक्यों के द्वारा, अथवा प्रत्यक्ष से, जाना जा सकता है। इसका क्या अभिप्राय है? विघटन वाक्य हम अनुभव अथवा संवेद-वाक्यों को कहते हैं। किसी वाक्य के विघटन-वाक्य वे वाक्य हैं जो उस वाक्य के लिए प्रासंगिक संवेदों के वाचक वाक्य हों। समानार्थक-वाक्य शाब्दिक परिभाषाएँ होते हैं, जैसे 'विधवा' = 'वह स्त्री जिसका पति मर चुका है'। इन्हें रूपान्तरण-वाक्य अथवा परिभाषा-वाक्य भी कहते हैं। कार्नप तथा अन्य अनेक तार्किक भाववादी विघटन-वाक्यों को भी वास्तव में शाब्दिक परिभाषाएँ ही मानते हैं। उदाहरणत:, कार्नप के अनुसार, "किसी भाषा के रूप-निर्धारण के लिए (1) उस भाषा के शब्दकोश तथा वाक्य-रचना के नियमों का निश्चय करना तथा (2) उन नियमों का निश्चय करना जो उस भाषा के वाक्यों के उसी भाषा के अन्य वाक्यों में अनुवाद के लिए तथा अन्य भाषा के वाक्यों में अनुवाद के लिए आवश्यक हैं। किन्तु क्या वाक्यों का 'अभिप्राय' समझने के लिए उनका अर्थ समझना आवश्यक नहीं है? नहीं; क्योंकि शब्द का अर्थ अनुवाद अथवा परिभाषा द्वारा दिया जा सकता है। अनुवाद एक भाषा के शब्दों का दूसरी भाषा के शब्दों में रूपान्तरण हैं। यह शाब्दिक परिभाषाओं के लिए भी ठीक है (जैसे, 'हाथी' = 'अमुक-अमुक प्रकार की विशेषताओं से युक्त पशु-विशेष') तथा तथाकथित संकेतात्मक परिभाषाओं के लिए भी (जैसे, हाथी='उसी प्रकार का पशु जिस प्रकार का इस या उस देश-काल स्थिति में पशु')। दोनों परिभाषाएँ शब्दों का अनुवाद हैं।"[2]

यह एक विचित्र स्थिति है। एक शब्द का अर्थ दूसरे शब्द द्वारा ग्रहण हो सकता है और इस दूसरे शब्द का तीसरे शब्द द्वारा, किन्तु एक शब्द दूसरे का समानार्थक किस आधार पर है? यही बात परिभाषा वाक्यों के लिए कही जा सकती है। 'हाथी' की परिभाषा 'अमुक-अमुक प्रकार का पशु विशेष' क्यों ठीक है? 'अमुक-अमुक प्रकार में गृहीत वर्णन-पद' ऐसे होने चाहिएँ जो अनन्य रूप से 'हाथी' शब्द द्वारा संकेतित प्राणी का बोध करायें, जिनको सुनने वाला हाथी के सामने आने पर पहचान सके कि वर्णन-पद इसी प्राण के लिए प्रयुक्त थे, आदि-आदि। कार्नप, न्यूरथ, श्लिक आदि जब कि वाक्यों का अर्थ मूल-वाक्यों में विघटन द्वारा देते हैं, वे मूल-वाक्यों

1. द्रष्टव्य — **ह्यूमन नोलेज** में जनरल नोलेज अध्याय।

2. यूनीटी ऑफ साईंस, पृ. 38, **लोजीकल साईंटेक्स ऑफ लेंग्वेज**, पृ. 277-331.

को भाषीय तथा रूढ़िमूलक मानते हैं। वास्तव में वे इस प्रश्न को ही कि 'सद्यःप्रदत्त के विषय क्या हैं?' चित्रशैली में (और अतएव भ्रामकतया) प्रस्तुत वाक्य-रचनात्मक प्रश्न मानते हैं, जो रूपात्मक शैली में इस प्रकार प्रस्तुत किया जाना चाहिए—'मूल-वाक्यों में कैसे पद प्रयुक्त होते हैं?'[1] किन्तु हमारे विचार में समानार्थकता का प्रश्न अनिवार्यतः भाषेतर प्रसंग को पूर्वकल्पित करता है। जैसे 'हाथी'='अमुक-अमुक प्रकार का पशु विशेष' में निरूपणात्मक पद घटित होते हैं जो अन्ततः सद्यः संवेदों के वाचक हैं और इसी से ये मूल-वाक्यों में विघटित होते हैं। इन मूल-वाक्यों के प्रसंग से ही किन्हीं दो वाक्यों की समानार्थकता का ग्रहण होता है, अथवा कहें, जब दो वाक्य एक ही वस्तुस्थिति के वाचक होते हैं तब वे समानार्थक होते हैं। कल्पना (Image) तथा प्रतिक्रिया (Reaction) में अन्तर समझ लेना आवश्यक है—'पिता=माता का पति' समानार्थक हैं[2] क्योंकि ये एक ही "कल्पना" से सम्बद्ध हैं, किन्तु ये भिन्न मानसिक प्रतिक्रियाओं के जनक हो सकते हैं। 'य के पुत्र की मृत्यु हो गयी' को सुनने वाले दो व्यक्तियों में यदि एक य का मित्र है और दूसरा शत्रु तो उनकी मानसिक प्रतिक्रिया भिन्न-भिन्न होगी, किन्तु मानसिक कल्पना एक ही होगी। समानार्थकता का सम्बन्ध संक्रमणात्मकता तथा समानात्मकता से है; यदि य र के समान है और र ल के समान है तो य ल के समान है (संक्रमणात्मक), और इसी प्रकार, यदि य र के समान है तो र य के समान है (समानात्मक)। अब ऐसे सम्बन्धों के लिए यह आवश्यक है कि ये सम्बन्ध किसी अन्य के प्रसंग से हों, जिसे हम 'किस दृष्टि से' अथवा 'किस आधार पर' के द्वारा व्यक्त करते हैं। 'राम श्याम का भाई है' तथा 'श्याम राम का भाई है' समानार्थक वाक्य हैं क्योंकि दोनों वाक्यों की संज्ञाएँ एक ही हैं तथा सम्बन्ध समानात्मक हैं। इसके विपरीत 'राम श्याम से बड़ा है' तथा 'श्याम राम से बड़ा है' समानार्थक नहीं हैं, क्योंकि 'बड़ा' द्वारा व्यक्त सम्बन्ध समानात्मक नहीं है। विस्तारात्मक भाषा में समानार्थक वाक्य एक ही वस्तुस्थिति का विधान करने के कारण समानार्थक हैं। 'वस्तुस्थिति' प्रयोग पुनः समस्याएँ उत्पन्न करता है, किन्तु यहाँ हम इसका प्रयोग घटनाओं तथा अपने उन विश्वासों के अर्थ में कर रहे हैं जो कि सत्य या असत्य हैं। दूसरा रसल की प्रोपोज़ीशंज़ की परिभाषा के अनुरूप है। प्रथम (घटनाओं) पर हमने "विशिष्ट, सामान्य और अस्तित्व", निबन्ध में विचार किया था। इस अर्थ में 'वस्तुस्थिति' की अभिव्यक्ति वाक्यीय व्यापार 'र(य)' के स्थानान्तरण वाक्यों '$र_1$(अ)' आदि द्वारा होती है। घटनाएँ जब कि सरल और अनिवार्यतः सत्यापन-निरपेक्ष हैं, विश्वास संश्लिष्ट और अतएव सत्यापनीय हैं। वास्तव में प्रमाणीकरण सिद्धान्त के लिए यह आवश्यक है कि वह किसी भाषेतर प्रसंग को स्वीकार करे।

किन्तु अर्थ की यह व्याख्या संकुचित कही जा सकती है। वास्तव में अर्थ अनेक प्रकार के हैं—भावनात्मक अर्थ (इमोशनल मीनिंग), विध्यात्मक अर्थ (मोटीवेटिव मीनिंग) तथा अर्थ आदि। 'आह! कैसा भयानक है!' संवेगात्मक अर्थ का व्यंजक है, 'चले जाओ' विध्यात्मक अर्थ का व्यंजक है तथा 'मेज़ रक्त है' वर्णनात्मक अर्थ का व्यंजक वाक्य है। प्रथम दो के अर्थों का विश्लेषण यहाँ अभीष्ट नहीं है, क्योंकि दार्शनिक दृष्टि से इनका विश्लेषण अप्रासंगिक है, यद्यपि अब तक हमारा अर्थ का विश्लेषण बहुत अंशों में इस प्रकार के वाक्यों पर भी लागू होता है। वर्णनात्मक वाक्यों के भी तीन प्रकार हैं—अभिधात्मक, लाक्षणिक तथा व्यंजक। यहाँ केवल अभिधात्मक अर्थ ही अभिप्रेत है।

अब, कथनात्मक अभिधा वाक्य 'यह मेज़ है' स्वयं एक तथ्य है (जब कि यह ध्वनियों अथवा मुद्राओं का समवाय है) और एक विलक्षण ढंग से अन्य तथ्यों से सम्बन्धित है। एक तथ्य के रूप में, जिसे हम वाक्यीय तथ्य कह सकते हैं, यह विशिष्ट भी है और सामान्य भी। इसकी एक घटना विशिष्ट तथ्य है, और जब यह अपनी सब सम्भाव्य घटनाओं के सम्पूर्ण वर्ग का वाचक है तब यह सामान्य तथ्य है। '$व_1$' को 'यह मेज़ है' का स्थानापन्न मानते हुए हम '$व_1$(अ)' द्वारा इसकी एक घटना तथा 'व (अ)' द्वारा इसके सामान्य रूप को व्यक्त कर

1. यूनीटी ऑफ साईंस, पृ. 45.
2. समानार्थकता सम्बन्धी समस्याओं पर विशेष रूप से विचार अध्याय 6-8 में किया जायगा।

सकते हैं। इस प्रकार, सामान्य के रूप में इसका रूप वाक्यीय व्यापार का है। इसके अस्तित्व का विधान करने के लिए हम इसे '(य)व$_1$(य)' द्वारा व्यक्त कर सकते हैं, किन्तु जैसाकि हम वि.स.अ. अध्याय में देख चुके हैं, यह किसी 'सामान्य तथ्य' के अस्तित्व—का वाचक नहीं है। हमारे विचार में 'सामान्य तथ्य' पद किसी पर लागू नहीं होता। किन्तु जब कि हम सामान्य तथ्य के अस्तित्व से इन्कार कर सकते हैं, सामान्य वाक्य से इन्कार नहीं कर सकते। वास्तव में सामान्य वाक्यों के होने के कारण ही हम सामान्य तथ्यों के अस्तित्व को स्वीकार करने को भी प्रेरित होते हैं। किन्तु '(य) व$_1$(य)'—'प्रत्येक वाक्य व$_1$...' किसी सामान्य अस्तित्व का विधान नहीं करता, केवल स्थानापन्न विशिष्ट वाक्य (उदाहरण वाक्य) 'व$_1$(अ)' ही अस्तित्व का विधान करते हैं। यदि हम प्रत्येक घटना को, चाहे वह सरल हो या संश्लिष्ट, पृथक् संज्ञा दें तो यह समस्या समाप्त हो जाती है। आपत्ति की जा सकती है कि 'समानार्थकता' की परिभाषा हमने सामान्य (एक ही वस्तुस्थिति) के द्वारा दी है, तब हम सामान्य का निषेध किस प्रकार कर सकते हैं? किन्तु यह भ्रम वास्तव में पुन: उसी अवधारणा पर प्रतिष्ठित है जिसका निराकरण हमने यहाँ करने का प्रयत्न किया है। 'गज़ भर लम्बाई' को लें। अब यह 'गज़ भर लम्बाई' क्या है? 'प्रत्येक इतनी लम्बी रेखा' गज़ भर लम्बाई का निर्धारण करती है। इसी प्रकार 'कोई संख्या' क्या है? समान संख्यक सदस्यों वाले वर्ग किस संख्या का निर्धारण करते हैं? अब, 'इतनी लम्बी' अथवा 'समान वर्ग' स्वत: किसी अस्तित्व का विधान नहीं करते, जैसाकि वि.सा.अ. अध्याय में स्पष्ट किया जा चुका है।

तब क्या हम 'यह मेज़ है' वाक्य के दो उदाहरणों को भिन्न-भिन्न वाक्य कहेंगे? वास्तव में यह, अथवा अन्य वाक्य भी इसी प्रकार, अपनी भिन्न-भिन्न घटनाओं में भिन्न अर्थ के वाचक हो सकते हैं। उदाहरणत: 'यह मेज़ है' वाक्य के दो प्रयोग दो भिन्न वस्तुस्थितियों में प्रयुक्त हो सकते हैं। जैसे : 'यह मेज़ है' मेज़$_1$ के लिए तथा दूसरा 'यह मेज़ है' मेज़$_2$ के लिए प्रयुक्त हो सकता है। इसी प्रकार, इसका प्रयोग एक ही मेज़ की ओर संकेत करने के लिए दो व्यक्ति भी कर सकते हैं और अतएव ये भिन्न-भिन्न तथ्यों के वाचक हैं। जब एक ही व्यक्ति एक ही मेज़ के लिए इस वाक्य का प्रयोग करता है तब भी वह मेज़ की दो भिन्न अवस्थाओं की ओर संकेत करता है, जिस प्रकार नदी की ओर कोई दो बार संकेत करने पर दो भिन्न धाराओं की ओर संकेत करता है। यहाँ आपत्ति की जायगी कि 'मेज़' शब्द किसी वाक्य में प्रयुक्त होने पर विशेष मेज़ की सब अवस्थाओं के संकलन का वाचक है। अत: कम-से-कम उस अवस्था में, जब कि एक ही व्यक्ति एक ही संकलन—मेज़—को लक्ष्य कर 'यह मेज़ है' के लगभग समान ध्वनियों का उच्चारण करता है तब एक ही वाक्य-प्रकार की दो घटनाएँ वास्तव में एक ही वाक्य हैं और हम इन वाक्यों को एक ही संज्ञा दे सकते हैं।

स्पष्टत: यह बहुत चक्करदार स्थापना है और किसी भी प्रकार से स्पष्ट नहीं है। हम अवस्थाओं के विशेष संकलन को एक संज्ञा दे सकते हैं, यद्यपि यह स्वयं अपने आप में स्पष्ट नहीं है कि किस प्रकार उस संकलन की ओर संकेत किया जा सकता है।[1] मेज के समान ही द्रष्टा भी एक संकलन है। किन्तु इस समस्या की यहाँ उपेक्षा करते हुए भी यह समस्या एक भयानक समस्या है कि दो लगभग समान, अथवा सर्वथा समान, ध्वनियों को भी एक ही वाक्य कैसे कहा जा सकता है? सर्वथा समान दो रेखाएँ, सर्वथा समान दो आकार, सर्वथा समान दो गतियाँ क्या एक ही रेखा, एक ही आकार, एक ही गति के भिन्न-भिन्न उदाहरण कहे जा सकते हैं? दो समान ध्वनियों द्वारा एक ही वस्तुस्थिति का बोध होने पर भी उन्हें एक ही वाक्य नहीं कहा जा सकता, यद्यपि एक ही भाषा की दो ध्वनियाँ अथवा दो भाषाओं के समानार्थक वाक्य एक ही वस्तुस्थिति के बोधक हो सकते हैं। इस प्रकार, हमारे विचार में, किसी वाक्य को उसकी घटनाओं से स्वतन्त्र अस्तित्व नहीं कहा जा सकता।

किन्तु फिर भी वाक्यों की समानता एक स्वीकृत तथ्य है—'सीता राम की पत्नी है' तथा 'राम सीता का पति है' केवल एक वस्तुस्थिति के व्यंजक होने से ही समानार्थक नहीं हैं प्रत्युत इसलिए भी समानार्थक हैं क्योंकि एक का स्वीकार और दूसरे का निषेध अन्तर्विरोधपूर्ण है। इन्हें 'व$_1$=व$_2$' इस प्रकार व्यक्त किया जा सकता है। इन

1. इस प्रसंग में विशेष अध्ययन के लिए द्रष्टव्य : क्वाइन की पुस्तक 'फ्राम ए लोजीकल प्वाइंट ऑफ व्यू' में अध्याय 4.

दोनों वाक्यों की समानता का आधार स्पष्ट है : यदि दोनों वाक्यों में प्रयुक्त संज्ञाएँ उन्हीं व्यक्तियों के लिए प्रयुक्त हैं तो 'राम=राम', 'सीता=सीता' पुनरुक्ति मात्र है, 'पति' तथा 'पत्नी' इस प्रकार के सम्बन्धवाचक पद हैं कि एक के दूसरे का पति होने पर यह असम्भव है कि दूसरी उसकी पत्नी न हो। यह तथ्य हमें एक विचित्र समस्या में डाल देता है। किन्तु यहाँ यह स्पष्टीकरण भी अपेक्षित है कि वास्तव में यहाँ समस्या क्या है? प्रथम तथा स्पष्ट समस्या यह है कि दो वाक्य-घटनाओं में परिभाषया कोई सम्बन्ध नहीं हो सकता। अत: दो वाक्य-घटनाओं को समान कहना समस्यात्मक है। किन्तु यह समस्या केवल ऊपरी है। वाक्यीय घटना अपने से भिन्न तथ्य की व्यंजक है। अब जब हम एक मेज़ को देख कर कहते हैं 'यह मेज़ है', उस समय इसके साथ ही मेरे मन में एक वाक्य 'दिस इज़ ए टेबल' भी घटित हो सकता है। ये दोनों वाक्य एक अर्थ के व्यंजक होने से समानार्थक वाक्य हैं। किन्तु जब हम कहते हैं 'राम सीता का पति है'='सीता राम की पत्नी है' तब इन वाक्यों की समता वाक्य-घटनाओं की समता नहीं है प्रत्युत वाक्य-सामान्यों की समता है, क्योंकि जब हम दो वाक्यों में समता का विधान करते हैं तब यह विधान हम इनकी दो घटनाओं में नहीं प्रत्युत इनके सामान्य रूपों में करते हैं। घटनाओं के रूप में सम्भव है ये समान नहीं हों, सम्भव है इनका प्रयोग करने वालों में इनकी संवेगात्मक प्रतिक्रियाएँ आदि भिन्न हों, सम्भव है 'राम' तथा 'सीता' दो भिन्न वाक्य-घटनाओं में दो भिन्न व्यक्तियों की संज्ञाएँ हों। अत: इन दो वाक्यों की समता दोनों के सब प्रयोगों में 'राम' तथा 'सीता' पदों के उपलक्ष्यों की अभिन्नता को तथा 'पति' और 'पत्नी' द्वारा व्यक्त वर्गों के व्यापकता की अभिन्नता को, और पुन: इनके यहाँ उदाहरित होने की अभिन्नता को, पूर्वकल्पित करती है। वास्तव में दो वाक्यों में किसी भी तार्किक सम्बन्ध के विधान का यह पूर्वाग्रह है कि वाक्य एक घटना नहीं प्रत्युत सामान्य हो।

यह ठीक है, किन्तु इससे इस तथ्य का खण्डन नहीं होता कि वाक्य-सामान्य केवल वाक्यीय व्यापार द्वारा बोध्य है और इस प्रकार इसके अस्तित्व का प्रश्न अन्य वाक्यीय व्यापारों के समान है। जब हम कहते हैं कि दो विधेय पदों का अथवा उनसे निर्मित वाक्यों की व्यापकता एक ही है, तब इसका अभिप्राय यह नहीं है कि वर्ग अथवा एक भी सदस्य का अस्तित्व है, यह केवल उसकी व्यापकता का, अथवा पहुँच का बोधक है।

इस प्रकार यह लागू करता है कि सत्य अथवा असत्य वाक्य-घटनाएँ हैं, वाक्य-सामान्य नहीं, क्योंकि यह सम्भव है कि एक वाक्य-घटना तथा उसी प्रकार की दूसरी वाक्य-घटना के लक्ष्य सर्वथा भिन्न हों, अथवा एक वाक्य-घटना का उच्चारण सलक्ष्य हो और दूसरी का केवल शाब्दिक हो, अथवा एक का उच्चारण हिन्दी में हो और दूसरी का किसी अन्य भाषा में हो। किसी वाक्य का कथन सम्पूर्ण वाक्य द्वारा निर्धारित होता है जब कि उसका अर्थ शब्दों द्वारा ग्रहण होता है। और जैसाकि हम पीछे देख चुके हैं, शब्द सत्य या असत्य नहीं होते, ये केवल सार्थक या निरर्थक होते हैं।

अब, शब्द सार्थक किस प्रकार होते हैं? इसका उत्तर कोई एक नहीं हो सकता, क्योंकि शब्द कम-से-कम दो प्रकार से सार्थक होते हैं। शब्दों का अत्यन्त आदिम प्रयोग वह है जब वे किसी विषय की उपस्थिति में उसको लक्ष्य कर बोले जाते हैं।[1] यदि बच्चे को कुत्ता दिखा कर 'कुत्ता' शब्द का उच्चारण किया जाता है तो 'कुत्ता' शब्द सार्थक-रूप से प्रयुक्त किया गया है। अब यह आवश्यक नहीं है कि कुत्ता देखने पर 'कुत्ता' शब्द द्वारा ही उसका निर्देश सार्थक हो : यदि 'बिल्ली' शब्द का हम उच्चारण करते हैं और उसका लक्ष्य कुत्ता दिखाना ही है तब भी हम शब्द का सार्थक तथा उचित प्रयोग करते हैं, यद्यपि हम उसका परम्परया स्वीकृत प्रयोग नहीं करते। इससे कम किन्तु पर्याप्त आदिम प्रयोग वह है जब कि कुत्ते की अनुपस्थिति में इस शब्द का उच्चारण कुत्ता लाने के आदेश के लिए, अथवा डराने के लिए, अथवा इस प्रकार के अन्य किसी उद्देश्य से किया जाता है। दूसरी अवस्था में शब्द का यह प्रयोग अगमनात्मक (इंडक्टिव) है, क्योंकि यह ससम्बन्ध द्वारा मानसिक आकृतियों तथा प्रत्याशाओं को उसी प्रकार जन्म देता है जिस प्रकार बिजली का चमकना बादल की गरज सुनने के लिए प्रस्तुत होने की मानसिक स्थिति को जन्म देता है। किन्तु दूसरे प्रयोग में (विषय की अनुपस्थिति में) शब्द का

---

1. रसल : **इन्क्वारी इन्टू मीनिंग एण्ड ट्रूथ**, अध्याय 1, 4। एच.एच. प्राइस – थिंकिंग एण्ड एक्सपीरीयेंस, अ. 5.

प्रयोग अनिवार्यत: वाक्यात्मक है, शब्द अकेला अगमनात्मक नहीं है। किन्तु हमारे विचार में, अकेला शब्द भी अनेक बार अगमनात्मक रूप से प्रयुक्त हो सकता है। कोई शेर को देख कर 'शेर' शब्द का उच्चारण करता है, जब कि दूसरे ने शेर की ओर पीठ की है। अब दूसरा व्यक्ति यह शब्द सुन कर चौंक उठेगा। इस व्यक्ति के लिए यह प्रयोग अगमनात्मक होगा और यह वाक्यीय नहीं होगा, क्योंकि बोलने वाले के मन में यह विचार नहीं आया होगा कि वह दूसरे को बताये कि "शेर आया है, भागो", और न श्रोता का भागना या चौंकना उसके इस विचार से प्रेरित होगा कि अब दौड़ना चाहिये। किन्तु इसके बावजूद आप इसे वाक्यीय प्रयोग कह सकते हैं, क्योंकि आप इस सम्पूर्ण व्यवहार को वाक्यीय व्यवहार कह सकते हैं।

यह मनोवैज्ञानिक भेद हमारी इस व्याख्या में महत्त्वपूर्ण नहीं है, हमारा उद्देश्य यहाँ केवल शब्द के आदिम सार्थक प्रयोग को देखना है। यह यहाँ अप्रासंगिक है कि यह अनिवार्यत: वाक्यात्मक है या नहीं।

शब्द के अर्थ-निर्धारण का दूसरा ढंग उसके व्याकरण (साइंटेक्स) का निर्धारण करना है। कार्नप, श्लिक आदि भाववादी दार्शनिक केवल व्याकरण-निर्धारण को ही अर्थ-निर्धारण की एकमात्र विधि मानते हैं। वे प्रश्न करते हैं "शब्द का अर्थ क्या है? शब्द के सार्थक होने के लिए कौन-से नियमों का निश्चय आवश्यक है? प्रथम, शब्द के वाक्य-रचना के नियम अवश्य निर्धारित होने चाहिएँ, अर्थात् ऐसे सरलतम वाक्यों में इसके प्रयोग का रूप निर्धारित होना चाहिए जिनमें यह घटित हो सकता है। जैसे 'पत्थर' शब्द के लिए सरल वाक्य-रूप 'य पत्थर है' है।"[1] किन्तु जैसाकि उपर्युक्त विवेचन से स्पष्ट है, यह अनेक में से केवल एक विधि है और किसी भी प्रकार से अन्य विधियों को स्थानान्तरित करने में असमर्थ है।

वैयाकरण का कार्य सार्थक वाक्यों से आरम्भ होता है, क्योंकि वह पहले सार्थक वाक्यों को एकत्र करता है और देखता है कि उसकी अध्येय भाषा में कौन-से वाक्यीय रूप सार्थक हैं। वह सार्थक वाक्यों के छोटे-से छोटे रूप का निश्चय करता है और तब उनके बड़े वाक्यों में सकलन के नियमों का निश्चय करता है। इस प्रकार, वैयाकरण का कार्य सार्थकता को पूर्वकल्पित करता है। अत: अर्थ सार्थक अनुक्रम की अवधारणा का निश्चय करना नहीं है, क्योंकि जब तक आप शब्द के तार्किक प्रकार को नहीं जानते तब तक आप वाक्य की सार्थकता का निश्चय नहीं कर सकते। वास्तव में, व्याकरण केवल सार्थक वाक्य के रूप का निश्चय करता है, किन्तु केवल वाक्य-रूप वाक्य की सार्थकता का निर्धारण नहीं करता। 'चतुष्कोण शराब पीता है' वाक्य व्याकरण की दृष्टि से शुद्ध है किन्तु इसका कोई अर्थ नहीं है, क्योंकि चतुष्कोण ऐसी वस्तु नहीं है जो शराब पी सके। 'चतुष्कोण' और 'शराब' शब्द तर्कत: भिन्न प्रकारों के हैं, जैसाकि रसल के 'तार्किक प्रकारों'[2] (लोज़ीकल टाइप्स) के सिद्धान्त से स्पष्ट है।

कार्नप निस्सन्देह तार्किक व्याकरण को शब्द के अर्थ-निश्चय के लिए आवश्यक मानते हैं न कि सामान्य व्याकरण को, किन्तु वे शब्द के अर्थ-निर्धारण के प्रथम प्रकार की उपेक्षा करते हैं, यह पीछे देखा जा चुका है। यह उनके वाक्यार्थ निर्धारण सम्बन्धी निम्न प्रतिपादन से स्पष्ट है—"कोई वाक्य व किन अन्य वाक्यों से निगमनीय (डिड्यूसीबल) है तथा व से कौन-से वाक्य निगमनीय हैं?"[3] इससे ऐसा प्रतीत होता है जैसे कार्नप वाक्यों में तार्किक सम्बन्धों को तथा तार्किक निगमन को ही वाक्य के अर्थ-निर्धारण का आधार मानते हैं। वास्तव में तार्किक भाववादियों ने प्रमाणीकरण सिद्धान्त को भी तार्किक निगमन के निमयों द्वारा प्रतिष्ठित करने का प्रयत्न किया, किन्तु जैसाकि पीछे अनुभव किया गया, यह प्रयास सफल नहीं हो सका। "इसका परिणाम या तो अल्पव्याप्ति दोष हुआ अथवा अतिव्याप्ति दोष।"[4] तो भी यह देखना रोचक होगा कि कार्नप, जो आकारिक शैली

1. **लोजीकल पोज़ीटिविज़्म** में कार्नप का लेख — इलिमीनेशन ऑफ मेटाफिज़ीक्स, पृ. 62.
2. इस सिद्धान्त की सरल व्याख्या के लिए द्रष्टव्य - रसल की **इन्ट्रोडक्शन टू मैथेमैटीकल फिलासफी**, अ. 5.
3. **लोजीकल पोज़ीटिविज़्म**, पृ. 62.
4. **लोजीकल पोज़ीटिवज़्म** में हैम्पल का लेख — एम्पीरिक्ल क्राइटीरियन ऑफ मीनिंग, पृ. 113.

के आवरण में छिपना चाहते हैं,[1] अनुभव को संकेतात्मक वाक्यों के लिए किस प्रकार आवश्यक मानते हैं। उनके अनुसार, "तर्क-वाक्य का अर्थ उसके प्रमाणीकरण की विधि है। कथन उतना ही कथन करता है जितना उसके द्वारा प्रमाणीय है। अत: एक वाक्य आनुभविक प्रतिज्ञा (एम्पीरिकल प्रोपोज़ीशन) का तभी विधान करता है यदि वह कुछ भी कथन करता है। यदि कुछ सिद्धान्ततः अनुभवातीत है तो न उसका कथन किया जा सकता है, न चिन्तन और न उसके सम्बन्ध में प्रश्न किया जा सकता है।"[2]

वास्तव में कार्नप तथा अन्य भाववादियों का प्रथम उद्देश्य ही उस दर्शन-प्रणाली का निषेध था जो अदृश्य, अनुभवातीत अस्तित्व की चर्चा अपना उद्देश्य बनाती है। अत: वे अनुभव को अन्तिम कसौटी स्वीकार किये बिना नहीं चल सकते थे। किन्तु तार्किक शुद्धता के आग्रह ने उन्हें कभी-कभी विचित्र सिद्धान्त स्वीकार करने को भी बाध्य किया। प्रमाणीकरण सिद्धान्त वास्तव में अनुभव की अन्तिम कसौटी स्वीकार किये बिना असम्भव है। अत: यदि प्रमाणीकरण सिद्धान्त के प्रवक्ता बाह्य उद्देश्यों (अल्टीरियर मोटिव्ज़) से वाक्यों की परस्पर संगति को सत्य की कसौटी मानते हैं तो यह केवल दुराग्रह है, क्योंकि (1) यदि एक वाक्य अन्य अनेक वाक्यों से संगत है तो इससे यह लागू नहीं होता कि वह वाक्य सत्य है, क्योंकि यह वाक्य केवल वाक्यों की उस योजना में ही संगत है, और योजनाओं का आधार विशुद्ध रूप से स्वीकृत रूढ़ियाँ होतीहैं। "अब वाक्यों की अन्य ऐसी योजनाएँ सम्भव हैं जिनमें यह वाक्य असंगत हो और ये योजनाएँ अपने आप में पूर्णत: संगत हों।"[3] "इसी प्रकार वाक्यों की समानार्थकता के सम्बन्ध में भी। 'कोई वाक्य दूसरे वाक्य का समानार्थक है' से अभिप्राय है—कि दोनों वाक्य श्रोताओं में समान कल्पना उत्पन्न करते हैं, अथवा दोनों में प्रयुक्त शब्द समान तथ्यों का निर्देश करते हैं", आदि। यही कारण है कि जब हम किसी से पूछते हैं कि "राम सीता का पति है" का क्या अर्थ है? और वह उत्तर देता है कि "इसका अर्थ है सीता राम की पत्नी है" तो हम केवल खीझ सकते हैं। हम उससे सरलतर (अथवा कहें, स्थूलतर) शब्दों में इसका विश्लेषण चाहते हैं, जिसे हम व्याख्यात्मक परिभाषा कहते हैं।[4]

अब यह विश्लेषण अथवा विघटन यद्यपि अन्य वाक्यों में होता है, जो विश्लेष्य वाक्य के समानार्थक होते हैं, किन्तु विघटन वाक्यों का उपलक्ष्य अपेक्षाकृत स्थूलतर और परिचित होता है; और हम इस विघटन में तब तक प्रग्रसर हो सकते हैं जब तक हम ऐसे वाक्यों पर नहीं पहुँचते जो सरलतर, अथवा कहें स्थूलतर, वाक्यों में विश्लेष्य नहीं हैं। ये हमारे मूल-वाक्य हैं। कार्नप के विघटन वाक्य ऐसे ही वाक्य हैं, यद्यपि हमारे विचार में वे इनकी रचना भ्रामक रूप से करते हैं। उनके मूल-वाक्य—'संवेद्य गुण ग देश-काल य र ल व पर है' में 'देश-काल' तथा 'पर' को बिना किसी व्याख्या के स्वीकार कर लिया गया है, जो अनुचित है, द्रष्टव्य—'विशिष्ट, सामान्य और अस्तित्व' अध्याय।

प्रो. क्वाइन कार्नप, तथा उनसे भी अधिक अन्य, अनुभववादियों की इस विघटन-प्रणाली पर आपत्ति करते हुए कहते हैं—'विघटनवादी अंधविश्वास इस धारणा के रूप में विद्यमान है कि प्रत्येक कथन अन्य सम्बद्ध कथनों से स्वतन्त्र पुष्ट अथवा अनुमित हो सकता है। इसके विपरीत मेरा सुझाव, जो कार्नप के भौतिक संसार सम्बन्धी सिद्धान्त से प्रेरित है, यह है कि भौतिक विश्व सम्बन्धी हमारे कथन संवेदों के न्यायालय के सम्मुख व्यक्तिगत रूप से नहीं प्रत्युत सावयव सायुज्य के रूप में प्रस्तुत होते हैं।'[5]

---

1. कार्नप अब इस मत को छोड़ चुके हैं।
2. ...the meaning of a statement lies in the method of its verification. A statement asserts only so much as is verifiable with respect to it. Therefore a sentence can be used only to assert an empirical proposition, if indeed it is used to assert anything at all. If something were to lie, in principle, beyond possible experience, it could be neither said nor thought nor asked. (Logical Positivism, p. 76).
3. ए.जे. एयर — एक्सपीरीयेंस एण्ड वेरीफीकेशन, (लोजीकल पोज़ीटिविज़्म)।
4. यहाँ किसी भी प्रकार से समानार्थकता की समस्या के सामान्य समाधान का प्रयत्न नहीं किया गया है।
5. **फ्राम ए लोजीकल प्वाईंट ऑफ व्यू** में 'टू डोग्माज़ ऑफ एम्पीरीसिज़्म'।

'सावयव सायुज्य' से उनका अभिप्राय सम्पूर्ण तार्किक अवधारणात्मक योजना (लोजीको साइंटीफीक कांसेप्चुअल स्कीम) से है। और भी, वे ऐसे वाक्यों, जैसे 'साथ के कमरे में मेज़ है' को इस अवधारणात्मक योजना से शिथिल रूप से सम्बद्ध मानते हैं, अथवा उनके उपमानुसार, ये वृत्त के बाह्य छोर के निकट हैं, जो अनुभव से प्रत्यक्षत: सम्बद्ध है। सम्भवत: इसके विरुद्ध किसी विघटनवादी को आपत्ति नहीं हो सकती, आपत्ति केवल इस बात पर हो सकती है कि क्वाइन समझते हैं कि वह इससे भिन्न कुछ कह रहा है। फिर भी क्वाइन को उचित दिशा की ओर उचित आग्रह के साथ संकेत करने का श्रेय दिया जाना चाहिए।

जैसाकि हमने मूल-वाक्य अध्याय में बार-बार ज़ोर देकर कहा है, प्रत्येक भौतिक-विषय-वाक्य एक अवधारणात्मक योजना का भाग है और अतएव यह तब तक कुछ कथन नहीं करता जब तक हम इससे कुछ माँग नहीं करते। किन्तु जब हम अवधारणात्मक योजना के अन्तर्गत इसके स्थान का निश्चय कर लेते हैं तब इसके सत्यासत्य का निश्चय अन्ततः किन्हीं ऐसे सरल वाक्यों के द्वारा ही हो सकता है जो हमारे अनुभव के वाचक हैं। अब यह अवधारणात्मक योजना क्या है? यह हमारे सत्यासत्य निर्णय की कसौटी के विधान से स्पष्ट है : "प्रत्येक अवधारणात्मक योजना अन्ततः अपने औचित्य के प्रमाण-पत्र के लिए हमारे अनुभव के न्यायालय की मुखापेक्षी है।" (क्वाइन) किन्तु इस उत्तर का अनुक्रम बदला भी जा सकता है और यह परिवर्तन हमें समस्या के आधार तक पहुँचा देता है—हम कहेंगे : "हम कुछ अनुभव करते हैं और विभिन्न अनुभवों में एक शृंखला देखते हैं; और साथ ही, हम कुछ अन्य अनुभव करते हैं और उनमें वह शृंखला नहीं देखते। हमारी अवधारणात्मक योजना इस शृंखला के नैरन्तर्य तथा शृंखलाहीनता में शृंखलता स्थापित करने की क्रिया है।" यह व्याख्या वास्तविकता के अनुरूप है। क्वाइन की व्याख्या से ऐसा प्रतीत होता है जैसे अवधारणात्मक योजना मौलिक है तथा अनुभव का न्यायालय केवल गौण तथा अवान्तर महत्त्व रखता है। किन्तु ऐसा केवल विकसित स्थितियों में ही होता है, जब हम अवधारणाओं को बिना मूल प्रसंग के समझने में अभ्यस्त हो जाते हैं। हमारी यह आपत्ति बाल की खाल उतारना नहीं है प्रत्युत वास्तविक भ्रान्ति के निराकरण का प्रयत्न है। अर्थ का प्रमाणीकरण-सिद्धान्त तथा मूल-वाक्यों और अस्तित्व के प्रश्न सम्बन्धी सुविधापेक्षता अथवा रूढ़ि के सिद्धान्त इसी भ्रान्ति पर आधारित हैं।

प्रमाणीकरण सिद्धान्त वाक्यों के अर्थ को प्रमाण-विधि का सापेक्ष मानता है। कार्नप के अनुसार स्थूल रूप में इसे इस प्रकार प्रस्तुत किया जा सकता है : "विज्ञान की सम्पूर्ण भाषा भ का प्रत्येक पद संवेद-प्रदत्तों की पदावली में विश्लेष्य है।"[1] जैसाकि हमारे प्रतिपादनों में स्पष्ट है, इस पर हमें कोई आपत्ति नहीं हो सकती और न विघटन-सिद्धान्त से कोई मतभेद है, आपत्ति केवल इस सिद्धान्त के पूर्वाग्रहों से है जो इसे उपहासास्पद बना देते हैं। "वाक्यों का अर्थ उनकी प्रमाण-विधि है" कथन यह पूर्वकल्पित करता है कि जो वाक्य प्रमाण-विधि द्वारा निर्धार्य नहीं हैं वे सार्थक वाक्य नहीं हैं। किन्तु स्वयं विश्लेषणान्त में प्राप्त ये मूल-वाक्य प्रमाण-विधि-सापेक्ष नहीं हैं, जैसाकि 'मूल-वाक्य' में हमने स्पष्ट किया है। प्रमाणीकरण सिद्धान्त इन वाक्यों की सार्थकता अस्वीकार नहीं करता क्योंकि तब स्वयं प्रमाणीय वाक्य निरर्थक हो जाएंगे, किन्तु जिस प्रकार यह सिद्धान्त प्रस्तुत किया जाता है उस रूप में यह इन वाक्यों को प्रभावहीन पृष्ठभूमि में धकेल देता है, यद्यपि यह इन्हें न्यायपीठिका पर ससम्मान बैठा देता है। यह केवल ऐसे वाक्यों का ध्यान रखता है जैसे 'मेज़ साथ के कमरे में है' अथवा 'देश काल $द_1$ पर $त_2$ डिग्री तापमान है'। यह ऐसे वाक्यों का ध्यान नहीं रखता, जैसे 'यह रक्त है' अथवा 'यह कठोर है' आदि। हमारे विचार में प्रमाणीकरण सिद्धान्त को एक अधिक विस्तृत सिद्धान्त में, जिसे हम परिचय-सिद्धान्त कहते हैं, एक अंग के रूप में आना चाहिए।

परिचय-सिद्धान्त के अनुसार कोई वाक्य सार्थक है यदि इसके सब अतार्किक पद प्रत्यक्ष रूप से, अथवा अन्य मध्यवर्ती शृंखलाओं के द्वारा, दृष्टि-विषयों के वाचक हैं, तथा वाक्य की रचना भाषा-विशेष के तार्किक व्याकरण के अनुरूप है। इस प्रकार, 'यह रक्त है' तथा 'इस कमरे में मेज़ है' सार्थक वाक्य हैं, क्योंकि प्रथम

1. टैस्टेबिलिटी एण्ड मीनिंग, पृ. 463-464.

प्रत्यक्ष रूप से तथा द्वितीय परोक्ष रूप से दृष्टि–विषयों के वाचक हैं। प्रथम प्रकार के पदों को हम 'प्रदृश्य प्रकार के पद' कह सकते हैं। इस प्रदृश्यता–सिद्धान्त के अनुसार 'ईश्वर असीम शक्ति सम्पन्न है' अथवा 'ईश्वर एक है' निरर्थक वाक्य हैं क्योंकि प्रथम वाक्य में द्वितीय पद प्रदृश्य प्रकार का नहीं है तथा द्वितीय वाक्य तार्किक नियमों के अनुसार निर्मित नहीं है। दूसरे वाक्य के सम्बन्ध में कुछ स्पष्टीकरण अपेक्षित है : 'ईश्वर' पद तार्किक संज्ञा नहीं है और न ही यह अनियत उद्देश्य पद (सब्जेक्टिव वेरीयेबल) है, यह विधेय पद है। अत: इस वाक्य की उचित रूप से रचना इस प्रकार होगी—(1) य के सब मूल्यो में, य एक तथा ईश्वर है, अथवा (2) य के कम–से–कम एक मूल्य में य एक तथा ईश्वर है, अथवा (3) य के अधिक–से–अधिक एक मूल्य में य एक तथा ईश्वर है। अब जैसाकि स्पष्ट है इन रचनाओं में 'एक' विधेय अनुपयुक्त है। इसी प्रकार "अहं को अनिवार्यत: अपनी वास्तव सत्ता में निहित होना चाहिए" अर्थहीन वाक्य है। 'अहं' को अपनी भाषा में परिभाषित मानते हुए, उसके 'सत्ता में निहत होने' का क्या अर्थ है? सत्ता की वास्तविकता का क्या अर्थ है? क्या कोई सत्ता अवास्तविक भी होती है? 'अनिवार्यत: का अर्थ क्या है', क्या इसका अर्थ 'आकस्मिकता का विपरीत' है?' इन प्रश्नों का उत्तर सम्भव नहीं है क्योंकि यह वाक्य इसका उचित अर्थ विचार कर नहीं प्रत्युत इसकी रहस्यात्मकता से प्रभावित हो कर लिखा गया है। इस रहस्यात्मकता में इस वाक्य का कोई भी पद—'अहं', 'अपनी वास्तव सत्ता में निहित' प्रतिपादनात्मक अर्थयुक्त नहीं है, केवल संवेगात्मक अर्थयुक्त है। जैसाकि हमने वि.सा.अ. में देखा है, 'अहं (अथवा किसी भी अन्य) का अस्तित्व है' तार्किक व्याकरण के नियमानुसार ग़लत वाक्य है, क्योंकि यह 'अहं है' का भ्रामक रूप है, और जैसाकि सामान्य व्याकरण के नियमों के अनुसार स्पष्ट है, 'अहं है' वाक्य ग़लत है।

अस्तु, "प्रदृश्य प्रकार के" पदों को अर्थ का आधार स्वीकार करने के पक्ष में हमने 'मूल–वाक्य' अध्याय में विस्तारपूर्वक विचार किया है। यहाँ उस प्रकरण की आवृत्ति आवश्यक होगी। यहाँ हम कुछ अन्य प्रश्नों पर, प्रमाणीकरण सिद्धान्त को विशेष स्थान देते हुए, विचार करेंगे। इस प्रसंग में हम अनुभववाद की आधारभूत अवधारणाओं की जाँच भी करेंगे।

तीन वाक्य लें—'यह रक्त है', 'यह मेज़ है' तथा 'सब कव्वे काले हैं'। इनमें प्रथम वाक्य परिभाषया इस प्रकार का है कि इसका प्रमाणीकरण अपेक्षित नहीं है जब कि द्वितीय तथा तृतीय वाक्य परिभाषया प्रमाणीकरणीय हैं। इस पर विचार आरम्भ करने से पूर्व यहाँ यह कह देना आवश्यक है कि सीमित रूप से सामान्य वाक्यों के अतिरिक्त अन्य कोई द्वितीय तथा तृतीय प्रकार के वाक्य पूर्णत: प्रमाणीय नहीं हैं। अब, प्रथम वाक्य का प्रमाणीकरण क्यों अपेक्षित नहीं है? जैसाकि 'मूल–वाक्य' में विस्तारपूर्वक दिखाया जा चुका है, य पद 'सद्य:' के अतिरिक्त कुछ कथत नहीं करते जब कि प्रमाणीकरण अतीत अथवा भविष्य की ओर लक्षित करता है। यह पर्याप्त स्पष्ट है, फिर भी कुछ दार्शनिक 'प्रमाणीकरण' सिद्धान्त से इतना प्रभावित हुए हैं कि उन्होंने इसे सर्वत्र लागू करने का प्रयत्न किया है। किन्तु 'यह मेज़ है' क्यों प्रमाणीय है? 'मेज़' शब्द स्वत: प्रदृश्य प्रकार का नहीं है, अत: यह न केवल 'सद्य: संवेद्य' का वाचक ही नहीं है प्रत्युत प्रत्यक्षत: प्रमाणीय भी नहीं है। यह अभ्युपगत पद है। अभ्युपगत पद वे पद हैं जो किसी अदृश्य अस्तित्व के वाचक हों। क्योंकिये 'वस्तुएँ' पद अदृश्य प्रकार का (अननुभवीय) है अतएव स्वत: न यह प्रमाणीय हैं और न प्रत्याख्येय है। ऐसी वस्तुएँ, जो भविष्य में दृश्य हो सकती हैं, अदृश्य प्रकार की नहीं हैं। अत: ये स्थायी अभ्युपगम की श्रेणी में नहीं रखी जा सकतीं। कुछ पद स्थायी अभ्युपगम हैं क्योंकि इनके द्वारा बोध्य, अस्तित्व (वस्तु) परिभाषया अदृश्य प्रकार के होते हैं। ये स्थायी अभ्युपगम प्रतिपाद्य या प्रत्याख्येय न होने से स्वत: निरर्थक हैं, किन्तु ये दृश्य तथ्यों के व्यवहार की व्याख्या में आवश्यक होते हैं; विशुद्ध भाषीय पदावली में, ये दो या अधिक मूल–वाक्यों में परस्पर संगति या व्याघात–सम्बन्ध के आधार होते हैं। इतना ही नहीं, इनका महत्त्व गम्भीरतर है : मान लीजिये कुछ संवेद घटित होते हैं, ये संवेद–घटनाएँ अपने आप में स्वतन्त्र तथा अप्रत्याख्येय हैं और अपने से बाहर किसी अन्य तथ्य का विधान नहीं करतीं। मान लें कि मैं अभी सागर में तैरने का अनुभव कर रहा था और अभी दूसरे क्षण रेगिस्तान में होने का अनुभव करता हूँ। यह एक अविश्वसनीय (वैज्ञानिक रूप से असम्भव) स्थिति उत्पन्न कर देता है। इस स्थिति में

संगति के लिए हम किसी ऐसे अभ्युपगम को स्वीकार करते हैं जिसके प्रसंग से समान-रूप से सत्य किन्तु स्वतन्त्र दृश्यों में संगति-विधान हो सके। यह अस्तित्व वास्तव अस्तित्व नहीं है, यह वास्तव में केवल एक पद है जो वस्तुस्थिति में अनुभूत संगति की निरन्तरता का वाचक है। मैं जब वर्ण देखता हूँ और स्पर्श करने पर काठिन्य देखता हूँ; पुन: अन्य अवसर पर केवल वर्ण देखता हूँ, तब आशा करता हूँ कि स्पर्श करने पर काठिन्य देखूँगा। यह आशा निरन्तर आवृत्ति से जनित है। इन संगत आवृत्तियों के वाचक पद को हम भौतिक विषय कह सकते हैं। 'संगत आवृत्ति' से अभिप्राय केवल "घटित" अथवा "प्रदृष्ट" घटनाओं की आवृत्ति से नहीं है प्रत्युत उन "सब घटनाओं" से है जो यदि घटित हों तो इनसे संगत होंगी। अब जैसाकि स्पष्ट है, यह परिभाषा अत्यन्त दोषपूर्ण तथा चक्रिक है : संगति स्वयं घटनाओं का गुण नहीं है, वे स्वयं न संगत हैं न असंगत हैं क्योंकि इनका परस्पर कोई सम्बन्ध नहीं है। संगति का स्रोत वह आभ्युपगमिक विषय है जिसकी परिभाषा हम 'संगति' के द्वारा कर रहे हैं। अत: हम यह नहीं कह सकते कि 'मैं अमुक-अमुक वर्ण-संस्थान, स्पर्श-संस्थान आदि देख रहा हूँ अत: सम्भवत: यहाँ मेज़ है'; यह उलट प्रक्रिया है। अर्थात् 'संवेद स$_1$, स$_2$, स$_3$, स$_न$ $\supset$ यहाँ मेज़ है' ग़लत है; ठीक प्रतिपादन इससे एकदम उलट होगा, प्रथम हम मेज़ को अपनी शब्दावली में स्थान देते हैं और तब उसके द्वारा संवेदों की संगति को। यह समझ लेना आधारभूत महत्त्व का है। इसका अभिप्राय यह नहीं है कि मेज़ प्रथम है तथा संवेद पीछे, इसका केवल इतना अभिप्राय है कि स्वयं संवेद मेज़ के होने की सम्भावना को भी लागू नहीं करते—"मेज़" केवल एक आक्षिप्त (पॉज़िट) है, जो "भावी संवेदों के व्यवहार" का वाचक है। इस प्रकार, आक्षिप्त को इस तरह से प्रवेश दिया जाता है: 'यहाँ मेज़ है' $\supset$ 'स$_1$, स$_2$...स$_न$ घटित होते हैं, होंगे, अथवा हुए थे'। इस प्रकार, यदि हम कथन करते हैं कि 'वहाँ मेज़ है' तो हम विधान करते हैं कि 'वहाँ अमुक-अमुक प्रकार का दृश्य घटित होगा'। इन संस्थानों का घटित होना यह प्रमाणित करेगा कि हमारा कथन सत्य था; किन्तु इस विवेचन को ध्यान में रखते हुए इसका अभिप्राय यह नहीं है कि मैं स्वीकार करता हूँ कि स्थान द$_2$ पर कुछ अदृष्ट किन्तु सास्तित्व है प्रत्युत यह कि कुछ प्रदृष्ट प्रकार की घटनाएँ घटित हुई हैं और आगे भी घटित होंगी।

यहाँ आपत्ति की जा सकती है कि हम संवेदों की संगति से असंवेदित की अवधारणा पर पहुँचते हैं। मनोवैज्ञानिक रूप से यह ठीक हो सकता है, किन्तु 'भौतिक विषय' अथवा अन्य ऐसे पदों का तार्किक विश्लेषण उपर्युक्त प्रकार से निष्पन्न होता है। इस तार्किक विश्लेषण का आरम्भ इस प्रश्न से होता है—"संवेदों से यह कैसे निर्धारित होता है कि कुछ असंवेदित इनके आधार में है?" आदि। वैज्ञानिक संवेदित से असंवेदित की कल्पना करता है, जैसे मनुष्य के व्यवहार से उसके चेतन मन की; किन्तु उसका यह 'अदृष्ट' इस व्यवहार से स्वतन्त्र और अतीत अस्तित्व नहीं है, यह केवल इस व्यवहार की निरन्तरता आदि का वाचक है। इसकी अदृष्टता 'संगति', 'सम्भाव्यता' आदि की वाचक है।[1]

यहाँ यह द्रष्टव्य है कि 'आक्षिप्त' (पोज़िट) न पूर्णत: प्रमाणीय हैं और न पूर्णत: प्रत्याख्येय हैं। मान लें मैं कहता हूँ 'उस कमरे में मेज़ है' और वहाँ जाने पर कोई संवेद घटित नहीं होता। अब यदि संवेद घटित हुए होते तो यह सम्भाव्यत: स्थापित होता कि 'यहाँ मेज़ है', किन्तु अब जब कि संवेद घटित नहीं हुए हैं तो यह सम्भाव्यत: स्थापित होता है कि 'यहाँ मेज़ नहीं है', क्योंकि सम्भव है मेरी आँखें खराब हों, सम्भव है कि मैं हिप्नोटाइज़्ड होऊँ, सम्भव है मेरा अचेतन मन मुझे 'इस मेज़' को देखने में बाधक हो। स्पष्टत: ये सम्भावनाएँ केवल तार्किक हैं, किन्तु इसी प्रकार उचित संवेद घटित होने पर मेज़ न होने की सम्भावना भी केवल तार्किक है। अब इस तार्किक सम्भावना से यहाँ क्या अभिप्राय है? इस सम्भावना का अभिप्राय है कि स$_1$, स$_2$, स$_3$ घटित होने पर यह बहुत कम सम्भावना है कि स$_4$...स$_न$ घटित नहीं होंगे, और इसी प्रकार स$_1$, स$_2$, स$_3$...स$_4$ घटित न होने पर यह बहुत कम सम्भावना है कि स$_5$...स$_न$ घटित होंगे (स$_न$ जब कि असीम संख्या का वाचक है)। परमाणु, जनन-कण, एनर्जी, बुद्धि, अचेतन मन तथा अन्य अनेक इसी प्रकार की 'वस्तुएँ' आरोपित हैं और इनकी संख्या आवश्यकतानुसार घट-बढ़ सकती है। उदाहरणत: न्यूटन का ईश्वर भी 'आरोपित' था और आईंस्टीन द्वारा यह

1. मूल-वाक्य अध्याय में इस प्रसंग पर विस्तृत विचार किया गया है।

अपसारित कर दिया गया। मनोविज्ञान से सामान्यत: 'मन' का अपसारण कर दिया गया है। इस निषेध का अभिप्राय है कि ये अब अनावश्यक अभ्युपगम समझे जाते हैं। अभ्युपगम के रूप में 'मेज़' तथा 'बुद्धि' में कोई भेद नहीं है; 'कोई बुद्धिमान् है' का अभिप्राय है कि वह अधिकांश परिस्थितियों में उपयुक्त व्यवहार करेगा, जैसे 'वहाँ मेज़ है' का अभिप्राय है कि 'वहाँ उपयुक्त संवेद घटित होंगे'।

एडाम के अनुसार : "महत्त्वपूर्ण बात यह है कि जब कि व (भौतिक विषय-वाक्य) सत्य है तब भी सम्भव है कि स (संवेद-वाक्य) असत्य हो। अत: व स को (स के सम्भाव्य प्रकार का संवेद-विषय-वाक्य होने की अवस्था के सिवाय) लागू नहीं करता।"[1] यदि हम एडाम को ठीक समझ रहे हैं तो इसका अभिप्राय यह है कि जब हम कहते हैं 'साथ के कमरे में मेज़ है' और फिर साथ के कमरे में प्रवेश करते हैं और देखते हैं किन्तु कोई संवेद घटित नहीं होता, तो भी यह नहीं कहा जा सकता कि 'इस कमरे में मेज़ है' ग़लत है। यह एक विचित्र स्थापना है जिसके लिए वे कोई तर्क नहीं देते। किन्तु प्रदृश्यतावाद (फिनोमिनलिज़्म) के विरुद्ध उनकी एक अन्य आपत्ति से हम कुछ संकेत प्राप्त कर सकते हैं। वे कहते हैं : "प्रतितथ्यात्मक हेतुहेतुमद् वाक्य (काउंटर फेक्चुअल कंडीश्नल सेंटेंसिस) सामान्य भविष्यपरक वाक्यों के सहायक रूप में, अथवा उन्हें अपसारित करने के लिए, प्रविष्ट किये गए थे, जिससे एक विशेष कठिनाई दूर की जा सके, (जिसे प्रदृश्यतावादियों ने स्वयं भी अनुभव किया है और जिसकी ओर उसके आलोचकों ने भी ध्यान आकृष्ट किया है) जिससे सरल भौतिक विषय-वाक्यों (सिम्पल फिज़ीकल ओब्जेक्टिव सेंटेंसिस) जैसे 'यह पेंसिल लाल है' के कथनात्मक रूप की (अनुवाद भूत संवेद-वाक्यों की परम्परा में भी)[2] न्यूनाधिक रक्षा की जा सके। स्पष्टत: यह कथन भविष्य में केवल कुछ अवस्थाओं में सम्भाव्य रूप से होने वाली घटनाओं के सम्बन्ध में नहीं है। यह कुछ निश्चित रूप से "अब विद्यमान" का विधान करता है।"[3] कम-से-कम मुझे इस तर्क ने कभी प्रभावित नहीं किया। किसी वाक्य का वैयाकरणिक रूप क्या है, यह उस वाक्य के अर्थ-निश्चय में कभी सहायक नहीं हो सकता। मान लीजिए, कोई 'मेज़' या उसके अन्य भाषा में पर्याय का अर्थ नहीं जानता और हम उसे बताना चाहते हैं कि साथ के कमरे में मेज़ है, तब हम उसे किस प्रकार बतायेंगे? हम स्वभावत: उसे कहेंगे "साथ के कमरे में जाओ, वहाँ तुम अमुक-अमुक प्रकार के वर्ण-संस्थान आदि देखोगे।" ये वाक्य सामान्य भविष्यत् में हैं। अब, एडाम यह स्वीकार करते हैं कि ये संदिग्ध भविष्यत् रूप में होने उचित हैं। किन्तु फिर भी पता नहीं क्यों वे भौतिक-विषय-वाक्य को निश्चयात्मक, अथवा सामान्य वर्तमान का वाक्य मान कर उसका सम्भाव्य संवेद-वाक्यों में अनुवाद अनुचित मानते हैं। उनकी यह आपत्ति बर्लिन के अनुरूप है जिसकी विस्तृत आलोचना हम 'मूल-वाक्य' में कर चुके हैं। यहाँ केवल इतना और कहना है कि भौतिक-विषय-वाक्य का सामान्य वर्तमान रूप में प्रयोग "अभ्युपगम" को "वास्तव वस्तु" स्वीकार करने की भूल के कारण है और इस भूल का निराकरण तर्कशास्त्री का कर्त्तव्य है। जहाँ तक हम जानते हैं, प्रदृश्यतावादी-विश्लेषण की अपर्याप्तता का प्रतिपादन करने वालों ने नकारात्मक प्रतिपादन तो किया है किन्तु कभी यह नहीं बताया कि इसका स्थानापन्न उनके पास क्या है? इस प्रकार ऐसे वाक्य, जिनमें स्थायी आभ्युपगमिक पद घटित होते हैं, सम्बद्ध प्रमाण-वाक्यों के प्रसंग से सार्थक होते हैं। किन्तु यहाँ पुन: थोड़ा स्पष्टीकरण अपेक्षित है : 'उस कमरे में मेज़ है' का तार्किक अर्थ हम इस प्रकार व्यक्त करते हैं : 'उस कमरे में मेज़

1. Inadiquacy of Phenomenalism, in **Philosophy and Phenomenological Research**, September 1959, p.p. 98.
2. वही।
3. And yet the contrary-to-fact conditionals were introduced to supplement or to replace the predictive conditional in order to obviate a certain difficulty that has been often felt by the phenomenalist him-self and frequently pointed out by critics, namely, to try to capture some of the unquestionable categorical nature of simple physical-object- statements like 'this pencil is red.' It is obviously not a statement merely about what will happen in the futre under certain conditions. It says something unconditionally, categorically about something existing now. (वही, पृ. 98)।

$य_1$ है' आपादित करता है कि यदि उस कमरे में कोई द्रष्टा $य_2$ है तो वह संवेद $स_1...स_न$ का प्रत्यक्ष करेगा)। अब मान लीजिये कि काल $क_1$ पर उस कमरे में कोई द्रष्टा नहीं है जब कि वाक्य का उच्चारण किया गया है, और कुछ क्षण पश्चात् कोई द्रष्टा उस कमरे में जाता है तथा संवेद घटित होते हैं। ये संवेद प्रमाणित करेंगे कि 'सम्भवत: इस कमरे में मेज़ है'। किन्तु काल $क_1$ पर मेज़ होने के सम्बन्ध में हमारे पास क्या प्रमाण है? तर्कत: यह कहा जा सकता है कि 'सम्भव है देखने के समय ही वह मेज़ अस्तित्व में आया हो', आदि। ऐसी सम्भावनाओं को तर्कत: सम्भव माना जाता है, यद्यपि व्यवहार्यत: असम्भव माना जाता है।[1] किन्तु यह तर्कत: भी सम्भव नहीं है, ऐसा हमारा विचार है, क्योंकि 'मेज़' पद का अर्थ यह लागू करता है कि यदि 'मेज़ अब विद्यमान है तो या तो यह पहले भी विद्यमान रहा है अथवा इसके अस्तित्व में आने के लिए एक निश्चित प्रक्रिया घटित हुई है'। इतना ही नहीं, कुछ रासायनिक प्रयोगों के द्वारा यह देखा जा सकता है कि मेज़ का रंग, उसका निर्माण कितना पुराना है। ये सब प्रयोग आदि 'मेज़' पद के अर्थ के साथ संगत हैं। अत: इनकी व्याख्या प्रतितथ्यात्मक हेतुहेतुमत् वाक्यों द्वारा की जा सकती है, यथा : 'उस कमरे में काल $क_1$ पर मेज़ था (यदि कोई द्रष्टा $क_1$ पर उस कमरे में होता तो वह मेज़ $म_1$ देखता)'। इस वाक्य-रचना में कोष्ठकगत वाक्य के प्रथमांश में यह पूर्वकल्पित है कि $क_1$ पर उस कमरे में कोई व्यक्ति नहीं है। किन्तु प्रतितथ्यात्मक वाक्यों में जब कि प्रथमांश रिक्त होता है, यह ऐसे अन्य वाक्यों को पूर्वकल्पित करता है जिनका अबाध सत्यापन पहले वास्तव में हो चुका है। ये पूर्वकल्पित वाक्य निम्न प्रकार के हैं—(1) मेज़ और योग्य द्रष्टा होने पर ऐसा कभी नहीं हुआ कि संवेद घटित नहीं हुए हों तथा (2) मेज़ और योग्य द्रष्टा होने पर ऐसा कभी नहीं होगा कि संवेद घटित न हों। यह हमें ज्ञेय की सीमा से आगे ले जाता है, क्योंकि हम जिसकी चर्चा कर रहे हैं वह प्रमाणीय नहीं है, क्योंकि वह वास्तव में है ही नहीं और न कभी होगा। किन्तु यह कहना कि यह वाक्य सार्थक नहीं है, हिमाकत होगी। कुछ ऐसी ही कमी की ओर रसल ने भी ध्यान आकृष्ट किया है।[2] उनके अनुसार, ऐसे अस्तित्व-वाक्य, यथा 'ऐसे स्थानों पर भी वर्षा होती है जहाँ कोई प्राणी नहीं रहता' अथवा 'प्राणियों के अस्तित्व में आने से पूर्व पृथ्वी पर भयानक वर्षाएँ हुई थीं' वाक्य तर्कत: अप्रमाणीय हैं, क्योंकि इनमें किसी द्रष्टा की उपस्थिति परिभाषया निषिद्ध है। तब क्या ये वाक्य सार्थक नहीं हैं? प्रमाणीकरण सिद्धान्त के प्रवक्ताओं ने ऐसे वाक्यों को सार्थक वाक्यों की श्रेणी में रखने के लिए इस सिद्धान्त की व्याख्या को शिथिल कर दिया। किन्तु प्रश्न यह है कि उपर्युक्त प्रकार के वाक्यों में प्रत्यक्ष की सम्भावना मात्र से निषेध किया गया है, तब इनका समावेश प्रमाणीकरण सिद्धान्त द्वारा स्वीकृत सार्थक वाक्यों की श्रेणी में किस प्रकार से किया जा सकता है? हैम्पल इसका समाधान निम्न प्रकार से करते हैं; "वे पद जो प्रत्यक्ष योग्य विशेषताओं के वाचक हैं प्रदृश्य प्रकार के विधेय कहे जाएंगे। अन्ततः 'प्रदृश्य प्रकार के वाक्य' से हमारा अभिप्राय होगा ऐसे कोई भी वाक्य जो (ठीक या ग़लत) विशिष्ट रूप से अभिहित विषयों के किसी प्रदृष्ट प्रकार के गुण से युक्त अथवा रहित होने का विधान करते हैं...प्रदृष्ट प्रकार के वाक्यों की हमारी अवधारणा यह है कि ये ऐसे वाक्यों के अस्पष्ट अभिप्राय का निश्चित अर्थ निर्धारण करते हैं जो (कम से कम) सिद्धान्ततः सीधे प्रत्यक्ष से निर्णय योग्य हैं, चाहे वास्तव में मेरे द्वारा इस वाक्य का प्रत्यक्ष प्रमाणीकरण असम्भव हो, चाहे यह मेरे अन्य समकालिकों द्वारा भी असम्भव हो, चाहे सम्पूर्ण मानवता द्वारा भी असम्भव हो।"[3] अब प्रमाणीकरण सिद्धान्त की इस प्रकार स्थापना चाहे विरोधियों को नि:शस्त्र कर दे किन्तु स्वयं प्रमाणीकरण सिद्धान्त उचित रूप से ऐसे वाक्यों पर लागू नहीं किया जा सकता। हैम्पल का उपर्युक्त विवेचन प्रमाणीकरण के बजाय वास्तव में परिचय-सिद्धान्त के अनुरूप अधिक कहा जा सकता है। प्रमाणीकरण सिद्धान्त का अनिवार्य सम्बन्ध सत्यापन से है और ऐसे वाक्यों का सत्यापन असम्भव है। ये वाक्य प्रतितथ्यात्मक हेतुहेतुमद् वाक्य हैं, क्योंकि ये प्रदृश्य प्रकार के वाक्यों में इस प्रकार अनुवाद्य हैं : 'देश-काल $क_1$ पर वर्षा हो रही है $\supset$ (यदि देश-काल $क_1$ पर द्रष्टा होता तो अमुक-अमुक प्रकार के संवेद घटित होते), देश-

1. B. Russell — An Outline of Philosophy, Cp. I.
2. Human Knowledge में Knowledge Transcending Experience, अध्याय।
3. 'Emperical Criterion of Meaning' in **Logical Positivism**, P. 109-110.

काल क1 पर द्रष्टा नहीं है'। जैसाकि स्पष्ट है, केवल सत्यापन के प्रसंग से ही इन वाक्यों की प्रतितथ्यात्मक हेतुहेतुमदात्मक व्याख्या अभीष्ट है और प्रतितथ्यात्मक वाक्यों का सत्यापन असम्भव है।

हमारा तृतीय वाक्य 'सब कव्वे काले हैं' सामान्य वाक्य है और विषय-वाक्य से भिन्न प्रकार का है। 'विषय' जब कि स्थायी अभ्युपगम रूप 'सब' अभ्युपगम नहीं है। 'सब' शब्द सम्भाव्य घटनाओं को घटित घटनाओं के साथ मिला देता है। इसका आधार वाक्य है 'अब तक जो भी कुछ देखा गया है, वह कव्वा था तो काला था'। अब यह वाक्य सत्य होने पर हेतुहेतुमद् वाक्य '(य) [कव्वा(य)$\supset$काला(य)]~कव्वा(य)'—'यदि यह कव्वा होता तो यह काला होता, और यह कव्वा नहीं है' व्यवहार्यत: उचित है किन्तु तर्कत: अनिवार्य नहीं है। यहाँ पर स्मरण दिलाना अनुचित न होगा कि 'सब' अथवा 'प्रत्येक' किसी वास्तव के वाचक नहीं हैं, क्योंकि, जैसाकि स्पष्ट है (1) यह सम्भव है कि जो कव्वे मैंने देखे हैं उनके अतिरिक्त संसार में कोई कव्वा न हो और न आगे कभी उत्पन्न हो। अब यदि कव्वे हों तो भी 'प्रत्येक' किसी भी विशिष्ट कव्वे के लिए नहीं है और न इसी प्रकार 'सब' परिगणित कव्वों की संख्या के लिए है। दूसरे (2) 'सब' या 'प्रत्येक' यहाँ परिभाषया असीम के वाचक हैं, अत: अप्रमाणीय हैं। इसी से श्लिक ने सामान्य वाक्यों को निरर्थक कहा था। किन्तु ऐसे वाक्यों को निरर्थक कहना भाववादियों को भी सह्य नहीं हो सकता था क्योंकि ये अनुभव पर आधारित हैं और सामान्य धारणा में मूलित हैं। 'सब कव्वे काले हैं', 'कुत्ता स्तनपायी प्राणी है', 'मछलियाँ पानी में श्वास लेती हैं' आदि वाक्य भी सामान्य वाक्य हैं। अब, जब कि इनका पूर्ण सत्यापन सम्भव नहीं है, तो हम इनका अर्थ किस प्रकार समझते हैं?

हमने पीछे देखा था कि हम 'सब' तथा 'कुछ' पदों का अर्थ किस प्रकार समझते हैं। जैसाकि हम पीछे देख चुके हैं, परिचय-सिद्धान्त के अनुसार वे सब पद सार्थक हैं जो या तो अनुभूत घटनाओं के लिए प्रयुक्त हो चुके हैं अथवा जिनका ऐसे पदों में विश्लेषण सम्भव है। अब यदि 'अ कुत्ता है' तथा 'अ स्तनपायी है' मूल-वाक्य घटित हो चुके हैं, जिनमें 'अ' विशिष्ट संज्ञा है, तो 'कुत्ता' और 'स्तनपायी'[1] हमारी भाषा के प्रदृष्ट प्रकार के पद हैं। सामान्य वाक्यों में ये पद इस प्रकार घटित होते हैं : 'य कुत्ता है' तथा 'य स्तनपायी है', जब कि 'य' अनियत है। इस प्रकार, ये वाक्यीय व्यापार सत्य या असत्य होने का दावा नहीं करते, क्योंकि 'य' का यहाँ कोई उदाहरण ज्ञात नहीं है। इन वाक्यों का '($\exists$ य) कुत्ता (य)' में स्थानान्तरण इन्हें वाक्यीय व्यापार से वाक्यीय प्रतिज्ञा (प्रोपोज़ीशन) बना देता है क्योंकि यह वाक्य कुछ विधान करता है। किन्तु जैसाकि हम 'वि.सा.अ.' अध्याय में देख चुके हैं, ऐसे वाक्यों में भी 'य' वाक्यीय-प्रतिज्ञा का भाग नहीं है—'य' का कोई उदाहरण यहाँ अभिप्रेत नहीं है। यह प्रतिज्ञा इसलिए है क्योंकि इसका प्रत्याख्यान सम्भव है, और अपूर्ण प्रामाण्य भी सम्भव है, किन्तु यह अपने उदाहरण-वाक्यों (अथवा स्थानान्तरण-वाक्यों) का पर्याय नहीं है। किन्तु 'कुत्ता' तथा 'स्तनपायी' पद सार्थक हैं, इसमें सन्देह नहीं। अत: '(य) कुत्ता (य)$\supset$स्तनपायी (य)' सार्थक है यद्यपि प्रमाणीय नहीं है।

अर्थ के प्रमाणीकरण सिद्धान्त के समर्थक इन वाक्यों को अपूर्णत: प्रमाणीय मानते हैं। उनके अनुसार, 'कुत्ता स्तनपायी है क्योंकि अनेक कुत्ते वास्तव में स्तनपायी देखे गये हैं, और कोई कुत्ता ऐसा नहीं है जो देखा गया है किन्तु स्तनपायी नहीं है।' अत: इस वाक्य को अप्रमाणीय भी नहीं कहा जा सकता। इस प्रकार, हम कहेंगे 'य कुत्ता है तथा स्तनपायी है' वाक्यीय व्यापार के कुछ उदाहरण घटित होत हैं और यह इन उदाहरणों द्वारा प्रमाणित है। इसे अन्य अनेक उदाहरणों द्वारा भी पुष्ट किया जा सकता है। रसल इस पर आपत्ति करते हैं; उनके अनुसार "मान लें कि वर्ग ग का कोई ऐसा सदस्य नहीं है जिसके सम्बन्ध में हम जानते हैं कि यह घ है; एक अन्य वस्तु प है जो ग की सदस्य नहीं है किन्तु जिसके सम्बन्ध में हम जानते हैं कि यह घ है। पुन: एक ऐसा वर्ग 'ग' लें जिसके ग तथा घ दोनों सदस्य हैं। तब 'सब ग' घ हैं' परिभाषया प्रमाणीय होगा। अब, क्योंकि यह लागू करता है कि 'सब ग' घ हैं, अत: 'सब ग घ हैं' प्रमाणीय है"। इसे उदाहरण द्वारा हम स्पष्ट करेंगे; ग, घ तथा प को क्रमश: कुत्ता, रँभाना तथा गाय का वाचक मानते हुए हमें 'कोई ग घ नहीं है' तथा 'सब प घ हैं' वाक्य प्राप्त होते हैं। हम कुत्ता

1. ये पद यहाँ केवल तात्कालिक प्रयोजन के लिए प्रदृष्ट प्रकार के स्वीकार किए गए हैं।

(जाति) तथा गाय को एक वर्ग में लाते हुए इनके लिए 'ग' प्रतीक का प्रयोग करते हैं। अब यदि एक या अनेक उदाहरणों के घटित हो जाने पर सामान्य वाक्य प्रमाणीय है, जैसाकि भाववादी मानते हैं, तो 'कम-से-कम एक गाय रँभाती है' से 'सब ग' रँभाते हैं वाक्य प्रमाणित होता है और अतएव 'सब कुत्ते रँभाते हैं' अनिवार्यत: सत्य है। यह एक ऐसी स्थिति है जो स्पष्टत: अस्वीकार्य है, अत: रसल के अनुसार, प्रमाणीकरण सिद्धान्त अस्वीकार्य दुविधा को जन्म देता है—या तो हम सामान्य वाक्यों को निरर्थक मानें अथवा असम्भव स्थिति को स्वीकार करें।

किन्तु हमारे विचार में, रसल की यह आपत्ति ठीक नहीं है, क्योंकि भाववादी यह नहीं कहते कि सामान्य वाक्य पूर्णत: प्रमाणीय हैं, अथवा प्रत्याख्येय नहीं हैं, वे इसे केवल अंशत: प्रमाणीय तथा पूर्णत: प्रत्याख्येय मानते हैं। इस प्रकार 'सब ग' घ हैं, तब तक स्वीकार किया जाता है जब तक केवल प के उदाहरण सामने आये हैं, किन्तु यदि ग का एक भी उदाहरण सम्मुख आता है तब सामान्य वाक्य को पूर्णत: प्रत्याख्यात स्वीकार कर लिया जायगा।

किन्तु बहुत-से सामान्य वाक्य ऐसे होते हैं जिन में विधेय पद उद्देश्य का परिभा-पद होता है, अथवा उद्देश्य विधेय द्वारा संकेतित वर्ग का सदस्य मात्र होता है। इस प्रकार, 'मनुष्य तर्कशील है' प्रथम प्रकार का तथा 'कुत्ता स्तनपायी है' द्वितीय प्रकार का वाक्य है। इनके तार्किक रूप की उचित स्थापना इस प्रकार के वाक्यों से होगी : 'केवल तभी कोई मनुष्य है यदि वह तर्कशील भी है' अथवा 'यह असम्भव है कि कोई मनुष्य है किन्तु तर्कशील नहीं है, अथवा कोई तर्कशील है किन्तु मनुष्य नहीं है'। प्रतीकों में '(य) [(य) =त (य)]' (जब कि म मनुष्य तथा त तर्कशील के लिए है)। द्वितीय का रूपान्तरण होगा 'प्रत्येक वस्तु, यदि वह कुत्ता है तो वह स्तनपायी है' अथवा 'यह असम्भव है कि कोई वस्तु कुत्ता है किन्तु स्तनपायी नहीं है'। प्रतीकों में '(य) [कु (य) स्त(य)]'। अब किसी वाक्य में विधेयपद को हम परिभाषा कब स्वीकार करते हैं और कब नहीं, यह निश्चित रूप से कहना असम्भव है, यह प्रत्येक अवस्था में सुविधा के अनुसार निश्चित होता है। अब मान लीजिये कि कोई ऐसा प्राणी उत्पन्न होता है जो कुत्ते की शेष सब विशेषताओं से युक्त है किन्तु स्तनपायी नहीं है, तब क्या हम उसे कुत्ता कहेंगे? इसका सम्भवत: निर्विवाद उत्तर होगा, नहीं। किन्तु यदि कोई ऐसी मछली उत्पन्न होती है जिसके प्रश्वास यन्त्र गिल्ज़ न होकर लंग्ज़ हैं, तब हम उसे मछली कहेंगे या नहीं? सम्भवत: इसका उत्तर एक ही नहीं होगा, क्योंकि अनेक उसे लंग्ज़ वाली मछली कहना चाहेंगे। इसी प्रकार, यदि कोई प्राणी गधे की बुद्धि और मनुष्य के रूप का उत्पन्न होता है तो क्या हम उसे मनुष्य कहेंगे अथवा नहीं? जैसे हमने इस वाक्य को ऊपर रखा है उसके अनुसार, नहीं, किन्तु व्यवहार में, हाँ। अब इसका उत्तर 'नहीं' होने पर 'सब मनुष्य तर्कशील हैं' वाक्य ऐसा वाक्य हो जाता है जो तर्कत: अप्रत्याख्येय है, क्योंकि अतर्कशील को हम मनुष्य मानेंगे ही नहीं। इसके विपरीत 'सब कव्वे काले हैं' प्रत्याख्येय है, क्योंकि 'काला' पद को हम कव्वे का परिभाषा पद नहीं मानते, अर्थात् हम शेष सब गुणों में काले कव्वे के समान किन्तु भिन्न वर्ण के पक्षी को भी कव्वा कहना चाहेंगे।

इस विश्लेषण के उपरान्त हम यह स्वीकार करने को बाध्य हैं कि किसी वाक्य का अर्थ उसकी प्रमाण-विधि नहीं है, प्रमाणीकरण सिद्धान्त केवल अर्थ के विस्तृततर सिद्धान्त का एक भागमात्र है। "परिचय" के आधार पर स्थापित अर्थ का यह सिद्धान्त अर्थ को स्मृति, अवगति अथवा अवधारणा आदि "मानसिक" घटनाएँ स्वीकार करता है, प्रमाणीकरण-विध नहीं।[1] प्रमाणीकरण का सम्बन्ध सत्य की अवधारणा से है, अर्थ की अवधारणा से नहीं। किन्तु अर्थ का यह सिद्धान्त भी सभी वाक्यों को सार्थकता की श्रेणी में स्थान नहीं देता। इस सिद्धान्तानुसार भी हाइडैगर तथा राधाकृष्णन के इस अध्याय के आरम्भ में उद्धृत वाक्य उतने ही निरर्थक हैं जितने प्रमाणीकरण सिद्धान्त के अनुसार।

1. द्रष्टव्य आगे अध्याय 6 और 7.

सत्य

पिछले अध्यायों में हमने अनेक स्थलों पर वाक्यों अथवा कथनों की सत्यता के सम्बन्ध में प्रसंगवश विचार प्रकट किये हैं और उनसे हमारे इस अध्याय का निष्कर्ष पूर्वनिश्चित हो जाता है। किन्तु फिर भी हम इस निष्कर्ष पर किस प्रकार पहुँचते हैं, यह जानना महत्त्वपूर्ण है। इसके अतिरिक्त, सत्य की समस्या उन प्रश्नों को पुनः, और एक-दूसरे कोण से, उठाती है जिन पर हम विशेष रूप से द्वितीय तथा तृतीय अध्यायों में विचार कर आये हैं। पाँचवें अध्याय में हमने वाक्यों की सार्थकता को उनकी सत्यता के प्रश्न से पृथक् किया है। किन्तु वहाँ हमने केवल सार्थकता की समस्या पर विचार किया था, अत: जब तक हम सत्य की समस्या पर विचार नहीं करते तब तक वह प्रसंग भी अधूरा रह जाता है।

1

"सत्य" क्या है? सम्भवत: सत्य के सम्बन्ध में प्रश्न का यह रूप भ्रामक है; इससे ऐसा प्रतीत होता है जैसे 'सत्य' किसी अस्तित्व की संज्ञा हो। 'आत्यन्तिक सत्य', 'सार्वभौम सत्य' आदि प्रयोग ऐसी ही धुँधली और भ्रान्त धारणाओं के वाचक हैं। यदि ये प्रयोग वास्तव में ही कुछ व्यक्त करते हैं तो यहाँ उस पर विचार प्रासंगिक नहीं है। 'सत्य' किसी घटना, गुण अथवा सम्बन्ध का वाचक पद भी नहीं है, जैसे 'दुःख', 'रक्त' तथा 'दाएँ' आदि पद हैं। कुछ दार्शनिक 'सत्य' को भाषीय विधेय कहते हैं। इससे उनका अभिप्राय यह होता है कि यह पद उचित रूप से वाक्यों का ही विधेय हो सकता है। किन्तु दूसरे कुछ दार्शनिक विश्वासों के साथ भी इसका प्रयोग उचित समझते हैं। कुछ अन्य दार्शनिक इसे किसी एक अथवा अनेक वाक्यों का नहीं प्रत्युत किसी अवधारणात्मक संस्थान (कांसेप्चुअल स्कीम) के प्रसंग से घटित वाक्यों का ही उचित रूप से विशेषण मानते हैं। इन तीन मतों के अतिरिक्त अन्य मत भी हैं, और इनमें उपयोगितावाद (प्रेग्मेटिज़्म) सर्वाधिक प्रसिद्ध और प्रभावशाली मत है। किन्तु इन सब की चर्चा यहाँ अभिप्रेत नहीं है।

'सत्य' को भाषीय विशेषण मानने वालों के अनुसार (स्थूल रूप से) किसी वाक्य की सत्यता उसके द्वारा कथित घटना के घटित होने में है, अधिक ठीक शब्दों में, वाक्य 'व' केवल तभी सत्य है यदि और केवल यदि व वस्तुस्थिति है। इस प्रकार, 'राम घर गया था' वाक्य सत्य है यदि राम घर गया था, अन्यथा यह असत्य है। ठीक इसी प्रकार से, रसल के अनुसार, विश्वास सत्य या असत्य कहे जाते हैं। उदाहरणतः, मेरा यह विश्वास कि "राम घर गया था" केवल तभी सत्य है यदि राम वास्तव में घर गया था, अन्यथा नहीं। रसल वास्तव में सत्य को मौलिक रूप से विश्वासों का ही विशेषण मानते हैं, वाक्यों का केवल परोक्ष रूप से विशेषण मानते हैं।[1]

वाक्यों के सम्बन्ध में यहाँ दो स्पष्टीकरण अपेक्षित हैं—प्रथम यह कि यहाँ वाक्यों से हमारा अभिप्राय केवल ऐसे वाक्यों से है जो वर्णनात्मक अर्थ व्यक्त करते हैं, तार्किक या व्याकरणात्मक वाक्यों से नहीं, दूसरे यह कि 'सत्य' या 'असत्य' विधेय उन वाक्यों के ही उचित विधेय हो सकते हैं जो निर्देशात्मक प्रकार में हों। तीसरे, यहाँ वाक्य-घटना नहीं, वाक्य प्रकार का बोध अभीष्ट है। वास्तव में सत्य मूल्य एक वाक्य-प्रकार की सब घटनाओं का ही नहीं प्रत्युत उन सब वाक्यों का भी, जो एक अर्थ के बोधक हैं, एक ही कहा जा सकता है।

समानार्थक वाक्यों की इस सार्थकता को वाक्यीय प्रतिज्ञा (प्रोपोज़ीशन) कहते हैं। और एक मत के अनुसार 'सत्य' या 'असत्य' पद उचित रूप से वाक्यीय प्रतिज्ञाओं के विधेय हो सकते हैं न कि वाक्यों के।

---

1. इन्क्वारी इन्टू मीनिंग एण्ड ट्रूथ, पृ. 226-273.

रसल वाक्यों की सार्थकता को उन मानसिक प्रतिक्रियाओं से अभिन्न मानते हैं जो इन वाक्यों के कारण अथवा कार्य हैं। इसमें सन्देह नहीं कि शब्द अथवा वाक्य का अर्थ एक प्रकार से मानसिक घटनाएँ ही हैं, किन्तु ज्ञानात्मक अर्थ का कारण अथवा कार्य घटना अथवा घटनाओं से अभिन्न नहीं कहा जा सकता। सर्वप्रथम, एक वाक्य 'व' विभिन्न व्यक्तियों में एक ही समय पर विभिन्न प्रतिक्रियाएँ उत्पन्न कर सकता है, एक ही व्यक्ति में विभिन्न कालों में विभिन्न प्रतिक्रियाएँ उत्पन्न कर सकता है, विभिन्न अथवा एक ही व्यक्ति एक ही वाक्य को विभिन्न उद्देश्यों से प्रयुक्त कर सकते हैं, आदि-आदि। किन्तु हम ज्ञानात्मक अर्थ को एक निश्चितता देना चाहते हैं। इसका अभिप्राय यह नहीं है कि एक पद अथवा वाक्य के दो अर्थ नहीं हो सकते, किन्तु वे दो अर्थ निश्चित होंगे और इन दो अर्थों के अनुसार एक वाक्य दो वाक्य-वर्गों का सदस्य होगा। उदाहरणत: 'स्थान स पर सैंधव है' वाक्य लें। इस वाक्य के 'सैन्धव=घोड़ा' तथा 'सैन्धव=नमक' के अनुसार दो अर्थीय निर्देश होंगे, दूसरे शब्दों में, यह वाक्य दो भिन्न कथनों को व्यक्त करेगा, किन्तु इसके ये दो निर्देश निश्चित दो अर्थीय निर्देश होंगे जो समानार्थक वाक्यों के वर्ग से निर्धारित होंगे। इसे हम ज्ञानात्मक अर्थ कह सकते हैं। इसका अभिप्राय यह नहीं है कि यह "अर्थ" समानार्थक वाक्यों के वर्ग में अस्तित्व रखता है, प्रत्युत यह कि यह इस वर्ग के द्वारा परिभाषेय है, अन्यथा "अर्थ" मानसिक अस्तित्व ही हैं।

एक बात और, जो यहाँ प्रतिपादित करनी आवश्यक है। वह यह है कि ज्ञानात्मक अर्थ उचित रूप से विस्तारातमक भाषा में परिभाषित न किये जा कर भावात्मक भाषा में ही परिभाषित किये जा सकते हैं। इसीलिए वे, और केवल वे, वाक्य समानार्थक हैं जो भावात्मक रूप से एक ही अर्थ व्यक्त करते हैं। समानार्थकता की यह परिभाषा अर्थ को संकेत से भिन्न करती है। अतएव 'कामायनी का लेखक' तथा 'आँसू का लेखक' समानार्थक प्रयोग नहीं हैं यद्यपि दोनों का संकेत्य एक ही व्यक्ति—जयशंकर प्रसाद—है। इसी प्रकार, 'य मनुष्य है' तथा 'य तर्कशील है' वाक्य हैं। विस्तारात्मक रूप से शब्दों की समानार्थकता केवल आगन्तुक है, क्योंकि यह केवल आगन्तुक बात है कि कोई दो विशेषताएँ एक ही वर्ग को (अथवा वस्तु को) विशेषित करती हों, जैसे 'मनुष्य' और 'तर्कशील', अथवा 'कामायनी का लेखक' और 'आँसू का लेखक'। यदि कोई आपत्ति करे कि "जयशंकर प्रसाद केवल तभी जयशंकर प्रसाद कहा जा सकता है यदि वह कामायनी का लेखक तथा आँसू का लेखक आदि-आदि है" तो यह एक भिन्न प्रश्न है और इसका अर्थ के प्रश्न से कोई सम्बन्ध नहीं है। 'कामायनी का लेखक' तथा 'आँसू का लेखक' परस्पर विश्लेषणात्मक रूप से लागू होते हैं अथवा संश्लेषणात्मक रूप से, इस निर्णय के लिए प्रासंगिक प्रश्न यह है कि क्या ये परस्पर अर्थ के भाग हैं? वास्तव में कोई दो वाक्य-प्रकार तब तक विश्लेषणात्मकतया लागू नहीं होते जब तक ये पुनरुक्ति व्यक्त करने के लिए प्रयुक्त नहीं किये जाते। यह दार्शनिक विश्लेषण अध्याय में पर्याप्त विस्तार से दिखाया गया है। किन्तु कुछ वाक्य हैं जो इस प्रकार निर्धारित नहीं किये जा सकते, अत: ये कभी पुनरुक्ति वाक्य नहीं हो सकते। 'य कामायनी का लेखक है' तथा 'य आँसू का लेखक है' ऐसे ही दो वाक्य हैं—हम यह कभी नहीं कह सकते कि 'य कामायनी का लेखक है=य आँसू का लेखक है' उचित वाक्य है। किन्तु हम यह परिभाषया निश्चित कर सकते हैं कि 'य मनुष्य है=य तर्कशील है', जैसाकि हम दार्शनिक विश्लेषण अध्याय में देखेंगे। किन्तु तब इसको उचित रूप से इस प्रकार रखा जाना चाहिए, 'य मनुष्य है'='य तर्कशील है'।

वाक्यों का भावात्मक अर्थ इस प्रकार व्यक्त किया जा सकता है—"य आँसू का लेखक है" का अर्थ है "य आँसू का लेखक है"। और इसी प्रकार—"भाषा $भ_1$ में 'x is the author of Ansu'"='भाषा $भ_2$ के 'य आँसू का लेखक है" और 'य आँसू का लेखक है' का अर्थ है "य आँसू का लेखक है"।[1]

उद्देश्यात्मक अनियत (साब्जेक्टिव वेरियेबल) पद के साथ प्रयुक्त उपर्युक्त वाक्य का संकेत वास्तव में कुछ भी नहीं है, अत: यह वाक्य जिस रूप में यहाँ प्रस्तुत है उस रूप में यह न सत्य है और न असत्य है। सत्य या

1. 'व' वाक्यीय संज्ञा का, "व" अर्थ का तथा व संकेतित विषय का वाचक है।

असत्य यह केवल तभी होता है जब कि इसका अनियत पद नियत संज्ञा पद द्वारा स्थानान्तरित हो जाता है, जैसे 'प्रसाद कामायनी का लेखक है' में, अथवा जब यह बन्द वाक्य के रूप में प्रयुक्त किया जाता है, जैसे 'कम-से-कम एक व्यक्ति कामायनी का लेखक है' आदि में। इस स्थापना से दो परिणाम स्पष्ट हैं कोई वाक्य सत्य या असत्य हुए बिना भी सार्थक हो सकता है, और दूसरे, कि बन्द वाक्य सार्थक होने पर अनिवार्यत: सत्य या असत्य होते हैं। दूसरे परिणाम को हम आकारिक भाषा में इस प्रकार व्यक्त कर सकते हैं—"वाक्य 'व' का अर्थ है "व" और वस्तुस्थिति व वास्तव में है" तथा "वाक्य 'व' का अर्थ है "व" और वस्तुस्थिति व वास्तव में नहीं है—

(1) '(अव) "व" ('व') व'। (2) '(अव) "व" ('व').('व') व'।[1]

इस प्रकार वाक्यों के अर्थीय निर्देश तथा संकेत में भेद स्पष्ट है। किन्तु यह अभी तक स्पष्ट नहीं है कि ये अर्थीय निर्देश तथा संकेत क्या हैं। हमने अर्थमीमांसा अध्याय में अर्थ के सम्बन्ध में विस्तारपूर्वक विचार किया था। किन्तु यहाँ मानसिकता के प्रसंग में इस पर विचार करना अप्रासंगिक न होगा।

'य कामायनी का लेखक है' वाक्य लें। जैसाकि हमने प्रतिपादित किया है, यह वाक्य न सत्य है और न असत्य है, किन्तु सार्थक है। इस पर आपत्ति की जा सकती है कि यह वाक्य सत्य अथवा असत्य है क्योंकि इस वाक्य में हम कहते हैं कि 'कोई कामायनी का लेखक है', किन्तु सम्भव है कि कोई भी कामायनी का लेखक न हो। किन्तु वास्तव में हम 'य कामायनी का लेखक है' में इतना भी नहीं कहते। सत्य या असत्य वाक्य यह उस अवस्था में होगा यदि हम कहें "कम-से-कम एक व्यक्ति कामायनी का लेखक है", जैसाकि हम अभी ऊपर कह आये हैं। 'य कामायनी का लेखक है' को इस प्रकार विश्लेषित किया जा सकता है—'अ कामायनी है', 'य लेखक है', 'य अ क लेखक है'। यहाँ प्रथम वाक्य विशिष्ट वाक्य है अत: सत्य तथा ज्ञात है, किन्तु 'य लेखक है' वाक्य खुला वाक्य है और अतएव इसमें लेखक पद सामान्य पद है। इस प्रकार दूसरा वाक्य सार्थक है किन्तु सत्य या असत्य नहीं है। जैसाकि हमारे पूर्व विवेचन से स्पष्ट है, सामान्य पद तथ्य-प्रतिपादक नहीं हैं किन्तु इनकी सार्थकता का ग्रहण तथ्य-प्रतिपादक वाक्यों से ही होता है। इस प्रकार 'य लेखक है' 'अ लिखता है' के प्रसंग से ही अर्थ ग्रहण करता है। अब यदि 'य लेखक है' कथनात्मक नहीं है तो इसके निर्देशात्मक अर्थ का क्या स्वरूप है? जैसाकि कभी-कभी कहा जाता है, तथ्यों का अस्तित्व संसार में है और अर्थ का अस्तित्व मन में है। किन्तु जैसाकि हमने 'मानसिक और भौतिक अध्याय में देखा है, मानसिक घटनाएँ उतनी ही तथ्य हैं जितनी तथाकथित भौतिक घटनाएँ, अत: 'लेखक' पद सार्थक है' का रूपान्तरण होगा 'यह अवगत है कि लेखक का अर्थ है "लेखक"।' अतएव 'यह अवगत नहीं है कि 'लेखक' का अर्थ है "लेखक" सत्य होने पर 'लेखक' पद निरर्थक हो जाता है। अब 'अर्थ है' को तार्किक संयोजक के रूप में प्रयुक्त करते हुए, संयोजक के बाईं ओर का पद या वाक्य अर्थीय निर्देश का वाचक है।[2]

कुछ दार्शनिक उपर्युक्त प्रतिपादन को स्वीकार नहीं करना चाहते, उनके अनुसार वर्णनात्मक वाक्यों का अर्थ उनकी अन्य भाषा में अनुवाद्यता तथा समानार्थक वाक्यों के वर्ग में निहित होता है।[3] उदाहरणत: आर्थर पैप के अनुसार "वाक्यीय प्रतिज्ञाओं की रचना इस प्रकार की जा सकती है कि ये तर्कत: समान (समानार्थक) वाक्यों के वर्ग हैं।" उनके अनुसार, ये वाक्यीय प्रतिज्ञाएँ, न कि वाक्य, सत्य या असत्य मूल्य की वाहक हैं, और हमारे विश्वासों के विषय ये प्रतिज्ञाएँ होने के कारण ही विश्वासों के साथ सत्य या असत्य विधेयों का प्रयोग किया जा सकता है। किन्तु उनसे प्रश्न किया जा सकता है कि वाक्यों की तार्किक समानार्थकता किस बात में निहित है? दो वाक्य लें—

1. 'व' वाक्यीय संज्ञा का, "व" अर्थ का तथा व संकेतित का वाचक है।
2. 'अर्थ है' को तार्किक संयोजक हम प्रो. वर्गमान के अनुसार रख रहे हैं। द्रष्टव्य : **मीनिंग एण्ड एग्ज़िस्टेंस** में इन्टेंशनेलिटी निबन्ध, पृ. 3-38.
3. आर्थर पैप — **एलीमेंट्स ऑफ एनेलिटिक फिलासफी,** पृ. 346-348.

(1) राम कँवारा है। (2) राम अविवाहित है।

इनकी तार्किक समानार्थकता को इस रूपान्तर में प्रस्तुत किया जा सकता है—

'राम कँवारा है, यदि और केवल यदि, राम अविवाहित है' तर्कत: सत्य है।

किन्तु जैसाकि स्पष्ट है, यह स्थापना 'कँवारा' और 'अविवाहित' की समानार्थकता को पूर्वकल्पित करती है नकि यह इनकी समानार्थकता को स्थापित करती है।

विस्तारात्मक भाषा में दो अभिव्यक्तियों की समानार्थकता उनकी प्रत्येक अवस्था में परस्पर प्रतिवर्तनीयता में निहित है। किन्तु यह परस्पर प्रतिवर्तनीयता इस बात पर निर्भर करती है कि दो अभिव्यक्तियों का संकेत-विषय एक ही हो, चाहे यह विषयैकता, अथवा कहें, एक-संकेत्यता, परिभाषया निर्धारित ही क्यों न हो। उदाहरणत: 'अर्जु' और 'कौन्तेय' पद लें (जब कि 'कौन्तेय' केवल संज्ञा पद है, 'कुन्ती का पुत्र' ऐसा वर्णनात्मक पद नहीं है)। अब ये दो पद समानार्थक हैं क्योंकि इन दोनों में से कोई भी पद किसी वाक्य में उसके सत्यमूल्य में बिना परिवर्तन के प्रयुक्त किया जा सकता है। इसी प्रकार 'कँवारा' और 'अविवाहित' आदि पदों के लिए भी। किन्तु जैसाकि क्वाइन ने दिखाया है, यह एकदम आगन्तुक है कि विस्तारात्मक भाषा में कोई दो पद अन्तरपरिवर्तनीय है,[1] जैसे यह एकदम आगन्तुक है कि पंखरहित द्विपद ही तर्कशील हैं। इसके विपरीत, भावात्मक वाक्य—"'य कँवारा है' का अर्थ है 'य अविवाहित है'" अन्तर्विरोधपूर्ण हैं जब तक इनके साथ एक अन्य वाक्यीय विधेय 'अनिवार्यत:' प्रयुक्त नहीं किया जाता, और इस प्रकार 'अनिवार्यत: केवल कँवारे ही अविवाहित हैं' वाक्य द्वारा 'कँवारा' और 'अविवाहित' में समानार्थकता पूर्वकल्पित नहीं की जाती।[2] इसके विपरीत, भावात्मक भाषा में 'यह अवगत है कि 'य कँवारा है' का अर्थ है "य अविवाहित है"' दोनों ग़लत प्रयोग हैं। प्रथम इसलिए क्योंकि उद्देश्य और विधेय दोनों को एक ही स्तर पर प्रयुक्त किया गया है, और द्वितीय इसलिए क्योंकि दोनों का अर्थीय निर्देश (डेज़िग्नाटा) भावात्मक भाषा में एक ही नहीं है।

रसल के अनुसार, वाक्यों की समानार्थकता इस बात में निहित है कि वे समान मानसिक प्रतिक्रियाओं (अधिक निश्चित रूप से, समान विश्वासों अथवा समान मानसिक अनुकृतियों) को उत्पन्न करते हैं, अथवा उनसे सहानुगमित होते हैं।[3] स्पष्टत: यह परिभाषा अत्यन्त अस्पष्ट और भ्रामक है, क्योंकि (1) यह कहा जा सकता है कि कोई दो प्रतिक्रियाएँ समान नहीं हैं। इसके अतिरिक्त (2) हमारी अस्तित्वमीमांसा के अनुसार, दो प्रतिक्रियाएँ दो अस्तित्व हैं, एक नहीं। अत: हमारी दार्शनिक भाषा में यह नहीं कहा जा सकता कि "दो पद समान प्रतिक्रियाओं को जन्म देने के द्वारा" अथवा "एक ही वस्तु के वाचक होने से" समानार्थक हैं। तीसरे, (3) यह कैसे देखा जा सकता है कि दूसरे व्यक्तियों के मन में क्या प्रतिक्रियाएँ हुई हैं? अत: यह परिभाषा भी स्वीकार्य नहीं हो सकती।

अत: समानार्थकता की परिभाषा मनोवैज्ञानिक भाषा में उतनी ही समस्यात्मक है जितनी विस्तारात्मक भाषा में। किन्तु भावात्मक भाषा में समानार्थकता वाक्यीय विधेय 'यह अवगत है' द्वारा निर्मित की जाती है और इस प्रकार दो वाक्यों में समानार्थकता का सम्बन्ध स्थापित किया जाता है।

वास्तव में 'वाक्यीय प्रतिज्ञा' सामान्य पद है जो विशिष्ट वाक्य-घटना के बजाय वाक्य-घटना मात्र का निरपेक्षत: वाचक है, जैसा हमने पीछे "अर्थमीमांसा" अध्याय में देखा है। इसी उपमा से समानार्थक वाक्यों को भी एक ही वाक्यीय प्रतिज्ञा का व्यंजक कहा जा सकता है। किन्तु यह कहना कि वाक्य-घटनाएँ वाक्यीय प्रतिज्ञाओं

1. क्वाइन — **फ्राम ए लोजीकल प्वाईट ऑफ व्यू,** पृ. 27-31.

2. वही, पृ. 26.

3. रसल — **इन्क्वारी इन्टू मीनिंग एण्ड ट्रूथ,** अध्याय 13, 14, 16.

को व्यक्त करती हैं, ऐसा ही है जैसे यह कहना कि 'यह रक्त है' द्वारा व्यक्त विशिष्ट 'रक्तता' द्वारा व्यक्त सामान्य को व्यक्त करता है।

अब, वाक्यीय घटना द्वारा व्यक्त या निर्दिष्ट क्या है? 'राम और श्याम मित्र हैं' वाक्य लें। इस वाक्य को वाक्य-घटना दिखाने के लिए हम वाक्य के पैर में संख्या चिह्न$_1$ का प्रयोग करेंगे। हमारी पूर्व स्थापनानुसार वाक्यों का निर्देशन सम्बन्ध "'राम श्याम का मित्र है' अर्थ 'राम श्याम का मित्र है'" द्वारा व्यक्त होता है जब कि तार्किक संयोजक—'अर्थ'—के दाईं ओर का वाक्य बाईं ओर के वाक्य का अर्थीय निर्देश व्यक्त करता है। इस निर्दिष्ट को हम अवगति की एक घटना कहते हैं। "जानना", "पहचानना" तथा "स्मृति" आदि अवगति की घटनाएँ हैं। इस प्रकार, "'य श्याम का मित्र है$_1$' अर्थ "य श्याम का मित्र है$_1$'" एक अन्य निर्देशन सम्बन्ध को व्यक्त करता है और इसका निर्दिष्ट स्मृति की एक घटना है, क्योंकि इस वाक्य में सामान्य पद "मित्र" स्मृति की घटना, जो विशिष्ट है, का निर्देश करता है।

हमारे विचार में, निर्देशन-सम्बन्ध की यह व्याख्या रसल की व्याख्या से अधिक स्पष्ट तथा पैप की व्याख्या से अधिक युक्त है।

2

इस अध्याय के आरम्भ में हमने कथनात्मक प्रकार में प्रयुक्त वाक्यों के सत्य-मूल्य को इस प्रकार प्रस्तुत किया था—"वाक्य 'व' सत्य है यदि और केवल यदि व वास्तव में वस्तुस्थिति है"। किन्तु अर्थ तथा वाक्यीय प्रतिज्ञाओं सम्बन्धी उपर्युक्त विवेचन के पश्चात् हम इस प्रतिपादन को इस प्रकार प्रस्तुत कर सकते हैं—'वाक्य 'व' का अर्थ है "व" और 'व' सत्य है यदि और केवल यदि व वास्तव में वस्तुस्थिति है'। और तब असत्य वाक्य इस प्रकार प्रस्तुत किया जायगा—'वाक्य 'व' का अर्थ है "व" और 'व' असत्य है यदि और केवल यदि व वस्तुस्थिति नहीं है'। प्रतीकात्मक भाषा में—

(1) '(अव) "व" ('व').व'।

(2) '(अव) "व" ('व')~व'।

'सत्य' को इस प्रकार परिभाषित करने का अभिप्राय यह है कि हम किसी वर्णनात्मक वाक्य को उस अवस्था में सत्य कहते हैं यदि उसके द्वारा कथित तथ्य या वस्तुस्थिति वास्तव में वैसी हो। किन्तु कोई वाक्य किसी तथ्य या वस्तुस्थिति का कथन तभी करता कहा जा सकता है यदि वह किसी अर्थ को व्यक्त करता है। इस प्रकार वास्तव में सत्य या असत्य वाक्य का अर्थ वह कहा जाना चाहिये जिसका वाचक होने से वाक्य सत्य या असत्य हो सकता है। किन्तु अर्थ स्वयं सत्य या असत्य नहीं होता। उदाहरणत: यह कभी नहीं कहा जा सकता कि 'राम जाता है' वाक्य का अर्थ सत्य या असत्य है। हमने पीछे स्वीकार किया था कि कोई वाक्य सत्य या असत्य हुए बिना भी कथनात्मक आकारयुक्त हो सकता है। यदि यह कहा जाय—"किन्तु कोई वाक्य केवल तभी सत्य या असत्य हो सकता है यदि वह सार्थक है" तो इसका उत्तर है कि "ठीक इसी प्रकार कोई वस्तु तभी रक्त होती है यदि यह आकार युक्त हो"। किन्तु इसीलिए आकार को रक्त तथा रक्त को आकार नहीं कहा जा सकता।

पैप के अनुसार 'सत्य' या 'असत्य' उचित रूप से केवल वाक्यीय प्रतिज्ञाओं के विशेषण हो सकते हैं। किन्तु यदि वाक्यीय प्रतिज्ञा केवल समानार्थक वाक्यों से रचना है तो यह समझना कठिन है कि इस रचना के सत्य या असत्य होने से उनका क्या अभिप्राय है, यदि वे वाक्य सत्य या असत्य नहीं कहे जाएँ जिनसे यह रचना है। 'कल वर्षा होगी' वाक्य लें। पैप के अनुसार, यह वाक्य स्वयं सत्य या असत्य नहीं होगा, सत्य या असत्य वह वाक्यीय प्रतिज्ञा होगी जिसे यह, जैसाकि वे कहते हैं, निर्देशित करता है; और वाक्यीय प्रतिज्ञा, उनके अनुसार, उन सब वाक्यों से रचना है जो समानार्थक है। रचनाओं के सम्बन्ध में यहाँ थोड़ा स्पष्टीकरण प्रासंगिक होगा। 'य रचना है' का अभिप्राय होगा कि पद या वाक्य 'व' अन्य पदों या वाक्यों '$व_न$' को तर्कत: लागू करता है और

सिद्धान्ततः उनमें पूर्णतः अपचेय है। अब 'व' जब कि, अस्तित्व-मीमांसात्मक अर्थ में, किसी का वाचक नहीं है, '$व_न$' (विशिष्टों का वाचक होने से) तथ्यों का वाचक है। अतः 'वाक्यीय प्रतिज्ञा "व" सत्य है' का अभिप्राय केवल यह है कि 'वाक्य '$व_1$'...'$व_न$' सत्य हैं'। और "'$व_1$'...'$व_न$' सत्य हैं' का कथन केवल तभी उचित है यदि '$व_1$'...'$व_न$' द्वारा कथित वस्तुस्थिति वास्तव में है। किन्तु यह प्रतिपादन इससे अधिक कुछ स्थापित नहीं करता कि वाक्य 'व' सत्य है यदि और केवल यदि व वस्तुस्थिति वास्तव में है। वास्तव में पैप वाक्यीय प्रतिज्ञाओं को भी अस्तित्व मूल्य देते प्रतीत होते हैं। केवल उनकी इस मान्यता के प्रकाश में ही उनके प्रतिपादन को समझा जा सकता है।

एयर के अनुसार, व्याकरण के अनुसार सार्थक प्रत्येक वाक्य एक कथन व्यक्त करता है, किन्तु केवल वे ही वाक्य वाक्यीय प्रतिज्ञाएँ व्यक्त करते हैं जो या तो विश्लेषणात्मक हैं अथवा प्रमाणीकरणीय हैं।[1] इस प्रकार, वे वर्णनात्मक वाक्यों की प्रमाणीय वस्तु को वाक्यीय प्रतिज्ञा मानते हैं। किन्तु यह स्थापना प्रस्तुत समस्या को ज़रा भी स्पष्ट नहीं करती, क्योंकि एक तो यह वाक्यीय प्रतिज्ञा की परिभाषा को संकुचित करती है और दूसरे यह अपने ही संकुचित क्षेत्र में भी प्रस्तुत प्रश्न का, कि किसी वाक्य की प्रमाणीय वस्तु क्या है, समाधान नहीं करती।

जैसाकि हमने पीछे प्रतिपादित किया है, प्रत्येक वाक्य-घटना एक भौतिक अस्तित्व है और यह उस अवस्था में अर्थयुक्त है यदि और केवल यदि वह एक मानसिक अस्तित्व-अवगति की घटना-से सहानुगमित होती है। हमारे संसार में मानसिक और भौतिक घटनाओं के सहानुगमन अथवा सहावस्थान आदि सम्बन्ध कोई समस्या उत्पन्न नहीं करते। ऐसा भी कहा जा सकता है जब एक वाक्यीय घटना मानसिक घटना के साथ निर्देशन सम्बन्ध-युक्त होती है तब हम उसे सार्थक कहते हैं। किन्तु स्वयं उस मानसिक घटना को अर्थ कहना अनुचित है। केवल अभिव्यक्तियाँ ही सार्थक होती हैं, अर्थ देने वाली घटनाएँ नहीं। दूसरे शब्दों में, 'मानसिक या भौतिक घटना व सार्थक है' अथवा 'मानसिक घटना घ अर्थ है' अनुचित प्रयोग हैं, उचित प्रयोग होगा 'एक घटना $घ_1$' अर्थयुक्त है यदि यह घटना $घ_2$ के साथ निर्देशन-सम्बन्ध युक्त है। इसी सम्बन्ध को हम 'व' अर्थ "व" द्वारा व्यक्त करते हैं।

अब, किसी वाक्य के साथ 'सत्य' विशेषण का प्रयोग क्या व्यक्त करता है? जैसाकि हमने पीछे कहा है, जब हम कहते हैं "'व' सत्य है यदि और केवल यदि व वस्तुस्थिति है" तब हम पूर्वकल्पित करते हैं कि 'व' सार्थक वाक्य है। जैसे अर्थ के प्रसंग में, वैसे ही यहाँ भी कहा जा सकता है कि वाक्य-घटना 'व' स्वतः सत्य या असत्य नहीं है और न ही यहाँ यह कहा जा सकता है कि वाक्य-घटना 'व' स्वतः सत्य या असत्य नहीं है और न वस्तुस्थिति व सत्य या असत्य है। और न ही वास्तव में वाक्य 'व' अर्थ "व" को व्यक्त करने मात्र से सत्य या असत्य हो जाता है यदि यह कथनात्मक नहीं है। उदाहरणतः 'कल वर्षा होगी' तथा 'कल वर्षा होगी?' वाक्यों का अर्थीय निर्देश भिन्न नहीं कहा जा सकता किन्तु फिर भी द्वितीय वाक्य सत्य या असत्य नहीं है। यदि दूसरे वाक्य का अर्थीय निर्देश भिन्न मानें भी तो भी कम-से-कम उसका कुछ अर्थीय निर्देश है, इससे इन्कार नहीं किया जा सकता। इस कठिनाई को इस प्रकार दूर किया जा सकता है कि हम अर्थ तथा कथन में भेद करें और दूसरे वाक्य की पुनारचना इस प्रकार करें—

"कल वर्षा होगी?' अर्थ "कल वर्षा होगी" और कथन (कल वर्षा होगी अथवा कल वर्षा नहीं होगी)'।

अब यह पुनारचना किसी भी घटना से सत्य या असत्य नहीं हो सकती।

इस स्थापना के पश्चात् हम पाते हैं कि कुछ वाक्य अर्थ के अतिरिक्त एक कथन व्यक्त करते हैं, और वास्तव में सत्य या असत्य उचित रूप से कथनों के विधेय ही हो सकते हैं। यह स्वीकार करने पर हम सत्य की अवधारणा को चार वाक्य खण्डों द्वारा व्यक्त करते हैं—

"व' अर्थ "व".प्र(प).प'

---

1. एयर — **लेंग्वेज, ट्रूथ एण्ड लोजिक,** द्वितीय संस्करण, 1946, पृ. 8-9.

'व' का अर्थ है "व" और 'व' का कथन है (प) और प सत्य है यदि और केवल यदि प वस्तुस्थिति है। अब ये कथन क्या हैं? रसल कहेंगे, ये हमारे विश्वासों के पर्याय हैं। इस प्रकार, उनके अनुसार सत्य या असत्य पद उचित रूप से विश्वासों के विशेषण हैं और वाक्य केवल इन विश्वासों के व्यंजक होने से सत्य या असत्य हैं।

हमें रसल के इस कथन के साथ सहमत होने में कोई आपत्ति दिखाई नहीं देती। कुछ दार्शनिकों की यह आपत्ति, कि हमारा विश्वास किसी वस्तुस्थिति में कम या अधिक हो सकता है किन्तु सत्य के साथ कम अधिक-विशेषण उचित नहीं है, नासमझी के कारण है, क्योंकि किसी विश्वास को सत्य कहने का अभिप्राय यह नहीं है कि विश्वास की घटना सत्य है, जैसाकि आर्थर पैप ने समझने की भूल की है।[1] विश्वास की घटना एक प्रसंग विशेष में 'सत्य' या 'असत्य' से विशेषित की जाती है जब कि एक अन्य घटना घटित होती है। अत: कम या अधिक विश्वास सत्य के प्रश्न के लिए प्रासंगिक नहीं है। यदि कोई कहता है 'मेरा विश्वास है, यद्यपि कुछ निश्चित नहीं कहा जा सकता, कि राम कल जायगा', तब राम का जाना मेरे विश्वास को सत्य बनाता है। वाक्यांश 'कुछ निश्चित तो नहीं कहा जा सकता' एक दूसरा विश्वास व्यक्त करता है, कि पूर्व वाक्यांश में व्यक्त विश्वास असत्य हो सकता है। इस स्थापना के अनुसार, प्रत्येक विश्वास अथवा विश्वास-व्यंजक वाक्य का सत्यमूल्य विश्वासेतर घटनाओं के साथ सम्बन्ध से निर्धारित होता है। विश्वास को सत्य-असत्य कहने का यही अभिप्राय है। किन्तु यहाँ आपत्ति की जा सकती है कि हमारा उपर्युक्त वाक्य वास्तव में दो विश्वासों को व्यक्त नहीं करता, वह केवल एक संश्लिष्ट विश्वास को, अथवा अधिक उचित रूप में कहें, विश्वास की न्यूनता को, व्यक्त करता है। इसलिए 'विश्वास' के बजाय 'कथन' अधिक उचित प्रयोग है, क्योंकि उपर्युक्त वाक्य समधिक कथन को नहीं प्रत्युत दो कथनों को व्यक्त करता है। कथन का मनोवैज्ञानिक आधार चाहे विश्वास ही क्यों न हो किन्तु कथन विश्वास से अभिन्न नहीं है, कथन वाक्य की वह विशेषता है जिसके द्वारा वह संकेत्य (वस्तुस्थिति) के सम्बन्ध में सकारात्मक या नकारात्मक विधान करने में समर्थ होता है।

इस निर्णय से दो बातें स्पष्ट हैं, प्रथम यह कि 'सत्य' या 'असत्य' विधेय वर्णनात्मक नहीं हैं, क्योंकि ये न तो विश्वास के सम्बन्ध में कुछ बताते हैं और न उस घटना के सम्बन्ध में कुछ बताते हैं जो इनको सत्य या असत्य बनाती है। क्योंकि 'कथन या विश्वास प्र. सत्य है', वाक्य स्वयं कथन के सम्बन्ध में कुछ नहीं कहता, यह घटना के घटे होने, या वस्तुस्थिति व होने के सम्बन्ध में सूचना देता है। किन्तु यह स्वयं घटना की भी विशेषता नहीं बताता, क्योंकि इसके घटित होने या न होने में सूचना से कुछ अन्तर नहीं पड़ता। यह केवल निर्णय को व्यक्त करता है।

दूसरे यह कि दर्शन, विज्ञान तथा अन्य अनेक क्षेत्रों में ऐसे वाक्य, जिनके साथ 'सत्य' या 'असत्य' विधेय प्रयुक्त किया जाए, बहुत कम संख्या में प्रयुक्त होते हैं, और इनका बहुत कम महत्त्व है।

किन्तु इस प्रश्न पर विचार करने से पूर्व यहाँ एक अन्य प्रश्न पर विचार करना प्रासंगिक होगा। हमारी परिभाषा के अनुसार, कथन (प) की सत्यता वस्तुस्थिति व के होने पर निर्भर करती है और '~व' इसकी असत्यता स्थापित करता है। किन्तु ऐसे कथनों के सम्बन्ध में क्या कहा जाय जो किसी वस्तुस्थिति के सम्बन्ध में सकारात्मक विधान करते हैं किन्तु जिनके सम्बन्ध में यह नहीं कहा जा सकता कि वह वस्तुस्थिति है या नहीं। (अथवा होगी या नहीं, अथवा थी या नहीं?)। उदाहरणत: यह वाक्य लें—'मेरी आँखों तथा सूर्य के मध्य विद्युच्चुम्बकीय लहरें प्रसरित होती हैं'। अब यह किसी भी प्रकार से दिखाया नहीं जा सकता कि वास्तव में कथित स्थान पर विद्युच्चुम्बकीय लहरें प्रसरित होती हैं अथवा नहीं। रसल के अनुसार, ऐसी अवस्था में भी उपर्युक्त वाक्य सत्य या असत्य है क्योंकि या तो ये कथित लहरें प्रसरित होती हैं अथवा नहीं। उनके अनुसार, सत्य या असत्य को हमारे ज्ञान का सापेक्ष नहीं बनाया जा सकता। कथनों को सत्य या असत्य बनाने वाली

1. आर्थर पैप — **एलीमेंट्स ऑफ एनेलिटिकल फिलासफी,** पृ. 349-350.

वस्तुस्थितियाँ हमारे ज्ञान से निरपेक्ष घटित होती हैं। इसलिए, चाहे हम व्यवहारत: ही नहीं सिद्धान्तत: भी सत्यापन या असत्यापन में असमर्थ हों तो भी वाक्य (कथन) सत्य या असत्य होते हैं।

हमारे विचार में रसल ने यहाँ भयानक भूल की है। एक वाक्य अथवा उसके द्वारा व्यक्त कथन किसी वस्तुस्थिति का विधान करने में अपने निर्देश के अनुसार ही समर्थ होता है, दूसरे शब्दों में, कि कोई कथन किसी वस्तुस्थिति व के सम्बन्ध में है, यह निर्णय उसके अर्थ या निर्देश से होता है। इसलिए जब कोई कहता है कि 'आँखों तथा सूर्य के मध्य विद्युच्चुम्बकीय लहरें प्रसरित होती हैं' तो कौन-सी वस्तुस्थिति इसे सत्य या असत्य बनायेगी, यह इसके अर्थीय निर्देश से निर्धारित होता है। अब इस वाक्य का अर्थ भूतवैज्ञानिक अवधारणात्मक संस्थान का अंग है। इस संस्थान में इस वाक्य का कार्य केवल अन्य प्रमाणीय वस्तुस्थितियों की व्याख्या प्रस्तुत करना है, स्वयं किसी वस्तुस्थिति का कथन करना नहीं; दूसरे शब्दों में, यह वाक्य केवल व्याख्यात्मक है, कथनात्मक नहीं। ऐसे वाक्य, जैसे 'ईश्वर सृष्टि का नियन्ता है' भी सत्यासत्य के प्रसंग से परे कहे जा सकते हैं जब तक कि 'ईश्वर', 'सृष्टि' तथा 'नियन्ता' पदों की परिभाषा इस प्रकार न की जाय कि यह वाक्य या तो विश्लेषणात्मक हो अथवा तथ्यत: असत्य हो। इस प्रकार, केवल वाक्य के कथनात्मक प्रकार में होने से ही उसे सत्य या असत्य वाक्यों की श्रेणी में नहीं रखा जा सकता।

किन्तु कुछ अन्य वाक्य हैं जो अप्रमाणीय सत्य की समस्या को उत्पन्न करते हैं। उदाहरणत: 'राम दुःखी हैं', 'एक राजा आज से ठीक 2000 वर्ष पूर्व सायं के समय इस स्थान पर, जहाँ मैं अब खड़ा हूँ, रोया था' वाक्य ऐसे ही हैं। इनमें प्रथम वाक्य, जैसाकि कहा जाता है, सिद्धान्तत: अप्रमाणीय है, जब कि द्वितीय व्यवहारत: अप्रमाणीय है। अत: ये वाक्य भिन्न-भिन्न समस्याएँ उत्पन्न करते कहे जा सकते हैं।

प्रथम वाक्य पर हमने 'मानसिक और भौतिक' अध्याय में विस्तारपूर्वक विचार किया है। जैसाकि उस विवेचन से स्पष्ट है, 'राम दुःखी है' वाक्य श्याम के लिए सार्थक है, और यदि राम वास्तव में दुःखी है तो यह राम के लिए सत्यापनीय असत्यापनीय है। किन्तु प्रश्न यह है कि क्या श्याम कभी भी यह जान सकता है कि यह वाक्य सत्य है या नहीं? इसका एक उत्तर होगा, नहीं। दूसरे शब्दों में, यह तर्कत: असम्भव होगा कि श्या इस वाक्य का कभी भी सत्यापन कर सकेगा। इसके विपरीत, प्रमाणीकरणवादियों के अनुसार, दूसरे वाक्य के सत्यापन की असम्भावना केवल व्यावहारिक है, तार्किक नहीं, क्योंकि यह केवल आनुभविक तथ्य है कि मैं इस घटना के घटित होने के पश्चात् उत्पन्न हुआ, आदि।

किन्तु हमारे विचार में यह भेद केवल प्रतीयमान है, वास्तविक नहीं। इन दोनों वाक्यों को इस प्रकार प्रस्तुत किया जा सकता है कि या तो दोनों में असम्भावना व्यावहारिक हो अथवा दोनों में तार्किक हो।

उदाहरणत: पहले प्रथम वाक्य लें—'राम दुःखी है' वाक्य लागू करता है कि 'कम-से-कम एक घटना दुःख की घटना है'। अब स्थानान्तरण नियम से अस्तित्व-वाक्य मूल-वाक्य 'दुःख यह' द्वारा स्थानान्तरित होगा यदि और केवल यदि दुःख की एक घटना घटित होती है। 'राम' एक घटना-समवाय का वाचक होने से, 'राम दुःखी है' का रूपान्तरण होगा 'देश-काल $क_1$ पर एक घटना-समवाय $घ_न$ घटित होता है और घटना $घ_1$ (दुःख यह) इसका भाग है'। अब, इस प्रकार रूपान्तरण के बाद यह केवल एक व्यावहारिक प्रश्न है कि $घ_1$ $घ_न$ का भाग है, जिस प्रकार यह केवल व्यावहारिक प्रश्न है कि 'मैं' द्वारा अभिहित घटना-समवाय देश-काल $प_2$ पर विद्यमान है $प_1$ पर विद्यमान नहीं है।

किन्तु घटना $घ_1$ के घटना-समवाय $घ_न$ का भाग होने पर यह तर्कत: असम्भव है कि यह घटना-समवाय $घ_न$ का भाग हो, क्योंकि यह तर्कत: अनिवार्य है कि एक घटना का केवल एक घटना-समवाय की घटनाओं के साथ ही समकालिकता का सम्बन्ध हो, दो के साथ नहीं। और ठीक इसी प्रकार, देश-काल-क्षण की रचना समकालिकता-सम्बन्ध के द्वारा करने पर और एक घटना $व_1$ के देश-काल-क्षण $क_1$ पर होने पर यह तर्कत: असम्भव है कि यह $क_1$ पर भी हो। इस प्रकार, किसी घटना का किसी भी घटना-समवाय का भाग होना

व्यावहारिक प्रश्न है, किन्तु एक घटना समवाय का भाग होने पर किसी अन्य घटना–समवाय का भाग न होना तार्किक प्रश्न है।

कुछ दार्शनिक 'सिद्धान्ततः प्रमाणीय' की परिभाषा इस प्रकार करते हैं कि जो घटना किसी भी अनुभव का विषय हो सके वह प्रमाणीय है। सर्वप्रथम, यह परिभाषा 'अन्यों के अनुभव' को पूर्वकल्पित करती है और इस प्रकार, इस परिभाषा के अनुसार "अन्यों के अनुभव" सिद्धान्ततः प्रमाणीय हैं। और यदि 'सिद्धान्ततः प्रमाणीय' की परिभाषा इस प्रकार नहीं की जाय तो या तो बहुत–से वाक्य सिद्धान्ततः अप्रमाणीय होंगे, अथवा 'सिद्धान्ततः प्रमाणीय की परिभाषा इस प्रकार होगी कि जो वाक्य हमारी पूर्वोक्त परिभाषानुसार सार्थक है और कथनात्मक है वह सिद्धान्ततः प्रमाणीय है, और अतएव यह तथ्यतः अप्रमाणीय होने पर भी सत्य अथवा असत्य है।' इस प्रकार 'कोई वाक्य सत्यासत्य प्रसंगान्तर्गत है' का अभिप्राय है कि यह अर्थयुक्त है तथा कथनात्मक है। इस प्रकार, श्याम के लिए 'राम दुःखी है' वाक्य, काल $क_2$ पर होने वाले व्यक्ति के लिए काल $क_1$ पर घटित घटना का वाचक वाक्य, काल $क_1$ पर दीवार के इस ओर खड़े व्यक्ति के लिए $क_1$ पर दीवार के दूसरी ओर घटित होने वाली घटना का वाचक वाक्य सत्यासत्य प्रसंगान्तर्गत हैं, यद्यपि ये सत्यापनीय नहीं हैं।

इसका अर्थ यह नहीं है कि हम किन्हीं वाक्यों को सत्य अथवा असत्य उनके सार्थक अथवा कथनात्मक होने से कहते हैं, सत्य अथवा असत्य उन्हें वे घटनाएँ ही बनाती हैं जिनसे ये सत्यापित अथवा असत्यापित होते हैं। किन्तु वाक्यों की उपर्युक्त विशेषताएँ इन्हें अनिवार्यतः सत्य अथवा असत्य बनाती हैं। इस प्रकार, हमारे विवेचन के अनुसार निर्मध्यता (एक्स्क्लूडिड मिडल) के सिद्धान्त का समर्थन होता है।

अनुभववादियों ने निर्मध्यता के सिद्धान्त को अनुभववाद का प्रतिवादी समझ कर प्रमाणीकरण अथवा तार्किक संगति आदि सिद्धान्तों का प्रतिपादन किया है। ये दो सिद्धान्त भी परस्पर विरोधी समझे गये हैं और इस प्रकार एक के समर्थकों ने दूसरे का प्रतिवाद किया है। किन्तु हमारे विचार में सत्य के ये तीनों सिद्धान्त परस्पर विरोधी नहीं हैं, प्रत्युत पूर्णतः संगत और परस्पर पूरक हैं।

निर्मध्यता का सिद्धान्त यह प्रतिपादित करता है कि कुछ ऐसी घटनाएँ घटित होती हो सकती हैं जिन्हें एक व्यक्ति न तो अनुभव करता है, न अनुभव करेगा और न सिद्धान्ततः अनुभव कर सकता है। अब, पीछे हमने ऐसे कुछ वाक्यों के उदाहरण दिये हैं। किन्तु यदि कोई अनुभववादी यह दावा करता है कि इन घटनाओं के सम्बन्ध में हमें चर्चा का कोई अधिकार नहीं है, अथवा इनके सम्बन्ध में चर्चा अविहित है, तो हम केवल उसकी वज्र दार्शनिकता पर चकित हो सकते हैं; क्योंकि यह मान्यता हमें विशुद्ध स्वात्मवाद (सोलिप्सिज़्म) में कैद कर देगी। इतना ही नहीं, अधिकांश ज्ञान केवल पुस्तकों में लिखी आकृतियाँ तथा श्रुत ध्वनियाँ मात्र रह जायगा। किन्तु हमारे विचार में अनुभववाद के लिए स्वात्मवाद जैसी अरुचिकर स्थिति स्वीकार करना आवश्यक नहीं है।

अनुभववाद अपने उदार रूप में ऐसी अवधारणात्मक योजना है जो हमारे समृद्ध ज्ञान द्वारा अनिवार्यतः लागू होती है। किसी दार्शनिक प्रणाली का यही उद्देश्य होना भी चाहिये। अनुभववाद को एक बन्द तार्किक योजना के रूप में प्रस्तुत न किया जा कर इस रूप में प्रस्तुत किया जाना चाहिए कि यह हमारी सामान्य अवधारणाओं का, वैज्ञानिक अवधारणाओं का तथा ऐसी अनुभूतियों का, जो काव्य–कलाओं के रूप में अभिव्यक्ति पाती हैं, एक व्याख्यात्मक संस्थान दे सके।

निर्मध्यता का सिद्धान्त, जिस प्रकार हम उसे प्रस्तुत करते हैं, यह लागू नहीं करता कि ऐसे तत्त्वों का अस्तित्व है जो अनुभवातीत हैं। रसल और इस सिद्धान्त के अन्य अनेक समर्थक निस्सन्देह ऐसी मान्यता रखते प्रतीत होते हैं। किन्तु उनकी यह भूल इस सिद्धान्त के औचित्य को समाप्त नहीं कर देती।

उदाहरण के लिए पानी में अर्धनिमज्जित छड़ी को लें। यदि हम रसल के प्रतिपादन को स्वीकार करें तो इस वस्तुस्थिति के सम्बन्ध में यह वाक्य—'पानी में आधी डूबी छड़ी वक्र है' या तो सत्य है या असत्य है। इस वाक्य पर निर्मध्यता सिद्धान्त लागू करने का अभिप्राय यह होगा कि यह छड़ी या तो वास्तव में वक्र है अन्यथा

वास्तव में वक्र नहीं है। छड़ी हमें वास्तव में वक्र दिखाई दे रही है। फिर भी एक अन्य वास्तवकिता का प्रश्न इसलिए उत्पन्न होता है क्योंकि पानी से निकालने पर यह छड़ी वक्र दिखाई नहीं देती, सरल दिखाई देती है। किन्तु जब आप कहते हैं कि 'छड़ी या तो वास्तव में सरल है या वास्तव में वक्र है' तो आपके सामने समस्या यह नहीं है कि इसमें निर्णय कैसे किया जाए, क्योंकि आखिर निर्णय इन्द्रियों ने ही करना है। अत: आप एक मूलभूत अवधारणात्मक भ्रम के शिकार हैं, क्योंकि आपने अपने 'वास्तविक' के प्रयोग को नहीं समझा। 'छड़ी', 'वक्रता' तथा 'दिखाई पड़ता' या तो भूतवैज्ञानिक अवधारणात्मक संस्थान के भाग हैं और इस संस्थान में 'वास्तव' का प्रयोग निरर्थक है, या फिर ये हमारी सांवेदनिक घटनाओं के सम्बन्ध में हैं, और इस प्रसंग में 'वास्तविकता' का अभिप्राय है कि (1) यह पानी से बाहर होने पर भी वक्र दिखाई देती है या नहीं? तथा (2) यह स्पर्श करने पर भी वक्र प्रतीत होती है या नहीं? अब यदि आपका अभिप्राय भूतवैज्ञानिक अवधारणात्मक योजना तथा सांवेदनिक घटनाओं से भिन्न कुछ के बारे में है तो या तो आप स्वयं स्पष्ट नहीं हैं कि आप क्या कहना चाहते हैं अथवा आप अवधारणात्मक भ्रम के शिकार हैं। यहाँ एस्क्लूडिड मिडल (निर्मध्यता के सिद्धान्त) का घोर समर्थक पूछेगा कि इस दूसरी स्थिति में आप एक या दूसरे विश्वास को सत्य या असत्य कहेंगे या नहीं? स्पष्टत: यह प्रश्न स्वयं निरर्थक है, क्योंकि चुनाव का यहाँ प्रश्न ही उत्पन्न नहीं होता।

किन्तु यदि कोई कहता है कि सौर मण्डल से सब से दूर के तारामण्डल में कम-से-कम एक ग्रह पर जीवित प्राणी रहते हैं, तो वह कथन या तो सत्य है या असत्य है, चाहे किसी भी भविष्य में इस कथन की सत्यता या असत्यता का निर्णय नहीं किया जा सकता हो।

प्रमाणीकरण सिद्धान्त सत्यासत्य के बजाय सत्यापनीयता-असत्यापनीयता के सम्बन्ध में विचार करता है। इस समस्या पर हम पिछले अध्यायों में अनेक स्थानों पर विचार कर चुके हैं। इसकी प्रतिज्ञा (थीसिस) एयर के शब्दों में इस प्रकार रखी जा सकती है—"सब आनुभविक वाक्यीय प्रतिज्ञाएँ आभ्युपगमिक हैं, और ये संवेदानुभवों द्वारा पुष्ट या बाधित होती हैं।"[1] मूल-वाक्यों सम्बन्धी इस मतभेद के अतिरिक्त, यही प्रतिज्ञा हमने काफी विस्तारपूर्वक, और शायद अधिक स्पष्ट रूप में, प्रथम अध्याय में प्रतिपादित की है। मोटे तौर पर इससे शायद किसी को मतभेद नहीं हो सकता, यदि यह इसकी सीमाएँ समझ कर प्रतिपादित किया जाय तो। अब यह सिद्धान्त वास्तव में में जो लागू करता है वह यह है कि जो वाक्य (अथवा विश्वास) सत्य या असत्य हैं वे केवल सम्भाव्य रूप से सत्य या असत्य कहे जा सकते हैं, क्योंकि जब हम कहते हैं 'उस कमरे में मेज़ है' तो हम यह निश्चय से कैसे कह सकते हैं? क्योंकि इस बीच मेज़ वहाँ से हटाया गया हो सकता है, अथवा पहिले ही हमें भ्रम हुआ हो सकता है कि वहाँ मेज़ है—आदि। अत: हमें निश्चयात्मक रूप से कुछ न कह कर सम्भानात्मक रूप से कहना चाहिए—'सम्भवत: उस कमरे में मेज़ है'। सामने पड़े मेज़ के लिए भी वाक्य का सम्भावनात्मक ही नहीं नकारात्मक वाक्यों में भी उचित है। इस प्रकार, हमें यह भी नहीं कहना चाहिए 'यहाँ मेज़ नहीं है', उचित कथन होगा 'सम्भवत: वहाँ मेज़ नहीं है'। जहाँ तक एयर का मूल-वाक्यों को भी सम्भानात्मक प्रकार में प्रयुक्त करने का सुझाव है, हम उससे सहमत नहीं हैं, न वे स्वयं ही अब इस मत के समर्थक हैं, किन्तु यहाँ यह प्रश्न अप्रासंगिक है। जहाँ तक उनके शेष प्रतिपादन का सम्बन्ध है, स्पष्टीकरण के पश्चात् उससे असहमत होने का क्या अर्थ हो सकता है, यह समझना कठिन है। किन्तु क्या प्रमाणीकरण सत्यासत्य की अवधारणा का स्थान ले सकता है?

उपर्युक्त वाक्य 'उस कमरे में मेज़ है' ही लें, जब कि इसका अभिप्राय है कि '(उस कमरे में) कम-से-कम एक मेज़वत् संस्थान घटित होगा'। प्रमाणीकरण सिद्धान्त के अनुसार, जब तक यह (मेज़वत् संस्थान) घटित नहीं होता (देखा नहीं जाता) तब तक हम यह कैसे कह सकते हैं कि यह अवश्य घटित होगा? अब सत्यासत्य सिद्धान्त का समर्थक यह नहीं कहता कि हम यह कह सकते हैं, वह केवल यह कहता है कि यह वाक्य या तो सत्य है या असत्य है—यह संस्थान या तो घटित होगा अथवा नहीं होगा। इस प्रकार, वास्तव में जिन वाक्यों के प्रसंग में प्रमाणीकरण सिद्धान्त उचित है वहीं सत्यासत्य की अवधारणा भी प्रासंगिक है।

1. **लेंग्वेज ट्रूथ एण्ड लोजिक,** पृ. 92-95.

अब इसी वाक्य : 'उस कमरे में मेज़ है' को पुन: लें, जब कि यह वाक्य लागू करता है कि "यह वाक्य सत्य है यदि और केवल यदि उस कमरे में मेज़ है, चाहे उस कमरे में कोई मेज़वत् संस्थान घटित न हो"। अब यह कथन करने वाले से पूछा जा सकता है कि आप क्या कहना चाहते हैं? स्वभावत: उसका उत्तर होगा कि मेज़ एक ऐसा अस्तित्व है जो इन्द्रिय-विषय होता है किन्तु जिसका अस्तित्व इन्द्रियविषयता मात्र नहीं है। तब आगे उससे प्रश्न होगा "क्या आप इस इन्द्रियविषयातीत मेज़ के सम्बन्ध में कुछ बता सकते हैं कि वह कैसा होगा?" इसका उत्तर वह दो प्रकार से दे सकता है—एक तो यह कि वह वैज्ञानिक व्याख्या का सहारा ले और कहे कि एक विशेष ढाँचे में जब विद्युच्चम्बकीय लहरें घटित होती हैं तब हम कहते हैं कि वहाँ मेज़ है। दूसरा उत्तर उसका यह हो सकता है कि यह अकथनीय है। अब, दूसरी अवस्था में कठिनाई यह नहीं है कि वह जो कह रहा है वह अप्रमाणीय है, प्रत्युत यह कि उसके कथन का कुछ अर्थ हो सकता है, यह नहीं कहा जा सकता, और इसीलिए यह नहीं कहा जा सकता कि इसकी सत्यता या असत्यता किस बात में निहित है, कौन-सी घटनाएँ अथवा अस्तित्व इसे सत्य अथवा असत्य बनाएंगी। अत: यह उत्तर सत्यासत्य के प्रसंग से उतना ही बाहर है जितना प्रमाणीकरण के प्रसंग से। किन्तु यदि उसका उत्तर पहला है तो वह वास्तव में किसी परोक्षत: प्रमाणीय घटनाओं का कथन नहीं कर रहा है प्रत्युत प्रमाणीय घटनाओं का गणित दे रहा है। अत: यह वाक्य कथनात्मक ही नहीं है, यह केवल व्याख्यात्मक है, और अतएव सत्यासत्य के प्रसंग से भी परे है तथा प्रमाणीकरण के प्रसंग से भी। इसकी प्रमाणीयता इसके उचित व्याख्या होने, उचित गणित होने में है।

प्रमाणीकरण की अवधारणा और सत्य की अवधारणा में एक और अन्तर भी है और वह अधिक आधारभूत है। प्रमाणीकरण सिद्धान्त का सम्बन्ध जब कि "वस्तुस्थिति होने" के प्रमाणों से है, सत्य की अवधारणा स्वयं वस्तुस्थिति से सम्बन्धित है। इसीलिए श्याम के लिए 'राम दु:खी है' वाक्य प्रमाणीकरण प्रसंग में उसके दु:ख-व्यवहार का पर्याय है जब कि सत्यासत्य के प्रसंग में यह दु:ख की मानसिक घटना का पर्याय है। किन्तु यदि हमारे अवधारणात्मक संस्थान की भाषा व्यवहारवादी मनोविज्ञान की है तो 'राम दु:खी है' वाक्य को श्याम के लिए वही घटनाएँ सत्य या असत्य बनायेंगी जो इसे प्रमाणित या अप्रमाणित करेंगी। किन्तु इसका कारण यही है कि व्यवहारवादी मनोविज्ञान की भाषा प्रमाणीकरण के आधार पर निर्धारित है।

पुनरावृत्ति के भय के बावजूद यह प्रश्न यहाँ स्पष्टीकरण में सहायक होगा कि यदि 'राम दु:खी है' वाक्य प्रमाणीय न होने पर भी सत्य या असत्य है तो 'वहाँ मेज़ है' वाक्य प्रमाणीय न होने पर सत्य या असत्य क्यों नहीं है? (जब कि 'अप्रमाणीय' 'किसी भी अवस्था में जिसके लिए प्रमाण न हो सके' का पर्याय है।) इसका उत्तर यह है कि श्याम के लिए 'व' के कम-से-कम एक मूल्य में 'य दु:खी है' सत्य वाक्य है, जब 'य' का मूल्य श्याम स्वयं है। इसीलिए उसके लिए 'य दु:खी है' सार्थक वाक्य है और हमारी पूर्व विवेचनानुसार सार्थक तथा कथनात्मक वाक्य सत्य या असत्य होता है। अब 'मेज़' पद को सब प्रमाणों से पृथक् कर कोई अर्थ नहीं दिया जा सकता, अत: यह नहीं कहा जा सकता कि यह किसी वस्तुस्थिति के सम्बन्ध में है, 'मेज़' आदि पदों को स्थायी अभ्युपगम तथा आक्षेप (पोज़िट) कहने का यही भाव है।

हमने पीछे अवधारणात्मक योजना की चर्चा अनेक बार की है। 'आक्षिप्त' किसी अवधारणात्मक योजना में प्रदृश्यों (फिनोमिना) की व्याख्या के लिए आनीत अभ्युपगत वस्तु वस्तुस्थिति को कहते हैं। हम इस दिशा में थोड़ा और आगे बढ़े हैं और स्वयं मूल-वाक्यों को भी हमने अवधारणात्मक योजना के भाग कहा है। इस प्रकार मूल-वाक्य, या अन्तिम-सरल, किसी अवधारणात्मक योजना के ही अन्तिम सरल होते हैं।

हमारी यह मान्यता हमें सत्य के "तार्किक संगति" सिद्धान्त (कोहीयरेंस थीयरी ऑफ ट्रूथ) के निकट ला देती है। सत्य के तार्किक-संगति सिद्धान्त के समर्थकों के अनुसार, किसी वाक्य की सत्यता उसके एक संस्थान के भीतर अन्य वाक्यों से संगति में निहित है, जैसाकि हमने 'सार्थकता' अध्याय में भी देखा है। यहाँ हमें यह देखना है कि हम कहाँ तक और किस रूप में इसे स्वीकार कर सकते हैं।

हमारा पुराना ही वाक्य 'साथ के कमरे में मेज़ है' लें। अब यह वाक्य क्या कथित करता है? वेदान्त के अनुसार यह वाक्य असत्य है, क्योंकि उसकी अवधारणात्मक योजना के अनुसार यह वाक्य ऐन्द्रिय प्रतीतियों के सम्बन्ध में है और ऐन्द्रिय प्रतीतियाँ भ्रम हैं। इस प्रकार, इस वाक्य द्वारा कथित वस्तुस्थिति न होने से यह वाक्य असत्य है। किन्तु यदि हमें वहाँ कुछ दिखाई नहीं देता है, तो? मुझे नहीं मालूम कि वेदान्ती इसका क्या उत्तर देंगे, किन्तु उन्हें कहना चाहिए कि उस अवस्था में भी यह वाक्य असत्य है, क्योंकि यह वाक्य यह नहीं कहता कि 'वहाँ कुछ दिखाई नहीं देगा'। वास्तव में वैदान्तिक अवधारणा के अनुसार इस वाक्य के सब शब्द किसी भी प्रकार के वाक्यों में प्रयुक्त हो कर कुछ विधान करने में असमर्थ हैं, ये सत्य या असत्य केवल माया के स्तर पर हैं। अविद्या दूर होने के पश्चात् ये वाक्य न सत्य हैं और न असत्य हैं, अथवा नकारात्मक तथा सकारात्मक दोनों रूपों में असत्य हैं।

कार्नेपियन सिद्धान्त के अनुसार उपर्युक्त वाक्य सत्य है यदि कुछ वैज्ञानिक लोग कुछ पूर्वनिश्चित प्रयोगों के पश्चात् इसे प्रमाणित घोषित करते हैं। इसी प्रकार लाइब्नीज़ियन, ब्रैड्लियन तथा अन्य अनेक दार्शनिक प्रणालियाँ इस वाक्य की सत्यता-असत्यता का प्रतिपादन अपनी अवधारणात्मक योजना के अनुसार करेंगी। अब हमारी सत्य की परिभाषा के अनुसार "कोई वाक्य 'व' सत्य है यदि और केवल यदि व वस्तुस्थिति है"। किन्तु वाक्य 'व' किस वस्तुस्थिति का कथन करता है यह अवधारणात्मक योजना के प्रसंग से निश्चित होता है। अत: सत्य की परिभाषा इस प्रकार की जा सकती है—"वाक्य 'व' अवधारणात्मक योजना अ. में सत्य है यदि और केवल यदि व वस्तुस्थिति है"।

किन्तु वास्तव में तार्किक संगतिवादी किसी वाक्य की सत्यता वस्तुस्थिति व से निर्धारित नहीं मानते, वे मात्र संगति को ही उसके लिए काफी समझते हैं।

जहाँ तक सत्य की व्याख्या का सम्बन्ध है, वह यह प्रतिपादित नहीं करती कि वाक्य वास्तव में किन वस्तुस्थितियों का कथन करते हैं, इस सम्बन्ध में हमारे विचार पिछले अध्यायों में पूर्णत: स्पष्ट हैं। इस प्रकार हम 'उस कमरे में मेज़ है' को एक और केवल एक अवस्था में सत्य कहेंगे क्योंकि हमारे अनुसार यह एक और केवल एक प्रकार की वस्तुस्थिति का कथन करता है। इस प्रकार दार्शनिकों को वास्तव में जो निर्णय करना होता है वह यह कि उनकी अवधारणात्मक योजना क्या है और इसके निर्माण में कौन-से तत्त्व उनका नेतृत्व करें। यह निश्चित हो जाने पर वास्तव में यह एक तार्किक प्रश्न रह जाता है कि अमुक वाक्य किस वस्तुस्थिति के होने पर सत्य या असत्य होता है। किन्तु स्वयं अवधारणात्मक योजना वाक्य को सत्य या असत्य नहीं बनाती, सत्य या असत्य तो वस्तुस्थिति ही बनाती है।

इस प्रकार सत्य की हमारी व्याख्या अवधारणात्मक योजना में वाक्यों कि तार्किक संगति के सिद्धान्त का भी निषेध नहीं करती, यह केवल 'सत्य' को इसका पर्याय नहीं मानती।

भावात्मक भाषा तथा समानार्थकता और विश्लेषणात्मकता

पीछे हमने अवगमन वाक्यों की मानसिकता की समस्या के प्रसंग में चर्चा की थी, यहाँ उनके तार्किक स्वरूप पर तथा सम्बद्ध अर्थ और निर्देश सम्बन्धी कुछ समस्याओं पर विचार करेंगे। अवगति-वाक्य सामान्य कथनात्मक वाक्यों के तर्कशास्त्र से निर्धारित नहीं होते, और इनकी यह विलक्षणता इन्हें विशेष रूप से उलझनपूर्ण तथा साथ ही आकर्षण का भी विषय बना देती है। उदाहरणत: कथनात्मक वाक्यों के तर्कशास्त्र में 'वV~व' लागू करता है कि या तो वाक्य 'व' सत्य है अथवा असत्य है, और यह सम्पूर्ण वाक्य अनिवार्यत: सत्य है। किन्तु अवगति वाक्यों के तर्कशास्त्र में '~अव.(य, व)Vअव. (य, व)'[1] अनिवार्यत: सत्य नहीं है। इसी प्रकार, '~अव. (य, व)' वाक्य 'अव. (य,~व)' को लागू नहीं करता। इसी प्रकार '2+2=4'[2] सत्य वाक्य है, किन्तु '[अनिवार्यत: अव.(2+2=4)]' वाक्य असत्य है। अव. वाक्यों की इस विलक्षणता को संक्षेप में निम्न प्रकार से प्रस्तुत किया जा सकता है—

'[अव. (य, व)→व]'[3]

यह स्थापना हमें निम्न परिणामों पर पहुँचाती है—

स्थापना:—

1. यदि य विश्वास करता है कि व और व स को लागू करता है तो इससे यह लागू नहीं होता कि य विश्वास करता है कि स।

2. यदि य विश्वास करता है कि व सब को लागू करता है तो इससे यह लागू नहीं होता कि व स को लागू करता है।

3. यदि 'व' और 'स' का एक ही संकेत्य (निर्दिष्ट) र है और य विश्वास करता है कि 'व' र का निर्देश करता है तो आवश्यक रूप से य यह विश्वास नहीं करता कि स र को निर्देश करता है।

4. यदि कोई वस्तु व य के लिए प को व्यक्त करती है तो इससे यह लागू नहीं होता कि प का अस्तित्व है।

5. यदि य विश्वास करता है कि 'य विश्वास करता है कि व' तो इससे यह लागू नहीं होता कि य विश्वास करता है कि व।

सामान्य कथनात्मक वाक्यों के तर्कशास्त्र से भिन्न उक्त स्थापनाओं को हम भावात्मक भाषा (इन्टेंशनल लेंग्वेज) के नियम कह सकते हैं जब कि कथनात्मक वाक्यों के नियमों को विस्तारात्मक भाषा के वाक्यों के नियम कह सकते हैं और अतएव कथनात्मक वाक्यों के नियमों को विस्तारात्मक भाषा का तर्कशास्त्र। भावात्मक भाषा के वाक्यों की विशेषता इस बात में निहित है कि (1) उनमें प्रयुक्त संज्ञा अथवा वर्णनात्मक पद (डिस्क्रिप्टिव टर्म्ज़) किसी अस्तित्व को लागू नहीं करते और (2) इनमें प्रयुक्त वाक्यीय प्रतिज्ञाएँ (प्रोपोज़ीशंज़) किसी अस्तित्व को लागू नहीं करतीं (3) तथा संकेतात्मक रूप में समान पद, अथवा कहें, विस्तारात्मक भाषा के समानार्थक पद, इसमें समानार्थक नहीं कहे जा सकते।

---

1. अनुवाद : य का व में विश्वास नहीं है अथवा य का व में विश्वास है।
2. अनुवाद : य का विश्वास है कि 'व' असत्य है।
3. यह तर्कत: सत्य नहीं है कि यदि य का व में विश्वास है तो व वास्तव में है। (संकेत→तर्कत: लागू करने का संकेत है)।

हमने पीछे अवगति वाक्यों को सामान्य उद्देश्य-विधेयात्मक वाक्यों के रूप में प्रयुक्त किया था। यहाँ उस पर उपर्युक्त स्थापनाओं के प्रकाश में विचार करना उपादेय होगा। उदाहरणार्थ निम्न अवगति वाक्य लें—

राम विश्वास करता है कि श्याम दुष्ट है।

इस वाक्य में दो खण्ड-वाक्य हैं, जो इस प्रकार सम्बद्ध हैं कि द्वितीय वाक्य खण्ड प्रथम वाक्य-खण्ड का कथ्य बनता है। दूसरा वाक्य-खण्ड स्वतन्त्र रूप से भी घटित हो सकता है, और स्वतन्त्र रूप से घटित होने पर यह सामान्य कथनात्मक वाक्य है, और अतएव यह अथवा इसका निषेध-वाक्य सत्य है। किन्तु प्रथम वाक्य स्वत: घटित नहीं हो सकता ओर न ही यह रूपान्तरित रूप में (यह विश्वास है...) ही अकेले घटित हो सकता है। द्वितीय वाक्य-खण्ड प्रथम वाक्य-खण्ड के साथ घटित होने पर स्वयं अथवा निषेधात्मक रूप में सत्य या असत्य नहीं होता। किन्तु यदि इसे उद्देश्य विधेय वाक्य के रूप में स्थानान्तरित कर दिया जाए, यथा : 'यह अवगत है (श्याम दुष्ट है)':—

'अव. (श्याम दुष्ट है)'

तो प्रतीत होगा कि उद्देश्य-वाक्य वास्तव में कुछ विधान करता है। वास्तव में विट्गिंस्टाईन तथा बर्गमान की अस्तित्वमीमांसात्मक पदावली के अनुसार, उद्देश्य-वाक्य वास्तव में संकेतात्मक है, अथवा स्वतन्त्र संज्ञा है।[1] इस प्रकार उनके अनुसार, उपर्युक्त वाक्य में अधीन वाक्य-खण्ड को अनिवार्यत: सत्य अथवा असत्य होना चाहिए। किन्तु हमारे प्रतिपादनानुसार अधीन वाक्य संकेतात्मक नहीं है क्योंकि हमारे मूल-वाक्यों में उद्देश्य केवल विधेय की विशिष्टता का विधायक है। अत: विश्वास-वाक्यों में अधीन वाक्य सत्य या असत्य नहीं है।[2] किन्तु तब यह प्रश्न किया जा सकता है कि क्या "श्याम दुष्ट है" तथा क्या 'राम विश्वास करता है कि श्याम दुष्ट है' अथवा 'अव. (श्याम दुष्ट है)' वाक्य में उद्देश्य रूप में प्रयुक्त इसी ध्वनि या लिपि से कोई भी सम्बन्ध है। अथवा अधिक ठीक शब्दों में, उपर्युक्त अवगति वाक्य के लिए 'श्याम दुष्ट है' वाक्य द्वारा अभिहित तथ्य किसी प्रकार से प्रासंगिक है?

हमारे पूर्व प्रतिपादनानुसार इसका उत्तर स्पष्ट है कि अवगति वाक्य में अवगति-विषय का वाचक वाक्य किसी तथ्य के बारे में नहीं होता, किन्तु यहाँ हम इसका उत्तर स्पष्टीकरण के साथ देंगे। अवगति वाक्य में अधीन वाक्य को 'व.' रूप में सक्षिप्त करते हुए उपर्युक्त वाक्य को हम इस प्रकार से रूपान्तरित कर सकते हैं—

राम का विश्वास है कि व.।

किन्तु यह रूपान्तरण स्पष्टत: दोषपूर्ण है, क्योंकि राम का विश्वास विशेष ध्वनि या लिपि-रूप में नहीं है, अथवा कहें, राम का विश्वास ध्वनि-रूप या लिपि-रूप से विशिष्ट नहीं है। उसका विश्वास विशेष वस्तुस्थिति में है जो इस वाक्य द्वारा व्यक्त होती है। किन्तु यह पुन: आपत्तिजनक स्थापना है, क्योंकि 'वस्तुस्थिति में विश्वास' प्रयोग का भाव स्पष्ट नहीं है, विशेषत: जब कि कथित वस्तुस्थिति या तो है ही नहीं अथवा जिसका होना इन वाक्यों के लिए अप्रासंगिक है। अत: यह कहना अधिक उचित होगा कि राम का विश्वास विशेष रूप का है जो 'व.' द्वारा व्यक्त होता है, अथवा, जो व.-वत् है। इसी से हमने पीछे[3] 'राम का विश्वास है कि व.' के बजाय इस वाक्य को 'राम का विश्वास व.-वत् है' के रूप में रूपान्तरित किया था।

इस रूपान्तरण की विशेषता इस बात में है कि इसमें 'व.' अधीन वाक्य के रूप में घटित नहीं होता, जो कि किसी तथ्य का विधान करता हो, जिस तथ्य का अस्तित्व रहस्यमय है। यह केवल विश्वास के विशेष रूप का होने का बोधक है।

1. बर्गमान — **मीनिंग एण्ड एग्ज़िस्टेंस,** पृ. 8. पीछे, अध्याय 2 द्रष्टव्य।
2. द्रष्टव्य पीछे, अध्याय 4.
3. द्रष्टव्य पीछे अध्याय 4.

किन्तु 'राम का विश्वास...' का नया रूप क्या है? बहुत-से दार्शनिकों ने विश्वास को शब्द-व्यवहार, अथवा अन्य किसी प्रकार के व्यवहार की पदावली में रूपान्तरित करने का प्रयत्न किया है। इस प्रकार, उनके अनुसार 'राम का विश्वास है कि व.' वास्तव में राम के शब्द-व्यवहार की पदावली में, अथवा प्रत्याशा, उत्सुकता, प्रवृत्ति आदि की अन्य शरीर वैज्ञानिक पदावली में अपचेय है। इस प्रकार, उनके अनुसार, उपर्युक्त वाक्य निम्न प्रकार से विश्लेषित किया जा सकता है—"'राम विश्वास करता है कि व.' सत्य है यदि और केवल यदि राम उचित परिस्थितियों में वाक्य 'व.' का उच्चारण करने को तत्पर है", अथवा कुछ दूसरों के अनुसार, "यदि राम इस प्रकार की शरीर-स्थिति में है कि 'व.' वाक्य द्वारा विज्ञाप्य घटना उसके तनाव को सन्तुष्ट करती है और इसके घटित न होने पर उसे आश्चर्य, निराशा आदि होती है"। रसल ने **एनेलेसिस ऑफ माइंड** में, तथा अन्य पुस्तकों में भी, इसी स्थिति का समर्थन किया है। विट्गिंस्टाईन का भी कुछ ऐसा ही अभिप्राय है जब वे उपर्युक्त प्रकार के वाक्यों को "व' कहता है कि व' के रूप में रूपान्तरित करते हैं। पीछे हमने इस प्रतिज्ञा को भौतिक भाषावाद की संज्ञा दी है और इसका खण्डन किया है। यहाँ हमारा विचारणीय यह है कि क्या हम भौतिक भाषावाद को स्वीकार करके भी अवगति वाक्यों को विस्तारात्मक भाषा में विश्लेषित कर सकते हैं? उदाहरणत: उपर्युक्त वाक्य ही लें—

'राम विश्वास करता है कि व.'।

कार्नप इसका अनुवाद इस प्रकार करते हैं—

'राम कहता है 'व'।[1]

किन्तु जब राम वाक्य 'व.' कहता है तब क्या उसे उचित रूप से तब तक "श्याम दुष्ट है" वाक्यीय प्रतिज्ञा में विश्वास करता कहा जा सकता है जब तक यह नहीं माना जाता कि 'श्याम दुष्ट है' वाक्य उक्त प्रतिज्ञा को व्यक्त करता है? राम के विश्वास को "वाक्य 'व.' के उच्चारण में तत्पर होने की स्थिति" में विघटित करने के लिए यह कम-से-कम आवश्यक शर्त है कि वाक्य 'व.' "व." प्रतिज्ञा को व्यक्त करे। किन्तु जब हम यह स्वीकार करते हैं तो हम अनिवार्यत: भावात्मक भाषा (इन्टेंशनल लेंग्वेज) की विस्तारात्मक भाषा (एक्सटेंशनल लेंग्वेज) में विघटीनयता को अस्वीकार करने को बाध्य हैं। क्योंकि जब हम कहते हैं "इंगलिश में 'टेबुल' मेज़ को व्यक्त करता है।" तब इससे यह लागू नहीं होता कि 'कुछ वास्तव में मेज़ है' अथवा 'कुछ वास्तव में मेज़ नहीं है'। अत: 'राम विश्वास करता है कि 'व" भौतिक भाषा में पुनारचित होने पर भी वास्तव में उचित रूप में निम्न प्रकार से विश्लेष्य है—

"राम का विश्वास है कि 'व.', केवल और केवल यदि राम 'व.' का उच्चारण करने की शारीरिक स्थिति में है और उसके लिए 'व.' "व" का व्यंजक है"।

हमने पीछे अनेक स्थलों पर अर्थ तथा संकेत के प्रश्न पर विचार करते हुए यह दिखाया है कि किस प्रकार कुछ पद अथवा वाक्य केवल सार्थक होते हैं किन्तु वे सत्य या असत्य नहीं होते, और जैसाकि पिछले अध्याय में हमने देखा है, प्रत्येक सत्य वाक्य अनिवार्यत: सार्थक भी होता है, और किसी वाक्य की सत्यता-असत्यता उसकी सार्थकता से भिन्न है। अब किन्हीं दो वाक्यों को, जिन में 'कामायनी का लेखक' तथा 'आँसू का लेखक' पद क्रमश: घटित हों, एक ही व्यक्ति सत्य या असत्य बनाता है, किन्तु ये दोनों समानार्थक नहीं हैं। यह उन भिन्न वाक्यीय व्यापारों से स्पष्ट है जिन्हें ये सन्तुष्ट करते हैं—'कामायनी का लेखक' 'य कामायानी का लेखक है' को और 'आँसू का लेखक' 'य आँसू का लेखक है' को सन्तुष्ट करते हैं, और यह तर्कत: अनिवार्य नहीं है कि यदि उक्त वाक्यीय व्यापार में अनिश्चित पद 'प्रसाद' द्वारा स्थानान्तरित होने पर सत्य होता है तो दूसरे वाक्यीय व्यापार में भी अनिश्चित पद 'प्रसाद' द्वारा स्थानान्तरित होने पर ही सत्य हो। उदाहरणत: 'प्रसाद कामायनी का लेखक है'

1. रुडोल्फ कार्नप — **लोजीकल साइंटेक्स ऑफ लेंग्वेज,** पृ. 248.

को 'व' संज्ञा देते हुए और 'प्रसाद आँसू का लेखक है' को 'स' संज्ञा देते हुए, और 'व→स' को सत्य मानते हुए—

(राम का विश्वास है कि व).(व→स)→ '(राम का विश्वास कि स)'

ग़लत है और अतएव निम्न अस्तित्वात्मक साधारणीकरण भी अनुचित हो जाता है, यथा—

'अनिवार्यत: (∃ य) (यदि प्रसाद कामायनी का लेखक है तो य आँसू का लेखक है'

क्योंकि, जैसाकि 'अनिवार्यत:' पद के प्रयोग के नियम से स्पष्ट है, इस वाक्य में य का किसी भी ऐसे पद द्वारा स्थानान्तरण, जो चाहे प्रसाद को ही निर्देशित करता हो, इस वाक्य को असत्य बना देता है।[1]

अब जब कि किसी वर्णन पद अथवा विधेय पद से यह लागू नहीं होता कि उसके द्वारा व्यक्त अर्थ के अनुरूप किसी वस्तु का अस्तित्व भी हो, इससे यह आवश्यक रूप से लागू होता है कि एक विशिष्ट अवगति का अस्तित्व हो। इस प्रकार जब कि 'राम का विश्वास है कि व' यह लागू नहीं करता कि व वास्तव में है, वह केवल "व" को अनिवार्यत: लागू करता है।' अत:—

['(वि (य, व) "व"]'

अनिवार्यत: सत्य है, और

'[व (य, व)←→वि (य, य)]'

में 'व' का किसी भी अन्य वाक्य द्वारा स्थानान्तरण इसे असत्य बना देता है।

हमारी उपर्युक्त स्थापना का औचित्य स्पष्ट है : उपर्युक्त विश्वास वाक्य को अध्याय 4 के हमारे प्रतिपादनानुसार रूपान्तरित करने पर हम निम्न मूल-वाक्य प्राप्त करते हैं—

'अव. (व)'

अब यहाँ 'व' के बजाय 'स' स्थानान्तरित होने पर वाक्य होगा 'अव. (स)'। यहाँ प्रथम वाक्य जब कि अवगति की व-वत् घटना को अभिहित करता है, दूसरा अवगति की स-वत् घटना को अभिहित करता है। ये दो तथ्य स्वतन्त्र दो अस्तित्व हैं, एक नहीं, फिर चाहे ये दोनों एक ही वस्तु के वाचक[2] क्यों न हों।

हमारी इस योजना में समानार्थकता के लिए क्या स्थान है? वाक्य '---' तथा '---' लें। हम अपनी उपर्युक्त स्थापना के अनुसार इनकी समानार्थकता के लिए निम्न शर्त रख सकते हैं—

'('...' सम '...')→वि (य, '...')←→वि ($य_1$ ---)'। अनुवाद : ('...' तथा '...' समानार्थक हैं, लागू करता है कि य '...' में विश्वास करता है यदि और केवल यदि य'...' में विश्वास करता है।)

यह स्थापना स्पष्टीकरण की अपेक्षा रखती है क्योंकि इसके विभिन्न प्रतिपादन हमें अन्तर्विरोधपूर्ण परिणामों पर पहुँचा सकते हैं। उदाहरण: 'अ=व' वाक्य लें, जहाँ 'अ' तथा 'व' एक ही व्यक्ति की दो संज्ञाएँ हैं, जैसे 'शिव' और 'महेश'। अब जब कि 'अ=अ' पुनरुक्ति है, 'अ=व' पुनरुक्ति नहीं है। फ्रेगे इसका कारण 'अ' तथा 'ब' के भाव अथवा ज्ञानात्मक मूल्य में भेद को बताते हैं। इस प्रकार, फ्रेगे के अनुसार 'अ' तथा 'ब' का निर्देश एक ही होने पर भी इनके भाव भिन्न-भिन्न हो सकते हैं, क्योंकि इनका ज्ञानात्मक मूल्य भिन्न-भिन्न होता है।

---

1. क्वाइन — **फ्राम ऐ लोजीकल प्वाईंट ऑफ व्यू,** अध्याय 8.
2. 'वस्तु' से यहाँ 'भौतिक विषय' अभिप्रेत है।

अब दो नामों के ज्ञानात्मक मूल्य अथवा भाव की भिन्नता किस बात में निहित है? वीन पॉल के अनुसार, "'अ=अ' तथा अ=ब" में एक अत्यन्त महत्त्वपूर्ण भेद है जिसे फ्रेगे स्वीकार नहीं करते किन्तु जो 'अ' तथा 'ब' में, इनके विषय होने के रूप में (फिर चाहे ये पद निर्देशात्मक हों या न हों, किन्तु यदि ये निर्देशात्मक हों तो अधिक उचित रूप में) इनके ज्ञानात्मक मूल्य में भेद की अधिक उचित व्याख्या करता है। यह भेद प्रदर्शित करता है कि क्यों 'अ=ब' उचित ज्ञान को व्यक्त करता है और 'अ=अ' विश्लेषणात्मक है। 'अ=ब' उचित ज्ञान को इसलिए व्यक्त करता है क्योंकि आप 'अ' तथा 'ब' का प्रयोग, यह जाने बिना कि इनका निर्देश एक ही है, कर सकते हैं। ××× इसलिए 'अ' तथा 'ब' के ज्ञानात्मक मूल्य में भेद का एक कारण यह है कि 'अ' तथा 'ब' पदों के भौतिक गुणों (ध्वनि अथवा लिपि रूपों) में अन्तर है।[1] इस व्याख्या से हम एक सीमा तक सहमत हैं। यह उस समय उचित है जब हम पदों या वाक्यों के सम्बन्ध में, चाहे उनके संकेतात्मक रूप (साइन प्रापर्टी) को ध्यान में रखते हुए ही, विचार करते हैं। उदाहरणत: 'प्रसाद' अमुक व्यक्ति का नाम है, वाक्य में 'प्रसाद' पद के भौतिक गुण प्रासंगिक हैं, और अतएव जब हम कहते हैं 'प्रसाद' तथा 'जयशंकर' एक ही व्यक्ति की दो संज्ञाएँ हैं, तब हम उचित रूप से नवीन जानकारी देते हैं और तब इन पदों के उचित ज्ञान व्यक्त करने में समर्थ होने में इनके भौतिक गुण प्रासंगिक हैं। किन्तु पदों के भौतिक गुणों की प्रासंगिकता केवल संज्ञा पदों तक ही सीमित है, इससे अधिक नहीं। उदाहरणत:—

'भोर का तारा ही संध्या का तारा है'

वाक्य में 'भोर का तारा' तथा 'संध्या का तारा' के भौतिक गुण प्रासंगिक नहीं हैं, क्योंकि 'मार्निंग स्टार इज़ दि ईवनिंग स्टार' उचित परिस्थितियों में ठीक इसी अवगति को व्यक्त करते हैं। इनके भौतिक गुण केवल निम्न प्रकार से प्रासंगिक हैं—

हिन्दी भाषा में 'भोर का तारा' पदावली का अर्थ है "भोर का तारा" (वस्तु),

हिन्दी भाषा में 'संध्या का तारा' पदावली का अर्थ है "संध्या का तारा" (वस्तु),

'भोर का तारा' तथा 'संध्या का तारा' एक ही वस्तु का निर्देश करते हैं।

इसका कारण समझना कठिन नहीं है। उदाहरणत:, हमारा यह विश्वास है कि कुत्ते भौंकते हैं। अब मान लीजिये कि हम भ्रम से किसी गीदड़ को कुत्ता समझ लेते हैं। किन्तु जब वह बोलता है तब हम पाते हैं कि वह भौंक नहीं रहा है। उस अवस्था में या तो हमें आश्चर्य होगा कि यह कुत्ता भौंक क्यों नहीं रहा है? अथवा यह आश्चर्य होगा कि वह कुत्ता न होने पर भी कुत्ता दिखाई पड़ रहा था। इस प्रकार 'कुत्ता भौंकता है' का भाव इस पदावली के भौतिक गुणों का सापेक्ष नहीं है। अब उपर्युक्त वाक्यों को विश्वास-वाक्यों में अनूदित करने पर हम निम्न वाक्य-रचनाएँ प्राप्त करते हैं—

वि (य, व) . वि (य, व=स)⟶वि (य, स)

(अनुवाद : य का विश्वास है कि शुक्र भोर का तारा है, और य का विश्वास है कि भोर का तारा तथा संध्या का तारा एक ही हैं, अत: य विश्वास करता है कि शुक्र ही संध्या का तारा है)।

इस पुनारचना में केवल एक पद 'शुक्र' के भौतिक गुण प्रासंगिक हैं क्योंकि 'शुक्र' पद यहाँ इस प्रकार घटित होता है कि इसको किसी भी अन्य समान-निर्देशी पद द्वारा स्थानान्तरित करके हम सत्य वाक्य नहीं प्राप्त कर सकते। किन्तु दोनों वर्णन-पदों—'भोर का तारा' तथा 'संध्या का तारा' के भौतिक गुण प्रासंगिक नहीं हैं, क्योंकि यहाँ अभिप्रेत यह नहीं है कि दोनों वर्णन पदों तथा 'शुक्र' का एक ही विस्तार है, प्रत्युत यह कि "वह

1. Wein Paul — Frege's Sinn and Bedutung. **Mind** 1950, p.p. 418.-494.

वस्तु जो संध्या के समय चमकती है, तथा वह वस्तु जो भोर के समय चमकती है, एक ही है तथा वह 'शुक्र' के नाम से अभिहित की जाती है"।

किन्तु एक अन्य उदाहरण देखें जहाँ पदों के भौतिक गुण भी प्रासंगिक हैं, यथा—

'केवल कँवारे ही अविवाहित हैं'

वाक्य में। यह वाक्य वास्तव में उचित रूप में निम्न प्रकार से पुनारचित किया जाना चाहिए—

'हिन्दी में 'कँवारे' तथा 'अविवाहित' पदों की एक ही व्याप्ति है।'

इसे विश्वास-वाक्यों के रूप में रूपान्तरित करके भी हम पदों के भौतिक गुणों की सापेक्षता से मुक्त नहीं हो सकते, उदाहरणत:—

'राम का विश्वास है कि सब कँवारे अविवाहित हैं'

वाक्य तब तक नवीन ज्ञान व्यक्त नहीं करता जब तक 'कँवारा' तथा 'अविवाहित' पदों को पदों के रूप में प्रयुक्त नहीं किया जाता, अन्यथा इस वाक्य का कथन होगा—

राम का विश्वास है कि केवल अविवाहित ही अविवाहित हैं।

अत: उचित रूप में रचित होने पर यह वाक्य होगा—

'हिन्दी भाषी लोगों के अनुसार ('कँवारा'='अविवाहित')'

अर्थात्, हिन्दी भाषी लोगों के लिए 'कँवारा' तथा 'अविवाहित' पद एक ही अर्थ व्यक्त करते हैं। किन्तु—'राम का विश्वास है कि प्रत्येक वस्तु, यदि वह कुत्ता है तो यह भौंकता है' वाक्य में यह अभिप्रेत नहीं है कि राम का विश्वास है कि 'कुत्ता' पद से अभिहित वस्तु 'भौंकता' विशेषण से अभिहित गुण से युक्त है।

ध्वनिरूपवाद या लिपिरूपवाद (इंस्क्रिप्शनिज़्म)[1] वास्तव में पदों के अर्थ के प्रसंग में बहुत ही सबल प्रतिज्ञा है और अतएव यह समानार्थकता के प्रसंग में भी आधारभूत है, किन्तु कथनों की सत्यता और निर्देशन के प्रसंग में इसकी प्रतिष्ठा नहीं है। यह इसलिए नहीं कि पदों और निर्दिष्टों का सम्बन्ध केवल रूढ़िपरक है, प्रत्युत इसलिए क्योंकि जब हम किसी घटना अथवा वस्तु के अमुक प्रकार का होने में विश्वास करते हैं तब हम ध्वनि या लिपि-रूप में विश्वास करते नहीं कहे जा सकते और न हम उनके सम्बन्ध में कुछ कथित ही करते हैं। वास्तव में यह कहा जा सकता है कि विश्वास-वाक्य उन प्राणियों की मानसिक या शारीरिक (जो भी कहें) स्थिति को भी व्यक्त करते हैं जो भाषा नहीं बोलते।[2] यहाँ ध्वनि-रूपवादी कहेगा कि यह स्थिति वास्तव में उसके प्रतिपादन का समर्थन ही करती है, क्योंकि जब कोई प्राणी किसी वस्तु में विश्वास करता है तब कोई प्रतीक प उसके लिए म का संकेत (चिह्न) बनता है, अथवा कहें, प उसके लिए म को व्यक्त करता है।

इससे सहमत होने का हमें कोई कारण नहीं दीखता। किन्तु सर्वप्रथम, यह प्रतिपादन वह उद्देश्य पूरा नहीं करता जिसके लिए यह स्थापित किया गया है, क्योंकि यह भावात्मक वाक्यों को व्याप्ति-वाक्यों में विघटित करने में असमर्थ है। उदाहरणत:—

'राम के लिए प म को व्यक्त करता है'

---

1. इन्स्क्रिप्शनिज़्म पद का ठीक पर्याय लिपि-रूपवाद ही है, किन्तु वास्तव में इन्स्क्रिप्शनिज़्म दोनों ही रूपों के लिए प्रासंगिक है। किन्तु संक्षेप के लिए हम आगे केवल 'ध्वनि-रूपवाद' का ही प्रयोग करेंगे।
2. विश्वास सम्बन्धी यह प्रतिपादन सामान्य रूप से रसल के प्रतिपादन के अनुसार है जो उनकी किसी भी दार्शनिक पुस्तक में देखा जा सकता है।

वाक्य हमारी उपर्युक्त स्थापना 4 के अनुसार भावात्मक है। और दूसरे, यह भ्रामक ज्ञान-मीमांसात्मक सिद्धान्त पर प्रतिष्ठित है, जैसेकि संकुचित व्यवहारवाद के अन्य प्रतिपादन भ्रामक ज्ञानमीमांसा पर आधारित हैं। उदाहरणत: शैफ्फर (Scheffer) 'वि (य, प)' की व्याख्या इस प्रकार करते हैं—"एक लिपि-रूप ल को लें जोकि वाक्य 'कि-प' का लिपि-रूप है (उस वाक्य का लिपि-रूप है जो प्रतिज्ञा प को व्यक्त करता है), और "य ने ल लिखा है"। अब यह प्रतिपादन दो प्रकार से दोष-पूर्ण है। प्रथम इसलिए क्योंकि यह ल से जिस 'कि-प' को स्थानान्तरित करना चाहता है उसकी ही यह अनिवार्यत: ल के लिए अपेक्षा करता है, क्योंकि लिपि ल प की लिपि हो कर ही अपने उद्देश्य में सफल हो सकती है, अन्यथा ल इंगलिश या फ्रेंच में एक ध्वनि-रूप हो सकता है, जो किसी अन्य प्रतिज्ञा ज का लिपि-रूप हो।

इस प्रकार का स्पष्टत: भ्रामक प्रतिपादन, जैसाकि शैफ्फर के उपर्युक्त उदाहरण में है, इस ज्ञानमीमांसात्मक भ्रम पर प्रतिष्ठित है कि केवल वैज्ञानिक द्वारा प्रमाणीय तथा दैशिक गुणों से युक्त वस्तुएँ ही उचित रूप से ज्ञान का विषय हो सकती हैं। किन्तु चतुर्थ अध्याय में जैसाकि हमने देखा है, यह पूर्णत: अयुक्त है।

प्रो. गुडमान ने भी ध्वनि (अथवा लिपि) रूपवाद का समानार्थकता के प्रसंग में समर्थन किया है।[1] किन्तु हमारे विचार में गुडमान का प्रतिपादन शैफ्फर और वीनपाल के प्रतिपादन से भी अधिक दोषपूर्ण है। वीनपाल के प्रतिपादन का दोष केवल इस बात में है कि वह बहुत संकुचित क्षेत्र के लिए ही उपयुक्त है जब कि वह सम्पूर्ण क्षेत्र के लिए उपयुक्त होने का दावा करता है, जब कि शैफ्फर का दोष वही है जोकि सामान्य रूप से संकुचित व्यवहारवाद का दोष है। इसके विपरीत गुडमान के प्रतिपादन में ये दोनों दोष होने के अतिरिक्त एक दोष यह है कि वह इसके लिए शिथिल आधार प्रस्तुत करता है।

गुडमान का तर्क मुख्यत: पदों के व्याप्ति रूप से अभिन्न होने पर भी अर्थ में भिन्न होने पर प्रतिष्ठित है। उनके अनुसार "ऐसे कुछ स्पष्ट उदाहरण हैं जहाँ दो पद व्याप्ति में समान हैं किन्तु अर्थ में भिन्न हैं। उदाहरणत: 'परी' तथा 'अप्सरा' क्योंकि किसी भी वस्तु पर लागू नहीं होते अत: दोनों की व्यापकता एक ही (रिक्त वर्ग) है; किन्तु निश्चित रूप से ये अर्थ में भिन्न हैं।"[2] तब पदों की अर्थ-भिन्नता (अथवा समानार्थकता) किस बात में निहित है? गुडमान 'परी' तथा 'अप्सरा' का ही उदाहरण लेते हुए कहते हैं कि "एक परी-चित्र एक अप्सरा-चित्र से भिन्न है, यह इसीलिए नहीं कि परी-चित्र परी के अनुरूप है और अप्सरा के प्रतिरूप है, प्रत्युत इसलिए क्योंकि परी तथा अप्सरा वास्तव में होती ही नहीं। 'परी-चित्र' तथा 'अप्सरा-चित्र' केवल भिन्न-भिन्न विषयों को लागू होते हैं, जैसेकि 'कुर्सी' और 'मेज़' भिन्न-भिन्न विषयों पर लागू होते हैं, और प्रथम अवस्था में यह पूछना कि क्यों, उतना ही अनावश्यक है जितना द्वितीय अवस्था में। सीधी बात यह है कि यद्यपि 'परी' और 'अप्सरा' किसी पर लागू नहीं होते और अतएव उनकी व्याप्ति एक ही है, किन्तु 'परी-चित्र' पद अनेक वस्तुओं पर लागू होता है और इसी प्रकार 'अप्सरा-चित्र' अन्य अनेक पर लागू होता है।"

"यहाँ महत्त्वपूर्ण बात यह है कि चाहे दो पदों की व्यापकता समान है किन्तु कुछ विधेय, जो इन पदों के साथ अनुरूप पद लगाने से विरचित होते हैं, व्यापकता में भिन्न हो सकते हैं। शायद तब यह कहा जा सकता है कि ऐसे में दो पद, जो अर्थ में भिन्न हैं, या तो उनका, अथवा उनसे रचित अनुरूप संयुक्त पदों का, विस्तार भिन्न है। इस प्रकार व्यापकता में अभिन्न विधेयों के अर्थ में भिन्नता का आधार (इनसे रचित) अन्य विधेयों के व्यापकता में भिन्नता को कहा जा सकता है।"[3]

---

1. ओन लाइक्नेस ऑफ मीनिंग (लियोनार्ड लिंस्की द्वारा सम्पादित — **सेमैंटिक्स एण्ड फिलासफी ऑफ लेंग्वेज,** पृ. 67-77)।
2. वही, पृ. 67.
3. वही, पृ. 71.

इस प्रकार, गुडमान 'चित्र' पद के संयोग से विरचित संयुक्त विधेयों के विस्तार-भेद को अर्थ-भेद का आधार बताते हैं। किन्तु कुछ विधेयों के चित्र नहीं होते, उदाहरणत: 'क'-चित्र तथा 'प'-चित्र तब उचित प्रयोग नहीं होंगे यदि 'प' तथा 'क' गंध तथा विद्युत्-चार्ज के लिए प्रयुक्त विधेय हों। अत: वे विस्तार-भेद निर्धारित करने के लिए 'क'—रेखा-चित्र तथा 'प'-लिपि का भी प्रयोग करते हैं। और फिर कहते हैं "वास्तव शब्द-लिपियाँ उतनी ही भौतिक विषय हैं जितना कुछ भी अन्य, और अतएव यदि कोई वास्तव भौतिक लिपि है जोकि प वर्णन है और जो क-वर्णन नहीं है, तब "प" और "क" अपनी व्याप्तियों में, और अतएव अर्थ में, भिन्न हैं।"[1]

इस विवेचन का प्रथम दोष यह है कि इसके अनुसार 'परीयाँ' तथा 'अप्सराएँ' के अर्थ में यह भेद है कि 'परी-चित्र' तथा 'अप्सरा-चित्र' भिन्न-भिन्न भौतिक गुण वाले हैं। किन्तु उनके चित्र भिन्न प्रकार के क्यों है? क्यों परी-चित्र तथा अप्सरा-चित्र एक ही प्रकार का नहीं है यदि 'परी' तथा 'अप्सरा' वास्तव में किसी अस्तित्व के वाचक नहीं हैं? इसका उत्तर यह देने पर कि इनकी मानसिक कल्पनाओं में भिन्नता इनकी चित्र-भिन्नता का आधार है, और अतएव 'परी' तथा 'अप्सरा' के अर्थ भिन्न हैं, क्योंकि इनकी मानसिक कल्पनाएँ भिन्न हैं, गुडमान आपत्ति करते हैं कि "इस की कोई गारण्टी नहीं है कि परियों की कल्पनाएँ अप्सराओं की कल्पनाएँ हैं"[2] (अथवा नहीं हैं)। इससे हम पूर्णत: सहमत हैं और अतएव—

'अनिवार्यत: 'परियाँ'='अप्सराएँ"

अवगति भाषा में अनुचित वाक्य है और इसी प्रकार कोई भी ऐसा वाक्य जिसमें दो पद-ध्वनियों में अर्थ-अभेद की अनिवार्यता का कथन किया गया हो। इस प्रकार पदों के ध्वनि-रूप "अर्थ" और "समानार्थकता " के विवेचन में प्रासंगिक हैं, किन्तु ये अर्थ और अतएव अर्थ-भेद के आधार नहीं हैं। यह निम्न वाक्य से और भी अच्छी तरह से स्पष्ट है—

'अनिवार्यत: 'कँवारा'='अविवाहित"

सामान्यत: अवगति वाक्य में असत्य है और यह शर्त तब भी ठीक है जब कि किसी को इनमें से केवल एक का, अथवा किसी का भी, अर्थ ज्ञात नहीं हो। अत: ध्वनि-भिन्नता अर्थ-भिन्नता को लागू नहीं करती। अतएव—

'हिन्दी में 'कँवारा'='अविवाहित"

सत्य है, जब कि 'हिन्दी में' का अभिप्राय है 'हिन्दी भाषी लोगों के लिए'। प्रथम वाक्य की असत्यता इस बात में निहित है कि 'अनिवार्यत:' या तो उचित रूप से पुनरुक्ति वाक्य के साथ प्रयुक्त हो सकता है, जैसे 'कँवारा'='कँवारा' के साथ, अथवा तार्किक भाषा में, जैसे—

'$2+2=4$' में, अथवा '$20^2=400$' में

जहाँ पदों की भिन्नता अथवा समता अर्थों में निहित होती है। किन्तु "कँवारा'='अविवाहित" 'इन दोनों श्रेणियाँ में नहीं आता, क्योंकि इन दोनों पदों के अर्थ की समता आनुभविक रूप से प्राप्त होती है।'[3]

2

अवगति भाषा के लिए हम समानार्थकता की परिभाषा पीछे निम्न प्रकार से कर चुके हैं—

('...' सम '...')→वि (य, ...) वि (य, ...) हमारी पूर्व स्थापना के अनुसार इसे इस प्रकार पुनारचित किया जा सकता है, यथा—

1. ओन लाइक्नेस ऑफ मीनिंग (लियोनार्ड लिंस्की द्वारा सम्पादित — **सेमेंटिक्स एण्ड फिलासफी ऑफ लेंग्वेज**, पृ. 72.
2. वही, पृ. 70.
3. क्वाइन — **'फ्राम ए लोजीकल प्वाइंट ऑफ व्यू'** में 'मीनिंग इन लिंग्विस्टिक्स' अध्याय।'

"...' सम '...' यदि और केवल यदि ये य के लिए समान अर्थ को व्यक्त करते हैं।'

यह पुनारचना इसलिए उपयुक्त है क्योंकि वे और केवल वे वाक्य ही इन वाक्यीय अनियतों को सत्य मूल्य में परिवर्तन के बिना स्थानान्तरित कर सकते हैं जो हमारी परिभाषा के अनुसार पूर्णत: समानार्थक हैं। किन्तु यह एक पुनरुक्ति मात्र हो जाती है, अत: यह हमें समानार्थकता के सम्बन्ध में कुछ नहीं बताती। यहाँ "प्रथम वाक्य, जिससे दूसरा पुनारचना है, पुनरुक्ति नहीं है, अत: वह जानकारी देता है"। किन्तु वास्तव में साथ ही यह दो भिन्न पदों को अर्थ व्यक्त करने के अयोग्य बना देता है। इस भाषा में दो 'अ' तथा 'व' पद अथवा वाक्य अनिवार्यत: समानार्थक नहीं हो सकते, क्योंकि—

'अनिवार्यत: [वि (य, अ) वि (य, अ)]'

वाक्य में किसी एक 'अ' के स्थान पर अन्य पद 'व' का प्रयोग इस वाक्य को हमारी स्थापना 3 के अनुसार असत्य बना देता है। अत:—'...' तथा '...' वाक्य तभी अनिवार्यत: समानार्थक हो सकते हैं यदि इनमें एक ही वाक्य-प्रकार की दो घटनाएँ प्रयुक्त की जाएँ।

भावात्मक भाषा भ. में समानार्थकता की यह स्थिति हमें इस भाषा के लिए समानार्थकता की परिभाषा अन्य भाषाओं से भिन्न करने को बाध्य नहीं करती। सब भाषाओं (भावात्मक भाषा भ., तार्किक भाषा $भ_1$ तथा विस्तारात्मक भाषा $भ_2$ के लिए हम समानार्थकता की परिभाषा इस प्रकार कर सकते हैं—"यदि दो प्रयोग किसी भाषा भ के सभी वाक्यों में उनके सत्य मूल्य में परिवर्तन के बिना प्रयुक्त किये जा सकें तो वे उस भाषा में समानार्थक वाक्य (या पद) कहे जाएंगे।") इस प्रकार, जब हम दिखाना चाहते हैं कि कोई दो पद या वाक्य समानार्थक नहीं हैं तो हमें किसी भाषा भ में ऐसे सत्य वाक्य दिखाने होंगे जिनमें एक वाक्य में समानार्थक कहे जाने वाले पदों का प्रयोग करने पर परिणाम असत्य वाक्य होगा। उदाहरणत: तार्किक भाषा का वाक्य

'अनिवार्यत: $(3 < 9 = \frac{3 \times 4}{4} < 9)$'

लें, जो तार्किक भाषा $भ_1$ में पुनरुक्ति मात्र है और अतएव सत्य है, किन्तु—

'अनिवार्यत: [वि(य, $3 < 9 = \frac{3 \times 5}{5} < 9$]'

असत्य वाक्य है, क्योंकि यह सम्भव है कि कोई प्रथम वाक्य में विश्वास करे किन्तु दूसरे में विश्वास नहीं करे। इस प्रकार, अभेद-चिह्न के दोनों ओर के वाक्य भाषा $भ_1$ में समानार्थक हैं जब कि भ. में ये समानार्थक नहीं हैं, क्योंकि भाषा $भ_1$ में ऐसे कोई दो वाक्य नहीं हो सकते जिन में यह समीकरण असत्य दिखाया जा सके। इस भाषा में यह वाक्य अनिवार्यत: सत्य है। इसी प्रकार विस्तारात्मक भाषा के लिए भी। विस्तारात्मक भाषा में कोई विधेय, जिनकी एक ही व्याप्ति है, अर्थात् जो एक ही विषय अथवा वस्तु के लिए सत्य हैं, सब वाक्यों में परस्पर परिवर्तनीय होते हैं। इस प्रकार—

"भोर का तारा'='संध्या का तारा"

$भ_2$ में अनिवार्यत: सत्य है और इसी प्रकार—

"तर्कशील प्राणी'='पक्ष रहित द्विपद"

भी, क्योंकि अभेद-चिह्न के दोनों ओर के पद एक ही विषय के लिए सत्य हैं। किन्तु $भ_2$ के ये वाक्य $भ_1$ में असत्य हैं, क्योंकि यह अनिवार्यत: (तर्कत:) सत्य नहीं है कि 'तर्कशील प्राणी' तथा 'पक्षरहित द्विपद' पद एक ही वस्तु के लिए सत्य हों, यह केवल आनुभविक सत्य है, क्योंकि यह केवल आनुभविक आधार पर ही

निर्धारित किया जा सकता है कि तर्कशील प्राणी के पक्ष नहीं हैं अथवा पक्षरहित द्विपद तर्कशील है, तथा कोई अतर्कशील प्राणी पक्षरहित द्विपद नहीं है, अथवा कोई पक्षसहित द्विपद तर्कशील नहीं है। किन्तु विस्तारात्मक भाषा में इन दोनों पदों के समीकरण की असत्यता का प्रदर्शन नहीं किया जा सकता, सिवाय गुडमान की विधि की सहायता के, जोकि अन्य कारणों से दोषपूर्ण है।

उपर्युक्त विवेचन से यह स्पष्ट है कि $भ_1$ तथा $भ_2$ में समानार्थकता की प्रतिज्ञा का प्रतिपादन नहीं किया जा सकता। वास्तव में अभेद-चिह्न '=' का प्रयोग तीनों भाषाओं में किया जा सकता है किन्तु तीनों में इस चिह्न का प्रयोग भिन्न-भिन्न प्रकार का है और केवल भावात्मक भाषा में यह समानार्थकता को व्यक्त करता है। विस्तारात्मक भाषा में दो पदों अथवा प्रयोगों के बीच अभेद-चिह्न समानार्थकता का प्रतीक न हो कर इस बात का प्रतीक है कि दोनों पद $भ_2$ में एक ही वर्ग के सदस्यों का निर्देश करते हैं, तथा $भ_1$ में एक ही विषय का निर्देश करते हैं। बर्गमान के शब्दों में, 'पद या वाक्य 'अ' अवधारणा "अ" को व्यक्त करता है और पद या वाक्य 'ब' अवधारणा "ब" को, यद्यपि ये दोनों पद एक ही वस्तु का निर्देश करते हो सकते हैं। एक ही वस्तु का निर्देश करने के कारण 'अ' तथा 'ब' के अभेद की अवधारणा उपयोगी और उचित है।'[1] इस स्थापना को इस प्रकार व्यक्त किया जा सकता है—

"अ' = 'ब' ⟶ (अय) अ(य) ⟵⟶ ब(य)'

सामान्य भाषा में, 'भोर का तारा' = 'संध्या का तारा' लागू करता है कि कम-से-कम एक वस्तु ऐसी है जो भोर का तारा है यदि और केवल यदि वह संध्या का तारा है। यह स्थापना एक वास्तव ज्ञान-स्थिति को व्यक्त करती है जो वैज्ञानिक अनुसन्धान द्वारा अधिगत हुई है। इस प्रकार, भावात्मक भाषा में 'अ' = 'ब' के निषेध को अनिवार्य स्वीकार करके भी हम प्रत्ययवाद की इस भूल के शिकार नहीं होते कि केवल प्रत्ययों का ही अस्तित्व है।[2]

3

हमारा उपर्युक्त विवेचन विश्लेषणात्मकता की समस्या पर क्या प्रकाश डालता है? विश्लेषणात्मक वाक्यों की परिभाषा इस प्रकार की जा सकती है—"एक वाक्य 'व' भाषा भ में विश्लेषणात्मक है यदि और केवल यदि 'व' के सत्य का निर्णय भ के तर्क-संस्थान (लोज़ीकल स्कीम) की सापेक्षता में वाक्य के केवल घटक पदों को देख कर ही किया जा सके।"

यह परिभाषा प्रो. क्वाइन की परिभाषा के अनुरूप है। इस परिभाषा के अनुसार निम्न प्रकार के वाक्य विश्लेषणात्मक कहे जा सकते हैं—

1. मध्यन्तर निषेध (एक्सक्लूडिड मिडल) के सिद्धान्त की सापेक्षता में 'क V ~क' आदि तार्किक वाक्य।
2. यदि क ख से पूर्व है और ख ग से पूर्व है तो क ग से पूर्व है।
3. सब द्विपद दो पैरों वाले प्राणी हैं।
4. सब रानियाँ स्त्रियाँ हैं। (अनुवादत: राजाओं से विवाहित सब स्त्रियाँ रानियाँ हैं)।
5. समकालीन भूत विज्ञान की भाषा में 'पानी=2एच.ओ'।
6. हिन्दी भाषा में, 'सब कँवारे अविवाहित हैं'।

---

1. **मीनिंग एण्ड एग्ज़िस्टेंस,** पृ. 127.
2. वही, पृ. 138.

7. मनुष्य तर्कशील प्राणी है।

8. गणित में '$16^2=256$'।

अब जैसाकि स्पष्ट है, इनमें से 1, 5, 6, 7 तथा 8 वाक्य केवल सापेक्ष रूप से विश्लेषणात्मक हैं। प्रथम वाक्य की विश्लेषणात्मकता की सापेक्षता पीछे अध्याय 6 में देखी जा सकती है, वाक्य 5 की विश्लेषणात्मकता की सापेक्षता इस बात से स्पष्ट है कि कल ही कोई अनुसन्धान इस परिभाषा को बदलने को बाध्य कर सकता है। 6ठे वाक्य की सापेक्ष विश्लेषणात्मकता के सम्बन्ध में हम इसी अध्याय में पीछे देख चुके हैं। वाक्य 8 की सापेक्षता तार्किक भाषा की सापेक्षता है तथा वाक्य 1 की सापेक्षता मध्यन्तर निषेध के सिद्धान्त की सापेक्ष है। 8वें वाक्य की सापेक्ष-विश्लेषणात्मकता निम्न वाक्य से स्पष्ट है—

"यज्ञोपवीत के सूत्रों की संख्या' = '3"

अथवा

"यज्ञोपवीत के सूत्रों की संख्या' = 'त्रिपुण्ड्र की रेखाओं की संख्या"

इन वाक्यों में अभेद चिह्न के दोनों ओर के प्रयोग यद्यपि एक ही संख्या को व्यक्त करते हैं, किन्तु ये विश्लेषणात्मक नहीं हैं। विश्लेषणात्मक वाक्यों की इस सापेक्षता के ही अनुसार अन्य अनेक वाक्य-युगलों अथवा पद युगलों में समानार्थकता उत्पन्न की जा सकती है, उदाहरणत:—

'अ वर्णयुक्त है$\supset$अ विस्तारयुक्त है'

'अ मनुष्य है' = 'अ तर्कशील है'

वाक्यों की विश्लेषणात्मकता इसी प्रकार उत्पादित विश्लेषणात्मकता है। प्रथम वाक्य के लिए हमने अध्याय 6 में दिखाया है कि यह स्वत: विश्लेषणात्मक नहीं है, यह केवल स्पष्ट परिभाषा द्वारा ही विश्लेषणात्मक बनाया जा सकता है। इसी प्रकार सातवें वाक्य के लिए भी। वास्तव में यह वाक्य आनुभविक आधार पर प्रतिष्ठित सामान्य वाक्य है, क्योंकि इसका अनुवाद उचित रूप से इस प्रकार किया जा सकता है—"अब तक जितनी वस्तुएँ हमने देखी हैं उनमें से जितनी मनुष्य थीं वे सब तर्कशील तथा प्राणी थीं।" किन्तु यदि इसको इस प्रकार से रचित किया जाए, यथा—

'यदि कोई वस्तु तर्कशील तथा प्राणी नहीं होगी तो हम उसे मनुष्य नहीं कहेंगे'

तो उपर्युक्त वाक्य विश्लेषणात्मक हो जाता है, किन्तु इसकी विश्लेषणात्मकता केवल परिभाषया उत्पादित है। इसी प्रकार—

'अ गिल्ज़युक्त प्राणी है' = 'अ पानी में साँस ले सकता है'

वाक्य में 'गिल्ज़' पद की परिभाषा अथवा निर्धारित समानार्थकता द्वारा वाक्य की विश्लेषणात्मकता का निर्धारण होता है। इसे वर्तमान शरीर-वैज्ञानिक ज्ञान द्वारा उत्पादित समानार्थकता और अतएव विश्लेषणात्मकता भी कह सकते हैं, क्योंकि शरीर-वैज्ञानिक अवधारणात्मक योजना में गिल्ज़ उन फेफड़ों को कहते हैं जो पानी में से आवश्यक ऑक्सीजन प्राप्त कर सकें।

इस प्रकार हम पाते हैं कि वाक्य 2, 3, 4 के अतिरिक्त शेष सब वाक्यों में विश्लेषणात्मकता भाषा भ की (तथा उसमें पूर्वकल्पित तर्क की) सापेक्ष है। जहाँ तक 3, 4 का सम्बन्ध है, ये वाक्य केवल आवृत्ति के कारण पुनरुक्ति व्यक्त करते हैं और इस प्रकार ये अर्थ की दृष्टि से रिक्त हैं। जहाँ तक वाक्य 2 का प्रश्न है, इसकी विश्लेषणात्मकता सम्बन्ध वाचक पद 'पूर्व' की परिभाषा पर निर्भर करती है। सब संक्रमणात्मक सम्बन्धों के लिए यह कहा जा सकता है कि यदि कोई वस्तु किसी अन्य वस्तु से संक्रमणात्मक सम्बन्ध स रखती है और यह दूसरी

वस्तु किसी अन्य तीसरी वस्तु से यह सम्बन्ध रखती है तो प्रथम वस्तु का भी सम्बन्ध इस तृतीय वस्तु से सम्बन्ध स द्वारा व्यंजनीय होता है, और कोई भी वस्तु यह सम्बन्ध अपने आप से नहीं रख सकती, और न यह ही सम्भव है कि यदि प्रथम वस्तु द्वितीय से यह सम्बन्ध रखती है तो द्वितीय प्रथम से वही सम्बन्ध रख सके। इस परिभाषा के अनुसार—

1. यदि क ख से पूर्व है और ख ग के पूर्व है तो अनिवार्यत: क ग के पूर्व है।

2. यदि क ख से पूर्व है तो यह असम्भव है कि ख क से पूर्व हो।

3. यदि क ख से पूर्व है और ख ग के पूर्व है तो यह असम्भव है कि ग क से अभिन्न हो।

4. कोई वस्तु अपने से पूर्व नहीं हो सकती।

इनमें से 2 तथा 4 वास्तव में एक ही नियम का भिन्न प्रकार में कथन करते हैं, अत: इनमें 4 अनावश्यक है।

इस परिभाषा को स्वीकार करते हुए यह देखा जा सकता है कि उपर्युक्त संक्रमणात्मक सम्बन्ध वाले वाक्य में 'पूर्व' के बजाय किसी भी अन्य संक्रमणात्मक सम्बन्ध का वाचक पद, तथा संज्ञा पदों के स्थान पर किसी भी अन्य संज्ञापद का स्थानान्तरण करने पर अनिवार्यत: सत्य वाक्य प्राप्त होगा। उदाहरणत: निम्न वाक्य लें—

1. राम श्याम से बड़ा है, श्याम मोहन से बड़ा है, अत: राम मोहन से बड़ा है।

2. राम श्याम से बलवत्तर है, श्याम मोहन से बलवत्तर है अत: राम मोहन से बलवत्तर है। आदि।

अब ऐसे वाक्यों को, जिनमें उचित पदों द्वारा स्थानान्तरण करने पर सत्य मूल्य में परिवर्तन नहीं आये, तर्कत: सत्य कहते हैं, जिसका अभिप्राय है कि उनकी सत्यता का निर्धारण किन्हीं घटनाओं अथवा अर्थों के द्वारा नहीं प्रत्युत केवल रूप के द्वारा होता है। ऐसे वाक्य भी विश्लेषणात्मक हैं।

इस प्रकार यह कहा जा सकता है कि स्वाधिकार से विश्लेषणात्मक वाक्य केवल ऐसे वाक्य हैं जो या तो एक ही पद को उद्देश्य और विधेय के रूप में प्रयुक्त करते हैं अथवा ऐसे वाक्य हैं जिनकी सत्यता उनके तार्किक रूप से निर्धारित होती है। किन्तु विश्लेषणात्मक का औचित्य ऐसे वाक्यों से है जो इन दो प्रकारों से सत्य न हो कर समानार्थकता द्वारा सत्य हैं, और यहीं विश्लेषणात्मकता की स्थिति सब से अधिक डाँवाडोल है।

दार्शनिक विश्लेषण और अनुभववाद

दर्शन क्या है? अथवा, दार्शनिक का क्या कर्त्तव्य है? प्रश्न ह्यूम के तत्त्वमीमांसा का प्रत्याख्यान करने के पश्चात् कुछ विवादास्पद हो गया और मूर तथा रसल के प्रादुर्भाव ने इस प्रश्न को दार्शनिक विचार का केन्द्रीय प्रश्न बना दिया। किन्तु जब कि अनेक युगों से 'दर्शन' नाम के अन्तर्गत अनेक व्यापारों का समावेश होता आया है तब आज उनमें से, अथवा उनसे भिन्न, किसी एक व्यापार-प्रणाली को 'दर्शन' की उचित प्रणाली मानना केवल एक यादृच्छिक निर्णय कहा जा सकता है। किन्तु यह यादृच्छिक निर्णय विकास की उस स्थिति में आवश्यक हो जाता है जब कि विभिन्न व्यापारों की सीमाएँ स्पष्ट होने लगती हैं। विज्ञान का दर्शन से पृथक् हो जाना दोनों के लिए लाभकर था क्योंकि दोनों की सीमाएँ ऐतिहासिक प्रक्रिया में स्पष्ट हो जाने के पश्चात् इनका एक ही नाम के अन्तर्गत समावेश उनके विकास में बाधक होता। अब संक्रमण काल में यह विवाद, कि दर्शन किस प्रक्रिया को कहा जाय, केवल परस्पर निर्णय से ही निश्चित किया जा सकता था, यद्यपि स्पष्ट कारणों से, यह विवाद उत्पन्न ही नहीं हुआ। किन्तु वैज्ञानिक व्यापार के दर्शन की सीमा से मुक्त हो जाने के बावजूद अन्य अनेक व्यापार 'दर्शन' संज्ञा के अन्तर्गत अपने आपको ठूंसने का प्रयत्न करते रहे हैं। उदाहरणत: श्री अरविन्द की आध्यात्मिक साधना के अनन्तर प्राप्त अनुभूति, रसल का विभिन्न अवधारणाओं के तार्किक संस्थान का विश्लेषण तथा अस्तित्ववादियों (एग्ज़िस्टेंश्यलिस्ट्स) का मनुष्य की अचेतन प्रवृत्तियों में एक गुह्य वासना तथा उद्देश्य का आरोपण तीनों 'दर्शन' संज्ञा के अन्तर्गत रखे जाते हैं, किन्तु स्पष्टत: ये तीनों परस्पर उतने ही भिन्न हैं जितने विज्ञान और आध्यात्मिक साधना परस्पर भिन्न हैं।

कभी-कभी यह कहा जाता है कि विज्ञान तथा दर्शन दोनों अन्तिम यथार्थ का (अथवा, यथार्थ का, ऐसा कहें) ज्ञान प्राप्त करने के भिन्न-भिन्न साधन हैं। विज्ञान बाह्य इन्द्रियों तथा प्रयोग के द्वारा; तर्कशास्त्र विश्लेषणात्मक विचार के द्वारा और साधक आत्मिक अनुभव में प्रवेश करके अव्यवहित सम्पर्क के द्वारा अन्तिम यथार्थ को जानना चाहते हैं (और साधक दावा करते हैं कि केवल वे ही यथार्थ को जान पाते हैं)। हमारे विचार में यथार्थ को जानने का यह दावा भ्रामक है, क्योंकि यह कभी नहीं कहा जा सकता कि यथार्थ क्या है, क्योंकि यथार्थ कोई एक वस्तु नहीं है, एक प्रकार की वस्तुओं का संघात भी नहीं है। उदाहरणत: 'जीवन यथार्थ है', 'मेरे मेज़ पर पड़ी पुस्तक यथार्थ है', 'परमाणु यथार्थ है', 'ब्रह्म यथार्थ है', 'केवल भौतिक वस्तुएँ यथार्थ हैं' आदि वाक्यों में 'यथार्थ' एक ही अर्थ व्यक्त नहीं करता, कम-से-कम इनमें से किसी को भी अयथार्थ और दूसरे को यथार्थ कहा जा सकता है। कभी-कभी तो एक की यथार्थता दूसरे की यथार्थता की बाधक समझी जाती है। इस प्रकार वास्तव में 'यथार्थ' पद किसी वास्तव गुण को व्यक्त नहीं करता जो विशेष्य का विज्ञापक कहा जा सके, यह अवधारणा को व्यक्त करता है। यह वेदान्त के दृश्य भौतिक जगत् को माया कहने से स्पष्ट है। इसी प्रकार भूत-वैज्ञानिक के अनुसार पदार्थ परमाणुओं के समवाय हैं, अत: दृश्य पदार्थ यथार्थ नहीं हैं, परमाणु यथार्थ हैं। इसी प्रकार, उसके अनुसार, रंग केवल किरणों के रेटिना को स्पर्श से उत्पन्न प्रतीतियाँ हैं अत: अयथार्थ हैं। अत्यन्त प्रदृश्यतावादी के अनुसार केवल उसके अनुभव ही यथार्थ हैं, आदि-आदि। इस प्रकार, जिसे एक व्यक्ति यथार्थ कहता है दूसरा भ्रम या माया कह सकता है। इस प्रकार 'यथार्थ' पद स्वयं व्याख्येय है और यह कोई ऐसा गुण नहीं है जिस पर कोई अपना दावा कर सके।

पुन:, दर्शन का उद्देश्य ज्ञान प्राप्त करना कहना भी कम भ्रामक नहीं है, क्योंकि 'ज्ञान प्राप्त करना' दर्शन के सम्बन्ध में कुछ विलक्षण नहीं बताता। कम-से-कम, यह कथन वैद्यक अथवा कृषि विज्ञान के सम्बन्ध में उतना ही सत्य है जितना दर्शन के सम्बन्ध में। तब यह कहा जा सकता है कि दर्शन अमुक-अमुक वस्तु के लिए ज्ञान प्राप्ति है। इस प्रकार वैद्यक रोगों की चिकित्सा के साधनों का अनुसन्धान तथा कृषि-विज्ञान पौधे अधिक अच्छी

प्रकार से उत्पन्न करने के साधनों आदि का ज्ञान है। विज्ञान, स्थूल रूप से, वस्तुओं अथवा घटनाओं के व्यवहार के नियमों की खोज अथवा ज्ञान प्राप्त करना है। अब दर्शन किसकी खोज अथवा ज्ञान प्राप्त करने को कहते हैं?

अब, जैसाकि हम जानते हैं, श्री अरविन्द अन्तिम अस्तित्व के रूप के दर्शन को, उससे एकाकार होने को, दर्शन का उद्देश्य मानते हैं और रसल विज्ञानों की पूर्वमान्यताओं तथा अवधारणाओं की जाँच तथा तार्किक विश्लेषण को दर्शन मानते हैं। अब, तार्किक विश्लेषण जिस ज्ञान को प्राप्त करना चाहता है वह ब्रह्म के साथ एकाकार होने के ज्ञान से उतना ही भिन्न है जितना यह भैषज सम्बन्धी ज्ञान से है। किन्तु फिर भी वैद्यक को कभी दर्शन नहीं कहा गया जब कि तार्किक विश्लेषण तथा ब्रह्म-विषयक दोनों को दर्शन कहा गया है।

इन दो व्यापारों से भिन्न एक तीसरा व्यापार भी है जो 'दार्शनिक' संज्ञा के अन्तर्गत समाविष्ट किया जाता है। इसे सामान्य रूप से तत्त्वमीमांसा, अतिभौतिकी अथवा सत्ताशास्त्र कहा जा सकता है। इनमें प्रथम नाम अधिक प्रचलित है, द्वितीय नाम इंगलिश के मैटाफिज़ीक्स का शब्दानुवाद है और तीसरा नाम इस व्यापार के उद्देश्य अथवा प्रेरणा का ध्यान रखते हुए अधिक उपयुक्त कहा जा सकता है। यह प्रणाली किसी प्रकार से व्यक्तित्व के उदात्तीकरण, तादात्म्य होने अथवा किसी अन्तर्निहित यथार्थ से साक्षात्कार का दावा नहीं करती। यह केवल बौद्धिक स्तर तक अपना क्षेत्र सीमित रखती है। यह तार्किक विश्लेषण से इस बात में भिन्न कही जा सकती है कि यह ऐसी प्रतिज्ञाओं का प्रतिपादन करती है जो न विशुद्ध तर्क की सीमा के अन्तर्गत आती हैं और न प्रमाणीय हैं। इस प्रकार वास्तव में दोनों प्रणालियाँ तार्किक और विश्लेषणात्मक हैं, उन से भेद एक तो इस बात में है कि एक केवल दो प्रकार की वाक्यीय प्रतिज्ञाओं को ही सार्थक स्वीकार करती है और दूसरी प्रणाली ऐसी प्रतिज्ञाओं को भी उचित और सार्थक प्रतिज्ञाएँ स्वीकार करती है जो इन दो श्रेणियों के अन्तर्गत नहीं आतीं। दूसरा अन्तर इनकी अस्तित्वमीमांसा में है। उदाहरणत: 'ईश्वर निर्गुण तथा संसार का आदि कारण है', 'प्रकृति चेतन सत्ता का विकार है', 'काल अयथार्थ है' 'विशेष रक्त रक्तता (सामान्य) की अभिव्यक्ति है' आदि प्रतिज्ञाएँ न तो विश्लेषणात्मक हैं और न आनुभविक। अत: ये दार्शनिक विश्लेषक के अनुसार निरर्थक या थोथी हैं। इसीलिए इनमें पूर्वकल्पित अस्तित्वमीमांसा भी उसे अस्वीकार्य है। इस प्रणाली को सत्ता शास्त्र नाम देना इसलिए उचित है क्योंकि यह उन सब का अस्तित्व स्वीकार करती है जिसके लिए कोई शब्द हो सकता है।

दर्शन की प्रणाली तार्किक विश्लेषण की है, जिसे कभी-कभी भाषा-विश्लेषण भी कह दिया जाता है। दर्शन को भाषा-विश्लेषण कहने का आग्रह मुख्यत: तार्किक भाववादियों ने किया, यद्यपि इसे अधिक सार्थक विट्गिंस्टाईन सम्प्रदाय के दार्शनिकों ने बनाया। किन्तु इसका अर्थ यह नहीं है कि विट्गिंस्टाईन या उसके अनुयायी दार्शनिक समस्याओं को भाषा की समस्याएँ, अथवा भाषा के सम्बन्ध में समस्याएँ स्वीकार करते हैं। दार्शनिक समस्याएँ वास्तव में हमारे ज्ञान, हमारी अवधारणाओं आदि सम्बन्धी समस्याएँ ही हैं, किन्तु विट्गिंस्टाईन तथा ऑक्सफर्ड-सम्प्रदाय के दार्शनिकों के अनुसार, ये हमारे भाषा के स्वभाव को ठीक न समझने के कारण उत्पन्न होती हैं। तार्किक-भाववादी दार्शनिकों का भाषा विश्लेषण एक निजीरूप से निर्धारित ढाँचे में था; उन्होंने अपने उद्देश्य के अनुसार उपयुक्त संज्ञा, सर्वनाम, विशेषण आदि कुछ वर्गणाओं को पुन: परिभाषित कर उनमें हमारी विभिन्न अवधारणाओं को भरने का प्रयत्न किया, किन्तु ऑक्सफर्ड सम्प्रदाय के विश्लेषकों के अनुसार यह पद्धति भ्रामक है और हमारे विचार के प्रगतिशील रूप को पंगु बनाती है। विट्गिंस्टाईन के अनुसार, किसी अवधारणा को समझना हो तो उसके व्यंजक पद का सामान्य भाषा में प्रयोग देखो किस प्रकार होता है। उदाहरणत: 'यथार्थ' पद ही लें। यह एक विशेषण है, जिस प्रकार 'रक्त' एक विशेषण है। अब मूर ने समझा कि क्योंकि यह पद एक विशेषण है अत: इससे विशेषित वस्तुओं में कुछ सामान्य विशेषता होनी चाहिए। किन्तु 'यथार्थ-चित्रण' तथा 'यथार्थ अनुभव' इन दो प्रयोगों में 'यथार्थ' पद एक ही अर्थ में प्रयुक्त नहीं हुआ है।[1] इतना ही नहीं, सभी विशेषण आवश्यक रूप से एक ही प्रकार से विशेषित भी नहीं करते, उदाहरणत: 'रक्त वस्तु', 'यथार्थ वस्तु', 'सुन्दर वस्तु'

1. **English Philosophy Since 1900,** p.p. 82.

इनमें 'रक्त', 'यथार्थ' और 'सुन्दर' व्याकरणानुसार एक ही प्रकार के विशेषण हैं, किन्तु वास्तव में किसी भी प्रकार ये समान रूप से विशेषित नहीं करते (जैसाकि हम आगे 'यथार्थ' के विश्लेषण में देखेंगे)।

अब हम इनमें अन्तर किस प्रकार देख पाते हैं? ऑक्सफर्ड सम्प्रदाय के अनुसार, इसका एक उपाय तो यह है कि हम ध्यानावस्थित हो कर विचार करें कि 'रक्त' और 'यथार्थ' पद किस प्रकार के विशेषण हैं (जोकि सदैव भ्रामक है), और दूसरा उपाय यह है कि हम भाषा में इनके व्यवहार को देखें। तब हम देख पायेंगे कि किस प्रकार कोई पद किन्हीं अवधारणाओं को व्यक्त करता है। यदि हम किसी पद को उसके विभिन्न व्यापारों में नहीं देखते तो हमारा किसी चित्र से भ्रमित हो जाना सहज हो जायगा। 'यथार्थ' अथवा 'सुन्दर' अथवा 'शिव' के सम्बन्ध में ऐसे प्रश्न कि इन से विशेषित वस्तुएँ किस गुण में समान हैं, इसी प्रकार से चित्र–मोह के प्रमाण हैं।

भाषा–विश्लेषण की इस प्रणाली का अतिवादी रूप हम जेन आस्टिन में पाते हैं, जो दार्शनिक का प्रथम, और शायद एकमात्र, कार्य किसी पद के विभिन्न प्रयोगों देखना समझते हैं।[1] यह प्रणाली अपने पर्याप्त साम्प्रदायिक रूप में प्रो. राइल की **कांसेप्ट ऑफ माइंड** पुस्तक में प्रयुक्त हुई है।

किन्तु हमारे विचार में दार्शनिक विश्लेषण की यह पद्धति दोषपूर्ण है। हम किसी अवधारणा को उसके व्यंजक पद के विभिन्न प्रयोगों में नहीं देख सकते। यह सम्भव है कि कोई पद विभिन्न प्रयोगों में विभिन्न अवधारणाएँ व्यक्त करता हो, किन्तु इससे हम उस अवधारणा को कैसे समझ सकते हैं जिस पर हम विचार करना चाहते हैं? 'यथार्थ' पद को ही लें। 'अमुक चित्र यथार्थ है' तथा 'केवल भौतिक विषय यथार्थ हैं' में 'यथार्थ' पद दो भिन्न अर्थों में प्रयुक्त हुआ है। किन्तु इसी कारण से दार्शनिक के लिए 'यथार्थ' पद के भाषा वैज्ञानिक अध्ययन की आवश्यकता सिद्ध नहीं होती, क्योंकि दार्शनिक के लिए 'यथार्थ' पद केवल दूसरे प्रकार के प्रयोगों में ही आवश्यक है। अब यदि कोई प्रश्न करता है—'क्या काल यथार्थ है?' तब उसका 'यथार्थ' पद का प्रयोग 'क्या भौतिक विषय यथार्थ हैं' वाक्य में 'यथार्थ' पद के प्रयोग से भिन्न नहीं है। 'यथार्थ' पद किसी गुण का वाचक है या नहीं, इसका निर्णय इस पद के भाषा में विभिन्न व्यापारों से नहीं किया जा सकता और न 'काल यथार्थ है या नहीं' इस का निर्णय इस पद के विभिन्न प्रयोगों के ज्ञान से हो सकता है, क्योंकि यह जबकि एक प्रयोग में किसी गुण का वाचक हो सकता है, अन्य में यह नहीं भी हो सकता। उदाहरणत: 'अमुक वर्णन यथार्थ है' में यह वर्णन की एक निश्चित विशेषता—"वर्ण्य के अनुरूप होने की विशेषता" अथवा "परिस्थितियों का उचित वर्णन होने की विशेषता" का वाचक है। किन्तु इससे इस पद के दूसरे प्रकार के वाक्यों में प्रयोग पर क्या प्रभाव पड़ता है? इसी प्रकार, किसी व्यक्ति अथवा वर्णन को सत्य कहने में जो इनके प्रति सम्मान का भाव है वह सत्य के उस अर्थ से क्या सम्बन्ध रखता है जिस पर दार्शनिक विचार करते हैं? और फिर भी प्रो. राईल तथा अन्य अनेक अनुयायी दार्शनिकों ने "सत्य" के प्रसंग में इसके प्रयोग के साथ जुड़े सम्मान भाव की चर्चा की है। भाषा विश्लेषण का यह रूप दार्शनिक विचार में सहायक नहीं है। किसी अवधारणा पर विचार आरम्भ करते समय हमें उसके व्यंजक पद के अर्थ के सम्बन्ध में उनके साथ सहमत होने की आवश्यकता है जिनको हम श्रोता समझते हैं, और यह इस प्रकार से भी हो सकता है कि आप बता दें कि आप अमुक अर्थ में अमुक शब्द का प्रयोग कर रहे हैं। इसके पश्चात् दार्शनिक विचार आरम्भ होता है। दार्शनिक विचार उस पद द्वारा व्यक्त अवधारणा को सम्पूर्ण अवधारणात्मक योजना में रख कर उससे इसकी संगति तथा स्वयं उस अवधारणा के तार्किक रूप का विवेचन करता है। अब यह प्रश्न करने पर कि 'क्या काल यथार्थ है?' हम प्रतिप्रश्न कर सकते हैं कि 'तुम्हारा 'काल' तथा 'यथार्थ' से क्या अभिप्राय है?' उस सम्बन्ध में स्पष्ट हो लेने पर इस निर्णय पर पहुँचने में हमें बहुत लम्बा रास्ता तय नहीं करना पड़ता कि "काल यथार्थ है या नहीं?"

किन्तु दर्शन में वास्तव में सब समस्याएँ इतनी सरल भी नहीं हैं जितनी उपर्युक्त समस्या है। वे इस प्रकार से भाषा से कोई सीधा और सरल सम्बन्ध नहीं रखती प्रतीत होतीं। उदाहरणत: वेदान्तियों का यह विचार कि

1. A Plea for Excuses (**Proceedings of Aristotalian Society,**) 1956-57.

"इन्द्रिय-विषय संसार भ्रम है, अथवा माया है" न अपनी उत्पत्ति में भाषीय है और न इसका समाधान 'संसार' तथा 'भ्रम' के विभिन्न प्रयोगों के निरीक्षण से हो सकता है। बर्कले का भौतिक वस्तुओं के अस्तित्व का निषेध, साँख्य की पुरुष और प्रकृति की कल्पना आदि-आदि अनेक इस प्रकार के प्रश्न हैं जिनका सुलझाव विट्गिंस्टाईन, अथवा उससे भी अधिक आस्टिन-राईल के ढंग से नहीं हो सकता।

इस दृष्टि से, हमारे विचार में, तार्किक भाववादियों की प्रविधि संकुचितता और रूढ़िपरता के बावजूद, अधिक उपयोगी है। इन्होंने एक ओर तर्कशास्त्र को अधिक सुदृढ़ आधार पर प्रतिष्ठित किया और दूसरी ओर एक दार्शनिक व्याकरण की रचना की जिससे दार्शनिक प्रश्नों को अधिक सहज रूप से विचारणीय तथा सहज साध्य बनाया जा सका। किन्तु इनका यह दार्शनिक व्याकरण हमें अवधारणाओं से दूर नहीं ले जाता, हम इसमें अनिवार्यत: अवधारणाओं के सम्बन्ध में ही विचार करते हैं। ये दार्शनिक केवल उस भाषा को, जिसमें हम दार्शनिक चर्चा करते हैं, इतना नियन्त्रित और वर्गीकृत कर देते हैं कि इससे बहुत-सी भूलों को अवसर नहीं रहता।

तार्किक भाववाद तथा ऑक्सफोर्डियन भाषा-विश्लेषण में एक समता भी है जो इन्हें तत्त्वमीमांसकों की प्रणालियों से पृथक् करती है। वह यह कि ये दोनों प्रणालियाँ वस्तुओं और तत्त्वों की चर्चा करने के बजाय अवधारणाओं की चर्चा करती हैं। इस प्रकार ये दोनों प्रणालियाँ तत्त्वमीमांसा-विरोधी हैं। उदाहरणत: ये ऐसे प्रश्नों को उचित प्रश्न नहीं मानतीं, जैसे "विश्व का आधारभूत पदार्थ (स्टफ) जड़ है या चेतन है?" अथवा "ईश्वर संसार का निमित्त कारण है या उपादान कारण?" "यथार्थ को हम प्रतिभान से ठीक जान सकते हैं या तर्क से?" इसका अर्थ यह नहीं कि दार्शनिक विश्लेषक इन प्रश्नों पर विचार अविहित मानता है, प्रत्युत यह कि वह इनको या तो अन्ततः भ्रान्त प्रश्न दिखाता है अथवा प्रयोजन-रहित पुनरुक्तियाँ दिखाता है।

तत्त्वमीमांसक प्राय: तीन प्रकार से भ्रमित होते हैं—(1) वे या तो किसी बाह्य उद्देश्य से प्रेरित हो कर उसकी सिद्धि के लिए एक सार्वभौम प्रागनुभविक सिद्धान्त की स्थापना में प्रवृत्त होते हैं, जैसे बर्कले आध्यात्मिक तथा धार्मिक धारणाओं की रक्षा के उद्देश्य से, शंकर ब्राह्मण-धर्म की रक्षा के उद्देश्य से तथा मोक्ष की कल्पना से, अभिभूत थे। अथवा (2) वह किसी चित्र-मोह से अभिभूत होता है, जैसे बर्गसां प्रवृत्ति (इंस्टिंक्ट) के आश्चर्यजनक रूप से उपयोगी, अस्खलनात्मक, स्वाभाविक सहज-बोध के कुछ उदाहरणों से अभिभूत थे।[1] अथवा (3) वे किसी मूल तत्त्व, अथवा आधारभूत सिद्धान्त के होने का दावा करते हैं, जिससे शेष सब कुछ प्रागनुभविक तर्क द्वारा निगमित किया जा सकता है। दार्शनिक विश्लेषक इन भूलों से बचने के लिए ऐसी विश्लेषण-प्रणाली को अपनाता है जो कम महत्त्वाकांक्षापूर्ण, क्रमिक तथा ज्ञानमीमांसात्मक है।

इसका अर्थ यह नहीं है कि तत्त्वमीमांसकों के प्रश्न केवल भ्रम हैं। वास्तव में उनका जन्म भी जिज्ञासा तथा अन्तर्दृष्टि से ही होता है, किन्तु अवधारणाओं को ठीक न समझ सकने से, या चित्र-मोह से, अथवा किसी पूर्वाग्रह से उनका भ्रान्त हो जाना अनिवार्य हो जाता है।

जेम्ज़ ने एक तत्त्वमीमांसात्मक प्रश्न का बहुत सुन्दर उदाहरण दिया है और उसके सुलझाव की दिशा की ओर संकेत किया है। वास्तव में यह प्रश्न सामान्य रूप से सभी दर्शन-प्रणालियों के प्रश्नों का उदाहरण भी कहा जा सकता है, किन्तु उसका उत्तर आधुनिक विश्लेषण-प्रणाली की विशेषता है। उनके अनुसार, कुछ वर्ष पूर्व वे एक पर्वत यात्रा से लौटे तो उन्होंने दार्शनिकों को एक भयानक तत्त्वमीमांसात्मक विवाद में उलझे पाया। "विवाद का विषय एक गिलहरी थी—एक जीवित गिलहरी, जोकि एक वृक्ष के तने के एक ओर लटकती कल्पित की गयी; जब कि तने के दूसरी ओर एक मनुष्य खड़ा कल्पित किया गया। यह मानवीय द्रष्टा गिलहरी को देखने के लिए वृक्ष के चारों ओर चक्कर में दौड़ता है, किन्तु चाहे कितनी ही तेजी से वह दौड़ता है गिलहरी उतनी ही तेजी से विरुद्ध दिशा में दौड़ती है जिससे उस मनुष्य की आँखों तथा गिलहरी के बीच सदा वृक्ष का तना रहता है, और

1. Bergson — **Creative Evolutaion.**

इस प्रकार वह मनुष्य उसे देख नहीं पाता। अब परिणामत: तत्त्वमीमांसा की समस्या यह है कि क्या मनुष्य गिलहरी का चक्कर लगाता है या नहीं? वह वृक्ष का चक्कर लगाता है, इसमें सन्देह नहीं, किन्तु क्या वह गिलहरी का चक्कर भी लगाता है?" अब जेम्ज़ से भी यह प्रश्न किया गया—कौन-सा पक्ष ठीक है? उन्होंने उत्तर दिया "यह इस पर निर्भर करता है कि आप 'गिलहरी का चक्कर लगाने' से व्यवहार्यत: क्या समझते हैं। यदि इससे आप यह समझते हैं कि मनुष्य का गिलहरी के उत्तर दिशा से पूर्व दिशा की ओर जाना, तब दक्षिण की ओर, फिर पश्चिम की ओर तब पुन: उत्तर की ओर, तब मनुष्य उसका चक्कर लगाता है, क्योंकि वह इन स्थितियों में अनुक्रम होता है। किन्तु यदि इससे आपका अभिप्राय है पहले उसके सम्मुख होगा, फिर उसके दाएँ होना, फिर पीछे होना, फिर बाएँ होना, फिर सामने होना तो यह पुन: स्पष्ट है कि वह उसका चक्कर नहीं लगाता, क्योंकि गिलहरी जिस प्रकार सापेक्षता में चलती है उससे उसका पेट सदैव मनुष्य की ओर रहता है और पीठ उसके दूसरी ओर रहती है।"[1]

यहाँ 'व्यवहार्यत:' का प्रयोग अनावश्यक है, जो केवल इस उत्तर को प्रैग्मेटिस्टिक बनाने के लिए किया गया है, किन्तु यह प्रश्न तथा इसका उत्तर दार्शनिक प्रश्नों की उलझन तथा उनके सुलझाव की दिशा की ओर समुचित रूप से संकेत करते हैं। इसी को विट्गिंस्टाईन "मक्खी को बोतल के बाहर रास्ता दिखाना" कहते हैं।

इसका अर्थ यह नहीं है कि दार्शनिक विश्लेषक प्रश्न नहीं करता और वह केवल भ्रान्तियों का निराकरण करता है। दार्शनिक विश्लेषकों में स्वयं गम्भीर मतभेद हैं और उनमें सहमति की शायद कोई सम्भावना भी नहीं है। उदाहरणत: पिछले अध्यायों में विचारित प्रश्न देखे जा सकते हैं। सम्भवत: यह स्थिति इस रूप में स्वीकार की जानी चाहिए कि एक ही प्रश्न के अनेक अवधारणात्मक संस्थानों के अनुसार समान रूप से ठीक अनेक उत्तर हो सकते हैं।

किन्तु तत्त्वमीमांसा तथा दार्शनिक विश्लेषण के क्षेत्र उस प्रकार से भिन्न नहीं हैं जिस प्रकार से विज्ञान तथा दर्शन के क्षेत्र भिन्न हैं। विज्ञान की प्रविधि परीक्षणात्मक-आभ्युपगमिक (हाइपोथेटिकोओब्ज़र्वेश्नल) कही जा सकती है जब कि दार्शनिक विश्लेषण में अभ्युपगम तथा परीक्षण के लिए कोई स्थान नहीं है, प्रत्युत ये स्वयं वहाँ परीक्ष्य ('तार्किक रूप से विवेच्य' के अर्थ में) होते हैं। विज्ञान का दर्शन भी हो सकता है, किन्तु वह दर्शन केवल इस अर्थ में है कि वह स्थापित वैज्ञानिक अवधारणाओं के सम्बन्ध में उस प्रकार से प्रश्न करता है जिस प्रकार से दर्शन अन्य क्षेत्रों की अवधारणाओं के सम्बन्ध में चर्चा करता है। वह वैज्ञानिक केवल इस अर्थ में कहा जा सकता है कि वह अपने समय के वैज्ञानिक पर्यवेक्षण के परिणामों को आधारभूत तथ्य मानता है। उदाहरणत: "लम्बाई की अवधारणा क्या है?" अथवा "क्या ज्यामितिक बिन्दु विस्तार-रहित स्वीकार किया जाना चाहिए?" प्रश्न वैज्ञानिक प्रश्न कहे जा सकते हैं जब कि इनका उत्तर वैज्ञानिक अवधारणात्मक संस्थान का ध्यान रखते हुए किया जाता है। किन्तु बर्कले का यह प्रश्न कि "क्या भौतिक विषय यथार्थ हैं?" वैज्ञनिक प्रश्न नहीं है, यह विशुद्ध रूप से दार्शनिक प्रश्न है, क्योंकि इसका उत्तर वैज्ञानिक अनुसन्धानों तथा अवधारणाओं की अपेक्षा नहीं करता। दूसरा प्रश्न मनोविज्ञान की सीमा से उतना ही बाहर है जितना प्रथम भौतिक-विज्ञान की सीमा से। कुछ दार्शनिकों का विचार है कि ये प्रश्न हमारी भाषा के सम्बन्ध में हैं, इस प्रकार, बर्कले का प्रश्न उचित रूप से इस प्रकार होना चाहिए—"जिस प्रकार हम 'भौतिक विषय' पद का प्रयोग करते हैं क्या उस प्रकार से प्रयुक्त होने पर यह वाक्य किन्हीं अन्य वाक्यों में विश्लेष्य है?" किन्तु यह स्थापना कुछ भ्रामक धारणाओं को जन्म दे सकती है। इस पर एक प्रश्न यह किया जा सकता है कि "क्या आपका 'प्रयोग' से अभिप्राय, सामान्य लोग जिस प्रकार इसका प्रयोग करते हैं, उससे है या कि जिस प्रकार उचित रूप से इसका प्रयोग होना चाहिए, उससे है?" (किन्तु यहाँ इस प्रश्न पर विचार अभी हम स्थगित रखेंगे)।

किन्तु तत्त्वमीमांसक जब कि सत्ता और ज्ञानातीत की चर्चा करता है, वह उस तार्किक प्रणाली का भी सहारा लेता है जिसका उपयोग दार्शनिक विश्लेषण करता है, यह बात दूसरी है कि वह अवधारणाओं को घपला

1. William James — **Pragmatism,** p.p. 43-44.

देता है तथा उसका प्रस्थान-बिन्दु पूर्वाग्रहग्रस्त हो सकता है। उदाहरणत: वह उद्देश्य, विधेय, निर्णय, प्रतिज्ञा, अनुमान, संगति, विघात, परिणाम आदि तार्किक वर्गणाओं का उपयोग करता है। तत्त्वमीमांसा तथा दार्शनिक विश्लेषण में इतना ही सम्बन्ध नहीं है, वास्तव में दोनों का क्षेत्र, उद्देश्य, सीमाएँ एक ही हैं, एक ही प्रविधि है, केवल तत्त्वमीमांसक इनके सम्बन्ध में स्पष्ट नहीं है। यद्यपि प्रथमत: इन दो प्रणालियों की प्रविधियों में भेद प्रतीत होता है किन्तु यह भेद केवल ऊपरी है, क्योंकि यदि प्रविधि का भेद मौलिक हो तो इनकी परस्पर युयुत्सुता का कोई औचित्य नहीं होगा। यह भेद इस कारण है क्योंकि सत्ताशास्त्री तार्किक विश्लेषण की गरिमाहीन प्रक्रिया को पसन्द नहीं करता, चाहे वह उसे स्वीकार करने को बाध्य है। वह कुछ गम्भीर और महत्त्वपूर्ण समस्याओं में उलझना चाहता है। इस प्रकार वह तार्किक विश्लेषण की प्रविधि को गरिमा-हीनता के प्रति विकर्षण से घपला देता है। इसीलिए एक की प्रतिज्ञाएँ दूसरे की प्रतिज्ञाओं की विरोधी हैं। यहाँ उदाहरण के रूप में "मन तथा शरीर के परस्पर सम्बन्ध" की समस्या को प्रस्तुत किया जा सकता है। यह तो हम सब जानते ही हैं कि हम जब इच्छा करते हैं तब शरीर भी उसके अनुसार व्यापारित होता है और जब हमारे चोट लगती है तो हमें पीड़ा का अनुभव होता है। अब इससे तत्त्वमीमांसक को उलझन उत्पन्न होती है कि मन, जोकि अभौतिक है (अतएव जो धकेल आदि से विरहित है) शरीर को किस प्रकार प्रचालित करता है? अब यह उलझन दार्शनिक उलझन है, क्योंकि इसका उत्तर विज्ञान, जोकि अपने आपको केवल घटनाओं के ससम्बन्धों तक सीमित रखता है, नहीं दे सकता। दार्शनिक प्रश्न स्वयं इन सम्बन्धों के सम्बन्ध में ही होते हैं।

अब तत्त्वमीमांसक इस पहेली से निकलने में असमर्थ है, क्योंकि वह 'मन' तथा 'शरीर' की अवधारणाओं में झाँकने का प्रयत्न नहीं करता। वह समझता है कि या तो मन का अस्तित्व नहीं है, या शरीर का अस्तित्व नहीं है, अथवा कोई अन्य (ईश्वर) दोनों को एक-साथ व्यापारित करता है, आदि। इन सुलझावों की दो स्पष्ट विशेषताएँ हैं : न तो हम इन्हें आनुभविक रूप से सम्भव-असम्भव दिखा सकते हैं और न तार्किक रूप से युक्त-अयुक्त दिखा सकते हैं। दूसरी विशेषता इनके असाधारण होने में है। आप केवल चकित हो सकते हैं कि यह भी उत्तर हो सकता था। किन्तु दार्शनिक विश्लेषक इस समस्या पर इस प्रकार विचार आरम्भ करेगा "'मन' पद से क्या अभिप्राय है?" "'पदार्थ' से क्या अभिप्राय है?" और अन्त में उसका या तो सुझाव होगा कि मानसिकता की अवधारणा उचित रूप से भौतिक अवधारणाओं की भाषा में अपचेय है, अत: मानसिकता की पृथक् चर्चा दार्शनिक रूप से अनावश्यक है, अथवा उसका उत्तर होगा, जैसाकि हमारा उत्तर है, कि कुछ घटनाएँ उचित रूप से मानसिक वाक्यों में अभिव्यंज्य हैं, व्यवहार-वाक्यों में अपचेय नहीं हैं। जहाँ तक परस्पर व्यापारित करने का सम्बन्ध है, इसके सम्बन्ध में द्वैत भाषावादी "व्यापारित" की अवधारणा की जाँच करेगा और दिखायेगा कि इसका मानसिक तथा भौतिक अवधारणाओं के तर्क-संस्थान में क्या स्थान है। दार्शनिक विश्लेषक क्योंकि अस्तित्व के प्रश्न के सम्बन्ध में सावधान है, और अधिकांशत: वह अपने तर्क-संस्थान को इस प्रकार तनता है कि अस्तित्व का प्रश्न उसमें प्रासंगिक नहीं रहे, अत: वह मन-रूप किसी तत्त्व की तथा भूत-रूप किसी तत्त्व की कल्पना में भ्रमित नहीं होता।

यहाँ एक महत्त्वपूर्ण बात का ध्यान रखना आवश्यक है; वह यह कि दार्शनिक समस्याएँ केवल तर्क से नहीं सुलझाई जा सकतीं, यद्यपि तर्क इनमें बहुत महत्त्वपूर्ण रहता है। इनके सुलझाव में अन्तर्दृष्टि, अथवा कहें, प्रज्ञा-विवेक तथा तथ्य के प्रति अविचल आग्रह, ये आवश्यक शर्तें हैं।

उदाहरण के लिए 'मानसिक' तथा 'भौतिक' की अवधारणाओं को ही पुन: लें। अब दार्शनिक विश्लेषकों में ही परस्पर मतभेद है कि क्या तथाकथित मानसिक घटनाओं के लिए पृथक् अवधारणा की आवश्यकता है? अधिकांश दार्शनिक विश्लेषक व्यवहारवादी हैं और इस प्रकार मानसिकता की पृथक् वर्गणा को अनावश्यक मानते हैं, जब कि कुछ अन्य द्वैतवादी हैं।[1] अब इनमें निर्णय कैसे किया जा सकता है? तर्क से? एक सीमा तक

1. द्रष्टव्य पीछे अध्याय 4.

इसका उत्तर हो सकता है, हाँ, किन्तु केवल एक सीमा तक, क्योंकि केवल संस्थान में आन्तरिक संगति की अपेक्षा करता है। अत: अन्त में आपको कहना होगा कि "यह देखें, स्पष्ट तो है?"

दूसरा उदाहरण सम्बन्धों की यथार्थता के निषेध का दिया जा सकता है। रसल ने ब्रैडले की एतत्सम्बन्धी युक्तियों का खण्डन करने का प्रयत्न किया है।[1] किन्तु वह खण्डन किस प्रकार का है? रसल ब्रैडले के विशुद्ध तर्कप्रतिष्ठित सम्बन्धों के निषेध के प्रतिपादन के विरुद्ध कहते हैं, "दर्शन में तर्कशास्त्र का कार्य बहुत महत्त्वपूर्ण है, किन्तु मेरे विचार में इसका कार्य वह नहीं है जो पूर्व परम्परा में इससे लिया गया है। उस परम्परा में तर्क निषेध के द्वारा ही सृजनात्मक बनता है। जहाँ विभिन्न समान रूप से उचित पथ उपलब्ध हो सकते हैं वहाँ तर्क के द्वारा एक के अतिरिक्त शेष का निषेध कर दिया जाता है और इस एक को वास्तव विश्व में चरितार्थ घोषित कर दिया जाता है। इस प्रकार विश्व की रचनामें तर्क के द्वारा एक के अतिरिक्त शेष का निषेध कर दिया जाता है और इस एक को वास्तव विश्व में चरितार्थ घोषित कर दिया जाता है। इस प्रकार विश्व की रचना तर्क के द्वारा की जाती है और अनुभव को कोई स्थान नहीं दिया जाता। मेरे विचार में तर्क का कार्य सर्वथा इसके विपरीत है।"[2] ब्रैडले के विरुद्ध तर्क यह किया जा सकता है कि सम्बन्धों का हम अनुभव करते हैं, "मैं देखता हूँ कि अ आ के दाएँ हैं, और इस अ के आ के दाईं ओर होने के सम्बन्ध को मैं उतना ही देखता हूँ जितना अ तथा आ को देखता हूँ। अत: सम्बन्धों का निषेध नहीं किया जा सकता।" किन्तु ठीक यहीं से आगे ब्रैडले के लिए यह कथन कोई महत्त्व नहीं रखता कि "हमारा यह अनुभव है" अथवा "हम यह देख रहे हैं", क्योंकि ठीक इसी अनुभव की यथार्थता पर ब्रैड्ले सन्देह प्रकट किया जा रहा है।

यहाँ एक और उदाहरण देना अनुचित न होगा। मीनांग के अनुसार "'स्वर्ण-पर्वत का अस्तित्व नहीं है' सत्य वाक्य है"। अब यदि यह वाक्य सत्य है तो स्वर्ण-पर्वत का अस्तित्व है, क्योंकि उसके अनुसार, किसी निरूपणात्मक सत्य वाक्य के उद्देश्य पद की वाच्य वस्तु के अस्तित्व का तब तक निषेध नहीं किया जा सकता जब तक कि उसका अस्तित्व न हो। दूसरे शब्दों में, स्वर्ण-पर्वत के अस्तित्व का निषेध तब तक सम्भव नहीं है जब तक स्वर्ण-पर्वत हो नहीं। अत: यदि 'स्वर्ण-पर्वत नहीं है' सत्य है तो स्वर्ण-पर्वत है और यदि असत्य है तो स्वर्ण-पर्वत नहीं है। इस प्रकार यह एक विचित्र पहेली है। किन्तु यह पहेली उत्पन्न क्यों होती है? यह तो हम जानते ही हैं, और मीनांग भी जानता था, कि यदि कोई स्वर्ण-पर्वत के अस्तित्व का निषेध करता है तो उससे वास्तव में उसके अस्तित्व का विधान नहीं होना चाहिए (अथवा अधिक ठीक शब्दों में, जब कि हम किसी अस्तित्व का निषेध करते हैं तो यह निषेध उसके अस्तित्व के होने को लागू नहीं करता) यद्यपि प्रतीयमान रूप से, मीनांगकालीन तर्कशास्त्र की स्थिति के अनुसार, यह ऐसा विधान करता है। तब फिर यह पहेली उत्पन्न कैसे होती है? स्पष्टत: यह पहेली व्याकरणात्मक है, तथ्यात्मक-परीक्षणात्मक पहेली नहीं है। इन पहेलियों की विशेषता यह है कि इनके समाधान के लिए हमें तथ्यात्मक जानकारी की आवश्यकता नहीं होती, इसमें इस या उस ओर प्रमाणित भी कुछ नहीं किया जा सकता, जब तक कि आप देखने को तैयार न हों। इन विवादों में हम प्रतिपक्षी को निरूपणों तथा सुझावों द्वारा प्रेरित करते हैं कि "हम देख रहे हैं कि सम्बन्ध हैं", "यह स्पष्ट है कि यदि स्वर्ण-पर्वत नहीं है तो वह नहीं है तथा यदि हम स्वर्ण-पर्वत के होने का निषेध करते हैं तो उसके होने का विधान नहीं करते", अत: ऐसा होते दिखा देना जैसे "सम्बन्ध वास्तव में नहीं है" तथा "अनस्तित्वमान स्वर्ण-पर्वत वास्तव में अिस्तत्वमान है" केवल टैक्नीकैलिटी है और टैक्नीकैलिटी का उचित उपयोग उसे अधिक अच्छी तरह से समझने में है जिसे हम कम अच्छी तरह से समझ रहे हैं, न कि आश्चर्य वृत्ति से परिचालित होने में है। यही अपील रसल के इस कथन में है कि "हमें अनुभव तथा तथ्य में अविचल विश्वास के साथ तार्किक विश्लेषण में प्रवृत्त होना चाहिए।"[3] और यह कहा जा सकता है कि यह अपील हमारी न्याय-बुद्धि से की गई है। दूसरे शब्दों

1. **Our Knowledge of the External World,** p.p. 18-19.
2. वही, पृ. 18.
3. **An Introduction to Mathematical Philosophy,** p.p. 169.

में, यदि कोई अनुभव को प्रवंचना कहना चाहता है और विशुद्ध तर्क को आधार बनाता है तो उसे किसी प्रकार से रोका नहीं जा सकता और न किसी प्रकार से अखण्डनीय तर्कों द्वारा यह सिद्ध किया जा सकता है कि उसकी स्थिति ग़लत है, केवल यह कहा जा सकता है कि यह वास्तविकता को देखने से इन्कार करता है।

किन्तु इसका अर्थ यह नहीं है कि हम दार्शनिक विवेचनों में किसी परिणाम पर तथा किसी प्रकार की सहमति पर पहुँच ही नहीं सकते। सर्वप्रथम, हमारे विचार की यह प्रकृति है कि यह कुछ निश्चित संस्थानों में व्यापारित होता है, प्रत्येक विचार किसी निश्चित संस्थान का भाग होकर ही सार्थक हो सकता है और इस संस्थान से यह अपनी शक्ति तथा प्रभाव-क्षेत्र प्राप्त करता है। यदि हम एक बार कुछ विधान करते हैं तो हम उसके साथ अनेकानेक अन्य विधानों तथा निषेधों की परम्परा को लागू करते हैं। उदाहरणत:, यदि मैं कहता हूँ कि 'जैसा भाग्य में बदा है वैसा ही होता है' तब मैं यह नहीं कह सकता कि 'मैं शाम को पाँच बजे सैर को जाऊँगा'। यदि कोई यह कहे कि 'मैं जानता हूँ कि मेरे भाग्य में यह बदा है कि शाम को 5 बजे सैर को जाऊँगा' तो भी यह विश्वसनीय नहीं है, क्योंकि उसका ऐसा कहने के समय का विश्वास भी उसके भाग्य में बदा होगा। इस प्रकार प्रत्येक तर्क एक संस्थान का अंग है यद्यपि हम उसके सम्पूर्ण सम्बन्धों और प्रभाव-क्षेत्र को नहीं जानते होते। अब एक दार्शनिक खोज इन सम्बन्धों की खोज में तथा स्वयं मूल अवधारणा को समझने में निहित है और हम इस खोज के द्वारा किसी परिणाम पर पहुँचते हैं। यहाँ स्पष्टीकरण के लिए एक और उदाहरण देना उपयोगी होगा : हेगल ने एक पहेली प्रस्तुत की है। उसने कहा, प्रत्येक निर्णय का रूप 'उ वि है' है, जहाँ 'उ' उद्देय तथा 'वि' विधेय का वाचक है। अब यदि कोई निर्णय सत्य है तो 'वि' 'उ' से अभिन्न है और इस प्रकार निर्णय पुनरुक्ति मात्र हो जाता है; और यदि निर्णय पुनरुक्ति मात्र नहीं है तो 'वि' 'उ' से भिन्न होना चाहिए; किन्तु तब निर्णय असत्य होगा, अथवा कहें, अन्तर्विरोधपूर्ण होगा। अत: प्रत्येक निर्णय या तो पुनरुक्ति है अथवा अन्तर्विरोधपूर्ण है। किन्तु जैसाकि आधुनिक तर्कशास्त्र द्वारा स्पष्ट हो चुका है, यह तर्क भ्रामक है। जब कि 'नेहरू विजयलक्ष्मी के भाई थे' वाक्य उपर्युक्त प्रकार का है 'नेहरू प्रधान मन्त्री है' उपर्युक्त प्रकार का नहीं है, क्योंकि इसमें 'नेहरू' तथा 'प्रधान मन्त्री' का 'है' द्वारा सम्बन्ध अभेद का नहीं वर्ग-समावेश (क्लास इन्क्लूयन) का है। वास्तव में प्रथम वाक्य में भी, जहाँ 'नेहरू' तथा 'विजयलक्ष्मी का भाई' पद एक ही व्यक्ति का निर्देश करते हैं, यह निर्णय पुनरुक्ति मात्र नहीं है, क्योंकि 'नेहरू' तथा 'विजयलक्ष्मी का भाई' के अर्थ सर्वथा भिन्न हैं। यह फ्रेगे के 'भाव तथा निर्देश' (Sence and Denotation) में भेद से स्पष्ट है। इस भेद-प्रदर्शन के लिए उसके 'भोर का तारा' तथा 'संध्या का तारा' उदाहरण द्रष्टव्य हैं। इन दोनों का निर्देश जब कि एक ही है, इन का भाव (अर्थ) सर्वथा भिन्न है और इस प्रकार यह निर्णय कि 'भोर का तारा ही संध्या का तारा है' पुनरुक्ति नहीं है, क्योंकि यह निर्णय दीर्घ वैज्ञानिक पर्यवेक्षण का परिणाम है। केवल '$2 \times 2 = 4$' जैसे निर्णय पुनरुक्तियाँ हैं। इस प्रकार यह प्रमाणित होता है कि हेगल का तर्क भ्रामक था क्योंकि उसने इस तथ्य को नहीं देखा था।

हम यह कह सकते हैं कि दर्शन इस प्रकार से किसी उक्ति अथवा अवधारणा के अवधारणात्मक संस्थान के अनुसन्धान तथा पदों (अवधारणाओं) के तार्किक प्रकार (लोज़ीकल टाइप), तथा इनकी वर्गणाओं (केटेगोरीज़) के निर्धारण की प्रक्रिया है। कि दार्शनिकों ने पहले कभी उचित रूप से दर्शन का उद्देश्य यह नहीं माना, यह इसके विरुद्ध कोई तर्क नहीं है, क्योंकि यह दिखाया जा सकता है कि वे, अनुपयुक्त और अस्पष्ट रूप से, इसी प्रक्रिया का अनुसरण करते रहे हैं। दर्शन का कार्य न तो अभ्युपगमों का निर्माण करना है, न निरीक्षण-परीक्षण उसका कार्य है, न प्रातिभ-विस्फोट ही दर्शन है, उसका कार्य यह दिखाना है कि अमुक वाक्य आभ्युपगमिक है, अमुक निरीक्षणात्मक है, आदि। कांट की समस्या, कि ज्यामिति के वाक्य किस प्रकार संश्लेषणात्मक होने पर भी प्रागनुभविक हैं, ज़ीनों की समस्या कि गति किस प्रकार यथार्थ है, शोपेनहावर की समस्या कि काल की यथार्थता किस प्रकार सम्भव है, और इसी प्रकार की अन्य अनेक समस्याएँ, जैसे सामान्य-वाक्य सामान्य-तथ्य की समस्या, संख्या, वर्ग, विशिष्ट, सामान्य, तथा प्रागनुभविक ज्ञान आदि की समस्याएँ उचित रूप से दार्शनिक समस्याएँ हैं, क्योंकि इनका समाधान परीक्षण, अनुसन्धान, अनुमान तथा प्रातिभ विस्फोट

की अपेक्षा नहीं करता, इनका समाधान अवधारणाओं की तार्किक शक्ति, संस्थान तथा प्रकार को देखने की अपेक्षा करता है।

कभी–कभी उपुर्यक्त प्रकार के दार्शनिक विश्लेषण को भाषा–विश्लेषण भी कहा जाता है। यह नाम स्वयं दार्शनिक विश्लेषकों ने भी कभी–कभी अपनी प्रविधि को दिया है और कभी–कभी उनके विरोधियों ने यह नाम इस प्रणाली के लिए प्रयुक्त किया है। इस प्रणाली को यह नाम भी दिया जा सकता है, यदि केवल इसकी एक विशेषता को महत्त्व देना अभिप्रेत हो। वास्तव में कभी–कभी कार्नप–न्यूरथ की प्रणाली से एक ओर तथा विट्गिंस्टाईन–आस्टिन–राइल की प्रणाली से दूसरी ओर ऐसा प्रतीत होता भी है जैसे ये दार्शनिक केवल भाषा विश्लेषण को दार्शनिक का कर्त्तव्य समझते हों। किन्तु जहाँ तक कार्नप–न्यूरथ प्रणाली का सम्बन्ध है, वह अपने उद्देश्य के लिए एक भिन्न भाषा–रूप का निर्माण करते हैं और सामान्य प्रयोग की भाषा को भ्रामक समझते हैं। यह इस बात का प्रमाण है कि वे भाषा को केवल अभिव्यक्ति का माध्यम समझते हैं, यद्यपि दर्शन के लिए एकमात्र माध्यम। अब माध्यम को यथासम्भव स्पष्ट तथा निश्चित–निर्धारित होना चाहिए, अन्यथा भ्रम की सम्भावना रहती है। तार्किक भाववादियों का भाषा के प्रति इतने आग्रह का कारण प्राचीन दार्शनिकों का भाषा के स्वभाव को ठीक न समझने से भ्रम में पड़ना है।

किन्तु विट्गिंस्टाईन, राइल तथा आस्टिन (अथवा कहें, ऑक्सफर्ड–सम्प्रदाय) का भाषा के प्रति रवैया इससे सर्वथा भिन्न है। वे दर्शन के लिए एक निर्धारित भाषा निर्मित करने के बजाय किसी दार्शनिक समस्या के सुलझाव के लिए सामान्य प्रचलित भाषा के प्रयोगों का ही निरीक्षण करते हैं। उदाहरणत: वार्नाक की "इंगलिश फिलासफी सिंस 1900" से एक उद्धरण लें। वे कहते हैं—"भाषा से किस अर्थ में सीखा जा सकता है?" मेरे विचार में यह प्रश्न रहस्यमय या कठिन नहीं है। मान लीजिए कि हम 'व्यक्ति के अपने कार्यों के लिए उत्तरदायित्व की अवधारणा' की जाँच करना चाहते हैं, हम जानना चाहते हैं कि इस अवधारणा में क्या निहित है और कितनी विभिन्न वस्तुएँ इसमें निहित हैं। यदि हम उस भाषा पर विचार करते हैं जो व्यक्ति के अपने कार्यों के प्रति उत्तरदायित्व को विचारने के लिए प्रयुक्त होती है, तो हम पाते हैं कि उपलब्ध पदावली आश्चर्यजनक रूप से विस्तृत है। एक ओर 'जानबूझ कर', 'अपनी इच्छा से', 'सोद्देश्य रूप से', 'ज्ञानपूर्वक', 'स्वत:' जैसे शब्द हैं और दूसरी ओर 'अकस्मात्', 'ग़लती से', 'असावधानी से', 'मूर्खता से', 'अनचाहे', 'बाध्यता से' जैसे शब्द हैं। अब यह समझा जा सकता है, और वास्तव में यह बिना विचारे मान लिया जाता है, कि यह शब्द–बहुलता अमहत्त्वपूर्ण है, कि इसका महत्त्व केवल शाब्दिक है। ××× यह बहुत सम्भव है कि भाषा के ये विभिन्न प्रयोग इस बात के संकेत हों कि विभिन्न बातें करना अभिप्रेत हों।[1]

जैसाकि उपर्युक्त उद्धरण से स्पष्ट है, ऑक्सफर्ड सम्प्रदाय के दार्शनिक भी भाषा विश्लेषण में इस विचार से प्रवृत्त होते हों क्योंकि वे समझते हैं कि भाषा के विभिन्न प्रयोग विभिन्न अवधारणाओं के व्यंजक हैं। अत: जब आप किसी अवधारणा पर विचार करना चाहते हैं तब आप उसके वाचक विभिन्न प्रयोगों की जाँच करके उस अवधारणा की मिश्र तथा धुंधली सीमा–रेखाओं वाले रूप को समझने में समर्थ होते हैं।

जो भी हो, भाषा–विश्लेषण उचित रूप से ऑक्सफर्ड सम्प्रदाय का ही आग्रह है (जिस भी सीमा तक चाहे वह है) तार्किक भाववाद का नहीं। तार्किक भाववाद को आप उचित रूप से पुनारचनावाद (रीकंस्ट्रक्शनिज़्म) कह सकते हैं। पुनारचना उन पदों अथवा प्रयोगों का उस भाषा के ढाँचे में प्रयोग और अन्ततः अन्य प्रयोगों द्वारा स्थानान्तरण है जो पद दार्शनिक विश्लेषक उपयुक्त समझता है। उदाहरणत: 'सामान्य', 'भौतिक', 'मन' आदि–आदि पदों को लिया जा सकता है। कोई पद दार्शनिक रूप से प्रयुक्त तब कहा जाता है जब दार्शनिक विवेचक उसका प्रयोग उससे व्यक्त अवधारणा के विवेचन के लिए करता है, अथवा जब वह उसका प्रयोग अपनी अस्तित्वमीमांसा में करता है। इस प्रकार जब वह कहता है कि, "अर्थ का अस्तित्व मन में है" तब यहाँ "मन में"

1. **English Philosophy Since 1900,** p.p. 149.

पद का प्रयोग दार्शनिक रूप से नहीं किया गया है, केवल 'अर्थ' का प्रयोग दार्शनिक रूप से किया गया है। इसी प्रकार 'अ ब को विचारता है' दार्शनिक रूप से प्रयुक्त वाक्य नहीं है किन्तु 'व 'व' कहता है' द्वारा स्थानान्तरित किये जाने पर, अथवा उस से रूपान्तरित होने पर दार्शनिक रूप से प्रयुक्त वाक्य है।

इस प्रकार तार्किक भाववादी विश्लेषक गम्भीर रूप से अवधारणात्मक संस्थान की रचना में प्रवृत्त होता है, जैसे अन्य तत्त्वमीमांसक होते थे। वह अस्तित्व की चर्चा भी करता है, वह तत्त्वमीमांसक से केवल ज्ञानातीत की चर्चा को अवैध मानने के कारण तथा पुरातन अनुभववादियों से तार्किक सुष्ठुता के कारण भिन्न है। जहाँ तक अस्तित्वमीमांसा का सम्बन्ध है, तार्किक भाववादी (जिनमें रसल, मूर तथा **ट्रक्टेटस** के विट्गिंस्टाईन भी सम्मिलित हैं) एक मत नहीं हैं। अधिक सावधान तार्किक भाववादी (जिनमें मैं अपने को भी रखता हूँ) उन वस्तुओं के अस्तित्व के सम्बन्ध में कुछ नहीं कहते जिन्हें वे विश्लेषण द्वारा अपसारणीय समझते हैं, इस प्रकार वे यह नहीं कहेंगे कि भौतिक पदार्थों या मन का अस्तित्व नहीं है, वे कहेंगे कि 'भौतिक पदार्थ की अवधारणा' या 'मन की अवधारणा' पद अमुक-अमुक मूल अवधारणाओं में अपचेय हैं। अधिक ठीक शब्दों में 'मेज़' पद को वे 'अ मेज़ है' अथवा 'य मेज़ है' जैसे वाक्यों में उचित रूप से प्रयोग योग्य मानते हैं और इस प्रकार उसके लिए 'मेज़' संज्ञा पद न रह कर विधेय पद हो जाता है। यह केवल भाषीय प्रश्न ही नहीं है, जैसाकि कुछ दार्शनिक कहना पसन्द करते हैं, यह वास्तव में अस्तित्वमीमांसात्मक परिणामों को लागू करता है। किन्तु सावधान तार्किकभाववादी कहेंगे कि उनकी अस्तित्वमीमांसा जब कि हमारे दैनिक जीवन की अस्तित्वमीमांसा की विरोधी प्रतीत होती है, वह वास्तव में वैसी नहीं है। उदाहरणत: जब वह कहता है कि 'ऐसे वाक्य, जिनमें 'मेज़' विधेय रूप में प्रयुक्त होता है, ऐसे वाक्यों में, जिनमें केवल संवेद-वाक्य प्रयुक्त होते हैं, 'मेज़' पद घटित नहीं होता, अपचेय है' तब वह यह नहीं कहता कि मेज़ का अस्तित्व नहीं है, अथवा यह मेरे संवेदों के संघात से निर्मित है, जिस प्रकार कोई मशीन पुर्ज़ों से निर्मित होती है। वह केवल यह कहता है कि हमारे ज्ञान की वर्गणाओं तथा भौतिक वर्गणाओं का ध्यान रखते हुए एक तार्किक रूप से सुप्रतिष्ठित संस्थान की रचना भौतिक विषय वाक्यों के संवेद-विषय वाक्यों में अपचय के द्वारा अधिक उचित रूप में की जा सकती है। इसी प्रकार अन्य विषय, जैसे मन, भी अन्य प्रकार के मूल-वाक्यों में अपचेय है।

किन्तु इस प्रकार का प्रदृश्यतावादी (फिनोमिनलिस्टिक) विश्लेषण तार्किक भाववाद की पुनारचनावाद की आवश्यक शर्त नहीं है, यह उन अनेक तार्किक भाववादी दार्शनिक विश्लेषकों के प्रतिपादनों से देखा जा सकता है जो भौतिक विषय-वाक्यों को संवेद-वाक्यों में अपचेय नहीं मानते। उदाहरणत: बर्लिन, एडाम तथा किश्होल्म के नाम लिए जा सकते हैं। स्ट्रासन के भी "विशिष्ट भौतिक विषय" या प्रदृश्यतावादी द्वारा विश्लेष्य वस्तुएँ हैं।

दार्शनिक विश्लेषण का अनुभववादी झुकाव ज्ञानमीमांसा को प्रस्थान बिन्दु बनाने के कारण है। डेकार्ट का यह प्रसिद्ध प्रश्न कि 'मैं विचार करता हूँ अत: मैं हूँ' अनुभववादी तत्त्वमीमांसा का प्रथम प्रश्न कहा जा सकता है, ऐतिहासिक रूप से भी और तार्किक रूप से भी। यह प्रश्न किया जा सकता है कि ज्ञानमीमांसा को प्रस्थान-बिन्दु बनाने पर हम अनिवार्यत: अनुभवादी ही क्यों हो? हमारे विचार में इसका उत्तर स्पष्ट है। ज्ञानमीमांसा के मूल प्रश्न ये हैं कि "हम क्या जान सकते हैं?" "जानना क्या है" आदि। दूसरे प्रश्न का उत्तर दिया गया "जानना प्रत्यक्ष करना है, शेष अनुमान है"। प्रथम प्रश्न का उत्तर निरपवाद नहीं हो सकता, किन्तु एक प्रारम्भिक उत्तर दिया जा सकता है जो निरपवाद रूप से स्वीकार किया जा सके, वह यह कि "हम वही जान सकते हैं जिसका प्रत्यक्ष कर सकते हैं"। यह उत्तर दूसरे उत्तर का ही तार्किक परिणाम है। यह उत्तर यद्यपि प्रथम प्रश्न का पूर्ण उत्तर नहीं है किन्तु यह हमारे तात्कालिक उद्देश्य के लिए पर्याप्त है। इस प्रकार 'ज्ञान' एक अर्थ में 'अनुभव' का समानार्थक है और ज्ञानमीमांसा की सीमा अनुभव से निर्धारित होती है। अनुमान तथा स्मृति आदि का समावेश भी अनुभव के अन्तर्गत ही किया जाता है।

अनुभववादी कभी-कभी इससे आगे भी जाता है। वह कहता है कि हम जो जान सकते हैं केवल उसी का अस्तित्व है, शेष का अस्तित्व नहीं है। यहाँ थोड़ा अस्तित्व के सम्बन्ध में। "किन वस्तुओं का अस्तित्व है?"

इसका एक निरपवाद उत्तर होगा "उन वस्तुओं का जो वास्तव में हैं"। अब यह प्रश्न स्पष्टत: परिभाषा के सम्बन्ध में है—"कौन-सी विशेषता वस्तुओं को अस्तित्वयुक्त बनाती है?" "अब, क्या अस्तित्व वस्तुओं की कोई विशेषता है?"यह प्रश्न पूर्णत: मूर्खतापूर्ण है। क्योंकि 'अस्तित्व' वस्तुओं की विशेषता की संज्ञा नहीं है। 'य वस्तु है' लागू करता है कि 'उसका अस्तित्व है', अत: वास्तव में अस्तित्व की समस्या ही उत्पन्न नहीं होनी चाहिए। किन्तु फिर भी यह एक समस्या है। इसका कारण हमारी भाषा है। एक उदाहरण हमने पीछे मीनांग की पहेली का दिया था; किन्तु कुछ अन्य प्रश्न किये जा सकते हैं—"क्या ईश्वर का अस्तित्व है?" आप प्रश्नकर्त्ता से स्पष्टीकरण की माँग कर सकते हैं—"आपका इससे क्या अभिप्राय है?" "आप किस विशेषता के होने पर यह स्वीकार करने को तैयार होंगे कि ईश्वर का अस्तित्व है?" अब यह स्पष्टीकरण की माँग तत्त्वमीमांसकों को झमेले में डाल सकती है और इसके परिणाम भयानक हो सकते हैं, (इससे भयानक और क्या हो सकता है कि कोई इन विशेषताओं के वर्णन में बड़े-बड़े ग्रन्थ रच डाले?)। किन्तु स्पष्टीकरण की इस माँग पर दार्शनिक विश्लेषक उत्तर देगा "इसका अभिप्राय है कि क्या 'ईश्वर' पद किसी वस्तु को अभिहित करता है?" "वह वस्तु किस प्रकार की है?" अब इसका उत्तर देने वाले से यह माँग नहीं की जा सकती कि वह "ईश्वर" की वे विशेषताएँ बताये जिन्हें 'अस्तित्व' पद अभिहित करता है, और इस प्रकार अस्तित्व की परिभाषा का प्रश्न समाप्त हो जाता है। अब केवल वर्णन का प्रश्न रह जाता है—"यदि 'ईश्वर' पद किसी को अभिहित करता है तो वह कैसी है?" और यहाँ तत्त्वमीमांसक उस तलवार की धार पर है जिसके एक ओर अनुभववाद है और दूसरी ओर अन्तर्विरोध अथवा अर्थहीनता की स्थिति है।

अन्तर्विरोधपूर्ण स्थिति वह स्थिति है जब कुछ अवधारणाएँ परस्पर तर्कत: संगत न हों, उनका रूप 'प.~प' का अथवा 'प⊃क.क' प्रकार का हो। 'अर्थहीनता' क्या है? कुछ तार्किक भाववादी कहेंगे, जब कोई वाक्य ऐसे वाक्यों में विश्लेष्य हो जो ऐन्द्रिय प्रत्यक्ष द्वारा प्रामाणीय हो तब वह विश्लेषित वाक्य सार्थक है, अन्यथा निरर्थक है। इस स्थिति का प्रत्याख्यान हम एकाधिक बार पीछे कर आये हैं। दूसरे भाववादी कहेंगे, "जब कोई वाक्य ऐसे सरल वाक्यों में विश्लेष्य हो जो अनुभव के अनुरूप (अनुभव की संज्ञा) हो।" अब यहाँ प्रश्न है (जिस प्रश्न को हम अभी तक इस पुस्तक में टालते रहे हैं) अनुभव की वर्गणा को आप किस प्रकार परिभाषित करते हैं? अथवा कहें, हम क्या अनुभव कर सकते हैं?

यह प्रश्न सामान्यत: दार्शनिक के लिए शायद उतना रोचक न होता जितना तार्किक भाववादियों की विचित्र स्थापनाओं के कारण हो गया है। तार्किक भाववादी तत्त्वमीमांसक के रूप में ऐन्द्रिय प्रत्ययवादी हैं। किन्तु इसके विरुद्ध दो आपत्तियाँ हैं। प्रथम यह कि "ऐन्द्रिय संवेदों के अतिरिक्त भी अनुभव घटित होते हैं", उदाहरणत: 'यह अवगत है कि, यह अवगत है कि...' उचित मूल-वाक्य है और यह किसी ऐन्द्रिय संवेद का वाचक नहीं है। 'मैं विषण्ण हूँ' अथवा 'मैं आनन्दित हूँ' (मूल-वाक्य : 'विषाद, अब' तथा 'आनन्द, अब') भी उचित मूल-वाक्य हैं। अब मान लीजिए कि ये उचित मूल-वाक्य नहीं हैं, दूसरे शब्दों में, 'विषाद' और 'आनन्द' अनुभवों की संज्ञाएँ ही नहीं हैं। किन्तु इसके लिए अनुभववादी के पास क्या साधन है कि वह यह कह सके कि ये अनुभव नहीं हैं?—कि ये ऐन्द्रिय संवेदों में अपचेय हैं? अब, इन अनुभवों को आप छठी इन्द्रिय के अनुभव कहें। अब, यह सम्भव है कि किसी के 10, 12, 100 इन्द्रियाँ हों! किन्तु अनुभववादियों ने, विशेषत: तार्किक भाववादियों ने, केवल पंचेन्द्रिय संवेदों को ही उचित रूप से अनुभव माना है। किन्तु इस स्थिति का आप तब तक समर्थन नहीं कर सकते जब तक आप एक विशेष मनोवैज्ञानिक सम्प्रदाय को पूर्व स्वीकृति नहीं देते। कुछ ऐसी ही आपत्ति को ध्यान में रखते हुए शायद स्टेस ने अनुभववादी को मनोवैज्ञानिक सिद्धान्तों को (कहना चाहिए, एक विशेष सम्प्रदाय के मनोवैज्ञानिक सिद्धान्तों को) अपनी साधन-सामग्री में सम्मिलित करने का सुझाव दिया है।[1] किन्तु यह सुझाव अत्यन्त भ्रामक है, क्योंकि दर्शन किन्हीं भी वैज्ञानिक अनुसन्धानों को पूर्वकल्पित नहीं कर सकता, और न अनुभववाद के लिए यह आवश्यक ही है कि वह यह भी बताये कि हम क्या अनुभव कर सकते हैं और

1. Stace — Some Misinterpritations of Empiricism, **Mind** 1958, p.p. 465-484.

क्या अनुभव नहीं कर सकते। इस प्रकार अनुभववाद एक दर्शन-प्रणाली के रूप में अनुभव की सीमा तथा रूप के सम्बन्ध में तटस्थ है, उसके लिए ऐन्द्रिय अनुभव वही मूल्य रखता है जो आध्यात्मिक अनुभव।

यहाँ एक दूसरी भूल के लिए अवसर हो सकता है—कोई कह सकता है "मैं आत्यन्तिक यथार्थ का अनुभव करता हूँ, आप यह कैसे कह सकते हैं कि मैं यह नहीं कर सकता?" अब, मनोवैज्ञानिक को इसका खण्डन मनोवैज्ञानिक ग्रन्थों से उद्धरण देकर नहीं करना है, उसे केवल यह दिखाना है कि "मैं आत्यन्तिक यथार्थ का अनुभव करता हूँ" वैसा ही वाक्य नहीं है जैसा 'मैं रक्त संवेद अनुभव करता हूँ' अथवा 'मैं आनन्द अनुभव करता हूँ' आदि वाक्य हैं। क्योंकि इन वाक्यों में 'रक्त' तथा 'अनुभव' दो वस्तुओं के वाचक हैं। अतएव 'रक्त, अब', 'आनन्द, अब' उचित मूल-वाक्य हैं और 'यथार्थ' नहीं। अत:, जैसाकि हम पिछले अध्याय में देख चुके हैं, 'कोई आत्यन्तिक यथार्थ का अनुभव करता है' यह लागू नहीं करता कि कुछ 'आत्यन्तिक यथार्थ है'। इस प्रकार, जब हम कहते हैं कि अनुभववादी अनुभवों की सीमा निर्धारित नहीं कर सकता तब उसका यह अभिप्राय नहीं है कि वह किसी भी वाक्य को मूल अनुभव-वाक्य मानने को बाध्य है। कौन-सा वाक्य अनुभव की संज्ञा है और कौन-सा अन्य वाक्य मूल-वाक्यों में अपचेय है, यह निर्णय वह उस वाक्य में प्रयुक्त पदों द्वारा व्यक्त अवधारणा से तथा वाक्य के तार्किक स्वरूप से कर सकता है।

वास्तव में तार्किक भाववादी दार्शनिक कुछ पूर्वाग्रहों से ग्रस्त रहे हैं, वे समझते रहे हैं कि विज्ञान (और वह भी मुख्यत: भौतिक-विज्ञान) हमारे ज्ञान के क्षेत्र को उचित रूप से व्याप्त करता है, अथवा कम-से-कम, दर्शन को अपने आपको वैज्ञानिक द्वारा निर्धारित क्षेत्र तक ही सीमित रखना चाहिए। यह न्यूरथ तथा कार्नप की मूल-वाक्यों की कल्पना से स्पष्ट है। वे कहते हैं "वह अवधारणात्मक संस्थान सत्य संस्थान है जो प्रोटोकोल (मूल) वाक्यों पर आधारित है; और सत्य प्रोटोकोल वाक्य वे वाक्य हैं जो निष्पक्ष द्रष्टाओं द्वारा प्रयुक्त किये गये हों, विशेषत: जो हमारे युग के वैज्ञानिकों द्वारा प्रयुक्त किये गए हों।"[1] किन्तु वैज्ञानिक ज्ञान केवल कुछ विशिष्ट प्रकार के अनुभवों के विशिष्ट उद्देश्य से व्यवहार का अध्ययन और व्यवस्थापन करता है। जो अनुभव या तथ्य इसके विशिष्ट क्षेत्र के अन्तर्गत समाविष्ट नहीं किये जा सकते उनका यह बहिष्कार करने को बाध्य है। इसकी एक दूसरी सीमा इसका प्रमाणीकरण को आधारभूत स्वीकार करना है, जो यद्यपि विज्ञान के लिए आवश्यक है किन्तु जो हमारे ज्ञान के सम्पूर्ण क्षेत्र की दृष्टि से अनुचित है। अनुभववादी के लिए यह आवश्यक है, और स्वास्थ्यकर भी है, कि वह अपने क्षेत्र की तार्किक व्यापकता को समझे।

यहाँ आनुभविक विश्लेषण या अपचय के तर्क (लोज़ीकल रिडक्शनिज़्म) का स्पष्टीकरण भी अस्थाने न होगा। एक बार मैं और मेरे एक मित्र उदयपुर की प्रसिद्ध झीलों के किनारे खड़े सूर्यास्त के सौन्दर्य का पान कर रहे थे। मेरे मित्र आध्यात्मिक व्यक्ति थे। वे अकस्मात् बोले—आपका विश्लेषण-दर्शन यहाँ क्या करेगा? क्या इस सौन्दर्य का विश्लेषण सम्भव है?

प्रश्न रोचक है और "विश्लेषण" के उद्देश्य को न समझने का परिणाम है। मैंने उन्हें बताया कि विश्लेषण केवल विश्लेष्य का विश्लेषण करता है, अविश्लेष्य का नहीं। दूसरे, विश्लेषण का उद्देश्य ऐसी योजना खोजना होता है जिसके अनुसार वस्तुएँ (अविश्लेष्य) संस्थानों का निर्माण करती हैं। कुछ संस्थानों का निर्माण देखने के लिए हम जिसे मूल वस्तु स्वीकार करते हैं उसी को दूसरे संस्थान के विश्लेषण में विश्लेष्य मान सकते हैं। इस प्रकार स्वयं संस्थान भी एक अवसर पर अविश्लेष्य हो सकते हैं। विश्लेषणात्मक दार्शनिक तत्त्वमीमांसक के रूप में अनुभववादी है और उसके अविश्लेष्य अनुभव हैं। वह "भौतिक पदार्थों" अथवा "बाह्य प्रदृश्यों" का विश्लेषण अनुमान-रहित "ऐन्द्रिय प्रदृष्टों" में तथा "मन" अथवा "आन्तरिक प्रदृश्यों" का विश्लेषण अन्य "आनुभविक प्रदृष्टों" में करता है। ये अनुमान-रहित ऐन्द्रिय प्रत्यक्ष तथा क्षण-अनुभव आवश्यक रूप से अविश्लेष्य नहीं हैं, उदाहरणत: चाक्षुष संवेद अत्यन्त जटिल ज्यामितिक संस्थानों में विश्लेष्य हो सकता है। इसी

1. Ayer (Ed.) — **Logical Positivism,** p.p. 233.

प्रकार, वह उचित रूप से सौन्दर्यानुभव, आध्यात्मिक अनुभव या किसी भी प्रकार के अनुभव का निषेध नहीं कर सकता और न उसका इस प्रकार विश्लेषण कर सकता है कि वह अनुभव ही नहीं रहे। उसका विश्लेषण केवल पूर्व विद्यमान संस्थानों की उचित व्याख्या देता है। इसीलिए उसका कार्य वास्तव में रहस्यवादी साधक का भी तब तक विरोधी नहीं है जब तक साधक केवल यह दावा करता है कि वह अमुक प्रकार से अनुभव करता है; साधक से उसका विरोध तब उत्पन्न होता है जब साधक अपने अनुभवों को ऐसी अवधारणात्मक योजना में प्रस्तुत करता है जो भ्रामक है। उदाहरणत: आध्यात्मिक अनुभव को ही लें।अब कोई आध्यात्मिक अनुभव श्री अरविन्द के विकासवाद को प्रमाणित नहीं कर सकता, वास्तव में वह उसके लिए किसी प्रकार का संकेत भी नहीं दे सकता। इसी प्रकार, यदि कोई व्यक्ति (साधक) कुछ अनुभव करता है जिसे वह 'ईश्वरानुभव' का नाम देना चाहता है तो इससे यह किसी भी प्रकार से स्थापित नहीं होता कि ईश्वर वास्तव में है। इससे केवल यह प्रमाणित होता है कि उसका अनुभव वास्तव में है। साधक यहाँ इस बात से थोड़ा आश्वस्त अनुभव कर सकता है कि अस्तित्व सम्बन्धी यह कथन उतना ही अधिक भौतिक वस्तुओं के लिए भी ठीक है जितना आध्यात्मिक वस्तुओं के लिए। किन्तु साधक के लिए एक कठिनाई है। वह जब कि यह कहने के लिए स्वतन्त्र है कि वह ईश्वरानुभव करता है, उसका यह अनुभव अवर्णनीय है, वह यह नहीं कह सकता कि वह सर्वशक्तिमान्, निर्विकार, निगुर्ण आदि प्रकार के ईश्वर का अनुभव करता है, क्योंकि यह तर्कत: दिखाया जा सकता है कि यह अनुभव नहीं किया जा सकता। यहाँ हम पुन: शंकर के वेदान्त के प्रदृश्यतावाद (फिनोमिनलिज़्म) से एक उदाहरण देखेंगे। वैदान्तिक प्रदृश्यतावाद की व्याख्या करते हुए प्रो. प्रवासजीवन चौधरी लिखते हैं "यह मन का एक मौलिक व्यापार है कि वह विषयों को अपने सम्मुख आरोपित कर लेता है और इस प्रकार इसे सत्ता का रूप दे देता है। वह उस समय यह भूल ही जाता है कि ये विषय उसी द्वारा सृष्ट किये गए हैं। वह उन्हें प्रस्तुत विषयों के रूप में ग्रहण करता है। इस प्रकार जो निज में निहित है वही स्वतन्त्र अस्तित्व दीखने लगता है। यही भ्रम तथा स्वप्नों का सिद्धान्त है। अब यह सिद्धान्त हमें सम्यक्‌रूपेण समझ कर अपने तत्त्वमीमांसात्मक अन्वेषण में अग्रसर होना चाहिए, जहाँ हमारा कार्य प्रतीयमान रूप से स्वतन्त्र और प्रस्तुत विषयों का निज में निहित और कल्पित विषयों के रूप में ग्रहण करना होता है। वेदान्त की पदावली में, हमारा कार्य आत्म के विभिन्न स्तरों पर अविद्या (कल्पित विषयनिष्ठता) को समझना है। आत्म जब कि व्यक्ति आत्म (अहं) के स्तर पर भ्रम-विषयों तथा स्वप्नों को आरोपित करता है, यह उस समय सार्वभौम (कोस्मिक) आत्म के रूप में आनुभविक संसार को आरोपित करता है, जोकि सार्वभौम चेतना के स्तर पर भ्रम है। ×××अब, भ्रम या स्वप्न का निवारण आनुभवित यथार्थ को उद्‌घाटित करता है, जिस संसार को द्वितीय स्तरीय आत्म (जोकि प्रथम स्तरीय आत्म से, जिसने भ्रम-विषयों को यथार्थ समझा था, ऊपर उठता है) प्रस्तुत विषयों के रूप में ग्रहण करता है। वास्तव में द्वितीय स्तरीय आत्म-स्थिति ($स_2$) ही प्रथम स्तरीय विषयों को आरोपित करती है और यह आत्म ही निम्नस्तरयी आत्मवंचक रूप, $स_1$, को अपनाता है। स्वप्नों और भ्रमों का टूटना $स_1$ स्तरीय सुषुप्ति से जागना है। ×××अब यह $स_2$, जोकि जागृति के संसार को प्रस्तुत यथार्थ के रूप में ग्रहण करता है, वास्तव में तृतीय स्तरीय आत्मा $स_3$ द्वारा अपनाया हुआ रूप है, जोकि $स_2$ में सुषुप्त रहता है और तथाकथित जागृति के संसार के विषयों का सृजन तथा उपभोग करता है। यह $स_2$ स्थिति सब देशों और कालों के रहस्यावेषी साधकों द्वारा चरितार्थ की गई है, जैसाकि उनकी उक्तियों से ज्ञात होता है।"[1]

अब इस उद्धरण को ध्यान से देखें। इसमें अनुभव के सम्बन्ध में दो प्रकार के कथन हैं, एक तो यह कि हम अमुक-अमुक प्रकार का अनुभव करते हैं (या कर सकते हैं) और दूसरे, कि एक अनुभव दूसरे से उच्चतर स्तर का है, इस अर्थ में कि एक भ्रम है, दूसरा कम भ्रम है और तीसरा यथार्थानुभव है। वास्तव में आगे वे इस स्थिति को ईश्वरीय स्थिति बताते हैं और एक चतुर्थ स्तर की कल्पना करते हैं, जो ब्रह्म-स्थिति है। यह विषयाभाव की स्थिति है, अथवा कहें, यह निर्वैषयिक अनुभव है।

---

1. **Philosophy and Phenomenaligical Research,** Dec. 1959. p.p. 256-257.

अब जहाँ तक प्रथम कथन का प्रश्न है, अनुभववादी यह स्वीकार कर सकता है कि इस प्रकार का अनुभव है, अथवा हो सकता है, जिसमें हमें तथाकथित जागृति के विषय भ्रम प्रतीत हों। निर्विषयिक अनुभूति भी हो सकती है। (हम स्वयं अनुभव में क्रिया और विषय में भेद नहीं करते)। अनुभववादी के लिए यह प्रश्न अप्रासंगिक है कि अमुक अनुभव का मनोवैज्ञानिक रूप से विश्लेषण हो सकता है या नहीं? वह केवल यह मान कर चलता है कि सार्थक वाक्य अन्ततः (पुनरुक्तियाँ न होने पर) ऐसे वाक्यों में विश्लेष्य हैं जो किन्हीं अनुभवों की संज्ञाएँ हैं। इसी प्रकार वस्तुएँ और अवधारणाएँ क्षण-अनुभवों में विश्लेष्य हैं। अब यह एकदम अनुचित प्रश्न है कि जागृति के विषय वास्तव में भ्रम हैं या नहीं।

किन्तु दूसरा प्रश्न अतर्कसम्मत है और स्वयं रहस्यवादी की स्थिति को भी खतरे में डाल देता है। अब देखें कैसे। यदि एक स्थिति में दूसरी स्थिति के विषय भ्रम प्रतीत होने पर वे विषय भ्रम-विषय हो जाते हैं तब $स_2$ में $स_1$ के विषय तथा $स_3$ के विषय भ्रम प्रतीत हो सकते हैं और इसी प्रकार $स_1$ में $स_2$ तथा $स_3$ के विषय भ्रम प्रतीत हो सकते हैं। यहाँ रहस्यवादी आपत्ति करेगा कि $स_2$ स्थिति प्राप्त ही तब होती है जब $स_1$ का निरास हो जाता है, अत: $स_1$ द्वारा $स_2$ का निरास नहीं हो सकता। इसी प्रकार $स_4$ तथा $स_5$ के लिए भी। यहाँ अनुभववादी आपत्ति करेगा कि (1) उसके पास यह जानने का क्या साधन है कि वह जिस स्थिति को भ्रम समझ रहा है वह यथार्थ नहीं है और जिसे यथार्थ समझ रहा है वह भ्रम नहीं है? वह यह तो स्वयं ही स्वीकार करता है कि जिस स्थिति को वह भ्रम समझता है उसे ही दूसरे समय पर यथार्थ भी समझता है। दूसरे (2) केवल तीन या चार स्थितियों की कल्पना ही क्यों की जाए? 5 या 6 स्थितियाँ क्यों नहीं हो सकतीं? इस पाँचवीं स्थिति में आत्म चतुर्थ स्थिति को भ्रम समझ कर यह अनुभव कर सकता है कि $स_2$ के विषय मिथ्या नहीं हैं, सत्य हैं। अथवा कम-से-कम वह $स_4$ को भ्रम समझ कर यह अनुभव कर सकता है कि चतुर्थ स्थिति की निर्विषयिकता भी आत्म द्वारा आरोपित है, और इस प्रकार अनन्त स्थितियाँ हो सकती हैं।

यहाँ दार्शनिक विश्लेषक का तर्क अधिक पुष्ट है। उसके अनुसार स्वप्न के विषय उतने ही सत्य हैं जितने जागृति के विषय। इसी प्रकार भ्रम-विषय उतने ही उचित रूप से विषय हैं जितने उचित रूप से भ्रम-रहित स्थिति के विषय। ये सब अनुभव हैं अत: एक स्तर के हैं। इतना ही नहीं, जागृति के विषय उतने ही भ्रम प्रतीत हो सकते हैं जितने तथाकथित भ्रम-विषय। वास्तव में जागृति, स्वप्न तथा भ्रम अपरिभाषेय पद नहीं हैं, ये परिभाषेय पद हैं। अत: भ्रम स्वयं अनुभव का विषय नहीं है। स्वयं विषय या अनुभव भ्रम या यथार्थ विशेषणों से निरपेक्ष हैं। वास्तव में यहाँ जो विश्लेष्य है वह 'भ्रम की अवधारणा' तथा 'भ्रम-राहित्य की अवधारणा' है। इस प्रकार 'भ्रम-विषय' तथा 'यथार्थ-विषय' पद उचित रूप से अवधारणात्मक विश्लेषण की अपेक्षा करते हैं न कि स्वयं 'विषय' पद। इस समस्या पर हम अध्याय 1 में विस्तारपूर्वक विचार कर आये हैं।

अनुभववाद के सम्बन्ध में उपर्युक्त विवेचन द्वारा एक बड़े भ्रम का निवारण हो सकना चाहिए। अनुभववादियों तथा उनके विरोधियों, दोनों ने समान रूप से यह समझने की भूल की है कि अनुभववाद का ऐन्द्रिय प्रत्यक्षवाद पर प्रतिष्ठित होना आवश्यक है। किन्तु वास्तव में यह विश्वास स्वयं उस तर्क से लागू नहीं होता जो अनुभववाद की रीढ़ है। अत: ऐन्द्रिय प्रत्यक्षवाद अनुभववाद की केवल तत्त्वमीमांसात्मक पूर्वाग्रह है। किन्तु यदि अनुभववादी दार्शनिक इस पूर्वाग्रह के आवरण को उतार सकें तो उनके सम्मुख सम्भावनाओं के विस्तृत क्षेत्र खुल जाएंगे।

2

तार्किक भाववादी दार्शनिकों-विश्लेषकों की एक महत्त्वपूर्ण स्थापना सार्थकता के सम्बन्ध में है। उन्होंने केवल दो प्रकार के कथनात्मक वाक्यों को सार्थक माना है—एक प्रमाणीकरणीय और दूसरे विश्लेषणात्मक अथवा पुनरुक्त्यात्मक। उनके अनुसार तत्त्वमीमांसात्मक कथन या तो अन्ततः पुनरुक्तियाँ हैं अथवा निरर्थक हैं। उदाहरणत: राधाकृष्णन् का निम्न कथन लें—"प्राकृतिक तथ्यों का वैज्ञानिक अध्ययन हमें तथ्यों से परे ज्ञानातीत

सत्ता की ओर ले जाता है, जोकि मुक्तता भी है"। इस वाक्य का क्या अर्थ है? जैसाकि हमने अध्याय 5 में देखा है, तार्किक वाक्यों के अतिरिक्त शेष सब वाक्य अनुभव वाक्यों में विश्लेष्य होने चाहिएँ, यद्यपि ये प्रमाणीय होने आवश्यक नहीं हैं। यह कहा जा सकता है कि कथनात्मक प्रकार में प्रयुक्त वाक्य प्रमाणीय न होने पर वास्तव में कथन व्यक्त नहीं करते, किन्तु फिर भी वे सार्थक हो सकते हैं। यह हमने अध्याय 9 में देखा है। ऐसे वाक्यों की सार्थकता उनमें प्रयुक्त पदों के किसी स्मृति व्यक्त करने के कारण अथवा स्मृति व्यक्त कर सकने वाले वाक्यों में विश्लेष्यता के कारण कही जा सकती है। निरर्थक वाक्य या तो ऐसे वाक्य हैं जिनमें कोई पद स्वयं, या अपचय के पश्चात्, किसी आनुभविक वस्तु का वाचक नहीं होता अथवा जिसकी रचना में तार्किक दोष है। उपर्युद्धृत वाक्य प्रथम प्रकार है, और शायद द्वितीय प्रकार का भी।

अनुभववाद के उपर्युक्त अर्थ सम्बन्धी सिद्धान्त पर आपत्तियाँ की गई हैं। आलोचकों ने यह दिखाने का प्रयत्न किया है कि सभी सार्थक वाक्य (कथन) दो वर्गों में नहीं रखे जा सकते। जैसाकि विट्गिंस्टाईन ने दिखाया था, स्वयं दार्शनिक वाक्य न विश्लेषणात्मक हैं और न पुनरुक्तियाँ हैं। उदाहरणत: प्रमाणीकरणवादियों का सार्थकता सम्बन्धी कथन ही लें "केवल ऐसे कथनात्मक वाक्य ही सार्थक वाक्य हैं जो प्रमाणीकरणीय हैं। शेष या तो पुनरुक्तियाँ हैं अथवा निरर्थक वाक्य हैं"। अब क्या स्वयं यह कथन आनुभविक है? जैसाकि स्पष्ट है, यह आनुभविक नहीं है, क्योंकि तब यह स्वयं प्रमाणीय वाक्य होगा, और इसके सामान्य वाक्य होने से इसका केवल सीमित प्रमाणीकरण ही सम्भव है, पूर्ण प्रमाणीकरण नहीं। अत: अधिक-से-अधिक यह कहा जा सकता है कि जितने वाक्य हमने अभी तक देखे हैं उनकी सार्थकता उनकी प्रमाणीयता में निहित थी। किन्तु स्पष्टत: अनुभववादी यह नहीं कहना चाहता। तब क्या यह वाक्य विश्लेषणात्मक है? अब जैसाकि हमने पीछे देखा है, जो वाक्य स्पष्ट पुनरुक्तियाँ नहीं हैं वे केवल सापेक्षत: (परिभाषा द्वारा निश्चित) विश्लेषणात्मक हैं। इस प्रकार, इस वाक्य को विश्लेषणात्मक केवल निम्न प्रकार से बनाया जा सकता है—"हम किसी वक्य को केवल तभी सार्थक कहेंगे यदि अनुभव द्वारा यह प्रमाणीय या प्रत्याख्येय होगा, अन्यथा नहीं।" किन्तु यहाँ पुन: स्पष्ट है कि उपर्युक्त प्रतिपादन-वाक्य विश्लेषणात्मक नहीं है, क्योंकि दार्शनिक यह नहीं कहना चाहता कि प्रमाणीकरण सिद्धान्त किसी यादृच्छिक निर्णय का परिणाम है। इस प्रकार, यह वाक्य न आनुभविक है न पुनरुक्त्यात्मक है और न विश्लेषणात्मक है। इसी प्रकार से 'भौतिक विषय-वाक्य संवेद-वाक्यों में विश्लेष्य हैं' कथन अथवा अन्य दार्शनिक प्रतिपादन-वाक्य भी इन दो वर्गों के अन्तर्गत नहीं लाये जा सकते।

किन्तु तब यह वाक्य कि 'विश्लेषणात्मक वाक्यों के अतिरिक्त कोई वाक्य तभी सार्थक है यदि यह प्रमाणीकरणीय है' किस प्रकार का है? जैसाकि स्पष्ट है, यह प्रतिपादन जब कि 'सार्थक का प्रयोग सीमित करता है' साथ-ही-साथ यह, हम सामान्य रूप से किस प्रकार के वाक्यों को और क्यों सार्थक कहते हैं, इसको भी स्पष्ट और सुसंगत रूप से प्रस्तुत करता है। मान जीजिए कि हम आधुनिक दर्शन से अपरिचित किसी विचारशील व्यक्ति से पूछते हैं : "कैसे वाक्यों को सार्थक कहते हैं?" वह इसका उत्तर देने के लिए विभिन्न प्रकार के ऐसे वाक्यों को देखेगा जो उसे स्पष्ट रूप से सार्थक प्रतीत होते हैं, और ऐसे वाक्यों को भी देखेगा जो प्रथम दृष्टि में सार्थक वाक्यों जैसे हैं किन्तु वास्तव में स्पष्ट रूप से निरर्थक हैं। इसके पश्चात् वह सार्थक वाक्यों की परिभाषा देने का प्रयत्न करेगा। अब यह परिभाषा ऐसी नहीं होगी जैसी 'आसावरी राग=अमुक-अमुक स्वर संस्थान', क्योंकि वाक्य की सार्थकता उस प्रकार से आविष्कृत नहीं की गई है जिस प्रकार से आसावरी राग अमुक-अमुक स्वरों से आविष्कृत किया गया है। किन्तु सार्थक वाक्य की परिभाषा, और इस प्रकार की अन्य परिभाषाएँ, केवल विस्तृत निरीक्षण के पश्चात् प्रस्तुत विवरण भी नहीं हैं, यह परिभाषेय पद के अस्पष्ट प्रयोग-प्रसंग का ध्यान रखते हुए इसको स्पष्टता, निश्चितता तथा नोकीलापन देना है; यह परिभाषेय की विलक्षणताओं को प्रकाश में लाना तथा इनका प्रयोग-प्रसंग इस नवीन प्रकाश में अधिक निश्चित करना है। इस परिभाषा को हम स्पष्ट अथवा व्याख्यात्मक परिभाषा की संज्ञा दे सकते हैं। यह ठीक है कि यह परिभाषा आनुभविक नहीं है, क्योंकि यह वास्तव वाक्य प्रयोगों के सम्बन्ध में कथन नहीं है, और न ही यह पुनरुक्त्यात्मक है, किन्तु यह इस अर्थ में निर्णयात्मक

भी नहीं है कि यह मात्र सुविधापेक्षी या यादृच्छिक कही जा सके। इसकी पृष्ठभूमि में जब कि निरीक्षण–अनुचिन्तन आदि हैं, यह प्रस्थापित प्रागनुभविक सिद्धान्त के समान होती है, क्योंकि यह स्पष्टत: निर्धारित करती है कि "यह अन्तर्विरोधपूर्ण है कि कुछ अ है किन्तु इ नहीं है"। इस प्रकार यह कहा जा सकता है कि परिभाषा सत्य अथवा असत्य होती है।

किन्तु यह 'अ' तथा 'इ' की अनिवार्य सत्यता किस प्रकार उपलब्ध होती है? उदाहरणत: 'प्रत्येक विवाहित व्यक्ति गृहस्थ है' किस प्रकार अनिवार्यत: सत्य है? इसका उत्तर प्रथम दृष्टि में स्पष्ट है कि 'विवाहित' तथा 'गृहस्थ' विधेय एक ही वर्ग का निर्धारण करते हैं, किन्तु 'भोर का तारा' तथा 'संध्या का तारा', '5' तथा '2+3', 'मनुष्य' तथा 'पक्ष रहित द्विपद' पद–युगल भी एक ही वर्गों का निर्धारण करते हैं? क्या इनकी अभिन्नता के प्रतिपादक वाक्य अनिवार्यत: सत्य कहे जा सकते हैं? अब इसमें कोई सन्देह नहीं कि ये अनिवार्यत: सत्य हैं, क्योंकि एक ही वर्ग का निर्धारण करने वाले दो पदों का अभेद–प्रतिपादन परिभाषया सत्य है, संदिग्ध केवल इनकी विश्लेषणात्मकता (एनेलिटीसिटी) है। किन्तु यदि दो वाक्यों में अभेद–प्रतिपादक वाक्य अनिवार्यत: सत्य है तो इसीलिए यह नहीं कहा जा सकता कि वह इन विधेयों की समानार्थकता को भी लागू करता है। इस प्रकार, जब कि हम यह कह सकते हैं कि "यह अन्तर्विरोधपूर्ण है कि 'कुछ अ है किन्तु इ नहीं है'" हम यह नहीं कह सकते कि यह वाक्य तथा "यह अन्तर्विरोधपूर्ण है कि 'कुछ अ है किन्तु अ नहीं है'" वाक्य एक ही प्रकार के हैं, क्योंकि जब कि द्वितीय वाक्य हमें कोई जानकारी नहीं देता, प्रथम वाक्य हमें जानकारी देता है।

किन्तु व्याख्यात्मक परिभाषा–वाक्य इनमें से किसी भी प्रकार के नहीं हैं, क्योंकि व्याख्यात्मक परिभाषा द्वारा हम अभेद चिह्न '=' के दोनों ओर के वाक्यों में निर्देश की अभिन्नता (आइडेंडिटी ऑफ डिनोटेशन) का कथन नहीं करना चाहते प्रत्युत बाईं ओर के वाक्यों के अस्पष्ट अभिप्राय को अधिक स्पष्ट रूप से प्रकट करना चाहते हैं। तब क्या परिभाषित और परिभाषा–वाक्य परस्पर अर्थ के भाग हैं और इस प्रकार 'अ=प' विश्लेषणात्मक वाक्य है? यह भी नहीं कहा जा सकता, क्योंकि 'आसावरी राग '=प' अमुक–अमुक स्वर संस्थान' में दाईं ओर का वाक्य बाईं ओर के वाक्य के अर्थ में उस प्रकार प्रदत्त नहीं है जिस प्रकार 'पंखों वाला प्राणी' 'पक्षी' के अर्थ में प्रदत्त है। इस प्रकार परिभाषा न आनुभविक है, न अनिवार्यत: सत्य है और न विश्लेषणात्मक है।

विश्लेषणात्मक दर्शन में परिभाषा का कार्य, जैसाकि हम पहिले कह चुके हैं, परिभाषेय पद के प्रयोग–प्रसंग का उद्घाटन है और यह उद्घाटन परिभाषेय पद के परिभाषा पदों द्वारा स्थानान्तरण के रूप में, अथवा कहें, परिभाषा पद द्वारा निर्दिष्ट वस्तु के मूल पदों द्वारा निर्दिष्ट वस्तुओं में स्थानान्तरण के रूप में, सम्पन्न होता है। इस प्रकार हम 'इसे स्थानान्तरणात्मक विश्लेषण' भी कह सकते हैं।

यहाँ आपत्ति की जा सकती है, और बहुतों ने यह आपत्ति की भी है, कि स्थानान्तरण–विश्लेषण व्याख्यात्मक परिभाषा का पर्याय किस प्रकार है? उदाहरणत: 'यह मेज़ है' वाक्य लें। अब इस वाक्य की परिभाषा '=मूल–वाक्य $व_1 \ldots व_न$', किस प्रकार व्याख्यात्मक है जब कि '=' के दाईं ओर के वाक्य स्थानान्तरण–विश्लेषण वाक्य हैं? यहाँ इस का उत्तर देने से पूर्व एक स्पष्टीकरण अपेक्षित है। व्याख्यात्मक परिभाषा आवश्यक रूप से एक ही नहीं होती, एक पद की दो या अधिक परिभाषाएँ भी हो सकती हैं और वे कुछ भिन्न प्रयोग–प्रसंगों की उद्घाटक हो सकती हैं। किन्तु ये दोनों परिभाषाएँ व्याख्यात्मक होनी चाहिएँ और प्रसंगानुसार इन दोनों का उपयोग सम्भव होना चाहिए। इस प्रकार परिभाषेय तथा परिभाषा वाक्यों की समता निर्णय द्वारा स्थापित की जाती है, यद्यपि यह समता पूर्व विद्यमान समताओं पर आधारित होती है। इस स्पष्टीकरण के पश्चात् 'यह मेज़ है' की मूल–वाक्यों में परिभाषा का कार्य स्पष्ट हो जाता है। इस वाक्य की परिभाषाएँ अन्य भी हो सकती हैं, जो इसके कुछ प्रयोग–प्रसंगों का उद्घाटन करती हैं। उदाहरणत: 'यह मेज़ है' की परिभाषा कि "यह इतना लम्बा–चौड़ा है, इसकी चार टाँगें हैं, यह कुछ वस्तुएँ रखने के काम में आता है" आदि उचित हैं, किन्तु ज्ञानमीमांसा की चर्चा के प्रसंग में ये उपेक्ष्य है।

किन्तु स्थानान्तरण विश्लेषण के आलोचकों की दूसरी, और अधिक गम्भीर, आपत्ति अन्य है। उनका कहना है कि "स्थानान्तरण विश्लेषण यह पूर्वकल्पित करता है कि वह स्थनान्तरित के सम्पूर्ण प्रयोग-प्रसंगों का समावेश करता है, जब कि ऐसा वह नहीं कर सकता।" यह आलोचना इस दृष्टि से उचित है कि अनेक विश्लेषणवादियों ने ऐसा समझा कि वे परिभाषा द्वारा वास्तव में किसी वस्तु के संज्ञा-पद का स्थानान्तरण कर रहे हैं। किन्तु विश्लेषण के ठीक उद्देश्य को समझ लेने पर यह भ्रम दूर हो जाना चाहिए। जैसाकि हम कह चुके हैं, परिभाषा-प्रयोग-प्रसंग द्वारा होती है। इस प्रकार, विश्लेषण द्वारा यह अभीष्ट नहीं है कि विश्लेष्य के स्थान पर संवेद-वाक्यों को रख दिया जाए, प्रत्युत यह कि 'मेज़' द्वारा व्यक्त अस्पष्ट और अनियत प्रयोग-प्रसंग का मूल-वाक्यों के रूप में स्पष्ट तथा नियत प्रयोग-प्रसंग द्वारा स्थानान्तरण कर दिया जाए। इसमें कुछ कठिनाइयाँ हैं, किन्तु विश्लेषण का उद्देश्य उपर्युक्त प्रकार से समझ लेने पर ये कठिनाइयाँ किसी भी प्रकार से अनिराकरणीय नहीं हैं। उदाहरणत: किसी 'वस्तु-वाक्य' के अपसारण के लिए असंख्य मूल-वाक्य आवश्यक हैं। अब असंख्य मूल-वाक्य घटित नहीं हो सकते, अत: यह विश्लेषण असम्भव है। किन्तु वास्तव में असंख्य मूल-वाक्यों का चरितार्थन अभीष्ट भी नहीं है, संवेद-वाक्यों का वास्तव में परिगणन संवेदों के मनोवैज्ञानिक सिद्धान्त का कार्य है, दार्शनिक विश्लेषण का कार्य केवल प्रयोग-प्रसंग का संकेत करना है और इसका यह कर्त्तव्य 'असंख्य' तथा 'मूल-वाक्य' का अर्थ तथा प्रसंग बता कर समाप्त हो जाता है। दार्शनिक विश्लेषण की समस्या वास्तव निर्धारण तथा उभयविध निर्धारण आदि की समस्या है और इस समस्या का सुलझाव समस्या को समझ लेने में है। उदाहरणत:, यदि 'यह मेज़ है' वाक्य असंख्य संवेदों को आपादित करता है तो यह कभी भी पूर्णत: प्रमाणीय (और अतएव सन्देहोपरि) नहीं हो सकता। हमें इस परिणाम से सहमत होने में कोई आपत्ति नहीं होनी चाहिए, क्योंकि यह परिणाम व्याख्यात्मक परिभाषा से सम्बद्ध है, यह हमें अपने कमरे में विद्यमान मेज़ के प्रति सन्देहशील नहीं बनाता। जैसाकि हमने 'सार्थकता' निबन्ध में देखा है, हम वस्तु-पदों को अपनी अवधारणात्मक योजना में 'आक्षिप्त' के रूप में स्वीकार कर सकते हैं, और यह प्रतिपादन विश्लेषण के वास्तव अभिप्राय को और भी स्पष्ट कर देता है।

इसी प्रकार, रसल का संख्या-पदों का विश्लेषण, [कोई प्राकृतिक संख्या (नैचुरल नम्बर) व्यष्टियों के 'अनुरूप वर्गों का वर्ग' है] यह प्रतिपादित नहीं करता कि संख्याएँ नहीं हैं, यह केवल संख्या-पदों के प्रयोग-प्रसंग को स्पष्ट करता है।

किन्तु विश्लेषण की अवधारणा एक कठिन समस्या प्रस्तुत करती है, जिसकी ओर हम पहले भी संकेत कर चुके हैं। वह यह है कि विश्लेषण जबकि प्रयोग-प्रसंग का उद्घाटन करता है, यह उचित प्रयोग-प्रसंग तथा अनुचित प्रयोग-प्रसंग के ज्ञान को पूर्वकल्पित करता है। अर्थात् किसी अवधारणा के विश्लेषण से पूर्व हमें यह पता होना चाहिए कि इसका उचित प्रयोग-प्रसंग क्या है, केवल तभी हम यह कह सकते हैं कि अमुक इसका उचित प्रयोग-प्रसंग नहीं है। यह हमें एक अभेद्य चक्र में डाल देता है : विश्लेषण किसी अवधारणा (पद) के उचित प्रयोग-प्रसंग का उद्घाटन करता है, किन्तु साथ ही यह मान कर चलता है कि हम उचित प्रयोग-प्रसंग को जानते हैं। हेर ने अपने निबन्ध "फिलासफीकल डिस्कवरी"[1] में यह एक रूपक द्वारा बहुत विस्तार से दिखाया है। वास्तव में कभी-कभी तो विश्लेषण-पूर्व की यह समानार्थकता स्वयं प्रस्थापित की जाती है। हम परिभाषा की शर्तें पहले तय कर लेते हैं और तब परिभाषेय और परिभाषा-वाक्यों को समीकरण चिह्न के दाएँ-बाएँ रख देते हैं। आर्थर पैप से उदाहरण लेते हुए, यदि नीत्शे के समान अरिस्टोक्रेट्स 'शिव' पद का प्रयोग ऐसी संस्थाओं तथा व्यापारों के लिए करने में उचित हैं जो समाज की हानि करके भी अभिजात वर्ग के स्वार्थों की सिद्धि में सहायक होते हैं, तो ह्यूम का 'य शिव है' का 'य बहुमत द्वारा स्वीकृत है' में विश्लेषण अनुचित है। और दूसरी ओर, यदि प्रजातन्त्रवादी विश्लेषण ठीक है तो आभिजात्यों द्वारा इस विधेय का प्रयोग अनुचित हो जाता है।[2] वास्तव में यह

1. R.M. Hare — Philosophical Discovery, **Mind,** April 1960.
2. **Elements of Analytic Philosophy,** p. 460.

अधिकांश दार्शनिक विश्लेषणों के लिए सत्य है। ये विश्लेषक पूर्वप्रतिज्ञाओं की स्थापना ही इस प्रकार करते हैं कि परिणाम केवल पुनरुक्ति हो कर ही रह जाता है। इन परिभाषाओं की विशेषता इस बात में नहीं है कि इनके परिणाम क्या हैं, प्रत्युत इसमें है कि ये पूर्वप्रतिज्ञाओं के लिए क्या औचित्य प्रस्तुत करती हैं।

किन्तु यही आपत्ति हमारे "वस्तु-पदों" आदि के विश्लेषण पर भी की जा सकती है : यह कहा जा सकता है कि हमारा इन पदों का उपर्युक्त विश्लेषण अनुभव को आधार मान लेने से स्वत: आपादित होता है। एक सीमा तक यह ठीक है, क्योंकि यह परिभाषा मात्र के लिए ठीक है, जैसाकि हमारे पूर्व विवेचन से स्पष्ट है। किन्तु अनुभववादियों का यह दावा है कि उनका विश्लेषण (1) हमारी भाषा के प्रयोग-प्रसंगों तथा (2) हमारे ज्ञान की प्रकृति से निर्धारित होता है। किन्तु यह स्वीकृति विश्लेषण की उपयोगिता को सन्देहास्पद बना देती है, क्योंकि इसका अभिप्राय है कि विश्लेषण पूर्वत: विद्यमान समानार्थकता का कथन मात्र तथा वैज्ञानिक अनुसन्धान का परिणाम है।

हमारे विचार में हमें प्रथम परिणाम स्वीकार करना चाहिए। हमारे दार्शनिक वाक्य विश्लेषण-पूर्व स्थापित समानार्थकता पर आधारित होते हैं, अन्यथा मुझे नहीं मालूम कि 'प्रयोग-प्रसंगों के स्पष्टीकरण' को किस प्रकार अर्थ दिया जा सकता है। किन्तु विश्लेषण सृजनात्मक भी होता है, यह कुछ अस्पष्ट को सम्मुख लाता है तथा नवीन प्रयोग-स्थितियों और सम्भावनाओं की ओर संकेत करता है।

किन्तु दूसरा परिणाम कुछ अधिक समस्यात्मक है, यद्यपि यह अनुभववाद का आधार कहा जा सकता है। यहाँ समस्या यह है कि ज्ञान के स्रोतों तथा प्रकृति की परीक्षा वैज्ञानिक का कार्य है, यह कार्य दार्शनिक का नहीं है। अन्यथा या तो दार्शनिक अपने समय के वैज्ञानिक अनुसन्धान को यथावत् स्वीकार करते हुए उस पर अपनी निगमनात्मक प्रणाली का निर्माण करे अथवा वह 'ज्ञान की प्रकृति' के सम्बन्ध में आग्रह ही छोड़ दे।

हमारे विचार में प्रथम रास्ता कोई रास्ता नहीं है, यह हमें कहीं नहीं पहुँचाएगा। हम प्रतिदिन नवीन निगमनात्मक व्याख्याओं का निर्माण नहीं करते रह सकते। दार्शनिक वैज्ञानिक के वाक्यों का विश्लेषण करके उनके अर्थ तथा अवधारणात्मक संस्थान का निर्धारण कर सकता है, यह 'विज्ञान का दर्शन' कहलाएगा। किन्तु यह वर्गसां के समान कुछ वैज्ञानिक खोजों को अपनी पूर्व-प्रतिज्ञा बना कर यदि चलता है तो वह केवल घपले की सृष्टि करता है। वह समझता है कि वह किसी आत्यन्तिक सत्य का अनुसन्धान कर रहा है जिसे वैज्ञानिक अपनी सीमाओं की संकुचितता के कारण नहीं कर सकता। किन्तु वास्तव में वह परिभाषाओं की सृष्टि ही करता है, जो उसका भाग्य है।

दार्शनिकों ने "ज्ञान की समस्या" का विश्लेषण कभी वैज्ञानिक समस्या के रूप में नहीं किया। उदाहरणत: व्याघात की समस्या विशुद्धत: तार्किक समस्या है और यह ज्ञान की दार्शनिक समस्या का आधार है। अनुभववादियों तथा तत्त्ववादियों के बीच विवाद भी पूर्णत: दार्शनिक है और हमारे विचार में इसमें अनुभववादी उचित रूप से श्रेष्ठतर होने का दावा कर सकते हैं। उदाहरणत: अनुमान तथा भ्रम के प्रश्न को लें। हम धुएँ से आग का अनुमान करते हैं। हमारे नैयायिकों ने इससे यह निष्कर्ष निकाला कि हम सृष्टि से ईश्वर का अनुमान कर सकते हैं। इसी प्रकार, संवेदों से पदार्थ के अनुमान का औचित्य स्थापित किया गया। वेदान्तियों ने रस्सी में साँप के भ्रम के सहारे दृश्यमात्र को भ्रम प्रमाणित करने का प्रयत्न किया। किन्तु धूम से आग का अनुमान तथा संवेद से वस्तु का अनुमान सर्वथा भिन्न प्रकार के अनुमान हैं क्योंकि प्रथम अनुमान संवेद्य से संवेद्य का है जबकि दूसरा संवेद्य से असंवेद्य का है। यह निर्णय विशुद्ध रूप से तार्किक निर्णय है। अब अनुभववादी को यह दावा नहीं करना चाहिए कि ज्ञान केवल पंचेन्द्रियों के द्वारा ही होता है, और उसने अब ऐसा कहने में निहित भूल को समझना आरम्भ कर दिया है। दार्शनिक को अपना कार्य विभिन्न प्रमाणों तथा अवधारणाओं के तार्किक प्रकार निर्धारित करने तक सीमित रखना चाहिए। हमारे विचार में यह उसे 'रक्त, यहाँ, अब' तथा 'पीड़ा, यहाँ, अब' जैसे मूल-वाक्यों को उचित मूल-वाक्य स्वीकार करने को बाध्य करेगा। किन्तु वह अन्य प्रकार के मूल-वाक्यों के लिए अपने द्वार

खुले रख सकता है। अन्य प्रकार के मूल–वाक्यों का प्रवेश उसकी सामान्य निगमनात्मक योजना को खण्डित नहीं करेगा, यह केवल उसकी सामान्य अवधारणात्मक योजना को विस्तृत करेगा अथवा उसमें व्यवस्थान्तरण को आवश्यक करेगा। मूल–वाक्यों का क्षेत्र सीमित करने में मुझे इसके सिवाय और कोई तुक दिखाई नहीं देती कि यह सीमा हमारी अवधारणात्मक योजना द्वारा आपादित होती है, किन्तु हमारी अवधारणात्मक योजना हमारे विशेष समय के ज्ञान की सापेक्ष है। दर्शन के पास ऐसा कोई साधन नहीं है कि वह हमारे मूल–वाक्यों का क्षेत्र नियत कर सके। दार्शनिकता सम्भावनाओं के प्रदर्शन में है।

इस स्थिति को कभी–कभी ग़लत समझा गया है। उदाहरणत: यह कहा गया है : दार्शनिक विश्लेषण केवल वैज्ञानिक क्षेत्र में उपयुक्त है, तत्त्वमीमांसा के क्षेत्र में नहीं।[1] और इस प्रकार, मानो तत्त्वमीमांसा ऐसा क्षेत्र है जो समान रूप से तर्क–प्रतिष्ठित है, केवल यह दार्शनिक विश्लेषण की परिधि में नहीं आता। यह समझना कठिन है कि उनका इससे ठीक–ठीक क्या अभिप्राय है; क्योंकि तत्त्वमीमांसा का प्रत्याख्यान तार्किक आधार पर ही होताहै। तत्त्वमीमांसा (अनुभवातीत के अर्थ में) तर्कत: अकथनीय का कथन कहती है, यह वर्गणा दोष का शिकार है। यद्यपि अनुभवों के सम्बन्ध में कथन भी आनुभविक नहीं हैं, किन्तु वे कथन अनुभव के सम्बन्ध में होने से उसी क्षेत्र (वर्ग के नहीं) के होते हैं। जैसे हमने "मूल–वाक्य" में प्रमाणीकरण पर विचार करते हुए प्रतिपादित किया है कि मूल–वाक्य प्रमाणीय नहीं हैं किन्तु वे प्रमाणीकरण के क्षेत्र में हैं, क्योंकि प्रमाणीकरण–प्रसंग उनका अनिवार्यत: समावेश करता है।

जहाँ तक दार्शनिक वाक्यों के "संश्लेषणात्मक–विश्लेषणात्मक" की सीमा के अन्तर्गत समा सकने का सम्बन्ध है, इससे तत्त्वमीमांसा की सम्भावना को बल नहीं मिला और न ही, जैसाकि हमारे विवेचन से स्पष्ट है, ये इससे अर्थहीन हो जाते हैं। रसल ने आनुभविक वाक्यों के सम्बन्ध में वाक्यों का कथन करने के लिए द्वितीय स्तरीय भाषा का विधान किया है। अब, मान लीजिये कि वह उपयुक्त व्याख्या नहीं है, तब भी उससे यह स्पष्ट है कि वह समस्या किस प्रकार की है, जैसे मीनांग की समस्या से यह स्पष्ट होना चाहिए था कि स्वर्ण–पर्वत को विलक्षण प्रकार का अस्तित्व मानना भूल थी उसी प्रकार ऐसे वाक्यों की समस्या से तत्त्वमीमांसा की सम्भावना को स्वीकार करना भूल है।

हम विश्लेषणात्मक–संश्लेषणात्मक के द्वैधीभाव को छोड़ कर इनके साथ प्रतिपादनात्मक (विधानात्मक) वाक्यों को तीसरी प्रकार के वाक्य स्वीकार कर सकते हैं, और इस प्रकार "विश्लेषणात्मक–संश्लेषणात्मक–प्रतिपादनात्मक" के त्रैधीभाव को स्वीकार कर सकते हैं, और यह किसी प्रकार से भी अनुभववाद द्वारा स्वीकृत स्थिति को हानि नहीं पहुँचाता। इस त्रैधीभाव का स्वीकार किसी प्रकार से अनवस्था प्रसंग निवर्तन दोष को भी जन्म नहीं देता, क्योंकि प्रतिपादनात्मक वाक्यों के प्रतिपादनात्मक वाक्य उतने ही प्रतिपादनात्मक हैं जितने अनुभव के प्रतिपादनात्मक वाक्य प्रतिपादनात्मक हैं।

1. द्रष्टव्य — **अनुभववाद** पुस्तक में डॉ. मसीह तथा प्रो. मूर्ति के निबन्ध। इसी प्रकार अन्य अनेक दार्शनिकों का मत भी है।

2
ज्ञान और सत्

प्राक्कथन

दर्शन और हिन्दी में अभिज्ञतापूर्वक रुचि रखने वाले सभी शल्यजी के नाम और कृतित्व से सुपरिचित हैं, ऐसा कहने में मुझे रत्ती-भर भी अत्युक्ति नहीं दिखाई देती। हिन्दी के माध्यम से दार्शनिक विचार के प्रोत्साहन और परिवर्धन में उनकी सेवाएँ चिरस्मरणीय रहेंगी, इसे कोई भी विवादास्पद नहीं मानेगा। दर्शन-परिषद् के वे निःस्वार्थ स्वयंसेवक भाव से सूत्रधार रहे हैं, 'दार्शनिक' के परिश्रमी सम्पादक एवं अनेक प्रौढ़ और मौलिक दार्शनिक ग्रन्थों के रचयिता। मुझे इसमें कुछ भी सन्देह नहीं है कि यदि ये ग्रन्थ अंग्रेज़ी के माध्यम से निबद्ध होते तो शल्यजी आज अन्तर्राष्ट्रीय क्षेत्र में प्रतिष्ठित विचारकों की प्रथम कोटि में सम्मानित होते। प्रतिष्ठादात्री अंग्रेज़ी के स्थान पर हिन्दी को अपनाना उनके कार्य को तप का रूप देता है और उन्हें भविष्य का दार्शनिक बनाता है, जब भारत और उसकी राष्ट्रभाषा अपना समुचित स्थान पाएंगे। मुझे इसमें भी कोई सन्देह नहीं है कि शल्यजी की दार्शनिक मौलिकता के निर्मायक तत्त्वों में उनका यह माध्यम का चुनाव उपेक्षणीय नहीं है। उनकी इस सफलता को मैं और लोगों के लिये नयनोन्मीलक समझता हूँ।

बहुत निकट से उन्हें जानकर मैं यह पहचान पाया हूँ कि शल्यजी के स्वभाव को मूलत: दार्शनिक कहना ही युक्ततम है। सरल जीवन और उदात्त चिन्तन का आदर्श वे स्पृहणीय रूप से चरितार्थ करते हैं। व्यावहारिक सुख-दुःख और चिन्ताएँ उनके जीवन-वृत्त के लिये स्पर्श-रेखाएँ मात्र रह जाती हैं और उनका सारा ध्यान एक अन्तर्मुखी चिन्तन-यात्रा में केन्द्रित रहता है। उनकी कल्पनाशीलता और भाव-प्रवणता उन्हें कवि बनाती यदि उनका तर्कानुराग इतना न होता। लक्षण और प्रमाण की कशीदाकारी उनका जीवन-शिल्प है। उनके चिन्तन की निर्बाध जिज्ञासा, सूक्ष्म पर्यवेक्षण और निरन्तर तर्कनिष्ठता एक सहज रूप से उनकी रचनाओं में उन्मीलित होते हैं।

इस पुस्तक में शल्यजी न केवल तथ्यात्मक, विशुद्ध व्यावहारिक अथवा विशुद्ध पारमार्थिक जिज्ञासा की ओर से तटस्थ ही हैं प्रत्युत उन्हें दार्शनिक विचार की सामर्थ्य से संगत अर्थों के क्षेत्र से ही बहिष्कृत कर देते हैं। उनके लिये तथ्य व्याख्यापेक्ष हैं, प्रदत्त नहीं। व्यवहार जैवी अर्थ-क्रिया और मूल्यानुसन्धान के अन्तराल में दृष्टि-सूत्र से परिवेष्टित है और विशुद्ध परमार्थ विश्लेषण-विशेष की एक पर्यन्तगत तार्किक कोटि के वस्तुसात्करण से उत्पन्न भ्रम। नाना सम्प्रत्यय-योजनाओं और अर्थाभ्युपगमों को पुरस्कृत कर हम विभिन्न 'विश्वों' का निर्माण करते हैं। इन विश्वों की संगति और सार्थकता इनके अपने योजना-सूत्रों की अपेक्षा रखने के कारण इनकी निजी अथवा आभ्यन्तरिक कही जा सकती है। पौराणिक विश्व हो अथवा जादुई अथवा वैज्ञानिक, सभी शल्यजी के दर्शन-साम्राज्य में समानाधिकारी हैं, यद्यपि मुझे लगता है कि निजी तौर से उनका लगाव वैज्ञानिक विश्व से अधिक है। वेदान्त का पुराना न्याय है कि प्रमा और भ्रम का विवेक प्रमाता के लिये लागू होता है न कि साक्षी के लिये । शल्यजी का दार्शनिक सब-कुछ को विषय बना देने के पश्चात् स्वयं साक्षी ही रह जाता है।

शल्यजी अपने मूल सम्प्रत्यय को 'विषय' की संज्ञा देते हैं। वे चैतन्य और वस्तु, अहं और इदं, मन और भूत आदि के द्वैतों को सापेक्ष द्वन्द्व मानते हैं जोकि विश्लेषण के प्रसंग में उद्भूत होते हैं। 'विषय' को इन विभेदों की मूल भूमि कह सकते हैं। 'विषय' में बोध और प्रकार का मौलिक अभेद है और प्रत्येक 'विषय' का प्रथम अवधारण अलग-अलग प्राणि-निकायों के लिये उनकी जैवी अर्थ-क्रिया के सन्दर्भ में होता है। इस पृष्ठभूमि पर ज्ञान-प्रक्रिया और मूल्यानुसन्धान के नाना आभास विकसित होते हैं। संगति और सन्तोष के सूत्रों के सहारे प्रगति

करते हुए इस विश्लेषणात्मक और गवेषणात्मक व्यापार में मूल और लक्ष्य के भेद से नाना समानान्तर विश्व-योजनाएँ प्रथित और पल्लवित होती हैं। सम्प्रत्ययों का वैशिष्ट्य इन योजनाओं को पृथक् करता है।

'विषयों' में अपने 'रचना-नियम' और 'स्वातन्त्र्य' अन्तर्निहित हैं। सम्भवत: सम्प्रत्ययों के वैशिष्ट्य के मूल में इन्हीं 'रचना-नियमों' की विशेषताओं को मानना चाहिए। अन्यथा सम्प्रत्यय या तो स्वत: सिद्ध होंगे या सर्वथा यादृच्छिक। दोनों ही स्थितियों में उनका वैचित्र्य और योग्यता-भेद दुर्बोध हो जाएगा। दूसरी ओर यदि सम्प्रत्ययों को रचना-नियमों पर आधारित माना जाय तो प्रश्न उठेगा कि इस आधार-सम्बन्ध का क्या अर्थ है? क्या सम्प्रत्यय-योजनाएँ विषयगत रचना-नियमों की विकसित अवस्थाएँ अथवा सदृश परिणाम हैं, जैसे प्ररोह बीज का? अथवा क्या सम्प्रत्यय रचना-नियमों के विसदृश किन्तु नित्य परिणाम हैं? जैसे रंग विद्युच्चम्बकीय स्पन्दनों के। क्या वे उन्हें प्रतिबिम्बित करते हैं जैसे आपातत: प्रत्यय वस्तु को? अथवा क्या वे उनकी ओर केवल नियत संकेत हैं, जैसे शब्द अनुभूति के।

शल्यजी ने बहुत सफलतापूर्वक यह प्रतिपादित किया है कि जिन्हें हम ज्ञेय वस्तु कहते हैं वे ज्ञानापेक्ष वस्त्वर्थों के अतिरिक्त और कुछ नहीं कहे जा सकते। नागार्जुन के समान उनका तर्क भी सभी अभिधेय और प्रमेय विश्व को विकल्पित और सापेक्ष सिद्ध करता है। ज्ञान को शल्यजी प्रामाणिक विकल्प मानते हैं और उनका व्यापार मानते हैं सम्प्रत्यय-योजना द्वारा विषयों की व्याख्या। फलत: सभी वस्तुएँ एक सम्प्रत्ययात्मक अपेक्षा से आत्म-लाभ करती हैं। यहाँ तक हमें शल्यजी का तर्क श्लाघनीय लगता है। और सभी विश्वों की साम्प्रत्ययिक आपेक्षिकता का सिद्धान्त सर्वथा अनुमोदनीय प्रतीत होता है। सम्प्रत्यय और सम्प्रतीत अर्थ तो निस्सन्देह परस्पर सापेक्ष हैं और वे एक-साथ ही एक विश्व के संयोजक, घटक और परिच्छेदक बनते हैं। किन्तु सम्प्रत्ययों का सम्प्रत्येय विषयों के साथ सम्बन्ध दुरूह प्रश्नान्तर उत्पन्न करता है जिनका संकेत ऊपर के अनुच्छेद में किया गया है।

वास्तव में शल्यजी ज्ञान के प्रति एकान्त तार्किक दृष्टि अपनाते हैं। इसके दो पक्ष हैं—ज्ञान सविकल्पक और प्रमाणाश्रित। प्रमाण और अप्रमाण का विवेक अवश्य ही सत्यासत्य की निकषभूत ऐसी स्थितियों का निस्संशय परिज्ञान और अभिज्ञान अभ्युपगमित करता है जिसके अभाव में प्रमाणपरीक्षा अप्रतिष्ठित हो जाएगी। शल्यजी के मत से प्रमाण-व्यापार मूलत: निगमनात्मक है जिसकी प्रतिष्ठा अन्ततः नियत सम्प्रत्ययों और अर्थाभ्युपगमों से होती है। दूसरी ओर ज्ञानगत विकल्प सम्प्रत्यय और सम्प्रत्यय-योजना के प्रयोग से सिद्ध होता है। इस प्रकार ज्ञान के दोनों पक्ष सम्प्रत्ययों पर प्रतिष्ठित उपलब्ध होते हैं।

हमें लगता है कि यदि पहले शल्यजी अनुभववादी थे तो अब उन्होंने अनुभव के साथ न्याय करने में अत्यधिक कठोरता दिखाई है। अनुभव को सर्वथा सविकल्पक मानकर उन्होंने अनुभव के प्रामाण्य को सम्प्रत्ययों के अधीन कर दिया है। वे अनुभव के आलम्बनों को 'विषय' नहीं मानते क्योंकि विषय भ्रम आदि में भी विद्यमान रहते हैं। अनुभव के लिये 'वस्तु' का 'न्यास' आवश्यक है और 'वस्तु' सम्प्रत्ययों द्वारा अवधारित होती है। इस कल्पना में किसी को सम्भवत: गौरव प्रतीत हो और यह मानना सरलतर लगे कि यद्यपि विषय सर्वत्र विद्यमान है, तथापि स्मृति द्वारा उपस्थापित विधेय पदार्थ का आकार सर्वत्र उद्देश्य पदार्थ के आकार के साथ समंजस नहीं होता। साथ ही विशुद्ध संस्कारजन्य ज्ञान को, जैसे स्वप्न अथवा दिवास्वप्न को, अनुभव की संज्ञा नहीं दी जा सकती।

वास्तव में शल्यजी सदा ही ज्ञान के स्थान पर ज्ञान-प्रतिपादक वाक्य रख देते हैं और अनुभव के स्थान पर विकल्प। यह उनका प्रिय और आधारभूत सिद्धान्त है और आधुनिक दार्शनिक विश्लेषण की पद्धति के अनुकूल भी है। किन्तु ज्ञान का विश्लेषण और ज्ञान के तार्किक अर्थ (कन्टेन्ट) का विश्लेषण ठीक एक बात नहीं प्रतीत

होती, क्योंकि ज्ञान को केवल तार्किक पदार्थ मानकर उसके 'मनस्तार्किक' (साइकोलोज़िकल) रूप का अपलाप कैसे किया जा सकता है? ज्ञान अनुभूति भी है, विज्ञप्ति भी। अनुभूति के रूप में ज्ञान एक विषयीगत स्थिति है और विज्ञप्ति के रूप में विषयोल्लेखी प्रकार। पहले रूप में ज्ञान सत्ता का निराकार भान होता है। यही मूल निर्विकल्पक स्थिति है। दूसरे रूप में ज्ञान स्वरूपशून्य किन्तु नाना विषयाकारों का प्रकाशक होता है। यही उसके स्वरूप का आवरण तथा अन्य रूपों का विक्षेप है जिसे शल्यजी मृत्तिकावत् (कल्पनीय) तथा मेय (प्रमेय) मानते हैं। इस अनन्त सम्भावनायुक्त निश्शेष विश्वों के उपादानभूत विषयमात्र को सत् न मानकर वेदान्त के शब्दों में असत् माना जा सकता है। अविद्या की पृष्ठभूमि में उन्मीलित बुद्धि-व्यापार का विषय और कार्य होने के कारण ही वह असत् है। यही उसकी अनिवार्य द्वन्द्वात्मकता और अश्लिष्ट आपेक्षिकता का मूल है। इस आपेक्षिकता को शल्यजी देखते और दिखाते हैं किन्तु वे मानो हेगेल के साथ एकमत होकर बुद्धि-विषय और सत् का तादात्म्य स्थापित करते हैं। एकान्त तार्किक दृष्टि से पक्षान्तर की परीक्षा पर उनका यह निष्कर्ष दुर्निवार है किन्तु यह तर्क की पार्यन्तिक स्थिति नहीं है, क्योंकि अपने में नित्य असंगति खोज पाना विशुद्ध तार्किक दृष्टि का स्वभाव है और इसलिए जहाँ तर्क-मात्र-शरण दार्शनिक तर्कातीत और निर्विकल्पक अनुभव एवं सत् में अनायास आपत्ति उपस्थित कर सकता है वहीं विकल्प-प्राकारों के अन्दर वह विकल्प-व्यापार को बन्दी नहीं बना सकता; क्योंकि विकल्प को अपने मौलिक और नियामक रूप में समझने के लिये निर्विकल्प का आक्षेप आवश्यक है। विकल्पों और सम्प्रत्ययों की उत्पत्ति और विकास का प्रश्न दार्शनिकों के वाक्यीय विश्लेषण में महत्त्वपूर्ण न होते हुए भी उन सभी के लिये महत्त्वपूर्ण है जिन्हें तथ्यात्मक ज्ञान अथवा निरपेक्ष ज्ञान अभीष्ट है।

शल्यजी जैवी अर्थ-क्रिया को तथ्यात्मक रूप से स्वीकार करते प्रतीत होते हैं और उनकी सम्प्रत्यय-योजना में सम्प्रत्ययों द्वारा विषय अवधारित और संयोजित होते हैं। बौद्धिक प्राणी होने के नाते मनुष्य का व्यवच्छेदक गुण अर्थान्वेषण है। उस प्रसंग में आत्म-साम्मुख्य मूल्य-बोध को जन्म देता है और 'आत्मा' यहाँ पर कर्तृत्वाभिमान की संज्ञा बताई गई है। ऐसा मानने पर स्पष्ट ही 'मुक्ति' का परम्परा-प्रसिद्ध अर्थ भ्रान्त सिद्ध हो जाता है, और उसके स्थान पर मनुष्य-जीवन का आदर्श हो जाता है आदर्शों की सृष्टि और उनके द्वारा मानवीय सम्भावनाओं का बोध और अभिव्यक्ति। यह दृष्टि भी प्रबल रूप से हेगेल की याद दिलाती है। अपने कृतित्व को मानव की चरम चरितार्थता समझने की मान्यता दार्शनिकों और कलाकारों में विशेष रूप से प्रचलित रहती है। एक दृष्टि से यह मान्यता अवश्य ही स्वीकार होनी चाहिए, क्योंकि दर्शन और कला में समग्र मानव-आदर्श अपने विशुद्धतम अमूर्त सम्प्रत्यय अथवा प्रतिबिम्बित मूर्ति में व्यक्त होते हैं। किन्तु यह विस्मरणीय नहीं है कि आध्यात्मिक दर्शन और कला अपने से परे किसी ऐकान्तिक और आत्यन्तिक चरितार्थता की ओर संकेत करते हैं। दूसरी ओर मानव-कर्तृत्व और ज्ञातृत्व के 'अभिमान' को विषय किये हुए आत्मानुभूति का अनुसन्धान एक प्रकार का मानववादी आदर्श है जिसे सचेष्ट रूप से छोड़ा नहीं जा सकता। सच तो यह है कि आदर्श मनुष्य बनने के प्रयत्न ही में मनुष्योत्तर सत् का अनावरण होता है। जहाँ मानव-प्रतिमाएँ अनेक हैं, मनुष्योत्तर सत् अप्रतिम है। अप्रतिम और प्रतिमाओं का वही सम्बन्ध है जो निर्विकल्प और विकल्पों का।

दैनिक व्यवहार में, वह लौकिक हो अथवा वैज्ञानिक हो अथवा धार्मिक, हम नाना अविचारित मान्यताओं की दीवारों के अन्दर घिरे रहते हैं। दार्शनिक विचार कुछ पूर्वाग्रहों से हमें मुक्त करता है, पर प्राय: वह स्वयं किन्हीं व्यावहारिक अथवा प्रचलित मान्यताओं को प्रतिष्ठित करने का प्रयत्न भी करता है और हमारे कुछ सुपरिचित बन्धनों को और दृढ़ता से जकड़ देता है। उदाहरणतया जैसे अधिकांश मध्यकालीन यूरोपीय दर्शन धर्म का अनुरक्षी था, अधिकांश समकालीन दर्शन विज्ञान का चारण मात्र है। मजाक की बात यह है कि धर्म और विज्ञान दोनों ही इन दार्शनिक प्रयासों की ओर उदासीन हैं किन्तु अपने युग की प्रचलित धारणाओं का समर्थन किये बिना दार्शनिकों के लिये सामाजिक प्रतिष्ठा दुर्लभ हो जाती है। विरले ही दार्शनिक इस संवृत्ति-सम्मोहन से मुक्त होकर

आध्यात्मिक सत्य की साहसिक खोज कर सकते हैं। शल्यजी इन्हीं विरले लोगों में से हैं। उनके गहरे और पैने दार्शनिक विचारों को परखते बहुधा एक अपूर्व आभ्यन्तरिक मुक्ति का अनुभव होता है। ऐसा लगता है कि न केवल मेज़, पुस्तक और पैन का परिचित विश्व प्रत्युत उसके सभी सूत्र—'परमाणु' से लेकर 'ब्रह्म' तक मानो निविड़, रहस्यमय, कठोर अस्तित्व से मुक्त हो गए हों, मानो उनकी स्थिर, अवाक् सत्ताएँ एक सूक्ष्म नाद में, मन के अनुगुंजन में, विलीन हो गई हों, और हमें मिल गया हो स्वातन्त्र्य, बुद्धि-यान द्वारा आकाशोपम स्वच्छ विषयों में निरवधि विहार करने का। मुझे लगता है कि शल्यजी के आपेक्षिकतावाद में उसी प्रकार का दृष्टि-विमोचन-सामर्थ्य है जैसाकि नागार्जुन की शून्यता में। शल्यजी का नवीन प्रतिपादन और प्रस्तुत ग्रन्थ हमारे समकालीन दार्शनिक चिन्तन में निश्चित अग्रगति का चिह्न है, इसमें मुझे कोई सन्देह नहीं है। एतदर्थ शल्यजी को निश्चय ही कृती स्वीकार करना चाहिए।

गोविन्दचन्द्र पाण्डे
प्रोफेसर—भारतीय संस्कृति,
राजस्थान विश्वविद्यालय, जयपुर।

प्रवेश

'दार्शनिक विश्लेषण' पुस्तक में मैंने पश्चिम के अनुभववादी विचारकों के सिद्धान्तों के अनुरूप परिप्रेक्ष्य-रचना करने का प्रयत्न किया था। वह रचना कर चुकने के बाद जब मैंने पुन: उस पर दृष्टि डाली तो पाया कि उसकी वस्तुएँ, मनुष्य, घर, द्वार सब केवल परमाणु पुँज थे, ठीक तरह से परमाणु पुँज भी नहीं, क्योंकि उस सिद्धान्त के पास पुँज-निर्माण के लिये भी कोई नियम नहीं था। उसकी और सीमाएँ भी थीं जिनकी चर्चा यहाँ करने की आवश्यकता नहीं है। तब फिर नये सिरे से सोचना आरम्भ किया, किन्तु इस बार किसी सम्प्रदाय से अपना सम्बन्ध स्थापित करने का अवसर मुझे नहीं मिला था, केवल एक स्मृति ने, जीव मनोविज्ञान से पूर्व-परिचय की स्मृति ने, धुँधलके में से एक प्रश्न खड़ा किया : 'विश्व' अनेक हैं, क्या विश्वों के बीच कोई सेतु का निर्माण केवल इस आधार पर किया जा सकता है कि ये किसी 'पिहित', गुह्य, मूल, सत् के न्यूनाधिक अनुरूप हो सकते हों? हाथी और अन्धों वाली पुरानी कहानी इसी धारणा पर प्रतिष्ठित है। इसकी कठिनाइयाँ स्पष्ट हैं—सभी के अन्धे होने के कारण न्यूनाधिक युक्तता का प्रश्न उत्पन्न नहीं होता—सब बराबर अयुक्त हैं। इसके ऊपर एक कठिनाई यह है कि अन्धे यह धारणा कैसे भी बना सकते हैं कि कुछ हाथी है, या कुछ 'प्रदत्त' से अधिक—अतिक्रामी—है? इसी की एक दूसरी परिमार्जित कल्पना सत् को 'मृत्तिका' के रूप में देखना है जिसको अनेक प्रकार से रचा जा सकता है, अथवा एक विस्तार के रूप में देखना है जिसे जिस पैमाने से चाहें नापा जा सकता है।

ये दोनों कल्पनाएँ मूलत: एक ही धारणा की, जो धारणा लोक-संज्ञान से हमें माता के दूध के साथ मिलती है, दो व्याख्याएँ हैं। यह धारणा है 'आत्म' और 'तत्' के बीच भेद की, जिसमें 'तत्' वस्तुसत् के रूप में कल्पित होता है। यह भेद जैसे ही चिन्तन का विषय बनता है 'तत्' के साथ 'आत्म' का सम्बन्ध विकारक और भ्रमग्रस्त का हो जाता है। लोक-संज्ञान से प्राप्त इस पहेली को सम्भवत: सभी तत्त्वमीमांसकों ने चुनौती के रूप में स्वीकार किया और इसे सुलझाने का प्रयत्न करते रहे। यूरोप में 'आत्म' और 'तत्' के बीच सेतु का कार्य मुख्यत:, या तो विचार ने किया या संवेद ने, और भारत में मुख्यत: अध्यात्मानुभव ने।

मुझे वस्तुस्थिति को देखने का यह सारा ढंग ही अनुपयुक्त प्रतीत हुआ। लोक-संज्ञान में, दार्शनिक चिन्तन के सन्दर्भ में, मेरी आस्था कभी रही ही नहीं थी, अब उसको एक दूसरे रूप में भी छोड़ना आवश्यक था, वह था 'आत्म' और 'तत्' के बीच भेद की धारणा के रूप में। मैं ज्ञान और सत् की मूल इकाई 'विषय' को मानता हूँ। विषय कोई एक प्रकार के नहीं होते, मनुष्य ही में विषय अनेक प्रकार के देखे जा सकते हैं—ऐन्द्रिय विषय, वैज्ञानिक विषय, गणितीय विषय आदि। एक अन्य विलक्षण विषय—अभिमान—की चर्चा हमने इस पुस्तक के अन्तिम लेख में की है। इन विभिन्न विषयों के अपने 'रचना-नियम' होते हैं जिनके आधार पर ये भिन्न-भिन्न हैं। इनके 'रचना-नियमों' और इनकी 'स्वतन्त्रता' के रूप में इनमें आत्म और तत् का द्वैध देखा जा सकता है। किन्तु जैसाकि हमने आगे लेख 8 में देखा है, यह द्वैत तात्त्विक नहीं है, प्रज्ञानात्मक भी नहीं है, केवल विश्लेषणात्मक है। यद्यपि हमने स्वयं भी लेख 1 में ज्ञान-स्थिति में 'विश्वास' और 'वस्तुस्थिति' के द्वैत का प्रस्ताव किया है किन्तु यह विषयगत मूल स्थिति के अन्तर्गत ही विश्लेषण है—विषयान्तर्गत द्वैध है, और पुन:, यह विश्लेषण जो सकता है वह स्वयं विश्वास पक्ष को भी विषय-रूप में ही ग्रहण करता है। विशुद्ध विषयी तो तर्कत: अतिक्रामी है और अतएव तार्किक कोटि है। प्रश्न हो सकता है कि इस तर्क कोटि का हम क्यों उपयोग करते हैं, अन्य विपरीत कोटि का उपयोग क्यों नहीं करते, अथवा, इस कोटि के उपयोग से विरत ही क्यों नहीं रहते? हमारे विचार में इसका कारण मनुष्य को प्रदत्त होने वाले कुछ विषयों के रचना-नियम हैं जिनमें दृक् और वस्तु के बीच व्यवच्छेद एक घटक है। किन्तु जैसे ही यह व्यवच्छेद घटित होता है ज्ञातृत्वाभिमान स्वयं एक विषय बन जाता है। इस प्रश्न

के तर्क-रूप पर हमने 'मानसिक और भौतिक' लेख में विचार किया है। इस प्रकार से, मनुष्य के विषय अपेक्षाकृत अधिक जटिल रचना के होते हैं, यह नहीं कि मनुष्य 'ज्ञातृचैतन्य' का भी प्रत्यक्ष करता है, जोकि केवल एक तार्किक कोटि है।

यहाँ बर्कले के 'संवेद ही सत् है' तथा बौद्धों के 'निर्विकल्पक प्रत्यक्ष' से हमारी स्थिति का भेद देखना उपयोगी होगा। बर्कले ने संवेद को ही सत् मानकर विषयी और विषय के बीच अन्तर समाप्त कर दिया था और इस रूप में वह हमारी स्थिति के बहुत निकट है, किन्तु संवेद और 'वस्तु' में स्पष्ट अन्तर है। इसके लिये बर्कले को 'रचना-नियम' को संवेद से स्वतन्त्र स्वीकार करना पड़ा, जिसकी स्थिति उसके दर्शन में अत्यन्त सन्दिग्ध है। इसके अतिरिक्त, बर्कले द्वारा प्रस्तावित द्वैत न तो आकार और वस्तु के द्वैत से मूलत: भिन्न है और न सैद्धान्तिक दृष्टि से अधिक उपयोगी है। उसका ह्यूम के सन्देहवाद को जन्म देना इसका प्रमाण है। बौद्धों का निर्विकल्पक प्रत्यक्ष एक प्रकार से त्रैत को स्वीकार करता है, यह विकल्प और स्वलक्षण वस्तु के अतिरिक्त एक आकाररहित संवेद को भी स्वीकार करता है। यह संवेद बर्कले के संवेद के मनोवैज्ञानिक दृष्टि से अनुरूप है किन्तु तात्त्विक दृष्टि से भिन्न है, क्योंकि यह 'वस्तु' का ज्ञापक है। यदि सिद्धान्त वास्तव में तात्त्विक दृष्टि से कांट से भिन्न नहीं है, यद्यपि प्रयोजन में भिन्न है। उदाहरणत:, उपयोगितावादी उपयोग या प्रयोजन को मूल्यवान् मानते हैं जबकि बौद्ध इसे 'दु:ख का कारण' मानते हैं। (मैं इस मूल्य-भेद को दार्शनिक-दृष्टि से महत्त्वपूर्ण मानता हूँ, किन्तु यहाँ यह अवान्तर है)।

मैं 'वस्तु' को उसी प्रकार से एक तार्किक कोटि मानता हूँ जिस प्रकार से दृक् या साक्षी को, इसलिए, मेरे सिद्धान्त में संवेद किसी स्वलक्षण वस्तु का ज्ञापक नहीं हो सकता। यह 'प्रदत्त' तथा 'प्रत्यक्ष' लेखों में स्पष्ट किया गया है। न मैं संवेद को ही सत् मानता हूँ, क्योंकि मैं इस तथाकथित संवेद को एक अपवारणात्मक विश्लेषण की रचना मानता हूँ (द्रष्टव्य—प्रदत्त)।

मैं विषय को किसी निम्नतर स्तर के तत्त्वों में अन्तर्भाव्य नहीं मानता। इसका अर्थ यह नहीं कि विषय विश्लेष्य भी नहीं है। जब हम इसके रचना-नियमों की बात करते हैं तब स्पष्टत: इसे विश्लेष्य भी मानते हैं, किन्तु विश्लेष्यता और अन्तर्भाव्यता एक ही बात नहीं है। रासायनिक विश्लेषणों में अवश्य ही विश्लेष्य अन्तर्भाव्य होता है, किन्तु अन्य विश्लेषणों में ऐसा नहीं भी होता—एक चित्र उसकी रेखाओं में विश्लेष्य है किन्तु अन्तर्भाव्य नहीं है, बल्कि उस चित्र की रेखाएँ उस चित्र की रचना से आविष्ट होकर ही उस चित्र की रेखाएँ रह सकती हैं, तभी उनमें उसका विश्लेषण सम्भव हो सकता है। चित्र का विश्लेषण यूक्लीडीय बिन्दुओं में यदि किया जाय तब अवश्य ही चित्र अन्तर्भाव्य होगा; किन्तु बिन्दुओं से, या उन रेखाओं से भी जो चित्र की रचना से आविष्ट नहीं हैं, चित्र नहीं बन सकता। यही न देख पाना बर्कले और पाश्चात्य संवेदवादी विचारकों की भूल रही।

मेरे सिद्धान्त के सम्बन्ध में कहा जा सकता है कि यह विषयों की प्रतिष्ठा सत् में न रखकर उन्हें केवल कल्पना बना देता है। किन्तु मैं इस आपत्ति का कोई अर्थ नहीं देखता। वास्तव में मैं विषयों को ही सत्ता देकर उन्हें अधिक ठोस बना देता हूँ, नहीं तो एक के सिवाय शेष सब विषय हवा में तैरने लगते हैं—उदाहरणत: कुछ लोगों को केवल संवेद ही सत् दिखाई दिये, अधिक-से-अधिक उनसे रचित विषय स्वीकार्य प्रतीत हुए और शेष सब कल्पना, अंधविश्वास, मूढ़ता आदि का परिणाम प्रतीत हुआ। कुछ दूसरों को ये सब माया प्रतीत हुए और केवल ब्रह्म, ईश्वर आदि ही सत् प्रतीत हुए। मेरे लिये सब विषयों का बराबर सत् मूल्य है। इस पर बल देने और इसे स्पष्ट करने के लिये मैंने बार-बार प्राणियों के उन-उनके विषयों का उल्लेख भी किया है। प्रत्येक विषय-विश्व अपनी युक्तता के सिद्धान्तों के साथ उत्पन्न होता है, उसकी युक्तता का निर्धारण किसी तद्बाह्य कसौटी से नहीं किया जा सकता।

किन्तु तब भी हम एक या दूसरे विषय-विश्व पर सन्देह करते हैं, यह एक विलक्षण मानव-स्वभाव है। कासीरर लिखते हैं—"यदि कोई व्यक्ति विज्ञान—मनोविज्ञान या भौतिक-विज्ञान—में अपनी सहज आस्था खो

बैठा हो तो वह स्पष्टत: देख सकता है कि स्वयं वैज्ञानिक अनुभव इस सन्देह का निरास नहीं कर सकता, क्योंकि विज्ञान अपनी परछाईं के ऊपर से स्वयं नहीं कूद सकता। विज्ञान निश्चित सैद्धान्तिक पूर्व-मान्यताओं पर निर्मित है जिनके बीच यह कैद रहता है।...हम सत् का अवगाहन उसे ऊहात्मक तर्क द्वारा अंश-अंश ग्रहण करके नहीं कर सकते, इसके लिये हमें अव्यवहित रूप से इसके अन्तराल में स्थित होना होगा। ऐसा अव्यवहितत्व तर्क के लिये अगम्य है, यह विशुद्ध दृष्टि (वीयन) को ही गम्य हो सकता है।"[1] किन्तु यदि इस 'दृष्टि' पर ही किसी को सन्देह हो जाए? तब शायद यह कहा जाय कि यह प्रश्न अव्यवहितत्व की स्थिति के लिये उत्पन्न नहीं होता। यह ठीक है, किन्तु तब भी इस प्रश्न का निरास तो करना होगा ही कि दृष्टि के अव्यवहितत्व का क्या चिह्न है? कासीरर इस प्रश्न को उचित मानते हैं, क्योंकि वे बर्गसाँ के साथ इस चिह्न के प्रश्न पर सहमत नहीं हैं (वे उसके जैव अव्यवहितत्व को सत् का उद्घाटक नहीं मानते)। वास्तव में इस मत की वही कठिनाई है जो बौद्ध मत की है।

मेरे विचार में, इस सन्देह की प्रतिष्ठा ज्ञातृ-चैतन्य में न होकर कर्तृ-चैतन्य में है, जिसकी रुचि प्रदत्त-सत्य में न होकर अन्वेष्य-सत्य में होती है। इसका सन्दर्भ सर्वथा भिन्न है, इसमें अव्यवहितत्व के लिये कोई स्थान नहीं है, इसके विषय भवितव्यता की स्थिति में रहते हैं। इसकी युक्तता की माँग को सन्तुष्ट करने के लिये विज्ञान का अपनी छाया पर से कूदना अपेक्षित नहीं है, क्योंकि इसका सन्दर्भ वैज्ञानिक सत्य से प्रदत्त-रूप में नहीं है, कांक्ष्य-रूप में है। कांक्ष्य मूल्यों में स्तर-निर्णय नहीं किया जा सकता, जिस प्रकार उनकी 'युक्तताओं' में निर्णय नहीं किया जा सकता।

मूल्यों में सम्भवत: दो विरोधी वर्ग बनते हैं—आत्म-संग्रहमूलक-मूल्य और आत्म-विस्तारक-मूल्य। उदाहरणत: शक्ति-संचय आदि मूल्य प्रथम प्रकार के हैं और ज्ञानान्वेषण आदि दूसरे प्रकार के। इनमें से एक ही वर्ग के मूल्यों में परस्पर कोई वास्तव विरोध नहीं होता, यद्यपि इनमें भी एक की ओर अधिक प्रवृत्ति दूसरे से हटा देती है। किन्तु इसके कारण मूल्य-बाह्य होते हैं, जिन पर हम यहाँ विचार नहीं करेंगे। इस प्रकार, विज्ञान में आस्था, सत्यान्वेषण के अर्थ में, आध्यात्मिक सत्यान्वेषण का विरोधी मूल्य नहीं है, इसीलिए कोई दोनों को पूरक बनाकर भी चल सकता है, अथवा दोनों की एक में ही प्रतिष्ठा भी देख सकता है। वास्तव में विरोध केवल आत्मसंग्रहपरक और आत्मविस्तारपरक मूल्यों में है, और मेरे विचार में यहाँ यह देखना अधिक कठिन नहीं है कि आत्मसंग्रहपरक मूल्यों से आत्मविस्तारपरक मूल्य अधिक उत्तम हैं, एक अर्थ में, प्रथम 'मूल्य की धारणा' के निषेध भी हैं। किन्तु यदि कोई यह नहीं देखे तो उसे किसी प्रकार से भी यह नहीं दिखाया जा सकता कि वह ग़लती पर है, इसके लिये तो उसमें स्वयं सन्देह की उत्पत्ति की प्रतीक्षा करनी होगी।

1 अर्न्स्ट कासीरर — **'दि फिलासफ़ी ऑफ सिम्बालिक फार्म्ज़'** पुस्तक-3, फिनोमिनोलोज़ी ऑफ नॉलेज़, पृ. 35, येल यूनीवर्सिटी प्रेस।

ज्ञान का विश्लेषण

ज्ञान की समस्यात्मकता

ज्ञान किसी चेतना को किसी वस्तु अथवा वस्तुस्थिति का होता है, जैसे 'मुझे ज्ञात है कि मेरे हाथ में पैन है', 'मुझे ज्ञात है कि मैं लिख रहा हूँ' आदि वाक्यों में 'कि—' से आरम्भ होने वाले वाक्य-खण्ड : 'य के हाथ में पैन है,' 'य लिख रहा है' वस्तुस्थितियों के द्योतक हैं, और '—कि' से पूर्व के वाक्य-खण्ड ज्ञान-क्रिया के वाचक हैं। (किन्तु हम 'क्रिया' पद के साथ जुड़े इतिहास के कारण यहाँ आगे 'ज्ञान-घटना' पद का प्रयोग करेंगे) इस उभय-पक्षी स्थिति को हम 'ज्ञान-स्थिति' ऐसी संज्ञा दे सकते हैं।

अब यह एक बड़ी विचित्र स्थिति प्रतीत होती है—इस सम्पर्क का क्या स्वरूप है? 'य के हाथ में पैन है' इस वस्तुस्थिति में नया क्या जुड़ जाता है जब वह ज्ञान की विषय हो जाती है? क्या यह वस्तुस्थिति, जब यह ज्ञान की विषय नहीं होती, उस समय भी वैसी ही होती है जैसी यह तब होती है जब यह ज्ञान की विषय होती है? सामान्यत: दैशिक और कालिक सम्बन्धों में ऐसा होता है कि सम्बन्ध की अंगभूत वस्तुओं में, सम्बन्ध में आने के समय, कुछ नया नहीं जुड़ जाता। उदाहरणत:, एक मेज़ यदि किसी अन्य मेज़ के दाएँ या बाएँ नहीं है तो उसके दाएँ या बाएँ रख देने पर भी वह वही मेज़ रहता है जो वह पहले था, दाएँ-बाएँ होने आदि के विशेषण उसके अपने स्वरूप में कोई परिवर्तन नहीं लाते। दूसरे शब्दों में, $मेज़_1$ का $मेज़_2$ के दाएँ होना $म_1$ का उसी प्रकार का विशेषण नहीं है जिस प्रकार का विशेषण उसका रक्त या पीत होना है। अब क्या मेज़ का ज्ञान-विषय होना उसका केवल सम्बन्ध-वाचक विशेषण है याकि यह उसमें कुछ गुणात्मक परिवर्तन भी लाता है?

इस समस्या पर दार्शनिक लोग युगों से विचार करते रहे हैं। कुछ दार्शनिकों ने ज्ञान को ऐसा सम्बन्धवाचक विशेषण माना है जो दूसरे विशेषणों से नितान्त भिन्न प्रकार का है—जैसे, कुछ दार्शनिकों के अनुसार, यह विषयी और विषय का विलक्षण रूप से एकत्व (क्लोज़ यूनिटी) है,[1] और कुछ अन्य के अनुसार यह विषयी की ऐसी वरद स्थिति है जिसमें उसको विषय का बोध अनिवार्यत:, जैसे मानें किसी दैवी आदेश से, विषयभूत वस्तुस्थिति की उपलब्धि से पुरस्कृत करता है।[2]

ऐसे प्रतिपादनों का स्रोत 'ज्ञान' शब्द के अर्थ में निहित है। जैसाकि हमने अभी देखा, ज्ञान विषयात्मक होता है। ज्ञान के समान ही कुछ अन्य मानसिक व्यापार, जैसे विश्वास, स्मृति, दर्शन, श्रवणादि भी, विषयात्मक ही होते हैं। किन्तु जबकि इन पदों के प्रयोग में यह आवश्यक नहीं है कि उद्दिष्ट विषय के अनुरूप वस्तुस्थिति भी हो, 'ज्ञान' पद के प्रयोग के लिये यह आवश्यक शर्त है कि उद्दिष्ट विषय के अनुरूप वस्तुस्थिति भी हो। उदाहरणत: 'राम को ज्ञात है कि उसके हाथ में पैन है' सत्य है, यदि और केवल यदि, राम के हाथ में पैन है। इसके विपरीत, 'राम को विश्वास है कि उसके हाथ में पैन है' यह लागू नहीं करता कि 'राम के हाथ में पैन है'। दूसरे शब्दों में, 'या तो यह असत्य है कि, राम को ज्ञात है कि, राम के हाथ में पैन है, अन्यथा राम के हाथ में पैन है।' इसी प्रकार दूसरे विषयात्मक व्यापारों के लिये भी। स्मृति का स्थान कुछ विवादास्पद कहा जा सकता है। उदाहरणत:, यह कहा जा सकता है कि 'स्मरण' शब्द का प्रयोग केवल वहीं उचित है जहाँ स्मृत वस्तुस्थिति वास्तव में वैसी हो, जैसे, 'यदि यह सत्य है कि राम को यह स्मरण है कि राम कल श्याम से मिला था, तो यह असम्भव है कि राम कल श्याम से नहीं मिला था।' यहाँ हम इस प्रसंग के विस्तार में नहीं जाएंगे, क्योंकि इस

---

1. प्रो. कालिदास भट्टाचार्य — आल्टर्नेटिव स्टैंडप्वाइंट्स इन फिलासफ़ी : इंट्रोडक्शन।
2. प्रो. निकुंज बिहारी बनर्जी — अध्यक्षीय भाषण, दार्शनेक त्रैमासिक, अक्टूबर 1962, पृ. 216-217.

सम्बन्ध में एक या दूसरे प्रकार के निर्णय से हमारी प्रस्तुत समस्या में कुछ अन्तर नहीं पड़ता। यहाँ केवल इतना कहना ही पर्याप्त होगा कि, यदि कोई कहता है कि 'उसे स्मरण है कि उसने स्टेशन पर वृक्ष देखा था' और हम उसे यह विश्वास दिलाने में सफल हो जाते हैं कि स्टेशन पर कभी वृक्ष था ही नहीं, और वह व्यक्ति पुन: स्वयं भी इस निर्णय पर पहुँचता है कि वास्तव में उसने कल स्वप्न में स्टेशन पर वृक्ष देखा था, जागृति में नहीं, तो वह अपने प्रथम निर्णय को 'भ्रान्त स्मृति' ऐसी संज्ञा भी दे सकता है और केवल 'भ्रम' भी कह सकता है। यही बात वास्तव में 'दर्शन', 'श्रवणादि' के ज्ञानात्मक प्रयोग के लिये भी कही जा सकती है। केवल विश्वास, आशा आदि के सम्बन्ध में यह नहीं कहा जा सकता।

यहाँ हम 'दर्शन', 'श्रवण' आदि की समस्या के विस्तार में नहीं जाएंगे, किन्तु इतना देखना अप्रासंगिक न होगा कि 'दर्शन' आदि पदों का एक महत्त्वपूर्ण उपयोग ऐसा भी है जिसमें यह आवश्यक नहीं है कि दर्शनादि के विषयों के अनुरूप वस्तुस्थिति हो ही। जैसे कोई यह उचित रूप से कह सकता है कि मैंने स्वप्न में पक्षी देखे थे, मुझे जो रस्सी जैसा दिखाई दिया था वास्तव में वह साँप ही था, आदि। इस प्रकार, 'देखना' की परिभाषा हम इस प्रकार कर सकते हैं—

"र को काल क पर य–वत् चाक्षुष प्रत्यक्ष घटित हुआ और र ने य–वत् प्रत्यक्ष को य का द्योतक स्वीकार किया।"

इसी प्रकार 'स्मरण' की परिभाषा इस प्रकार से दी जा सकती है—

"र को स्मरण है कि उसने य को देखा था, यदि और केवल यदि, र अब यह समझता (स्वीकार करता) है कि उसने य को देखा था, र को कभी य–वत् प्रत्यक्ष घटित हुआ था और र ने उस य–वत् प्रत्यक्ष को य स्वीकार किया था।"

इस प्रकार 'देखना' और 'स्मरण करना' प्रयोग अन्ततः अभिप्रायात्मक (इन्टेंश्नल) पद 'स्वीकार करना' में अन्तर्भाव्य हैं। किन्तु 'देखना' और 'स्मरण होना' में एक महत्त्वपूर्ण अन्तर भी है, वह यह कि जबकि 'देखना' के प्रयोग में प्रत्यक्षीकृत य–वत् के अनुरूप किसी वस्तुस्थिति का य होना आवश्यक नहीं है, 'स्मरण' के प्रयोग में स्मृत य–वत् के अनुरूप य–वत् प्रत्यक्ष का होना आवश्यक है।

किन्तु 'ज्ञान' पद के प्रयोग की स्थिति इससे भिन्न है : 'यदि राम को यह ज्ञात है कि य, तो यह असम्भव है कि य नहीं' (यदि राम को यह ज्ञात है कि मेज़ रक्त वर्ण है तो यह असम्भव है कि मेज़ रक्त वर्ण नहीं है)। उदाहरणत:, यदि कोई कहता है कि 'मुझे ज्ञात है कि श्याम के पिता का नाम मोहन है' तो उसका पीछे यह कहना कि 'वास्तव में श्याम के पिता का नाम सोहन है' उससे यह कहने का अधिकार छीन लेता है कि उसे पहले ज्ञात था। दूसरे शब्दों में, यह कहना कि 'यद्यपि मुझे पहले ज्ञात था कि श्याम के पिता का नाम मोहन है किन्तु वास्तव में उसके पिता का नाम सोहन है' ग़लत है। वह यह कह सकता है कि 'यद्यपि मैं समझता था कि मुझे ज्ञात है कि श्याम के पिता का नाम मोहन है किन्तु मुझे अब ज्ञात हुआ कि उसके पिता नाम वास्तव में सोहन है।' अब ज्ञान का विवेचन इस प्रकार करने पर इस श्रद्धा–मिश्रित विस्मय का कारण हम समझ सकते हैं कि ज्ञान–घटना तथा ज्ञान–विषय में सम्बन्ध की यह विशेषता (एकत्व स्थिति आदि) किस बात में निहित है।

ज्ञान तथा विषय की समस्या पर विचार करने के लिये यहाँ ज्ञान के कुछ ऐसे विभिन्न उदाहरणों पर दृष्टिपात करना उपयोगी होगा जिनमें ज्ञेय विषयों के स्वरूप परस्पर बहुत भिन्न प्रकार के है। जैसे 'मुझे ज्ञात है कि यह मेज़ है', 'मुझे ज्ञात है कि उस कमरे के भीतर जो मेज़ अभी था वह अब भी वहीं है', 'मुझे ज्ञात है कि रहीम अकबर का दरबारी कवि था', 'मुझे ज्ञात है कि किरणें देश में दो प्रकार से प्रसारित होती हैं' इत्यादि वाक्यों में जबकि 'ज्ञान' पद उपयुक्त रूप से प्रयुक्त हुआ प्रतीत होता है, ज्ञान की विषयभूत वस्तुस्थितियाँ परस्पर बहुत भिन्न प्रकार की हैं। वास्तव में यह भी कहा जा सकता है कि इन उदाहरणों में 'ज्ञान' पद भिन्न–भिन्न रूपों में प्रयुक्त हुआ है। अब, क्या इन विभिन्न उदाहरणों में कुछ समानता है?

यह प्रश्न ऊपर किये गए प्रश्न की व्याख्या की दृष्टि से विशेष रूप से महत्त्वपूर्ण है, क्योंकि जबकि प्रत्यक्षगत वस्तु के ज्ञान में ज्ञान-घटना तथा ज्ञात-वस्तु में कुछ अविश्लेष्य सामीप्य प्रतीत हो सकता है, यह परमाणु की संरचना के ज्ञान में तथा किरणों के प्रसरण की विधि के ज्ञान में सर्वथा अनुपस्थित प्रतीत होता है। इसी प्रकार ऐतिहासिक घटनाओं के ज्ञान में भी। जब हम कहते हैं कि हमें किसी परमाणु प, की संरचना ज्ञात है तब वास्तव में हमें जो ज्ञात होता है वह परमाणुओं की संरचना का सामान्य सिद्धान्त है, जिस सिद्धान्त के सन्दर्भ में हमारा परमाणु प का ज्ञान अनुस्यूत होता है। यह सिद्धान्त का ज्ञान वास्तव में वाक्यों के एक अत्यन्त जटिल संस्थान का ज्ञान होता है। अत: 'ज्ञान' शब्द के इस प्रयोग में ज्ञान-घटना तथा ज्ञान-विषय में किसी एकत्व अथवा अविश्लेष्य सामीप्य की खोज करना अस्थाने है। उदाहरणत: निम्न वाक्य लें—'मुझे ज्ञात है कि मेरे हाथ में पैन है।' यहाँ 'ज्ञान' की परिभाषा हम इस प्रकार कर सकते हैं : सर्वप्रथम (1) मैं देखता हूँ कि मेरे हाथ में पैन है, पुन: (2) मैं (स्पष्ट कारणों से) निश्चित हूँ कि यह वस्तु, जिसे मैं पैन के रूप में स्वीकार करता हूँ वह वास्तव में ही पैन है, तीसरे, (3) ('ज्ञान' पद के प्रयोग की एक अन्य शर्त के अनुसार) यह आवश्यक है कि मेरे हाथ में वास्तव में पैन है। अथवा दूसरे शब्दों में, 'र को ज्ञात है कि प, यदि और केवल यदि, र दृष्टि अथवा स्पर्श, अथवा दोनों, से यह अनुभव करता है कि प, यदि वह निश्चित है और उसके पास निश्चित होने के लिये उचित आधार है कि प, और यह सत्य है कि प।'

अब, यहाँ ज्ञान-घटना का तथ्य स्पष्टत: अभिप्रायात्मक (इन्टेंश्नल) है और इसीलिए दूसरा व्यक्ति इस बात में सन्देह प्रकट कर सकता है कि र का निश्चय वास्तव में ही ज्ञान की कोटि का है, अर्थात् कि 'र के हाथ में पैन है' यह सत्य है। यह सम्भव है कि र डेकार्ट के किसी मायावी राक्षस के द्वारा व्यामोहित होकर यह अनुभव कर रहा हो कि उसके हाथ में पैन है और अतएव उसका निश्चय उचित कारणों (अथवा आधारों) पर प्रतिष्ठित हो, किन्तु उसके हाथ में पैन नहीं हो। इस प्रकार 'मुझे ज्ञात है कि प', तथा 'मैं भ्रम में था कि प', इन दोनों में, जबकि इनका निर्देश एक ही है, आत्म-बाध केवल 'र को ज्ञात है कि प और प नहीं है' में है।

संवेदवाद की मूल प्रेरणा प्रत्यक्षगत वस्तु के ज्ञान के दावे में भी भ्रम की सम्भावना है। संवेदवाद के अनुसार, स्थूल रूप में, जब मैं कहता हूँ कि 'मुझे ज्ञात है कि मेरे हाथ में पैन है' तब मेरा ज्ञान का दावा उचित रूप से इस सीमा तक होना चाहिए कि 'मुझे पैन-वत् संवेद-संस्थान घटित हो रहा है।' इस रूपान्तरण में 'ज्ञात' तथा उसके प्रमाण में अन्तर समाप्त कर दिया गया है। अत: यदि कोई कहता है कि 'मुझे पैन-वत् संवेद-संस्थान घटित हो रहा है' तो यह असम्भव है कि यह संवेद-संस्थान घटित नहीं हो रहा हो, और अतएव इसमें भविष्य में भी सन्देह असम्भव है, क्योंकि भविष्य में इसमें सन्देह तर्कत: अप्रासंगिक है, क्योंकि यह सन्देह वस्तुप्रदत्तवाद को पूर्वकल्पित करता है।

संवेदवाद कहाँ तक उचित है, यहाँ यह प्रश्न अवान्तर है। यहाँ द्रष्टव्य केवल यह है कि एक स्वतन्त्र वस्तुस्थिति के रूप में 'र के हाथ में पैन होने का तथ्य' इस बात से किसी प्रकार से प्रभावित नहीं होता कि मैं मानसिक रूप से इस सम्बन्ध में कितना निश्चित हूँ। अत: ज्ञान-स्थिति को इस प्रकार से व्यक्त करने के बजाय कि 'यदि राम जानता है कि राम के हाथ में पैन है तो यह असम्भव है कि राम के हाथ में पैन नहीं हो', इस प्रकार से व्यक्त करना अधिक निर्भ्रामक होगा :

"यदि राम निश्चित है कि उसके हाथ में पैन है, और उसके हाथ में पैन वास्तव में है, तो यह कहना कि 'राम को ज्ञात है कि राम के हाथ में पैन है' उचित है।"

किन्तु यह परिभाषा इस रूप में अव्याप्ति दोषयुक्त है, क्योंकि ये दोनों शर्तें पूरी होने पर भी अनेक बार इस स्थिति को ज्ञान की संज्ञा देना अनुचित होगा। उदाहरण: यदि कोई निश्चित हो कि इस बार की लाटरी का परिणाम उसके पक्ष में निकलेगा, और यह विश्वास सत्य हो, तो भी यह कहना अनुचित होगा कि उसे ज्ञात था कि लाटरी उसके नाम निकलेगी। इसी प्रकार, यदि किसी को निश्चय है कि कविता के पेपर में उसके अंक अ होंगे और उसे

उतने ही अंक प्राप्त होते भी हैं, तो भी उसका निश्चय भाव ज्ञान का उचित दावा नहीं है, जबकि यही निश्चय गणित के पेपर के अंकों के लिये होने पर यह एक सीमा तक ज्ञान का उचित दावा होगा। वास्तव में हमने ऊपर 'राम के हाथ में पैन होने का ज्ञान होने' की जो परिभाषा दी है उसमें निश्चय और वस्तुस्थिति के अतिरिक्त एक तृतीय पक्ष का भी आकलन किया गया है, वह है उसके लिये उचित और पर्याप्त आधार होना। इस प्रकार 'र को ज्ञात है कि प' की परिभाषा होगी—

"र निश्चत है कि प, र के पास निश्चय का पर्याप्त कारण है कि प, तथा प वस्तुस्थिति है।"

यह परिभाषा हमारी पिछली परिभाषा से एक महत्त्वपूर्ण दृष्टि से भिन्न है, क्योंकि इसमें 'विश्वास के लिये उचित कारण' को ज्ञान के लिये आवश्यक शर्त रखा गया है। इस प्रकार केवल निश्चय और वस्तुस्थिति के सुभग संयोग को ज्ञान नहीं कहा जा सकता। कुछ दार्शनिकों ने ज्ञान की उपमा 'सफलता' से दी है।[1] उनके अनुसार सफलता उस प्रक्रिया से व्यतिरिक्त कोई वस्तुस्थिति नहीं होती जो जीत में परिणित होती है। उदाहरणत: दौड़ में विजय दौड़ने से पृथक् कोई वस्तुस्थिति नहीं होती। इसी प्रकार से ज्ञान–स्थिति में भी, ज्ञान कुछ प्रक्रियाओं की सफल परिणति से व्यतिरिक्त कोई स्वतन्त्र वस्तुस्थिति नहीं है, और सफल परिणति सुभग संयोगमात्र है।

यह ठीक है, और यह एक बड़ी बोधक उपमा है, किन्तु यह इस कठिनाई का समाधान नहीं करती कि ऐसे विश्वास में, जिसका उचित आधार है तथा ऐसे विश्वास में जिसका उचित आधार नहीं है, क्या अन्तर है।

ज्ञान–प्रक्रिया

एक अर्थ में ज्ञान–स्थिति के मानसिक पक्ष को निश्चय या विश्वास–मात्र कहना उपयुक्त नहीं है, क्योंकि 'मुझे विश्वास है कि प, तथा विश्वास के लिये उचित आधार है' यह लागू नहीं करता 'कि प'। उदाहरणत:, मुझे विश्वास हो सकता कि मेरे सम्मुख मेज़ है और इसके लिये पर्याप्त से अधिक आधार हो सकता है कि मेरे सम्मुख मेज़ है, क्योंकि प्रत्यक्ष से अधिक उचित आधार और क्या हो सकता है, किन्तु तब भी यह सम्भव है कि मेज़ नहीं हो, जैसे स्वप्न में होता है। इस प्रकार से, उचित आधार होने पर भी निश्चय और वस्तुस्थिति का संयोग केवल सुभग संयोग ही है। वास्तव में 'उचित आधार' स्वयं एक सापेक्ष सम्प्रत्यय है, क्योंकि प्रत्येक व्यक्ति किसी आधार पर ही विशास करता है; उदाहरणत: स्वप्न को बहुत–से लोग उचित आधार मानते हैं, इसी प्रकार शकुन को भी, जबकि अन्य वैसा नहीं मानते।

इस प्रकार हम राईल द्वारा ज्ञान को 'सफलता' से उपमित करने को एक सीमा तक स्वीकार करते हैं, किन्तु हम उनके व्यवहारवाद (बिहेव्यरिज़्म) से सहमत नहीं हैं। उनके अनुसार प्रतिज्ञात्मक ज्ञान ('ज्ञात है कि...' प्रकार का) व्यापारात्मक ज्ञान (जैसे साइकिल चलाने का ज्ञान) में अन्तर्भाव्य (रिड्यूसीबल) है। इस प्रकार से उनके अनुसार 'राम को ज्ञात है कि पृथ्वी गोल है' तथा 'राम साइकिल चलाना जानता है' में कोई अन्तर नहीं है।

हमने पीछे ज्ञान–स्थिति के मानसिक पक्ष के लिये 'ज्ञान–घटना' पद का प्रयोग किया था और इसे मानसिक तथ्य कहा था। किन्तु अन्त में हम इस निर्णय पर पहुँचे हैं कि यह मानसिक पक्ष 'निश्चय' से व्यतिरिक्त कोई वस्तुस्थिति नहीं है, यह केवल निश्चय की सफल परिणति है, निश्चय का अपना गुण नहीं है। अत: 'ज्ञान–क्रिया' अथवा 'ज्ञान–घटना' प्रयोग भ्रामक हो सकते हैं।

किन्तु जैसाकि किश्होल्म ने दिखाया है, राईल के मत के अनुसार यदि कोई समझता है कि पृथ्वी चपटी है किन्तु वह 'पृथ्वी गोल है' वाक्य का प्रयोग कर सकता है, तो वे कहने को बाध्य होंगे कि वह जानता है कि पृथ्वी गोल है।[2] इसी प्रकार हिटलर के राज्य में यदि कोई जानता था कि हिटलर अत्याचारी है किन्तु वह सदैव यह

1. गिल्बर्ट राईल — दि कांसेप्ट ऑफ माइंड, अध्याय : नोइंग हाऊ एण्ड नोइंग दैट।
2. किश्होल्म पर्सीविंग — ए फिलोसोफ़ीकल स्टडी, पृ. 15.

कहता था कि हिटलर दयालु है तो, इस सिद्धान्त के अनुसार वह जानता था कि हिटलर दयालु है, यद्यपि वह यह भी जानता था कि हिटलर अत्याचारी है। जैसाकि स्पष्ट है, ऐसी सरल ज्ञान-स्थितियों में, जहाँ प्रकट या अप्रकट व्यवहार प्रासंगिक है, जैसे हिटलर के अत्याचारीपन के ज्ञान तथा पत्थर की कठोरता के ज्ञान में, वहाँ स्थिति उतनी स्पष्ट नहीं है, यद्यपि वहाँ भी थोड़े ही प्रयत्न से व्यवहारवादियों के तर्कों की अप्रतिष्ठा दिखाई जा सकती है। किन्तु ऐसी ज्ञान-स्थितियों में, जैसे पृथ्वी गोल होने के ज्ञान में, व्यवहारवाद की अप्रतिष्ठा स्पष्ट है। वास्तव में यह ऐसी अत्यन्त सरल स्थितियों में भी स्पष्ट है जैसे 'मुझे ज्ञात है कि राम दिल्ली नहीं जालंधर गया है।' यहाँ किसी प्रकार का भाषा से भिन्न स्पष्ट या अस्पष्ट व्यवहार प्रासंगिक नहीं है। अत: यदि मैं 'राम जालंधर नहीं दिल्ली गया है' वाक्य का प्रयोग कर सकता हूँ तो उपर्युक्त मतानुसार कहा जाएगा कि मुझे ज्ञात है कि राम जालंधर नहीं दिल्ली गया है। प्रतिज्ञात्मक ज्ञान की व्यापारात्मक ज्ञान से यह विशेषता है कि इसमें अभिप्राय तथा विषय-निर्देश होता है तथा 'वस्तुस्थिति के होने' की अपेक्षा होती है, यद्यपि वस्तुस्थिति का होना आवश्यक नहीं है।

इस प्रकार से यह स्पष्ट है कि प्रतिज्ञात्मक ज्ञान का अन्तर्भाव व्यापारात्मक ज्ञान में सम्भव नहीं है। प्रतिज्ञात्मक ज्ञान-वाक्यों की विशेषता अन्य प्रतिज्ञात्मक मनोवैज्ञानिक वाक्यों के समान इस बात में है कि इनके बिम्बों के अनुरूप वस्तुस्थिति का होना अनिवार्य नहीं है। उदाहरणत: 'राम निश्चित है कि पृथ्वी चपटी है' यह लागू नहीं करता कि पृथ्वी वास्तव में चपटी है; दूसरे शब्दों में, यह असत्य होने पर कि 'पृथ्वी चपटी है' उपर्युक्त वाक्य सत्य हो सकता है। स्वयं 'ज्ञान' शब्द का सम्बन्ध भी जहाँ यह लागू करता है कि वस्तुस्थिति वास्तव में वैसी है, वस्तुस्थिति के साथ अभिप्रायात्मक ही है। जैसे यदि वह सत्य है कि 'राम को ज्ञात है कि शुक्र भोर का तारा है' तो यह लागू करता है कि 'या तो शुक्र भोर का तारा है अन्यथा राम को यह ज्ञात नहीं है।' अब यदि यह सत्य है कि—

'भोर का तारा ही संध्या का तारा है'

और राम को यह ज्ञात है कि शुक्र भोर का तारा है, तो इससे यह लागू नहीं होता कि—

'राम को यह ज्ञात है कि शुक्र संध्या का तारा भी है'

यद्यपि, यदि शुक्र संध्या का तारा है, और यदि भोर का तारा ही संध्या का तारा है, तो यह सत्य है कि शुक्र संध्या का तारा भी है।

इस प्रकार 'ज्ञान' का अभिप्रायात्मक होना स्पष्ट है, और यह पुन: प्रमाणित करता है कि ज्ञात होना वस्तुस्थिति के वैसा होने में कोई कारण नहीं है। वास्तव में यह सदैव सम्भव है कि जब हम समझते हैं कि कोई तथ्य हमें ज्ञात है तब वास्तव में हमें वह ज्ञात नहीं हो। ज्ञान-प्रक्रिया मानसिक घटना है और यह एक अन्य घटना के होने को लागू नहीं करती।

क्या हम कभी जानते हैं?

परिणामत: यह कहा जा सकता है कि क्योंकि हम अपने वस्तुस्थितियों के ज्ञान में कभी निश्चित नहीं हो सकते इसलिए इनके प्रसंग में 'ज्ञान' शब्द का प्रयोग अनुचित है। किन्तु हमारे विचार में यह निष्कर्ष भ्रामक है। यदि हमारा कोई भी प्रकथन तर्कत: पीछे असत्य सिद्ध होने योग्य है तो भी इसका यह तात्पर्य नहीं है कि हमें कभी भी यह ज्ञात नहीं होता कि वस्तुस्थिति क्या है। उदाहरणत: जब मैं कहता हूँ कि 'मुझे ज्ञात है कि मेरे हाथ में पैन है' तो सन्देहवादी के यह प्रश्न करने पर कि मेरी निश्चयोक्ति का क्या आधार है, मैं उत्तर देता हूँ कि मैं स्पर्श से अनुभव कर रहा हूँ कि यह कठोर है, मेरी हाथ की पेशियाँ इसका भार और दबाव अनुभव कर रही हैं, मुझे दिखाई दे रहा है कि यह स्पर्श तथा पेशीय दबाव से अनुभूत वस्तु पैन कही जाने वाली अन्य वस्तुओं के समान दिखाई दे रही है, मैं इससे लिख रहा हूँ और परिणामत: कागज़ पर अक्षर उघड़ते दिखाई दे रहे हैं आदि, और ये सब इस बात के पर्याप्त प्रमाण हैं कि यह सब होने पर भी यह कैसे कहा जा सकता है कि मुझे ज्ञात है कि यह पैन है? इस

पर मेरा उत्तर होगा कि मैंने उपर्युक्त प्रकार के अनुभवों को सदैव इस बात का प्रमाण माना है कि 'यह पैन है', मेरे अन्य साथियों ने मेरे इस निर्णय के साथ पहले सदैव सहमति प्रकट की है, अत: मैं इस समय के अनुभवों को अ के पैन होने का प्रमाण मानता हूँ। किन्तु यदि सन्देहवादी इतने पर से भी सन्तुष्ट न हो तो वह प्रश्न करता है कि "यदि उपर्युक्त प्रकार के प्रमाण अतीत में सदैव सफल भी रहे हैं तो भी मेरे इस विश्वास का क्या उचित आधार है कि ये अब भी सफल होंगे? यह सम्भव है कि कुछ क्षणों में यह पैन हाथ में ही तिरोहित हो जाय और मैं इस निर्णय के लिये बाध्य होऊँ कि जिसे मैं पैन समझ रहा था वास्तव में पैन नहीं था, मैं हिप्नोटिज़्म के प्रभाव में या अन्य किसी प्रभाव में पैन के बिना ही पैन को देख रहा था?"

यहाँ यह कह देना आवश्यक है कि यहाँ तक सन्देहवादी हमारे एक विशिष्ट ज्ञान के दावे को ही चुनौती दे रहा है और अतएव वह ज्ञान के हमारे निकष को स्वीकार कर रहा है। अत: हम उसको उत्तर दे सकते हैं। अब जबकि यह सदैव सम्भव है कि मेरा कोई भी निश्चयात्मक बोध बाद में भ्रामक सिद्ध हो सकता है, मैं कभी-कभी किसी वस्तुस्थिति (यहाँ अपने हाथ में पैन के होने) को अवश्य ही जानता हूँ, क्योंकि जबकि मेरा व्यामोहित होना किसी भी अवस्था में सम्भव है, अधिकांशत: ऐसा न होना भी सम्भव है। यहाँ हम न्यायालय के इस आदर्श को अपना सकते हैं कि विपरीत प्रमाण के अभाव में प्रत्येक व्यक्ति निर्दोष है। किन्तु सन्देहवादी की आपत्ति वास्तव में इस अनुचित माँग में परिणत हो जाती है कि किसी स्थिति को ज्ञान-स्थिति कहने के लिये न केवल किसी वस्तुस्थिति विशेष का ज्ञान होना ही आवश्यक है बल्कि इस ज्ञान का ज्ञात होना भी आवश्यक है।

किन्तु अधिकांशत: दार्शनिकों ने सन्देहवाद की आपत्ति को स्वीकार करते हुए 'ज्ञान' शब्द के प्रयोग के लिये वस्तुस्थिति की सत्यता के पूर्वनिश्चित होने को आवश्यक शर्त रखा और तब वे ऐसी वस्तुस्थितियों की खोज में प्रवृत्त हुए जो तर्कत: असन्दिग्ध हों। अनुभववादियों[1] के संवेद-प्रदत्त के सम्प्रत्यय के आधार में एक महत्त्वपूर्ण लक्ष्य यह भी है। संवेद-वाक्य परिभाषया अप्रत्याख्येय हैं, और संवेदवाद के अनुसार, जब हम यह कहना चाहते हैं कि 'मुझे ज्ञात है कि मेरे हाथ में पेन है' तो वास्तव में हमें जो ज्ञात होता है वे संवेदात्मक वस्तुस्थितियाँ हैं, और उस ज्ञान के आधार पर हम केवल समधिक विश्वास के साथ ही यह कह सकते हैं कि 'मेरे हाथ में पैन है।' उदाहरणत: यह वाक्य लें—'पैन काला है', अब यह मुझे कैसे ज्ञात है कि पैन वास्तव में काला है? संवेदवाद के अनुसार, जब कोई व्यक्ति व कहता है कि मुझे ज्ञात है कि प, तब—

1. व को संवेद स घटित होता है जो प-वत् है।

2. स का अस्तित्व ही प-वत् के अप्रत्याख्येय रूप से ज्ञात होने की निस्सन्दिग्धता साथ रखता है।

3. और यह स व के लिये पर्याप्त प्रमाण है कि कुछ प है।

इस प्रकार, संवेदवाद के अनुसार, जब हम कहते हैं कि 'पैन काला है'—(प), तब यह निश्चित रूप से ज्ञात है कि कुछ प-वत् है और यह प-वत् प्रत्यक्ष व्यक्ति व के लिये पर्याप्त प्रमाण है कि प वस्तुस्थिति है। अब प को चाहे हम स्वतन्त्र वस्तुस्थिति मानें और चाहे संवेद-प्रदत्तों से रचना, प्रमाणों तथा प्रमेय के बीच की खाई तो रहेगी ही। किन्तु संवेदवाद को तात्त्विक सिद्धान्त स्वीकार करने पर 'मुझे ज्ञात है कि पैन काला है' कहना अनुचित होगा, क्योंकि यह तथ्य तात्त्विक रूप से अनेक वास्तविक और सम्भाव्य संवेदों का संघात मात्र है और अतएव कभी भी हम निश्चित रूप से केवल इतना ही कह सकते हैं कि अब तक कोई संवेद ऐसा घटित नहीं हुआ जो 'पैन काला है' वाक्य का प्रत्याख्यान करता हो। वास्तव में संवेदवाद को तात्त्विक सिद्धान्त मानने पर वस्तुओं की चर्चा तक अविहित होनी चाहिए। अत: संवेदवाद को तात्त्विक सिद्धान्त के रूप में प्रतिपादित करना अनुचित है, यह केवल तार्किक सिद्धान्त है जो अपनी योजना में सरलों के रूप में संवेद-प्रदत्तों को कल्पित करता है। अत: संवेद-प्रदत्त वस्तु-प्रदत्तों के उपादान कारण न होकर उनके प्रमाणीकरण प्रसंग में ग्राह्य होते हैं। अत: पैन-वत्

1. द्रष्टव्य : यशदेव शल्य — दार्शनिक विश्लेषण अ. 1 और 2, अखिल भारतीय दर्शन परिषद् 1961.

संवेद का घटित होना यह ज्ञात होने में कि 'य पैन है', प्रासंगिक है और इसी प्रकार नील–वर्ण–संवेद कुछ नीला होने के प्रसंग में ग्राह्य है।

जब हम किसी वस्तुस्थिति व को किसी अन्य वस्तुस्थिति त के लिये प्रमाण मानते हैं तब जबकि यह आवश्यक है कि व हमें ज्ञात हो, हमारे वाक्य का निर्देश वास्तव में त होता है। प्राय: ही हम व की उपेक्षा कर देते हैं और केवल त के सम्बन्ध में सचेत रहते हैं। अत: जब राम कहता है कि 'मुझे ज्ञात है पैन नीला है' तब यह कहना अनुचित है कि उसका विषय वास्तव में संवेद–समवाय है, संवेद–समवाय उसकी वस्तु–सम्बन्धी निश्चयोक्ति के लिये केवल आधार प्रस्तुत करता है। अथवा यों भी कहा जा सकता है कि 'पैन नीला है' वाक्य का निर्देश यह वस्तुस्थिति है कि पैन नीला है, जबकि प्रमाण पैन–वत् संवेद तथा नील वर्ण संवेद है। इस प्रतिपादन की उपयोगिता अन्य मनों के ज्ञान के प्रसंग में विशेष रूप से स्पष्ट है। जैसाकि हमने अन्यत्र देखा है,[1] जबकि राम का दु:ख–व्यवहार मेरे इस ज्ञान के लिये आवश्यक है कि राम दु:खी है, यह मेरे राम के दु:ख के सम्बन्ध में प्रकथन के द्वारा कदापि निर्दिष्ट नहीं होता। इस प्रतिपादन का दूसरा लाभ यह है कि वस्तुवाक्य संवेद–वाक्यों से तात्त्विक तथा अर्थगत दोनों प्रकार से स्वतन्त्र हो जाते हैं। जबकि 'पैन' पद के अर्थ में यह अभिप्रेत है कि उचित परिस्थितियों में उचित संवेद घटित हों, उसमें यह भी अभिप्रेत है कि अन्य उचित परिस्थितियों में कोई संवेद घटित नहीं हो। इस प्रकार यह कथन कि 'मुझे ज्ञात है कि साथ के कमरे में मेज़ है' जबकि प्रमाणीकरण के लिये उचित परिस्थितियों में संवेद प्रदत्तों के घटित होने की अपेक्षा करता है, इसका निर्देश इनसे स्वतन्त्र यह पूछने पर कि 'मैं यह कैसे कह सकता हूँ कि साथ के कमरे में मेज़ है' मेरा उत्तर होगा कि 'मैंने अभी उस कमरे में मेज़ देखा था (मेज़–वत् चाक्षुष प्रत्यक्ष किया था), उसके पश्चात् मैं निरन्तर उस कमरे के द्वार को देखता रहा हूँ और मैंने उस कमरे से मेज़ को निकाले जाते नहीं देखा, अत: उस कमरे में मेज़ है।' यहाँ पुन: सन्देहवादी आपत्ति करेगा कि मैंने मेज़ के उस कमरे में होने के लिये जो प्रमाण प्रस्तुत किये हैं उनको प्रमाण, या कम–से–कम पर्याप्त प्रमाण, मानने का मेरे पास क्या औचित्य है? इसका उत्तर स्वभावत: यह होगा कि जब भी कभी मैंने किसी मेज़ को देखा है, और उसको यदि किसी ने वहाँ से हटाया नहीं है, तो मैंने पुन: लौटने पर उसे वहीं पाया है। अब सन्देहवादी की यह आपत्ति कि मैं विश्व में नियमितता को पूर्वकल्पित कर रहा हूँ, तर्कत: भी उतनी उचित नहीं है जितनी यह समझी जाती है, क्योंकि इस प्रकार वह एक ओर प्रमाण के सम्प्रत्यय को ही अस्वीकार कर रहा है और दूसरी ओर प्रमाण की माँग कर रहा है। यदि सन्देहवादी किसी भी कथन अथवा तथ्य को प्रमाण मानने को तैयार है तो वह नियमितता को पूर्वकल्पित करने को भी बाध्य होगा। यदि वह इस पूर्वकल्पना पर ही आपत्ति करता है तो उसे प्रमाण माँगने का अधिकार भी त्यागना होगा।

सन्देहवादी यह अधिकार त्यागने को तैयार है। वास्तव में वह किसी घटना को किसी दूसरी घटना का प्रमाण मानने के औचित्य पर ही आपत्ति करता है। किन्तु यदि उसकी इस स्थिति का कोई खण्डन नहीं कर सकता तो वह इसलिए नहीं कि वह तर्कत: पुष्ट है बल्कि इसलिए क्योंकि वह तर्क की एक कोटि को दूसरी कोटि में व्यामिश्रित कर देता है। हम भौतिक वस्तुओं के सम्बन्ध में बहुत कुछ जानते हैं, इसी प्रकार अन्यों के मनों के सम्बन्ध में भी हमें बहुत कुछ ज्ञात होता है। दार्शनिक के लिये समस्या वास्तव में यह नहीं है कि हम इन्हें जानते हैं या नहीं, बल्कि यह कि इनके हमारे ज्ञान का स्वरूप क्या है? यदि मैं किसी से कहता हूँ कि 'देखो, यह पैन है' और वह उत्तर देता है कि 'यह ठीक है कि कुछ दृष्टिगत प्रत्यक्ष हो रहा है, कुछ स्पर्शगत प्रत्यक्ष हो रहा है आदि, किन्तु इससे यह कैसे सिद्ध होता है कि वह पैन है?' तो हमारे पास इसके सिवाय और कोई उपाय नहीं है कि हम उसे ईश्वर की दया पर छोड़कर चले जाएँ।

किन्तु सन्देहवादी की ये असम्भव माँगें इस दृष्टि से उपयोगी हैं कि ये प्रमाण के सम्बन्ध में एक महत्त्वपूर्ण तथ्य को सामने लाती हैं, वह यह कि आनुभविक प्रश्नों में एक तथ्य को दूसरे तथ्य का प्रमाण मानने के आधार

1. मानसिक और भौतिक, आगे।

विशुद्धत: व्यावहारिक होते हैं, तार्किक और तात्त्विक नहीं। यदि कोई सेक लगने पर भी जलते कोयलों के जलते होने में सन्देह प्रकट करे तो उसका हाथ पकड़ कर उन पर रखा जा सकता है, यदि हाथ जल जाने पर भी वह सन्देह प्रकट करे तो उसे विश्वास दिलाने का उपाय असम्भव है, क्योंकि उसका सन्देह प्रमाण की कमी पर आधारित नहीं है। हम यह जानते हैं कि जलते कोयलों और बुझे कोयलों में क्या अन्तर है, प्रमाण का निर्णय इस ज्ञान के आधार पर ही होता है। 'हम जब तक यह नहीं कह सकते कि हमारे कौन–से विश्वास स्वत:स्पष्ट हैं तब तक हम यह नहीं कह सकते कि उचित प्रमाण के कौन–से चिह्न हैं। यदि हम यह दिखा सकते हैं कि हम अच्छे सेबों को बुरे सेबों से पृथक् करने के नियमों से अभिज्ञ हैं तब हमें ज्ञात है कि कौन–से सेब अच्छे हैं और कौन–से बुरे। और यदि हम ऐसे कुछ नियमों का चयन करें तो हमारा निर्णय, अंशत:, इस बात पर निर्भर करेगा कि हम सेबों के अच्छे या बुरे होने के सम्बन्ध में क्या जानते हैं?'[1]

ज्ञान–विषय : सम्प्रत्ययात्मक योजनाएँ

ज्ञान की समस्या में सर्वाधिक महत्त्वपूर्ण प्रश्न यह है कि हम कैसे जानते हैं? यह इस रूप में उतना स्पष्ट नहीं है जितना होना अपेक्षित है। "कैसे जानते हैं" का तात्पर्य होगा कि हम जिन वस्तुओं को जानते हैं उनको जानने के लिये हम किन साधनों का उपयोग करते हैं? किन्तु इस रूप में यह प्रश्न इतना उचित इसलिए प्रतीत होता है क्योंकि हम समझते हैं कि हम यह जानते हैं कि हम किन वस्तुओं को जानते हैं। हम कम–से–कम कुछ वस्तुओं के अपने ज्ञान को निश्चित समझते हैं। किन्तु जैसे ही हम अपने किसी ज्ञान के साधनों पर विचार करने चलते हैं स्वयं हमारा ज्ञान सन्देह का विषय हो जाता है। उदाहरणत:, हमारे वस्तुओं के ज्ञान को लें। ऊपर हमने जलते कोयले का उदाहरण देखा है। अब यदि यहाँ कोई प्रश्न करता है कि "तुम कैसे जानते हो कि यह जलता कोयला है?" तो इसका तात्पर्य यह है कि वह इन दो वाक्यीय व्यापारों 'य कोयला है' तथा 'य जल रहा है' को अस्तित्व वाक्यों—'कम–से–कम एक वस्तु कोयला है' और 'कम–से–कम एक वस्तु ज्वलनशील है' में स्थानान्तरणीय स्वीकार करता है। इस स्वीकृति को हम एक सम्प्रत्ययात्मक संस्थान की स्वीकृति कहेंगे जिसमें भौतिक वस्तुएँ स्वीकृत तथ्य हैं। अत: इस संस्थान के सम्बन्ध में इन दो व्यक्तियों में इनके अस्तित्व को लेकर मतभेद का प्रश्न उत्पन्न नहीं होता। इसलिए उपर्युक्त प्रश्न एक विशेष परिस्थिति में मेरे कथन से सम्बन्ध रखता है और अतएव इसका उत्तर परिस्थिति के अनुसार प्रासंगिक है। यदि जलते कोयले कहीं समीप हैं और मैं प्रश्नकर्त्ता को पास ले जाकर दिखा सकता हूँ तो वैसा करना प्रामाणिक उत्तर होगा, यदि हम चलती गाड़ी में बैठे हैं तो इस प्रश्न का उत्तर भिन्न प्रकार का होगा, तब मैं कह सकता हूँ कि उन वस्तुओं का रंग जलते कोयलों जैसा था, हल्के लाल रंग के साथ कहीं–कहीं राख जैसा श्वेत रंग छिटका दिखाई पड़ता था, वहाँ कुछ व्यक्ति इस प्रकार से बैठे थे जैसे मानों वे सेक रहे हों, आदि। अब यह बहुत कुछ व्यक्तिगत रुचि का प्रश्न है कि मैं जितने प्रमाण प्रस्तुत कर सकता हूँ वे पर्याप्त माने जाते हैं या कि अपर्याप्त। प्रयोगशाला में विद्यार्थी परीक्षक को इसी प्रश्न का उत्तर बहुत भिन्न प्रकार से देंगे। अब, कोयले का सम्प्रत्यय सामने हाथ में पकड़ कर देखने से लेकर प्रयोगशाला के सिद्धान्त–वाक्यों तक विस्तृत है। कोई व्यक्ति य उस सम्प्रत्ययात्मक योजना को ही अस्वीकृत कर सकता है जिसमें वस्तुएँ स्वीकृत तथ्य हैं। उस अवस्था में प्रश्नकर्त्ता तथा ज्ञान का दावा करने वाले के बीच एक दुर्निवार खाई है, वास्तव में यह भी कहा जा सकता है कि ये दो व्यक्ति एक प्रसंग में बात नहीं कर सकते हैं। उदाहरणत:, यदि ज्ञान का दावा करने वाला व्यक्ति व 'अ कोयला है' के कथन के प्रमाण में कहता है कि यह काला दिखाई देता है, यह कठोर है, इसे आग में डालें तो यह भी आग उत्पन्न करेगा, आदि, तो वह यह पहले स्वीकार कर चलता है कि यह कोयला है, दूसरे शब्दों में, उसके प्रमाणों का तार्किक ढाँचा इस प्रकार है : यह काला दिखाई देता है क्योंकि यह कोयला है, यह कठोर है क्योंकि कोयला कठोर होता है, आदि। मेज़ के उदाहरण से यह और भी स्पष्ट हो जाएगा। 'अ मेज़ है' के प्रमाण में प्रस्तुत किये गए वाक्यों में 'अ कठोर है' आदि के अतिरिक्त 'अ मेज़वत् दिखाई देता है' वाक्य का होना भी आवश्यक है। उदाहरणत:, मान लें कि दो व्यक्ति चलती गाड़ी से किसी वस्तु को तीव्रता से सामने से

1. इ.एस. हाल्डेन तथा आर.टी. रोस — (सं.) दि फिलोसोफ़ीकल वर्क्स ऑफ डेकार्ट, 2, 292 (पर्सीविंग, पृ. 33 पर उद्धृत)।

गुज़र जाती देखते हैं और इनमें से एक कहता है कि वह मेज़ था, जबकि दूसरा इसे कुछ अन्य बताता है। अब मान लें कि उस वस्तु को मेज़ कहने वाला व्यक्ति कहता है कि वह कुछ इतना बड़ा था कि वह स्टूल नहीं हो सकता, दूसरे शब्दों में, वह इतना बड़ा था कि उस प्रकार के आकार की वस्तु को उतना बड़ा होने पर मेज़ कहा जाता है। इस प्रकार मेज़ का प्रमाण प्रस्तुत करते हुए 'अ मेज़वत् आकार का दिखाई देता है' कहना आवश्यक है। किन्तु यहाँ प्रश्नकर्त्ता का प्रश्न दूसरे धरातल से किया गया है, वह पूछ रहा है कि क्या कोयला 'काला', 'कठोर' आदि की संवेद-घटनाओं से अतिरिक्त कुछ भी है? इस प्रकार, 'अ कठोर है' आदि वाक्यों के अर्थ भी दोनों के लिये भिन्न-भिन्न होंगे दूसरे शब्दों में, व का 'मैं काल वर्ण-संस्थान देख रहा हूँ' का प्रयोग वस्तु-सापेक्ष है और य का प्रयोग वस्तु-निरपेक्ष, इसलिए वे परस्पर सम्भाषण में असमर्थ हैं।

इनकी भूमिका का अन्तर इससे और भी स्पष्ट है कि य का प्रश्न वास्तव में एक सामान्य प्रश्न है कि "भौतिक वस्तुओं के अस्तित्व का क्या स्वरूप है?" जोकि व की भाषा में सार्थकतया व्यक्त ही नहीं किया जा सकता, क्योंकि वहाँ यह प्रश्न केवल इस या उस वस्तु विशेष के अस्तित्व के प्रमाण की माँग के लिये किया जा सकता है, और इसका उत्तर व प्रासंगिक प्रमाण प्रस्तुत कर दे सकता है, जो प्रमाण कि य के लिये अर्थशून्य है। अत: व के लिये यह प्रश्न कि, "उसे कैसे ज्ञात है कि प" एक निर्धारित सम्प्रत्ययात्मक संस्थान के अन्तर्गत प्रश्न है। इस संस्थान में यह तर्क कि, जब हम कहते हैं कि हम मेज़ को देख रहे हैं, तब वास्तव में संवेद-प्रदत्तों को देखते हैं, उचित नहीं है, क्योंकि इस संस्थान में संवेद वस्तुओं के लिये प्रमाण हैं।

तब प्रश्न यह है कि संवेदवाद की प्रतिज्ञा क्या है और उसका क्या औचित्य है? ऐतिहासिक रूप से, संवेदवाद इस तथ्यात्मक प्रतिज्ञा से आरम्भ होता है कि हमारे ज्ञान के सभी आधार एक या दूसरे प्रकार के संवेद हैं। ह्यूम ने जब 'मैं' द्वारा व्यक्त वस्तु को देखने का प्रयत्न किया तो एक या दूसरे प्रकार का संवेद ही प्रस्तुत हुआ; किन्तु जबकि हम संवेदों को नि:सन्देह 'देखते' हैं, उनसे वस्तुओं का, जिन्हें हम परिभाषया नहीं देख सकते, अस्तित्व किस प्रकार सिद्ध होता है? जहाँ तक तथ्यात्मक अनुमान का प्रश्न है, उसमें अ से आ के अनुमान के लिये आवश्यक है कि पहले कम-से-कम एक बार हमने अ तथा आ को देखा हो, और पुन:, इनका सम्बन्ध भी देखा हो। किन्तु उक्त तर्क के अनुसार, हम कभी वस्तुओं को नहीं देखते, केवल संवेदों को देखते हैं। अथवा, जैसाकि ह्यूम कहेंगे, 'वस्तुएँ' पद रिक्त वर्ग का वाचक है। और जैसाकि हम पीछे देख आये हैं, इसका यह उत्तर कि वास्तव में हम संवेद-प्रदत्तों को नहीं वस्तुओं को देखते हैं, केवल वस्तुओं के सम्प्रत्ययात्मक संस्थान में रहकर ही दिया जा सकता है।[1]

इस प्रकार से वास्तव में संवेद-प्रदत्तों का सिद्धान्त एक अन्य सम्प्रत्ययात्मक योजना है जो वस्तु-प्रदत्तों की योजना का प्रतिस्पर्धी कहा जा सकता है। इस योजना के सन्दर्भ में संवेद-प्रदत्तों का वही स्थान है जो दूसरी योजना में वस्तु-प्रदत्तों का, और जो भौतिक-विज्ञान के सिद्धान्त में परमाणु आदि का। इस योजना के अन्तर्गत जब कोई कहता है कि 'मैं मेज़ देखता हूँ', तो वास्तव में उसका कथ्य है कि 'मैं मेज़वत् संवेद-प्रदत्त देखता हूँ।' मेज़वत् संवेदों का घटित होना मेज़ के होने का प्रमाण नहीं है, वह केवल मेज़-वत् संस्थानों के सम्बन्ध में परम्परागत भाषा में प्रकथन करने का एक ढंगमात्र है। इस भाषा के मूलवाक्य, जो वस्तुस्थितियों के एकमात्र उचित निदर्शक हैं, 'रक्त (अ), शीत (अ)' इस प्रकार के होते हैं, 'मेज़ (अ)' इस भाषा का उचित वाक्य नहीं है। (यहाँ (अ) का प्रयोग विशिष्ट संकेतित 'यह' के लिये है जो संवेद्य से अधिक का निर्देश नहीं करता है।[2])

अब जिस प्रकार से हमने यहाँ इस समस्या को प्रस्तुत किया, यह केवल स्पर्धी भाषाओं का प्रश्न ही नहीं रह जाता, यह वास्तव में स्पर्धी योजनाओं का प्रश्न है जो हमारी अस्तित्वमीमांसा के स्वरूप को निर्धारित करती हैं। स्पर्धी योजनाएँ हमारे अनुभव को निर्धारित स्वरूप देने के प्रयत्न हैं। इस अनुभव को हमने ऐतिहासिक विकास

1. द्रष्टव्य आगे — प्रत्यक्ष, तथा विश्लेषणात्मक और संश्लेषणात्मक अध्याय।

2. द्रष्टव्य : यशदेव शल्य — दार्शनिक विश्लेषण, अ. 2.

परम्परा में वस्तु-प्रदत्तों की योजना में देखना सीखा है। हमारी भाषा ने, जोकि हमारी इस सम्प्रत्ययात्मक योजना की ही अभिव्यक्ति है, हमारी इस प्रवृत्ति को और भी अधिक पुष्ट किया है। मन तथा सामान्यों आदि को मेज़ आदि के समान संज्ञाओं में और पुनः वस्तुओं में कल्पित करना इसी प्रवृत्ति के कारण है। परम्परागत रूप से हमारे स्वभाव में मूलित इस सम्प्रत्ययात्मक योजना को छोड़ने या इसकी किसी प्रतिस्पर्धी योजना को इससे अधिक उपयुक्त समझने के क्या कारण हो सकते हैं?

वास्तव में, ऐतिहासिक, अथवा कहें जैविक, योजनाएँ कभी स्पर्धा में नहीं आतीं, क्योंकि योजनाओं के स्पर्धा में आने के लिये किसी अन्य सामान्य आधार का होना आवश्यक है। ये योजनाएँ अशेषतः समग्र होती हैं। सम्भवतः विभिन्न मानवीय समग्र योजनाएँ, जिन्हें हम 'वैज्ञानिक', 'दार्शनिक' आदि से पृथक् करने के लिये 'प्रकृत योजनाएँ' कह सकते हैं, मानव की जैविक एकता के कारण बहुत-कुछ समान भी होती हैं, इसलिए अत्यन्त सुदूर संस्कृतियाँ भी एक सीमा तक संवाद करने में सफल हो सकती हैं। किन्तु विभिन्न प्राणी-जातियों में संवाद सम्भव नहीं है। इसलिए स्पर्धा केवल अप्राकृत योजनाओं में ही होती है, क्योंकि इन योजनाओं को सामान्य आधार प्रकृत योजना से मिलता है। इन प्रतिस्पर्धी सम्प्रत्ययात्मक योजनाओं की परीक्षा उनकी सरलता, कार्य-कुशलता तथा उपलब्ध तथ्यों की व्याख्या की सामर्थ्य के आधार पर होती है। एक सम्प्रत्ययात्मक योजना, जिसे हम स्वीकार किये होते हैं, हमारे ज्ञात अधिकांश तथ्यों, अथवा कहें वस्तुस्थितियों, की अपने परिप्रेक्ष्य के भीतर व्याख्या करने में समर्थ होती है। यदि हमें कुछ ऐसी वस्तुस्थितियों का ज्ञान होता भी है जो इस परिप्रेक्ष्य में नहीं जँचतीं, तो या तो हम उनकी उपेक्षा करते हैं अथवा उनकी व्याख्या के लिये इस उपलब्ध परिप्रेक्ष्य के लचीलेपन का ही लाभ उठाने का प्रयत्न करते हैं, चाहे इससे इसकी सुष्ठुता को थोड़ी हानि ही क्यों नहीं पहुँचती हो। किन्तु अनेक बार कुछ ऐसी वस्तुस्थितियाँ हमारे सम्मुख उपस्थित होती हैं जिन्हें इस परिप्रेक्ष्य में नहीं जँचाया जा सकता। विज्ञान के क्षेत्र में गेलिलियो, न्यूटन तथा आईंस्टाइन के सिद्धान्त इस बात के उदाहरण हैं। जबकि न्यूटन का विश्व तथ्यों को परिप्रेक्ष्य में समाविष्ट करके सुघड़ योजना देता है जो तथ्य न्यूटन की योजना को खींच-तानकर भी उसमें उचित रूप से जँचाये नहीं जा सके। किन्तु न्यूटन का सिद्धान्त वस्तुस्थितियों के एक स्तर तक अब भी उपयोगी है, यद्यपि विस्तृततर विश्व की व्याख्या के लिये आईंस्टाइन के परिप्रेक्ष्य की आवश्यकता है। किन्तु इन तीनों में एक सामान्य आधार है जिसे हम 'विज्ञान' कहते हैं।

इसी प्रकार, दर्शन में भी प्रतिस्पर्धी परिप्रेक्ष्यों का औचित्य है। किन्तु यहाँ निकष तथ्यों की व्याख्या न होकर सम्प्रत्ययों तथा कोटियों के स्वरूप का निश्चय है। किन्तु जैसाकि, हमने पीछे देखा है, सम्प्रत्यय तथा कोटियाँ स्वयं पूर्वस्वीकृत योजनाओं, अथवा कहें पूर्व-प्रतिज्ञाओं (पोस्चूलेट्स), से निर्धारित होती हैं। इसलिए दर्शन में संस्कृतियों तथा रुचियों का प्रश्न भी स्थान रखता है। किन्तु एक ही सांस्कृतिक सन्दर्भ के भीतर दो दार्शनिक अनेक बार दो परिप्रेक्ष्यों को प्रस्तुत करते हैं। उस अवस्था में उनका उद्देश्य सरलता तथा सुष्ठुता ही होता है। संवेद-प्रदत्तवाद तथा वस्तु-प्रदत्तवाद ऐसे ही विकल्प हैं। किन्तु इनमें वैज्ञानिक योजनाओं के समान वस्तुस्थितियों के सम्बन्ध में कोई अन्तर नहीं है। उदाहरणतः एक वाक्य लें—'जल में अर्ध निमज्जित छड़ी वक्राकार है।' अब यह वाक्य स्पष्टतः असत्य है, क्योंकि छड़ी को हम जल से बाहर निकाल कर दिखा सकते हैं कि यह सरलाकार है, जल में ही रहने पर भी स्पर्श के द्वारा दिखा सकते हैं कि यह सरलाकार है, आदि। अनेक बार हम किसी वस्तु के न रहने पर भी कुछ देखते हैं और समझते हैं कि वह वस्तु वहाँ है, स्वप्न में सदा ही ऐसा होता है। जागृति में अनेक बार हम सुनते हैं कि किसी ने पुकारा है, जबकि किसी ने नहीं पुकारा होता। अब, मेज़ के सम्मुख न रहने पर यदि मुझे मेज़ दिखाई देता है तो मैं कहता हूँ कि 'वह मेज़ है।' यह वाक्य भी स्पष्टतः असत्य है, किन्तु यह बात स्पष्ट है कि कम-से-कम मेज़-वत् संवेद-प्रदत्त का अस्तित्व है। इसी प्रकार छड़ी के उदाहरण में भी। छड़ी वक्राकार नहीं है यह स्पष्ट है, किन्तु कुछ अवश्य है जो वक्राकार है। और क्योंकि वक्राकार कुछ वस्तु नहीं है अतः प्रतीति है।

अब वस्तु-प्रदत्तवाद की व्याख्या का स्वरूप यह है कि एक सरलाकार छड़ी देश-काल क पर जल निमज्जित है। छड़ी से किरणें, रिफ्रेक्टिव इंडेक्स की योजनानुसार, रेटिना तक पहुँचती है, अत: सरलाकार छड़ी वक्राकार दिखाई देती है। अब यदि कोई इस सरलाकार छड़ी को वक्राकार समझता है तो वह इसका स्पर्श कर देख सकता है कि छड़ी वास्तव में सरलकार है। इसी प्रकार मेज़-भ्रम के सम्बन्ध में भी। किन्तु जैसाकि हमने पीछे देखा है, ये तथ्य किसी भी प्रकार से वस्तु-प्रदत्तवाद का औचित्य स्थापित नहीं करते क्योंकि ये वस्तु-प्रदत्तवाद को पूर्वकल्पित करते हैं। जब मुझे कुछ वक्राकार छड़ी-वत् दिखाई देता है तो वह वास्तव में सरलकार छड़ी की प्रतीति कैसे है? क्योंकि स्पर्श का यह प्रमाण छड़ी को पूर्वकल्पित करता है, अन्यथा यह उचित रूप से प्रमाण ही नहीं है। यह बात भ्रम के लिये भी। वास्तव में इस सन्दर्भ में 'भ्रम' पद ही वस्तु-प्रदत्तवाद को पूर्वकल्पित करता है। अत: इस योजना का औचित्य इस बात से सिद्ध या असिद्ध नहीं होता कि यह स्वयं वस्तुओं के अस्तित्व को सिद्ध करती है या नहीं। वस्तुओं के अस्तित्व को सिद्ध करने का प्रश्न ही उत्पन्न नहीं होता, क्योंकि ये एक सम्प्रत्ययात्मक योजना के आक्षेप (पोज़िट्स) मात्र हैं जिनका अस्तित्व उस योजना में स्वत:सिद्ध है।

यही बात संवेद-प्रदत्तवाद के लिये भी कही जा सकती है। उदाहरणत: एक वाक्य लें : 'मैं मेज़ देखता हूँ', जब यह उस समय कहा गया है जब मेज़ मेरे सम्मुख है अथवा मैं उस पर बैठा हूँ। यहाँ संवेदवादी कहेगा कि जब मैं कहता हूँ कि 'मैं मेज़ देख रहा हूँ' तब वास्तव में मैं संवेद-प्रदत्तों को देख रहा होता हूँ। इसके प्रमाण में वह मेज़ के भ्रम-दर्शन को अथवा जल में अर्ध निमज्जित छड़ी को प्रस्तुत करेगा। किन्तु उससे पूछा जा सकता है वह यह कैसे कह सकता है कि वह वस्तुओं को नहीं बल्कि संवेदों को देख रहा है? इसके उत्तर में वह भ्रम को प्रमाण रूप में प्रस्तुत नहीं कर सकता, क्योंकि 'भ्रम' वस्तु-प्रदत्तवाद को पूर्वकल्पित करता है। अत: संवेद-प्रदत्तवाद केवल एक वैकल्पिक सम्प्रत्यययात्मक योजना होने का दावा ही कर सकता है, और इसके पक्ष में उसका दावा सरलता आदि के आधार पर ही होगा।

सम्प्रत्ययात्मक योजनाओं की उपर्युक्त व्याख्या का 'ज्ञान' के प्रसंग में एक महत्त्वपूर्ण उपयोग है। क्योंकि जब कोई कहता है कि 'र को ज्ञात कि व वस्तुस्थिति है' तो व का निर्धारण आवश्यक है, अन्यथा यह नहीं कहा जा सकता कि र को ज्ञात है। उदाहरणत: 'र को ज्ञात है कि साथ के कमरे में मेज़ है' वाक्य में 'साथ के कमरे में मेज़ होने' का स्वरूप स्पष्ट और निश्चित होना अपेक्षित है। यदि कोई कहता है कि तुम्हारा इससे क्या तात्पर्य है कि साथ के कमरे में मेज़ है? तो उसका प्रश्न उचित प्रश्न है।

अन्य मनों के ज्ञान का स्वरूप

हमारे उपर्युक्त विवेचन से ज्ञान के सम्बन्ध में कुछ निष्कर्ष स्पष्ट हैं। ये निष्कर्ष हैं कि (1) हमारे ज्ञान के प्रत्येक दावे के लिये या तो ज्ञेय स्वत:प्रमाण हो, जैसे संवेद-प्रदत्त, अथवा उसके लिये कोई पर्याप्त प्रमाण हो—जैसे साथ के कमरे में मेज़ का होना। पूर्वोक्त विवेचन के अनुसार संवेद-प्रदत्त वस्तुओं के लिये पर्याप्त प्रमाण हैं—वस्तु-प्रदत्तवादी योजना में भी और संवेद-प्रदत्तवादी योमना में भी। किन्तु यह निष्कर्ष हमारे अन्य मनों के ज्ञान की समस्या को नहीं सुलझाता।

इस समस्या को संक्षेप में इस प्रकार से प्रस्तुत किया जा सकता है : 'मन' से हमारा अभिप्राय कुछ विशेष प्रकार की घटनाओं से है, जिन्हें हम 'भौतिक' से पृथक् एक कोटि में संकलित करते हैं। इन्हें हम मानसिक कहते हैं। सुख-दु:ख आदि ऐसी ही घटनाएँ हैं। कोई व्यक्ति जब दु:खानुभव करता है तो अनुभवों के सम्प्रत्यय के अनुसार वह अनिवार्यत: जानता है कि वह दु:खानुभव कर रहा है। इस प्रकार अनुभव का उपभोग तथा ज्ञान, जब उपभोक्ता तथा ज्ञाता एक ही व्यक्ति हो, तब एकस्थ हो जाते हैं। किन्तु हमारे विचार में यह सहगामिता अनिवार्य नहीं है; क्योंकि जैसाकि मनोविश्लेषक हमें बताते हैं, हम अनेक अनुभवों का उपभोग उन्हें बिना जाने करते हैं। अतीत अनुभवों के लिये यह और भी स्पष्ट है। जबकि हमने पहले उनका उपभोग किया होता है, यह अनिवार्य नहीं है कि अब हमें उनका ज्ञान भी हो। तो भी, जबकि अनुभव के उपभोग किये होने के लिये यह आवश्यक नहीं

है कि वह ज्ञात भी हो, उसके ज्ञात होने के लिये यह आवश्यक है कि उसका उपभोग किया गया हो, क्योंकि वास्तव में मानसिक घटनाओं के होने का तात्पर्य ही है उनका उपभुक्त होना। दूसरे शब्दों में, मानसिक घटनाओं का घटित होना तथा उपभुक्त होना एक ही बात है। अब अन्य मनों के ज्ञान की समस्या यह है कि जबकि इनके होने (उपभोग) का दावा उपभोक्ता र ही कर सकता है, इनके ज्ञान का दावा कोई दूसरा व्यक्ति व भी कर सकता है। र की मानसिक घटना को हम 'र' द्वारा व्यक्त करेंगे। अब प्रश्न यह है कि व 'र' को कैसे जान सकता है? इसका एक उत्तर हो सकता है कि 'र' व के लिये अज्ञेय है। किन्तु यह स्वीकार करने का तात्पर्य होगा कि हम भाषा को निरर्थक ध्वनियाँ मानते हैं, अथवा कम-से-कम संवाद को असम्भव मानते हैं, क्योंकि संवाद परस्पर के अभिप्राय को समझने पर ही सम्भव है। किन्तु यह स्वीकार करना कि हम परस्पर का अभिप्राय नहीं समझ सकते, भाषा-प्रतीकों के माध्यम से केवल अपना अभिप्राय ही कहते और सुनते हैं, समस्या का समाधान करने के बजाय उससे मुँह फेरना है। तब हम 'र' को कैसे जानते हैं? र के किसी कथन अथवा व्यवहार से? किन्तु व्यवहार तथा 'र' में किसी प्रकार की सजातीयता नहीं है। दूसरे, 'र' के सम्बन्ध में हमारे कथन असत्य भी हो सकते हैं—उससे सर्वथा भिन्न प्रकार से जिस प्रकार से हमारे भौतिक वस्तुस्थितियों सम्बन्धी प्रकथन असत्य हो सकते हैं। असजातीयता से हमारा अभिप्राय यह भी है कि जबकि तथाकथित व्यवहार-प्रमाण भौतिक कोटि के सदस्य हैं, प्रमेय मानसिक कोटि की घटनाएँ हैं।

कुछ दार्शनिकों ने इस समस्या के समाधान के प्रयास में र की मानसिक अवस्थाओं तथा उसके शारीरिक व्यवहार में अभेद स्वीकार किया है। इनके अनुसार 'राम दुःखी है' तथा 'राम दुःख-व्यवहार कर रहा है' समनिर्देशक हैं, चाहे ये समानार्थक न भी हों, जैसे 'संध्या का तारा' तथा 'भोर का तारा' समनिर्देशक किन्तु भिन्नार्थक[1] हैं। इस प्रतिज्ञा को कार्नप[2] तथा राइल[3] ने अपने-अपने ढंग से बहुत पुष्ट तर्कों के साथ प्रस्तुत किया है। किन्तु इनकी स्थिति की दो बड़ी कठिनाइयाँ हैं। प्रथम यह कि जबकि किसी प्रकार से यह दिखाना सम्भव है कि 'दुःख-व्यवहार' तथा 'दुःखानुभूति' का अर्थ किसी भाषा भ में एक ही है, यह किसी प्रकार से भी दिखाना सम्भव नहीं है कि इनका निर्देश भी एक ही है; दूसरे यह कि यह एकदम से स्पष्ट नहीं है कि 'दुःख-व्यवहार' से उनका क्या अभिप्राय है? व्यवहारवादियों के सिद्धान्त में र के लिये केवल व की दुःखानुभूति ही दुःख-व्यवहार की पर्याय नहीं है, स्वयं अपनी अनुभूति भी दुःख-व्यवहार की ही पर्याय है। अतः इनके अनुसार व के लिये र के दुःखी होने का अर्थ होगा र का व्यवहार र" जिसे र अथवा र और व दोनों 'दुःख-व्यवहार' कहने का निर्णय करते हैं।

हमारे विचार में यह सिद्धान्त अन्य मनों की समस्या पर प्रकाश डालने के बजाय समस्या की उपेक्षा करने का प्रयत्न करता है। यद्यपि हमारे विरुद्ध यह आपत्ति की जा सकती है कि हमने व्यवहारवादियों के सिद्धान्त को अस्तित्वमीमांसात्मक रंग दे दिया है जबकि वे इसे केवल भाषीय अथवा विश्लेषणात्मक ढाँचे में ही प्रस्तुत करना चाहते हैं और अस्तित्व का प्रश्न नहीं उठाते। किन्तु वास्तव में हमारे पर यह आपत्ति उचित नहीं है, जैसाकि पुटनम तथा राईल के प्रतिपादनों से स्पष्ट है। राईल का 'मशीन में भूत' से इतना भय इसी आग्रह के कारण है।

जैसाकि हमने आगे प्रतिपादित[4] किया है, जब हम र" (व्यवहार) की चर्चा करते हैं तब हमारे कथनों का निर्देश र" ही होता है न कि 'र' (मानसिक-घटना)। अन्यथा यदि कोई मुझे कहता है कि 'तुम आज दुःखी क्यों हो?' तो मैं इसका अभिप्राय तक नहीं समझूँगा, अधिक-से-अधिक मैं इसे अपने व्यवहार के सम्बन्ध में प्रश्न समझूँगा।

---

1. पुटनम, हिल्लेरी — साईकोलोज़ीकल कांसेप्ट्स, एक्स्प्लीकेशन एण्ड ऑर्डीनरी लेंग्वेज, दि जर्नल ऑफ फिलोसोफ़ी, जिल्द 58, सं. 4.
2. रुडोल्प कार्नप — साईकोलोज़ी इन फिजीकल लेंग्वेज; एयर द्वारा सम्पादित 'लोज़ीकल पोजिटिविज़्म' पृ. 165-198.
3. गिल्बर्ट राईल — दि कांसेप्ट ऑफ माइंड।
4. द्रष्टव्य आगे — मानसिक और भौतिक।

अब प्रश्न यह है कि व यह कैसे जानता है कि र दुःखी है? एक अर्थ में 'व यह नहीं जानता कि व दुःखी है' वदतोव्याघात है, किन्तु 'व यह नहीं जानता कि र दुःखी है' उचित वाक्य है। अतः किसी को अपनी मानसिक घटनाओं का ज्ञान और किसी अन्य की मानसिक घटनाओं का ज्ञान एक ही प्रकार से नहीं होता, यद्यपि व के लिये 'र के दुःख' का वही अर्थ है जो 'व के दुःख' का, जैसाकि हमारे निर्देश सम्बन्धी उपर्युक्त प्रतिपादन से उपपन्न होता है।

यह कहने में कि र का दुःख-व्यवहार (यहाँ 'दुःख' विशेषण दुःखानुभूति को पूर्वकल्पित नहीं करता) व के लिये र के दुःखी होने का प्रमाण है (आगमनात्मक अर्थ में), समस्यात्मक है, क्योंकि व के लिये र के दुःख-व्यवहार (र") तथा दुःख (र') में सम्बन्ध सिद्धान्ततः अगम्य है और अतएव र" र' का प्रमाण नहीं हो सकता। यही आपत्ति उपमात्मक तर्क के लिये भी उचित है। परिणामतः यह कहा जा सकता है कि दूसरों की मानसिक अवस्थाओं के सम्बन्ध में प्रकथन सार्थक होते हैं, हम दूसरों की मानसिक अवस्थाओं का निर्देश भी अपरोक्षतः करते हैं, किन्तु ये निर्देश अपरोक्षतः प्रमाणीय नहीं होते। इसे हम मानसिक घटनाओं की व्यक्तिनिष्ठता का सिद्धान्त कह सकते हैं।

यहाँ कहा जा सकता है कि हमारा उपर्युक्त प्रतिपादन हमें अन्य मनों के ज्ञान की समस्या के समाधान के तनिक भी निकट नहीं ले जाता, यदि हम यही नहीं मान लें कि अन्य मनों का ज्ञान असम्भव है। यह अधिक-से-अधिक हमें अन्य मनों में विश्वास तथा उनके सम्बन्ध में चर्चा का अधिकार देता है।

हमारे विचार में उपर्युक्त आपत्ति तार्किक दृष्टि से उचित है, किन्तु व्यवहार्यतः स्थिति कुछ भिन्न है। व्यवहार में हम दूसरों के मनों के सम्बन्ध में न केवल बहुत कुछ जान पाते हैं बल्कि उनके सम्बन्ध में सिद्धान्त भी बनाते हैं और भविष्यवाणियाँ भी करते हैं। मनोविश्लेषक इससे भी आगे जाते हैं और दूसरों के मनों के सम्बन्ध में ऐसे तथ्यों के ज्ञान का दावा करते हैं जो स्वयं भोक्ता को ज्ञात नहीं होते। व्यवहार्यतः हम कहेंगे कि 'व र की मानसिक घटनाओं के सम्बन्ध में उसके व्यवहार से जानता है कि र मानसिक अवस्था र' में है।' उदाहरणतः र की आँखों में आँसू आ जाना और इसका पूर्वापर प्रसंग व के लिये पर्याप्त प्रमाण है कि र दुःखी है। अतः हम कहेंगे कि व के लिये र का यह व्यवहार दुःख-व्यवहार है। यहाँ 'दुःख' विशेषण का प्रयोग कुछ उसी प्रकार से हुआ है जिस प्रकार 'राम लँगड़ा कर चलता है' में 'लँगड़ा कर' का। अब र के उपर्युक्त व्यवहार को हम दुःख-व्यवहार ही समझते हैं और इसके द्वारा र के दुःखी होने के तथ्य को जानते होने का दावा करते हैं। यह इससे स्पष्ट है कि हम पीछे कह सकते हैं कि "व वास्तव में दुःखी नहीं था, वह केवल छल कर रहा था, क्योंकि ल ने बताया कि जब वह दूर हुआ तो हँसने लगा और उसने अपने मित्र से कहा कि उसने व को खूब उल्लू बनाया।" यह उदाहरण महत्त्वपूर्ण है, क्योंकि यहाँ हम प्रथम व्यवहार के छल-व्यवहार होने का दावा दूसरे व्यवहार के आधार पर ही करते हैं।

अधिकांश मनोवैज्ञानिक दुःख आदि को दुःख-व्यवहार का ही पर्याय मानते हैं और 'दुःख' आदि को उसी प्रकार का विशेषण मानते हैं जिस प्रकार का 'लँगड़ा कर' 'चलने' का विशेषण है। किन्तु हमारा छल का उदाहरण इन विशेषणों में भेद का भी स्पष्ट निदर्शक है, क्योंकि जो लँगड़ा कर चल रहा है वह उस समय वास्तव में अन्य किसी प्रकार से नहीं चल रहा हो सकता, जब कि दुःख-व्यवहार करने वाला दुःखी नहीं भी हो सकता। राईल इस प्रकार की आपत्ति को 'भीतरी कमरे' की कल्पना से प्रेरित कहेंगे। किन्तु वास्तव में दुःख को दुःख-व्यवहार का पर्याय न मानना 'भीतरी कमरे का सिद्धान्त' नहीं है, क्योंकि हम कोटियों की चर्चा कर रहे हैं, कमरों की नहीं।

किन्तु अन्य मनों के ज्ञान के प्रश्न में एक महत्त्वपूर्ण पहलू यह है कि इनके सम्बन्ध में किसी भी कथन का अन्तिम प्रमाणीकरण सम्भव नहीं है, दूसरे शब्दों में, व का यह कथन कि 'र दुःखी है' अन्ततः र के द्वारा ही प्रमाणीय है। अब, यद्यपि अनेक बार हम अन्यों की मानसिक घटनाओं के सम्बन्ध में उनके व्यवहार के आधार पर सत्य कथन करते हैं किन्तु यह कहना कठिन है कि मानसिक घटनाओं को 'व्यक्तिगत' स्वीकार करते हुए हम उनके सम्बन्ध में अपनी धारणाओं को ज्ञान-कोटि का कैसे कह सकते हैं? अथवा, दूसरे शब्दों में, र के किसी

व्यवहार को हम र' (दुःख-व्यवहार) कैसे कह सकते हैं? किन्तु यहाँ यह द्रष्टव्य है कि यह परिणाम अन्य मनों के अस्तित्व की समस्या को जन्म नहीं देता, वास्तव में र' के निर्देश को सम्भव मानकर हम उसके अस्तित्व को स्वीकार कर ही लेते हैं। ज्ञान के सम्बन्ध में हम कह सकते हैं कि व के र' के सम्बन्ध में अनेक विश्वास सत्य होते हैं, र यह जानता है कि व के र' के सम्बन्ध में कौन-से विश्वास सत्य हैं, र व के र' के सम्बन्ध में वाक्यों को र' के निर्देशक स्वीकार करता है, केवल व के र' के सम्बन्ध में विश्वासों को हम ज्ञान संज्ञा नहीं दे सकते। यदि र" को हम र' के लिये प्रमाण नहीं मानेंगे तो हमें स्वयं भौतिक-विज्ञान तथा इतिहास सम्बन्धी ज्ञान के अनेक दावों का भी परित्याग करना होगा। इसके अतिरिक्त, र" को र' का प्रमाण माने बिना स्वयं र" का भी कोई अर्थ नहीं रह जायगा, क्योंकि 'राम दुःख-व्यवहार कर रहा है' का कोई अर्थ नहीं है यदि इसे 'सम्भवतः वह दुःखी है' के लिये संकेत नहीं माना जाय।

ज्ञान और प्रागनुभविक

विषयी-विषय भेद से ज्ञान द्विपक्षीय है। इसका विषयी पक्ष सक्रिय प्रानुभविक है। सक्रिय से हमारा तात्पर्य है कि विषय का आकार इसकी आकांक्षा से निर्धारित होता है; प्रानुभविक से तात्पर्य है कि यह आकार और आकांक्षा ज्ञान की पूर्वापेक्षा है। जबकि पूर्वापेक्षा तार्किक है, सक्रियता तथ्यात्मक है, क्योंकि यह तर्कतः आवश्यक नहीं है कि विषयी सक्रिय हो, यह केवल तथ्यतः सत्य है कि विषयी अपने अर्थ-सन्दर्भ में विषय का ग्रहण करता है (द्रष्टव्यः व्याख्या)। पूर्वापेक्षा होने से विषयी अतिक्रामी है—अर्थात् 'ज्ञात है कि (प)' में केवल '(प)' ज्ञान-स्थिति का व्यंजक है, 'ज्ञात है' अतिरेकी है। यह केवल उपयुक्त रूप में 'ज्ञात है कि (ज्ञात है कि प)' में घटित हो सकता है, जहाँ प्रथम 'ज्ञात है' अतिरेकी है।

विषय पक्ष तथ्यतः और तर्कतः आक्षिप्त और तर्कतः अतिक्रामी होता है। विषय की तार्किक अतिक्रामिता इस बात में रहती है कि विषयी की क्रिया का प्रवर्तन विषय के बिना सम्भव नहीं है। इस प्रकार विषय विषयी के क्रिया-प्रवर्तन के लिये अनिवार्य पूर्वापेक्षा है; किन्तु इसे हम तथ्यतः आक्षिप्त इसलिए कहते हैं क्योंकि अर्थाभिमुखी क्रिया आक्षेपमूलक है और विषय का कुछ भी अतिशेष इस आक्षेप से नहीं बचता, जैसाकि हम आगे 'प्रदत्त' अध्याय के 'व्याख्यागत प्रदत्त' परिच्छेद में देखेंगे।

यदि हमारा ज्ञान का उपर्युक्त विश्लेषण स्वीकार किया जाय तो ज्ञान की सीमा का हमारे सिद्धान्त के अनुसार कोई अर्थ नहीं है। ज्ञान की तथ्यात्मक सीमा तो अवश्य होती है, इस रूप में कि हम 'मुझे इसका पता नहीं है' अथवा 'पहले मुझे इसका पता नहीं था' वाक्यों को उचित वाक्य मानते हैं, किन्तु ज्ञान की तार्किक सीमा नहीं हो सकती; अर्थात् कुछ स्वरूपतः अज्ञेय नहीं हो सकता। 'स्वरूपतः अज्ञेय' का अर्थ होगा कि, 'कुछ है जो ज्ञेय नहीं है', किन्तु केवल अर्थाभिमुखी क्रिया द्वारा आक्षिप्त ही 'कुछ हो' सकता है, इसलिए 'अज्ञेय कुछ' वदतोव्याघात है, जैसाकि हम सम्प्रत्ययात्मक सापेक्षता अध्याय के अन्त में देखेंगे।

डॉ. देवराज ने 'ज्ञान के स्रोत और सीमाएँ'[1] लेख में ज्ञान की सीमाएँ बताते हुए कहा है कि यदि हमारी ज्ञानेन्द्रियों की संख्या अधिक होती तो हम कुछ और ऐसा जानते जो अब नहीं जान सकते। किन्तु यह 'ज्ञान' का अत्यन्त भ्रामक प्रयोग है। इन्द्रियों से हम संवेदन करते हैं, जानते नहीं हैं। जहाँ तक संवेदन का प्रश्न है, इसमें संवेदन-संवेद्य का द्वैत नहीं रहता। यदि संवेद के कारण के रूप में स्वलक्षण वस्तु भी मानी जाय तब भी कहा जायगा कि वह वस्तु विभिन्न इन्द्रियों के लिये अपने विभिन्न लक्षण प्रस्तुत करती है। इस प्रकार, डॉ. देवराज ने ज्ञान की सीमाएँ सर्वथा अनुपयुक्त रूप से बताई हैं। 'ज्ञान की सीमा' कहने का अर्थ है उस सीमा से बाहर होकर देख सकना, जो वदतोव्याघात है।

1. द्रष्टव्य : यशदेव शल्य (सं.) समकालीन दार्शनिक समस्याएँ, लेख 1, अ.भा. दर्शन परिषद्, 1966.

प्रदत्त

इधर ज्ञान-विषयक मेरी स्थापनाओं को लेकर कुछ आलोचनाएँ की गई हैं। इन विचार-विमर्शों के सिलसिले में मुझे प्रतीत हुआ कि ज्ञान में प्रदत्त के स्वरूप का स्पष्टीकरण मेरे विचारों को समझने में सहायक होगा। वास्तव में मेरे प्रतिपादनों में ऐसी कोई ध्वनि न रहने पर भी कुछ लोगों ने यह समझा है कि मैं विषय और तथ्य को योग्य स्थान नहीं देता हूँ। मैं निश्चय ही मूलगामी सापेक्षतावाद को स्वीकार करता हूँ और निरपेक्ष, अतिक्रान्त सत् का कोई अर्थ नहीं समझता, किन्तु तब भी मैं यह मानता हूँ कि प्रत्येक ज्ञान-क्रिया विषय की अपेक्षा करती है, और इसी प्रकार, प्रत्येक व्याख्या और निर्वचन व्याख्येय और निर्वचनीय तथ्य को पूर्वकल्पित करते हैं। ज्ञान-क्रिया को ये प्रस्तुत विषय ही प्रदत्त हैं, और इसी प्रकार, प्रत्येक व्याख्या द्वारा अभिप्रेत तथ्य भी प्रदत्त हैं (ज्ञान-क्रिया के प्रदत्तों को हम विषय कहेंगे और व्याख्या तथा निर्वचन के प्रदत्तों को तथ्य)। स्पष्टत: 'तथ्य' का हमारा प्रयोग विट्गिंस्टाइन के तथा हमारे एक पहले के प्रयोग से मूलत: भिन्न है।[1] उदाहरणत: 'परिवर्तन केवल अनुक्रम है, परिणाम नहीं' में 'परिवर्तन' प्रदत्त है और यह तथ्य है। किन्तु व्याख्या पुन: एक नये तथ्य को जन्म देती है, जिसे हम व्याख्योत्तर तथ्य कह सकते हैं। यहाँ व्याख्योत्तर तथ्य है 'परिवर्तन=अनुक्रम'। इस पर आपत्ति की जा सकती है कि व्याख्योत्तर तथ्य को प्रदत्त नहीं कहा जा सकता। यहाँ हम इस पर आग्रह नहीं करेंगे और प्रतीक्षा करेंगे कि अनुगामी विमर्श से क्या निष्कर्ष निकलते हैं।

किन्तु प्रदत्त का अर्थ यहाँ और अधिक निश्चित करने की आवश्यकता है, क्योंकि विषय और प्रदत्त को एकार्थक नहीं कहा जा सकता। विषय प्रदत्त होते हैं, किन्तु यदि विषय मात्र प्रदत्त हो तो ज्ञानमीमांसात्मक विचार की कोई आवश्यकता नहीं रह जाएगी। इसी प्रकार तथ्य के लिये भी है। यदि तथ्य मात्र प्रदत्त हो तो व्याख्याएँ बेकार होंगी। किन्तु तब भी, एक अर्थ में सब विषय और तथ्य प्रदत्त हैं। इस अर्थ को हम प्राथमिक अर्थ कह सकते हैं। इस प्राथमिक अर्थ में भौतिक विषय प्रदत्तों के आदर्श उदाहरण हैं। किन्तु वास्तव में प्रश्न यहाँ भी उतना सरल नहीं है जितना प्रतीत होता है। उदाहरणत:, जब मैं मेज़ देखता हूँ तब मेज़ प्रदत्त है, और इसी प्रकार, जब मैं राम को देखता हूँ तब राम प्रदत्त है। किन्तु राम किस रूप में प्रदत्त होता है? क्या केवल उसका रूपाकार प्रदत्त होता है याकि कुछ अधिक? उदाहरणत:, क्या राम की बहुत बढ़िया मूर्ति उसी प्रकार से प्रदत्त होगी जिस प्रकार से राम प्रदत्त है? यही बात मेज़ के लिये भी कही जा सकती है। मेज़ का रूपाकार ही प्रदत्त होता है याकि उसका जड़ होना भी प्रदत्त होता है? हमारे विचार में, प्राथमिक अर्थ में मेज़ का रूपाकार और भौतिकता एक-साथ और अवियोज्य रूप से प्रदत्त होते हैं, और इसी प्रकार से राम का रूपाकार तथा चेतन व्यक्ति होना भी। किन्तु प्रदत्त को यहीं तक सीमित नहीं रखा जा सकता। वास्तव में जो भी कोई पद अथवा वाक्य उचित रूप से 'यह अवगत है कि...' के रिक्त स्थान में रखा जा सकता है उसका वाच्य प्रदत्त कहा जा सकता है। इस प्रकार से स्वयं 'यह अवगत है कि...' भी प्रदत्त हो सकता है, क्योंकि यह उचित रूप से 'यह अवगत है कि...' के रिक्त स्थान में रखा जा सकता है, जैसे 'यह अवगत है कि, यह अवगत है कि...' में।

किन्तु प्रदत्त का यह अर्थ अभी बहुत परिमार्जन की अपेक्षा करता है। उपर्युक्त मेज़ का उदाहरण ही लें—'यह दृष्ट है कि यह मेज़ है' में 'मेज़' प्रदत्त के स्थान पर है, किन्तु बहुत बार मेज़-वस्तु वहाँ नहीं भी होती और तब भी मेज़ प्रदत्त होता है। अब, इन दो प्रदत्त अवस्थाओं में क्या अन्तर है? दृष्ट विषय चार अवस्थाओं में प्रस्तुत होता है—प्रत्यक्ष, भ्रम, स्वप्न और विक्षिप्तता। इन अवस्थाओं में भेद जो भी हों, अव्यवहितपरक नहीं होते,

---

1. विट्गिंस्टाइन — ट्रक्टेटस; यशदेव शल्य — दार्शनिक विश्लेषण, अ. 2.

अव्यवहित रूप में इन चारों में एकरूपता है, वास्तव में इस एकरूपता का आधार ही प्रदत्त है। इस प्रकार से, प्रदत्त प्रज्ञानात्मक (कोग्नीटिव) अनुभव में वह तत्त्व है जो विषयपरक है और तर्कत: सन्देहातीत है।[1]

ठोस-प्रदत्त के इस प्रतिपादन के पीछे एक धारणा और दार्शनिक प्रयोजन है। धारणा यह है कि हम जबकि प्रत्यक्षादि में प्रदत्त विषयों पर सन्देह कर सकते हैं तब इन्हें प्याज के समान अन्त तक नहीं छील सकते, यदि अन्त तक छीलना सम्भव हो तो प्रज्ञान-क्रिया प्रज्ञान-क्रिया ही नहीं रहेगी, क्योंकि उसके लिये विषय का होना आवश्यक है (अर्थात्, उसका कोई सदात्मक अस्तित्व होना आवश्यक है)। किन्तु प्रत्येक प्रज्ञान-क्रिया (कोग्नीटिव एक्ट) में विषय वही हो सकता है जो असत्यापित नहीं हो सके, जो असत्यापित हो सकता है वह विषय नहीं हो सकता, वह तो सविकल्पक होता है। इस प्रकार से, प्रदत्त की परिभाषा की जा सकती है "किसी विशेष प्रज्ञान-क्रिया में अभिप्रेत (इंटेंडेड) निरावरण प्रस्तुत तथ्य अथवा विषय।" किन्तु इस 'निरावरण प्रस्तुत' का स्वरूप क्या है? स्पष्टत: यह प्रस्तुत सामान्य प्रकार का प्रस्तुत नहीं है, हमारे सामान्य प्रस्तुत व्यक्ति, वस्तुएँ तथा घटनाएँ होती हैं—स्थूल, ठोस अनुभव विषय। ये दूसरे, तथाकथित असन्दिग्ध विषय, अपवारणात्मक विश्लेषण के परिणाम होते हैं। किन्तु विश्लेषण के लिये विषय का होना आवश्यक है। इस प्रकार ये विश्लेष्य विश्लेषण के लिये प्रदत्त हैं, और विश्लेषण के प्रवर्तन के लिये यह आवश्यक है कि ये विश्लेष्य पूर्णत: और अनपवार्यत: प्रदत्त हों। इस प्रकार से ये विश्लेष्य विषय एक अन्य प्रसंग में प्रदत्त हैं। किन्तु विश्लेषण के लिये प्रदत्त विश्लेषण का प्रदत्त नहीं है, विश्लेषण का प्रदत्त विश्लेष्य में से अपवारण के पश्चात् उपलब्ध होता है।

अब, अपवारणात्मक विश्लेषण का प्रयोजन खोए हुए मूल प्रदत्त को खोज निकालना होता है, क्योंकि विश्लेषण का प्रदत्त अपवारणोत्तर प्रदत्त नहीं होता, विश्लेषण के लिये उसमें बहुत कुछ फल्गु होता है। किन्तु अपवारणात्मक विश्लेषण विश्लेषण के प्रयोजन को पूर्वकल्पित करता है, यह परिभाषया निर्वचनात्मक होता है। इस प्रकार, यह डुबकी लगाकर मोती नहीं लाता बल्कि एक जाले को उधेड़ते हुए दूसरा जाला बुन डालता है और इस जाले की केन्द्रीय गाँठ को प्रदत्त कहता है। वास्तव में यह अपवारण-क्रिया केवल दार्शनिक स्तर पर ही नहीं होती, सभी स्तरों पर होती है। बिना इस क्रिया के कोई प्रदत्त नहीं हो सकता। कोई भी ज्ञान-क्रिया प्रस्तुतों के अम्बार में से चयन करती है और यह चयन प्रयोजनापेक्ष होता है। अन्यथा तो हमारे किसी प्रस्तुत का कोई आधार नहीं हो सकता।

इसका अर्थ यह नहीं कि हम प्रदत्त की दार्शनिक खोज को केवल मृग-मरीचिका मानते हैं; किन्तु उसके लिये यह एक मृग-मरीचिका ही है जो इसका प्रयोजन और मर्यादा जाने बिना इसकी खोज करता है।

दार्शनिक प्रदत्त एक सत्तामीमांसात्मक प्रदत्त होता है। सत्तामीमांसा दार्शनिक के अनुभव-जगत् की, उसकी सकलता में, व्याख्या है। व्याख्या में प्रयोजन प्रस्तुत के स्वभाव में झाँक कर उसका अर्थ उद्घाटित करना ही होता है। किन्तु अर्थ वस्तु में कहाँ विद्यमान रहता है? यह तो व्याख्याकार वस्तु को देता है।

यहाँ पुन: द्वैत है—अर्थ और वस्तु का द्वैत, और अतएव प्रश्न किया जा सकता है कि, तब अपवारण-शेष न सही निरावरण वस्तु तो होती ही है! और यदि वस्तु मान ली जाय तब वह सभी कुछ निरावरण वस्तु है जो मूल प्रदत्त है, वह भौतिक वस्तु हो या अनुभवात्मक घटना। किन्तु वास्तव में ऐसी बात नहीं है, यह केवल भाषागत द्वैत है, अर्थ वस्तु को पूर्वापेक्षित करता है, किन्तु अर्थातीत वस्तु नहीं हो सकती, ज्ञान-क्रिया निरावरण वस्तु को पूर्वापेक्षित करती है किन्तु प्रदत्त की यह निरावरणता या तो सन्दर्भ-सापेक्ष होती है या प्रयोजन-सापेक्ष।

---

1. यहाँ सी.आई. ल्यूईस से एक उद्धरण देना उपयोगी होगा। वे लिखते हैं—"जो हम अव्यवहित रूप से अनुभव करते हैं अथवा जो दृष्टि, श्रवण आदि से जानते हैं, उसमें वह सब हटा दें जिसके सम्बन्ध में तर्कत: भ्रम की सम्भावना हो सकती है, शेष जो बचेगा वह अनुभव-प्रदत्त होगा, जिसमें इस विश्वास का भी समावेश होगा। यदि अनुभव में ऐसा एक कठोर बीज नहीं हो (उदाहरणत:, जब हम समझते हैं कि हम हरिण देख रहे हैं, जबकि वास्तव में हरिण वहाँ नहीं होता, उस अवस्था में हम जो कुछ देखते हैं) तब ऐसा कुछ नहीं होगा जिसे 'अनुभव' शब्द व्यक्त करता हो।" द्रष्टव्य : एन एनेलेसिस ऑफ नोलेज़ एण्ड वेल्यूएशन, पृ. 182-183। रसल के कठोरतम प्रदत्त भी इसी प्रकार के हैं। द्रष्टव्य : आवर नॉलेज ऑफ दि एक्सटर्नल वर्ल्ड।"

दार्शनिक प्राय: एक-दूसरे पर आरोप लगाते हैं कि दूसरा दार्शनिक प्रदत्त को विकृत कर रहा है। इस प्रकार, प्रोफेसर मोहन्ती अनुभववादियों, कांट तथा हेगल का खण्डन करने के बाद कहते हैं कि मेरी मुख्य विप्रतिपत्ति (कांटेशन) यह है कि "भौतिक वस्तुएँ और व्यक्ति एक विधा में प्रदत्त होते हैं, जिस विधा (मोड) को मैं व्यावहारिक विधा (प्रेक्टिकल मोड) कहता हूँ। इससे मेरा अभिप्राय यह है कि मूलत: ये निष्क्रिय चिन्तन के माध्यम से नहीं बल्कि विद्यमान और सम्भाव्य व्यावहारिक सम्बन्धों के माध्यम से प्रदत्त होते हैं।"[1] इसी प्रकार से अन्यान्य दार्शनिक दूसरों की व्याख्याओं को विकृत कहते हैं। किन्तु यह प्रदत्त का सही रूप नहीं समझने के कारण है। उदाहरणत: प्रो. मोहन्ती के प्रदत्त स्वयं एक मनोवैज्ञानिक सिद्धान्त के प्रदत्त हैं और एक विशेष ज्ञानमीमांसा में रचित हैं। अन्यथा वे कैसे कह सकते हैं कि अमुक विधा के प्रदत्त ही प्रदत्त हैं, अन्य के नहीं?

वास्तव में किसी सत्तामीमांसा के प्रदत्तों को विकृत कहने के लिये हम अनिवार्यत: एक दूसरी सत्तामीमांसा को पूर्व-मान्य करके चलते हैं। अब यदि किसी सत्तामीमांसा $स_1$ के मूल अभ्युपगमों (पोस्ट्यूलेट्स) को स्वीकार कर लिया जाय तो स्वभावत: एक अन्य सत्तामीमांसा $स_2$ $स_1$ के अनुसार प्रदत्तों को विकृत कहेगी ही। इसलिए किसी सत्तामीमांसा के औचित्य के लिये प्रदत्तों का आश्रय लेना उचित नहीं है। सत्तामीमांसा का औचित्य अन्यत्र खोजना होगा और यह औचित्य होने पर सत्तामीमांसा के प्रदत्त उसकी अपेक्षा से निर्धारित होंगे। आप उनको इस आधार पर चुनौती नहीं दे सकते कि वे उचित प्रदत्त नहीं हैं, क्योंकि प्रदत्तों का औचित्य सत्तामीमांसा विशेष से पृथक् कोई नहीं होता।

व्याख्यागत प्रदत्त

जैसाकि हमने आरम्भ में कहा, प्रत्येक व्याख्या व्याख्येय की पूर्वपिक्षा करती है और यह पूर्वपिक्षित व्याख्येय व्याख्या के लिये प्रदत्त होता है। यह पूर्वपिक्षा तार्किक है, अर्थात् वस्तुगत नहीं, और सभी पूर्वपिक्षाएँ तार्किक होती हैं। इस प्रकार यह व्याख्या के सम्प्रत्यय में निहित है कि कुछ तथ्य है, और यह तथ्य व्याख्या के लिये प्रदत्त होता है। किन्तु इस तार्किक पूर्वपिक्षा के अनुसार, यह तथ्य व्याख्या का अतिक्रमण करता है...व्याख्या इसका सृजन नहीं करती और न ही इसकी पूरी सम्भावनाओं (अथवा सभी पक्षों) को ही निश्शेष करती है। यह सदैव सम्भव है कि उस तथ्य की दूसरी व्याख्या हो सके।

किन्तु इस दूसरी व्याख्या के लिये प्रदत्त तथ्य 'वही' किस अर्थ में होता है? और यदि यह 'वही' होता है तो दो व्याख्याएँ किस प्रकार से उसमें समवस्थित होती हैं? इसके लिये उदाहरणार्थ एक ही क्षेत्र के प्रसंग से दो व्याख्याएँ लें। यहाँ हम मनोविश्लेषणात्मक और जादूपरक व्याख्याओं को लेंगे। ये दो व्याख्याएँ विशेष प्रकार के मानव-व्यवहार की व्याख्याएँ हैं। इस प्रकार से यहाँ 'विशेष मानव-व्यवहार' प्रदत्त है। किन्तु यह प्रदत्त पूर्णत: व्याख्यातीत भी है, केवल तभी दो व्याख्याएँ इसे प्रदत्त बना सकती हैं। उदाहरणत:, कुत्ते का व्यवहार इन व्याख्याओं के लिये प्रदत्त नहीं हो सकता। (यद्यपि सम्भवत: जादुई व्याख्या के लिये हो सकता है, किन्तु यहाँ इसकी उपेक्षा की जा सकती है)। किन्तु क्योंकि विशेष प्रकार का व्यवहार ही यहाँ व्याख्या के लिये प्रदत्त हो सकता है इसलिए यह पूर्णत: व्याख्यातीत नहीं हो सकता, नहीं तो कुत्ते का व्यवहार ही नहीं मशीन का व्यवहार भी इसके लिये प्रदत्त होना चाहिए। इस प्रकार, इन दो व्याख्याओं के लिये एक सामान्य प्रदत्त नहीं हो सकता। जादुई व्याख्या को प्रस्तुत 'विशेष व्यवहार करता हुआ व्यक्ति' तब तक उसका प्रदत्त नहीं हो सकता जब तक वह उस व्याख्या के सन्दर्भ में प्रदत्त नहीं है, जब तक वह उस अर्थ से युक्त वस्तु नहीं है। उदाहरणत: जादुई व्याख्या के लिये वह 'विक्षिप्त' नहीं है, क्योंकि वह स्वयं तो व्यवहार ही नहीं कर रहा है, वह मशीन नहीं है, क्योंकि वह अभिकर्त्ता (एजेंट) है जो दूसरे अभिकर्त्ता के अधीन है, आदि। किन्तु आपत्ति की जा सकती है कि यह सब व्याख्या है, प्रदत्त केवल अविशेषित व्यवहार है जो व्याख्यातीत है। किन्तु यह अविशेषित व्यवहार व्याख्या के लिये प्रदत्त नहीं हो सकता, व्याख्या के लिये यह तभी प्रदत्त हो सकता है यदि यह पहले से ही यथोचित विरचित

1. प्रोसीडिंग्स ऑफ दिल्ली फिलोसोफ़ीकल कोलोक्युम, पृ. 9-13, इण्डिया इन्टर्नेशनल सेंटर, नई दिल्ली; 1962.

है। इसका कारण यह है कि कोई तथ्य तब तक व्याख्येय प्रदत्त नहीं बनता जब तक वर्गीकृत नहीं हो, और वर्गीकरण व्याख्या को पूर्वकल्पित करता है।

इस पर प्रश्न किया जा सकता है कि एक व्याख्या को छोड़कर हम दूसरी व्याख्या अपनाते हैं। ऐसा तब तक कैसे सम्भव है जब तक कुछ 'एक' नहीं हो? उदाहरणत: मनोविश्लेषणात्मक व्याख्या जादुई व्याख्या की स्थानापन्न किस प्रकार से कही जा सकती है जब तक कि एक ही तथ्य दोनों को प्रदत्त नहीं हो? इस का उत्तर यह है कि हमारी दार्शनिक और वैज्ञानिक व्याख्याएँ सदैव पक्षीय व्याख्याएँ होती हैं, उनका प्रदत्त कुछ अन्य प्रदत्त में भी अनुस्यूत होता है। ये व्याख्याएँ अपने तर्क-संस्थान बनाती हैं और प्रत्येक तर्क-संस्थान अनेक सम्भावनाओं से युक्त होता है। जब अन्य स्वीकृत व्याख्याओं के तथ्य इस एक सम्भावना से असंगत दिखाई देते हैं तब हम इस व्याख्या को छोड़ देते हैं अथवा अन्य व्याख्याओं में हेर-फेर करते हैं। उदाहरणत:, हम जादुई व्याख्या को इसलिए आज नहीं छोड़े हुए हैं कि यह किसी ऐसे प्रदत्त की उचित व्याख्या नहीं करती जिसकी मनोविश्लेषण उचित व्याख्या करता है, प्रत्युत इसलिए छोड़ते हैं क्योंकि यह हमारे शेष संसार से, जो भौतिक-विज्ञान-मनोविज्ञान प्रधान है, संगत नहीं बैठती। इसे एक अन्य उदाहरण से अधिक अच्छी तरह से स्पष्ट किया जा सकता है, वह है—रीमान की सरल रेखा और यूक्लिड की सरल रेखा। ये दो ज्यामितियाँ दो भाषाएँ हैं, किन्तु इनकी सरल रेखाओं में 'एक प्रदत्त' कौन-सा है? कहा जा सकता है कि दिक्, किन्तु दिक् इन व्याख्याओं से स्वतन्त्र कुछ है ही नहीं। एक अन्य उदाहरण प्रत्यक्ष का लें : संवेद-प्रदत्तवाद और वस्तु-प्रदत्तवाद में क्या सामान्य प्रदत्त है जिसकी ये दो व्याख्याएँ हैं? इस प्रकार से, व्याख्या द्वारा एक अतिक्रामी (ट्रांसेडेंट) प्रदत्त की पूर्वापेक्षा केवल एक संरचनात्मक पूर्वापेक्षा है, किन्तु यह इस अतिक्रामी प्रदत्त के इसकी परिधि से बाहर कुछ होने को सिद्ध नहीं करती।

इसका अर्थ यह नहीं है कि कोई भी व्याख्याएँ ऐसी नहीं होतीं जिनमें एक सामान्य प्रदत्त निर्धारित नहीं किया जा सकता। अवश्य ही होती हैं; उदाहरणत: किसी वाक्य के अर्थ के सम्बन्ध में मतभेद होने पर वाक्य प्रदत्त होता है, वाक्यार्थ ज्ञात होने पर उस कथन के निर्वचन को लेकर मतभेद हो सकता है। तब इसका वाक्यार्थ प्रदत्त होगा। इसी प्रकार, किसी कार्य के नैतिक निर्णय दिये जा सकते हैं।

किन्तु वास्तव में इन उदाहरणों में भी प्रदत्त की उतनी एकता नहीं होती जितनी प्रथम दृष्टि में प्रतीत होती है। उदाहरणत:, वाक्य के अर्थ को लेकर मतभेद होने पर वाक्य के शब्दान्वय में अन्तर के आधार पर, अथवा अन्य किसी रचनात्मक पक्ष को लेकर भी, अन्तर होगा और इस प्रकार से यहाँ प्रदत्त-भेद होगा, इसी प्रकार से निर्वचन भिन्न-भिन्न होने पर वास्तव में वाक्यार्थ का अन्तर भी होगा, जो प्रसंगगत, शब्दान्वयगत, अथवा कथन-कर्त्ता के अभिप्राय में निहित होगा। यह बात नैतिक निर्णय के लिये और भी सत्य है। इस प्रकार, प्रदत्तों की तथाकथित एकता बहुत-कुछ स्थूल दृष्टि से ही स्वीकार की जा सकती है, किन्तु यह वास्तविक नहीं होती।

प्रत्यक्ष

'प्रत्यक्ष' का शब्दार्थ 'आँखों के समक्ष' ऐसा है, किन्तु इसके रूढ़ार्थ के अनुसार, किसी भी इन्द्रिय का विषय प्रत्यक्ष कहा जाएगा। बहुत बार यह शब्द इससे भी व्यापक अर्थ में प्रयुक्त किया जाता है, जैसे 'मानस प्रत्यक्ष' तथा 'आत्म प्रत्यक्ष' पदों का प्रयोग भी किया जाता है। 'आत्म प्रत्यक्ष' का प्रयोग रहस्यवाद के सन्दर्भ में होता है। 'मन: प्रत्यक्ष' अथवा 'मनसागोचर' पदों का प्रयोग बहुत अनिश्चित प्रकार से होता है, किन्तु मेरे विचार में, इस पद का प्रयोग परा-मनोवैज्ञानिक अर्थ में निश्चित किया जा सकता है। प्रत्यक्ष के हमारे सम्प्रत्यय के अनुसार, 'आत्म-प्रत्यक्ष' अयुक्त प्रयोग है, क्योंकि रहस्यवाद में या तो द्रष्टा-विषय सम्बन्ध ही नहीं रहता, क्योंकि वहाँ यह भेद अस्वीकार्य है, अथवा उसमें स्वीकृत विषय, विषय होने योग्य नहीं होता। किन्तु यहाँ हम इस पर विचार नहीं करेगें।[1]

प्रत्यक्ष में दृष्टि (दृक् के व्यापक अर्थ में) और विषय के सम्पर्क का सद्यत्व : अव्यवहित सायुज्य : अभिप्रेत है। अर्थात्, प्रत्यक्ष स्थिति में दृक् और विषय में योग होता है और यह योग व्यवधान-रहित होता है। 'सद्य:' शब्द वास्तव में 'अव्यवधान' शब्द का अर्थ-निश्चय ही करता है। अर्थात्, दृक् और विषय में कोई अन्य व्यवधान न होने पर काल-व्यवधान हो सकता है : अन्य व्यवधानों की अवगति जबकि सहज होती है, काल-व्यवधान की अवगति सहज नहीं होती। वास्तव में एक प्रकार से किसी प्रत्यक्ष में सद्यत्व पूर्ण नहीं रहता, यह केवल एक प्रयत्न-साध्य सीमांकन है। किन्तु इस सीमांकन के पीछे एक दार्शनिक प्रयोजन है, अर्थात् एक सैद्धान्तिक सम्प्रत्ययात्मक प्रयोजन। प्रयोजन यह है कि प्रत्यक्ष तभी घटित होता कहा जा सकता है जबकि वस्तु दृक् के समक्ष हो। किन्तु जैसे ही एक क्षण अतीत में खिसक जाता है वह समक्ष रहता नहीं कहा जा सकता। तब उसका स्थान कल्पनादि ले लेते हैं। इस प्रकार से, निर्विकल्प, शुद्ध संवेद की स्थिति ही प्रत्यक्ष की स्थिति है।

इस प्रकार, प्रत्यक्ष की परिभाषा में चार पद प्रयुक्त होते हैं—दृक्, विषय, योग और सद्यत्व। ये चारों पद बहुत समस्यात्मक हैं। 'दृक्' का प्रत्यक्ष में क्या रूप और भाग है? 'विषय' से क्या अभिप्राय है और उसकी तात्त्विक सत्ता क्या है? 'विषय' तथा 'दृक्' में 'योग' कैसे होता है अथवा उसका क्या स्वरूप होता है? तथा 'सद्यत्व' की क्या कालावधि है और यह क्यों आवश्यक है? ये सब प्रश्न प्रासंगिक हैं।

यहाँ हम 'दृक्' तथा 'योग' पर विचार नहीं करेंगे। इन पर हमने 'मानसिक और भौतिक' तथा 'ज्ञान का विश्लेषण'[2] अध्यायों में विचार किया है। यहाँ हम केवल सद्यत्व तथा विषय पर ही विचार करेंगे।

प्रत्यक्ष का एक सामान्य उदाहरण लें, उदाहरण हो सकता है—मैं पुस्तक देख रहा हूँ। यह कथन उचित रूप से उस अवस्था में किया जा सकता है जब पुस्तक मेरा चक्षु-विषय हो। किन्तु पुस्तक के चक्षु-विषय होने से क्या अभिप्रेत है? अभिप्राय है कि यदि मैं आँख मूँद कर कहता हूँ कि मैं पुस्तक देख रहा हूँ तब इसे प्रत्यक्ष नहीं कहा जाएगा। उस अवस्था में मैं पुस्तक 'कल्पना' में देखता कहा जाऊँगा। किन्तु मान लें कि सम्मुख पुस्तकवदाकृति की कोई अन्य वस्तु है जोकि मुझे पुस्तक प्रतीत होती है, तब भी मैं यही दावा करूँगा, स्वप्न और विक्षिप्तावस्था में भी वैसा ही दावा किया जाता है। अब क्या उस अवस्था में भी मैं पुस्तक का प्रत्यक्ष करता कहा जाऊँगा? वास्तव में सद्यत्व से यह भी अभिप्रेत है कि पुस्तक और दृक् में किसी प्रकार का व्यवधान न रहने की

1. द्रष्टव्य : ज्ञान का विश्लेषण।

2. द्रष्टव्य आगे — मानसिक और भौतिक।

अवस्था में ही किसी देखने के दावे को प्रत्यक्ष का दावा कहा जाएगा। इस अर्थ में सद्यत्व का अर्थ बहुत व्यापक हो जाता है, जिसमें कल्पना-मात्र का निरास अभिप्रेत है। पुस्तक वास्तव में ही सम्मुख न रहने पर पुस्तक की प्रतीति को कल्पना कहा जाएगा। किन्तु कल्पना में विषय उतना ही विषय है जितना वह प्रत्यक्ष में है। इस प्रकार से सद्यत्व प्रत्यक्ष के लिये आवश्यक शर्त है।

'सद्यः' के इस अर्थ में किसी स्थिति को तभी प्रत्यक्ष की स्थिति कहा जाएगा यदि दृक् और विषय का केवल संयोग ही नहीं हो प्रत्युत वस्तु की भी उपस्थिति हो, अन्यथा कल्पना-विषय और प्रत्यक्ष-विषय में कोई अन्तर नहीं रहता। किन्तु किसी विशेष प्रतीति के घटित होने पर यह कैसे देखा जाय कि वह कल्पना नहीं है बल्कि प्रत्यक्ष है? यह हम अन्य प्रतीतियों के साक्ष्य (एवीडेंस) से जानते हैं। ये अन्य प्रतीतियाँ अपनी भी हो सकती हैं और अन्य की भी। किन्तु कठिनाई यह है कि जबकि ये अन्य प्रतीतियाँ भी उतनी ही प्रतीतियाँ हैं जितनी यह मूल प्रतीति, उस अवस्था में उन अन्य प्रतीतियों को कैसे अधिक विश्वसनीय माना जाए? और वास्तव में ऐसा होता भी है जबकि अन्य भी सभी प्रतीतियाँ उतनी ही अविश्वसनीय प्रमाणित होती हैं। उदाहरणतः, स्वप्न यदि कुछ दीर्घस्थायी है तब भी उन प्रतीतियों का साक्ष्य पर्याप्त देर तक उपलब्ध रहता है, और जहाँ तक अन्य व्यक्तियों के साक्ष्य का प्रश्न है, वह भी स्वप्न में उपस्थित रह सकता है। इस प्रकार, जब तक हमारे पास कोई अन्य साक्ष्य नहीं हो, जिसकी प्रतीति साक्ष्य से अधिक विश्वसनीय माना जा सके, तब तक हम इस दुश्चक्र से बाहर नहीं निकल सकते। इसके अतिरिक्त, प्रतीतियों का दूसरी प्रतीतियों से समर्थन तथा बाध होने का क्या अर्थ है? अर्थात्, अन्य प्रतीतियाँ, यदि वे विश्वसनीय हों भी, तो भी वे प्रथम प्रतीति के लिये साक्ष्यभूत कैसे हो सकती हैं? इस प्रकार से यह सब आत्माश्रय दोषयुक्त प्रतीत होता है।

किन्तु 'सद्यः' का प्रयोग वास्तव में इस अर्थ में नहीं किया जाता। वहाँ इसका कालिक अर्थ ही अभिप्रेत है। इस अर्थ के अनुसार, जब हम कोई वस्तु देखते कहे जाते हैं उस समय हमारा प्रत्यक्षगत उससे बहुत अल्प होता है जितना हम समझते हैं कि वह है। उदाहरणतः, जब पुस्तक हमारा चक्षु-विषय होती है तब चक्षु-विषय केवल वर्ण और आकार होता है, पुस्तक नहीं। 'पुस्तक' उससे बहुत अधिक के लिये है जितना हमारा दृष्टि-विषय है। यह 'अधिक' विकल्पजन्य है; यह प्रत्यक्ष नहीं अपेक्षा है जो मनोवैज्ञानिक कारणों से प्रेरित होती है। अब यह चक्षुगत विषय आरम्भ में, एक सीमित लघुकालावधि तक सद्यः है। इस कालावधि में वास्तव प्रत्यक्षगत विषय घटित होता है और पीछे यह कल्पनाविष्ट हो जाता है।

किन्तु 'सद्यः' का यह अर्थ स्वीकार करने पर, दृक् और विषय में कोई भेद नहीं रहता, क्योंकि इस अवस्था में वर्ण और चक्षु तथा उष्ण और स्पर्श इनमें विषय-विषयी सम्बन्ध नहीं होता। वर्ण और दृक् में अन्तर के लिये कम-से-कम शर्त 'यह रक्त है' यह निर्णय है, जिसमें 'इस रक्त' को पृथक् स्थापित किया जाता है, उसे परता दी जाती है। इस प्रकार 'सद्यत्व' इस शब्द के आत्यन्तिक अर्थ में ज्ञान-सम्बन्धी किसी कोटि में नहीं आता। वास्तव में यह सद्यः अनुभव स्वयं बहुत शीघ्र विषय बन जाता है और केवल उस रूप में ही वह प्रतीति, प्रत्यक्ष तथा ज्ञान में अंगभूत बनता है। उदाहरणतः, सिर-दर्द केवल एक वेदना है, किन्तु जब वह विषयभूत होता है तब वह केवल वेदना नहीं रहता प्रत्युत ज्ञान-विषय हो जाता है। तब प्रश्न हो सकता है कि क्या यह सम्भव है कि सिर-दर्द की अवगति नहीं हो? किन्तु यह प्रश्न ऐसा ही है जैसा यह पूछना कि क्या यह सम्भव है कि कोई विषय विषय नहीं हो? विषय हुए बिना दर्द सम्भव नहीं है, क्योंकि दर्द एक विषय का ही नाम है। किन्तु संवेद पौधों को भी होते हैं और मस्तिष्क-रहित स्पाइनल कोर्ड के स्तर पर भी, किन्तु सम्भवतः उस स्तर पर सिर-दर्द नहीं होता। यहाँ यह स्पष्ट कर देना आवश्यक है कि इस प्रकार के निर्णय के लिये यह आवश्यक नहीं है कि इसमें विषय किसी वस्तु का प्रकाशक भी हो, उदाहरणतः यहाँ 'यह रक्त है' इस निर्णय के लिये यह आवश्यक नहीं है कि कुछ वास्तव में रक्त हो।

संवेदवाद के प्रतिपादक सद्य:संवेद का इसी रूप में प्रतिपादन करते हैं। अब, ये संवेद विषय ऐसे हैं जिनके सम्बन्ध में कभी भ्रम सम्भव नहीं है, क्योंकि इनमें प्रतीतिगत से अधिक का दावा ही नहीं रहता।[1] उदाहरणत: यदि रस्सी साँप प्रतीत होती है तो सर्प-प्रतीति इसलिए मिथ्या है क्योंकि यहाँ रस्सी के अधिष्ठान में सर्प को देखा गया है। किन्तु सर्प-प्रतीति तो है ही, और जबकि सर्प-प्रतीति है तब, यदि हमारा दावा प्रतीति तक ही सीमित है, सत्यासत्य का प्रश्न ही नहीं उठता। किन्तु वास्तव में सर्प-प्रतीति में भी अपेक्षा (आकांक्षा) होती है, क्योंकि 'सर्प' में उससे 'बहुत अधिक' का सन्निवेश है जितना एक संवेद-विषय में निहित रहता है। वास्तव में 'सर्प' में अधिक के सन्निवेश के कारण ही 'यह सर्प है' निर्णय का विषय भ्रम-विषय होता है। इस प्रकार, शुद्ध सद्य: संवेद की स्थिति में उससे अधिक की आकांक्षा नहीं होनी चाहिए जितना प्रदत्त हो सकता है।

अब, जैसाकि स्पष्ट है, ये संवेद एक विश्लेषण की उपज हैं। इस विश्लेषण में प्रयोजन भ्रम और सत्य प्रतीतियों में एक ऐसी आधार-स्थिति की खोज करना है जो इन दोनों स्थितियों में सामान्य हो। किन्तु वस्तुत: इससे वह प्रयोजन सिद्ध नहीं होता जिसे हम सिद्ध करना चाहते हैं, क्योंकि संवेद-प्रदत्तों के आधार पर भ्रम-विषय और सत्य-विषय में अन्तर नहीं किया जा सकता। एक संवेद-प्रदत्त, जोकि सत्यासत्य प्रसंग से अतीत है, और दूसरा इसी प्रकार का संवेद-प्रदत्त परस्पर व्याघातक नहीं हो सकते। वास्तव में यह संवेदवादी विश्लेषण में स्पष्टत: प्रतिपादित भी है। ऐसी अवस्था में संवेद उन प्रत्यक्षों की रचना नहीं कर सकते जिनमें भ्रम और सत्य प्रासंगिक है। संवेदों के प्रमाणीकरण तथा प्रत्यक्ष में प्रासंगिक होने के लिये वस्तुओं का आक्षेप करना आवश्यक है, जैसाकि हमने पीछे विस्तार से दिखाया है। वास्तव में उस अवस्था में यह तात्त्विक समस्या भी होगी कि चक्षु-विषय, स्पर्श-विषय तथा गतिक-विषय ये सब एक विषय—सर्प—का किस प्रकार से निर्माण कर सकते हैं? इस प्रकार से संवेदवाद न केवल सत्य और असत्य प्रतीतियों की व्याख्या में ही सहायक नहीं होता प्रत्युत इससे स्वयं प्रतीति विषय भी एक समस्या बन जाते हैं, ठीक उसी प्रकार जिस प्रकार से वर्तमान तक सीमित रह कर काल का सम्प्रत्यय एक समस्या (असमाधेय) बन जाता है।

इस दुश्चक्र में फँसने का कारण यह है कि एक ओर जबकि हम वस्तुओं की बात करते हैं, ऐसी वस्तुएँ जो 'वहाँ हैं'—स्वायत्त—तो दूसरी ओर हम ज्ञान की सीमाएँ संवेदों तक स्थिर कर देते हैं, और तब यह समस्या रख देते हैं कि जबकि हम संवेदों को जानते हैं तब हम वस्तुओं को कैसे जान सकते हैं? अब, यदि हम संवेदों को ही जान सकते हैं, तब यह प्रश्न ही कैसे उत्पन्न होता है कि हम वस्तुओं को कैसे जानते हैं? यहाँ दार्शनिक सन्देहवाद की भूल भी देखी जा सकती है, क्योंकि दार्शनिक सन्देहवाद एक ओर ज्ञान को असम्भव मानता है और दूसरी ओर ज्ञान की बात करता है—यदि हम वस्तुओं को जान ही नहीं सकते तो यह प्रश्न भी कैसे उत्पन्न होता है कि

---

1. संवेदवादी प्रतिज्ञा को एयर के शब्दों में इस प्रकार से प्रस्तुत किया जा सकता है—"भ्रम की सम्भावना के कारण, यह अनिवार्यत: सत्य नहीं होगा कि जब भी मुझे प्रतीत होता है कि मैं कुछ देख रहा हूँ, तब मैं वास्तव में उसे देख रहा होता हूँ। इसके बजाय यहाँ, इसके विपरीत प्रतिपादन अभिप्रेत है। इस कथन से कि, मैं सिगरेट-केस देख रहा हूँ, यह अनुगत माना जाता है कि मुझे प्रतीत होता है कि मैं इसे देख रहा हूँ। अथवा, यदि यह नहीं माना जा सके, तो कम-से-कम, यह अनुगत माना जाता है कि मुझे यह प्रतीत होता है कि मैं कुछ देख रहा हूँ...

अपने इस उदाहरण को आगे बढ़ाते हुए, इसमें अगला कदम होगा 'मुझे अब प्रतीत होता है कि मैं सिगरेट-केस देख रहा हूँ' वाक्य को 'मैं अब प्रतीयमान सिगरेट केस देख रहा हूँ' में रूपान्तरित करना। और, वह प्रतीयमान सिगरेट-केस, जोकि केवल मेरे वर्तमान अनुभव में रहता है, संवेद-प्रदत्त का एक उदाहरण है। यह विधि प्रत्यक्ष की सब अवस्थाओं पर लागू करते हुए, चाहे वे सत्य हों या भ्रम, हम इस परिणाम पर पहुँचते हैं कि जब कोई किसी भौतिक विषय का प्रत्यक्ष करता है, अथवा समझता है कि वह प्रत्यक्ष करता है, तब वह कम-से-कम एक उचित अर्थ में, प्रतीयमान विषय का प्रत्यक्ष करता है। ये प्रतीयमान विषय संवेद-प्रदत्त हैं, और यह निष्कर्ष सरलतर रूप से इस प्रकार से व्यक्त किया जा सकता है कि केवल संवेद-प्रदत्त ही अव्यवहित रूप से प्रत्यक्षगत होते हैं।" (द्रष्टव्य : एयर, प्राब्लम ऑफ नॉलेज़, पेंग्विन बुक्स, पृ. 97)

संवेदवादी प्रतिज्ञा के समर्थन में हमने **दार्शनिक विश्लेषण** (अखिल भारतीय दर्शन परिषद्, 1962) के प्रथम दो अध्यायों में अनेक युक्तियाँ दी हैं। इस प्रसंग में रसल के ग्रन्थ, विशेषत: **'आवर आइडिया ऑफ दि एक्सटर्नल वर्ल्ड'**, **'एनेलेसिस ऑफ माइंड'** तथा **'इन्क्वायरी इन्टू मीनिंग एण्ड ट्रुथ'** भी द्रष्टव्य हैं।

वस्तुएँ हैं? इस प्रकार से, विषयीनिष्ठतावादी की बात तो समझी जा सकती है, किन्तु सन्देहवादी की बात समझना कठिन है, क्योंकि उसका प्रश्न एक तरह से यह है कि हम अपने से बाहर कैसे निकल सकते हैं? ठीक ही नहीं निकल सकते। किन्तु अपने से बाहर निकलने का क्या अर्थ है?

वास्तव में दार्शनिक सन्देहवादी परोपजीवी प्राणी है और उसका उपजीव्य अनुभववादी सिद्धान्त है। यदि अनुभववादी पूर्व-प्रतिज्ञा को स्वीकार किया जाय तब हम अपने सद्य:संवेदों के अतिरिक्त कुछ नहीं देख पाते, वास्तव में तब स्मृति भी एक समस्या है, और इस प्रकार रचना उतनी ही समस्यात्मक है जितने स्वयं बाह्य विषय। क्योंकि जैसाकि हमने अन्यत्र दिखाया है, संवेदों से विषयों की रचना विषयों को पूर्व अभ्युपगमित किये बिना नहीं की जा सकती। किन्तु हमें विषयों की प्रतीति होती है, और अधिकांशत: हम उनके द्वारा वस्तु-ज्ञान प्राप्त करने में समर्थ होते हैं।

जब हम देखते हैं कि 'अ पुस्तक है', अथवा जब यह कहा जाता है कि 'मैं पुस्तक देख रहा हूँ', तब मुझे प्रतीत होता है कि यह पुस्तक है, अथवा कहें, मुझे पुस्तक-प्रतीति घटित होती है। किन्तु इससे यह निष्कर्ष उचित नहीं है कि मैं प्रतीति देखता हूँ। 'देखने' के लिये यह आवश्यक है कि कुछ देखा जाता है, कहें पुस्तक देखी जाती है। 'प्रतीति' शब्द केवल पुस्तक-विषय का विशेषक है। अब, जबकि मैं अ को देखता हूँ और समझता हूँ कि यह पुस्तक है, तब मैं अपेक्षा करता हूँ कि यदि मैं इसका स्पर्श करूँगा तो अमुक प्रकार का अनुभ होगा : कहें, अमुक प्रकार की स्पर्श-प्रतीति और दृक्-प्रतीति आदि होंगी। अब, यह पुस्तक के मेरे सम्प्रत्यय में निहित है कि जब वह एक प्रतीति का विषय होता है तो वह अन्य अमुक-अमुक प्रकार की अपेक्षाओं को भी सन्तुष्ट करता है। यदि अ पुस्तक-प्रतीति से प्रेरित अपेक्षाओं को सन्तुष्ट नहीं करता तो हम कहेंगे कि हमारी प्रतीति भ्रम थी, प्रत्यक्ष नहीं थी।

प्रत्यक्ष-सम्बन्धी उपर्युक्त चरित्रण उतना ही अधिक स्वप्न और विक्षिप्तावस्था के लिये भी उचित है जितना जाग्रतावस्था के लिये । उदाहरणत: स्वप्न में हम उतना ही विषयों का प्रत्यक्ष करते हैं जितना जागृति में, और जब ये प्रत्यक्ष घटित होते हैं तब मुझे यह प्रतीत होता है कि अ प है, और अन्य प-वत् प्रतीतियों की आकांक्षा घटित होती है। अब यहाँ सन्देहवादी अथवा संवेदवादी प्रश्न करेगा कि जबकि स्वप्न और विक्षिप्तावस्था में भी विषय घटित होते हैं और इन विषयों में तथा जागृति के विषयों में कोई अन्तर नहीं होता, सिवाय इस बात के कि स्वप्न-विषय कुछ अपेक्षाओं की पूर्ति नहीं करते, उस अवस्था में हम यह कैसे कह सकते हैं कि हमारे जागृति के प्रत्यक्ष उतने ही भ्रमपूर्ण नहीं हैं जितने स्वप्न के? कि हम एक अन्य, केवल दीर्घतर, स्वप्न ही नहीं ले रहे हैं।

यहाँ सन्देहवादी कसौटी चाहता है जिसके प्रयोग द्वारा हम भ्रान्त प्रत्यक्षों ('प्रत्यक्ष' के शिथिल अर्थ में) तथा सत्य प्रत्यक्षों में भेद कर सकें। किन्तु सन्देहवादी की कसौटी की माँग वदतोव्याघात है, क्योंकि वह किसी भी कसौटी को स्वीकार करने को तैयार नहीं है, वह ऐसी प्रतीतियाँ दिखाने को कहता है जो स्वत:प्रमाण हैं। किन्तु जब सन्देहवादी भ्रम की बात करता है तब उसका निर्भ्रान्त स्थिति से क्या अर्थ है? किस प्रकार के प्रत्यक्षों को वह सत्य प्रत्यक्ष मानेगा। अथवा यदि प्रत्यक्ष अनिवार्यत: भ्रम ही हो सकते हैं तो किस प्रकार की स्थिति को वह निर्भ्रान्त स्थिति मानेगा?

जैनों का सर्वज्ञ सत्य-द्रष्टा है, किन्तु वह यह कैसे जानता है कि उसके प्रत्यक्ष भ्रम नहीं हैं? किसी एक प्रत्यक्ष घटना के पास अपनी सत्यता का प्रमाण-पत्र नहीं रह सकता। इसके अतिरिक्त, मान लें कि इस समय हम जितने प्रत्यक्ष करते हैं वे सब सत्य हैं और आज से हमें भ्रान्त प्रत्यक्ष होने समाप्त हो जाते हैं, किन्तु एक व्यक्ति भ्रम में है और वह हमें चुनौती देता है। तब हममें कोई निर्णय नहीं किया जा सकता, क्योंकि कोई प्रमाण हमारे बीच सामान्य नहीं होगा। दूसरे, हम यह कैसे जान सकते हैं कि इस समय से हमें भ्रम होना समाप्त हो गया है? मान लें कि इस एक व्यक्ति के अतिरिक्त हम सब जैनों के सर्वज्ञ हैं और यह एक व्यक्ति निरन्तर भ्रम में है, वह मेज़ों को बोलते और मनुष्यों को उड़ते देखता है। अब हम, जोकि यथार्थ द्रष्टा हैं, उसे किस प्रकार समझा सकते हैं कि वह

भ्रम में है? हमारे पास क्या प्रमाण है कि हम भ्रम में नहीं हैं? अथवा, मान लें कि एक व्यक्ति अकस्मात् आकाश से उतरता है और कहता है कि जिसे हम एक वस्तु कहते हैं वह वास्तव में असंख्य वस्तुएँ हैं, और वह प्रतिक्षण (क्षण की कोई भी अवधि स्वीकार करते हुए) नई वस्तु को जन्म लेते मिटते हुए देखता है। अथवा, वह एक वस्तु को अपने साथ सम्बन्ध के अनुसार भिन्न-भिन्न नाम देता है और इस प्रकार हमारी पुस्तक उसके लिये उठाने की वस्तु, रखने की वस्तु, सामने से देखने की वस्तु, अपांग से देखने की वस्तु आदि-आदि अनेक वस्तुएँ हैं और वह उन्हें एक वस्तु नहीं देख पाता। तब क्या हमारे पास कोई ऐसा उपाय है कि हम उसे प्रमाणित कर सकें कि वह एक भ्रान्त संसार में रह रहा है, अथवा कि वह किसी ऐसी ज्ञान-कोटि से वंचित है जिसका हमें वर प्राप्त है? स्पष्टत: ऐसा नहीं कहा जा सकता, क्योंकि वह इसके उत्तर में कह सकता है कि वास्तव में हम भ्रम में हैं, क्योंकि हम ऐसी ज्ञान-कोटि से वंचित हैं और इसी कारण हम अनेक वस्तुओं को एक ही वस्तु समझ रहे हैं।

हमारे विचार में, इनमें कोई निर्णय नहीं किया जा सकता, क्योंकि इनमें भ्रम की कोई सामान्य कसौटी नहीं बनाई जा सकती। प्रत्यक्षों के प्रामाण्य की कसौटी, अन्य सब कसौटियों के समान, तभी सम्भव है यदि हम यह पहले से जानते हैं कि प्रमा क्या है, जैसे हम स्वर्ण को पीतल से तभी पृथक् कर सकते हैं यदि हम पहले से यह जानते हैं कि कसौटी पर कौन-सा रंग स्वर्ण का रंग होगा, और यह हम तभी जान सकते हैं यदि हम पहले से यह जानते हों कि कौन-सी धातु शुद्ध स्वर्ण है।

प्रत्यक्ष के लिये यह आवश्यक है कि हम किसी प्रकार की स्वतन्त्र वस्तुओं और घटनाओं, अथवा कहें सत्ताओं, का आक्षेप करें। यह बात सन्देहवादी भी स्वीकार करता है जब वह अनन्त अज्ञान की सम्भावना की बात करता है। 'आक्षेप' कहने से हमारा अभिप्राय है कि यह आवश्यक नहीं है कि कोई बाह्य सत्ता को स्वीकार करे, जिस प्रकार किसी के लिये यह आवश्यक नहीं है कि वह सूर्य केन्द्रक ज्योतिष को स्वीकार करे। किन्तु प्रत्यक्ष-सम्बन्धी घटनाओं के सरलतर सिद्धान्त के लिये यह स्वीकृति आवश्यक है। आक्षेप कहने से दूसरा अभिप्राय यह है कि बाह्य सत्ता को अनेक रूप में कल्पित किया जा सकता है, जैसे ज्योतिष और ज्यामितियाँ अनेक हो सकती हैं। अभी पीछे हमने आकाश से उतरने वाले प्राणी का उदाहरण दिया था। इस प्रकार, जब मैं देखता हूँ कि यह पुस्तक है, तब यदि हम बाह्य वस्तुओं का अभ्युपगम स्वीकार करें तो 'मैं पुस्तक देख रहा हूँ' इसका अर्थ होगा कि, "वहाँ पुस्तक है, और पुस्तक के कारण मुझे इस प्रकार की पुस्तक-प्रतीति हो रही है, यदि कोई सामने से इस पुस्तक को हिलाए तो मुझे पुस्तक हिलती हुई दिखाई देगी, यदि मैं इसके अत्यन्त समीप पहुँच जाऊँगा तो कुछ स्पर्श-प्रतीति होगी" आदि। ये प्रत्यक्ष पुस्तक-सम्बन्धी विभिन्न प्रत्यक्ष हैं। एक ही इन्द्रिय से सम्बन्धित कुछ कालस्थायी प्रत्यक्ष को एक ही प्रत्यक्ष कहा जाय या ये भिन्न-भिन्न प्रत्यक्ष कहे जाएँ, यह हमारी समस्या के लिये प्रासंगिक नहीं है। महत्त्वपूर्ण यह है कि पुस्तक सम्बन्धी प्रत्येक प्रत्यक्ष सापेक्ष प्रत्यक्ष है और इस प्रकार यह अन्य प्रत्यक्षों की आकांक्षा करता है। उस सन्दर्भ में देखते हुए, सरल से सरलतम प्रत्यक्ष भी अपेक्षित प्रत्यक्ष होता है। उदाहरणत:, जब हम कहते हैं कि 'यह रक्त है', तब इसका अर्थ है कि "इसका वर्ण उचित प्रकाश में देखी गई रक्त वर्ण वस्तुओं जैसा है, यह वस्तु उचित प्रकाश में देखी जा रही है तथा यदि प्रकाश में परिवर्तन कर दिया जाय तो प्रत्यक्षगत वर्ण में परिवर्तन हो जाएगा" आदि।

यहाँ हम केवल भौतिक वस्तुओं को ही नहीं भौतिक नियमों को भी प्रवेश दे रहे हैं। वास्तव में यह प्रवेश देना आवश्यक है, यदि हम अपेक्षाओं को एक योजना देना चाहते हैं तो। नहीं तो हम यह नहीं कह सकेंगे कि गुलाब का वर्ण मुरझाने के कारण बदला है, व्यवधानगत प्रकाश के कारण नहीं। इसी प्रकार से भ्रम की व्याख्या भी की जा सकती है। उदाहरणत: जब हम रस्सी को साँप समझते हैं तब इसके मनोवैज्ञानिक कारण भी हो सकते हैं और भौतिक भी और दोनों भी, जबकि प्रत्यक्ष की दृष्टि से ये कारण आभ्युपगमिक हैं।

अब, यदि हम प्रत्यक्ष की व्याख्या 'इन्द्रियार्थ सन्निकर्ष' यह करें तो भ्रम-विषय और स्वप्नावस्था में दृष्ट विषय भी विषय होने से प्रत्यक्ष ही कहलाएंगे। तब कल्पना और प्रत्यक्ष में भी भेद सम्भव नहीं होगा। वास्तव में अन्त:साक्ष्य की दृष्टि से इनमें कोई भेद है भी नहीं। इसीलिए ह्यूम, जोकि अन्त:साक्ष्य को ही साक्ष्य मानता है,

कल्पना और प्रत्यक्ष में केवल अनुभूति की तीव्रता की मात्रा के आधार पर भेद करता है, जो पुनः वास्तव में बहिस्साक्ष्य है और अनुपयुक्त भी, अनुपयुक्त इसलिए क्योंकि उस दृष्टि से हम स्वप्नों और भ्रम को भी प्रत्यक्ष स्वीकार करने को बाध्य होंगे।

किन्तु बहिस्साक्ष्य को स्वीकार करने पर आपत्ति की जा सकती है कि हम प्रत्यक्ष के लिये भी प्रमाण को आवश्यक बना देते हैं, जोकि असम्भव है, क्योंकि सभी प्रमाण प्रत्यक्ष पर ही आधारित हो सकते हैं। किन्तु वास्तव में बात ऐसी नहीं है। हम भ्रम और प्रत्यक्ष में भेद करने में तो सफल होते ही हैं और यह भेद हम 'आकांक्षा' और पोषक प्रत्यक्षों के आधार पर करते हैं। अर्थात्, जब हमें पुस्तक-प्रतीति होती है तब वह कुछ आकांक्षाओं से सहानुगमित होती है और अन्य प्रत्यक्ष जब उस आकांक्षा के अनुसार घटित होते हैं तब हम उस प्रतीति को प्रत्यक्ष मानते हैं, अन्यथा केवल प्रतीति मानते हैं।

हमारी इस स्थापना के अनुसार, प्रत्यक्ष प्रतीति पर आधारित ज्ञान है और कोई प्रतीति प्रत्यक्ष थी या नहीं यह केवल आकांक्षा की सन्तोषक प्रतीतियों के आधार पर ही कहा जा सकता है। इस प्रकार प्रत्यक्ष की कोई घटना, जैसे 'मैं पुस्तक देख रहा हूँ', यह लागू करती है कि मुझे पुस्तक-प्रतीति हो रही है, और इसके उलट लागू नहीं होता। किन्तु प्रत्येक प्रतीति प्रत्यक्ष होने की सम्भावना रखती है, यानी, प्रतीति घटित होने पर तब तक उसे प्रत्यक्ष मानना उचित है जब तक अन्यथा प्रमाणित नहीं हो जाता। इस प्रकार, प्रत्येक प्रतीति इस बात के लिये प्रमाण है कि वास्तव प्रत्यक्ष घटित हो रहा है, क्योंकि प्रत्येक प्रतीति, आकांक्षा के साथ, अर्थात् वस्तुओं के आक्षेप के साथ, प्रत्यक्ष के लिये एक प्रमाण है। प्रतीति के प्रमाण होने के लिये वस्तु-विषयक आक्षेप आवश्यक है, यह समझ लेना बहुत आवश्यक है। अन्यथा यह प्रश्न निरर्थक है कि हम प्रतीतियों से वस्तुओं को जानने में कैसे समर्थ होते हैं? प्रत्यक्ष की इस व्याख्या के अनुसार, 'विषय-प्रत्यक्ष' प्रयोग उचित नहीं है (इस शब्द के कठोर अर्थ में), क्योंकि विषय-कल्पना, भ्रम और विक्षिप्तावस्था में भी घटित होते हैं। इस व्याख्या के अनुसार, 'मैं पुस्तक देख रहा हूँ' का अर्थ है कि 'मुझे पुस्तक-प्रतीति हो रही है, और यह सत्य है कि वहाँ पुस्तक है', और 'सत्य है' का अर्थ है कि वे आकांक्षाएँ सन्तुष्ट होंगी जो 'पुस्तक सम्प्रत्यय' में अंगभूत हैं।

मानस प्रत्यक्ष

हमने मानस प्रत्यक्ष के सम्बन्ध में इस लेख के आरम्भ में कहा था कि इन प्रत्यक्षों का अर्थ हम परा-मनोवैज्ञानिक अर्थ में स्थिर कर सकते हैं। अब, परा-मनोवैज्ञानिक प्रत्यक्ष अनेक प्रकार के हो सकते हैं, किन्तु यहाँ हम केवल प्राग्बोध पर ही विचार करेंगे। यदि कोई काल $क_1$ पर 'देखता है' कि काल $क_2$ पर घटना घ हो रही है तो हम कहेंगे कि उसे मानस प्रत्यक्ष हुआ। 'घटना उसी प्रकार से घटित होने' का अर्थ है कि $क_1$ पर जिस घटना को घटित होते हुए मनसा देखा गया उसी को $क_2$ पर अन्य इन्द्रियों से देखा गया, और $क_1$ पर वह घटना अन्य इन्द्रियों का विषय नहीं हो सकती थी। कहते हैं कि कुछ लोगों को ऐसे प्रत्यक्ष होते हैं, किन्तु हमारे विश्लेषण के लिये यह आवश्यक नहीं है कि वे वास्तव में किसी को होते हों। अब, मानस प्रत्यक्ष में ऐन्द्रिय प्रत्यक्षों से इस बात में वैशिष्ट्य है कि उनमें वस्तु का इन्द्रिय से सन्निकर्ष होता है; कहना चाहिए, उनमें प्रत्यक्ष तथा प्रस्तुत वस्तु में एक प्रकार की समकालिकता रहती है। मानस प्रत्यक्ष में समकालिकता एक अत्यन्त समस्यात्मक प्रत्यय है, यद्यपि ऐन्द्रिय प्रत्यक्षों में भी 'समकालिकता' बहुत समस्यात्मक है, जैसाकि हम अभी देखेंगे। किन्तु मानस प्रत्यक्षों में कठिनाई यह है कि मन को प्रस्तुत घटना भूत-वैज्ञानिक देश-काल में तत्काल घटित हुई नहीं रहती।

यहाँ कठिनाई वास्तव में दो प्रकार की है : एक तो यह कि हमारी सम्प्रत्ययात्मक योजना में ऐन्द्रिय देश-काल आधारभूत हैं। जब कभी इस योजना में वैज्ञानिक तथ्यों के कारण जहाँ कठिनाई उत्पन्न हुई है वहाँ विज्ञान ने उसमें पैबन्द भी लगा दिये हैं और इस योजना तथा वैज्ञानिक योजना में एक सातत्य बना रहता है। किन्तु मानस प्रत्यक्ष इस सम्प्रत्यय-योजना से बाहर घटित होते हैं। दूसरी कठिनाई इसमें सार्वजनीनता के अभाव के कारण उत्पन्न होती है—अर्थात्, जब किसी एक व्यक्ति को प्राग्बोध होता है तब अन्यों को वैसा नहीं होता है। इसीलिए इसमें सार्वजनीन प्रमाणीकरण असम्भव रहता है। अब, क्योंकि प्राग्बोध में भी भ्रम सम्भव है और क्योंकि प्राग्बोध

बहुत कम होते हैं, इसलिए सदैव यह कहना सम्भव है कि पूर्वोक्ति प्राग्बोधात्मक नहीं थी। किन्तु यहाँ दो बातें समझ लेना आवश्यक हैं—एक तो यह कि प्राग्बोध की व्यक्तिगतता तर्कत: अनिवार्य नहीं है, उसका वस्तुत: सार्वजनीन न होना केवल आकस्मिक बात है, अनिवार्य नहीं। दूसरे यह कि जिस प्रकार कोई भी प्रतीति केवल तभी प्रत्यक्ष कही जाने योग्य होती है जब कुछ आकांक्षाएँ सन्तुष्ट हों, उसी प्रकार मानस प्रत्यक्ष में भी यह आवश्यक है कि वह अन्य प्रत्यक्षों द्वारा पुष्ट हो, यद्यपि पुष्टि में कालिक सम्बन्ध भिन्न होंगे।

इस प्रकार मानस प्रत्यक्ष में प्रमुख प्रश्न देश-कालिकता का है। अन्य प्रत्यक्षों में एक इन्द्रिय का विषय घटित होने पर साथ ही अन्य इन्द्रिय-विषय भी घटित हो सकते हैं। जब ऐसा नहीं हो सकता, जैसे ज्योतिषीय (ऑस्ट्रोनोमीकल) घटनाओं में, तब वहाँ यह तथ्य उस देश-काल की उसी योजना में व्याख्येय है। किन्तु प्राग्बोध में जब मानस प्रत्यक्ष घटित होता है तब ऐन्द्रिय देश-काल में अभी घटना ने जन्म भी नहीं लिया होता। तब क्या एक घटना दो बार घटित होती है—मानस-स्तर पर एक बार और ऐन्द्रिय-स्तर पर दूसरी बार। किन्तु यह स्वीकार करते ही हमें कहना होगा कि घटनाएँ असंख्य बार घटित होती हैं; क्योंकि यदि किसी व्यक्ति $व_1$ को काल $क_5$ पर प्राग्बोध होता है तो $व_2$ को काल $क_2$ पर हो सकता है, जबकि ऐन्द्रिय-स्तर पर यह घटना $क_2$ पर अभी घटित होनी है। किन्तु एक घटना का अनेक बार घटित होना हमारी ऐन्द्रिय सम्प्रत्यय योजना में असम्भव है—कहें वदतोव्याघात है। तब क्या यह कहा जाय कि कुछ घटित होता ही नहीं? सब पूर्णत: विद्यमान है? यह भी देश-काल की हमारी वर्तमान योजना अमें असमायोज्य है। हमारे विचार में, प्राग्बोध की स्वीकृति हमें काल-सम्बन्धी दो योजनाओं को स्वीकार करने को बाध्य करती है, जिस प्रकार प्रकाश-सम्बन्धी विभिन्न तथ्य किरण-प्रसार-सम्बन्धी दो योजनाओं को स्वीकार करने को बाध्य करते हैं।

किन्तु काल-सम्बन्धी समस्या ऐन्द्रिय-प्रत्यक्षों में भी कम कठिन नहीं है। उदाहरणत: जब हम किसी तारे को देखते हैं तब वह तारा उस स्थान पर नहीं होता जिस पर वह हमें दिखाई देता है। प्रत्यक्षों की पदावली में हम कह सकते हैं कि, जब एक तारा त देश-काल $क_1$ पर दिखाई देता है तब वह स्पर्श-प्रत्यक्ष के लिये अन्य देश-काल $क_2$ पर होता है, यदि हम तारे के बहुत निकट होते तो उसका चक्षु-प्रत्यक्षगत स्थान वहीं होता जो स्पर्श-प्रत्यक्ष का था।

इसका समाधान भौतिक-विज्ञान किरणों की गति के माप द्वारा करता है। किन्तु इससे समस्या का समाधान नहीं होता, क्योंकि जब हम कहते हैं कि मैं तारा देख रहा हूँ, तब इसका अर्थ यह नहीं होता कि मैं किरणें देख रहा हूँ, क्योंकि 'किरणें देखना' कथन उतना ही अयुक्त है जितना 'प्रतीति देखना', क्योंकि अन्यथा उससे भी अधिक उचित यह कहना होता कि मैं रेटिना में स्पन्द देख रहा हूँ, आदि-आदि। भूत-वैज्ञानिक समाधान की यह व्याख्या वास्तव में अनुचित है और इस भ्रान्त व्याख्या ने रसल आदि दार्शनिकों को बहुत देर तक चक्कर में रखा। इसकी उचित व्याख्या हो सकती है कि "मैं तारा $त_1$ देखता हूँ, जब $त_1$ से प्रसारित किरणें मेरी आखों में शारीरिक कारण-शृंखला को प्रेरित करती हैं।" इस व्याख्या के अनुसार, दृष्टि-विषय किरणें और रेटिना में स्पन्दन नहीं हैं प्रत्युत तारक ही है। किरणें और शारीरिक कारण-शृंखला वस्तुओं और प्रत्यक्षों-सम्बन्धी विभिन्न तथ्यों की देश-काल-विषयक हमारी सम्प्रत्य-योजना में व्याख्या के लिये आनीत अभ्युपगम हैं। किन्तु भौतिक-विज्ञान भी हमारी देश-काल की सामान्य सम्प्रत्यय योजना की रक्षा नहीं कर सका, यह आईंस्टीन द्वारा 'समकालिकता' की नई व्याख्या से स्पष्ट है। 'समकालिकता' के इस सापेक्षतावादी सिद्धान्त के अनुसार, खागोलिक विश्व में दृष्टि और स्पर्शगत प्रत्यक्षों की समकालिकता का निर्धारण नहीं किया जा सकता। इसी प्रकार आणविक विश्व में भी यह निर्धारण सम्भव नहीं है, क्योंकि वहाँ स्थान और वेग का एक-साथ निश्चय सम्भव नहीं है। (यहाँ यह समझ लेना आवश्यक है कि जब मैं 'खागोलिक विश्व' कहता हूँ तब मेरा अभिप्राय सापेक्षतावादी सिद्धान्त में कल्पित सम्बन्धों से है और जब मैं आणविक विश्व कहता हूँ तब ह्वीज़नबर्ग-स्क्राडिंजर-नीलबोर द्वारा प्रतिपादित आणविक सिद्धान्तों से है। भविष्य में अन्य सिद्धान्त होने सम्भव हैं, इधर क्षितिज पर कुछ दिखाई दे भी रही हैं, और परिणामत: अन्य विश्व भी)।

इस प्रकार से खागोलिक तथा आणविक देश-काल में विभिन्न ऐन्द्रिय-प्रत्यक्षों की 'समकालिकता' सामान्य अर्थ में सम्भव नहीं है। अब, यदि हम क्षणिक सत्ताओं के विश्व में रहें तो निकट से दृष्ट और स्पृष्ट वस्तुओं में भी 'समकालिकता' सम्भव नहीं होगी। किन्तु तब भी इधर की 'नवीन वैज्ञानिक स्थिति' की हमारे सामान्य देख-काल से संगति बैठाई जा सकती है। उदाहरणत:, जब हम तारे को देखते हैं तब वह हमें जहाँ दिखाई देता है वहाँ वह कुछ काल पूर्व (कुछ सौ या लाख वर्ष भी) स्पर्श-देश में था, और यदि मैं उसके पर्याप्त निकट होता तो वह एक साथ देखा और स्पर्श किया जा सकता था। अब चक्षु-गत घटना स्पर्श-गत घटना में कालिक सम्बन्ध वर्तमान और अतीत का होने से घटनाओं-सम्बन्धी हमारी धारणाओं में कोई कठिनाई उत्पन्न नहीं होती। किन्तु मान लें कि हमारी बाँहें कुछ अरब मील लम्बी होतीं, तब स्पर्श-गत देश-काल में घटित घटना तथा दृष्टिगत देश-काल में घटित घटना का सम्बन्ध वैसा ही होता जैसा मानस-प्रत्यक्ष घटना और ऐन्द्रिय-प्रत्यक्ष घटनाओं का है। वास्तव में हम दृश्य और श्रौत घटनाओं में प्राय: ही यह सम्बन्ध देखते हैं। किन्तु वहाँ हमें यह कठिनाई दो कारणों से उत्पन्न नहीं होती—एक तो इस कारण क्योंकि हम ऐन्द्रिय-देश-काल में रहने के इतने अभ्यस्त हैं कि किसी एक इन्द्रिय के लिये घटित घटना हमारे लिये घटित है, और अन्य ऐन्द्रिय-देश-काल से इस देश-काल को हम कारण शृंखलाओं तथा उनके गति-सम्बन्धी अभ्युपगमों से स-सम्बन्धित कर लेते हैं। दूसरे इसलिए, क्योंकि ऐन्द्रिय-देश-काल में दो घटनाओं में कालिक अन्तर उनके समीप होकर समाप्त किया जा सकता है। वास्तव में 'देशगत दूरी' तथा 'कारण-शृंखला का वेग' का अर्थ ही है 'कालगत दूरी का माप'।

मानस-प्रत्यक्षगत घटनाओं का ऐन्द्रिय प्रत्यक्षगत घटनाओं से ऐसा कोई स-सम्बन्ध स्थापित नहीं किया जा सकता, कम-से-कम अभी वैसा दिखाई नहीं देता। वास्तव में यदि ऐसा स-सम्बन्ध स्थापित कर लिया जाय तो सम्भवत: हमें मानस प्रत्यक्ष भी अधिक होने लगें, क्योंकि सम्भव है कि हम ऐन्द्रिय-देश-काल के लिये अभ्यस्त होने के कारण उससे असमायोज्य देश-काल-गत घटनाओं की ओर ध्यान ही नहीं देते हों। (किन्तु यह यहाँ अवान्तर है)। किन्तु, जैसाकि हमने पीछे संकेत किया, ऐन्द्रिय-प्रत्यक्षों के क्षेत्र में भी देश-काल योजनाएँ असंख्य हो सकती हैं, और वास्तव में प्राणि-जगत् में हैं भी।

सम्प्रत्ययात्मक सापेक्षता और सत्

(सत् के प्रश्न ने दार्शनिकों को युगों से आकृष्ट और विमुग्ध किया है। सत्-सम्बन्धी इन सब दार्शनिक चर्चाओं में एक बात सामान्य है और वह है सत् की निरपेक्षता। हमारे यहाँ अतिप्राचीन युगों से उपनिषद् के ऋषियों ने उसका निरूपण 'नेति-नेति' द्वारा किया था। हमने इस अध्याय में यह दिखाने का प्रयत्न किया है कि सत् अनिवार्यतः एक सापेक्ष कल्पना है। वास्तव में 'नेति' कथन द्वारा भी उसका निरूपण ही होता है। कबीर ने उसका निरूपण करने के बाद निरूपणों की व्यर्थता अनुभव करते हुए कहा— 'है जैसा-तैसा रहै, कहै कबीर विचारि।' सत् की कल्पना इस निरपेक्ष सत्ता की कल्पना ही है। किन्तु क्या यह सत्ता निरपेक्ष है? स्पष्टतः यह नहीं है, उदाहरणतः कबीर की सत्ता 'दिव्य रूप' है।)

पीछे[1] हमने 'ज्ञान' की जो परिभाषा की है उसके अनुसार किसी स्थिति को तब तक ज्ञान-स्थिति नहीं कहा जा सकता जब तक विषय की प्रमाणता निश्चित नहीं हो। इस शर्त के अनुसार, यदि हमारा ज्ञान का दावा कभी भी उचित होता है तो, कम-से-कम उस अवस्था में, हमारी प्रतीतियाँ, हमारे विषय प्रमाण होते हैं, अन्यथा किसी स्थिति को ज्ञानात्मक नहीं कहा जा सकता। यह कहने की आवश्यकता नहीं है कि हमारी कम-से-कम कुछ प्रतीतियाँ भ्रामक होती हैं, किन्तु यदि कुछ प्रतीतियाँ भ्रामक नहीं होती हैं तो यह कैसे माना जाय कि वे प्रमाण हैं? अब मान लें कि हम यह जान सकते हैं, किन्तु तब इसका अर्थ हुआ कि 'यह मेज़ है' यह जानने के लिये केवल चक्षु-विषय का प्रस्तुत होना और इसकी प्रमाणता में विश्वास मात्र पर्याप्त नहीं है, बल्कि किन्हीं अन्य आधारों पर यह निश्चय होना भी आवश्यक है कि यह विषय भ्रम-विषय नहीं है।

यहाँ दो प्रश्न बहुत महत्त्वपूर्ण हैं—एक यह कि भ्रान्ति अथवा ज्ञान में स्वयं हमारी मनःस्थिति—ज्ञान-क्रिया—तथा प्रतीतियों में ऐसी क्या विशेषता रहती है कि इनके आधार पर विषय को प्रमाण या भ्रम कहा जा सके? पीछे हमने इस प्रश्न पर विचार किया था और इस निष्कर्ष पर पहुँचे थे कि स्वयं इनमें ऐसी कोई विशेषता नहीं रहती। वहाँ हमने दूसरे प्रश्न पर भी विचार किया था और इस निष्कर्ष पर पहुँचे थे कि विषय के वास्तव रूप का प्रश्न सम्प्रत्ययात्मक योजनापेक्ष है।

इससे एक प्रश्न और उठ जाता है और वह है 'सम्प्रत्ययात्मक योजनाओं' का सत् से क्या सम्बन्ध है? उदाहरणतः वस्तु-अस्तित्ववादी योजना और संवेद-अस्तित्ववादी योजना दोनों योजनाएँ लें, जिनकी चर्चा हमने पूर्वोक्त लेख में की है। इन दोनों योजनाओं में से कौन-सी योजना सत्य है अथवा सत्य के निकटतर है? अब कुछ और योजनाएँ भी हो सकती हैं जो बाह्य विश्व-सम्बन्धी ज्ञान-मात्र को भ्रम अथवा वैसा ही कुछ मानती हैं और एक अखण्ड, अविश्लेष्य और अत्यन्त सामान्य अस्तित्व को वास्तव मानती हैं। इनमें से कौन-सी योजना सत्य या पूर्ण सत्य है?

किन्तु किसी योजना को किस अर्थ में सत्य या असत्य कहा जा सकता है, यह स्वयं एक समस्या है। सत्य कोई वाक्य या विश्वास या आयाम (योजना), जो भी कुछ है, सत् के प्रसंग से होता है। इस प्रसंग और वाक्य के सम्बन्ध को हम निम्न ढाँचे द्वारा प्रस्तुत कर सकते हैं—

'व' (वाक्य या विश्वास) सत्य है यदि व वस्तुस्थिति है।

---

1. ज्ञान का विश्लेषण।

यहाँ यह भी द्रष्टव्य है कि सत्य और सत्यापन एक ही बात नहीं है। कोई वाक्य या विश्वास सत्यापित हुए बिना भी सत्य हो सकते हैं। निर्मध्यता का सिद्धान्त (लॉ ऑफ एक्सक्लूडिड मिडिल) स्वीकार करने के लिये यह आवश्यक शर्त है। सत्यापन के लिये यह देखना आवश्यक है कि व वस्तुस्थिति है। किन्तु किसी स्थिति में सत् और असत् में भेद कैसे किया जाए? उदाहरणत: एक प्रत्यक्ष की स्थिति लें—मैं सम्मुख मेज़ देखता हूँ। अब यहाँ सत्य का प्रश्न किस प्रकार उत्पन्न होता है? इस प्रकार कि, मेरा यह विश्वास, कि मेरा प्रत्यक्ष-गत विषय वास्तव में ही मेज़ है, सत्य है? अर्थात्, इस प्रकार कि, प्रत्यक्षगत विषय वास्तव में ही मेज़ है? अब यहाँ सत्य और सत्यापन दोनों के ही प्रश्न प्रासंगिक हैं। सत्य की हमारी परिभाषा के अनुसार, यह विश्वास या तो सत्य है या असत्य, चाहे यह सत्यापित किया जा सके या नहीं किया जा सके। किन्तु सत्य के इस अर्थ में, इस विश्वास के सत्य होने का क्या तात्पर्य है? अब यहाँ स्पष्टत: प्रस्तुत प्रेक्ष्य के एक कसौटी पर पूरा उतरने की माँग है। इस प्रकार, किसी वाक्य या विश्वास आदि के सत्य या असत्य होने के लिये यह आवश्यक है कि सत्यापक या असत्यापक वस्तुस्थिति का निश्चय किया जा सके, अर्थात् यह ज्ञात होना चाहिए कि कैसी वस्तुस्थिति व के होने पर वाक्य सत्य होगा। इसे हम वाक्य या विश्वास की नियतापेक्षा कह सकते हैं। इस प्रकार सत्य की परिभाषा में 'नियतापेक्षा' का समावेश भी आवश्यक है। तब यह परिभाषा निम्न प्रकार होगी—

'व' की अपेक्षा है "व" और 'व' सत्य है यदि व वस्तुस्थिति है।

अब "व" कसौटी है, व्याकृत या अव्याकृत] जो सत् को असत् से भिन्न करती है। उदाहरणत: 'यह मेज़ है' यह प्रत्यक्ष किस तरह असत्य हो सकता है? उत्तर होगा, यदि प्रत्यक्षगत मेज़ सत् नहीं है, अथवा सत् द्वारा कारित नहीं है। तब प्रश्न होगा, मेज़-प्रत्यक्ष असत् किस प्रकार से होता है? और तब हमें इसका उत्तर देना होगा। अब यह उत्तर सत् की कम या अधिक उचित कसौटी निरूपित करेगा। लालची कुत्ते को भी, जो पानी में अपनी परछाईं देखकर कूदा था, सत् की अपनी एक कसौटी थी, चाहे वह कितनी ही अव्याकृत क्यों नहीं रही हो।

इस प्रकार से सत्य का प्रश्न सम्प्रत्ययात्मक योजना[1] को पूर्वकल्पित करता है, क्योंकि कसौटी अनिवार्यत: सम्प्रत्ययात्मक योजना-सापेक्ष होती है। अब यदि हम सम्प्रत्ययात्मक-योजनाओं की सत्यता की परख करना चाहें तो पुन: हमें किसी कसौटी की आवश्यकता होगी और इस प्रकार एक अन्य सम्प्रत्ययात्मक योजना की आवश्यकता होगी, अन्यथा किस आधार पर एक योजना को सत्य और दूसरी को असत्य कहा जा सकता है?

किन्तु वास्तव में योजनाओं को सत्य या असत्य कहना ही अनुचित है, क्योंकि योजनाएँ किसी वस्तुस्थिति के होने का कथन नहीं करतीं। एक ही देश के सम्बन्ध में विभिन्न ज्यामितिक योजनाएँ हो सकती हैं और प्रत्येक योजना के कथन सत्य भी हो सकते हैं। किन्तु इनमें से किसी योजना को सत्य या असत्य नहीं कहा जा सकता। इसी प्रकार न्यूटन और आईंस्टाइन की योजनाओं में से किसे सत्य कहा जा सकता है? अब आईंस्टाइन की योजना भौतिक-विज्ञान के एक बड़े क्षेत्र तक न्यूटन की योजना को स्वीकार करती है, तब क्या कहा जाय कि न्यूटन की योजना भी सत्य थी, किन्तु आईंस्टाइन की अधिक सत्य है? अब कोई योजना अधिक या कम सत्य किस प्रकार हो सकती है? कम या अधिक सत्य होने का सम्प्रत्यय चित्रण की कल्पना पर प्रतिष्ठित प्रतीत होता है, मानो जैसे सत् कोई निश्चित तत्त्व है योजनाएँ जिसके कम या अधिक अनुरूप हैं। किन्तु यह कल्पना न केवल तर्कसंगत नहीं है बल्कि वैज्ञानिक योजनाओं की प्रविधि को भी ग़लत आँकती है। इसकी तर्क-विरुद्धता इस बात में है कि, यह देखने के लिये कि कोई योजना सत् के कितनी अनुरूप है, न केवल योजना का ज्ञान ही आवश्यक है बल्कि सत् का ज्ञान भी आवश्यक है। इस प्रकार जो एक योजना के दूसरी योजना से कम या अधिक सत्य होने की बात करते हैं उनका दावा यह लागू करता है कि उनकी योजना, जोकि परीक्ष्य योजनाओं और सत् दोनों का

1. यहाँ हम 'सम्प्रत्ययात्मक योजना' पद के बजाय 'अर्थ-क्रिया-सन्दर्भ' पद का प्रयोग कर सकते हैं, क्योंकि 'सम्प्रत्ययात्मक योजना' पद उचित रूप से सचेष्टत: रचित सिद्धान्तों के लिए प्रयुक्त हो सकता है। यहाँ हम प्रकृत विषयी मात्र को प्रस्तुत विषय की सम्भावना पर विचार करेंगे। किन्तु सम्प्रत्ययात्मक योजनाएँ हमारे मत को अधिक स्पष्ट रूप से पुष्ट करती हैं।

समावेश करती है, पूर्णत: सत्य है। किन्तु जैसाकि देखा जा सकता है, इस प्रकार से यह योजना अपनी इस क्रिया में एक नये सत् की सृष्टि कर डालती है जिसके कि यह अनुरूप है, क्योंकि यह सत् उस सत् का भी समावेश करता है जिसके कि योजनाएँ कम या अधिक अनुरूप हैं और इन कम या अधिक अनुरूप योजनाओं का भी। वैज्ञानिक योजनाएँ प्रेक्षणात्मक भविष्यवाणियों से स्वीकार्य या अस्वीकार्य होती हैं। किन्तु प्रेक्षणात्मक वाक्यों के असत्यापन के बावजूद भी आप योजना की रक्षा कर सकते हैं, जैसाकि प्राय: किया भी जाता है। केवल अधिकाधिक असत्यापन उस योजना को सुघड़ योजना नहीं रहने देते।

किन्तु ये केवल वैज्ञानिक योजनाएँ ही हैं जो इस प्रकार परोक्षत: भी सत्यापित या असत्यापित हो सकती हैं। दार्शनिक योजनाएँ और सामान्य जीवन की योजनाएँ किसी भी प्रकार से सत्यापित या असत्यापित नहीं हो सकतीं। उदाहरणत: भौतिक विषयों–सम्बन्धी हमारी सामान्य योजना लें जो हमारी उद्देश्य–विधेयात्मक वाक्य–प्रधान भाषाओं में प्रदर्शित होती है। इस योजना में भौतिक विषय देश में स्थानित और काल में अनवरत वस्तुएँ हैं और ये घटनाओं, प्रेक्षणों आदि के अधिष्ठान हैं। किन्तु ये विषय न केवल प्लेटो की योजना में ही सामान्यों के उदाहरण मात्र हैं प्रत्युत अनेक मानव–संस्कृतियों में भी ये परस्पर भिन्न हैं, जैसाकि उनकी मूलत: भिन्न प्रकार की वाक्य–योजनाएँ व्यक्त करती हैं। इसी प्रकार जीव–मनोवैज्ञानिक जन्तुओं में मूलत: भिन्न योजनाओं की गवाही देते हैं। अब इन योजनाओं में किसी को कम या अधिक सत्य नहीं कहा जा सकता, क्योंकि कोई प्रेक्षण इनका असत्यापन नहीं कर सकते।

इसीलिए कुछ दार्शनिक निरपेक्ष सत्य तक पहुँचने के लिये केवल सद्य:–प्रत्यक्ष को ज्ञान का पर्याय मानते हैं और इस ज्ञान में उद्घाटित सत् को अनिर्वचनीय, तथा साक्षात् को अनिर्वचनीयता की स्थिति बताते हैं। वास्तव में संवेदवाद की भी कुछ ऐसी ही प्रतिज्ञा है। इस दृष्टि से ब्रह्मवाद और संवेदवाद में यही अन्तर है कि संवेदवाद जबकि किसी साक्षात् को मिथ्या नहीं मानता, ब्रह्मवाद ऐन्द्रिय साक्षात् को एक स्तर पर मिथ्या बताता है और इस प्रकार स्वयं उसका 'साक्षात्' सम्प्रत्ययात्मक योजना–सापेक्ष है, अर्थात् साक्षात् सत्य की कसौटी न होकर तद्बाह्य किसी सत्य की कसौटी हो जाता है जिसके आधार पर कि कुछ साक्षात्कारों को भ्रम कहा जा सके।

किन्तु साक्षात्–प्रदत्त एक प्रकार की घटनाएँ हैं जो ज्ञान–विषय की घटक या प्रमाण हो सकती हैं, किन्तु स्वयं उन्हें ज्ञान नहीं कहा जा सकता। ज्ञान के लिये किसी स्थिति का किसी ज्ञान–क्रिया (विषयी) के लिये विषयभूत होना आवश्यक है और साथ ही यह प्रमाण होना आवश्यक है कि वस्तुस्थिति वास्तव में ऐसी है। संवेद प्रदत्त के लिये प्रमाण की अपेक्षा नहीं रह जाती, क्योंकि उसमें विषयी और विषय का भेद नहीं होता। संवेद के ज्ञान–विषय होने के लिये उसका वस्तूकरण आवश्यक है। इस प्रकार से संवेद वस्तु–रूप में ही ज्ञान–क्रिया को प्रस्तुत हो सकता है। इस प्रस्तुत होने के सम्बन्ध को हम निम्न प्रकार से रख सकते हैं—

यह अवगत है कि रक्त अब। अथवा

यह अवगत है कि दु:ख अब।

इस प्रकार, रक्त का संवेद ज्ञान–विषय हो सकता है, किन्तु हमारे ज्ञान के दावे इन सद्य:संवेदों से कहीं अधिक और इनका अतिक्रमण करने वाले होते हैं। न केवल हम भौतिक विषयों के ज्ञान का दावा ही करते हैं प्रत्युत सिद्धान्तों, वस्तुस्थितियों, समस्याओं और अज्ञान को जानने का दावा भी करते हैं। और हमारे ज्ञान के दावे के साथ सत्य के दावे भी चलते हैं, और हम न केवल मेज़ों और कुर्सियों के ज्ञान और सत्य का दावा ही करते हैं प्रत्युत परमाणु, तापमान, अज्ञेयता, अशान्ति और आत्म–छलनाओं आदि को जानने का दावा भी करते हैं। परमाणु आक्षिप्त हैं और इस प्रकार सम्प्रत्ययात्मक वस्तुएँ हैं, किन्तु उतने ही आक्षिप्त मेज़ और कुर्सियाँ भी हैं। इसका अर्थ यह नहीं है कि भौतिक वस्तुओं की योजना किसी अन्य मौलिक स्तर के ऊपर योजना–निर्माण है, क्योंकि जैसाकि हमने कहा, हम योजनाओं से बाहर नहीं जा सकते। किन्तु प्रेक्षणात्मक स्तर को अन्य योजनाओं की अपेक्षा। मूलभूत कहा जा सकता है। अब प्रेक्षणात्मक स्तर के ऊपर अन्य योजनात्मक स्तर हो सकते हैं, किन्तु

जैसे ही एक योजना पहली योजना के ऊपर स्थान लेती है वह नये सत्य के दावों को सम्भव करती है। प्रेक्ष्यों-सम्बन्धी सत्य के दावे यद्यपि एक योजना को पूर्वकल्पित करते हैं किन्तु कोई भी योजना इन सत्य के दावों का केवल आंशिक निर्धारण ही करती है और इस प्रकार अन्य, और समान रूप से योग्य, योजनाओं की सम्भावना रहती है। अब, ज्यामितिक बिन्दु-सम्बन्धी यूक्लीडीय सम्प्रत्यय सत्य है याकि ह्वाइटहैड का? सरल रेखा-सम्बन्धी यूक्लीडीय सम्प्रत्यय सत्य है या आईंस्टानीय सम्प्रत्यय, चिकित्सा में एलोपेथी का जर्म सिद्धान्त सत्य है का वैद्यक या त्रिदोष सिद्धान्त?

भौतिक विषयों के संसार को लें। एक समुद्री चिड़िया (गल) के लिये अण्डा भिन्न-भिन्न अवस्थाओं में एक ही 'वस्तु' नहीं है। घोंसले में वह सेने का विषय है, घोंसले के लगभग एक फुट बाहर तक वह लौटा लाने का विषय है और उससे बाहर वह खाने का विषय है। उसके लिये 'अण्डा' एक स्वतन्त्र विषय के रूप में अस्तित्व नहीं रखता जोकि इन तीनों स्थितियों में समान हो। इस प्रकार गल की योजना में वस्तुस्थिति उद्देश्य-विधेयात्मक वाक्यों द्वारा व्यक्त नहीं होगी। नृतत्व वैज्ञानिकों ने अनेक आदिम जातियों की भाषाओं का अध्ययन करके भी बाह्य भौतिक विषयों-सम्बन्धी सम्प्रत्ययात्मक योजनाओं में प्रर्याप्त भेद के उदाहरण प्रस्तुत किये हैं। अब, समुद्री गल की सम्प्रत्ययात्मक योजना सत्य है या हमारी सत्य है? बर्गसाँ का मत समुद्री गल के पक्ष में होगा, किन्तु तब बर्गसाँ की योजना किसी भी अवस्था में सत्य नहीं हो सकती। क्योंकि उसकी योजना गल की योजना और हमारी योजना तथा सत् तीनों का समावेश कर इनका अतिक्रमण करती है, इसलिए वह गल की योजना नहीं है। इस प्रकार योजनाओं को सत्य या असत्य कहना उन्हें ग़लत समझना है, ये केवल योग्य या अयोग्य, अथवा समान रूप से योग्य, होती हैं। सत्य वाक्य या विश्वास होते हैं जो एक या दूसरी योजना के सन्दर्भ में सत्य या असत्य होते हैं। इसीलिए किसी वाक्य को अन्तर्योजनात्मक स्तर पर सत्य नहीं कहा जा सकता। वैज्ञानिक योजनाओं के स्वरूप के सम्बन्ध में सैल्लर्ज कहते हैं—"यह सम्प्रत्ययात्मक योजना (अणुओं की) हमें प्रेक्षणात्मक भाषा में विशेष देश-काल में भौतिक वस्तुस्थितियों-सम्बन्धी कथनों से उस देश-काल में अणुओं के समुदाय की विद्यमानता-सम्बन्धी कथनों में संक्रमण का अधिकार देती है। अणुओं का अस्तित्व जानने का तात्पर्य है प्रेक्षणात्मक पूर्व-प्रतिज्ञाओं के लिये अधिकारी होना और इन प्रतिज्ञाओं से योजनात्मक परिणामों पर पहुँचने के लिये अधिकारी होना। इस अधिकार का अधिकारी होना एक सिद्धान्त को उत्तम सिद्धान्त बनाता है।"[1] इस प्रकार, क्या अणु वास्तव हैं, अथवा क्या भौतिक जगत् सत्य है, प्रश्नों का उत्तर नहीं दिया जा सकता, क्योंकि यह समझना कठिन है कि ऐसे प्रश्नों का क्या अर्थ है। भौतिक वस्तुएँ सत् हैं, केवल एक सम्प्रत्ययात्मक योजना के सन्दर्भ में, और इसी प्रकार अणु भी। इनकी सत्ता के सम्बन्ध में प्रश्न वास्तव में इनको धारण करने वाली योजनाओं के सम्बन्ध में प्रश्न हैं, किन्तु तब ये प्रश्न सत्य और असत्य-विषयक नहीं बल्कि योग्यता और अयोग्यता-विषयक हो सकते हैं, अर्थात् इस प्रकार से कि क्या भौतिक विषयों-सम्बन्धी सम्प्रत्ययात्मक योजना $ज_1$ के लिये कोई औचित्य है?

वाक्यों की सत्यता-सम्बन्धी प्रश्न इस प्रकार से सम्प्रत्ययात्मक योजनाओं के भीतरी प्रश्न होने के कारण एक योजना के भीतर से दूसरी योजना के भीतरी सत्य के दावे को चुनौती नहीं दी जा सकती। किसी वाक्य की सत्यता के लिये प्रमाणभूत कुछ निश्चित प्रकार की घटनाएँ होती हैं जिन्हें हम सत्यापक और असत्यापक कह सकते हैं। कौन-सी घटनाएँ किसी सत्य के दावे को सत्यापित करती हैं और कौन-सी नहीं, यह सम्प्रत्ययात्मक योजनाओं के भीतरी प्रश्न होते हैं। यही कारण है कि विभिन्न सम्प्रत्ययात्मक योजनाओं के अस्तित्व और सत्य-सम्बन्धी दावों में अनेक बार बड़ा विरोध होता है। भक्तों का अनुभव के आधार पर ईश्वर का अस्तित्व मानना इसका एक उदाहरण है। आदिम जातियों में जादुई और पौराणिक वस्तुएँ उचित वस्तुएँ हैं और उन सम्बन्धी वाक्यों की सत्यता की जाँच के लिये निश्चित निकष रहते हैं। इसका एक प्रतिकार यह है कि हम वस्तुओं की चर्चा ही

---

1. Wilfrid Sellars : The Language of Theories, Current Issues in Philosophy of Science, (Ed.) Feigle and Maxwell, p. 68, New York, 1961.

छोड़ दें और केवल रचनाओं (कंस्ट्रक्ट्स) की बात करें, किन्तु तब भी जितना उचित रूप से मेज़ एक रचना है उतना ही उचित रूप से अध्यात्मवादी के लिये ईश्वर हो सकता है और राष्ट्रवादी के लिये राष्ट्र।

तब फिर, प्रश्न हो सकता है, एक या दूसरी योजना को स्वीकार करने के पक्ष में क्या कारण हो सकते हैं? इसके अनेक कारण हो सकते हैं : प्रथम कारण ऐतिहासिक हो सकता है, उदाहरणत: बाह्य विश्व-सम्बन्धी वस्तुपरक योजना को हम जातीय इतिहास की विशेष परिस्थितियों के कारण स्वीकार करते हैं। दूसरा, तथ्यों की एक ही समष्टि के सम्बन्ध में एक सम्प्रत्ययात्मक योजना से कुछ व्याख्या-सम्बन्धी कारणों से अथवा अवान्तर कारणों से किसी का असन्तुष्ट होना एक नई योजना को स्वीकार करने का कारण हो सकता है, और तीसरा तथा मुख्य कारण होता है सरलता, सुष्ठुता और सुघड़ता तथा सफलता। दूसरा कारण अनेक प्रकार से प्रस्तुत हो सकता है—अनेक बार केवल दो व्यक्तियों अथवा संस्कृतियों के मूल्यों में भेद के कारण, जैसे मार्क्स तथा टोयनबी की इतिहास की व्याख्याओं में, अनेक बार किसी अन्य क्षेत्र में किसी नई सम्प्रत्ययात्मक योजना के विकास से, जिससे हम अन्य समानान्तर योजनाओं की सम्भावना देखने लगते हैं, उदाहरणत: अनेक ज्यामितियों का विकास तथा अनेक मूल्यात्मक तर्क का विकास, बहुत सीमा तक सापेक्षतावादी भूत-वैज्ञानिक सिद्धान्त का विकास भी इसके अन्तर्गत समाविष्ट किया जा सकता है, क्योंकि यह ज्ञानमीमांसा के क्षेत्र में नये दृष्टिकोण के विकास से भी प्रभावित हुआ है, ऐसे नये तथ्यों के दृष्टिगत होने से भी यह हो सकता है जब उनकी व्याख्या पुरानी योजना में या तो सम्भव नहीं हो अथवा उसकी सुघड़ता को बहुत हानि पहुँचाकर सम्भव हो।

जहाँ तक नये तथ्यों का प्रश्न है, ये स्वयं भी सम्प्रत्ययात्मक योजना-सापेक्ष होते हैं। जिन वस्तुस्थितियों ने मनोविश्लेषण के सिद्धान्त को जन्म दिया वे पहले भी थीं, और फिर, वे केवल जर्मनी में ही नहीं थीं। जब फ्रायड ने मनोविश्लेषण-सम्बन्धी सम्प्रत्ययात्मक योजना दी तब अनेकानेक वैसी वस्तुस्थितियाँ सम्मुख आईं जो पहले होते हुए भी कभी दिखाई नहीं दी थीं। वास्तव में फ्रायड के लिये वे वस्तुस्थितियाँ मनोविश्लेषणात्मक तथ्य तब बनीं जब उसने अपनी योजना का निर्धारण किया। तब जैसे मानो नये कला-भवन का उद्घाटन हो गया, उस प्रदेश का उद्घाटन जो देखने के साथ ही अस्तित्व में आया। फ्रायड से पूर्व वे तथ्य कहाँ थे? वास्तव में वे पहले कहीं नहीं थे, तब वही अनुभव अन्य तथ्यों का निर्माण करते थे, और जो अनुभव उन तथ्यों में नहीं जँचते थे वे या तो उपेक्षित रह जाते थे अथवा भ्रम की कोटि में रख लिये जाते थे। हमारे पास भ्रम, कल्पना, उन्माद आदि के रूप में वे पूरे औज़ार हैं जो अनुभवों को तथ्यों की श्रेणी में आने से रोकते हैं।

अब, मनोविश्लेषण ने जो किया वह था विद्यमान और पूर्वज्ञात वस्तुस्थितियों को एक नई योजना में, नये परिप्रेक्ष्य में प्रस्तुत करना और अनेक ऐसी वस्तुस्थितियों को परिप्रेक्ष्य देना जो पहले अविवेचित तथ्यों के रूप में स्वीकृत थीं, और बहुत-से ऐसे अनुभवों (वस्तुस्थितियों) को वैध तथ्यों की श्रेणी में लाना जो पहले तथ्य न माने जाकर भ्रम माने जाते थे। अब इस नई योजना को किस अर्थ में सत्य या असत्य कहा जाए? किस अर्थ में यह तथाकथित परम सत् का सच्चा, अथवा अधिक सच्चा ही सही, चित्रण करती कही जा सकती हैं?

मनोविश्लेषणात्मक चित्र के उपकरण चेतन, अवचेतन तथा ग्रन्थियाँ आदि आभ्युपगमिक वस्तुएँ हैं, अथवा कहें, सम्प्रत्ययात्मक आक्षिप्त हैं। एक-एक करके ये न उपकरण हैं और न अभ्युपगम, किन्तु ये सब मिलाकर सम्प्रत्ययात्मक योजना हैं, एक ताना, जो वस्तुस्थितियों के चारों ओर इस प्रकार ताना गया होता है कि उसमें ये वस्तुस्थितियाँ तथ्य बनती हैं—एक अर्थ ग्रहण करती हैं। इस प्रकार स्वयं यह योजना सत्य या असत्य नहीं होती, न ही यह अपने से बाहर किसी तथ्य या तथ्यों के सहारे टिकी होती है, क्योंकि यह स्वयं तथ्यों को अस्तित्व में लाती है।

जैसाकि हमने पीछे कहा, योजनाओं के लिये सरलता और योग्यता आवश्यक शर्तें हैं। योजनाओं की योग्यता द्विमुखी होती है—एक तो इस बात में कि वे ऐसे अभ्युपगम का कम-से-कम उपयोग करें जो उस योजना के अन्तर्गत अव्याख्येय हों और जो स्वीकृत ऐसे ही अभ्युपगम में सहायक नहीं हों। जैसे न्यूटन के

सिद्धान्त में ईथर ऐसा ही अभ्युपगम था। इसी प्रकार दर्शन के क्षेत्र में, जहाँ सत्यासत्य के प्रश्न अप्रासंगिक हैं, न्याय दर्शन के ईश्वर तथा देकार्त के ईश्वर को देखा जा सकता है। न्याय में आत्मा और प्रकृति में परस्पर समायोजन के लिये तथा देकार्त के सिद्धान्त में मानसिक और शारीरिक घटनाओं में समायोजन के लिये ईश्वर का उपयोग किया गया है। इन योजनाओं में ईश्वर एक प्रयोजन यह सिद्ध करता है कि वह शरीर-मन, क्रिया-प्रतिक्रिया-सम्बन्धी प्रेक्ष्यों की अथवा प्रकृति-आत्मा की अधिक उपयुक्त योजना खोजने की आवश्यकता को स्थगित करता है। इस प्रकार इन दोनों योजनाओं की सुष्ठुता-सुघड़ता के लिये 'ईश्वर' को घड़ने की आवश्यकता है। अब, न्याय में ईश्वर एक अनावश्यक अभ्युपगम है, यह दिखाने के लिये ऐसे तर्क देने आवश्यक हैं जो न्याय की योजना के अन्तर्गत ही रहकर 'ईश्वर' को एक अनावश्यक अभ्युपगम दिखाएँ। यदि कोई न्याय की सारी योजना को ही असुष्ठु अनुभव करता है तो वह उसे योजना के भीतर से ही इसका सामान्य असौष्ठव दिखा सकता है और तब एक नई योजना प्रस्तुत कर सकता है जिसमें न्याय के सभी अभ्युपगम अनावश्यक और अकथ्य हों और जिसमें अनुभव नये सम्बन्धों में दिखाई दें। साँख्य एक ऐसा प्रयत्न है, यह योजना न्याय में संशोधन प्रस्तुत करती है, किन्तु बहुत-कुछ वैसा ही रख लेती है, किन्तु बौद्ध और शांकर योजनाएँ सर्वथा नवीन ताना तनती हैं। बौद्ध योजना में प्रतीत्यसमुत्पाद के रूप में ईश्वर, आत्मा, प्रकृति, तीनों का ऐसा पूर्ण बहिष्कार है कि इन्हें उसमें कहा भी नहीं जा सकता। किसी योजना का असौष्ठव और असफलता इस तरह से भी दिखाये जा सकते हैं कि यह दिखाया जा सके कि उसकी स्थापना में जो प्रयोजन है वास्तव में वही उससे सिद्ध नहीं होता है।

योजनाओं की योग्यता की दूसरी कसौटी लोक-संज्ञान द्वारा स्वीकृत प्रकृत-योजना से अविरोध है। यह दूसरी शर्त बड़ी समस्यात्मक है, क्योंकि स्वयं लोक-संज्ञान के तथ्य कभी-कभी दो भिन्न संस्कृतियों में इतने भिन्न हो सकते हैं कि इन्हें परस्पर-विरोधी तक कहा जा सकता है। आदिम जातियों में पौराणिक तथा जादुई विषयों की चर्चा हम पीछे कर ही आए हैं, स्वयं भौतिक वस्तु-विश्व को सर्वसामान्य नहीं माना जा सकता। ऐसी अवस्था में लोक-संज्ञान की योजना को भी प्रमाण नहीं रखा जा सकता।

इस प्रकार हम पुन: एक चक्र में पड़ते प्रतीत होते हैं। किन्तु वास्तव में बात ऐसी नहीं है। जबकि हमारे ज्ञान और ज्ञान-विषय सम्प्रत्यय अथवा अर्थ-क्रिया सापेक्ष हैं, सब योजनाओं के लिये ज्ञान के दावों का क्षेत्र सामान्य रूप से निर्धारित किया जा सकता है। यह निर्धारण हमें बता सकता है कि अमुक सम्प्रत्ययात्मक योजना अपने ज्ञान का दावा कहाँ तक अनुचित रूप से बढ़ा रही है। उदाहरणत: जब मैं कहता हूँ, 'यह मेज़ है', तब उसी वस्तुस्थिति के लिये कहा जा सकता है—'यह मेज़ का एक उदाहरण है', जबकि 'मेज़' पद केवल एक मेज़ के लिये ही प्रयुक्त हो सकता है। अब, ये दोनों वाक्य समान रूप से सत्य होंगे और एक ही घटनाएँ इन्हें सत्य बनाएंगी। इस प्रकार, यद्यपि इन दोनों व्यक्तियों के ज्ञान-विषय भिन्न-भिन्न होंगे, फिर भी इनके ज्ञान के दावे उचित ज्ञान के दावे कहे जाएंगे।

यहाँ एक बात और द्रष्टव्य है, ज्ञान-विषय आवश्यक रूप से ऐन्द्रिय प्रस्तुत ही नहीं होते। उदाहरणत: 'भाषा $भ_1$ का वाक्य $व_1$ विश्लेषणात्मक वाक्य है' कथन उचित रूप से ज्ञान-विषय हो सकता है और इसी प्रकार से 'मैं खिन्न हूँ' भी। हमारी स्थापना के अनुसार[1] 'रमेश खिन्न है' भी उचित रूप से ज्ञान-विषय है, जबकि रमेश अन्य व्यक्ति है और 'खिन्न' यहाँ 'खिन्न-व्यवहार' का पर्याय नहीं है। एक अन्य उदाहरण के रूप में फ्रायड की पदावली से एक पद लें जो वास्तविकता का दावा करता है, वह है 'अवचेतन'। अब इस पद का प्रयोग यदि सम्प्रत्ययात्मक पद के रूप में किया जाय तो इससे सार्थक वाक्य बनाये जा सकते हैं और वे वाक्य ज्ञान के उचित विषय हो सकते हैं। किन्तु यदि इसे किसी 'मानसिक प्रदेश' के 'एक भाग' के रूप में समझा जाय, जैसाकि फ्रायड समझते प्रतीत होते हैं, तो इस पद का प्रयोग सार्थक वाक्यों में नहीं किया जा सकता और वे वाक्य प्रज्ञानात्मक दावा नहीं कर सकते। इसका कारण है। आप ऐसी कोई भी सम्प्रत्ययात्मक योजना बनाएँ जिसमें 'अवचेतन' पद

1. द्रष्टव्य आगे — 'मानसिक और भौतिक' अध्याय।

कमरे के समान किसी प्रदेश का वाचक हो, तो वह योजना अपने-आपमें कितनी भी सुघड़ हो सकती है, किन्तु इसे तब तक स्वीकार नहीं किया जा सकता जब तक हम प्रेक्ष्यों-सम्बन्धी अपनी पूर्वस्वीकृत योजना को नहीं छोड़ देते। कुछ दार्शनिकों ने ऐसी योजनाएँ प्रस्तुत की हैं जिनमें 'ज्ञान-विषय' पद अपना साधारण अर्थ छोड़ देता है। अब आप ऐसी योजना बना सकते हैं जिसमें ऐन्द्रिय प्रस्तुत विषय-मात्र उचित ज्ञान-विषय नहीं हो। किन्तु तब न केवल आपका 'ज्ञान' पद का प्रयोग मूलतः भिन्न अर्थ वाला होगा प्रत्युत वह योजना भी कुछ ऐसी पूर्व-प्रतिज्ञाओं पर खड़ी होगी जिन्हें आप स्वयं स्वीकार करने को उद्यत नहीं होंगे।

हमारे कहने का अभिप्राय यह नहीं है कि ज्ञान-विषय केवल ऐन्द्रिय प्रस्तुत ही हो सकते हैं, वास्तव में देश-कालावस्थिति स्वयं योजना-सापेक्ष पद है।[1] जिस भाषा में 'मेज़' पद 'मेज़-अवस्थाओं' का वाचक है उसमें देश-कालावस्थिति का अर्थ भी भिन्न होगा। फिर, 'मैं खिन्न हूँ' और 'वाक्य व विश्लेषणात्मक है' देश-कालावस्थित विषय नहीं हैं। किन्तु ये उचित विषय इसलिए हैं कि इनके विषयत्व निदर्शन के लिये भाषा $भ_1$ में उचित उपकरण रहते हैं। एक वाक्य लें—"मेरा विचार है कि आत्माएँ देहान्त के बाद प्रेत-रूप में रहती हैं।" अब, मान लें कि आत्माओं के प्रेत-रूप में रहने के प्रमाणीकरण की उचित विधि निरूपित की जा सकती है, यद्यपि प्रेतात्माओं के अस्तित्व को प्रमाणित नहीं भी किया जा सकता। उस अवस्था में 'प्रेतात्मा' पद ज्ञानात्मक (कोग्नीटिव) अर्थयुक्त कहा जाएगा, क्योंकि यह प्रमाणीय है। किन्तु यदि यह प्रमाणित नहीं भी हो तो भी उपर्युक्त वाक्य में ज्ञान का दावा ही नहीं है। यह दावा केवल विश्वास होने का है।

अब, ऐसे विश्वास-विषय हो सकते हैं जो ज्ञानात्मक अर्थयुक्त नहीं हों, अर्थात् उस सम्प्रत्ययात्मक योजना में भी जिसमें ये स्वीकृत विषय हैं, किन्तु इन्हें ज्ञानात्मक अर्थ नहीं दिया जा सकता हो। उदाहरणतः भक्तों का ईश्वर-ज्ञान का दावा लें। अब, भक्त केवल यह दावा नहीं करते कि ईश्वर उनके एक प्रकार के अनुभव की संज्ञा है, जैसे दुःख एक अनुभव की संज्ञा है, प्रत्युत ईश्वर के विषयत्व का दावा उसी प्रकार से करते हैं जिस प्रकार से मेज़ के विषयत्व का। उदाहरणतः कबीर उसे 'पुहुप बास ते पातरा ऐसा तत्त अनूप' कहकर वर्णित करते हैं। वर्णन की असामर्थ्य को छोड़ते हुए, क्या ईश्वर को प्रज्ञानात्मक अर्थ दिया जा सकता है? यदि अनुभव को ही प्रमाण माना जाय तो इसे केवल अनुभव कहा जा सकता है, इसे तदेतर अस्तित्व का प्रमाण नहीं कहा जा सकता। किसी अनुभव को स्वतन्त्र सत् का ज्ञापक मानने के लिये उस सत् का तर्क-रूप निश्चित करना आवश्यक है, क्योंकि अनुभवगत सत् भ्रम, कल्पना, बाध आदि द्वारा तथा अर्थीय अभ्युपगमों द्वारा निर्धारित होता है। आनुभव सत् सर्वप्रथम अपना परिचय बाह्य विषयों के रूप में देता है, क्योंकि जैव-क्रिया में सबसे पहला साम्मुख्य इन्हीं से होता है। जब प्राणी इन विषयों का वस्तूकरण करने में सफल हो जाता है केवल तभी वह इनसे पृथक् मानस-कोटि को भी, विश्लेषणात्मक कल्पना द्वारा वस्तूकरण कर, पहचानना आरम्भ करता है। पशुओं में यह स्तर नहीं होता, इसलिए उन्हें भाव, उद्वेग आदि, जोकि उनका एकमात्र मानस् होता है, बाह्य विषयों से पृथक् अवभासित नहीं होते। परिणामतः उनके लिये सत् की कोटि भी नहीं होती, केवल विषयों की कोटि होती है। सत् की कोटि पहले निजता के विरुद्ध परता की कोटि है, और फिर अन्ततः पूर्ण स्वायता की, जैसे कांट की स्वलक्षण वस्तुएँ। ब्रह्म, ईश्वर आदि को भी इसी प्रकार के सत् के रूप में अवधारित किया जा सकता है, किन्तु तब किसी प्रकार के अनुभव को उसके लिये साक्षी नहीं कहा जा सकता। इस प्रकार से सत् की कोटि एक तार्किक कोटि है जो अनुभव से क्रमशः अपवारणात्मक विश्लेषण द्वारा प्राप्त होती है किन्तु अनुभव के सन्दर्भ में यह परता के बोध के रूप में विद्यमान रहती है। किन्तु, ईश्वर की सत्ता का अर्थ अनुभव के सन्दर्भ में एक दूसरे रूप में समझा जा सकता है, जिसकी ओर हमने 'व्याख्या' नामक अध्याय में संकेत किया है। यह मूल्य-चेतना का सदात्मक प्रतिष्ठापन है जो मूल्य-चेतना अर्थ-क्रिया के अर्थ पक्ष का विशिष्ट विकास है। इसीलिए 'नेति-नेति' द्वारा अथवा 'है जैसा तैसा रहे' द्वारा अभिहित सत् भी हेगल द्वारा उसी प्रकार से अभिहित सत् जैसा नहीं है।

---

1. द्रष्टव्य आगे — 'व्याख्या' अध्याय।

सत् की स्वायतता का इस रूप में अवधारण हमें मानवीय अनुभव में अधिक सम्यक् अन्तर्दृष्टि देता है, बजाय तार्किक कोटि को अस्तित्व की निजी कोटि समझने के, जैसाकि कांट की 'स्वलक्षण वस्तु' की कल्पना से स्पष्ट है। इस कल्पना की एक आधारभूत कठिनाई है। स्वलक्षण वस्तु, अथवा परमार्थ सत् उस वस्तुस्थिति को कहा जा सकता है जो हमारे सम्प्रत्ययों के ठप्पे से स्वतन्त्र निज-रूप में स्थित हो। यह स्थिति परिभाषया अज्ञेय है, क्योंकि ज्ञान-क्रिया इस स्थिति को निज-रूप में स्थित नहीं रहने देती। अब यह स्थिति कैसी हो सकती है, यह प्रश्न इस प्रसंग में अवैध है, क्योंकि कैसेपन का निरूपण इसकी निजरूपता में हस्तक्षेप होगा। किन्तु तब भी इतना जानना आवश्यक है कि ऐसी वस्तुस्थिति 'कौन-सी' हो सकती है। किन्तु 'कौन-सी' यह भी तब तक देखा नहीं जा सकता जब तक कि या तो वह प्रत्यक्ष विषय नहीं हो या निरूपित (कैसेपन द्वारा) नहीं हो। इस प्रकार ऐसा सत् कथ्य, चिन्त्य और प्रेक्ष्य कुछ नहीं हो सकता। तो भी इस सत् की चर्चा की गई है। उदाहरणत:, जीवों की उत्पत्ति से पूर्व की पृथ्वी की स्थिति लें। हम यह स्वीकार करते हैं कि तब भी यह पृथ्वी थी और अन्य भी बहुत कुछ था। अब, तब यह कैसा रहा होगा? तब न यह प्रत्यक्ष था, न चिन्त्य और न निरूप्य। तब फिर यह कैसा रहा होगा? किन्तु ज्यों ही हम यह प्रश्न करते हैं, हम उसे निरूप्य बना लेते हैं।

हमारे उपर्युक्त उदाहरण और विवेचन से प्रतीत हो सकता है जैसे मानो हम परम सत् का क्षेत्र निर्धारित करने में सफल हो गए हों। अब इस क्षेत्र को हम सुविधा के लिये 'अविषय' जैसी संज्ञा दे सकते हैं। किन्तु क्या यह भी सम्भव है?

मान लें कि एक व्यक्ति अपने सम्मुख चारपायी देख रहा है और केवल चारपायी ही देख रहा है। यह चारपायी उसका एकमात्र विषय है। अब, मान लें कि वह दावा करता है कि वह केवल प्रेक्ष्य-विषय चारपायी को ही जानता है और तदेतर कुछ नहीं जानता। देकार्त ने जब 'मैं हूँ' जानने का दावा किया था तब इसी प्रकार वह केवल एक विषय जानता था। किन्तु क्या वह यह दावा कर सकता था? उसका यह दावा अपने ज्ञान-विषय और ज्ञान-अविषय का क्षेत्र नियत करता है। किन्तु जैसे ही वह यह क्षेत्र नियत करता है वह तीन दावे कर डालता है—एक तो यह कि वह प्रेक्ष्य चारपायी को जानता है, दूसरे यह कि वह यह जानता है कि वह केवल चारपायी को जानता है, और तीसरे यह कि वह अन्य सब-कुछ के बारे में जानता है कि वह उसका ज्ञान-विषय नहीं है। इस प्रकार, वह तथाकथित अविषय के लिये भी ज्ञान का एक दावा कर डालता है, क्योंकि इसे वह चारपायी से पृथक् कर सकता है। इस तरह से अविषय की कल्पना वास्तव में तर्कत: असम्भव है। किन्तु फिर भी बहुत-कुछ अविषय हो सकता है और होता है। उदाहरणत: असंख्य लोगों के लिये आईंस्टाइन का सापेक्षतावाद अविषय है। किन्तु यह केवल तब तक अविषय है जब तक यह शब्द तक उन्होंने नहीं सुना तथा जब तक वे इस शब्द का उचित वाक्य में प्रयोग करना नहीं जानते। उदाहरणत:, यदि कोई किसी रसोइए से कहता है—"आज सापेक्षता सिद्धान्त बना लो" और वह कहता है "मैंने तो यह सब्जी कभी देखी ही नहीं, ले आओ तो बना लेंगे", तो कहा जाएगा कि सापेक्षतावाद उसके लिये अविषय है। किन्तु इस तरह से निर्धारित अविषय केवल अविषय है, उसका सत् या असत् से कोई सम्बन्ध नहीं है। 'सत्' पद 'भ्रम' और कल्पना आदि का विपरीतार्थक है और इस प्रकार से यह ज्ञान की पदावली का अंग है।

व्याख्या : दार्शनिक विवेचन

(व्याख्या में प्रयोजन व्याख्येय वस्तु के विषय में और अधिक जानना, अथवा और अधिक सम्यक् रूप से जानना, रहता है। इस प्रकार से व्याख्या, व्याख्येय के सम्बन्ध में क्रमश: अधिक ज्ञान की सम्भावना को स्वीकार करती है। किन्तु व्याख्या में हम व्याख्येय वस्तु के सम्बन्ध में जो अधिकाधिक जानते हैं वह केवल यह कि इसे किस प्रकार से व्यापकतर सम्प्रत्ययों से सम्बन्धित किया जा सकता है। इस प्रकार से व्याख्या वस्तुओं अथवा घटनाओं को सम्प्रत्ययों की पदावली में समझना है। 'काँच टूट गया' यह एक घटना है और यह ज्ञात है। अब इस प्रश्न में कि 'यह क्यों टूट गया?' क्या जिज्ञास्य है? यदि यह घटना ज्ञात है तो यह प्रश्न इसके सम्बन्ध में नहीं है और परिणामत: इसका उत्तर भी, जो इसकी व्याख्या कहा जाएगा, इस घटना के ज्ञान में कोई वृद्धि नहीं कर सकता। इसके विपरीत कहा जा सकता है कि यह प्रश्न तथा इसका उत्तर इस घटना के ज्ञान से हमें वंचित कर देते हैं, यह घटना अपनी अद्वितीय विशिष्टता खोकर, जोकि इसका विज रूप है—नग्न और अस्पृष्ट—सम्प्रत्ययों की धुंध में विलीन हो जाती है।

इसीलिए कुछ दार्शनिक, जैसे बर्गसाँ, और इधर शून्यवादी बौद्ध और अनिर्वचनीयतावादी वेदान्ती, अपने-अपने ढंग से, अनिर्वच साक्षात् की स्थिति को ही ज्ञान की स्थिति मानते हैं। बर्गसाँ और बौद्धों तथा वेदान्तियों की स्थिति परस्पर बहुत भिन्न है। बर्गसाँ इसे मानवेतर जीवों के वास्तव-सहज अनुभव में देखता है और पिछले दोनों (बौद्ध और वेदान्ती) अपवारण क्रम से, जिसकी उपमा मैं प्याज छीलने से देता हूँ, इसे प्राप्त करते हैं। किन्तु इस प्रकार अन्त में वे कुछ प्राप्त नहीं कर सकते। इस प्रका उचित रूप से उनकी अनिर्वच-स्थिति एक पार्यन्तिक स्थिति ही हो सकती है। इसी प्रकार की पार्यन्तक स्थिति ह्यूम आदि अनुभववादियों की है। जहाँ तक बर्गसाँ का प्रश्न है, सहज प्रवृत्ति को मैं निर्वचनात्मक स्थिति नहीं मानता हूँ, किन्तु वह अद्वितीय विशिष्टता, नग्न सत्ता की स्थिति भी नहीं है। उसे मैं अर्थ-क्रिया-सन्दर्भ कहता हूँ। अर्थ-क्रिया-सन्दर्भ कहने से अभिप्राय यह है कि आत्मनिष्ठ और वस्तुनिष्ठ, मूल्य और सत् दोनों कोटियाँ विषयों से केवल विश्लेषणात्मक कल्पनाएँ (उद्ग्रहण) हैं। यह उद्ग्रहण व्याख्या मात्र के लिये अनिवार्य है, किन्तु विज्ञान में यह अपनी पराकाष्ठा पर पहुँचता है। तो भी जादू, जो विज्ञान का आदि पिता है, धर्म तथा अन्य असंख्य व्याख्या-सन्दर्भ हो सकते हैं। स्वयं विज्ञान के लिये भी एक ही व्याख्या सन्दर्भ अनिवार्य नहीं है।)

ज्ञान के प्रश्न में मुझे एक आधारभूत विरोधाभास निहित दिखाई देता है। विरोधाभास यह कि जबकि ज्ञान सत्ता को, अथवा उसके अंश को, ग्रहण करने के रूप में कल्पित किया जाता है, तब वास्तव में 'सत्ता' शब्द अर्थों के सन्दर्भ में रचित स्थिति का वाचक मात्र होता है। सत्ता केवल अर्थों के सन्दर्भ में एक पार्यन्तिक सम्प्रत्यय (लिमिटिंग कांसेप्ट) है। इस प्रकार, सत्ता उपलब्ध न होकर रचित होती है। शून्यवादी बौद्ध, अनिर्वचनीयतावादी वेदान्ती अथवा सहज प्रवृत्तिवादी बर्गसाँ सत्ता को उसके अरचित, निरावरण रूप में देखने का प्रयत्न करते हैं किन्तु जैसाकि हम आगे देखेंगे, वे जो वास्तव में प्राप्त करते हैं वह केवल एक पार्यन्तिक सम्प्रत्यय है। इस प्रकार, हमारे अनुसार, न तो बर्गसाँ का एम्मोफीलिया अद्वितीय विशिष्टता का साक्षात् करता है और न रसल का कठोर से कठोरतम संवेद-प्रदत्त का ग्रहण करने वाला। मैं नहीं कह सकता कि सत्ता के निरावरण साक्षात् का कुछ अर्थ है भी। मेरा अभिप्राय केवल यह है कि ज्ञान इस संस्पर्श का ही नाम समझा जाता है और ज्ञान की इस धारणा में ही यह विरोधाभास निहित है।

हमने कहा, 'सत्ता' शब्द अर्थ-सन्दर्भ में रचित विश्व-योजना का वाचक है। 'अर्थ' से हमारा अभिप्राय उन अपेक्षाओं से है जो निम्नतम स्तर पर भी जैव-क्रिया में विद्यमान रहती हैं। मीठे पर चींटी का आना और हाथ

में बँटा देखकर कौए का उड़ जाना दोनों अपेक्षात्मक व्यापार हैं और इस प्रकार से अर्थ–सन्दर्भ में घटित होते हैं। इस अर्थ–सन्दर्भ में आवश्यक रूप से विषय की रूपरेखा उस अर्थ में स्पष्ट नहीं रहती जिस अर्थ में मनुष्य की क्रियाओं में रहती है, सम्भवत: 'वस्तु' की अवधारणा भी नहीं होती, किन्तु तब भी साधारणीकरण रहता है, और देश–काल का कुछ आकार रहता है। बर्गसाँ का एम्मोफीलिया डंक मारने की क्रिया के समय उसके गुणात्मक सद्यत्व (क्वालिटेटिव इमीडियेसी) में कितना भी तद्रूप क्यों न हो जाता हो, उसका अपने शिकार को पहचानना साधारणीकरण के बिना सम्भव नहीं है। इस प्रकार से प्राणी–व्यवहार अर्थ के बिना सम्भव नहीं है, वास्तव में प्राणी–व्यवहार को अर्थ–क्रिया जैसा भी कहा जा सकता है।

इस प्रकार से, चेतना के सभी स्तरों पर विषय–जगत् एक रचित जगत् होता है। शुद्ध अरचित सद्यत्व (अथवा बौद्ध निर्विकल्पक प्रत्यक्ष) का स्तर अत्यन्त विकसित विश्लेषणात्मक चेतना की अमूर्त कल्पना है जो शुद्ध सद्यत्व को तार्किक पूर्वापेक्षा के रूप में स्थापित करती है। विश्लेषणात्मक चेतना द्वारा कल्पित तार्किक पूर्वापेक्षा का सत्ता के स्वरूप से कोई सम्बन्ध नहीं है, यद्यपि दार्शनिकों ने प्राय: ऐसे ही प्रतिपादन किये हैं जिनमें वे तार्किक रूप से पूर्वापेक्षित को सत् के रूप में स्थापित करते हैं। ह्यूम और अनुगामी अनुभववादियों ने संवेद–प्रदत्तों को, तथा पाश्चात्य प्रत्ययवादियों और उनके अनुसारी 20वीं–21वीं शती के भारतीय चिन्तकों ने विषयी आत्मा तथा ब्रह्म को इसी प्रकार से सदात्मक प्रतिष्ठा दी है। इनमें अन्तर केवल यह है कि अनुभववादियों ने सद्य:प्रदत्त की चर्चा ऐसे की है मानो उन्होंने उसे वस्तु–जगत् में खोज पाया हो, जबकि दूसरों ने, कम–से–कम, यह भूल नहीं की है। अनुभववादियों के इस प्रतिपादन के पीछे एक तो धारणा है, जो बर्गसाँ में भी है, और दूसरा तार्किक प्रयोजन है। धारणा यह कि हमारी ज्ञानेन्द्रियों का सत्ता से अव्यवहित साक्षात् होता है। किन्तु इस धारणा का भी एक तार्किक ढाँचा है जो फलित में इस धारणा से एकदम विपरीत स्थिति की ओर ले जाता है : संवेद–प्रदत्त यदि सत्ता का साक्षात्कार है तब विक्षिप्तावस्था में संवेदों को क्या कहा जाए? उत्तर होगा कि सत्य, भ्रम और विक्षिप्तता आदि का प्रत्ययन संवेद–प्रदत्त के स्तर पर नहीं हो सकता; ठीक, किन्तु तब संवेद में सत्ता का ग्रहण होता है, यह आग्रह भी छोड़ना होगा। किन्तु अनुभववादियों का उत्तर था कि 'सत्ता' आदि सब कोटियाँ सम्प्रत्ययात्मक रचनाएँ हैं, संवेद–प्रदत्त का अपना निरपेक्ष सत्ता मूल्य है। स्पष्टत: ऐसे प्रदत्त का उपयोग कल्पित (फिक्टीशियस) वस्तुओं की रचना में ही हो सकता था। इस प्रकार से अनुभववाद वस्तु–सत् का ज्ञान देने के बजाय, जोकि उसकी मूल प्रेरणा थी, हमें पूर्ण सन्देहवाद में ला छोड़ता है। तार्किक प्रयोजन अनुभव के भीतर ही एक ऐसा स्तर खोजना था जो निर्वचन की कोटि से भिन्न होने के कारण यथार्थ ज्ञान को कल्पना से भिन्न करता हो। 'कठोर से कठोरतम प्रदत्त' प्रयोग के पीछे यह प्रयोजन स्पष्ट है, क्योंकि यह 'कठोरतम प्रदत्त' निर्वचन के आत्यन्तिक निरास के बाद उपलब्ध होता है, और यह निर्वचनों को आधार देने के लिये तर्कत: आवश्यक है।

इस दृष्टि से बर्गसाँ की स्थिति अधिक समीचीन है, उसके सहज बोध में ठोस सत्ता के साथ तादात्म्य होता है, उसमें विषयी और विषय में अन्तर नहीं रहता, वह स्थिति ज्ञान की नहीं (ज्ञान के विषय–बोधात्मक अर्थ में) उपभोग की है। सहज बोध में विषयी और विषय केवल विश्लेषणात्मक कल्पनाएँ (उद्ग्रहण) हैं, वास्तव में तो उसमें एकाकारता होती है, उसे अनुभूत सत्ता की स्थिति कह सकते हैं।

जबकि बर्गसाँ की यह अन्तर्दृष्टि बड़ी महत्त्वपूर्ण है, इसकी दो कठिनाइयाँ हैं। एक तो यह कि, जबकि वह प्रवृत्ति को सहज बोध का आदर्श उदाहरण मानता है, वह यह भूल जाता है कि प्रवृत्ति का प्रवर्तन अर्थ–क्रिया के सन्दर्भ में ही होता है, नहीं तो, न केवल एम्मोफीलिया की क्रिया सलक्ष ही नहीं होती बल्कि उसके अहेर को उसके लिये उद्दीपक भी नहीं कहा जा सकता। इस सलक्षता को उसके धमनी–तन्त्र में निहित कहने से कोई अन्तर नहीं पड़ेगा और न बर्गसाँ वैज्ञानिक अभ्युपगम पर विचार ही करेगा। अब, एम्मोफीलिया के लिये उसका अहेर घोंसला बनाने के समय पहले दंशनीय विषय है, फिर उठाकर घोंसले में रखने का, और उसके पश्चात् वह उसके अर्थ–क्रिया–सन्दर्भ से निकल जाता है।

हमारे विचार में अनुभववाद की स्थिति ज्ञान के सम्बन्ध में स्पष्ट नहीं है। जबकि वे ज्ञान को तर्क-बुद्धि के विभाग में रखते हैं तब संवेद-प्रदत्त को, जो इस विभाग के क्षेत्र के बाहर है, असन्दिग्ध ज्ञान का आदर्श मानते हैं। जहाँ तक बर्गसाँ का प्रश्न है, उसकी स्थिति यद्यपि विरोध-रहित है, किन्तु उसमें दो दोष हैं, एक तो प्राणी-व्यवहार, अथवा प्राणी-मनस के निरूपण में और दूसरा इस बात में कि यदि वह सहजबोध में एलन वाइटल का साक्षात् स्पन्द देखता है तो विश्लेषण-बुद्धि की उत्पत्ति का स्रोत किसे मानता है और कैसे यह सम्भव मानता है कि स्वयं विश्लेषण बुद्धि द्वारा इस बुद्धि का निराकरण हो सकता है और वाइटल प्रिंसिपल का निरूपण किया जा सकता है?

हमारे विचार में, ज्ञान में मूल प्रदत्त अर्थ-क्रिया-सन्दर्भ में प्राप्त विषय होता है। अर्थ-क्रिया-सन्दर्भ प्रत्येक प्राणी की विशिष्ट विश्व-योजना है। यह विश्व-योजना सत्ता को सब पक्षों में व्याप्त करती है, अथवा कहें, पूर्ण सत्ता को अपने आभोग में ले लेती है। इस सत्ता को मैं ठोस, रचित, अपेक्षामूलक साकल्य मानता हूँ।

हमने विषयों और विश्व-योजनाओं की चर्चा की जो अर्थ-क्रिया के व्यापार हैं। ये विषय 'वस्तुओं' के स्तर से बहुत दूर हैं। विषयों का स्तर कर्त्ता और वस्तु के बीच सातत्य का स्तर है जिसमें क्रिया और लक्ष्य का द्वैत नहीं रहता। इस स्तर पर कल्पना और यथार्थ का भेद नहीं रहता, क्योंकि वहाँ कर्त्ता उस क्रिया में निश्शेष हो जाता है जो विषय के साथ तदाकार होती है, अथवा जिसके साथ विषय तदाकार होता है। क्रिया-सन्दर्भ से पृथक् वस्तुएँ विश्लेषणात्मक चेतना के बहुत विकसित स्तर पर जन्म लेती हैं। इस स्तर की पहली शर्त कल्पना और यथार्थ, सत्य और मिथ्या, द्रष्टा और दृश्य का भेद है। इस प्रकार से विश्लेषणात्मक चेतना तार्किक कोटि के विषयों (वस्तुओं) को अभ्युपगमित करती है। ये विषय देश या काल में, अथवा दोनों में, स्पष्ट सीमाओं के साथ अवस्थित होते हैं और अतएव इनका अभाव पक्ष उतना ही महत्त्वपूर्ण होता है जितना भावपक्ष—अर्थात् मिथ्यात्व और सत्य इनके लिये एक ही कोटि के दो पक्ष हैं। अथवा कहना चाहिए, यह कोटि ही इनके अस्तित्व का निर्धारण करती है, शेष सब अनस्तित्व की कोटि में डाल दिया जाता है। यह विज्ञान का स्तर है। किन्त मनुष्य भी इस स्तर को सामूहिक चेतना के विकासक्रम में बहुत पीछे प्राप्त करता है। पौराणिक चेतना में यह स्तर स्पष्ट नहीं रहता। पौराणिक चेतना के स्तर पर विषयों को अभी वस्तुओं का ठोस रूप नहीं मिला रहता, चल प्रत्यक्ष स्थिर वस्तुओं में विजड़ित हुए नहीं रहते और परिणामत: व्याघात तथा असंगति की तार्किक कोटियाँ स्पष्ट रूप ग्रहण नहीं कर पायी होतीं, यद्यपि ये ऐसी कोटियाँ हैं जो अर्थ-सन्दर्भ मात्र में अन्तर्निहित रहनी स्वाभाविक हैं। इस स्तर पर कल्पना और स्वप्न विश्व-योजना में अधिक महत्त्वपूर्ण भाग लेते हैं, बजाय ऐन्द्रिय प्रत्यक्ष के, क्योंकि कल्पना तथा स्वप्न में आवेगों और आकांक्षाओं को, जोकि अब भाषा का आश्रय पाकर मूर्त हो चुके रहते हैं, निर्बाध अभिव्यक्ति का अवसर मिलता है। वास्तव में, क्योंकि प्राणी-क्रिया प्रयोजनात्मक, अर्थान्वित होती है, इसलिए भाषा का यान प्राप्त होने पर इसकी सृजनात्मकता किसी बाध को स्वीकार नहीं करती। किन्तु भाषा नई उपलब्धि होने से स्वयं इस चेतना की वशवर्तिनी नहीं होती। वास्तव में यह कांक्ष्य और प्रस्तुत को समवेत करने में ही अधिक प्रयुक्त होती है और स्वयं पारदर्शी ही रहती है। यही कारण है कि इस स्तर पर शब्द और उसके वाच्य का भेद नहीं रहता।

क्रिया की यह अर्थाभिमुखता ही वास्तविकता और मूल्य दोनों का आधार है। सत् अथवा बोध क्रिया-बाधक होकर वास्तवता देता है और उसका साधक पक्ष कांक्ष्य के रूप में मूल्यवान हो जाता है। पीछे भाषा की पारदर्शिता कम हो जाने पर ये दो पक्ष पृथक्-पृथक् सम्प्रत्यीकृत होकर ठोस रूप लेने लगते हैं। मूल्यों के प्रति आग्रह सत् को धार्मिक विश्व-योजना के रूप में रचित करता है और वास्तव के प्रति आग्रह विज्ञान के रूप में। मैं समझता हूँ, धर्म और विज्ञान में कारण-कार्य के सम्प्रत्ययों में भेद उक्त कथन की पुष्टि में दर्शाना उपयोगी हो सकता है। धार्मिक विश्व-योजना में कारण-कार्य की कोटि एक ही होना आवश्यक नहीं है और प्राय: ही आदि कारण मानसिक रहता है। यह बात विश्व की उत्पत्ति की धार्मिक धारणाओं में विशेष रूप से द्रष्टव्य है। इसके

विपरीत, विज्ञान में कारण–कार्य का एक ही कोटि का होना आवश्यक है, और विज्ञान अधिकांशत: केवल एक ही कोटि, भौतिक की, स्वीकार करता है; यद्यपि, मैं समझता हूँ, यह उसके लिये आवश्यक नहीं है।

वैज्ञानिक विश्व–योजना विश्लेषणात्मक चेतना का व्यापार है जिसमें वस्तुएँ केन्द्रीय महत्त्व ग्रहण करती हैं, विषय वस्तुओं के पक्ष होकर रहते हैं। वस्तुओं से हमारा अभिप्राय मेज़, कुर्सी आदि से नहीं है, बल्कि ऐसे देश–काल में स्थानितता से है जिसका रूप गणितात्मक होता है। ये वस्तुएँ द्रष्टा की अपेक्षा नहीं करती हैं और न इनके देश–कालिक निर्देशांक (कोर्रिलेट्स) विषयी के सापेक्ष होते हैं। इसके विपरीत, इनका ऐसे सभी प्रसंगों से विरहित होना आवश्यक है। अर्थात्, विज्ञान की भाषा में मैं, तुम और वह, तथा इस, यहाँ, वहाँ आदि सर्वनामों या निर्देशांकों के लिये कोई स्थान नहीं है। यह पूर्ण वस्तुनिष्ठता का क्षेत्र है जिसे स्वयं विज्ञान विकास–क्रम में बहुत पीछे प्राप्त करता है।

अन्तिम विश्लेषण में, संवेदात्मक गुणों का भी, जैसे लाल, उष्ण आदि का, गणितीय रूपान्तरण आवश्यक है, क्योंकि नहीं तो इन्हें वैज्ञानिक सन्दर्भ में सदात्मक मूल्य नहीं दिया जा सकता। पाश्चात्य दर्शन में मूल तथा आश्रित (प्राइमरी और सेकंड्री) गुणों–सम्बन्धी विवाद में भी यही धारणा कार्य कर रही है। जब ह्यूम ने तथाकथित मूल गुणों को भी आश्रित गुण दिखा दिया तब उनका अस्तित्व भी वाष्प बन गया। इन दोनों का अस्तित्व तब गणितीय तत्त्वों के रूप में ही सुरक्षित रह सकता था जो विषयी की सापेक्षता से पूर्णत: मुक्त किये जा सकते हैं। वैज्ञानिक भाषा का विवरण कार्नप ने निम्न प्रकार से दिया है—"हम यह मान कर चलते हैं कि सैद्धान्तिक भाषा $भ_{स}$ विशिष्ट देश–काल निर्देशांकों की योजना (सिस्टम) पर आधारित है; इस प्रकार से देश–काल बिन्दु वास्तविक अंकों (रीयल नम्बर्ज़) के व्यवस्थित चतुष्क (क्वाडरपल्ज़) हैं। एक देश–काल प्रदेश देश–काल बिन्दुओं का वर्ग है। कोई भी विशिष्ट भौतिकीय योजना, जिसके विषय में भौतिक वैज्ञानिक चर्चा करता है, उदाहरणत:, एक भौतिक वस्तु (मैटीरियल बाडी) अथवा विकिरण की प्रक्रिया (ए प्रासेस ऑफ रेडियेशन) किसी देश–काल प्रदेश में स्थानित होती है। जब भौतिक–वैज्ञानिक किसी भौतिक योजना का अथवा उसमें घटित होने वाली प्रक्रिया अथवा इसकी क्षणिक अवस्था का वर्णन करता है तब वह या तो सम्पूर्ण प्रदेश को अथवा इसके बिन्दुओं को भौतिक परिमाण के (जैसे, द्रव्यमान, वैद्युत आवेश, तापमान, विद्युच्चुम्बकीय क्षेत्र की तीव्रता, ऊर्जा तथा इसी प्रकार के अन्य) मूल्य देता है। भौतिक परिमाण के मूल्य या तो वास्तविक संख्याएँ होती हैं अथवा इनके गुणनफल। इस प्रकार से, भौतिक परिमाण एक फलन है जिसके घटक (आर्गूमेंट्स) या तो देश–काल बिन्दु हैं अथवा क्षेत्र हैं और जिसके मूल्य या तो वास्तविक संख्याएं हैं अथवा इनके गुणनफल।"[1]

यह वैज्ञानिक विश्व–योजना केवल भौतिक वैज्ञानिक योजना ही नहीं है, यह योजना सम्पूर्ण अनुभव की योजना है। भौतिक विज्ञान केवल वैज्ञानिक योजना का वह भाग है जो ज्ञानेन्द्रियगत विषय के साथ सूत्रित है, अन्यथा अनुभव का कोई क्षेत्र नहीं है जिसे इसके सांचों में नहीं भरा जा सकता—आवेग, कामनाएँ, धर्म, मूल्य

1. We assume that Lt is based upon a particular space-time coordinate system, thus the space-time points are ordered quadrauples of real numbers and hence according to L2, belongs to D (domain). A space-time region is a class of space-time points. Any particular physical system of which a physicist may speak, e.g., a material body or a process of radiation, occupies a space-time region. When a physicist describes a physical system or a process occuring in it or a momentry state of it, he subscribes values of physical magnitudes (e.g., mass, electric charge, temperature, electromegnetic field-intensity, enerfy, and the like) either to the space-time region as a whole or to its points, The values of a physical magnitude are either real numbers or n-tuples of such. Thus a physical magnitude is a function whose arguments are either space-time points n-tuples of such (R. Carnap — The Methodological Character of Theoretical Concepts, Minnesota Studies in Philosophy of Science, Vol., I; Eds. Fiefle and Sellars, p.p. 43-44, University of Minnesota).

आदि की उदात्त अनुभूतियाँ, कुछ भी। केवल इनके विज्ञान का विषय होने के लिये इनका वस्तूकरण होना आवश्यक है। वस्तु की परिभाषा हमने देश-कालात्मक स्थानितता से की है, किन्तु मैं समझता हूँ कि बहुत-सी वस्तुओं के लिये देशगत स्थानितता की शर्त आवश्यक नहीं है, केवल कालगत स्थानितता ही पर्याप्त है, यद्यपि यदि कोई यहाँ यह आपत्ति करे कि केवल कालात्मक निर्देशांकों के आधार पर व्यक्तीकरण सम्भव नहीं है, तो हम विवाद में नहीं पड़ेंगे। यह सम्भव है कि हम कामनाओं या विचारों का व्यक्तीकरण तब तक नहीं कर सकें जब तक उन्हें किसी शरीर से सम्बद्ध नहीं करें, किन्तु स्वयं विचार या कामना का कर्त्ता इनका वस्तु-बोध देश के प्रसंग से नहीं करता, केवल काल के प्रसंग से करता है। जो भी हो, यह विवाद हमारे लिये महत्त्वपूर्ण नहीं है। महत्त्वपूर्ण वस्तूकरण है। यह वस्तूकरण विज्ञान के आरम्भ होने के लिये अनिवार्य है, बर्गसाँ के अनुभूतकाल से, जिसे वह ड्यूरेशन कहता है, विज्ञान सम्भव नहीं है। विज्ञान के लिये वस्तूकरण इसीलिए आधारभूत है क्योंकि विज्ञान उस चेतना का नाम है जो अनुभव-जगत् की भविष्योक्ति और व्याख्या करती है। केवल व्याख्या विज्ञान का वैशिष्ट्य नहीं है, यद्यपि व्याख्या मात्र के लिये वस्तूकरण आवश्यक है। विज्ञान का वैशिष्ट्य भविष्योक्ति है, इसी वैशिष्ट्य द्वारा वैज्ञानिक व्याख्या का वैशिष्ट्य भी देखा जा सकता है—वैज्ञानिक व्याख्या की संरचना ठीक वही होती है जो भविष्योक्ति की, अन्तर केवल काल-दिशा का होता है। किन्तु विज्ञान में काल-दिशा तर्कत: अर्थहीन है, क्योंकि वैज्ञानिक काल स्थिर-काल है। इस प्रकार से, किसी घटना की वैज्ञानिक व्याख्या करने का अर्थ है ऐसी घटनाओं या वस्तुस्थितियों—पारमाणविक या स्थूल—की खोज करना जिनसे इस घटना की भविष्यवाणी की जा सकती थे। इन घटनाओं के कारण-कार्य सम्बन्ध की कल्पना की जाती है, किन्तु यह कहना कि वैज्ञानिक व्याख्या या भविष्योक्ति कारण-कार्यात्मक होती है, उचित नहीं है। कारण-कार्यात्मक व्याख्या विज्ञान के बहुत अविकसित स्तर तक ही रहती है और यह व्याख्या मूलत: आगमनात्मक होती है। वैज्ञानिक व्याख्या का विकसित स्तर निगमनात्मक रूप का है, इसमें व्याख्येय या भविष्योक्त घटना उन घटनाओं या वस्तुओं से, जिनकी पदावली में इनकी व्याख्या की जाती है, आगमनात्मक सम्बन्धों द्वारा सम्बद्ध न होकर अर्थमूलक, आशयपरक सम्बन्धों से सम्बद्ध होती हैं, क्योंकि ये वस्तुएँ, जिनकी पदावली में व्याख्या की जा रही है, पूर्ण रूप से सैद्धान्तिक प्रयोजन से सचेष्टत: रचित होती हैं। एक स्थूल उदाहरण से देखें—"इस पत्थर से यह काँच टूट गया" यह कारण-कार्य सम्बन्ध है। काँच टूटा देखकर हम आस-पास किसी पत्थर या ऐसी वस्तु की खोज करते हैं और मिल जाने पर, और विरोधी साक्ष्य न होने पर, उसे उसका कारण मान लेते हैं। किन्तु वैज्ञानिक व्याख्या इस स्तर तक नहीं रुकती। वैज्ञानिक व्याख्या इसके आगे से आरम्भ होती है—क्यों पत्थर से काँच टूटा? और यदि काँच के बजाय वहाँ लोहा होता तो क्यों नहीं टूटता, अथवा पत्थर के बजाय रुई का गोला होता तो काँच क्यों नहीं टूटता। अब इन व्याख्याओं को आगमनात्मक नहीं कहा जा सकता और अतएव साधारण अर्थ में, विशेषत: ह्यूम के अर्थ में, इसे कारण-कार्यपरक व्याख्या भी नहीं कहा जा सकता। इस प्रकार से, यद्यपि वैज्ञानिक व्याख्या का एक भाग आगमनात्मक है किन्तु प्रमुख भाग निगमनात्मक है और अतएव कारण-कार्यात्मक नहीं है। वैज्ञानिक भविष्यवाणी के लिये वैज्ञानिक सिद्धान्तों की आवश्यकता होती है जो वैज्ञानिक अर्थ-क्रिया-सन्दर्भ में कल्पित ऐसी अभिगृहीतियाँ या पूर्वमान्यताएँ हैं जो वैज्ञानिक रूप से निर्धारित तथ्यों के विस्तृततम वर्ग के लिये निगमनात्मक नियम प्रदान करती हैं। सिद्धान्तों और प्रेक्षणों को केवल इस रूप में कल्पित करके ही हम प्रेक्षणों के क्षेत्र तथा असमंजस प्रेक्षणों या तथ्यों के सम्बन्ध को समझ सकते हैं। एक असमंजस तथ्य वह तथ्य है जो एक ओर वैज्ञानिक रूप से तथ्यों की श्रेणी में स्वीकृत है और दूसरी ओर सैद्धान्तिक अभिगृहीतियों के निगमनात्मक नियम से समंजस नहीं है। इस सम्बन्ध को केवल निगमनात्मक सम्बन्ध के रूप में देख कर ही हम असमंजस तथ्यों का अर्थ समझ सकते हैं और केवल तभी हम तथ्यों द्वारा सिद्धान्तों के असत्यापन की बात समझ सकते हैं।

वास्तव में व्याख्या का निगमनात्मक होना उसका स्वरूप लक्षण है, क्योंकि व्याख्या सर्वप्रथम व्याख्येय को एक निर्धारित अर्थ-सन्दर्भ में इस प्रकार से रचित करती है कि वह विशिष्ट से सामान्य के एक उदाहरण में

रूपान्तरित हो जाता है और तब इस अर्थ-सन्दर्भ के अविविक्त तत्त्वों को विविक्त बनाकर उस सन्दर्भ में व्याख्येय का स्थान निश्चित करती है। इस प्रकार से व्याख्या का विश्व अर्थयुक्त वस्तुओं का विश्व है जो वस्तुएँ विषयी के प्रतिमुख स्थित ठोस, अभेद्य, स्पष्ट रेखांकित और स्वायत्त विषय हैं और इस प्रकार से उस विश्लेषणात्मक चेतना का व्यापार हैं जो केवल सामान्य और नियमान्तर्गत को ही पहचानती है। ड्यूहैम जब कहता है कि विज्ञान अपनी समग्रता में ही अनुभव के सम्मुख न्याय के लिये प्रस्तुत होता है, तब उसका यही अर्थ होना चाहिए, क्योंकि विज्ञान इस प्रकार से एक योजना है जिसका ताना अनुभव के सूत्रों से नहीं तना है और न इसका एक-एक सूत्र अनुभव से निर्धारित होता है। कुछ लोगों को 'समग्र विज्ञान' का अर्थ समझने में कठिनाई होती है, किन्तु इसमें कठिनाई की कोई बात नहीं है। इसका अर्थ है कि विज्ञान एक ऐसी विश्व-योजना है जिसकी वस्तुएँ और सम्बन्ध उसके विशेष अर्थीय अभ्युपगमों से निर्धारित होते हैं। इस प्रकार से इसमें एक विशेष प्रकार के वाक्य ही कथन माने जाएंगे, अन्य नहीं माने जाएंगे।[1] इसलिए अनुभव-जगत् केवल विज्ञान द्वारा नियत कोटियों में अपने-आपको रचित करके ही इसके द्वारा स्वीकृति पा सकता है, अन्यथा नहीं। इस प्रकार से, रसो वै सः, आनंदं ब्रह्म, फूल सुन्दर है, तथा अमुक कर्म शुभ है इस योजना में स्वीकृत कथन नहीं हैं। फलित ज्योतिष के कथन भी इसमें कभी उचित प्रकथन स्वीकार किये जा सकते हैं, इसमें मुझे सन्देह है, जब तक कि उसके निर्देशांकों (कोर्रिलेट्स) को सर्वथा भिन्न प्रकार से रचित नहीं किया जाय, अथवा विज्ञान के अर्थीय अभ्युपगमों का क्षेत्र अत्यन्त आधारभूत रूप से विस्तृततर नहीं किया जाय। जो भी हो, धर्म और नीति आदि के वाक्य विज्ञान में कभी प्रकथन स्वीकार नहीं किये जा सकते; यदि उन्हें पशु की हुंकार के समतुल नहीं कहा जाता तो यह केवल कुछ लोगों की भावुकता के प्रति सदय होने के कारण या अपने सिर की रक्षा के ख्याल से। तो भी इन्हें महत्त्वपूर्ण हुंकार बहुत बार कहा गया है, और वास्तव में विज्ञान की विश्व-योजना में ये और किसी कोटि में रखे भी नहीं जा सकते।

इस प्रकार से विज्ञान केवल समग्र विज्ञान ही हो सकता है और इसी प्रकार से धर्म समग्र धर्म। इसलिए 'समग्र' शब्द की आवश्यकता नहीं है, इसका प्रयोग केवल निहितार्थ को स्फुट करने के लिये ही किया जाता है। किन्तु विज्ञान के लिये अनुभव का न्यायपीठिका पर प्रतिष्ठित होना स्पष्टीकरण की अपेक्षा करता है। विज्ञान में प्रमाणीकरण उसके अर्थीय अभ्युपगमों का एक महत्त्वपूर्ण अंग है, इसलिए उसके लिये अन्तिम साक्षी के रूप में अनुभव की प्रतिष्ठा स्वाभाविक है। किन्तु जैसाकि हमने पीछे कहा, वैज्ञानिक विश्व-योजना के लिये अनुभव केवल उस योजना द्वारा सृष्ट कोटियों में रचित होकर ही प्रस्तुत होता है।

यदि हम विश्व-योजनाओं की अर्थ-क्रिया-सन्दर्भपरक स्थापना को स्वीकार करें तब हम एक अत्यन्त महत्त्वपूर्ण निष्कर्ष पर पहुँचते हैं, और वह यह कि विज्ञान अनेक विश्व-योजनाओं में से एक विश्व-योजना है, और विश्व-योजना होने के नाते यह एक सम्पूर्ण योजना है। इस प्रकार से यह कहने का कोई अर्थ नहीं है कि विज्ञान का क्षेत्र सीमित है। किन्तु तब उसी प्रकार से अन्य विश्व-योजनाएँ भी सम्पूर्ण हैं और उनकी उन्हें

---

1. पीछे कार्नप से उद्धरण ऐसे विज्ञान के अर्थीय अभ्युपगमों की स्थापना करता है जिसमें भौतिक-विज्ञान आधारभूत है, ऐसे विज्ञान की भी कल्पना की जा सकती है जिसमें मनोविज्ञान (इच्छादि वस्तुओं को ही वस्तुएँ स्वीकार करने के अर्थ में) आधारभूत हो। वास्तव में फ्रायड, एडलर, युंग आदि के मनोविज्ञान में मनोवैज्ञानिक घटनाओं की व्याख्या की अन्तिम पदावली मनसात्मक ही है जबकि कार्नप की इस क्षेत्र के लिए भौतिक है। मनसात्मक पदावली में भौतिक विज्ञान का अन्तर्भाव अत्यन्त कठिन होगा, किन्तु यह केवल तकनीकी कौशल की अपेक्षा मात्र करता है। एक कोटि, उदाहरणत: मानसिक की, का दूसरी कोटि, उदाहरणत: भौतिक की, में अन्तर्भाव करन से एक अनिवार्य अर्थ-हानि होती है। और क्योंकि भौतिक प्रकृति, जिसमें हमारा शरीर भी सम्मिलित है, व्यावहारिक कारणों से केन्द्रीय महत्त्व की होती है और इस कारण से हमारे अर्थ-क्रिया-सन्दर्भ की मुख्य अभियोजक रहती है, इसलिए 'भौतिक' का 'मानसिक' में अन्तर्भाव करने से अर्थ-हानि अधिक होगी और परिणामत: अन्तर्भाव भी अधिक कठिन होगा। किन्तु व्याख्या मात्र में एक सीमा तक अर्थ-हानि निहित है, क्योंकि व्याख्या विषय का विश्लेषणात्मक योजना में अन्तर्भावन करती है, और जितना ही यह वेग पकड़ती है उतना ही यह मूलार्थ के प्रति उपेक्षापूर्ण होती जाती है। किन्तु एक अन्य अर्थ में व्याख्या ही विषय को अर्थ देती है। इसलिए यह कहना अधिक उपयुक्त है कि 'लोक-संज्ञान' में अथवा अन्य प्रकार से नियत कोटि का अन्य नियत कोटि में अन्तर्भाव उस सन्दर्भ में अर्थ-हानि करता है।

अवैज्ञानिक कहकर निन्दा करने का कोई अर्थ नहीं है। अवैज्ञानिक पद उसी प्रकार का है जैसा माओ के चीन में रिवीयनिस्ट या इम्पीरियलिस्ट शब्द हैं।

जब कहा जाता है कि विज्ञान का क्षेत्र सीमित है तब या तो धर्म, कला आदि अर्थ-क्रिया सन्दर्भों को इसके उदाहरण रूप में प्रस्तुत किया जाता है, अथवा आवेग, बोध, अनुभूति आदि मानसिक घटनाओं को। इन दो वर्गों में एक आधारभूत भेद है, जैसाकि हम आगे देखेंगे, किन्तु अधिकांशत: इस भेद को देखा नहीं गया है। इस आधारभूत भेद की ओर हमने इन वर्गों को क्रमश: 'अर्थ-क्रिया-सन्दर्भ' तथा 'घटनाएँ' कहकर संकेत किया है। अर्थ-क्रिया-सन्दर्भ होने के कारण ये विज्ञान के समकक्ष हैं, उसके सहावस्थी। इसलिए यह कहना कि विज्ञान धर्म की सम्यक् व्याख्या नहीं करता, एक अर्थ में, उपर्युक्त अर्थ में, निरर्थक है। यह ऐसा ही है जैसे कोई कहे कि धर्म विज्ञान की व्याख्या नहीं करता है। एक अन्य अर्थ में, दोनों एक-दूसरे की व्याख्या करते हैं क्योंकि दोनों विश्व में घटित होने वाली घटनाएँ हैं जिनका उनके अर्थ-सन्दर्भ में आकलन आवश्यक है। इस प्रकार से विज्ञान के लिये धर्म मनोवैज्ञानिक घटना है और अतएव उसकी कारण-कार्यात्मक और अन्ततः सैद्धान्तिक-निगमनात्मक पदावली में अन्तर्भाव्य है। इसी प्रकार से विज्ञान धर्म की पदावली में सृष्टि का कलियुगीय चरण, अथवा अखण्ड चेतना की बाह्याभिमुखी अभिव्यक्ति आदि-आदि में से कुछ है। यदि हम विज्ञान, धर्म तथा कला के अर्थ-सन्दर्भों के विच्छेदक गुणों को निरूपित करना चाहें तो कहेंगे कि प्रथम में सत्यासत्य, दूसरे में शुभाशुभ तथा तीसरे में सुन्दर-असुन्दर आधारभूत निकष हैं। विज्ञान में शेष दो युग्मों का कोई अर्थ नहीं है, न धर्म में शेष दो का कोई अर्थ है और न कला में शेष दो का कोई अर्थ है।[1] इस प्रकार से, जब हम धर्म और सत्य अथवा कला और सत्य की बात करते हैं तब हम कोटि-भ्रम की सृष्टि करते हैं। बहुत बार हम धर्म का सत्य और विज्ञान का सत्य जैसे प्रयोग भी सुनते हैं। जैसाकि मैंने कहा, ये कोटि-भ्रम हैं। ऐसे कोटि-भ्रम उत्पन्न होने का कारण यह है कि अधिकांशत: एक ही व्यक्ति में ये तीनों सहावस्थित रहते हैं, जबकि अन्यथा ये तीनों तीन पृथक् समग्रताएँ हैं—निश्शेष। किन्तु इन्हें हम कभी-कभी परिशुद्ध रूप में भी देख सकते हैं; उदाहरणत: तुलसी समधिक परिशुद्ध धार्मिक अर्थ-सन्दर्भ में विचरण करते थे, कार्नप परिशुद्ध वैज्ञानिक अर्थ-सन्दर्भ में विचरण करता है और फ्रेंच कलाकार लाट्रिक परिशुद्ध कला के अर्थ-सन्दर्भ में विचरण करता था। जो भी हो, ये तीन अर्थ-सन्दर्भ अखण्ड-समग्र होने से न तो परस्पर-विरोधी या व्याघातपूर्ण हैं और न समंजस। ये केवल सहावस्थित हो सकते हैं।

जहाँ तक आवेगादि घटनाओं का सम्बन्ध है, यहाँ एक आधारभूत कठिनाई है। यह कठिनाई इन घटनाओं के विशिष्ट चरित्र के कारण है। ये मानसिक घटनाएँ एक ओर विषय बनती हैं और दूसरी ओर उपभुक्त होती हैं। इनका घटित होना ही इनका उपभुक्त होना है। कहना चाहिए कि यह तर्कत: असम्भव है कि कोई मानसिक घटना घटित हो किन्तु उपभुक्त नहीं हो। पुन:, इनका विषय-पक्ष भी एक बात में, तथाकथित भौतिक विषयों से, विलक्षण होता है और वह इस बात में कि ये जिस प्रकार से उपभोक्ता को प्रत्यक्ष होती हैं, अन्यों को प्रत्यक्ष नहीं होतीं। विषय-रूप में ये भी समधिक वस्तूकृत तो होती हैं, किन्तु ये प्रत्यक्ष केवल उपभोक्ता को ही होती हैं। यदि ये उपभोक्ता से अतिरिक्त अन्यों को भी प्रत्यक्ष मानी जाएँ, तो कम-से-कम, ये प्रत्यक्ष के दो भिन्न प्रकार कहे जाएंगे। अब, इन घटनाओं को लेकर वैज्ञानिक अर्थ-सन्दर्भ की सीमा यह है कि विज्ञान केवल वस्तुओं को स्वीकारता है, जो विषयों को निर्विशिष्ट और स्थानित करके सृष्ट होती हैं। इसके लिये उपभुक्त अद्वितीयता का कोई अर्थ नहीं है। विषय-रूप में ये घटनाएँ वैज्ञानिक व्यवस्था में रचित होने के लिये निरन्तर प्रस्तुत रहती हैं, यह हम मानव-व्यवहार की, जिसमें निज का व्यवहार भी सम्मिलित है, व्याख्या और उसकी नियमितता में विश्वास के रूप में निरन्तर देखते हैं। इसलिए यह कहना अनुचित है कि विज्ञान का क्षेत्र मानसिक घटनाओं का आकलन नहीं

---

1. वास्तव में धर्म तथा कला के लिए यह कहना अधिक उपयुक्त होगा कि 'शेष दो अनुषंगी होकर आते हैं', विशेषत: सत्यासत्य, क्योंकि प्रकृति का साधक-बाधक पक्ष प्राणी-क्रिया के लिए सर्वाधिक महत्त्वपूर्ण है।

कर सकता। यदि वह नहीं कर सकता हो तो मैं न अपने सम्बन्ध में यह कह सकता हूँ कि मैं यह पेपर पढ़ते हुए आप लोगों पर पत्थर नहीं फेंकने लगूँगा और न आपके सम्बन्ध में ही यह कह सकता हूँ कि आप मेरा गला नहीं दबोचेंगे। और न अपने या किसी अन्य के एकाएक ऐसा व्यवहार करने पर उसकी व्याख्या करने का प्रयत्न करूँगा। हम मानसिक घटनाओं को भविष्योक्ति और व्याख्या के अनुशासन में निरन्तर शृंखलित करते हैं, इसलिए ये विज्ञान के सन्दर्भ में आती ही हैं। मैं विज्ञान के लिये इस बात को अप्रासंगिक मानता हूँ कि ये घटनाएँ एक ही व्यक्ति को प्रत्यक्ष होती हैं और उतना ही अप्रासंगिक इस बात को मानता हूँ कि इनमें भविष्योक्ति कठिन होती है। विज्ञान की सम्भावना के लिये यह आवश्यक नहीं है कि कोई वस्तु एक से अधिक द्रष्टाओं को प्रत्यक्ष हो, यह केवल उसकी व्यावहारिक सीमा है, सैद्धान्तिक सीमा नहीं।

इन घटनाओं का केवल उपभोग-पक्ष सीमा से बाहर पड़ता है। किन्तु यह विज्ञान की कोई सीमा नहीं दिखाता। यदि यह विज्ञान की सीमा दिखाता है तो उतनी ही यह किसी भी अर्थ-सन्दर्भ की सीमा दिखाता है। उपभुक्त रूप में एक घटना पूर्णत: विशिष्ट, अद्वितीय तथा सम्बन्धातीत होती है और अतएव अर्थों का विषय नहीं होती, जैसे इस मेज़ के साथ 'यहाँ-अब' घटित घटना होगी, जो अद्वितीय है और इसीलिए जिसका आख्यान सम्भव नहीं है, और इसलिए जिसके सम्बन्ध में 'यह, यहाँ, अब' आदि सभी विशेषण ग़लत होंगे। इस प्रकार, व्याख्या घटनाओं की नहीं अर्थ-सन्दर्भ में रचित तथ्यों की होती है। इसलिए किसी व्याख्या को अपर्याप्त नहीं कहा जा सकता।

किन्तु तब भी हम पाते हैं कि प्रत्येक व्याख्या एक निर्धारित क्षेत्र के बाहर अपर्याप्त अथवा अनुचित प्रतीत होती है। कुछ तथ्य एक योजना में आसानी से समंजस हो जाते हैं और कुछ उसमें समंजस नहीं होते हैं। अब यदि हमारी स्थापना स्वीकार की जाय तब तो योजना से बाहर तथ्य हो ही नहीं सकते, इसलिए अपर्याप्तता का प्रश्न भी उत्पन्न नहीं होता।

इस वस्तुस्थिति का कारण यह है कि लोक-संज्ञान किसी एक परिशुद्ध योजना से निर्मित नहीं है, यह पाशव से लेकर वैज्ञानिक तक सभी योजनाओं को अपने आभोग में लेता है। इसलिए, सहज रूप से, इसमें अनेक विश्व-योजनाओं के तथ्य सहावस्थित और कभी-कभी एक-दूसरे में घुले-मिले रहते हैं। तो भी, पौराणिक विश्व-योजना के तथ्य अधिक सम्पूर्ण और ठोस कहे जा सकते हैं जबकि वैज्ञानिक योजना के अति दूराकृष्ट। किन्तु यह दूराकर्षण, मूल्यापवारणात्मक वस्तूकरण, प्रकृति के अभियोजन में अधिक उपयोगी है, इसीलिए हम अनेक बार सत्य की कसौटी विज्ञान को मान लेते हैं। किन्तु यह व्याख्या के अर्थ में निहित है कि सत्यासत्य व्याख्यात्मक योजना के अन्तर्गत ही हो सकता है, बाहर नहीं।

आलोचक की दृष्टि से दार्शनिक विभिन्न अर्थ-क्रिया-सन्दर्भों में निहित सम्भावनाओं को विविक्त करता है। वह किसी एक विश्व-योजना के अर्थ-सन्दर्भों का पृथक् विवेचन कर सकता है, किन्तु ऐसा वह उचित रूप से तभी कर सकता है यदि वह अपने विवेच्य को अनेक में से एक अर्थ-सन्दर्भ मानकर चले, नहीं तो यह सदैव सम्भव है कि वह किसी एक सन्दर्भ की विश्व-योजना को दार्शनिक विश्व-योजना बना ले। ऐसा यद्यपि प्राय: ही होता है—दार्शनिक अपने सांस्कृतिक परिवेश से, अपने समय के लोक-संज्ञान के आग्रह से, प्राय: ही अभिभूत होता है। इसलिए कभी वह गोचर जगत् का अस्वीकार करता है और कभी अगोचर का। किन्तु दार्शनिक उचित रूप से यह नहीं कर सकता है।

वाच्य और अवाच्य

अवाच्य का निर्णय करने के लिये वाच्य की सीमा-रेखा लगाना आवश्यक है। वाच्य—वाक्-विषय—क्या हो सकता है, यह देखने के लिये वाक् का स्वरूप समझना आवश्यक है। वाक् को ऐसी श्रव्य और दृश्य आकृतियाँ कह सकते हैं जो अर्थगर्भ हैं। किन्तु वाक् की यह परिभाषा, ठीक होने पर भी, कुछ स्पष्ट नहीं करती; वास्तव में यह भ्रामक भी हो सकती है, क्योंकि हम इससे एक-एक शब्द को ही अर्थ का वाहक समझ सकते हैं। यदि हम शब्द को अर्थ का अधिष्ठान स्वीकार करें तब स्वभावत: शब्द के वाच्य संवेद्य-विषय होंगे और उसका अर्थ इन विषयों के बिम्ब होंगे। किन्तु यह बिम्ब-सिद्धान्त, जोकि अनुभववादियों में किसी-न-किसी रूप में अभी तक सम्मानित है, न केवल उस सर्जनात्मकता को समझने में ही असमर्थ रहता है जो भाषा के अनेकविध रूपों में अपनी अभिव्यक्ति करती है, बल्कि विषय के उस स्वरूप को भी समझने में असमर्थ रहता है जिसे सर्जनात्मक व्यापार के सन्दर्भ के बिना नहीं समझा जा सकता। अर्थ की इस धारणा के अनुसार, न केवल मूल्य तथा काव्य की भाषाओं को समझना ही असम्भव है बल्कि गणित की भाषा को भी समझना असम्भव है जोकि केवल सम्बन्धात्मक तथा व्यवस्थात्मक होती है। जैसाकि हमने अन्यत्र[1], देखा है, संख्या स्वयं विषयों के अस्तित्व की भी प्रागपेक्षा है, इस प्रकार से इसका अर्थ बिम्बात्मक न होकर बिम्ब की प्रागपेक्षा है। इसके अतिरिक्त, 'मेज़' या 'पुस्तक' जैसे शब्दों में भी, इनका अर्थ इनका बिम्ब नहीं होता, क्योंकि न केवल यही कि ये शब्द कोई निश्चित बिम्ब उत्पन्न नहीं करते बल्कि ये किस सामान्य प्रकार का भी बिम्ब उत्पन्न करते हैं, यह भी नहीं बताया जा सकता। यद्यपि भाषा सीखने के अत्यन्त आरम्भिक चरणों में निदर्शन, संकेत और बिम्ब इन सबका उपयोग होता है, किन्तु इस कारण ये भाषा के अंग नहीं बन जाते, उस समय भी निर्दिष्ट विषय का ग्रहण सामान्यात्मक ही अधिक होता है। वास्तव में आरम्भिक चरणों में भाषा सिखाने वाले का योगदान अत्यन्त महत्त्वपूर्ण होता है जिसके लिये ये शब्द वस्तुओं के चोगे या बिम्बों के सहगामी मात्र नहीं होते। बिम्बात्मक दृष्टिकोण भाषा के अस्तित्व को समझने में तो नितान्त असमर्थ हैं।

भाषा को उस सम्पूर्ण मानवीय सन्दर्भ में समझना आवश्यक है जो ज्ञान, मूल्य और कलाओं के विभिन्न क्षेत्रों में अपने आपको प्रदर्शित करता है। यदि भाषा का जन्म 'प्रकृति के अभियोजन' के सन्दर्भ में भी हुआ तब भी यह मानव की उस सृजन-चेतना का व्यापार है जो 'विश्व-योजना' करती है। किन्तु भाषा इतने मात्र से कहीं अधिक आगे जाती है, जैसे यह मनुष्य की सभी क्रियाओं और जैव प्रयोजन का अतिक्रमण करती है। सभी मानवीय अभियोजन वासना और आवेग का सन्दर्भ छोड़कर रचनात्मक अर्थ के सन्दर्भ में व्यापारिक होते हैं जिसमें अभिनिवेश वासना-व्यय के बजाय व्यवस्थान और मूल्य का रूप ले लेता है। भाषा भी इस रचना तत्त्व से ही अभिनिविष्ट है, भाषा में अर्थ शब्दों और वस्तुओं में सम्बन्ध के बाद उत्पन्न नहीं होते बल्कि मनुष्य की अर्थान्वेषी प्रकृति ही शब्दों को अर्थ-मण्डित करती है। इस प्रकार हम शब्दों अथवा वाक्यों के वाच्य संवेद्य वस्तुओं अथवा तथ्यों में देखकर नहीं प्राप्त कर सकते, इसके लिये सम्पूर्ण भाषा में व्यक्त रचना-क्रिया के स्वभाव को देखना आवश्यक होता है जो संवेद्य का संयोजन करती है। यद्यपि यह ठीक है कि भाषा का कुछ भाग है जो शेष भाग की खाली रेखाओं में रंग भरता है, अथवा कहें, भाषा का शेष भाग केवल सर्वनामात्मक है जिसको अर्थ केवल उन शब्दों द्वारा स्थानान्तरित करके ही दिया जा सकता है जो संवेद्यों के वाचक हैं। किन्तु इस स्थापना में अनुभववादी अपने तात्त्विक सिद्धान्त से अधिक प्रेरित हैं, बजाय भाषागत वस्तुस्थिति को देखने की इच्छा के। इस स्थापना में दुहरा भ्रम है—संवेद्य को समझने में भी और भाषा को समझने में भी। यद्यपि यह ठीक है कि जब

---

1. द्रष्टव्य आगे — विश्लेषणात्मक और आनुभविक।

हम संवेद्य का साम्मुख्य करते हैं तब प्रस्तुत विशिष्ट होता है—विशिष्ट वर्ण और विशिष्ट संस्थान, किन्तु यह विशिष्ट भी सामान्य से अध्यारूढ़ हुए बिना प्रस्तुत नहीं होता, पूर्ण विशिष्ट प्राप्त करने के लिये हमें किसी पूर्ण निष्क्रिय चेतना की खोज करनी होगी। जहाँ तक भाषा का प्रश्न है, इसके शब्द उस रचना-तत्त्व को उसके चरम उत्कर्ष पर व्यक्त करते हैं जो संवेद्य के अवधारण में आविष्ट होता है। किसी भाषा का प्रत्येक शब्द उस भाषा के समग्र से आविष्ट रहता है। इस प्रकार 'यह रक्त है' जैसा तथाकथित सद्य:संवेद का वाचक वाक्य भी उस सम्पूर्ण सन्दर्भ का वहन करता है जो इसके वक्ताओं की रचनात्मक चेतना की एक विशिष्ट अभिव्यक्ति है।[1] इसीलिए इसका ठीक अनुवाद एक परिवार से बाहर की भाषाओं में सम्भव नहीं होता। इसके लिये उन भाषाओं को देखना उपयोगी हो सकता है जिनमें वर्ण (सामान्य) के लिये कोई शब्द नहीं है, किन्तु विशेष वर्णों के लिये हमारी भाषा से कहीं अधिक शब्द हैं। वास्तव में कुछ भाषाओं के लिये यह कहना कि उनमें विशेष वर्णों के वाचक शब्द भी हैं, अनुचित है, क्योंकि वे उस वस्तु से पृथक् वर्ण का कथन नहीं करते जिस वस्तु में वर्ण-विशेष रहता है। अधिक मिश्र नामों के साथ यह कठिनाई और भी बढ़ जाती है। जब आप संकेत कर कहते हैं—'ऊँट', उस समय अरब का आदिवासी उस प्राणी की अवस्था-विशेष के लिये उस शब्द को समझेगा, क्योंकि उस प्राणी के लिए अलग से उसकी भाषा में कोई शब्द नहीं है।

वास्तव में 'यह रक्त है' वाक्य की अनेक प्रागपेक्षाएँ हैं जिनके सन्दर्भ में यह कथन करता है—यह न केवल 'रक्त' को उस वस्तु से पृथक् करता है जो रक्त है, न केवल इसको उस संस्थान से विश्लिष्ट करता है जो अन्यथा अविश्लेष्य है, बल्कि इसमें 'यह' के द्वारा दैशिक विश्लेषण तथा 'है' के द्वारा कालिक विश्लेषण भी विद्यमान है, जोकि संवेद्य मात्र की ज्ञप्ति की प्रागपेक्षाएँ हैं। ये प्रागपेक्षाएँ ज्ञान मात्र के लिये अनिवार्य होने से सरल तथ्यों की बात करना केवल तात्त्विक कल्पना है और मूल वाक्यों की बात करना भ्रमोत्पादक है। संवेद्य केवल इन आकारों में विशेष प्रकार से रचित होकर ही ज्ञान-विषय बनता है, जिस रचना में भाषा का भी योग रहता है।

जैसाकि हमने पीछे कहा, भाषा एक समग्र अर्थ-सन्दर्भ है जिसके वाक्य उसके अंग हैं, इस प्रकार से वाक् का वाच्य अनिवार्यत: भाषा-विशेष में सक्रिय सामान्य रचनात्मक अर्थ ही होता है—दूसरे शब्दों में, वाक् का वाच्य वाक् स्वयं है।

किन्तु तब भी वाक् और वाच्य में प्रतिपक्षता है जो भाषा की वास्तव उपयोगिता है। यह प्रतिपक्षता वास्तव में भाषा में ही नहीं मानव-क्रिया के सभी आयामों में है—आकार और प्रदत्त, व्याख्या और व्याख्येय, विषयी और विषय तथा अन्वेषक और मूल्य इसी प्रकार की अन्य प्रतिपक्षताएँ हैं। इनमें एक के बिना दूसरे की कल्पना नहीं की जा सकती, यह द्वैध मानव-कर्म को सत् के साथ जोड़ता है। किन्तु वास्तव में ये शिव और शक्ति के समान एक ही तत्त्व के द्वैध हैं। जितने ही आकार, व्याख्या, विषयी, अन्वेषण तथा वाक् स्फुट और स्वतन्त्र रूप लेते हैं उतने ही इनके प्रतिपक्ष स्फुट और स्वतन्त्र होते जाते हैं—विश्व का मूल अभिमान है।

हमारे उपर्युक्त निष्कर्ष का साक्ष्य विज्ञान में देखा जा सकता है। विज्ञान की विषयपरकता उसी अनुपात में बढ़ती जाती है जिस अनुपात में उसकी आकारिकता—प्रत्ययात्मकता—बढ़ती जाती है और इसी प्रकार से इसकी भाषा का वाच्य उतना ही बहुल होता जाता है जितना इसकी भाषा का अर्थ-पक्ष समृद्ध होता जाता है और संवेद्य से इसकी दूरी बढ़ती जाती है। वास्तव में विज्ञान में भाषा अपना ही अतिक्रमण करती है।

यद्यपि साहित्य में—विशेषत: काव्य में, और इसी प्रकार से धर्म में भी, विशेषत: रहस्यवाद में जहाँ धर्म आत्म-अतिक्रमण करता है—भाषा संवेद और आवेग के अपेक्षाकृत अधिक निकट रहती है किन्तु यहाँ भी अर्थ अभिधा से लक्षणा और व्यंजना की ओर संक्रमित होता है और उत्प्रेक्षा तथा वक्रोक्ति आदि इसकी

---

1. सरल संज्ञाओं का रसल-विट्गिंस्टाइनियन सिद्धान्त संज्ञा के भाषा में प्रयोग और प्रयोजन के प्रतिषेध पर प्रतिष्ठित है। सम्भवत: रसल और विट्गिंस्टाइन यह तुरन्त स्वीकार कर लेंगे, किन्तु तब भी विट्गिंस्टाइन की वाच्य और अवाच्य की अवधारणा इस सिद्धान्त पर ही प्रतिष्ठित है।

अभिव्यक्ति को वक्र बना देते हैं। इन भाषाओं को, और इसी प्रकार से नीति की भाषा को, आवेगात्मक कहकर छोड़ देना केवल विज्ञान के प्रति आवेगात्मक लगाव ही सिद्ध करता है। आवेग-व्यंजना वाक् नहीं है, वह पशु की चीत्कार और हुंकार में अधिक सम्यक् होती है, जबकि रहस्यवाद को उससे कहीं अधिक समृद्ध वाक् की आवश्यकता होती है जितनी साधारण अनुभव को।

जैसाकि हमने अन्यत्र[1] देखा है, सत्य विज्ञान के लिये उतनी ही रचनात्मक कल्पना है जितनी धर्म और काल के लिये , इसलिए एक के वाक्यों की कथनात्मकता उतनी ही व्यवस्थात्मक और आध्यात्मिक (आइडियेश्नल) है जितनी दूसरे की, यद्यपि इसके व्यवस्थापन के नियम सर्वथा भिन्न प्रकार के हैं। विज्ञान के लिये जितना ही मूल्य आवेगात्मक है धर्म के लिये विज्ञान उतना ही मूल्यात्मक है। इसलिए यह कहना कि 'मूल्य विश्व में नहीं है'[2] विज्ञान की ओर से बात करना है। दोनों के अपने-अपने वाच्य-सन्दर्भ हैं और अपने-अपने वाच्य-विश्व।

इस प्रकार वाच्यता की सम्भावनाएँ असीम हैं, विज्ञान और रहस्यवाद दोनों के वाच्य-सन्दर्भों में वाच्य और वचन का निरन्तर विस्तार होता रहता है—वाक् की सीमा में वाच्य की कोई सीमा नहीं है।

किन्तु वाक् की सीमा है। वाक् की सीमाएँ दो प्रकार की हैं—वाक् अनिवार्यत: सामान्यवाचक है, यद्यपि हमारे विषय भी सामान्यता रंजित और बहुत बार पूर्णत: सामान्य होते हैं, किन्तु संवेद-विषय-साम्मुख्य में एक वैशिष्ट्य का अंश भी रहता है। इसकी उपमा सम्भाव्यता (प्रोबेबिलिटी) और उसके विशेष प्रेक्षण के सम्बन्ध से दी जा सकती है—जिस थैले में 3 सफेद और 2 लाल गोलियाँ हैं उसमें से सफेद गोली निकलने की सम्भावना 3/5 है, किन्तु गोली निकालने की विशिष्ट घटना से उसका कोई सम्बन्ध नहीं होता। इसी प्रकार से वाक् इस विशिष्ट—प्रदत्त—का वाचन करने में असमर्थ है, यह विशिष्ट अवाच्य है। किन्तु यहाँ विशिष्ट का व्यामिश्र ऐसी स्थितियों से नहीं करना चाहिए जिनमें वक्ता वाक् को अपर्याप्त पाता है, काव्य और धर्म में अनिर्वचता वास्तव में एक विदग्ध वाच्य-कोटि ही है, यह अवाच्य उतना ही सामान्य होता है जितना कोई भी अन्य सामान्य। जिस विशिष्ट की चर्चा हमने की है वह केवल घटनात्मक विशिष्ट होता है, ज्ञानात्मक नहीं; ज्ञानात्मक दृष्टि से यह पूर्णत: सामान्य होता है : मेरे कमरे में पड़ा मेज़ घटनात्मक विशिष्ट है, इस रूप में यह अवाच्य है। किन्तु इसकी अवाच्यता का परिहार संकेतादिक प्रसंगों से किया जाता है। ज्ञानात्मक विशिष्ट जितना अवाच्य है उतना ही अगम्य भी है—यह केवल विश्लेषणात्मक है। (द्रष्टव्य पीछे, 'प्रदत्त' अध्याय) किन्तु विश्लेषणात्मक रूप से यह अनिवार्य है। इस प्रकार यह अवाच्य केवल सैद्धान्तिक अवाच्य है।

किन्तु एक अन्य अवाच्य कोटि है जो अधिक महत्त्वपूर्ण है। हमने विभिन्न सन्दर्भों में बात की—दर्शन, धर्म, विज्ञान, कला आदि के, जिनके अपने अपने वाच्य-सन्दर्भ हैं। किन्तु स्वयं ये रचनाएँ, जो इन वाक्-सन्दर्भों में व्यक्त होती हैं, अवाच्य हैं। क्योंकि भाषा स्वयं एक रचना-सन्दर्भ है, अतएव यह अपने सन्दर्भ में परिसीमित है। हमारी इस स्थापना का औचित्य इन विभिन्न रचना-सन्दर्भों के विकास और भाषा के विकास के भिन्न-भिन्न प्रकारों में देखा जा सकता है। विज्ञान वास्तव में अपनी रचना की सामान्यता को उस स्तर तक ले जाता है जहाँ वाक् की सामान्यता भी अल्प पड़ जाती है और उसका स्थान केवल संख्याएँ ले लेती हैं, कला पहले से ही संगीत तथा चित्र के रूप में भाषा को छोड़ देती हैं, जबकि तन्त्र तथा रहस्यवाद के रूप में धर्म अन्य प्रतीकों को खोजने के लिये बाध्य होता है। उलट-बाँसियाँ और 'नेति-नेति' इसके प्रमाण हैं। इसको एक दूसरे प्रकार से भी समझा जा सकता है—वाक् का विकास एक तो स्वत: अपने गति-तत्त्व से ही होता है और इस क्रम से वाच्य का विकास होता है और दूसरी ओर अन्य रचना-सन्दर्भों में विकास वाक् को अपने रचना-व्यापार के लिये समृद्धतर विषय देता है। यह विषय वाच्य होता है, किन्तु उतना ही जितना वाक् की सीमा में आकलनीय होता है; किन्तु

1. द्रष्टव्य, व्याख्या अध्याय।

2. विट्गिंस्टाइन — ट्रक्टेटस, 6, 45.

पुन:, यह आकलित वाक्-विषय होने के लिये वचनीय बनता है, जोकि वह स्वत: नहीं है, उदाहरणत: भाषा-विज्ञान भाषा नहीं है, यह भाषा में व्यक्त होता है उक्त नहीं होता, गीत भी भाषा नहीं है यद्यपि गीत भाषा का आश्रय लेता है—गीत अवाच्य होता है। इनके पार्थक्य स्पष्ट हैं। इस प्रकार से अवाच्य वस्तु न होकर वह वस्त्वर्थ होता है जो भाषेतर प्रकार में रचित होता है। इस प्रकार अवाच्य दो प्रकार के हैं—वाक् सीमा में अनाकलनीय रचित विषय और स्वयं रचना-तत्त्व। किन्तु अनाकलनीय अवाच्यों में अन्तर है—ब्रह्म और सुन्दर विदग्ध-अवाच्य हैं और विद्युच्चुम्बकीय क्षेत्र गणितात्मक हैं।

मानसिक और भौतिक

1

हम 'मन' तथा 'भूत' के बजाय 'मानसिक' तथा 'भौतिक' पदों का प्रयोग इस प्रयोजन से कर रहे हैं कि प्रथम दो पद संज्ञा-पद हैं और संज्ञा-पद वस्तुओं, व्यक्तियों के अभिधेयक होते हैं। हम यह नहीं कहना चाहते कि मन संज्ञक अथवा भूत संज्ञक कोई वस्तुएँ हैं, इसलिए हमने विशेषण-पदों का प्रयोग किया है। ये पद उचित रूप से घटनाओं के विशेषण हैं। उदाहरणत:, 'मैं दु:खी हूँ' यह तथ्य, अर्थात् मद्-सम्बन्धित दु:ख-घटना, मानसिक है तथा 'पत्थर गिरा है' घटना भौतिक है। इसी प्रकार, 'चुभन की पीड़ा हो रही है' मानसिक घटना है तथा 'सूई चुभोई गई है' भौतिक है।

किन्तु ये विशेषण होने पर भी 'शीत', 'उष्ण', 'कटु', 'मधुर' आदि विशेषणों से भिन्न प्रकार के हैं। इन्हें हम उन्नत स्तरीय विशेषण कह सकते हैं, जबकि 'शीत', 'उष्ण' आदि प्रथम स्तरीय विशेषण हैं। प्रथम स्तरीय विशेषण हम उन पदों को कह सकते हैं जो प्रत्यक्षगत गुणों के वाचक हों—'दु:खी' को भी ऐसा ही विशेषण कहा जा सकता है—द्वितीय स्तरीय विशेषण ऐसे पदों को कहा जा सकता है जो इन विशेषणों के विशेषण हों, उदाहरणत:, 'वर्ण', 'स्वाद' आदि ऐसे ही विशेषण हैं। किन्तु 'मानसिक' तथा 'भौतिक' पद जबकि इस प्रकार से इनकी कोटि के ही विशेषण कहे जा सकते हैं, ये इनसे बहुत भिन्न प्रकार के भी हैं, सम्भवत: इस रूप में कि ये और भी अधिक उन्नत स्तरीय हैं। किन्तु सम्भवत: ये एक अन्य प्रकार से भी भिन्न हैं। उदाहरणत:, 'प्राणी' पद उन्नततर स्तर का विशेषण है, किन्तु तब भी 'भौतिक' से भिन्न प्रकार का है। यह प्रकारक-भेद इस बात में निहित है कि जबकि 'वर्ण', 'प्राणी' आदि पद प्रेक्षणात्मक प्रकार के पदों के साथ स्तर-शृंखला का निर्माण करते हैं 'मानसिक' आदि पद शृंखला-निर्माण नहीं करते और इस प्रकार ये सम्प्रत्ययात्मक आक्षिप्त कहे जा सकते हैं। 'वस्तु', 'देश', 'काल' आदि अन्य भी अनेक ऐसे पद हैं। ये पद प्रेक्षणात्मक पदों से अविच्छिन्न शृंखला नहीं बनाते। इन्हें सैद्धान्तिक रचनाओं, (जैसे परमाणु आदि) से केवल इस अर्थ में भिन्न कहा जा सकता है कि ये सम्प्रत्यय हमें परम्परा से मिले हैं, इनका उद्भव सिद्धान्त-निर्माण के सन्दर्भ में नहीं हुआ है। किन्तु जब दार्शनिक या वैज्ञानिक सिद्धान्त-निर्माण के सन्दर्भ में इन पदों का प्रयोग करता है तब ये व्याख्यात्मक सौष्ठव की दृष्टि से उपयोगी या अनुपयोगी हो जाते हैं। उदाहरणत:, क्वाईन के अनुसार—"भौतिक घटनाओं का अस्तित्व तो सिद्ध है ही, तब दूसरी कोटि को क्यों लाया जाए? इस प्रकार यह कहा जा सकता है कि अन्तर्दर्शन (इन्ट्रोस्पैक्शन) अपनी भीतरी शारीरिक अवस्थाओं को देखना है, जैसे मेदे के तेजाब को।"[1] यहाँ सैद्धान्तिक सौष्ठव का प्रयोजन स्पष्ट है। किन्तु जबकि सिद्धान्त-निर्माण में ऐसे कम-से-कम सम्प्रत्ययों की रचना का लक्ष्य रहता है जिनमें अधिक-से-अधिक सम्प्रत्ययों और प्रेक्षणों का अन्तर्भाव किया जा सके, दूसरी ओर इसका प्रयोजन 'वस्तुस्थिति' में अधिक सम्यक्-दृष्टि भी होता है। यह 'वस्तुस्थिति' हमें जैव-सांस्कृतिक सन्दर्भ में प्राप्त होती है। उदाहरणत:, यहाँ यह प्रश्न एक सीमा तक वस्तुस्थितिपरक है, क्योंकि यदि हम केवल उन घटनाओं को ही घटनाएँ मानें जो हमारी पाँच ज्ञानेन्द्रियों की विषय हो सकती हैं तो जो अर्थ-हानि परम्परया रूढ़ धारणाओं के सन्दर्भ की होती है वह इस तथ्य से सम्बन्धित है कि क्या 'वात्सल्य' पद और 'प्रोलेक्टिन हार्मन का स्राव' पद उसी प्रकार से एक ही वस्तु के वाचक कहे जा सकते हैं जिस प्रकार से 'भोर का तारा' तथा 'संध्या का तारा' कहे जा सकते हैं? जैसाकि हम आगे देखेंगे, पुटनम के अनुसार ये कहे जा सकते हैं। जैसाकि हमने व्याख्या-सम्बन्धी

---

1. वान ओर्मान क्वाईन — वर्ड एण्ड ऑब्जेक्ट, पृ. 264, टेक्नोलॉजी प्रेस ऑफ मिसाचुसेट, इन्स्टीट्यूट ऑफ टेक्नोलॉजी, 1960.

अध्याय में देखा है, ऐसा कहने से कोई रोक नहीं सकता, किन्तु रोकने के लिये बहुत पुष्ट कारण हैं। हमारे विचार में, ये कारण व्याख्या के परिसीमक कारणों के निर्देशक कहे जा सकते हैं, यद्यपि ये इस बात को सिद्ध ही करते हैं कि व्याख्या की ये सीमाएँ केवल बाहर से ही देखी जा सकती हैं।

2

सिद्धान्तीकरण एक तर्क-संस्थान की रचना करना है, अथवा ऐसे निर्देश-संस्थान की रचना करना है जिसमें कुछ निर्णायक पद आधार में रहते हैं तथा शेष उनके साथ अर्थापत्ति तथा समीकरण के तार्किक सम्बन्धों के साथ सम्बन्धित रहते हैं। ये निर्णायक पद एक सम्प्रत्ययात्मक योजना के मूल तथ्यों (सदात्मक अर्थ में) के वाचक होते हैं। वाक्यों के अर्थों का निर्धारण इस संस्थान के अन्तर्गत होता है। इस प्रकार दार्शनिक व्याख्या का कार्य, एक सिद्धान्तीकरण की क्रिया के रूप में, एक संस्थान के सन्दर्भ में पदों के (जिनमें निर्णायक पद भी सम्मिलित हैं) प्रयोग-प्रसंग का उद्घाटन करना है। इसी से सम्बन्धित प्रश्न अस्तित्वमीमांसा का भी है। एक दार्शनिक अपने सम्प्रत्ययात्मक संस्थान की रचना इस प्रकार से करता है कि उसके केवल कुछ निश्चित वाक्य ही अस्तित्व का विधान करते हैं। शेष वाक्य इन वाक्यों से निगमन अथवा निहितार्थ-विश्लेषण की कड़ियों द्वारा सम्बद्ध रहते हैं। दार्शनिक पद्धति की इस व्याख्या के अनुसार ही हम क्वाईन द्वारा 'मानसिक' के निषेध का अर्थ समझ सकते हैं। उनके अनुसार, मानसिक घटनाएँ आक्षिप्त हैं और सैद्धान्तिक सौष्ठव की दृष्टि से अनुपयोगी हैं।

यह पूछा जा सकता है कि हम सम्प्रत्ययात्मक संस्थानों की रचना ही क्यों करें? क्यों न हम तथ्यों को उसी रूप में स्वीकार करें जिस रूप में ये हमारे सम्मुख उपस्थित होते हैं—निर्वर्ण, असंस्कृत? इसका उत्तर एकदम सीधा है : कि विचार अनिवार्यत: संस्थानों में ही घटित होते हैं और तथ्य संस्थानों के अंग होकर ही आ सकते हैं।

यहाँ हम संक्षेप में अपनी अस्तित्वमीमांसा की रूपरेखा प्रस्तुत करेंगे। एतदर्थ एक वाक्य लें—'यहाँ एक मेज़ है'। यह वाक्य क्या कथन करता है? सामान्य धारणा के अनुसार, यह एक प्रत्यक्ष का वाचक है जिसका इतर स्तरीय विश्लेषण अनुचित है। किन्तु विज्ञान इस कथन को परमाणुओं के सम्बन्ध में कथनों में अन्तर्भाव्य मानता है।[1] अब यह विश्लेषण (अन्तर्भाव) उस सिद्धान्त का सापेक्ष है जो सामान्य धारणा के दृष्टि विस्तार से होता है। विज्ञान को इस प्रकार से देखते हुए ही हम 'परमाणु' की विभिन्न व्याख्याओं को समझ सकते हैं—परमाणु जबकि सैद्धान्तिक सरल हैं। इसी प्रकार मनोविज्ञान के लिये भी : यह मन को अपने क्षेत्र के सैद्धान्तिक सरलों में विघटित करता है, जैसे व्यवहार, शारीरिक अवस्थाएँ, अथवा गेस्टाल्ट। अब, एक सैद्धान्तिक संस्थान के अनुसार, परमाणु तथा शारीरिक अथवा मानसिक अवस्थाएँ 'आक्षिप्तों' की संज्ञाएँ हैं और मन तथा भौतिक विषय ज्ञानमीमांसात्मक वस्तुएँ हैं। अब कोई कह सकता है कि मन के धमनी-मस्तिष्क की अवस्थाएँ नहीं है। यह मत अविस्तारित लोक-संज्ञान का कहा जा सकता है, किन्तु ये दोनों विरोधी दृष्टिकोण—लोक-संज्ञान तथा विज्ञान—यह भूल जाते हैं कि विज्ञान के कथन एक ऐसे प्रसंग के अन्तर्गत में घटित होते हैं जिसका निर्धारण एक अत्यन्त सीमित उद्देश्य से होता है। यह मनोविज्ञान के लिये और भी ठीक है। किन्तु वैज्ञानिक, एक वैज्ञानिक के रूप में, मन तथा मस्तिष्क की अवस्थाओं में अभेद स्थापन का दोषी नहीं है, क्योंकि वह अपने सैद्धान्तिक सन्दर्भ में रहता हुआ यह भूल करने में असमर्थ है। यह भूल केवल दार्शनिक कर सकता है, क्योंकि केवल उसी की भाषा में, अथवा कहें, सम्प्रत्ययात्मक संस्थान में, 'मन मस्तिष्क है' अथवा 'मानसिक अवस्थाएँ मस्तिष्क की अवस्थाएँ हैं', में प्रयुक्त 'है' पद निर्देश की अभिन्नता का विधायक होता है। इस प्रकार से क्वाईन तथा अन्य भौतिक भाषावादी (फिज़िकलिस्ट) सत्ता-मीमांसात्मक स्थापनाएँ करते हैं और अतएव भूल करते हैं। पुटनम के अनुसार—"यह भौतिक भाषावाद एक उपयोगी अभ्युपगम के रूप में इस प्रकार से प्रतिपादित किया जा सकता है : 'एक व्यक्तिगत अनुभव (उदाहरणत: क्रोध का एक विशिष्ट अनुभव) शरीर की एक विशिष्ट भौतिक अवस्था है।' निश्चय ही यह अभेद-विधान संश्लेषणात्मक है, यदि यह सत्य है तो (जैसाकि फ़ाइग्ल ने दिखाया है)।

1. द्रष्टव्य : इडिंग्टन — न्यू पाथवेज़ इन साइंस, अ. 2, कैम्ब्रिज यूनीवर्सिटी प्रेस, 1935.

दार्शनिकों का यह कथन एकदम उचित है कि 'नील–वर्ण–संवेद भौतिक अवस्था नहीं है' तो वे ग़लत कहते हैं। इस प्रकार, 'भोर का तारा' का अर्थ 'संध्या का तारा' नहीं है, किन्तु वस्तुत: भोर का तारा ही संध्या का तारा है।"[1] यहाँ पुटनम स्पष्टत: सदात्मक रूप से मन का अन्तर्भाव भौतिक में कर रहे हैं।

पुटनम यहाँ दो चीज़ें पूर्वकल्पित कर रहे हैं जो किसी भी प्रकार से स्वत:स्पष्ट नहीं हैं। उनकी पहली भूल तो यह है कि उनके अनुसार मानसिक अवस्थाओं के वाचक पद उन्हीं वस्तुओं का निर्देश करते हैं जिनका भौतिक अवस्थाओं के वाचक पद करते हैं। किन्तु उन्होंने इसके लिये किसी प्रकार का प्रमाण प्रस्तुत नहीं किया, जबकि संश्लेषणात्मक सम्बन्ध प्रमाणीकरण की अपेक्षा करते हैं। किन्तु जैसाकि इस प्रतिपाद्य विषय के स्वरूप से ही स्पष्ट है, कोई आनुभविक (तथ्यात्मक) प्रमाण इस अभेद सम्बन्ध के प्रमाणीकरण अथवा प्रत्याख्यान के लिये प्रासंगिक नहीं हो सकता। उदाहरणत:, यह किसी तथ्यात्मक साक्ष्य द्वारा सिद्ध नहीं किया जा सकता कि क्रोध का अनुभव शारीरिक अवस्था है। पुटनम की दूसरी भूल 'भौतिक' को स्वत:सिद्ध मानकर चलने में है। किन्तु संवेदवादी दृष्टिकोण से देखते हुए हम कह सकते हैं कि 'भौतिक' है केवल पद 'संवेद–समवाय' ही, यद्यपि अर्थ में यों भिन्न हैं। इसलिए इस प्रसंग के विस्तार में किये गए बिना हम कहना चाहते हैं कि 'मानसिक' के सम्प्रत्यय का 'भौतिक' के सम्प्रत्यय में अन्तर्भाव किया जा सकता है, किन्तु उतना ही 'भौतिक' के सम्प्रत्यय का 'मानसिक' में अन्तर्भाव किया जा सकता है।

3

जैसाकि हमने पीछे कहा, 'मानसिक' तथा 'भौतिक' सैद्धान्तिक पद हैं। दूसरे शब्दों में, ये पारिभाषिक सम्प्रत्ययों को व्यक्त करते हैं। अतएव ये प्रश्न कि, 'मानसिक' और 'भौतिक' का क्या अभिप्राय है, अथवा, इन दो में से एक ही सम्प्रत्यय पर्याप्त क्यों नहीं है, सार्थक प्रश्न हैं। इन प्रश्नों का उत्तर इन सम्प्रत्ययों का अर्थ–संस्थान दिखाकर दिया जा सकता है। 'मानसिक' की विच्छेदक विशेषता अनुभूत होना है। 'अनुभूत होने' से हमारा अभिप्राय है कि ये घटनाएँ अपने घटना–रूप में अनुभूत होती हैं और प्रस्तुत या अप्रस्तुत होती हैं। भौतिक घटनाएँ भी प्रस्तुत या अप्रस्तुत होती हैं, किन्तु इस पक्ष में भी इनमें एक भेद है, वह यह कि मानसिक घटनाएँ केवल उसी को प्रत्यक्षगत हो सकती हैं जिसे अनुभूत होती हैं—जब तक सम्भवत: परामनोविज्ञान को सत्य स्वीकार नहीं किया जाए—किन्तु भौतिक घटनाओं का स्वरूप–लक्षण, उनका सार्वजनिक ग्रहण है। इसीलिए अनेक बार 'मानसिक' तथा 'भौतिक' की विच्छेदक विशेषताओं का स्वरूप उतना स्पष्ट नहीं होता जितना प्राय: समझा जाता है। उदाहरणत: एक वाक्य लें—'राम दु:खी है', जिसका प्रयोग मोहन ने किया है। अब यह कथन राम की मानसिक घटना के सम्बन्ध में है जोकि मोहन को ज्ञात है। यह शंका कि मोहन का वह कथन असत्य भी हो सकता है क्योंकि वह इसमें भ्रान्ततया विश्वास करता हो सकता है, इस कथन के अपरोक्षत: राम के दु:ख के सम्बन्ध में होने के विरुद्ध कोई तर्क नहीं है, क्योंकि इसी प्रकार से 'वहाँ मेज़ है' कथन में भी, किसी प्रकार से मेज़–भ्रम उत्पन्न करके, उदाहरणत: दर्पण आदि द्वारा, यह विश्वास कर सकता है कि वहाँ मेज़ है। यहाँ एक और तर्क भी दिया जा सकता है, जैसे राम भ्रम से यह विश्वास कर सकता है कि वह श्याम की सफलता पर प्रसन्न है जबकि वास्तव में वह इस पर अचेतन रूप से दु:खी है, और इस तथ्य को एक मनोविश्लेषक जानता हो सकता है। इसलिए अनेक दार्शनिकों के अनुसार, इस अर्थ में कुछ व्यक्तिगत नहीं होता कि वह सर्वगत हो ही नहीं सकता। इस समस्या से ही सम्बद्ध भाषा की सर्वगतता का प्रश्न है। यह कहा जाता है कि किसी भाषा के पद केवल सर्वगत अर्थ ही रखते हैं। जैसाकि क्वाईन ने दिखाया है, 'आह्' जैसी अभिव्यक्तियाँ भी समाज में सीखी जाती हैं और इनका अर्थ सर्वगत होता है।

---

1. पुटनम, हिलेरी — साइकोलोज़िकल कांसेप्ट्स, एक्स्प्लीकेशन्स एण्ड ऑर्डीनरी लैंग्वेज, दि जनरल ऑफ फिलासफ़ी, जिल्द 54, संख्या 4.

यही बात 'व्यक्तिगत' के लिये सामान्य रूप से कही जा सकती है। यह दिखाया जा सकता है कि वास्तव में कुछ भी सर्वगत नहीं है। रसेल तथा मूर के समान लोक-संज्ञानवादी तथा वैज्ञानिकतावादी भी यह प्रतिपादित करते रहे हैं कि भौतिक वस्तुएँ केवल संवेद-प्रदत्तों में अन्तर्भाव्य हैं और अतएव 'भौतिक' केवल आहार्य सम्प्रत्यय है। इस प्रकार से, उनके सिद्धान्त के लिये 'सर्वगत' समस्यात्मक है जबकि 'व्यक्तिगत' स्वत:स्पष्ट है। वास्तव में यह समस्यात्मकता ही मूर तथा ब्रॉड के 'असंवेदित संवेद प्रदत्तों' के मूल में है।

इन कठिनाइयों के प्रदर्शन से मेरा यह अभिप्राय कदापित नहीं है कि वास्तव में 'व्यक्तिगत' और 'सर्वगत' का द्वैत निराधार है। सर्वगत के पक्षपाती यह प्रतिपादित करते हैं कि हम सब कुछ समाज में सीखते हैं, हमारे अत्यन्त मौलिक आवेग तक समाज में ही नियोजित तथा वर्गीकृत होते हैं, अत: कोई भी अभिव्यक्ति व्यक्तिगत नहीं होती।

विट्गिंस्टाइन इस मत के प्रथम प्रतिपादक थे और राईल ने उनका अनुसरण किया। राईल का मन का सिद्धान्त इसी पूर्व-प्रतिज्ञा से अनुगत होता है। किन्तु यह ऐतिहासिक भूल एक अत्यन्त सामान्य तथा सीधी-सी बात को न समझने के कारण की गई। ये लोग 'व्यक्तिगत' तथा 'सर्वगत' के प्रातीतिक विरोध के कारण भ्रमित हो गए। किन्तु जैसाकि हम अभी देखेंगे, ये सम्प्रत्यय परस्पर न नकारात्मक रूप से अनुगत होते हैं और न सकारात्मक रूप से।

उदाहरणत: एक वाक्य लें—'राम घर जाता है।' मान लीजिए कि यह वाक्य दस व्यक्ति काल-क्षण $क_1$ पर सुनते हैं और यह कि वे सभी इसका अर्थ समझते हैं। अब इस प्रकार यह सर्वगत का एक आदर्श उदाहरण है। हम इस बात का निषेध नहीं करते, हम यह भी मान लेते हैं कि इसका समझा जाना यह लागू करता है कि इस वाक्य का दस व्यक्तियों को अर्थ-ज्ञान सर्वगत देश में एक घटना है और व्यक्तिगत देशों में (अथवा कहें व्यक्तिगत इतिहासों में) दस घटनाएँ भी हैं। यह इस प्रकार से और भी स्पष्ट किया जा सकता है : मान लें कि दस श्रोताओं में से कम-से-कम एक श्रोता 'राम' पद को अन्य सुनने वालों से भिन्न किसी व्यक्ति का नाम समझता है। इस प्रकार, एक पद का सर्वगत रूप से प्रशिक्षण यह सिद्ध नहीं करता कि इसके ज्ञान की एक घटना व्यक्तिगत नहीं है, और न ही इसका अन्य व्यक्तियों से विनिमय यह सिद्ध करता है कि यह व्यक्तिगत नहीं है। इस प्रकार से इस अर्थ में (और हम नहीं समझते कि 'व्यक्तिगत' तथा 'सर्वगत' को और क्या अर्थ दिया जा सकता है) मेरा एक वाक्य का अर्थ-ज्ञान, चाहे यह वाक्य समाज में ही क्यों न सीखा गया हो, यह लागू नहीं करता कि इस वाक्य का अर्थ-ज्ञान दूसरे व्यक्तियों को भी हुआ है इसलिए यह सर्वगत है, यह केवल यह लागू करता है कि इसका एक व्यक्ति को अर्थ-ज्ञान व्यक्तिगत नहीं है।

उपर्युक्त विवेचन से सर्वगत-भाषावादियों की भूल स्पष्ट है। एक दूसरा भ्रान्त तर्क, जिसकी भ्रान्ति यहाँ मैं प्रदर्शित करना चाहता हूँ, प्रो. बनर्जी ने दिया है।[1] उनके अनुसार, एक दन्त-पीड़ा अथवा उदर-पीड़ा यह लागू करती है कि इसका भोक्ता कोई व्यक्ति भी है (अर्थात्, प्रतिज्ञा 'मैं हूँ' को) और प्रतिज्ञा 'मैं हूँ' यह लागू करती है कि अन्य व्यक्ति भी हैं (जिस प्रकार से मैं हूँ)। वे इन प्रतिज्ञाओं को अपने दर्शन की मूल प्रतिज्ञाओं के रूप में प्रस्तुत करते हैं। सर्वप्रथम यह समझना अत्यन्त कठिन है कि उदर-पीड़ा उसके उपभोक्ता को, अर्थात् 'मैं हूँ' को, कैसे लागू करती है। किन्तु यहाँ हम इसकी उपेक्षा करेंगे। यहाँ केवल हम उनकी दूसरी प्रतिज्ञा पर ही विचार करेंगे। उनकी युक्ति यह प्रतीत होती है कि, यह प्रतिज्ञा कि कुछ व्यक्तिगत है, यह लागू करती है कि कुछ सर्वगत भी है, अथवा उनके ही शब्दों में कहें तो, यह अनुभव कि 'मैं हूँ' यह पूर्वकल्पित करता है कि 'अन्य भी हैं' (जिस प्रकार से मैं हूँ)। अब, यह स्थापना एक तुच्छ अर्थ में ठीक है—कि 'मैं' एक सापेक्ष पद है और परिणामत: 'पर' इससे तर्कत: लागू होता है। और इसी प्रकार से, 'सर्वगत' 'व्यक्तिगत' को लागू करता है। किन्तु लागू करने का यह तार्किक सम्बन्ध बहुत सुविधापेक्ष्य रूप से स्वीकृत सम्बन्ध है, कोई तथ्यात्मक सम्बन्ध नहीं है। इस प्रकार,

1. फ्रेग्मेंट्स ऑफ फिलासफ़ीकल इन्वेस्टीगेशन — दि इण्डियन जर्नल ऑफ फिलासफ़ी, अप्रैल, 1960.

'व्यक्तिगत' को अस्वीकार करने वालों को इस लागू होना सम्बन्ध को स्वीकार करने में आपत्ति होगी, क्योंकि वे 'सर्वगत' का प्रयोग 'व्यक्तिगत' के सापेक्ष प्रत्यय के रूप में नहीं करते हैं। इसके अतिरिक्त, 'पर का बोध' सार्वजनिकता को लागू नहीं करता और न 'मैं' का व्यक्तिगतता को करता है।

जैसाकि 'व्यक्तिगत' के अर्थ में थोड़ा झाँकने से देखा जा सकता है, यह एक बंद स्थान का-सा बोधक है जहाँ कि व्यक्तिगत घटनाएँ घटित होती हैं। इसी धारणा के अनुसार यह प्रतिपादित किया जाता है कि एक व्यक्ति यह नहीं जान सकता कि एक अन्य व्यक्ति र के मन में क्या घटित हो रहा है। यदि हम तर्क करें कि य कभी-कभी परामनोवैज्ञानिक रूप से यह जानता है कि र के मन में क्या घटित हो रहा है, तो व्यक्तिगत सिद्धान्तवादी उत्तर देता है कि उसकी युक्ति किसी तथ्यात्मक जानकारी पर आधारित न होकर परिभाषा पर आधारित है। उसके अनुसार, यद्यपि यह सम्भव है कि व यह जानता हो कि र के मन में क्या है, किन्तु उसके लिये यह उसके अनुभव का अनुभव, अथवा अधिक ठीक शब्दों में उससे तादात्म्य, असम्भव (तर्कत:?) है। किन्तु इसके विरुद्ध यह कहा जा सकता है कि मेरा मेज़ का ज्ञान मेरा मेज़ की अवस्थाओं से तादात्म्य होना नहीं है, क्योंकि मेज़-घटना एक 'अन्यत्र' घटित घटना है। इस प्रकार यह परिभाषा पर आधारित युक्ति हमें कठिनाई से बचाने में असमर्थ है। जब तक हम 'ज्ञान' और 'उपभोग' को घपलाते हैं तब तक यह युक्ति ठीक है, किन्तु इनको घपलाने पर उपर्युक्त अत्यन्त मूर्खतापूर्ण स्थिति भी उपयुक्त होने का भ्रम उत्पन्न कर सकती है। किन्तु उतना ही समस्यात्मक व्यक्तिगतता का सम्प्रत्यय भी है, क्योंकि यदि परामनोविज्ञान को सत्य मानें तो यह कहना अधिक उपयुक्त जान पड़ता है कि 'राम की दु:ख-घटना' श्याम को भी प्रस्तुत हो सकती है, यद्यपि उसका अनुभव केवल राम को ही हो सकता है। जो भी हो, जैसाकि हम अभी देखेंगे, किसी वस्तु के ज्ञान के लिये उसका प्रत्यक्ष प्रस्तुत होना आवश्यक नहीं है।

4

किसी घटना का ज्ञान और अनुभव दो बातें हैं, एक नहीं, चाहे ज्ञात और अनुभूत मानसिक घटना एक ही घटना क्यों न हो। उदाहरणत: व ईर्ष्यानुभव करते हुए भी उससे अनवगत हो सकता है (कम-से-कम सैद्धान्तिक रूप से)। अब, एक घटना अनिवार्यत: एक ही इतिहास की भाग होती है, दो की नहीं। यह एक मेज़-घटना के लिये उतना ही सत्य है जितना किसी मानसिक के लिये । और दूसरी ओर, कोई भी घटना किसी दूसरे की ज्ञान-विषय हो सकती है। हम इस विशिष्ट सम्बन्ध को 'अवगति की स्थिति' कहेंगे। अब, इस प्रकार परिभाषित करने पर, एक अवगति की स्थिति का विषय कुछ भी हो सकता है—मेज़ भी और दूसरों के सुख-दु:ख भी।

किन्तु यह इस समस्या का अन्त नहीं है। क्योंकि यहाँ यह प्रष्टव्य है कि अवगति तथा इसके विषयों में सम्बन्ध का क्या स्वरूप है? अब, इस प्रश्न की उलझन प्रश्न के अपने स्वरूप में ही निहित है, क्योंकि यह अवगति की स्थिति में तथ्यों के द्वैत को पूर्वकल्पित करता है। अर्थात्, अवगति की क्रिया को और विषय को—जोकि 'वहाँ बाहर' है। इस प्रकार, इस समस्या का सुलझाव इस द्वैत के निरास में निहित है जोकि भ्रामक परिभाषाओं के कारण निर्मित है।

जैसाकि स्पष्ट है, अवगति किसी विषय की होती है। दूसरे शब्दों में, वाक्य-खण्ड 'यह अवगत है कि...' एक पूरक वाक्य-खण्ड...अमुक-अमुक वस्तुस्थिति है की अपेक्षा करता है। इस प्रकार, वाक्य-खण्ड 'यह अवगत है कि...' स्वतन्त्र रूप से किसी वस्तुस्थिति को व्यक्त नहीं करता। हमारे विचार में, '...कि' से पूर्व के वाक्य-खण्ड की रचना वाक्य में विधेय के रूप में की जानी चाहिए तथा दूसरे वाक्य-खण्ड की रचना उद्देश्य के रूप में। इस तरह यह वाक्य इस प्रकार से पुन: रचित किया जा सकता है—'यह अवगत है कि' (यह वृक्ष है) (इस वाक्य में कोष्ठकों के भीतर का वाक्य संज्ञा-पद के स्थान पर है और बाहर का गुणवाचक पद के स्थान पर)। अब, यहाँ विधेय को 'ग' प्रतीक देते हुए और उद्देश्य को 'व.' प्रतीक देते हुए यह वाक्य होगा 'ग(व.)'। अब इस प्रकार से पुनारचित होने पर 'व.' सामान्य 'ग' (अवगति) के एक उदाहरण (विशिष्ट) का वाचक होगा, जैसाकि

'अ रक्त है' वाक्य में 'अ' है। अथवा आप कह सकते हैं कि इन पुनारचित वाक्यों में 'ग' एक विशिष्ट अवगति की स्थिति का वाचक है जो 'व. वत्' है।

'अवगति' शब्द का प्रयोग हम 'ज्ञान' शब्द के सीमित अर्थ में नहीं कर रहे हैं जिस अर्थ में हमने इस पद का प्रयोग 'ज्ञान का विश्लेषण' अध्याय में किया है। यहाँ यह 'स्मृति', 'प्रत्यक्ष', 'संवेदन' आदि के सामान्य अर्थ में प्रयुक्त किया जा रहा है। यहाँ हम यह भी प्रस्तावित करना चाहते हैं, यद्यपि इस प्रसंग के विस्तार में जाय बिना, कि ऐसी वस्तुस्थितियाँ भी हो सकती हैं, जैसे 'अवगति की अवगति', जिस प्रकार से 'यह अवगत है कि (यह अवगत है कि मैं दुःखी हूँ)' में। अब हम कह सकते हैं कि 'अवगति' द्वारा वाच्य तथ्य मानसिक तथ्य है क्योंकि 'अवगति' पद उपर्युक्त विभिन्न प्रकार के (स्मृति आदि) गुणों का वाचक है। इसलिए मूल रूप में (अथवा कहें, प्रथम स्तरीय विधेयों के रूप में) अवगति वाक्यों का अनुवाद इस प्रकार से किया जा सकता है—'यह दृष्ट है कि (यहाँ मेज़ है)', 'यह संवेदन है कि (मेरे सिर दर्द है)', 'यह स्मृत है कि (यहाँ कल मेज़ था)' आदि।

किन्तु इस प्रकार का निरूपण सब-कुछ को 'मानसिक' में अन्तर्भूत कर लेता है। इस प्रकार, मेज़ जब दृष्ट है तब मानसिक है और जैसाकि इससे तर्कतः अनुगत होता है, अदृष्ट मेज़ का मानसिकता से कोई सम्बन्ध नहीं है। यहाँ 'दृष्ट मेज़' से मेरा अभिप्राय है 'दृष्टि-विषय मेज़' जो 'मेज़-वस्तु' से भिन्न है और जो स्वप्न में उतना ही विषय है जितना जागृति में।

इन सम्प्रत्ययों के स्वरूप-निरूपण के लिये यह कहा जा सकता है कि सिर दर्द की घटना का होना यह लागू करता है कि यह अनुभूत है, जबकि मेज़ का होना यह लागू नहीं करता कि यह किसी का दृष्टि-विषय अवश्य होगा। जहाँ तक अचेतन मानसिक घटनाओं का सम्बन्ध है, इनके लिये यह कहा जा सकता है कि ये अवधान-विषय नहीं होतीं, किन्तु यह नहीं कहा जा सकता कि ये अनुभूत भी नहीं होतीं। 'अननुभूत' अथवा 'अनुपभुक्त मानसिक घटना' पद वदतोव्याघात है। अनवधान-विषय स्पर्धाएँ, अथवा अधिक ठीक शब्दों में, झुठलाई हुई स्पर्धाएँ, अवश्य हो सकती हैं।

मेज़ों के सम्बन्ध में कुछ स्पष्टीकरण अपेक्षित है—संवेद-प्रदत्तवादियों के अनुसार, भौतिक वस्तुएँ संवेद-प्रदत्त मात्र हैं। उनसे न्याय करने के लिये इस प्रतिपादन को भाषीय पदावली में प्रस्तुत करना ठीक होगा। तब कहा जा सकता है कि ऐसे वाक्य, जिनमें भौतिक वस्तुओं के वाचक पद विधेयों के रूप में घटित होते हैं, ऐसे वाक्यों में अन्तर्भाव्य हैं जिनमें केवल संवेद-प्रदत्तों के वाचक पद विधेयों के रूप में घटित होते हैं। जहाँ तक संवेद-प्रदत्तों की स्थिति का सम्बन्ध है, मुख्यतः दो व्याख्याएँ प्रस्तुत की गई हैं। एक के अनुसार संवेद-प्रदत्त संवेदानुभव हैं, किन्तु दूसरे मत के अनुसार इनकी संवेदन से स्वतन्त्र स्थिति भी है।यहाँ यह कहना अधिक उचित प्रतीत होता है कि भौतिक वस्तुओं के सम्बन्ध में कथन संवेद-प्रदत्तों में कथनों को लागू करते हैं। ये वस्तु-वाक्य या तो परोक्षतः प्रमाणीय होते हैं या अपरोक्षतः, जबकि प्रमाणीकरण वाक्य अनिवार्यतः संवेद-प्रदत्त वाक्य ही हो सकते हैं। यहाँ हम एक और मर्यादा लगाना आवश्यक समझते हैं—भौतिक वस्तु-पदों के सम्प्रत्यय का यह एक आवश्यक अंग है कि दो व्यक्ति एक ही वस्तु का निर्देश कर सकते हैं और इस निर्देश-सम्बन्ध को घटित होते देख सकते हैं। अतएव ये वाक्य कि 'मेरे कमरे में मेज़ है' तथा 'तुम्हारे कमरे में मेज़ है' एक ही मेज़ का निर्देश कर सकते हैं, यदि ये दो कालों पर बोले गए हों, और यह निर्देश-सम्बन्ध प्रमाणीय है। वास्तव में सर्वगत का केवल यही अर्थ है। संवेद-प्रदत्तवाद वस्तुओं-सम्बन्धी इन अर्थीय अभ्युपगमों का आकलन नहीं कर सकता।

किन्तु मानसिक अवस्थाओं के वाचक पदों की स्थिति इससे भिन्न है। जब मैं कहता हूँ 'मैं दुःखी हूँ' तब यह कथन एक घटना के सम्बन्ध में है। अब, यदि कोई मुझे कहता है कि 'तुम आज बहुत प्रसन्न प्रतीत होते हो' जबकि वास्तव में मैं दुःखी हूँ, तो मैं उसे भ्रान्त समझता हूँ। इस प्रकार यह कहना सार्थक है कि मेरा दुःख अन्य

सबको अज्ञात रह सकता है। अब यह कहना यह कहने के समान नहीं है कि विद्युद्द्युति एक के अतिरिक्त शेष सबको अदृष्ट रही हो सकती है। जहाँ तक निर्देशन का सम्बन्ध है, यदि कोई कहता है कि 'तुम दुःखी हो' जबकि मैं वास्तव में ही दुःखी हूँ, तो मैं उसे उसी घटना का निर्देशन करता समझता हूँ जिसे मेरा वाक्य 'मैं दुःखी हूँ' करता है, अन्यथा मैं यह नहीं कह सकता कि दूसरे मेरे दुःख के सम्बन्ध में ही बात कर रहे हैं जब वे 'तुम दुःखी हो' ऐसा कहते हैं। किन्तु जब मैं किसी दूसरे को कहता हूँ कि 'तुम दुःखी हो' तब स्थिति इससे थोड़ी भिन्न होती है। यह भिन्नता इस बात में निहित है कि जबकि प्रथम स्थिति में मैं निर्देश-सम्बन्ध को घटित होते देखता हूँ दूसरी स्थिति में मैं यह नहीं देखता। किन्तु जहाँ तक स्वयं निर्देशन का सम्बन्ध है, जबकि मैं कहता हूँ कि 'तुम दुःखी हो', तब इस कथन का निर्देश वही घटना होती है जो उस व्यक्ति के कथन का जिसकी मानसिक घटना के सम्बन्ध में मेरा वाक्य है। अन्यथा यह वाक्य कि 'तब मैं यह देखने में असमर्थ था कि तुम दुःखी थे' अर्थहीन हो जाएगा। किन्तु यह सर्वगत निर्देश दो प्रकार से भौतिक वस्तुओं के निर्देश से भिन्न है। प्रथम भेद अन्य मनों के सम्बन्ध में कथनों के अर्थ-निकष से सम्बन्ध रखता है। अन्य मनों के सम्बन्ध में कथनों का अर्थ अपने मन के सम्बन्ध में कथनों से अनुगत होने वाले कथनों में अनुवाद व्यंजनीय है। इस प्रकार, 'राम दुःखी है' का अर्थ 'य दुःखी है' से प्राप्य है जोकि स्वयं 'मैं दुःखी हूँ' से अनुगत होता है। इस प्रकार हम कह सकते हैं कि अन्य मनों के सम्बन्ध में वाक्य कभी भी प्रत्यक्ष-निर्देश से नहीं सीखे जा सकते। मैं 'दुःखी' का अर्थ प्रत्यक्ष निर्देश से सीखता हूँ जब यह 'मेरे दुःख' का निर्देश करता है, किन्तु जब यह 'उसके दुःख' का निर्देश करता है तब मैं इसका अर्थ इस प्रकार से नहीं सीखता हूँ दूसरे शब्दों में, दूसरों के अनुभवों के सम्बन्ध में चर्चा करते हुए हम कभी भी विशिष्ट वाचक पदों का प्रयोग नहीं कर सकते। इस प्रकार, जबकि मैं स्वीकार करता हूँ कि राम का दुःख-व्यवहार मेरे इस ज्ञान के लिये आवश्यक है कि राम दुःखी है, मेरे कथन का निर्देश उसका दुःख-व्यवहार कभी नहीं होता।

दूसरा भेद निर्देश सम्बन्ध को देखने में है। जबकि हम दूसरों की मानसिक घटनाओं के सम्बन्ध में कथन करते हैं, हम निर्देश सम्बन्ध को घटित होते नहीं देख सकते। इस प्रकार, जब मैं कहता हूँ 'राम दुःखी है' तब मैं सीधे राम की मानसिक घटना का निर्देश करता हूँ, उस समय उसके व्यवहार के सम्बन्ध में कुछ कहना अभिप्रेत नहीं होता। किन्तु 'राम दुःखी है' वाक्य किसी ऐसे कथन को लागू नहीं करता जोकि मेरा प्रमाणीकरण वाक्य है। जैसे, 'राम दुःखी है' यह लागू नहीं करता कि 'राम दुःख-व्यवहार कर रहा है', चाहे 'राम दुःखी है' वाक्य श्याम ने प्रयुक्त किया हो। अन्य मनों-सम्बन्धी कथनों के निर्देश-सम्बन्धों को न देख सकने से मेरा यही अभिप्राय है। केवल इसी अर्थ में मैं मानसिक घटनाओं को व्यक्तिगत मानता हूँ। दूसरे शब्दों में, दूसरों की मानसिक अवस्थाओं के सम्बन्ध में कथन सार्थक हैं, हम दूसरों की मानसिक अवस्थाओं का निर्देश भी अपरोक्षत: करते हैं, किन्तु ये निर्देश-सम्बन्ध स्वयं प्रत्यक्ष नहीं होते।

सारांश में, हमारी व्याख्या एक ओर अन्य मनों के ज्ञान के सम्बन्ध में भ्रान्त धारणाओं का निरास कर इसे सम्भव बनाती है, किन्तु फिर भी 'व्यक्तिगत' की रक्षा करती है, और दूसरे 'मानसिक' की 'भौतिक' के आधार पर तथा 'भौतिक' की 'मानसिक' के आधार पर पुन:रचना को अनावश्यक सिद्ध करती है। हमारे संसार की उचित व्याख्या में 'मानसिक' तथा 'भौतिक' दोनों कोटियों को पृथक् रखना सिद्धान्त तथा अर्थ दोनों के सौष्ठव के लिये आवश्यक है।

विश्लेषणात्मक और आनुभविक

इस अध्याय में हम भाषा के कथनात्मक पक्ष पर विचार करेंगे। भाषा में अनेक प्रकार के वाक्यों का प्रयोग होता है। इनमें वाक्यों का एक वर्ग ऐसा है जो वस्तु-निर्देश करता है, जैसे 'यह तारा भोर में उदित होता है', 'इस गिलास में पानी है' आदि वाक्य। ये कथन वस्तुस्थितियों के प्रसंग में सत्य या असत्य होते हैं। इन कथनों को संश्लेषणात्मक कहा जाता है, क्योंकि इनमें उद्देश्य पद तथा विधेय पद स्वतन्त्र रूप से वस्तुओं या गुणों की संज्ञाएँ हैं और दोनों मिलकर कथन का निर्माण करते हैं। 'यह तारा' एक वस्तु का वाचक पद है जिस वस्तु की अनेक में से एक विशेषता 'भोर में उदित होना' है। यह विशेषता किसी भी तारक में हो सकती है, और पुनः, यह आवश्यक नहीं है कि यह इसकी विशेषता हो ही, हम भूल में भी हो सकते हैं। इनके लिये हम कह सकते हैं कि उद्देश्य द्वारा व्यक्त सम्प्रत्यय तथा विधेय द्वारा व्यक्त सम्प्रत्यय दो स्वतन्त्र सम्प्रत्यय होते हैं और ये वाक्य में संयुक्त होकर वस्तु-विश्व के सम्बन्ध में सूचना देते हैं। कुछ दूसरे ऐसे वाक्य होते हैं जिनमें उद्देश्य-विधेय व्याकरण की दृष्टि से कथनात्मक वाक्य का निर्माण तो करते हैं किन्तु इनमें उद्देश्य और विधेय दो स्वतन्त्र सम्प्रत्ययों को व्यक्त नहीं करते, इनमें विधेय उद्देश्य के सम्प्रत्यय की या तो दूसरे शब्द द्वारा पुनरुक्ति-मात्र करता है अथवा उसके अनेक में से एक निहितार्थ को पृथक् व्यक्त करता है। इस प्रकार इन वाक्यों के विधेय उद्देश्य में से ही पृथक् निकाले जाते हैं। ऐसे वाक्यों को इसी कारण से विश्लेषणात्मक कहा जाता है। 'सब कँवारे अविवाहित हैं' प्रथम प्रकार के विश्लेषणात्मक कथन का उदाहरण है और 'सब भौतिक वस्तुएँ विस्तारयुक्त हैं' दूसरे प्रकार के वाक्य का। इनकी इस विशेषता के कारण कुछ दार्शनिक इन्हें 'रिक्त कथनात्मक वाक्य' भी कहते हैं। इन वाक्यों को अर्थ-विवेचक वाक्य कहना अधिक उपयुक्त है। किन्तु गणित तथा तर्क को भी विश्लेषणात्मक कहा जाता है। वहाँ कोई अर्थ-विवेचन नहीं होता। जहाँ तक गणित का प्रश्न है, उसमें 'अर्थ' शब्द के अर्थ का विस्तार करने पर यह कहा जा सकता है कि यदि वहाँ विश्लेषणात्मकता होती है तो अर्थाभिव्यक्तिपरक ही होती है। किन्तु गणित को विश्लेषणात्मक कहा जाय या नहीं, यह भिन्न प्रश्न है। कांट ने गणित को विश्लेषणात्मक नहीं माना था यद्यपि अनुभव से निरपेक्षतः सत्य माना था, और मिल ने उसे आनुभविक ही माना था और इसलिए '2+2=4' को ठीक उसी प्रकार का कथन माना था जैसा 'यह तारा भोर में उदित होता है' वाक्य है। तार्किक प्रत्यक्षवादी दार्शनिकों में यह सर्वसम्मत है कि 'गणित विश्लेषणात्मक है।' किन्तु इधर प्रो. गोविन्दचन्द्र पाण्डे ने इस पर सन्देह प्रकट किया है। वे कहते हैं कि "वे (तार्किक प्रत्यक्षवादी) यह नहीं बता सकते कि गणित में उपयोगिता और अनिवार्यता दोनों किस प्रकार समन्वित होकर उपलब्ध हो सकती हैं।"[1] गणित में कठिनाई यह है कि जब कि दो वस्तुएँ और दो वस्तुएँ एकत्र होने पर चार वस्तुएँ होती हैं, और यह अनिवार्य है कि वे चार ही बनेंगी, यह स्पष्ट नहीं है कि क्या 'दो' शब्द के अर्थ में ही ऐसा कुछ निहित है या नहीं कि यह कहा जा सके कि 'चार' शब्द 'दो और दो' का ही पर्याय सम्प्रत्यय है। पाण्डेजी कहेंगे कि यह है, किन्तु यह अर्थजन्य अनिवार्यता वस्तुपरक अनिवार्यता भी उतनी ही है। इसलिए यह कहना उचित है कि 'दो' का ऐसा अर्थ वस्तुपरक अर्थ है और यह अर्थोद्घाटन वस्तुस्थिति की सूचना है।

मैं डॉक्टर पाण्डे के इस मत से सहमत नहीं हूँ, क्योंकि यह मत 'अर्थ' के अर्थ के असम्यक् अवधारण का परिणाम है। संख्यावाचक पद वास्तव में 'वस्तु' श्ब्द के अर्थ के ही एक अंग हैं। इस अंग को हम निम्न अर्थीय अभ्युपगम के रूप में व्यक्त कर सकते हैं—

---

1. मानव पर्येषणा और दार्शनिक विमर्श, दार्शनिक त्रैमासिक, अक्टूबर 1966, तथा पाण्डेजी का लेख A Note on Formalization and the Nature of Mathematics भी द्रष्टव्य, Proceedings of Rajasthan University Seminar on Modern Logic and Philosophy, Manaktalas, Bombay,1967.

वस्तु $व_1$ यदि देश–काल $द_1$ पर है तो वह $द_2$ पर नहीं हो सकती। अब, भौतिक वस्तुओं के सम्बन्ध में यह अर्थीय अभ्युपगम स्वीकार करने पर उनके सम्बन्ध में यह अनिवार्य सत्य है कि दो और दो वस्तुएँ चार वस्तुएँ ही होंगी, अन्यथा दो मेज़ और दो मेज़ अनिवार्यत: चार मेज़ नहीं होंगे, क्योंकि किसी भी मेज़ के लिये यह सम्भव होगा कि वह एक–साथ $द_1$ तथा $द_2$ पर हो सके और इस प्रकार दो और दो मिलने पर पाँच हो जाएँ। वास्तव में, उपर्युक्त अर्थीय अभ्युपगम स्वीकार न करने पर 2, 4 आदि का भी कोई अर्थ नहीं रह जाता।

तब कहा जा सकता है कि उपर्युक्त अर्थीय अभ्युपगम वस्तुओं के स्वभाव के सम्बन्ध में एक सत्य है, यह मात्र अभ्युपगम नहीं है। किन्तु वास्तव में यह ठीक नहीं है, जैसाकि हमने व्याख्या और प्रत्यक्ष–सम्बन्धी अध्यायों में देखा है, यह वस्तु–स्वभाव के सम्बन्ध में सत्य न होकर वस्तु–सम्प्रत्यय के सम्बन्ध में सत्य है, और वस्तु–स्वभाव भी वास्तव में वस्तु–सम्प्रत्यय ही है और कुछ नहीं। जहाँ तक तर्क का प्रश्न है, वह तो विश्लेषणात्मकता का मूल ही है, क्योंकि निगमन अर्थगत सम्बन्धों में ही मूलित है। आकारिक तर्क वस्तुगत अर्थ–सम्बन्धों का ही उद्गृहीत आकार है। ये आकार वस्तु–सूचक न होकर वस्तु–संधारक होते हैं और इनकी उपयोगिता इसी बात में निहित है। हमने 'दार्शनिक विधि' अध्याय में निहितार्थों तथा अनुगतताओं (इम्प्लीकेशं) की चर्चा करते हुए देखा था कि किस प्रकार एक प्रतिज्ञा अथवा कथन का दूसरी प्रतिज्ञा अथवा कथन को अनुबद्ध करना हमारे विशेष वस्तु–अवधारण का सापेक्ष है। बाध एक दूसरा उदाहरण हो सकता है। इस नियम की स्वीकृति विचार और संवाद के लिये अनिवार्य है और इसी में इसकी उपयोगिता निहित है।

हमारे प्रतिपादन की और भी अधिक पुष्टि गणित की उन संख्याओं तथा रचनाओं से होती है जो वाक्यश: कथन करने में असमर्थ हैं, किन्तु उनके सम्पूर्ण संस्थान की उपयोगिता स्पष्ट है। इस प्रकार गणित और तर्क की उपयोगिता का आधार है ही इस बात में कि ये विश्लेषणात्मक हैं। जैसाकि हम इस अध्याय के अन्त में देखेंगे, संश्लेषणात्मक वाक्यों की कथन–सामर्थ्य भी एक सामान्य विश्लेषणात्मक सन्दर्भ में ही उपलब्ध होती है।

यहाँ हम वस्तुओं–सम्बन्धी कुछ और अभ्युपगमों पर विचार करेंगे जो गणित तथा तर्क के लिये आधारभूत हैं और जो संश्लेषणात्मक कथनों की कथन–सामर्थ्य के लिये आवश्यक हैं—

क— यदि $मेज़_1$ देश–काल $द_1$ पर है तो वह $द_2$ पर नहीं हो सकता।

ख— यदि $मेज़_1$ $क_2$ पर कमरे में है, और यदि वह वहाँ से उठाया नहीं गया, तो वह $क_2$ पर भी कमरे में ही होगा।

ग— यदि $मेज़_1$ $क_1$—$क_3$ पर कमरे में देखा गया है और यदि इस बीच वह वहाँ से उठाया नहीं गया तो वह $क_2$ पर भी कमरे में ही था, चाहे वह तब किसी से देखा नहीं गया।

घ— यदि व्यक्ति $व_1$ को $क_1$ $द_1$ पर $मेज़_1$ दिखाई दिया है, और यदि वह विक्षिप्तावस्था में अथवा स्वप्न में आदि–आदि नहीं है, तो उचित परिस्थितियों में (जैसे, आँखें ठीक होने पर, प्रकाश ठीक होने पर, बाधा नहीं होने पर आदि) वह $क_1$—$द_1$ पर $व_2$ को भी दिखाई देगा।

इसी प्रकार कुछ और अभ्युपगम भी दिये जा सकते हैं, किन्तु ये मुख्य अभ्युपगम हैं जो 'भौतिक वस्तु' के अर्थ–घटक हैं और इस प्रकार 'भौतिक वस्तु' की विश्लेषणात्मक प्रागपेक्षा हैं। अब, हम यह जानते हैं कि दार्शनिकों ने इन अभ्युपगमों को प्राय: ही चुनौती दी है, किन्तु तब यह चुनौती किस प्रकार भौतिक वस्तुओं के अस्तित्व को ही चुनौती होती है यह भी हम जानते हैं। उदाहरणत:, बर्कले ने ग तथा घ को चुनौती दी थी और हम कह सकते हैं कि उसने भौतिक वस्तुओं का ही निषेध किया था। किन्तु वह भी यह चुनौती देकर निश्चिन्त नहीं हो सका और उसे घ की रक्षा एक अखिल संवेदक (ईश्वर) की कल्पना द्वारा करनी पड़ी। किन्तु यदि अभ्युपगम (घ) को हमारी भाषा से पूर्णत: बहिष्कृत कर दिया जाय तो हमें बाह्य विश्व–सम्बन्धी विचार और संवाद को आधारत: बदलना पड़ेगा।

वस्तुओं-सम्बन्धी ये अभ्युपगम वस्तु-अवधारणात्मक ज्ञान-क्रिया की प्रागपेक्षाएँ हैं, किन्तु ये प्रागपेक्षाएँ मन के कोई अनिवार्य जन्मजात संस्थान नहीं हैं, जैसाकि कांट मानता प्रतीत होता है, ये केवल आगन्तुक हैं, इस अर्थ में कि ये अन्य प्रकार के भी हो सकते थे, और जैसाकि विभिन्न भाषाओं के अध्ययन से हम देखते हैं, ये विभिन्न भाषा-समुदायों के लिये विभिन्न हैं भी। इसी प्रकार देश-काल-विषयक अन्य अभ्युपगमों के लिये भी कहा जा सकता है। सच तो यह है कि कांट का प्रागनुभविक देश-काल आज के भौतिक विज्ञान के देश-काल से नितान्त भिन्न है, और अनेकानेक अन्य देश-कालों की कल्पना की जा सकती है। पुनः, अनुभव से प्रागपेक्षित देश-काल भी एक ही प्रकार के नहीं हैं। किन्तु तब भी, कांट की इस अन्तर्दृष्टि के महत्त्व को स्वीकार करना ही पड़ेगा, और यही उसकी अन्तर्दृष्टि है भी, कि देश-काल अनुभव के लिये अनिवार्य प्रागपेक्षाएँ हैं, अनुभव—आन्तर या बाह्य—इनके आयाम में ही घटित होते हैं। हम कांट से भिन्न केवल यह कहना चाहते हैं कि यह आयाम अथवा आकार अनुभव में एक ही प्रकार से प्रदर्शित नहीं होता और परिणामतः इसका हमें प्रदत्त रूप आगन्तुक है।

अब, ये अभ्युपगम जबकि हमारी भाषा में भौतिक वस्तुओं के अवधारण के प्रसंग में पर्याप्त स्पष्ट हैं, आन्तर अनुभवों के प्रसंग में उतने स्पष्ट नहीं हैं। वास्तव में शायद यह केवल मनुष्य के लिये ही सम्भव है कि वह संवेदनाओं, अथवा कहें चैत्त-घटनाओं का भी वस्तु-अवधारण कर सकता है, अन्य प्राणियों के लिये ये विषय रूप में प्रस्तुत नहीं होतीं। दूसरे शब्दों में, यदि पाशव भाषा की कल्पना की जाय तो कहा जाएगा कि उस भाषा में संवेदनाओं आदि के वाचक कोई पद नहीं होते। वास्तव में हमने जो पीछे (द्रष्टव्य : मानसिक और भौतिक अध्याय) अवगति-वाक्यों की रचना की थी। वह इस अवधारण का स्पष्ट निर्देशक है। अन्यथा

(क) यह अवगत है कि, यह मेज़ है

वाक्य में उचित रूप से अवगति वाक्य 'यह मेज़ है' ही है, क्योंकि अवगति विषय से व्यतिरिक्त होकर अपना परिचय नहीं देती। यह केवल विश्लेषण का परिणाम है कि हम 'यह मेज़ है' को दृक् और विषय रूप में पृथक् अवधारित करते हैं। किन्तु इस प्रकार अवधारित करने पर यह वाक्य—

(ख) यह अवगत है कि, यह अवगत है कि यह मेज़ है

के रूप में रचित करना उपयुक्त है, जिसमें प्रथम 'यह अवगत है' अरूप है। वास्तव में अवगति की इस अनिवार्य (आनुभविक अनिवार्य) अरूपता के कारण ही इसे अतिक्रान्त प्रागनुभविक कहा जाता है।

जो भी हो, चित्त का वस्तु-अवधारण हम करते हैं। स्वभावतः, प्राणी होने के नाते हमारे लिये बाह्य विषय ही प्रमुख होते हैं, क्योंकि आदि में वे ही हमारे समक्ष प्रस्तुत होते हैं। परिणामतः चित्त का वस्तु-अवधारण भी इन्हीं के निदर्श पर होता है। किन्तु तब भी, इनके अर्थीय अभ्युपगम उतने निश्चित नहीं हैं जितने बाह्य वस्तुओं-सम्बन्धी संवाद के। उदाहरणतः एक अभ्युपगम देखें—

(ग) मेरी पीड़ा का अनुभव केवल मैं ही कर सकता हूँ।

इसका समानान्तर अभ्युपगम भौतिक वस्तु-विषयक भाषा में एक देखें—

(घ) इस मेज़ का विस्तार केवल इस मेज़ का ही विस्तार है।

यह अर्थीय अभ्युपगम स्पष्टतः स्वीकार्य नहीं है, कहना चाहिए इसका कोई अर्थ नहीं बनता। वास्तव में (ग) के समानान्तर अभ्युपगम होगा—

(च) इस मेज़ की जीर्णता इस मेज़ की ही जीर्णता है।

किन्तु जबकि (च) एक निश्चित अभ्युपगम है और इसका स्वीकार निर्विवाद होगा, अभ्युपगम (ग) उतना निश्चित नहीं है। उदाहरणतः हम 'सहानुभूति' पद का प्रायः ही प्रयोग करते हैं, और 'मुझे राम से सहानुभूति है'

वाक्य की पुन:रचना सामान्य रूप से इस प्रकार की जाएगी—'मैं राम की पीड़ा अनुभव करता हूँ' (मैं राम की पीड़ा में सहभागी हूँ)। अब इसके विरुद्ध कहा जा सकता है कि 'सहानुभूति' की पुन: रचना इस प्रकार से करना अयुक्त है, सहानुभूति अनुरूप अनुभूति को कहते हैं, अभिन्न अनुभूति को नहीं कहते। इस प्रकार 'सहानुभूति' का विश्लेषणात्मक अभ्युपगम होगा—

(छ) यदि राम को श्याम से सहानुभूति है तो राम और श्याम का दु:ख-विषय अभिन्न है।

अब यह मतभेद अर्थीय अभ्युपगम के सम्बन्ध में है। (ग) का प्रतिपादक अपने अभ्युपगम की स्थापना इन अन्य प्रागपेक्षाओं के आधार पर करता है—पीड़ा एक अनुभव है, एक अनुभव घटना एक अनुभव घटना है, वह दो नहीं हो सकती, इसलिए राम का दु:ख और श्याम का दु:ख, जोकि दो घटनाएँ हैं, एक नहीं हो सकतीं। इस प्रकार प्रतिपादित करने पर, 'मेरे दु:ख का केवल मैं ही अनुभव कर सकता हूँ' केवल एक पुनरुक्ति-मात्र हो जाती है।

किन्तु प्रतिवादी कह सकता है कि 'अनुभव' के साथ 'एक' विशेषण का प्रयोग उचित नहीं है। क्या अनुभव को उस अर्थ में 'एक' कहा जा सकता है जिस अर्थ में मेज़ या कुर्सी को कहा जा सकता है? अब यह स्पष्ट नहीं है, सम्भव है 'अनुभव' के साथ 'एक' विशेषण का प्रयोग अनुचित नहीं हो, किन्तु यह प्रयोग उस तरह से असन्दिग्ध रूप से उचित भी नहीं कहा जा सकता जिस प्रकार 'कुर्सी' के साथ कहा जा सकता है। और फिर, यह दिखाना भी अपेक्षित है कि राम और श्याम एक ही अनुभव-घटना के सहभोक्ता नहीं हो सकते। इसलिए किन्हीं दो व्यक्तियों के एक ही घटना के सहभोक्ता होने का निषेध स्वत: सिद्ध नहीं है। अब इस स्थिति को कुछ और तथ्यों द्वारा और भी व्यामिश्रित किया जा सकता है : एक तथ्य एक शरीर में दो 'व्यक्तित्वों' के होने का है और दूसरा दो शरीरों में एक 'व्यक्तित्व' के होने का। अब मान लीजिए कि यह सम्भव है, (वास्तव में प्रथम प्रकार के उदाहरण बहुत बार देखने को मिलते भी हैं) उस अवस्था में हम (ग) के सम्बन्ध में क्या कहना चाहेंगे? वास्तव में (ग) के पक्ष में निर्णय का आधार व्यक्ति की शरीर-सहित कल्पना है, शरीर से पृथक् हम सामान्यत: व्यक्ति की कल्पना नहीं कर सकते। मरने के उपरान्त प्रेत-योनि की और उसमें किसी प्रकार के विग्रह की धारणा है। ऐसा होने पर अभ्युपगम (ग) का (च) की उपमा पर स्वीकार स्वाभाविक हो जाता है। जो भी हो, यहाँ यह अनिश्चितता इस तथ्य को और भी स्पष्ट करती है कि यदि दो व्यक्ति मानसिक घटनाओं के सम्बन्ध में कोई सम्भाषण करना चाहते हैं तो उनके लिये उपर्युक्त अभ्युपगमों के सम्बन्ध में सहमत होना आवश्यक है।

अब हम संक्षेप में संश्लेषणात्मक वाक्यों के स्वरूप पर विचार करेंगे। जैसाकि हमने लेख के आरम्भ में कहा, संश्लेषणात्मक कथनों में उद्देश्य वस्तु का वाचक होता है और विधेय उस वस्तु के सम्बन्ध में कथन करता है कि वह किसी विशेष गुण या सम्बन्ध-युक्त है। ये कथन सत्य या असत्य होते हैं, इस रूप में कि या तो कथित वस्तु उक्त गुण या सम्बन्ध से युक्त नहीं होती अथवा होती है, अथवा कथित वस्तु उक्त गुण या सम्बन्ध से युक्त नहीं होती अथवा होती है, अथवा कथित स्थान पर कथित वस्तु ही नहीं होती। यहाँ अप्रासंगिक होने पर भी हम यह कहने का लोभ संवरण नहीं कर सकते कि ये वाक्य अत्यन्त अनिश्चित रूप से वस्तु-निर्देश करते हैं। जैसे, 'साथ के कमरे में मेज़ है' वाक्य सत्य है यदि कोई भी मेज़ साथ के कमरे में है। यह कथन किसी निश्चित मेज़ के बारे में होने पर भी उस मेज़ के आकार-प्रकार का पूर्ण निश्चय नहीं कर सकता। इस प्रकार इस वाक्य की सत्यता एक अत्यन्त अनिश्चित अस्पष्ट अपेक्षा के सन्तुष्ट होने से भी हो जाती है। इसका अर्थ है कि यह वाक्य विषयों के एक अत्यन्त अनियत आयाम के सम्बन्ध में है। वास्तव में भाषा की यह अनियतता ही इसे उपयोगी भी बनाती है। सच पूछा जाय तो, यह अनियतता प्रतीक मात्र की विशेषता है, क्योंकि प्रतीक अनिवार्यत: स्वयं में भी सामान्य होता है और इसके द्वारा निर्दिष्ट भी सामान्य होता है, अन्यथा कुछ प्रतीक हो ही नहीं सकता।

किन्तु इन वाक्यों की अनियतता एक अन्य तथ्य की ओर निर्देश करती है, वह यह कि इनका कथन-सामर्थ्य दो प्रकार की विश्लेषणात्मक प्रागपेक्षाओं के सन्दर्भ में सम्भव होता है—एक को हम अर्थीय अभ्युपगम

कह सकते हैं और दूसरी को नियत अपेक्षा। अर्थीय अभ्युपगम वे हैं जो 'मेज़' और 'कमरे' के वस्तु-विश्व के अंग होने के कारण हैं और नियत अपेक्षा इस वस्तु के मेज़ होने के कारण। अर्थात्, जब हम कहते हैं 'साथ के कमरे में मेज़ है' तब, जबकि विशेष घटनाएँ इस वाक्य को सत्यापित या असत्यापित करेंगी, यह पूर्व नियत है कि किस विशेष प्रकार की घटनाएँ यह करेंगी।

अर्थीय अभ्युपगमों को हम चेतना के प्रागनुभविक आकार कह सकते हैं जो विषय-मात्र की सम्भावना के लिये अनिवार्य हैं। विषय की सम्भावना की प्रागपेक्षा होने के कारण ये आकार अतिक्रामी हैं—वस्तु, शरीर, माँ, आत्मा, पुरुषार्थ और कला सभी इनके विषय-रूप होकर प्रस्तुत होते हैं। नित्य अतिक्रामी होने के कारण यह आकार स्वयं बोधगम्य नहीं हो सकता, किन्तु इस अतिक्रामिता को पूर्वाक्षिप्त किये बिना वैषयिकता के विभिन्न रूपों को नहीं समझा जा सकता।

किन्तु 'पूर्वाक्षेप' एक तार्किक कोटि है, ऐसा हमने पीछे अनेक स्थलों पर कहा है, इस प्रकार 'प्रागनुभविक आकार' भी एक तार्किक कोटि हो जाता है और परिणामत: इसकी अनिवार्यता तार्किक अनिवार्यता मात्र हो जाती है। यह ठीक है, और इस प्रकार चैतन्य और प्रतिभास (फिनोमिना) का, अथवा विषय और विषयी का सदात्मक द्वैत नहीं कहा जा सकता, यह द्वैत केवल तर्कनात्मक बोधजन्य द्वैत ही है। किन्तु यह द्वैत तर्कनात्मक बोध के लिये मौलिक है। यह बोध विषयी चैतन्य का आकार नियत कर विषय की स्वतन्त्र स्थापना करता है। इस प्रसंग के बिना न केवल किसी प्रतिभास के लिये युक्तता (वैलीडिटी) का कोई निकष ही होना सम्भव नहीं है बल्कि विज्ञानों (तर्क, गणित और भौतिक-विज्ञान आदि) की विषयनिष्ठता भी सम्भव नहीं है। गणित की अनिवार्यता और उपयोगिता की हमारी उपर्युक्त व्याख्या का यही आधार है। देश और काल की प्रागनुभविकता ज्यामिति तथा गणित की विषयता को और इस प्रकार ऐन्द्रिय-जगत् तथा मनोजगत् के संस्थान की विषयता को सम्भव करती है। इस प्रकार इस द्वैत का विषयी पक्ष विषयगतता अथवा वस्तु-सत् का अपघातक न होकर केवल उसका पोषक है, क्योंकि इसके बिना विषयगतता की अवधारणा ही सम्भव नहीं है।

किन्तु नियतापेक्षा के साथ दूसरी बात है। नियतापेक्षा हम उस सम्भावनानुभव को कह सकते हैं जो प्रत्येक नवीन प्रदत्त को परिचित और 'शेष के उद्भासक' के रूप में ग्रहण करता है। यह अनुभव मात्र की प्रकृति है कि वह किसी अत्यन्त अपरिचित और क्षणिक का ग्रहण नहीं कर सकता। प्रत्येक विशिष्ट किसी न्यूनाधिक परिचित-प्रकार का होकर ही ग्राह्य हो सकता है और प्रत्येक प्रदत्त-प्रकार एक साकल्य का उद्भासक बनता है। इस सम्बन्ध के बिना न पाशव-व्यवहार को समझा जा सकता है और न भाषा के स्वरूप को। इस सम्बन्ध को ही हम नियतापेक्षा कहते हैं।

अर्थीय अभ्युपगम तथा नियतापेक्षा की इस प्रकार व्याख्या करने का यह अभिप्राय नहीं है कि हम आकस्मिकता और आगन्तुकता का निषेध कर रहे हैं। वास्तव में जिस प्रकार से वैषयिकता विषयीत्व की सापेक्ष है उसी प्रकार आगन्तुकता अर्थीय अभ्युपगम तथा नियतापेक्षा की सापेक्ष है। 'विश्व' का इस प्रकार निर्धारण हुए बिना 'आकस्मिकता' का कुछ अर्थ नहीं रह जाएगा, क्योंकि आगन्तुकता केवल 'अपेक्षा' अथवा 'परिचितता' में विक्षोभ ही कहा जा सकता है। इनके बिना कोई ग्रहण ही सम्भव नहीं है, क्योंकि उस अवस्था में संवेद अथवा उद्दीपन कोई आकार ग्रहण नहीं कर सकते।

यह विक्षोभ जबकि पाशव-विश्व में भी होता है और नियतापेक्षा को निरन्तर पुनर्निर्धारित करता रहता है, यह मानव के सचेष्ट अन्वेषणों में प्राय: ही होता है। आकस्मिक वैज्ञानिक उपलब्धियाँ वास्तव में नियतता की एक ओर तथा विक्षोभ की दूसरी ओर आदर्श उदाहरण कही जा सकती हैं।

दर्शन का स्वरूप

दर्शन मानव-जिज्ञासा का एक आयाम है, दूसरा आयाम विज्ञान है। कुछ और आयाम भी हैं, जैसे धर्म। 'धर्म' शब्द को इसके विस्तृततम अर्थ में समझते हुए, जो मानव-जिज्ञासा का एक अत्यन्त आदिम आयाम है। इन सब आयामों में एक प्रेरणा अप्रस्तुत का अन्वेषण है, जो मानव का एक विलक्षण गुण है। 'अप्रस्तुत का अन्वेषण' 'सत्य' शब्द को एक नया अर्थ दे देता है, यह उस विरोधाभास का परिहार करता है जो 'सत्य' को 'प्रस्तुत' रूप में देखने से सत् और अर्थ के बीच उत्पन्न होता है (जिसकी चर्चा हमने व्याख्या लेख में की है)। सत्य के इस अन्वेषणात्मक अर्थ से ही 'जिज्ञासा' शब्द को सार्थकता मिलती है। अप्रस्तुत को प्रस्तुत बनाने के इस अभिनिवेश में एक द्विपक्षता निहित है—तथ्य और अपेक्ष्य की। यद्यपि ये दोनों पक्ष प्राणी-क्रिया मात्र के प्रवर्तन के लिये आवश्यक हैं, किन्तु मानव में 'अपेक्ष्य' उसकी तर्क-चेतना से संयुक्त होकर दर्शन और विज्ञान के दो नये आयामों की सृष्टि करता है।

इस प्रकार दर्शन भी सत्यान्वेषण का ही एक सन्दर्भ है। किन्तु प्रयत्न का यह सन्दर्भ अन्य सन्दर्भों से इतना भिन्न प्रकार का है कि इधर बहुत लोगों ने इसे सत्यान्वेषण कहना ही छोड़ दिया है। किन्तु यह 'सत्य' का सही अर्थ न समझने के कारण है। यदि विज्ञान सत्यान्वेषण का सन्दर्भ है तो उतना ही दर्शन भी सत्यान्वेषण का सन्दर्भ है, यद्यपि दोनों बहुत भिन्न प्रकार के सन्दर्भ हैं। विज्ञान से भिन्न दर्शन समग्र अनुभव को अपने क्षेत्र में लेकर प्रवृत्त होता है और ज्ञान के सार्वभौम प्रामाण्य की खोज करता है। अपने इस स्वरूप के कारण ही यह विज्ञान और लोक-संज्ञान से भिन्न है, और मूलत: भिन्न। लोक-संज्ञान और विज्ञान दोनों का सन्दर्भ व्यवहार का सफल प्रवर्तन है। विज्ञान लोक-संज्ञान से इसी बात में भिन्न है कि वह इस सफल प्रवर्तन में एक तर्क-संस्थान की खोज करता है और इसीलिए इसकी सफलता का मान अपेक्ष्य को निगमनात्मक नियम में अनुस्यूत करना है। किन्तु इसके प्रामाण्य का निकष व्यवहार का सफल प्रवर्तन ही है। किन्तु दर्शन प्रामाण्य की माँग अन्य स्तर पर करता है, उसमें उस या इस नियम के प्रामाण्य की माँग नहीं की जाती, बल्कि समग्र अनुभव और ज्ञान के प्रामाण्य की माँग की जाती है। आप में से कुछ लोग मेरी इस बात पर चौंकेंगे कि मैं अब भी वही बात कह रहा हूँ जिसे पिछली दो शताब्दियों से हमारे आप्त दार्शनिकों ने निरर्थक प्रलाप सिद्ध कर दिया है। किन्तु उनके ये प्रयत्न वास्तव में मेरे प्रतिपादन को ही सिद्ध करते हैं, क्योंकि वे भी विज्ञान का प्रामाण्य सिद्ध करने में ही निरत हैं, यह बात दूसरी है कि वे कुछ बातों को बिना प्रश्न के स्वीकार कर चलते हैं और शेष का बिना विचारे तिरस्कार करते हैं।

दर्शन का यह सत्यान्वेषण विचित्र प्रकार का है—कभी यह संसार के होने का कारण जानना चाहता है तो कभी संसार मात्र की सत्यता पर सन्देह करता है और कभी संसार को ही सत्य स्वीकार कर उसके स्वरूप-निरूपण में प्रवृत्त होता है। किन्तु विभिन्न देशों और कालों में चाहे जो भी इसके प्रश्न रहे हों, एक गुण इसका सार्वत्रिक है और वह यह कि इसने समग्र का एक एवं आदि कारण या मूल सिद्धान्त खोजने का प्रयत्न किया है, सन्देहवादियों ने इसकी प्रतीति का और अन्यों ने इसके स्वरूप का—ऐसा कारण जिसको जान लेने पर सब ज्ञात हो जाता है।

वास्तव में ऐसे मूल सिद्धान्त की खोज का स्रोत मानव की तर्कशील प्रकृति है। तर्क अनुभव को अर्थ और युक्तता के सन्दर्भ में ग्रहण करता है और इस प्रकार अनुभव को मात्र व्यवहार-प्रवर्तन-मूलक व्यवस्था से भिन्न प्रकार की व्यवस्था देता है। यद्यपि विज्ञान का सन्दर्भ व्यवहार-प्रवर्तन का ही सन्दर्भ है, किन्तु यह भी तर्कशील मानस की सृष्टि होने के कारण अनुभव की व्यवहार-प्रवर्तन-मूलक व्यवस्था-मात्र नहीं है। यह भी ऐसे सिद्धान्त की, जिसके जान लेने पर सर्वमिदं ज्ञातं भवति, उतनी ही खोज करता है जितनी दर्शन करता है, केवल इसमें

प्रयोजन-भेद है। विज्ञान की अन्तिम परीक्षा व्यवहार है, इसलिए यह अपने प्रश्न और अपनी व्यवस्था को निरन्तर इनकी व्यवहारगत सफलता के आधार पर स्थापित करता है। तर्क का यह उपयोग स्वाभाविक है, क्योंकि एक प्राकृतिक प्राणी के रूप में मानव अपनी सभी शक्तियों का उपयोग प्रकृति के अभियोजन के लिये करेगा ही। किन्तु तर्कशीलता अपने आपको केवल व्यवहार-प्रवर्तन तक सीमित नहीं कर सकती, इसका अतिक्रमण इसका स्वरूप लक्षण है। इसका यह स्वरूप है, इसके लिये प्रमाण यही है कि इसने यह अतिक्रमण सदैव किया है, किन्तु क्यों वह यह अतिक्रमण करता है यह देखना दूसरी बात है।

तर्क का स्वभाव व्यवस्था का आक्षेप तथा संगति की माँग करना है। ये दोनों तर्क-चेतना के लिये सत् के निकष हैं। किन्तु संगति वस्तुओं में न होकर वस्त्वर्थों में होती है। कुर्सी यहाँ है—सो वह है ही, इसमें कुछ संगत-असंगत नहीं है, इसी प्रकार वायु से कागज़ का हिलना भी है और सो है ही, इसमें कुछ युक्त-अयुक्त नहीं है। किन्तु देकार्त को इसमें कठिनाई उपस्थित हुई, क्योंकि उसके अनुसार भौतिक में विस्तार के अतिरिक्त और कोई गुण नहीं है, इसलिए एक भौतिक द्रव्य दूसरे का परिचालन नहीं कर सकता और न स्वयं ही परिचालित हो सकता है। अत: गति का दाता मानसिक है। किन्तु मानसिक, जो अभौतिक है, वह भौतिक से किस प्रकार से संयुक्त हो सकता है? देकार्त ने कहा, यह मैं अनुभव में देखता हूँ जब मैं वेदना के संवेद का अनुभव करता हूँ। किन्तु गेस्सैंडी ने प्रश्न किया—"मैं जो अभौतिक हूँ, उसे संवेद किस प्रकार से घटित हो सकता है?" यही प्रश्न साँख्य से भी एक-दूसरे प्रकार से किया जा सकता था। देकार्त या साँख्य से यह प्रश्न इसलिए किया जा सकता था क्योंकि वे भौतिक और अभौतिक के अर्थ-सन्दर्भों में बात कर रहे थे और वहाँ युक्तता और अयुक्तता के प्रश्न प्रासंगिक थे। देकार्त ने इस व्यवस्था में युक्तता की स्थापना के लिये ईश्वर की कल्पना की, जो आवश्यक थी। एक दूसरा उदाहरण बर्कले का लिया जा सकता है। उसने देखा कि जब हम भौतिक वस्तुओं को देखते हैं तब वास्तव में हमें एक या दूसरा ऐन्द्रिय-संवेद प्रस्तुत होता है, इन संवेदों के अतिरिक्त कुछ प्रस्तुत नहीं होता। परिणामत: वह इस निष्कर्ष पर पहुँचा कि भौतिक वस्तुएँ संवेदों से रचनाएँ हैं, दूसरे शब्दों में, भौतिक की सत्ता नहीं है केवल मानसिक की सत्ता है। किन्तु तब क्या कमरा बन्द होने पर उसका भीतरी भाग असत् हो जाता है? बर्कले भौतिक की अवधारणा का शेष सब छोड़ने को तैयार था किन्तु यह पक्ष छोड़ने को तैयार नहीं था, परिणामत: उसने एक ऐसे सार्वभौम मन (ईश्वर) का आक्षेप किया जो इस अर्थ की रक्षा कर सकता। स्पष्टत: यह ईश्वर तार्किक आवश्यकता से रचित ईश्वर था।

यहाँ देकार्त और ह्यूम पर तुलनात्मक दृष्टिपात रोचक होगा। देकार्त ने गति और कारणता के लिये ईश्वर का आक्षेप किया था, किन्तु ह्यूम की रुचि ईश्वर में नहीं थी। अब ईश्वर के बिना भौतिक की वैसी कल्पना के साथ यही एक विकल्प रह जाता था कि वह गति और कारणता की तात्त्विकता का निषेध कर देता। ह्यूम ने यही किया। किन्तु कारण-कार्य सम्बन्ध हम संसार में देखते हैं, उसका क्या हो? ह्यूम ने कहा, ये अभ्यासजन्य कल्पनाएँ हैं, इनका तात्त्विक अस्तित्व नहीं है। ह्यूम के लिये यह कहना उतना ही स्वाभाविक था जितना देकार्त के लिये यह कहना कि इनका स्रोत इच्छा है। किन्तु इन दोनों के पास इसके लिये कोई युक्ति नहीं थी कि उनकी इन मान्यताओं के लिये क्या आधार है? यहाँ कहा जाएगा कि ह्यूम ने ऐसे तत्त्वों को स्वीकार नहीं किया जो अनुभवातीत थे और इस प्रकार वह तत्त्वमीमांसा के भ्रमजाल से बचा। अवश्य ही वह बचा, किन्तु उसके लिये दूसरे जाल थे जिनमें से एक की चर्चा हम आगे करेंगे।

जैसाकि हमने कहा, ज्ञान के सार्वभौतिक प्रामाण्य का अन्वेषण दार्शनिक के लिये विश्व को तर्क-संस्थान के रूप में देखना अनिवार्य कर देता है और तर्क-संस्थान के रूप में प्रस्तुत उसका विश्व अनिवार्यत: वस्त्वर्थों का विश्व होता है वस्तुओं का विश्व नहीं। किन्तु उसके कृतित्व का यह निरूपण अन्वेषक के रूप में उसकी स्थिति को सन्दिग्ध बना देता है, क्योंकि इस प्रकार उसकी नियति ही उसे वस्तु-सत् के ज्ञान में असमर्थ बना देती है और वह ऐसे अभिशप्त व्यक्ति के समान हो जाता है जो जिस भी वस्तु को हाथ लगाता है वही शून्य में विलीन हो जाती है।

किन्तु यह निष्कर्ष इस धारणा पर प्रतिष्ठित है कि वस्तु-सत् और वस्त्वर्थ में विरोध-सम्बन्ध है। अब यदि यह धारणा दार्शनिक धारणा है तो इसकी युक्तता दिखाना आवश्यक है, और यदि यह युक्तता दिखायी जा सकती है तो वस्तु-सत् वास्तव में वस्त्वर्थ ही है। परिणामत: या तो यह धारणा दर्शन का विषय नहीं है अथवा यह द्वैत सम्भव नहीं है। किन्तु दर्शन का विषय सार्वभौम प्रामाण्य होने से यह सम्भव नहीं है कि यह धारणा दर्शन का विषय नहीं हो। परिणामत: यह निष्कर्ष अनिवार्य है कि यह द्वैत असम्भव द्वैत है। यहाँ आपत्ति की जा सकती है कि यह निष्कर्ष एक अयुक्त पूर्व-प्रतिज्ञा पर प्रतिष्ठित है, वह यह कि तार्किक परीक्षा वस्तु-सत् की भी, जोकि तर्कातीत है, निर्णायक हो सकती है। किन्तु कठिनाई यह है कि यह आपत्ति भी तर्क को पूर्वकल्पित करती है, क्योंकि युक्तता की अवधारणा तार्किक अवधारणा है। इस प्रकार हम दार्शनिक के रूप में वस्तु-सत् को वस्त्वर्थ के रूप में कल्पित करने को बाध्य हैं।

किन्तु वस्तु-सत् का वस्त्वर्थ के रूप में इस प्रकार रूपान्तरण हमें वस्तु-सत् से वंचित नहीं करता, क्योंकि यह वस्त्वर्थ की अवधारणा में ही निहित है। क्रिया-प्रवर्तन मात्र की, जिसमें दार्शनिक क्रिया का भी समावेश है, पहली शर्त वस्तु-सत् का अवधारण है—यह हमारी नियति है। जिस समय हम दार्शनिक के रूप में यह स्थापना करते हैं कि वस्तु-सत् वास्तव में केवल वस्त्वर्थ है, तब हम इस स्थापना को भी वस्तु-सत् के रूप में कल्पित करते हैं, अन्यथा यह कथन बेपैर हो जाता है। यहाँ सन्देहवादी ह्यूम का अपने ट्रीटाइज़ के अन्त में अवसादपूर्ण निष्कर्ष द्रष्टव्य है—"मैं उस निपट एकान्त से घिरा भयातुर व्यक्ति हूँ जिसमें कि मेरे दर्शन ने मुझे डाल दिया है।" किन्तु वह इस प्रकार अवसन्न और सार्थभ्रष्ट तब तक नहीं हो सकता था जब तक वह यह नहीं स्वीकार करता कि उसका दार्शनिक निष्कर्ष युक्त-निष्कर्ष है और युक्तता को वह सत् का निकष नहीं मानता।

इस प्रकार दार्शनिक सन्देहवाद एक अन्तर्विरोधपूर्ण स्थिति है। किन्तु वस्तु के वस्त्वर्थ के रूप में ग्रहण में एक पूर्ण व्यतिक्रम है। यह व्यतिक्रम एक अन्य विलक्षणता है जो दार्शनिक क्रिया को अन्य क्रियाओं से पृथक् करती है। लोक-संज्ञान तथा विज्ञान विषयोन्मुक्त दृष्टियाँ हैं और परिणामत: वे विषयाकार हैं, किन्तु दर्शन न केवल इन दृष्टियों का ही स्वरूप-निरूपण करता है बल्कि आत्म-स्वरूप का भी निरूपण करता है, इसी से इसमें यह व्यतिक्रम घटित होता है। इस रूप में दर्शन विभिन्न क्रियाओं द्वारा विभिन्न वस्त्वर्थों को जन्म लेते हुए देखता है। उसके लिये विज्ञान का वस्त्वर्थ उतना ही रोचक है जितना धर्म का, या पुराण का, या कला का।

किन्तु मुझे भय है कि मैंने जो दर्शन की कल्पना की है उससे बहुत-से लोग सहमत नहीं होंगे। वास्तव में हमारे विरुद्ध मुख्य तर्क भारतीय दर्शन के उदाहरण से दिया जा सकता है, क्योंकि भारतीय दर्शन अपने प्रतिपादन का समर्थन तर्क द्वारा अन्त तक नहीं करते और साधना द्वारा स्वयं देखने का उपदेश करते हैं। मैं समझता हूँ, इसका कारण यह है कि वे पश्चिम के अनुभववादी दार्शनिकों की दो भूलों में से केवल एक ही भूल करते हैं। अनुभववादी दार्शनिकों ने ज्ञान का एकमात्र साधन इन्द्रियानुभव को स्वीकार किया, किन्तु तब भी अपने प्रतिपादन की युक्तता को विचार्य माना। ह्यूम इसका उत्कृष्टतम उदाहरण है। उसका सन्देहवाद इस माँग पर प्रतिष्ठित है कि अनुभव-प्रदत्त से वस्तु-ज्ञान की युक्तता सिद्ध नहीं की जा सकती, मानो युक्तता सिद्ध होने पर ज्ञान का मार्ग खुल जाएगा, अथवा कि, युक्तता की असिद्धि सन्देह के लिये उचित आधार है। भारतीय दार्शनिकों ने केवल पहली भूल ही की थी जो उन्होंने अनुभव को ज्ञान का स्रोत और प्रमाण माना। किन्तु यह भूल कर लेने के बाद वे पूर्णत: युक्तियुक्त रहे, कि ज्ञान की प्राप्ति के लिये अनुभव-सामर्थ्य प्राप्त करना आवश्यक है। यही कारण है कि जबकि पश्चिम में प्रत्येक दार्शनिक स्थापना का अन्त सन्देहवाद में हुआ, भारत में सन्देहवादी दर्शन नहीं हुए।

किन्तु पहली भूल भारतीय दार्शनिकों ने कर दी थी और परिणामत: उनमें परमार्थ सत् की खोज का आग्रह बना रहा, जबकि उचित रूप से वे वस्त्वर्थ की खोज ही कर सकते थे।

दार्शनिक विधि

दर्शन की विधि क्या है, यह प्रश्न प्रथम दृष्टि में जितना स्पष्ट प्रतीत होता है उतना स्पष्ट यह नहीं है। इसका प्रकट अर्थ वही प्रतीत होता है जो चाँदमलजी ने समझा है—अर्थात् प्रत्येक दार्शनिक को जिस प्रकार दार्शनिक प्रश्न प्रस्तुत होते हैं उनके सुलझाव के लिये वह तदुपयुक्त विधि का निर्माण करता है। यदि दार्शनिक विधि-सम्बन्धी प्रश्न यही माना जाय तो चाँदमलजी का उत्तर पूरी तरह से सही है कि कोई विधि दूसरी विधि से अच्छी या बुरी नहीं है, इसकी उपयुक्तता केवल इस बात पर निर्भर करती है कि दार्शनिक के सम्मुख क्या प्रश्न किस प्रकार से प्रस्तुत हुआ है। यह एक महत्त्वपूर्ण अन्तर्दृष्टि है। दर्शन में बहुत कुछ व्यक्ति के संस्कार-स्वभाव पर निर्भर करता है और इसलिए प्रत्येक युग की, और प्रत्येक युग में प्रत्येक दार्शनिक की, दार्शनिक विधि अपनी होती है।

किन्तु 'दार्शनिक विधि' शब्द का इस अर्थ में प्रयोग उचित नहीं है, इसे वास्तव में विधि के बजाए शैली कहना उपयुक्त है। शैली का निर्धारण बहुत सीमा तक विधि से ही होता है, किन्तु इसमें उससे अधिक योगदान व्यक्ति और युग के संस्कार-स्वभाव का रहता है। इसलिए यह प्रश्न कभी नहीं किया जा सकता कि कौन-सी शैली उपयुक्त शैली है, जबकि दर्शन की विधि पर विचार का अर्थ ही है कि दर्शन की कोई एक विधि अवधारित की जा रही है, और इस सम्बन्ध में यदि कोई विवाद उत्पन्न होता है तो वह इस आधार पर होगा कि जब कोई किसी विशेष विधि को ही दार्शनिक विधि मानता है तब दूसरा दूसरी विधि को दार्शनिक विधि मानता है। विधि सम्बन्धी यह प्रश्न विज्ञान में भी उठ सकता है और वास्तव में उठा भी है। उदाहरणतः, कुछ लोग वैज्ञानिक विधि को आभ्युपगमिक-निगमनात्मक (हाइपोथेटिको-डिडक्टिव) विधि मानते हैं, जबकि दूसरे प्रेक्षणात्मक-आगमनात्मक (आब्जर्वेशनल-इंडक्टिव) मानते हैं। वैज्ञानिक विकास के आरम्भिक स्तरों पर यह विधि मुख्यतः प्रेक्षणात्मक-आगमनात्मक ही रही है।

विधि-सम्बन्धी प्रश्न लक्ष्य-साधन-सम्बन्धी प्रश्न है, अर्थात् यह प्रश्न कि कौन-सी विधि दार्शनिक लक्ष्य की प्राप्ति में सर्वाधिक उपयुक्त हो सकती है? किन्तु तब यह निश्चय करना आवश्यक है कि दार्शनिक लक्ष्य क्या है? क्योंकि वास्तव में यह लक्ष्य निश्चित होने पर ही विधि के सम्बन्ध में विचार हो सकता है।

दार्शनिक लक्ष्य, जैसाकि हमने पिछले अध्याय में देखा, सार्वभौम युक्तता के सन्दर्भ में अनुभव अथवा संधान का अर्थ-निश्चय करना है। युक्तता का सन्दर्भ स्वभावतः तार्किकता का सन्दर्भ है, क्योंकि युक्तता तर्कोचितता ही है। किन्तु तर्क अपनेआप के सहारे नहीं रह सकता, उसे किसी अन्य प्रतिष्ठा की आवश्यकता होती है—तर्काणामप्रतिष्ठानात्। विशुद्ध तर्क कम्प्यूटर मशीन का-सा व्यापार है। आप जो निष्कर्ष चाहते हैं उसके अनुसार पूर्व-प्रतिज्ञाएँ स्थिर कर दिखा सकते हैं कि वे निष्कर्ष अनिवार्यतः अनुगत होते हैं। तब तर्क की प्रतिष्ठा के लिये किस चीज़ की अपेक्षा है? इसका जो उत्तर सहज रूप से मन में आता है वह है—अनुभव की। सो, तर्क को अपनी पूर्व-प्रतिज्ञाओं के लिये अनुभव की अपेक्षा रहती है। किन्तु यह उत्तर, जो सम्भवतः सभी देते हैं, अविचारपूर्ण है, क्योंकि 'अनुभव' के प्रदत्त होने पर व्याख्याएँ अनपेक्षित हैं, कम-से-कम तब यदि अव्यवहित अनुभव ही लक्ष्य हो और वही ज्ञान हो। इसके अतिरिक्त 'अनुभव' पूर्व-प्रतिज्ञा भी नहीं हो सकता, क्योंकि अव्यवहित अनुभव निर्विकल्पक होता है—अनभिलाप्य। किसी स्थिति के पूर्व-प्रतिज्ञा होने के लिये उसका 'प्रतिज्ञा' होना आवश्यक है, जिसका अर्थ है कि वह सविकल्पक होगी। इस प्रकार से विशुद्ध—अरचित—अनुभव तर्क की प्रतिष्ठा के लिये अनुपयोगी है। युक्तता के किसी भी सन्दर्भ में युक्ति-योग्य, सामान्य लक्षण अनुभव अपेक्षित होता है। इसीलिए वैज्ञानिक युक्तता के लिये वैज्ञानिक 'अनुभव' की और कलात्मक युक्तता के

लिये 'कलात्मक अनुभव' की अपेक्षा होती है, जिसका अर्थ है कि इनके लिये इनके सन्दर्भ में रचित अनुभव ही प्रासंगिक होता है। दर्शन के लिये यह और भी सही है।

'सार्वभौम युक्तता का सन्दर्भ', जैसाकि हमने दर्शन को कहा, अपनी पूर्व-प्रतिज्ञाओं के रूप में जिस अनुभव की अपेक्षा करता है, यदि 'अनुभव' ही इसे कहा जाय तो, वह वैज्ञानिक और सामान्य अनुभवों की कोटि का नहीं होता। विज्ञान, धर्म और लोक-संज्ञान सबके अनुभवों में 'प्रेक्षणात्मकता' एक महत्त्वपूर्ण अंग है, किन्तु दार्शनिक अनुभव में 'प्रेक्षणात्मकता' की कोई अपेक्षा नहीं होती—युक्तता के सार्वभौम सन्दर्भ के अनुरूप यह अनुभव भी सार्वभौम युक्तता की अपेक्षा से आविष्ट होता है। पूर्णत: सामान्यलक्षण होने के कारण इसे हम अनुभव के बजाय 'दृष्टि' कह सकते हैं। दार्शनिक प्रश्न, दार्शनिक विवेचन और दार्शनिक निष्कर्ष, तीनों इस 'दृष्टि' की अपेक्षा करते हैं। उदाहरणत: कोई दार्शनिक प्रश्न लें—'नैतिक मूल्य का क्या स्वरूप है?' इस प्रश्न के लिये दार्शनिक का 'नैतिक अनुभव' से परिचय होना आवश्यक है, यदि किसी ने नैतिक मूल्य का अनुभव नहीं किया, नैतिक द्वन्द्व ने उसे पीड़ित नहीं किया, तो वह उक्त प्रश्न की पूर्व-प्रतिज्ञा को नहीं समझ सकता। इसके बिना वह 'नैतिक मूल्य' का जो विश्लेषण करेगा वह कम्प्यूटर मशीन का ही कार्य है। किन्तु जबकि वह अनुभव दार्शनिक के लिये आवश्यक है, यह 'दृष्टि' नहीं है—स्वत: यह दार्शनिक प्रश्न के स्तर का नहीं हो सकता। यह प्रश्न दार्शनिक प्रश्न के रूप में युक्तता के सन्दर्भ में किसी तनाव के कारण प्रस्तुत होता है—"नैतिक मूल्य को इस प्रकार समझेंगे तो अन्य मूल्यों से इसका वैशिष्ट्य क्या होगा?" 'नैतिक' मूल्य यदि वस्तु का गुण है तो 'वस्तु-गुण' को दूसरा अर्थ देना होगा आदि। ये प्रश्न किसी प्रेक्षण से आरम्भ नहीं होते और न किसी प्रेक्षण-सम्बन्धी भविष्यवाणी करते हैं। इसी प्रकार से ज्ञानीमीमांसा सम्बन्धी यह प्रश्न है—"हम वस्तुओं को देखते हैं, किन्तु भ्रम में क्या देखते हैं? यदि भ्रम में दृष्ट वस्तु सद्वस्तु नहीं है तो कैसे कह सकते हैं कि दृष्टि-विषय वस्तुएँ कभी भी सत् होती हैं? प्रत्यक्ष के सम्बन्ध में ये प्रश्न एक ऐसी वस्तुस्थिति के सम्बन्ध में प्रश्न हैं जो अन्यथा स्पष्ट है, जिसमें कुछ निगूढ़ नहीं है, इसीलिए जिसका विमर्श कुछ उद्घाटित नहीं करेगा, न जिसके सम्बन्ध में जानकारी भ्रम की सम्भावनाओं को कम करेगी। यह प्रत्यक्ष-सम्बन्धी वस्तुस्थिति में एक विशेष प्रकार का ईक्षण है और अन्त में ऐसा समाधान खोजना है जो वस्तुस्थिति में बिना कोई परिवर्तन लाय भी सब-कुछ बदल देगा। इस प्रश्न की एक दूसरी विशेषता यह है कि यह जिस गहराई से चेतना के स्तरों को उद्वेलित कर उत्पन्न होता है उससे अन्य अनेक प्रश्न उत्पन्न हो जाते हैं और प्रश्नकर्त्ता से एक ऐसा समंजस ताना तानने की माँग करते हैं जिसके प्रत्येक सूत्र में पूरे ताने की अपेक्षा निहित रहती है।"

जैसाकि उपर्युक्त प्रश्नों से स्पष्ट है, ये प्रश्न वस्तु-स्वभाव-सम्बन्धी प्रश्न हैं जो युक्तता के सन्दर्भ में प्रमाण की माँग करते हैं। इस प्रकार दर्शन को प्रमाण-मीमांसा और स्वभाव-मीमांसा (तत्त्वमीमांसा) कहना उचित है। युक्तता के सन्दर्भ में तत्त्वमीमांसा तथा प्रमाण-मीमांसा-सम्बन्धी इन प्रश्नों के समाधान या निरूपण के लिये उचित विधि विश्लेषण-विधि ही हो सकती है। इस विश्लेषण पर प्रेक्षण आदि का कोई अंकुश नहीं होता, इसकी एकमात्र सीमा विश्लेषण के स्वरूप में है—विश्लेषण उस दृष्टि की अपेक्षा करता है जो दिशा-निर्देश करती है।

यह दृष्टि विश्लेषण को धारण के लिये आवश्यक होने से यह स्वयं विश्लेषण की विषय नहीं होती। किन्तु यह विश्लेषण-बाह्य भी नहीं होती, यह युक्तता के सन्दर्भ में एक घटक होती है। वास्तव में युक्तता इस दृष्टि की तर्क-सम्मतता ही है—यह पत्थर को घड़कर मूर्ति बनाने जैसी क्रिया है, अथवा रुई से सूत्र निकाल कर ताना बुनने जैसी—यह दृष्टि युक्तता के सन्दर्भ में ही उत्पन्न हुई होने के कारण विश्लेषण द्वारा अपनी अन्तर्निहित रचना को विस्फुट देखती है। इस प्रकार यह तर्कोचित और सहज दोनों है।

यह तर्क-संस्थान, यह ताना, क्या है, इसका क्या रूप है? ये प्रश्न यहाँ महत्त्वपूर्ण हैं, क्योंकि इनका स्वरूप जानकर ही हम प्रयोजन और विधि के स्वरूप को उचित रूप से समझ सकते हैं।

यह तर्क-संस्थान, यह ताना, क्या है, इसका क्या रूप है? ये प्रश्न यहाँ महत्त्वपूर्ण हैं, क्योंकि इनका स्वरूप जानकर ही हम प्रयोजन और विधि के स्वरूप को उचित रूप से समझ सकते हैं।

विश्व में कोई वस्तु किसी अन्य वस्तु के होने की अपेक्षा नहीं करती। उदाहरणत:, साथ के कमरे में मेज़ का होना यह लागू नहीं करता कि यदि मैं वहाँ जाऊँगा तो वह मुझे दिखाई देगा, यद्यपि वह दिखाई देगा ही; इसी प्रकार यदि देश-काल $द_1$ पर गाय है तो इससे यह लागू नहीं होता कि $द_1$ पर चारपायी नहीं हो सकती, यद्यपि वास्तव में ही वह नहीं हो सकती, यदि देश-काल $द_1$ पर मेज़ कमरे में है तो इससे यह लागू नहीं होता कि वह $द_1$ पर कमरे के बाहर नहीं है, यद्यपि वह वास्तव में ही बाहर नहीं हो सकता। क्योंकि वास्तव में जो जो कुछ है वह वही कुछ है, उसके अन्य कुछ होने या नही होने का प्रश्न उत्पन्न नहीं होता। इसी प्रकार, यदि कोई अभिकर्त्ता (एजेंट) है तो वह अभिकर्त्ता है। अब मान लें कि अभिकर्त्ता का सम्प्रत्यय यह अपेक्षा करता है कि वह स्वतन्त्रेच्छा समर्थ है। किन्तु अभिकर्त्ता में स्वतन्त्रेच्छा-सामर्थ्य, यदि है, तो होगी ही—तथ्यभूत, उसकी अपेक्षा का वहाँ कोई प्रसंग नहीं हो सकता। इस प्रकार वस्तुओं में न व्याघात होता है और न अपेक्षा-सम्बन्ध। ये सम्बन्ध जीव-क्रिया के स्तर पर उत्पन्न होते हैं और भाषा में स्पष्ट आकार ग्रहण करते हैं। यदि पक्षी घोंसले में लौटकर अपने बच्चे के खुले मुँह में चोंच डालता है किन्तु वह बच्चा न होकर वास्तव में लोहे की बनाकर रखी गई अनुकृति है, तो उसे एकदम एक अनपेक्षित का झटका लगेगा, उसका विश्वास असत्यापित होगा। भाषा में इसे हम कहेंगे—'अ पक्षी-शावक है, लागू करता है कि, अ लोहे की बनी अनुकृति नहीं है।' इसी प्रकार अभिकर्त्ता के लिये , 'राम भला है, लागू करता है कि, राम स्वतन्त्रेच्छा-समर्थ है, और यह लागू करता है कि राम अभिकर्त्ता है।' तब यह 'भला' शब्द में निहित है कि जिसके विशेषण रूप में यह शब्द उचित रूप से घटित हो उसके साथ शेष दो विशेषण भी उचित रूप से प्रयुक्त हो सकें। इसी कारण 'मेज़ भला है' अनुचित प्रयोग है।

अब, दार्शनिक का कार्य यह निहितार्थ देखना और उद्घाटित करना है, किन्तु क्या इतना मात्र ही उसका कार्य है? कुछ दार्शनिक समझते हैं कि उसका इतना ही कार्य है, किन्तु वास्तव में यह ठीक नहीं है। सामान्य भाषा विश्लेषणवाद (इंग्लैण्ड में इस समय प्रचलित दार्शनिक प्रणाली) दर्शन की इसी इतिकर्त्तव्यता की धारणा पर प्रतिष्ठित है।[1] किन्तु क्या तथाकथित निहितार्थ भाषा में छिपे पड़े हैं जिन्हें सम्मुख लाना है? एक सीमा तक ये छिपे पड़े ही हैं, किन्तु दार्शनिक कार्य वास्तव में इनके उद्घाटन के बाद आरम्भ होता है। यह अर्थोद्घाटन कर दार्शनिक उसकी अप्रतिष्ठा दिखाता है और तब अपनी योजना देता है। यहाँ ह्यूम की कारणता की आलोचना और अन्यार्थापत्ति द्रष्टव्य है और इसी प्रकार द्रष्टव्य है चार्वाकों द्वारा अनुमान के प्रामाण्य का निषेध। दोनों ने जो किया वह यही कि पूर्वस्थापित धारणाओं को चुनौती दी और प्रतिदिन के व्यवहार की स्पष्ट धारणाओं के स्थान पर एक अन्य दृष्टिकोण दिया—एक नवीन विश्व-दृष्टि दी।

सामान्य विश्व-दृष्टि और दार्शनिक की विश्व-दृष्टि में बहुत सीमा तक वही सम्बन्ध होता है जो अनगढ़ पत्थर और मूर्ति में, या वन और उद्यान में। एक में वृक्ष, फूल, पत्ते हैं—असुनिर्मित, असमायोजित—और दूसरे में प्रत्येक वृक्ष एक योजना का अंग है, प्रत्येक पत्ते का कटाव किसी समंजसता को धारण किये है। इस प्रकार दार्शनिक विश्व-दृष्टि में कृतित्व का आनन्द है। और यह आनन्द केवल कृतित्व तक ही सीमित नहीं है, इसमें गुह्य की खोज और पाने की पुलक भी है। दार्शनिक के कृतित्व में रचित और उपलब्ध दोनों एक में मिले रहते हैं।

जैसाकि हमने कहा, दार्शनिक तर्क-सम्बन्धों की रचना और उपलब्धि करता है। किन्तु तर्क-संस्थान कहने से यह नहीं समझना चाहिए कि वह किसी अभिगृहीतीय (एग्जियोमेटिक) योजना का निर्माण करता है,

1. यशदेव शल्य — क्या दर्शन भाषा-विश्लेषण है? दार्शनिक त्रैमासिक 1962, समकालीन दार्शनिक समस्याएँ पुस्तक में पुनर्मुद्रित, (अखिल भारतीय दर्शन परिषद् प्रकाशन)।

जिसमें पूर्वसिद्धों से कुछ निश्चित नियमों द्वारा कुछ फलित किया जाता है।[1] अभिगृहीतीय योजना में अभिगृहीत जितना स्वैच्छिक होता है, उपपत्ति उतनी ही बंधक होती है। इसके विपरीत, दार्शनिक की रचना में न कुछ अभिगृहीत जैसा स्वैच्छिक होता है और न उपपत्ति जैसा कुछ बंधक। दार्शनिक वस्तुस्थिति में—वस्तुगत, धारणागत, तर्कगत वस्तुस्थिति में—झाँकता है और उसका सही अर्थ खोजने का प्रयत्न करता है।

दार्शनिक की यह विश्व-दृष्टि उसे अंशतः अपने परिवेश से और अंशतः अपने व्यक्तित्व-निर्माण से मिलती है। वास्तव में, प्रत्येक दर्शन का अपना एक प्रस्थान-बिन्दु रहता है जोकि दार्शनिक के संस्कार-स्वभाव से निर्धारित होता है। उसके लिये कोई तार्किक या सम्प्रत्ययात्मक औचित्य नहीं हो सकता। इसीलिए दो दार्शनिकों में ऐसा मतभेद होने पर उसका समाधान सम्भव नहीं है।[2] किन्तु यह दर्शन की कमजोरी नहीं है, उसका बल है, क्योंकि उसकी इस विशेषता के कारण ही दर्शन में अन्तर्दृष्टि के लिये अनन्त सम्भावनाएँ हैं।

इसका अर्थ यह नहीं है कि किसी दार्शनिक रचना को ऐतिहासिक सन्दर्भ या मनोवैज्ञानिक व्याख्या द्वारा समझा जा सकता है। ये उसके किसी एक विशेष पक्ष को, और एक सीमा तक ही, समझने में सहायक हो सकते हैं; किसी दार्शनिक स्थापना के औचित्य के प्रसंग में तो इन सन्दर्भों को लाना पूर्णतः अप्रासंगिक होता है। उदाहरणतः, शंकर की दार्शनिक स्थापनाएँ वैसी नहीं होतीं यदि भारतीय संस्कृति का सामान्य सन्दर्भ और दार्शनिक तथा धार्मिक क्षेत्र में ब्राह्मण-बौद्ध संघर्ष का विशेष ऐतिहासिक सन्दर्भ नहीं होता। किन्तु शंकर का अद्वैतवाद, अथवा उसके किसी विशेष ज्ञानमीमांसात्मक या सत्तामीमांसात्मक सिद्धान्त के दार्शनिक औचित्य या अनौचित्य से इसका कोई सम्बन्ध नहीं है। इनके औचित्य को देखने के लिये उसकी युक्तियों की उसके सम्पूर्ण दार्शनिक संस्थान के सन्दर्भ में तार्किक परीक्षा करना उचित है। इस तार्किक परीक्षा में आकारिक शुद्धता का रहना आवश्यक है, किन्तु मुख्य बात तो वह दृष्टि है जो नये सम्बन्धों और नये परिप्रेक्ष्यों का आविष्कार करती है।

आजकल यह कहने का फैशन हो गया है कि दार्शनिक सत्य का अनुसन्धाता नहीं है। एक अर्थ में यह सही ही है, किन्तु केवल एक अर्थ में ही, क्योंकि यदि वह सत्य का अनुसन्धाता नहीं है तो वह और है ही क्या? किन्तु यह सत्यानुसन्धान एक भिन्न प्रकार का अनुसन्धान है। वास्तव में सत्य के अनुसन्धान का एक अर्थ में कोई अर्थ नहीं है। सत्य के इस अर्थ में सत्य का कोई निर्वचन सम्भव नहीं है, क्योंकि निर्वचन सत्य का नहीं हो सकता। जो है वह केवल वही है, वह किसी प्रकार का नहीं है। किन्तु सत्य का एक अन्य अर्थ है जिसको दो भागों में बाँटा जा सकता है। ये भाग हैं अनुभवमूलक सत्य और अर्थमूलक सत्य। वैज्ञानिक मुख्यतः प्रथम प्रकार के सत्य की खोज करता है और दार्शनिक सर्वांशतः दूसरे प्रकार के सत्य की। किन्तु विज्ञान भी वास्तव में अर्थान्वेषी कम नहीं है, केवल उसका यह अन्वेषण निरन्तर अनुभव-परीक्षा को सम्मुख रखता है। अर्थगत सत्य निर्वचनात्मक सत्य ही है। यदि निर्वचन में कुछ सत्य नहीं हो तो निर्वचन अप्रतिष्ठित और अतएव छूँछा होगा। किन्तु ऐसा वह होता नहीं है, वह तो अत्यन्त ठोस और रोमांचक होता है—रचित, किन्तु फिर भी स्वायत्त।

इस प्रकार से दर्शन में बहुत कुछ है जो कला-सृष्टि के अनुरूप है, किन्तु फिर भी यह उससे मूलतः भिन्न है। इसकी यह विशिष्टता ही इसकी विधि की विश्लेषणात्मकता में झलकती है।

ऐतिहासिक रूप से दर्शन के मुख्यतः तीन प्रयोजन रहे हैं—परम तत्त्व से साक्षात्कार, तत्त्व-विचार और प्रमाण-मीमांसा। इनमें दर्शन के पिछले दो प्रयोजन सदैव मिले-जुले रहे हैं। शायद ही कोई प्राचीन दार्शनिक मिले जिसने तत्त्व-विचार और प्रमाण-विचार नहीं किया हो। वास्तव में प्रमाण-विचार तत्त्व-विचार के पोषक रूप में

---

1. चाँदमलजी दार्शनिक योजना में अविवाद्य अभ्युपगमों की बात करते हैं, उनका अभिप्राय ऐसी अभिगृहीतीय योजना से ही है, किन्तु यह उचित नहीं है। वास्तव में दार्शनिक योजना में कुछ अभिगृहीतीय नहीं होता। दार्शनिक योजना के अभ्युपगमों के औचित्य की माँग की जा सकती है। दूसरे, दार्शनिक योजना में अभ्युपगमों से निष्कर्ष तक का ताना-बाना कठोर निगमन का नहीं होता।

2. यशदेव शल्य (सं.) — समकालीन दार्शनिक समस्याएँ, सम्पादकीय, अखिल भारतीय दर्शन परिषद्।

आया, क्योंकि अन्यथा तत्त्व-विचार सम्भव ही नहीं है। इसका यह अर्थ नहीं कि तत्त्व-विचार प्रमाण-विचार के बिना हो ही नहीं सकता, किन्तु यह विचार ज्ञान-सम्बन्धी विचार को, धारणा को पूर्वकल्पित करता है और तत्त्व-विचार-सम्बन्धी मतभेदों के प्रसंग में इन पूर्वकल्पनाओं पर विवाद उठना अनिवार्य है। इस प्रकार यद्यपि प्रमाण-विचार तत्त्व-विचार के अनुषंगी के रूप में आवश्यक है, किन्तु प्रमाण-सम्बन्धी प्रश्न उससे स्वतन्त्र रूप में भी उठ सकते हैं, क्योंकि भ्रम और अनुमान ज्ञान को एक अत्यन्त विस्मय-विमोहक समस्या बना देते हैं। अब, तत्त्व-विचार में प्रमाण-विचार अनिवार्य पूर्वापेक्षा है, किन्तु प्रमाण-विचार के लिये तत्त्व-विचार की पूर्वापेक्षा नहीं है। यद्यपि अधिकांशत: प्रमाण-विचार भी तत्त्व-विषयक पूर्वकल्पनाओं को लेकर ही चलता है और इसीलिए प्रमाणमीमांसा अन्ततः सत्तामीमांसा-विषयक प्रश्नों को जन्म देती है। किन्तु तब भी कोई अपने आपको पूर्णत: प्रमाण-विषयक प्रश्नों तक सीमित रख सकता है, जैसाकि हम इधर आंग्ल-अमरीकी दर्शन में पाते हैं। इस प्रकार विशुद्धत: प्रमाणमीमांसा को ही दर्शन मानने वाले विशुद्धत: विश्लेषण-विधि को ही अपना सकते हैं, किन्तु तत्त्वमीमांसा के लिये कुछ अधिक भी आवश्यक है। तत्त्वमीमांसा के लिये विश्लेषण-विधि का आश्रयण इसीलिए आवश्यक नहीं है कि इसके लिये प्रमाण-विचार भी आवश्यक है, बल्कि इसलिए भी आवश्यक है क्योंकि विचार या मीमांसा एक तर्क-संस्थान में घटित होते हैं, इसलिए इनके कथन तार्किक औचित्य की अपेक्षा को स्वीकार करते हैं। अब जहाँ पूर्वापेक्षा का प्रश्न विहित है वहाँ विश्लेषण एक अनिवार्य विधि है। इस प्रकार से तत्त्व-विचार में विश्लेषण न केवल प्रमाण-विचार के कारण आवश्यक है बल्कि उसके अतिरिक्त भी आवश्यक है। वास्तव में तत्त्व-विचार में जबकि तत्त्व परिकल्पित होता है, इसकी अनेक विशेषताएँ तार्किक अपेक्षाओं से भी इसमें न्यस्त की जाती हैं। इस प्रकार तत्त्व परिकल्पना और अभ्युपगम दोनों से रचित होता है। अब यदि यह ठीक है, जोकि ठीक है ही, जैसाकि हम पीछे देख आये हैं, तब तत्त्वमीमांसा और प्रमाण-विचार दोनों तार्किक विस्मय के परिणाम हैं। परम के साक्षात्कार में सम्भवत: परिकल्पना का भी स्थान है, किन्तु साक्षात्कार अथवा उसके लिये उपयुक्त विधि को दर्शन नहीं कहा जा सकता, मेरा अभिप्राय है कि तत्त्व-विचार और प्रमाण-विचार साक्षात्कार से इतने मूलत: भिन्न हैं कि इन्हें एक ही नाम देना अनुचित है। साक्षात्कार दार्शनिक चिन्ता का विषय हो सकता है, किन्तु यह ठीक उसी प्रकार से जैसा विज्ञान है। इस प्रकार अन्ततः प्रमाण-विचार और तत्त्व-विचार ही दर्शन रह जाते हैं। जैसाकि पिछले विवेचन से स्पष्ट है, इनके लिये विश्लेषण उचित विधि है, किन्तु मात्र विश्लेषण पर्याप्त नहीं है—दृष्टि का महत्त्व होने से। इस विधि को सार्वभौम युक्तता-सन्दर्भ में विश्लेषण की विधि कह सकते हैं। 'सार्वभौम युक्तता का सन्दर्भ' दार्शनिक से एक अनुभवोत्तरगामी दृष्टि की अपेक्षा करता है। (इस विधि को यदि परिकल्पनात्मक विश्लेषण अथवा सम्प्रत्ययात्मक विश्लेषण नाम भी दिये जाएँ तो हमें कोई आपत्ति नहीं होगी, मुख्य बात यह है कि इन शब्दों से समझा क्या जाता है।) मैं समझता हूँ, इस शताब्दी से पूर्व सभी दार्शनिकों ने इस विधि का ही उपयोग किया है, सिवाय सम्भवत: स्पिनोज़ा के, जिसने निगमनात्मक योजना-निर्माण का प्रयत्न किया। किन्तु इस शताब्दी में तार्किक प्रत्यक्षवाद ने एक ओर और सामान्य भाषा-विश्लेषणवाद ने दूसरी ओर दर्शन के उद्देश्य और विधि को परिवर्तित करने का प्रयत्न किया है। किन्तु तार्किक प्रत्यक्षवाद ने वास्तव में जितना दार्शनिक लक्ष्य में परिवर्तन का ढिंढोरा पीटा और विधि में परिवर्तन किये होने की बात की, उतना वास्तव में उसने कुछ नया नहीं किया। उन्होंने केवल दर्शन की दृष्टि को सीमित करने का प्रयत्न किया। उन्होंने भौतिक-विज्ञान की मान्यताओं को दर्शन की पूर्व-मान्यताएँ बनाकर अभिगृहीतीय योजना-निर्माण का प्रयत्न किया। इस प्रवृत्ति का अतिरेक हम कार्नप में देख सकते हैं। किन्तु तार्किक प्रत्यक्षवाद जिस प्रकार विज्ञान की पूर्व-मान्यताओं से आगे जाने से इन्कार करता है, वह बहुत-कुछ धार्मिक दर्शनों के अनुरूप है, जो विशेष धर्म-सम्प्रदाय की पूर्व-मान्यताओं से आगे जाने से इन्कार करते हैं। किन्तु प्रत्यक्षवाद अनुभववादी अस्तित्वमीमांसा को स्वीकार करता है और सार्वभौम युक्तता के सन्दर्भ का निर्माण करता है।

वास्तव में प्रतिष्ठित दर्शन और उसकी विधि को वास्तव चुनौती सामान्य भाषा-विश्लेषणवाद ने दी, क्योंकि इसने दर्शन का प्रयोजन केवल सामान्य भाषा का स्पष्टीकरण और विधि सामान्य भाषा की परीक्षा को मान लिया। किन्तु दर्शन का यह प्रयोजन केवल मृगमरीचिका है और विधि सिकता से पानी निकालने का प्रयत्न। इसका कारण यह है कि एक तो सामान्य धारणा नाम की कोई एक चीज नहीं है, और न सामान्य भाषा में कोई एक प्रकार की धारणा रहती है। उदाहरणत: राईल ने सामान्य भाषा-विश्लेषण कर मन को मशीन में भूत सिद्ध करने का प्रयत्न किया, किन्तु एक दिन मेरी पत्नी ने स्वप्नसंकुल निद्रा से उठकर कहा, "निद्रा में मन कहाँ-कहाँ घूम आता है और मिट्टी यहीं पड़ी रहती है।" यह आधारभूत द्वैतवाद है और इसमें प्रत्यक्ष-सम्बन्धी एक मूलत: भिन्न अवधारणा है। यह सामान्य भाषा-प्रयोग है, आप इसके विश्लेषण से क्या सिद्ध करना चाहेंगे? आप मक्खी को बोतल से बाहर निकलने का रास्ता दिखाना चाहते हैं? किन्तु दर्शन-कर्म को इस प्रकार देखना दर्शन को ग़लत समझना और अपने कार्य को क्षुद्र बनाना है। दार्शनिक बोतल में इसलिए नहीं फँसता कि उसका धारणा-सन्दर्भ भिन्न होता है, जिसे हमने सार्वभौम युक्तता का सन्दर्भ कहा। उदाहरणत:, वह 'वास्तव' या यथार्थ कहें, के अनेक प्रयोगों को न जान पाने के कारण वास्तव की समस्या से विस्मित नहीं होता। वह वास्तव के सम्बन्ध में एक निश्चित प्रश्न करता है। उसे इस प्रश्न से चौंधियाया हुआ नहीं कहा जा सकता कि बिल्ली की वास्तव शक्ल कौन-सी है। वह कहेगा, उसकी जितनी शक्लें बनती हैं, सब अलग-अलग वास्तव हैं। तब आपके प्रश्न का क्या होगा?

इसका अर्थ यह नहीं है कि दार्शनिक कभी इस प्रकार से व्यामोहित नहीं होते। ज़ीनो का खरगोश-कछुए की दौड़ वाला विरोधाभास और ऑगस्टाइन की काल को माप सकने की कठिनाई इसके अच्छे उदाहरण हैं। किन्तु क्या वे शब्दों से व्यामोहित थे? क्या ऑगस्टाइन की समस्या का कोई अन्तिम समाधान है? सिवाय इसके कि ऑगस्टाइन को जिस प्रकार यह प्रश्न प्रस्तुत हुआ उस प्रकार से प्रश्न को देखने से ही इन्कार किया जाय!

मेरे विचार में सामान्य-भाषा-विश्लेषण पद्धति का अनुसरण पूरी सचाई से केवल दो-तीन ने ही इंग्लैण्ड में किया है, यद्यपि कुछ अन्य भी इसका न्यूनाधिक अनुसरण करते हैं। हमारे देश में इधर कुछ लोगों ने इस फैशन को अपनाने का प्रयत्न किया है, किन्तु उनके प्रयत्नों का थोथापन इसी से स्पष्ट है कि वे जिस सामान्य भाषा का विश्लेषण करते हैं वह उनकी नहीं है। किन्तु जैसाकि हमने कहा, दार्शनिक का कार्य न तो दूसरों की धारणाओं का स्पष्टीकरण मात्र है और न तब तक यह स्पष्टीकरण सम्भव है जब तक कि दार्शनिक विविक्त या अविविक्त रूप से, विश्व-दृष्टि नहीं रखता। जैसाकि हमने पीछे उद्यान की उपमा से दिखाया, उसे प्रत्येक पौधा लगाते हुए उद्यान की योजना को ध्यान में रखना होता है, और अतएव उसे इस योजना का बोध न्यूनाधिक विविक्त रूप में होना आवश्यक है।

हमारी यह स्थापना सामान्य भाषा-विश्लेषकों और तार्किक प्रत्यक्षवादियों की इस धारणा के भी विरुद्ध जाती है कि दार्शनिक को विशिष्ट समस्याओं का ही आलोचक होना चाहिए, विश्व-योजना का सर्जक नहीं। किन्तु ऐसा केवल असमर्थ दार्शनिक ही करते हैं, क्योंकि विश्व-योजना तो दार्शनिक की आलोचना में अन्तर्निहित रहती ही है, उसके बिना वह आलोचना किस आधार पर करता है? यदि वह अपनी विश्व-दृष्टि नहीं रखना चाहता तो उसे दूसरे की विश्व-दृष्टि स्वीकार करनी पड़ेगी। इसीलिए मैं दृष्टि को दर्शन के लिये उतना ही आवश्यक मानता हूँ जितना विश्लेषण को, और यह दृष्टि ही दार्शनिक से मात्र तार्किक उपपत्ति (और प्रमाण) खोजने के बजाय अर्थगत वस्तुस्थिति में झाँकने की अपेक्षा करती है।

मानव–प्रतिमा

ज्ञान अपना आकार अपने विषय में व्यक्त करता है, विषय से पृथक् ज्ञान का कोई आकार नहीं होता।[1] मानवेतर प्राणियों में ये विषय प्रत्युत्पन्न वासनाओं के तोषक परिवेश में उपलब्ध होते हैं। ये 'वासना–विषय' संयुक्त रूप से किसी प्राणी को परिभाषित करते हैं।

मनुष्य में विषयी और विषय के बीच व्यवच्छेद घटित होता है और उसमें ज्ञातृत्वाभिमान का उदय होता है। इस ज्ञातृत्वाभिमान को ही उपनिषत्कार ने अभिचक्षुता (अभिचाकशीति) कहा है। किन्तु यह ज्ञातृत्वाभिमान भोक्ता के रूप में उसमें कर्त्तृत्वाभिमान को भी उत्पन्न करता है। इस कर्त्तृत्वाभिमान के कारण ही मनुष्य–योनि भोग–योनि नहीं है, यह कर्म–योनि है।

किन्तु जैसाकि हमने पीछे कहा, ज्ञातृत्वाभिमान स्वयं विषय–रूप में प्रस्तुत होकर ही ज्ञातृ चैतन्य को (जोकि केवल एक तार्किक कोटि है—विषय से अपोहित की गई हुई) उपलब्ध होता है, इस प्रकार यह अन्य विषयों में एक विषय है। किन्तु यह विषय अन्य विषयों से एक मौलिक रूप में भिन्न है : अन्य विषयों का आकार अन्य प्राणियों को प्रस्तुत विषयों का समकक्ष है, किन्तु इस नवीन विषय के आकार का समकक्ष कोई अन्य आकार नहीं है। इस विषय के रूप में मनुष्य स्वयं का साक्षात् करता है। यह आत्म–साम्मुख्य उसके सम्मुख व्याख्या–सम्बन्धी नवीन और अधिक गम्भीर प्रश्न प्रस्तुत करता है, क्योंकि यह ऐसा विषय है जिसके प्रति वह निरपेक्ष भाव ग्रहण नहीं कर सकता और जो उसकी सब व्याख्याओं का मूल व्याख्येय है।

किन्तु, तब भी यह एक विषय है और अन्य विषयों के समान इसकी अनेक व्याख्याएँ हो सकती हैं; और पुन:, अन्य व्याख्या–विषयों के समान इसका रूप उसी प्रकार अशेषत: व्याख्यापेक्ष है जिस प्रकार से अन्य विषयों का रूप अशेषत: व्याख्यापेक्ष होता है।[2] यही कारण है कि मनुष्य को आध्यात्मिक विषय के रूप में, मानसिक विषय के रूप में, वैज्ञानिक विषय के रूप में, सामाजिक विषय के रूप में और इसी प्रकार अनेक अन्य अन्यान्य विषयों के रूप में देखा गया है। यह विषय किसी एक विशेष व्याख्या को न्यून या अधिक समर्थन नहीं देता है। इस प्रकार से तर्कत: हम किसी व्याख्या के प्रति पक्षपात नहीं कर सकते। किन्तु हमारे एक या दूसरी व्याख्या के स्वीकार से तदनुरूप ही मानव–प्रतिमा भी उभरती है। इन प्रतिमाओं में हम दो आधारों पर चयन कर सकते हैं। प्रथम और मुख्य आधार यह होता है कि क्या हमारी इस निर्मित प्रतिमा में लोक–संज्ञान द्वारा हमें उपलब्ध प्रतिमा के वे गुण संरक्षित हैं जो उसके मूल और अनिवार्य गुण हैं? और दूसरे, क्या यह प्रतिमा उन गुणों को व्यक्त करती है जो गुण हम मानव के विच्छेदक गुण मानते हैं?

चयन की इन दो कसौटियों में एक विरोध प्रतीत होता है, क्योंकि, प्रथम जबकि प्रदत्त प्रतिमा है, दूसरी यादृच्छिक है। किन्तु यह विरोध अनिवार्य नहीं है—उदाहरणत: डार्विनीय प्रतिमा, फ्रायडीय प्रतिमा तथा मार्क्सीय प्रतिमा ऐसी यादृच्छिक प्रतिमाएँ हैं जिनका प्रदत्त प्रतिमा से विरोध–सम्बन्ध अधिक है, यद्यपि डार्विनीय प्रतिमा उसकी सुचारु व्याख्या करती है जो मानव में निकृष्टतर है। जबकि बौद्ध प्रतिमा, वैष्णव प्रतिमा तथा ईसाई प्रतिमाएँ ऐसी प्रतिमाएँ हैं जो प्रदत्त प्रतिमा के पक्ष–विशेष को अधिक महत्त्व देकर परिष्कारित की गई हैं। (यद्यपि प्रतीत्यसमुत्पाद के रूप में बौद्ध प्रतिमा काफी विकलांग प्रतिमा है, किन्तु बुद्ध के व्यक्तित्व के रूप में उसकी सम्पूर्ति कहीं अधिक हो जाती है।) इसका अर्थ यह नहीं कि ऐसी प्रदत्त प्रतिमा एक स्वत:प्रमाण प्रतिमा है, जिसके

---

1. अध्याय विश्लेषणात्मक और आनुभविक, पीछे।
2. प्रदत्त, पीछे।

साथ अनुरूपता की मात्रा किसी प्रतिमा की प्रामाणिकता की मात्रा का निर्धारण करती है। यदि ऐसा हो तब तो अन्य सब प्रतिमाएँ न्यूनाधिक अप्रमाण प्रतिमाएँ हो जाएंगी और अतएव ठीक मानव-प्रतिमा को जानने के लिये एकमात्र उचित उपाय प्रदत्त प्रतिमा को निकट से अथवा निखारकर देखना मात्र रह जाएगा। किन्तु इसे इतिकर्त्तव्यता मानने में अनेक कठिनाइयाँ हैं। प्रमुखतम कठिनाई तो यही है कि प्रतिमा कभी स्वत:प्रमाण नहीं हो सकती, वह केवल प्रामाणिक हो सकती है; किन्तु उसकी प्रामाणिकता स्थापित करने के लिये वस्तु-सत् का ज्ञान होना आवश्यक है। किन्तु क्योंकि वस्तु-सत् कभी प्रदत्त नहीं हो सकता, अथवा जैसाकि हमने अन्यत्र[1] दिखाया है, प्रदत्त केवल वस्त्वर्थ ही हो सकता है, इसलिए हमें प्रतिमाओं की प्रामाणिकता की बात छोड़नी होगी। दूसरी कठिनाई यह है कि स्वयं प्रदत्त प्रतिमा भी उतनी स्पष्टता से प्रदत्त नहीं होती कि उसके स्वरूप के सम्बन्ध में मतभेद न हो सके, यह लोक-संज्ञान के विश्लेषक दार्शनिकों ने स्पष्टत: दिखा दिया है। इस प्रतिमा को अनेक भिन्न-भिन्न रूपों में देखा जा सकता है और इसे लेकर उतने ही तीव्र विवाद खड़े हो सकते हैं जितने किन्हीं भी दो यादृच्छिक प्रतिमाओं को लेकर खड़े हो सकते हैं। इसलिए प्रदत्त प्रतिमा प्रमाण प्रतिमा के रूप में उपयोगी नहीं हो सकती। किन्तु इसे हम पूर्णत: छोड़ भी नहीं सकते, क्योंकि किसी भी यादृच्छिक प्रतिमा-निर्माण के लिये हमें कोई प्रतिमा प्रदत्त होना आवश्यक है—यह केवल इस मनोवैज्ञानिक कारण से ही नहीं कि किसी प्रतिमा का विचार हुए बिना प्रतिमा कैसे बनेगी, बल्कि इसलिए भी कि यादृच्छिक प्रतिमा अनिवार्यत: सप्रयोजन होती है और इस प्रयोजन के लिये किसी आधार प्रतिमा का होना आवश्यक है जिसके स्वीकार या निषेध के रूप में इस प्रतिमा की उत्पत्ति होती है। इसके अतिरिक्त, ऐतिहासिक रूप से भी, मानव ने पहले अवश्य ही अयादृच्छिक रूप से अपनी प्रतिमा का दर्शन किया होगा। इस प्रकार प्रदत्त प्रतिमा को प्रामाणिक प्रतिमा के रूप में न देखकर आधार-प्रतिमा के रूप के देखना ही युक्त है। आधार-प्रतिमा होने के नाते इसका परिष्कार या निखार ही नहीं परिवर्तन भी उतना ही युक्त है, किन्तु परिवर्तन के लिये औचित्य दिखाना आवश्यक है और यह औचित्य बहुत पुरस्कारक होना चाहिए, क्योंकि नहीं तो हम केवल परिचित और परीक्षित प्रतिमा को खोकर विचित्र और अपरीक्षित प्रतिमा ही प्राप्त करेंगे, जो अपरीक्षित होने के कारण हमें न जाने क्या धोखा दे जाय। प्रतिमा से हमारा सम्बन्ध वैसा ही होता है जैसा जादूगर का प्रेत से होता है। नौसिखिया जादूगर बहुत बार ग़लत प्रेत को बुला बैठता है और तब उससे धोखा खा बैठता है। जिस प्रकार जादूगर के लिये न केवल यह आवश्यक होता है कि वह आहूत प्रेत को वश में रखना भी जानता हो, उसी प्रकार इन प्रतिमाओं के लिये भी है। एक बार ये प्रतिमाएँ अस्तित्व में आ जाने पर अपने निर्माण का तर्क हमारी इच्छा से स्वतन्त्र भी अनुसरण करने लगती हैं।

व्याख्याएँ स्वरूपत: अपनी प्रामाणिकता का दावा करती हैं, अन्यथा व्याख्या की प्रतिष्ठा सम्भव नहीं होगी। किन्तु जैसाकि हमने अन्यत्र देखा है, यह प्रतिष्ठा व्याख्या को सत् के प्रसंग से नहीं मिल सकती, सत् और व्याख्या में यदि कोई सम्बन्ध है तो वह केवल विरोध-सम्बन्ध है। अत: प्रतिष्ठा के लिये हमें कोई दूसरा आधार खोजना होगा। यह आधार पारितोषिकता का है—कौन-सी प्रतिमा हमें अधिक पुरस्कृत करेगी, इसका।

किन्तु इस दृष्टि में एक मौलिक कठिनाई है—किस उपलब्धि को हम पुरस्कार मानेंगे? लाखों की संख्या में रथ, घोड़े, गौएँ प्रस्तुत किये जाने पर मैत्रेयी ने उन्हें लेने से इन्कार करते हुए कहा था—"जो वस्तु मुझे अमृतत्व नहीं देती उसको लेकर मैं क्या करूँ?" किन्तु मार्क्स ने इसी अर्थ को मानवीय सत् की परिचालक शक्ति के रूप में देखा। बुद्ध ने जिसे परम पुरुषार्थ माना फ्रायड ने उसे किसी काम-ग्रन्थि से कारित देखा।

यहाँ कहा जा सकता है कि ये व्याख्याएँ पुरस्कारोन्मुख नहीं थीं, सदुन्मुख थीं, और कोई व्याख्या केवल पुरस्कारोन्मुख नहीं हो सकती। जब तक यह निर्णय नहीं हो कि मानव क्या है, अथवा परम पुरुषार्थ क्या है, तब तक यह निर्णय नहीं हो सकता कि क्या वस्तु पुरस्कृत करेगी और क्या हानि पहुँचाएगी। इसलिए हमें मानव की

---

1. दर्शन का स्वरूप, पीछे।

किसी प्रतिमा को उसकी प्रामाणिक प्रतिमा के रूप में देखना ही होगा, नहीं तो न केवल पुरुषार्थ का निर्णय ही नहीं हो सकता बल्कि ज्ञानमीमांसा की प्रामाणिकता भी असिद्ध रहेगी।

किन्तु यह स्थिति उतनी निराशाजनक नहीं है जितनी प्रथम दृष्टि में प्रतीत हो सकती है—दो कारणों से। एक तो यह कि मानव-प्रतिमा स्वयं हमारी प्रतिमा होने से इसका कुछ हम इसके भीतर से प्रत्यक्ष करते हैं, यद्यपि इसे नाम मिलते ही इसमें अपोह भी हो जाता है। किन्तु तब भी, इसकी अधिक विकृति हममें एक तनाव तो उत्पन्न करती ही है। दूसरा, और अधिक प्रामाणिक कारण यह है कि इस नाम-रूप में प्रदत्त को भी सत् मानकर उसकी समग्रता में उसे ग्रहण किया जा सकता है। हमारी यह दूसरी स्थापना कुछ विचित्र प्रतीत हो सकती है, किन्तु स्पष्टीकरण के बाद यह वैसी प्रतीत नहीं होगी।

प्रदत्त रूप में मानव का व्यवच्छेदक गुण अर्थान्वेषण है जो अपने उत्कर्ष पर स्वयं उसके अपने अस्तित्व के अर्थ की माँग करता है (विवेकशीलता अर्थान्वेषिता ही है)। यह अर्थान्वेषण उसे भोक्ता से कर्त्ता के रूप में अन्य विषयों के बीच स्थापित करता है (यह न्यूनतम है जो मानव-प्रतिमा का प्रदत्त है, जो वास्तव में अधिकतम भी है)। किन्तु यदि इतना स्वीकार कर लिया जाता है तो उसे विकासवादी, द्वन्द्वात्मक अथवा मनोवैज्ञानिक भी, पदावली में नहीं समझा जा सकता। इसका अर्थ यह नहीं कि ये मानव-रूप के कुछ पक्षों को समझने में भी सहायक नहीं हो सकते, किन्तु ये मानव-प्रतिमा को घड़ नहीं सकते। 'पक्षों को समझने' का भी यह अर्थ नहीं कि ये मानव-प्रतिमा के इस या उस अंग को घड़ सकते हैं, क्योंकि किसी प्रतिमा की कल्पना एक-एक अंग की कल्पना को संयुक्त कर नहीं बनती, वह समग्र रूप में एक साथ ही उत्सृष्ट होती है, अंग तो उसके बाद ही अलग-अलग देखे जा सकते हैं। इस प्रकार ये सिद्धान्त स्वत: मानव-प्रतिमा देने में असमर्थ हैं। यहाँ कांट द्वारा 'आत्मा' और 'स्वतन्त्रेच्छा' के विचार का महत्त्व स्पष्ट है, क्योंकि ये दो कोटियाँ (अथवा, वास्तव में एक ही कोटि के दो पक्ष) ही ज्ञाता और कर्त्ता के रूप में हमें मानव-प्रतिमा दे सकती हैं। इसका अभिप्राय यह नहीं कि मानव उतना ही कारण-कार्य में बँधा नहीं हो सकता जितना मेरा यह पैन,[1] किन्तु यदि हमारी पिछली स्थापनाएँ जरा भी सही हैं तो 'कारण-कार्य' स्वयं एक आक्षेप है जिसे आक्षेप-कर्त्ता के बिना कोई अर्थ नहीं दिया जा सकता—यह वैज्ञानिक प्रकार के प्रतिभास को, जो मानव की एक मूल्य-सृष्टि है, समझने के लिये उपयोगी कोटि है। इस प्रकार यदि सम्पूर्ण विश्व नियतिबद्ध भी है तो भी, यह कथन (ज्ञान) कि 'सब-कुछ नियतिबद्ध है' इसके कथयिता को इससे बाहर रख देता है, क्योंकि ज्ञान और विषय एक ही कोटि में नहीं रखे जा सकते। यह कर्त्ता (कर्तृत्वाभिमान) और कृत के सम्बन्ध में सही है। इस ज्ञाता और कर्त्ता (आत्मा) के रूप में मानव शाश्वत रूप से मुक्त है। हमारे प्राचीन चिन्तकों ने इसे विषयों और कर्मों से भी पृथक् करने की कल्पना की थी, क्योंकि विषय और कर्म को उन्होंने बन्धकों के रूप में देखा था—जिस प्रकार से पशु में ये हैं। किन्तु वे सही नहीं थे। ज्ञातृचैतन्य विषयों से विनिवर्तित होकर मुक्त नहीं हो सकता, यह विनिवर्तन की कल्पना पुन: विश्लेषणात्मक कल्पना है, किन्तु उसकी मुक्ति के लिये यह आवश्यक शर्त है कि वह अपने ज्ञातृत्व और कर्त्तृत्व के अभिमान से युक्त हो। यह महत्त्वपूर्ण है, क्योंकि यह बोध ही अन्ततः उसे विषयों से विनिवर्तित कर देगा, क्योंकि विषय अब बाहर से नियामक रूप में न आकर उसकी आदर्श सृष्टियों के रूप में उसके कर्त्तृत्वाभिमान से निस्सृत होंगे—विज्ञान उतना ही आदर्श सृष्टि होगा जितनी कला और धर्म, और अन्ततः दैनन्दिन व्यवहार के विषय भी। इस प्रकार ये सृष्ट विषय बन्धक न होकर उन्मोचक हैं, क्योंकि कर्त्तृत्वाभिमान इनके माध्यम से आत्म-चरितार्थन करता है।

मानव-प्रतिमा की यह व्याख्या 'मूल्य' का सही रूप समझने में भी सहायक हो सकती है। अर्थान्वेषी मानव को जब आत्म-साम्मुख्य होता है तब वह इस विचित्र विषय के अर्थ की भी माँग करता है। यह माँग

---

1. उदाहरणत: किसी दार्शनिक सिद्धान्त को उसके प्रतिपादक दार्शनिक के व्यक्तिगत तथा सांस्कृतिक इतिहासगत कारण-कार्य सम्बन्ध में प्रस्तुत किया जा सकता है। बहुत बार इतिहासज्ञ लोग ऐसा करते भी हैं—वे कारण-कार्य सम्बन्धों का उल्लेख ऐसे करते हैं मानो उस दर्शन को इस प्रकार समझा जा सकता है। किन्तु उस दार्शनिक सिद्धान्त की युक्तता के प्रसंग में कारण-कार्यपरक व्याख्या एक निरर्थक व्याख्या है।

मूल्यरंजित होती है। इस प्रकार इस विषय के साथ बोध और मूल्य युगपद् उन्मिषित होते हैं। इस मूल्यानुभव का अन्य किसी अनुभव या आवेग में अन्तर्भाव नहीं किया जा सकता। यह मूल्य सदैव अर्थरंजित रहता है और यह अर्थ मूल्यरंजित। मूल्य की आवेगमूलक तथा रूढ़िमूलक व्याख्याएँ क्रमश: मनोवैज्ञानिक तथा समाज-वैज्ञानिक मानव-कल्पनाओं पर प्रतिष्ठित हैं, और परिणामत: भ्रामक हैं। अर्जुन का द्वन्द्व क्या दो आवेंगो के बीच द्वन्द्व था अथवा दो रूढ़िगत मूल्यों में चुनाव का द्वन्द्व था? यदि यह द्वन्द्व इतना ही होता तो इसका सुलझाव—भगवद्-समर्पण—एक निरर्थक सुलझाव है। किन्तु संवेगात्मक व्याख्या इस द्वन्द्व में और उस द्वन्द्व में, जो एक गुलाबजामुन और एक रसगुल्ले में से एक को चुनने में होता है, अन्तर नहीं कर सकती। जहाँ तक सामाजिक व्याख्या का प्रश्न है, उसका दोष केवल यह नहीं है कि वह व्यक्ति का पूर्ण अन्तर्भाव समाज में कर देती है, बल्कि इससे अधिक गम्भीर है। यह सम्भव है कि यदि समाज नहीं हो तो मूल्य भी नहीं हों, किन्तु इससे अधिक-से-अधिक यह सिद्ध होता है कि मूल्यों का प्रादुर्भाव सामाजिक सन्दर्भ में होता है। किन्तु यह मूल्य के स्वरूप की व्याख्या नहीं करता। इसके विपरीत, मूल्य समाज की सम्भावना के लिये अनिवार्य हैं—समाज मूल्यों के कारण 'समाज' बनता है, यह समाज का 'अर्थ' है। जब तक व्यक्तियों में सम्बन्ध मूल्याविष्ट नहीं होते तब तक ये सम्बन्ध 'समाज' के स्तर तक नहीं उठ सकते। इसीलिए मधुमक्खियों और चींटियों के कहीं अधिक संगठित और सुव्यवस्थित समवाय भी 'समाज' नहीं कहे जा सकते, वे अधिक-से-अधिक 'संस्थान' कहे जा सकते हैं। इस प्रकार के मूल्य समाज के अर्थ के घटक हैं—अर्थ की दृष्टि से ये उससे प्रथम हैं। किन्तु जो उपर्युक्त द्वन्द्वों से अर्जुन के द्वन्द्व का अन्तर नहीं देख सकता उसे यह अन्तर दिखाने के सब प्रयत्न व्यर्थ ही रहेंगे। अर्जुन के द्वन्द्व को केवल इस रूप में ही समझा जा सकता है कि व्यक्ति उस वस्तु का अर्थ समझे जिससे कर्म निस्सृत होते हैं, जो उस पर उत्तरदायित्व डालती है। कृष्ण ने अर्जुन को उत्तरदायित्व से मुक्त कर दिया था—यह एक नया मूल्य-बोध था, एक महत्तर अहं का अर्थ-बोध, एक ऐसे कर्त्ता की उपलब्धि जिसका प्रत्येक कर्म उसके पूर्ण होने के नाते, उसके पूर्ण स्रष्टा होने के नाते, प्रश्नातीत है।

यहाँ मूल्यों की विषय-निष्ठता और विषयी-निष्ठता सम्बन्धी विवाद के सम्बन्ध में भी दो शब्द कहना प्रासंगिक होगा। यह प्रश्न कि मूल्य वस्तुस्थिति के गुण हैं या नहीं, एक भयानक व्यामिश्र पर प्रतिष्ठित है—जो आँख, कान, नाक आदि से ग्रहण होता है वह विषय है, और इसी प्रकार मूल्य या तो इनके साथ ही कुछ अन्य इन्द्रियों से ग्रहण होता है अथवा यह उसी प्रकार से आरोपित या विषयीनिष्ठ होता है जैसे आँख दबाने पर एक वस्तु का दो वस्तुएँ दिखाई देना। यह विषय और मूल्य दोनों के सम्बन्ध में भ्रामक दृष्टि है। जैसाकि हमने 'विश्लेषणात्मक और आनुभविक' अध्याय में देखा है, विषय ज्ञातृ-चैतन्य के अर्थाभ्युपगम हैं, परिणामत: उससे उत्सृष्ट होते हैं। वर्ण, गंध आदि विषय नहीं हैं, इनके विषय के स्तर पर उठने के लिये इनका आकाराविष्ट होना आवश्यक है। ठीक उसी प्रकार कर्त्तृ चैतन्य के लिये , उसके आकाराविष्ट होने से, मूल्य विषय हैं, ये उसके अर्थाभ्युपगम हैं। ये विषय केवल मानव को प्रस्तुत होते हैं, क्योंकि ये विषय उस 'आत्म' के विषय हैं जो केवल मानव का विषय है। 'मेज़ सुन्दर है' इतना मात्र मूल्यात्मक वाक्य नहीं है, यह कुत्ता भी जानता है कि कौन-सी रोटी ने अधिक स्वाद दिया, गाय हरे और सूखे घास में चुनना जानती है। 'सुन्दर' मूल्य तब बनता है जब संवेद कला-सृष्टि के स्तर पर उठता है। कला-सृष्टि से मेरा अभिप्राय 'चित्र बना पाने' से नहीं है बल्कि चेतना के उस स्तर से है जो 'चित्र बना पाने' के स्तर की है। किन्तु यह विषय कर्त्तृ-चैतन्य की सृष्टि होने से उसके लिये उतना ही स्वतन्त्र विषय होता है जितने ज्ञातृ-चैतन्य को प्रस्तुत विषय होते हैं। वैज्ञानिक विषय के लिये यह पूछना कि वह 'बाहर' है या 'भीतर', अर्थहीन है। गुरुत्वाकर्षण चेतना का गुण नहीं है, किन्तु गुरुत्वाकर्षण चेतना के बिना भी कहीं नहीं है। इसी प्रकार सुन्दर और शुभ चेतना के गुण नहीं हैं, किन्तु तब भी वे चेतना के बिना भी कहीं नहीं हैं। बुद्ध ने गृह-त्याग किसी 'कल्पित परी' के लिये ही किया था, यह विलक्षण रूप से प्रबुद्ध मानव था, इसलिए उसका अन्वेषण काल्पनिक नहीं हो सकता। इस प्रकार कर्त्तृ-चेतना के लिये मूल्य उतने ही विविक्त रूप से प्रस्तुत होते हैं जितने विविक्त रूप से मेरे सम्मुख मेज़ है, किन्तु यह कहना कि ये विषय 'मेज़ जैसे' हैं उतना ही मूर्खतापूर्ण है जितना यह कहना कि मेज़ 'निर्वाण जैसा' है, मूर्खतापूर्ण होगा।

मूल्य का यह अर्थ सामान्य परिस्थितियों में उतना ही सही है जितना यह अत्यन्त निर्णायक क्षणों में होता है। कर्त्तव्य-बोध उस कर्तृत्वाभिमान का ही बोध हो जो अपने कर्मों की सार्थकता की माँग करता है। इस सार्थकता के अनेक रूप हो सकते हैं—दो व्यक्ति, दो संस्कृतियाँ भिन्न प्रकार से अर्थ-निर्धारण करेंगे, किन्तु इससे मूल स्थिति में कोई अन्तर नहीं पड़ता और न इनकी 'परता' इससे खण्डित होती है।[1]

यहाँ 'उत्तरदायित्व' तथा 'स्वतन्त्रता' की सार्त्रीय व्याख्या देखना रोचक होगा। सार्त्र के अनुसार, 'मानव स्वतन्त्र होने के लिये अभिशप्त है (कांडेम्ड टू बी फ्री), वह अभिशप्त है क्योंकि उसने अपनी सृष्टि स्वयं नहीं की है, किन्तु तब भी वह स्वतन्त्र है, क्योंकि, एक बार संसार में धकेल दिया जाने पर वह उन सब कर्मों के लिये उत्तरदायी है जो वह करता है।' उसके अनुसार, कोई 'प्रदत्त मानव-स्वभाव' नहीं है। मानव अपने स्वभाव का सर्जन अपने कर्मों से करता है। वह अपनी स्वतन्त्रता का शिल्पी है। मानव न केवल अपने कर्मों के लिये उत्तरदायी है बल्कि उन सबके लिये भी जो अन्य मनुष्य करते हैं।

सार्त्र मनुष्य को स्वतन्त्रता के लिये 'अभिशप्त' कहता है, क्योंकि यह स्वतन्त्रता उस पर उत्तरदायित्व लादती है, किन्तु यदि मनुष्य अपने होने के लिये स्वयं उत्तरदायी नहीं है, और वह 'अपनी इच्छा के विरुद्ध' इस संसार में डाल दिया गया है, और उत्तरदायित्व उसके मूल स्वभाव का घटक तत्त्व नहीं है, तब वह अपने कर्मों के लिये उत्तरदायी क्यों समझा जाय, और वह क्यों यह उत्तरदायित्व अनुभव करता है? उसका इस स्थिति के विरुद्ध विद्रोह करना अधिक स्वाभाविक है न कि इसे स्वीकार करना और उसमें किये कर्मों के लिये उत्तरदायी होना जिनके अस्तित्व के लिये न केवल वह उत्तरदायी ही नहीं है बल्कि जो 'सर्वथा अपरिचित (और बाधक भी?) स्वतन्त्रताएँ हैं।' ऐसे व्यक्तियों में परस्पर के प्रति कोई नैतिक भावना उदित होने के बजाय विशुद्ध स्वार्थपरक सम्बन्ध ही स्थापित होने चाहिए—अपनी रक्षा के लिये , अथवा अपनी इच्छा के विरुद्ध धकेले जाने के परिशोध के लिये । इसके विपरीत स्थिति केवल तभी सम्भव है यदि मानव को एक सहज नैतिक स्वभाव से युक्त माना जाय। किन्तु सार्त्र न केवल उसे मौलिक नैतिक स्वभाव से ही रहित मानता है बल्कि स्वभाव-मात्र से रहित मानता है।

इसके अतिरिक्त, सार्त्र मानव के 'विश्व में फेंके हुए' होने तथा 'अपरिचित और अपने ही समान अभिशप्त स्वतन्त्रताओं के बीच फेंके होने' सम्बन्धी तात्त्विक वस्तुस्थितियों के सम्बन्ध में कैसे जानता है जब तक कि वह यह दावा न करे कि ऐसा गुप्त का ज्ञान सम्भव है, जिसे कि वह स्वीकार नहीं करता? अथवा यह नहीं दिखाए कि ये परिणाम मानव के स्पष्ट स्वभाव से निगमित होते हैं, जोकि वह दिखाता नहीं।

इस तरह से 'मानव के उत्तरदायित्व' को इस प्रकार नहीं समझा जा सकता, क्योंकि वास्तव में यह व्याख्या उसे उत्तरदायित्व से मुक्त कर देती है। न ही मैं मनुष्य पर किसी आरोपित उत्तरदायित्व की बात का कोई अर्थ समझता हूँ, क्योंकि यह स्वीकृति हमें उस 'परतत्त्व' को स्वीकार करने को बाध्य करेगी जिसको हमने अपने

---

1. दया जी (द्रष्टव्य, उनका लेख 'मूल्य और सत्', यशदेव शल्य द्वारा सम्पादित समकालीन दार्शनिक समस्याओं में) ने मूल्यों में 'क्रियापरक' और 'अनुभूतिपरक' (एक्टिव एण्ड कांटेम्प्लेटिव) का भेद किया है, प्रथम में उन्होंने ऐसे मूल्यों को रखा है जिनमें व्यक्ति अपने परिवेश में परिवर्तन का प्रयत्न करता है और दूसरे में ऐसे मूल्यों को, जिनमें वह अपनी चेतना की अवस्था-विशेष प्राप्त करना चाहता है। किन्तु यह भेद उचित नहीं है। मूल्य कर्तृ-चैतन्य के विषय होने के कारण कोई 'मूल्य चेतना की स्थिति प्राप्त करने' तक सीमित नहीं होते। सौन्दर्यपरक मूल्य कलाओं में और नैतिक मूल्य लोक-संग्रह, ईश्वर-भक्ति और निर्वाह-कामना आदि में निष्पन्न होते हैं। किन्तु उत्तरोत्तर क्रम में ये 'अनुभूतिपूरक मूल्यों' के निकट होते चले आते हैं। किन्तु सबमें मूल्य चेता 'साधक' बनता है। जहाँ तक प्रकृति अथवा कला के 'निष्क्रिय' आस्वाद का प्रश्न है, उसके अनुरूप 'दुःखी को देखकर दुःखी होना अथवा कुरूपता से घृणानुभव करना' भी मूल्यानुभव हैं। किन्तु ये दूसरे मूल्य-क्रिया में निष्पन्न होंगे ही और ठीक इसी प्रकार प्रथम भी साधक को क्रिया में नियोजित करते हैं। केवल सक्रियता कभी मूल्य नहीं कही जा सकती, और चरितार्थन की ओर अग्रसर न होना मूल्य के अर्थ के विरुद्ध है, क्योंकि मूल्य कर्तृ-चैतन्य के विषय हैं ज्ञातृ-चैतन्य के नहीं, किन्तु केवल अर्थान्वेषी कर्तृ-चैतन्य ही मूल्य-ग्राहक बनता है, यह आदर्श रामचरितमानस के राम में, गाँधी के मानव-मुख परिष्कार के प्रयत्न में, बुद्ध की महाकरुणा में, कालिदास के सुन्दर के सर्जन में, आईंस्टाइन के समंजस के अन्वेषण में हम पा सकते हैं।

पिछले सम्पूर्ण विवेचन में अप्रतिष्ठित देखा है। उत्तरदायित्व वास्तव में एक भ्रामक अवधारणा है, यह एक सार्वभौम और अवार्य नियम को पूर्वकल्पित करती है, जो पुनः तात्त्विक है। 'अन्यों के कृत्यों के लिये उत्तरदायित्व' की भ्रामकता तो जघन्यता तक पहुँच जाती है। मानव 'उत्तरदायी' नहीं और इसीलिए वह कभी 'दण्डित' भी नहीं होता, वह व्यक्तित्व से अभिशप्त भी नहीं है, क्योंकि यह अवधारणा स्वयं उसके होने के मूल्य को पूर्वकल्पित करती है जिसे वह चीन्ह नहीं कर सकता और अतएव पुनः यह एक तात्त्विक कल्पना है। इसलिए मनुष्य को केवल ऐसे विषय के रूप में देखना ही उचित है जो वह 'आत्म-साम्मुख्य' में अपनी लिये है।

यह विषयत्व मनुष्य को एक 'केन्द्र' देता है। पशु इस केन्द्र से वंचित होने के कारण विभिन्न केन्द्रों का समवाय-मात्र रह जाता है और उसका 'व्यक्तित्व' उनमें निश्शेष हो जाता है। इसीलिए पशु में व्यक्तित्व का कोई अर्थ नहीं है और न उसमें उससे अधिक सम्भावनाएँ ही होती हैं जितना उसका शरीर-यन्त्र उसे प्रदान करता है। इसके विपरीत, मनुष्य को बाह्य केन्द्रों से परिभाषित नहीं किया जा सकता, वास्तव में उचित रूप से ये बाह्य केन्द्र उस परिभाषा से परिभाषित होते हैं जो वह अपने आत्म को, इस विशिष्ट आत्मोपस्थित विषय को, देता है। चेतना केन्द्र के रूप में मनुष्य का एक 'आन्तर जीवन' है जो अनन्त सम्भावनाओं से युक्त है। आप कुत्ते, बन्दर और घोड़े को सिखा सकते हैं और कुछ सम्भावनाएँ चरितार्थ कर सकते हैं, किन्तु इसकी एक सीमा है बहुत लघु सीमा। किन्तु मनुष्य के व्यक्तित्व का सम्भावना-क्षेत्र असीम है, वह कुछ भी बन सकता है। इसका 'अन्तर्गुहावासी' उतना ही रहस्यमय है जितना ब्रह्म, उतना ही वस्तु-सत् है जितना वैज्ञानिक सिद्धान्त, उतना ही दुर्निवार है जितना प्रत्यक्ष और उतना ही कांक्ष्य है जितना परम-पुरुषार्थ, क्योंकि यह ऊर्णनाभ ही इन सबका उपादान कारण भी है और निमित्त कारण भी।

3
विषय और आत्म

विषय

यद्यपि मानवीय अनुभव के अनेक आयाम और रूप हैं और इस प्रकार विषय भी अनेकविध हैं, किन्तु इसमें दृष्टि-विषयों का स्थान केन्द्रीय महत्त्व का है। इससे साधारणत: केवल दृष्टि-विषयों को ही विषय माना जाता है। संस्कृत में गोचरता मात्र के लिए 'प्रत्यक्ष'—प्रति-अक्ष—शब्द का प्रयोग होता है, इसी प्रकार अंग्रेज़ी का 'पर्सेप्शन' 'देखने' के पर्याय शब्द ('सी') का विकारी है। हम सुगन्धि का ग्रहण होते ही गुलाब के दृष्टिगोचर रूप की कल्पना करते हैं और उसे खोजने जाते हैं। यद्यपि स्पर्शपुष्ट होना भी आवश्यक होता है, किन्तु वह केवल सन्देह होने पर ही होता है। कल्पना, स्मृति और स्वप्न सभी मुख्यत: दृष्टि-विषयों पर ही संचरित होते हैं।

यह सकारण है, और यह कारण विषय-विचार के लिए महत्त्वपूर्ण है। मानवीय अनुभव के सन्दर्भ में अनुभव के सद्यत्व से पृथक् और स्वतन्त्र स्थिति जितनी साग्रह और प्रखरता के साथ दृष्टि-विषय में चरितार्थ होती है उतनी अन्य किसी ऐन्द्रिय विषय में नहीं होती। वास्तव में अन्य इन्द्रियानुभवों से पुष्टि का प्रसंग, जो कि विषय की स्वतन्त्रता की अपेक्षा से उद्भूत होता है, दृष्टि-विषय का ही अनुषंगी होता है। इसी प्रकार, जितने सम्यक् रूप से दृष्टिविषय देश में अधिष्ठित होते हैं अन्य ऐन्द्रिय विषय नहीं होते, और बाह्यता और परता को सबसे अधिक प्रखर रूप से देश ही प्रकट करता है।

विषयत्व का मूल धर्म उसकी परात्परता (ट्रांसेडेंटनेस) है, वह एक स्वतन्त्र सत् है जो हमारे ज्ञान से निरपेक्ष किन्तु ज्ञान में प्रकट होने की सामर्थ्य से युक्त है। वह प्रस्तुत होता है, सर्जित नहीं होता। यह मेरे सामने खड़ा पेड़ मेरे सौ माथा पटकने पर भी मेरे आँख बन्द करने पर तिरोहित नहीं हो सकता, हवा चलने पर यह झूमता और काँपता है, इस पर पक्षी बैठते हैं जिनका भार इसी पर पड़ता है, इसे पानी और धूप नहीं मिलेंगे तो यह मुरझा जायगा। ये सब लक्षण इस वृक्ष से, उसके भिन्न-भिन्न स्तरों पर, सम्बन्धित हैं, और इन विभिन्न लक्षणों के साथ यह विश्व का, एक परात्पर समग्रता का, अंग है।

किन्तु जैसाकि दार्शनिक आलोचना सैकड़ों वर्ष पहले यह स्पष्ट कर चुकी है, बाह्यता का लक्षण दृष्टि-विषयों में स्वत: विद्यमान नहीं होता, परता—स्वायत्तता—तो बहुत दूर की बात है। बाह्यता देखने वाले के शरीर और वस्तु के बीच अवस्थान-सम्बन्ध है जो शरीर की वस्तु-अभिमुखता से उत्पन्न होता है। शरीर की वस्त्वभिमुखता शरीर और वस्तु के बीच मात्र दैशिक सम्बन्ध नहीं है, क्योंकि दैशिक सम्बन्ध निष्क्रिय होता है। इसके विपरीत अभिमुखता-सम्बन्ध सक्रिय एवं अत्यन्त जटिल सम्बन्ध है (यदि सम्बन्ध इसे कहें तो) क्योंकि इसमें शरीर सर्वप्रथम स्वयं को स्थापित करता है और तब विषयकृत को अपवारण तथा पुंजीयन की क्रियाओं के द्वारा पिण्डित करता है। यहाँ द्रष्टव्य है कि शरीर का स्वयं का स्थापन अभिमुखता का पूर्वांग नहीं है, बल्कि यह अभिमुखता का ही फलन होता है, उतना ही जितना वस्तु इसका फलन होती है। इस प्रकार देश इस अभिमुखता की सृष्टि है—अभिमुखता वस्तु-ग्रहण के व्यापार में शरीर-मूल से वस्तु का अवस्थान और परिप्रेक्ष्य उत्पन्न करती है। परता अथवा स्वायत्तता भी अभिमुखता की ही अपेक्षा है और फलत: यह बाह्यता की अनिवार्य सहगामी है। संवदे में अपने आप से बाह्यता और परता आदि नहीं होती। यह इससे प्रकट है कि अभिमुखता का अवरोध करके संवेद को यथेच्छया भी इससे वियुक्त किया जा सकता है, यद्यपि यह अत्यन्त कठिन है। अभिमुखता के परिवर्तन के साथ बाह्यता और परता के स्वरूप में परिवर्तन तो हम सर्वत्र देखते ही हैं।

अभिमुखता का यह परिवर्तन अनेक प्रकार का होता है—जैसे दृष्टि हटा लेना, परिप्रेक्ष्य का परिवर्तन, केन्द्र का परिवर्तन, प्रयोजन का परिवर्तन तथा कोटि का परिवर्तन आदि। इनमें प्रयोजन तथा कोटि के परिवर्तन क्रमश: अधिकाधिक महत्त्वपूर्ण हैं। प्रयोजन-परिवर्तन के उदाहरण हैं—पुस्तक को पढ़ने के प्रयोजन से, मारने के

प्रयोजन से अथवा मेज़ खाली करने के प्रयोजन से उठाना। ये तीन प्रयोजन 'पुस्तक' के स्वरूप में कितना आमूल परिवर्तन कर देते हैं इसका विवेचन महत्त्वपूर्ण होने पर भी यहाँ हम यह नहीं करेंगे। कोटि-परिवर्तन के उदाहरण होंगे—पुस्तक का भौतिक, पौराणिक अथवा कलात्मक सन्दर्भ में ग्रहण। इन सन्दर्भों को भिन्न-भिन्न 'विश्व' अथवा प्रतीक-योजनाएँ भी कहा जा सकता है। यद्यपि सब विश्वों में पुस्तकत्व की दृष्टि से यह एक ही विषय होगा किन्तु वस्तुत्व में भिन्न-भिन्न होगा। इनके अतिरिक्त और भेद भी हो सकते हैं। यह 'साधारण विषय' होने के अतिरिक्त किसी दुःखद अथवा सुखद घटना अथवा मधुर सम्बन्ध का स्मारक भी हो सकता है। इस प्रकार यह 'प्रिय द्वारा भेंट की गयी पुस्तक' अथवा 'उस समय खरीदी गयी पुस्तक जिसके तुरन्त बाद मैं भयानक दुर्घटनाग्रस्त हो गया था' हो सकती है। किन्तु यहाँ इस अन्तिम प्रसंग को छोड़ा जा सकता है, क्योंकि कहा जा सकता है कि यह 'अभिमुखता-जन्य', अतएव विषय, नहीं है, यह केवल विषय से सम्बन्धित एक स्मृति है जो विषय से पृथक् भी घटित हो सकती है। यह सही है, किन्तु यहाँ यह द्रष्टव्य है कि 'प्रिय द्वारा दी गयी पुस्तक' एक 'अध्यारूढ़ विषय' है जिसमें प्रत्यक्षगत पुस्तक 'केन्द्रस्थ विषय' नहीं हो कर केवल एक संकेत होती है। विषय में सबसे अधिक आमूल परिवर्तन कोटि-परिवर्तन से होता है—उदाहरणत: मेज़ पर पड़ा पत्थर भौतिक कोटि के सन्दर्भ में तब तक अनिवार्यत: वहीं पड़ा रहेगा जब तक कोई अन्य वस्तु उसे बलपूर्वक वहाँ से विस्थापित नहीं करती, किन्तु पौराणिक कोटि में वह स्वयं उठ कर किसी के सिर पर पड़ सकता है, मनुष्य रूप लेकर सब कार्य कर सकता है, आदि। इस प्रकार, प्रथम कोटि भौतिक सत्यता की कोटि है और दूसरी पोराणिक सत्यता की। प्रत्येक विषय अनिवार्यत: एक सत्यता के सन्दर्भ में घटित होता है, उसके बिना विषय की कल्पना नहीं की जा सकती। उदाहरण के लिए, दोनों आँखें बन्द कर उन्हें दबाने से वर्ण-संस्थान दिखायी देता है। किन्तु वह वास्तव (वस्तुपरक) विषय नहीं होता, यद्यपि शुद्ध चाक्षुष लक्षणों में वह मेज़, पुस्तक आदि से भिन्न प्रकार का नहीं होता। इनमें भेद सत्यता-सन्दर्भमूलक होता है, इसी से ये दो वर्ण-संस्थान एक ही प्रकार के विषय नहीं हो सकते। इस प्रकार सत्यता-सन्दर्भ विषय का उतना ही स्वरूप-घटक होता है जितना उसका कोई भी अन्य लक्षण। किन्तु यह गोचर लक्षणों से मूलत: भिन्न प्रकार का होता है—विषय के गोचर लक्षण अपने सद्यत्व में—यदि सद्यत्व कुछ होता है तो—विशिष्ट और विलक्षण होते हैं, जबकि सत्यता स्वरूपत: विषयत्व का मूल धर्म है। इस प्रकार विषय इसे अपनी समग्रता में और अनिवार्यत: व्यक्त करता है, जबकि गोचर लक्षण विषय के लिए अनुषंगी और आगन्तुक होते हैं। यही नहीं कि यह पुस्तक किसी भिन्न वर्ण की और किसी भिन्न स्पृश्य गुण की हो सकती थी बल्कि यह अदृश्य और अस्पृश्य भी हो सकती थी—उदाहरणत: यदि हमारे चक्षु-इन्द्रिय अथवा स्पर्शेन्द्रिय अथवा दोनों नहीं होतीं। किन्तु यदि भौतिक सत्यता नहीं होती तो भौतिक विषय नहीं हो सकते थे। किन्तु यह पूरी तरह कल्पनीय है कि हमारी सभी इन्द्रियाँ इसी प्रकार रहते भी भौतिक विश्व नहीं होता, क्योंकि जैसाकि हम पीछे देख आये हैं, संवेद स्वत: वस्तुत्व को सम्भव नहीं करते।

× × ×

हमारे सब दैशिक प्रत्यक्षों और विनियोजनों में आत्म शरीराधिष्ठित होकर वस्तु-ग्रहण करता है। किन्तु यह शरीराधिष्ठान स्वयं शरीर को वस्तु रूप में प्राप्त नहीं करता—अर्थात् शरीर यहाँ वस्तुओं में एक वस्तु नहीं होता। यह केवल वस्तु से, उसके देश में अधिग्रहण के लिए, अनुमापित दूरी पर ली गयी एक स्थिति होती है, यह एक क्रिया-बिन्दु होता है जो स्वयं दैशिक हुए बिना सम्पूर्ण दैशिक विश्व का विनियोजन करता है। यद्यपि यह विनियोजनात्मक क्रिया बहुत सीमा तक परिप्रेक्ष्य का, और इस प्रकार शरीर के स्थान का, भी निर्धारण करती है, किन्तु परिप्रेक्ष्य भी इस क्रिया पर सीमाओं का आरोपण करता है—परिप्रेक्ष्य की यह अनिवार्यता है कि इसका एक केन्द्र होता है और इससे निरन्तर दूर हटता हुआ विस्तार होता है, इसमें स्थित वस्तुओं का अगोचर पक्ष होता है जिसे केवल एक निश्चित क्रम में स्थान-परिवर्तन से, और गोचर पक्ष का केन्द्र परिवर्तन कर और उसे क्रमश: अगोचरता में खोकर, गोचर बनाया जा सकता है। यह केवल प्रत्यक्षगत वस्तु-विश्व के सम्बन्ध में ही सही नहीं है, कल्पना में भी दैशिक विषय परिप्रेक्ष्य के, और इस प्रकार अगोचर पक्ष के, बिना गम्य नहीं होते। मैं वस्तुओं को अथवा वस्तु-विश्व को, उनके सभी पक्षों में एक साथ ग्रहण कर सकता हूँ, किन्तु वह केवल उनकी दैशिकता

का, अथवा कहें देश-वृत्ति का, निरास करके ही सम्भव हो सकता है। और ऐसा हम प्राय: ही करते हैं जब हम गोचर विश्व का निरोध कर उसके धर्मों और लक्षणों आदि के सम्बन्ध में विचार करते हैं।

वस्तुओं की परिप्रेक्ष्यात्मकता भी स्थिर दैशिक स्थिति नहीं है, यह एक अनुप्राणितता है जो वस्तुओं के गोचर पक्ष को गौण और अनुप्रविष्ट बना देती है और प्रस्तुत पक्ष समग्र के लिए संकेत मात्र हो जाता है। इस प्रकार वस्तु के पक्ष और गुण वस्त्वात्मा से, वस्तु-धर्म से, अनुप्राणित होते हैं। वस्तु-अवगमन में यदि प्राक् और पश्चात् का कोई वास्तव में अन्तर है तो आदित: और अव्यवहित रूप से जो प्रदत्त होता है वह 'वस्तुता' है जो अनुक्रमश: अपने गुणों को अपने में से उद्भिन्न कर प्रकट करती है। इस प्रकार, वस्तु विकल्पजन्य (कंस्ट्रक्शन) नहीं होकर मूल प्रदत्त है। किन्तु इस वस्तुता के लिए यह अनिवार्य है कि यह देश में पक्षत: गोचर हो।

वस्तु-अवगमन का यह स्वरूप इसे एक साथ अकालिक और कालिक बनाता है, क्योंकि पक्षों में उद्भिन्न वस्तु अपने धर्म में अपने को समग्रत: और युगपद् रूप से प्रदान करती है जिसे हम पुन: परिप्रेक्ष्यत: गोचर बनाते हैं।

वस्तु का दूसरा कालानुक्रम (अर्थात् इसकी काल-स्थायिता) भी, जो इसके दैशिक परिप्रेक्ष्य से सम्बन्धित नहीं है, इसकी अकालिकता को इसी प्रकार पूर्वकल्पित करता है—वस्तु का एकत्व सद्य: रूप से प्रदत्त होने से। क्योंकि वस्तु का एकत्व सद्य: रूप से प्रदत्त नहीं होने पर उसकी काल-स्थायिता और काल-क्रम में परिवर्तन का कोई अर्थ नहीं रह जाता।

× × ×

शरीर यद्यपि वस्त्वभिमुखता के अधिष्ठान के रूप में विस्तार-रहित स्थिति मात्र होता है और इस प्रकार अवस्तु-रूप होता है, किन्तु शरीर का दैशिक पक्ष भी है जो इसे अन्य वस्तुओं में एक वस्तु के रूप में स्थापित करता है। जब मैं वस्तु को हाथ में लेने के लिए आगे बढ़ता हूँ और उपयुक्त स्थान पर रुक कर हाथ बढ़ाता हूँ, जब मैं अपने मित्र के घर जाने के लिए चल कर पहुँचने के समय का अनुमान करता हूँ, तब शरीर अभिमुखता का अविस्तृत बिन्दु होने के अतिरिक्त स्वयं दैशिक विषय भी होता है। किन्तु इसकी यह दैशिकता अन्य वस्तुओं की दैशिकता से प्रकारत: भिन्न होती है—इसके परिप्रेक्ष्य का केन्द्र गोचर पक्ष से निर्धारित नहीं हो कर विनियोजन की वासना से निर्धारित होता है—आती हुई गाड़ी से बचने के लिए, एकाएक सामने बन्द होते किवाड़ों को रोकने के लिए, लक्ष्य तक पहुँचने के लिए दौड़ने में अथवा सामने पड़ी वस्तु को उठाने के लिए हाथ बढ़ाने में, अथवा किसी हाथ में पीड़ा होने में, इसका केन्द्र परिवर्तित होता रहता है। इसे जीया-जा रहा देश भी कह सकते हैं। शरीर गोचर-वस्तु केवल तभी होता है जब हम वस्तु की तरह इसे देखना अथवा स्पर्श करना चाहते हैं—जैसे, यदि मैं अपनी पीठ के घाव को अथवा पैर को देखना चाहता हूँ। शारीरिक देश वास्तव में जीया गया देश ही है, अभिमुखात्मक देश शारीरिक देश नहीं है, अभिमुखात्मक देश को परिप्रेक्ष्यात्मक देश भी कह सकते हैं, जिसमें शरीर केवल परिप्रेक्ष्य का विनियोजक केन्द्र मात्र होता है। गोचरभूत शरीर भी इसी देश में होता है—दर्पण में देखा गया जैसा।

× × ×

जैसा कि ऊपर के विवेचन से स्पष्ट है, दैशिक विषय शरीर-वृत्तिक चैतन्य द्वारा अपेक्षित (इंटेंडिड) होता है, इसकी दैशिक स्वायत्ता परिप्रेक्ष्यात्मक और अतएव अपेक्षात्मक होती है—इसका प्रत्यक्षगत पक्ष अप्रत्यक्षगत से अनुप्रवष्टि और अप्रत्यक्षगत प्रत्यक्षगत से संकेतित होने से वस्तु अनिवार्यत: इन्द्रियातिक्रामी—यद्यपि इन्द्रिय-गमन-योग्यतापन्न और अतएव अपेक्षामूलक (इंटेडिड)—होती है। किन्तु इस विषय की स्वायत्तता केवल दैशिक नहीं होती, इसकी स्वायत्तता इसके भौतिक सत्य में प्रतिष्ठित होने में होती है। यह सत्य परिप्रेक्ष्यता और गोचरता-अगोचरता के अतिरिक्त शुद्ध मात्रात्मक है। यद्यपि ये मात्राएँ देश-कालात्मक कोआर्डीनिट्स हैं, किन्तु यह देश और काल अभिमुखताजन्य नहीं है, यह शुद्ध देश-काल है।

यहाँ कहा जा सकता है कि काल निरपेक्ष—शुद्ध भौतिक—नहीं हो सकता और वास्तव में भौतिक मात्राओं का देश–कालात्मक होना भौतिकता को अनिवार्यत: अभिमुखतामूलक बना देता है। आर्थर इंडिंग्टन, और स्वयं आईंस्टाइन की भी, यही स्थापना है। किन्तु यह सही नहीं है, क्योंकि भौतिक देश–काल–कोआर्डीनेट्स किसी वास्तव अभिमुखता–केन्द्र से निर्दिष्ट नहीं होकर अभिकल्पित (आइडियल) केन्द्र से निर्दिष्ट होते हैं। दैशिक या गोचर विषय की पूर्ण स्वायत्तता के लिए इसका इस अभिकल्पित देश–काल में अन्तर्भूत होना आवश्यक है। किन्तु यह देखना कठिन नहीं होना चाहिए कि गोचर विषय की यह भौतिकता–प्रतिष्ठित स्वायत्ता वास्तव में गोचर विषय में निहित परता को समग्र विषय से पृथक् ग्रहण करने का प्रयत्न है। इस प्रकार भौतिक विज्ञान इस विश्लिष्ट अभिकल्पना को प्रतिष्ठित करने वाली प्रतीक–व्यवस्था है।

× × ×

इस प्रकार प्रत्यक्षगत विषयों की संरचना के तीन पक्ष हैं—(1) वे देशमूलक अभिमुखता द्वारा आक्षिप्त होते हैं जिसका प्रस्थान–बिन्दु शरीर होता है—अथवा कहें, ये शरीराधिष्ठित अभिमुखता के द्वारा देश में स्थापित होते हैं। (2) ये परिप्रेक्ष्यात्मक होते हैं और यह परिप्रेक्ष्य एक समग्रता के अर्थ से अनुप्राणित रहता है, (3) इनकी परता भौतिक प्रकार की होती है जो शुद्ध मात्रा अथवा शुद्ध संख्या–चतुष्क (देश–काल क्वाडरपल्स) के रूप में अभिकल्पित होती है। इस संरचनात्मकता से विरहित प्रत्यक्ष दैशिक विषयों का निर्माण नहीं करता। उदाहरणत: हम बाग में घूमते हुए अकस्मात् गन्ध का अनुभव करते हैं और चेतन या अचेतन रूप से इसे किसी ज्ञात या अज्ञात पुष्प से सम्बन्धित कर देते हैं। इस प्रकार यह दैशिक प्रत्यक्ष का विषय बन जाता है। किन्तु कल्पना करें कि मैं इस आघ्रात गुण को किसी वस्तु से सम्बन्धित नहीं करता और केवल गन्ध का अनुभव करता हूँ। उस अवस्था में यह दैशिक विषय नहीं होगा, यद्यपि गोचर विषय यह होगा। इसी प्रकार, हम आँख दबाने पर वर्ण–संस्थान देखते हैं। ये संस्थान अनिवार्यत: दैशिक होते हैं, ये परिप्रेक्ष्यात्मक भी होते हैं, किन्तु तब भी भौतिक नहीं होते। इसी प्रसंग में पीड़ा, खुजली आदि भी द्रष्टव्य हैं जो देश–स्थित होते हुए भी दैशिक विषयक नहीं होते, भौतिकता तो दूर की बात है।

किन्तु संरचनात्मक दृष्टि से अत्यन्त आधारभूत परिवर्तन तब घटित होता है जब हम गोचर विषय की गोचरता का ही निरोध कर या तो उसे माध्यम के रूप में प्रयुक्त करते हैं अथवा सामान्य, धर्म, स्वभाव आदि के सन्दर्भ में देखते हैं। प्रथम प्रकार का निरोध और आधान (स्थापना) कलाओं में, धर्म में तथा पुराण में देखा जा सकता है। उदाहरणत: संगीत में ध्वनि का उपयोग होता है और ध्वनि यहाँ दैशिक विषय के लिए संकेत नहीं होकर संगीत–रचित विषय के लिए माध्यम होती है; इसी प्रकार चित्रकला में वर्ण–संस्थान दैशिक विषय के लिए संकेत नहीं होकर शुद्ध आकृतिगत सौन्दर्य–विषय का माध्यम होता है; इसी प्रकार भाषा में ध्वनि या लिपि वाच्यार्थ की माध्यम होती है। धर्म में पत्थर गणेश का अथवा विश्व ईश्वर का प्रतीक मात्र होता है।

ये किस प्रकार के विषय होते हैं? उदाहरणत: 'संगीत' किस प्रकार के विषय–जगत् की संज्ञा है? स्पष्टत: यह विश्व देश–कालात्मक नहीं है, यद्यपि यह काल का और ध्वनि का माध्यम ग्रहण करता है। यह इस विशिष्ट माध्यम में व्यक्त आनुभूतिक अर्थों का विश्व है। ध्वनि और काल संयुक्त रूप से इस अर्थ के धारण के लिए प्रतीक–व्यवस्था का निर्माण करते हैं। यह मात्र एक संयोग नहीं है कि यह अर्थ इस प्रतीक–व्यवस्था को माध्यम बनाता है। इस दृष्टि से ये दोनों अवियोज्य होते हैं : इनमें एक अविश्लेष्य सम्बन्ध रहता है, जैसे ओष्ठ–कुंचन और मुस्कान में। संगीत को आनुभूतिक अर्थ की अभिव्यक्ति के लिए—उस अर्थ के कथन के लिए—एक प्रतीक–व्यवस्था कहने का अभिप्राय यह है कि अनुभूति यहाँ अपनी वेदना से पृथक् और ऊपर अस्तित्व ग्रहण कर लेती है, अथवा कहें, इस स्तर का अस्तित्व ग्रहण करके ही यह संगीतात्मक प्रतीक को अपनी अभिव्यक्ति के माध्यम के रूप में उत्पन्न कर सकती है। इस प्रकार राग आसावरी या राग बिलावल श्रोता या गायक में किसी वेदना का अनिवार्यत: आह्वान नहीं करते, बल्कि यदि किसी में इनसे किसी वेदना का (श्रुतिमूलक के अतिरिक्त) उद्दीपन होता है तब वह इनके अर्थ की शुद्धता का अवगमन करने के अयोग्य हो जाता है। ये राग विशिष्ट स्वर और लय

के माध्यम से विशिष्ट भावन, बोध अथवा प्रत्यक्ष को गोचर आधार देते हैं। इसका आशय चित्रकला और भाषा के उदाहरणों से और अधिक स्पष्ट रूप में समझा जा सकता है, जो इसी प्रकार प्रतीक-रचनाएँ हैं। 'आम मीठा है' यह एक निश्चित वस्तुस्थिति के सम्बन्ध में कथन है, किन्तु यह दर्शन-वेदना और आस्वाद-वेदनामूलक नहीं है; यह अर्थाभिव्यक्ति अथवा विषय-विधान अथवा वस्तुस्थिति का कथन इन वेदनाओं से मुक्त होकर ही कर सकता है। यदि किसी व्यक्ति में 'आम मीठा है' वाक्य निरपवाद रूप से दर्शन और आस्वाद-वेदना का कारक हो जाय और इन वेदनाओं का उद्दीपन हुए बिना उसके लिए इसका कोई अर्थ नहीं हो तो वह 'आम की मिठास गुड़ की मिठास जैसी नहीं है' का अर्थ कभी नहीं समझ सकेगा। इसी प्रकार चित्रकला में भी; चित्रकार यदि युद्ध की विभीषिका या क्रोध की उग्रता को चित्रित करना चाहता है तो न केवल उसका लोम-हर्षण से और उग्रता से मुक्त होना आवश्यक होता है बल्कि उसके दर्शक का भी इनसे मुक्त होना आवश्यक होता है। और न वह रेखाओं, रंगों और सन्तुलन को ही विषयकृत करना चाहता है, ये केवल युद्ध की विभीषिका की वेदना के चित्रात्मक भावन के, अथवा कहें, उसके चित्रात्मक विषय-विधान के, माध्यम बनते हैं।

यहाँ आपत्ति की जा सकती है कि कलाकृतियों को उपयुक्त रूप से 'विषय' नहीं कहना चाहिए, अधिक-से-अधिक ये उपविषय कही जा सकती हैं। उदाहरणत: एक मूर्ति गोचर विषय है, यह एक वस्तु है। तब यह एक कलाकृति भी है। किन्तु कलाकृति के रूप में यह वैसा पूर्ण विषय नहीं है जेसा यह वस्तु के रूप में है; मूर्ति केवल इस वस्तु में प्रकट एक आकृति मात्र है, और इस रूप में यह इसका केवल एक चाक्षुष गुण है, उसे किसी भी रूप के समान जो इस वस्तु में हो सकता था, जैसे अनगढ़ पत्थर में भी।

किन्तु यह सही नहीं है, कला-सन्दर्भ में मूर्ति के रूप में पत्थर में व्यक्त केवल आकृति विशेष ही विषय है, यहाँ यह गोचर-योग्य अप्रस्तुतों से अनुप्राणित प्रस्तुत के रूप में अपेक्षित नहीं है बल्कि उस विशिष्ट लय से अनुप्रविष्ट है जो इसके किसी भी एक भाग को अपनी अखण्ड समग्रता से परिभाषित करती है। इस प्रकार, यहाँ विषय कलाकार अथवा दर्शक द्वारा भावित आकृत्यात्मक (अधिक उपयुक्त रूप से मूल्यात्मक) प्रत्यय होता है, वस्तुत्व नहीं। उदाहरणत: बुद्ध की प्रतिमा में बुद्धत्व का आकृत्यात्मक प्रत्यय विवक्षित होता है और केवल वही विषय होता है। अतएव वहाँ सत्यापन के, प्रमाणीकरण के, भौतिक मानदण्ड अप्रासंगिक होते हैं और केवल प्रत्यय की अभिव्यक्ति की सम्यक्ता के मानदण्ड ही प्रासंगिक होते हैं।

इस पर यह कहा जा सकता है कि इनमें परता का भाव भी नहीं हो सकता, ये केवल मानस सत्ताएँ ही हो सकती हैं। किन्तु यह प्रतिपादन न केवल कला-विषयों के सम्बन्ध में ही बहुत बड़े व्यामिश्र पर प्रतिष्ठित है बल्कि यह विषय मात्र के सम्बन्ध में भ्रान्ति में है। जहाँ तक कला (चित्र, मूर्ति, संगीत) विषयों का सम्बन्ध है, देश, काल और अन्य कुछ गोचर गुण भी इनके अनिवार्य घटक होते हैं। जैसाकि हमने पीछे भी कहा, ध्वनि और काल संगीत के लिए आगन्तुक नहीं हैं, ये उसके लिए अनिवार्य हैं, इसी प्रकार वर्ण, देश और काल चित्रकला-विषयों के लिए अनिवार्य हैं, और मूर्ति के लिए देश, काल और पिण्ड अनिवार्य हैं। किन्तु 'कला' के घटक देश-काल शरीराधिष्ठित अभिमुखता से अनुमापित नहीं होते, कला-विषयों के देश-काल का अधिष्ठान विषय के अपने प्रत्यय में, अथवा कहें विषय की अपनी संगति में, अनुस्यूत होता है। कहा जा सकता है कि इन विषयों में इनकी सत्ता निरपेक्ष होती है, जबकि प्रत्यक्ष विषयों के देश-काल शरीर-मूलक अभिमुखता द्वारा आवलयित क्षितिज से निर्धारित होते हैं।

उपर्युक्त स्पष्टीकरण से परता-विषयक आपत्ति का निरास भी हो जाना चाहिए। किन्तु इस प्रश्न पर यहाँ कुछ और स्पष्टीकरण भी स्थाने होगा। 'परता' का अर्थ सामान्यत: 'उत्पादन-अशक्यता' समझा जाता है। उदाहरणत: सम्मुख विद्यमान मेज़ मेरे चाहने से तिरोहित नहीं हो सकता और अविद्यमान मेज़ चाहने से उत्पन्न नहीं हो सकता। इसके विपरीत, आँख दबाने पर दीखने वाला रंग यथेच्छया उत्पाद्य और विलोप्य है। इसी प्रकार स्मृतिगत मेज़ यथेच्छया उत्पाद्य और विलोप्य होता है। किन्तु यह लक्षण स्वीकार करने पर वे वर्ण-संस्थान

परात्पर हो जाएंगे जो मेरे शरीर में उत्पन्न किसी विकार के कारण दिखायी देते हैं, इसके विपरीत करतल-ध्वनि अपर हो जायगी।

परता का एक अन्य लक्षण संयुक्त रूप से प्रदत्तता और बाधकता हो सकता है, अर्थात् जहाँ कर्तृ-स्वातन्त्र्य की असम्भावना हो। यह विषयत्व का बहुत उपयुक्त लक्षण हो सकता है। किन्तु इसकी दो कठिनाइयाँ हैं। प्रथम, यह परता का लक्षण नहीं हो सकता, क्योंकि जबकि मानव-व्यक्ति प्रदत्त नहीं होता वह कर्तृ-स्वातन्त्र्य के एक अन्य केन्द्र के रूप में गम्य होता है। परिणामत: जितना बाधक वह हो सकता है उतना अन्य कोई विषय नहीं हो सकता। जहाँ तक प्रदत्ता का प्रश्न है, गोचर वस्तु के उपर्युक्त स्वरूप-विवेचन के अनुसार, यह केवल सम्भावनाओं और क्रियाओं की अधिष्ठान मात्र होती है, और इसकी प्रदत्तता सम्पाद्य अर्थों और सम्पादित अर्थों का आश्रय मात्र होती है। यह और भी स्पष्ट रूप से स्मृति के विवेचन से देखा जा सकता है। स्मृति-विषय यथेच्छया अपवार्य और स्पष्टत: सम्पादित अर्थों और सम्पाद्य अर्थों से अनुप्रविष्ट होते हैं। जैसाकि हमने अन्यत्र[1] देखा है, उनका आह्वान सम्पाद्य अर्थ के प्रयोजन से होता है। किन्तु इसी कारण उनकी परता का खण्डन नहीं होता। विषय की परता उसकी सत्यता-असत्यता, उपयुक्तता-अनुपयुक्तता अथवा सम्यक्ता-असम्यक्ता की व्यवस्था के स्वातन्त्र्य में निहित होती है।

× × ×

ऊपर हमने विभिन्न प्रकार के विषयों के स्वरूप पर विचार किया। ये सब व्यष्ट्यात्मक प्रकार के विषय हैं। व्यष्टित्व को देश-काल में सीमित होने, अथवा गुण की निश्चित तीव्रता, अथवा गठनात्मक एकता से परिभाषित किया जा सकता है। गोचर विषयों में प्रथम और द्वितीय प्रकार का, कला-विषयों में तृतीय और द्वितीय प्रकार का और काव्य विषयों में तृतीय प्रकार का व्यष्टित्व होता है। एक प्रकार से कला-विषयों में प्रथम प्रकार का व्यष्टित्व भी होता है, क्योंकि ये देश अथवा काल अथवा दोनों का अपनी रचना में आवलयन करते हैं।

व्यष्टित्व की एक दूसरी और अधिक उपयुक्त परिभाषा 'अपेक्षा की एकता' हो सकती है जो तीनों प्रकारों को एकसूत्रता देती है। व्यष्टि-सत्ता का स्वरूप-लक्षण उसकी आगन्तुकता है। क इस देश, काल, इस तीव्रता अथवा रचनात्मक गठन-युक्त है, किन्तु यह कल्पनीय है कि वह इससे भिन्न देश, काल, तीव्रता अथवा रचनात्मक गठन-युक्त होता, अथवा वह सर्वथा नहीं होता। इन व्यष्टि-विषयों से भिन्न एक दूसरे प्रकार के विषय हैं। ये हैं धर्म (एस्सेंसिज़)। ये सामान्य और अनिवार्य होते हैं। साधारणत: धर्मों को विषय नहीं माना जाता, इन्हें उद्गृहीत कल्पनाएँ (एब्ट्रेक्शंस्) माना जाता है। किन्तु यह उचित नहीं है। सर्वप्रथम, सामान्य तथा अनिवार्य के स्वतन्त्र ग्रहण के बिना आगन्तुकता का ग्रहण सम्भव नहीं हो सकता था, क्योंकि उसके अन्यथा अथवा अन्यत्र हो सकने का ग्रहण उसके धर्म के ग्रहण को पूर्वकल्पित करता है : यह इस समय और इस स्थान पर पड़ा मेज़ इसकी वस्तु-धर्मता के प्रदत्त हुए बिना अन्य किसी स्थान और समय पर ग्राह्य नहीं हो सकता था। इसका चौकोर होना और गोल-हो-सकना इसकी मेज़-धर्मता के कारण है, आदि।

सामान्यता अथवा धर्म का यह ग्रहण व्यष्टि-ग्रहण को तर्कत: पूर्वापेक्षित नहीं करता—मनोवैज्ञानिक वस्तुस्थिति चाहे जो भी हो। जब धर्मता के ठोस ग्रहण के लिए हम कभी कल्पना अथवा प्रत्यक्ष में व्यष्टि-वस्तुओं का आह्वान करते भी हैं तब वे व्यष्टित्व-विरहित रूप में ही ग्राह्य होते हैं। उदाहरणत: मैं ध्वनि-सामान्य और गन्ध-सामान्य के भेद-ग्रहण के प्रसंग में विशिष्ट ध्वनि और गंध का स्मरण कर सकता हूँ किन्तु इसके लिए आहूत इनके गोचर गुण पूर्णत: अनपेक्षित होते हैं। यह ज्यामितिक आकृतियों को बोर्ड पर बनाने के उदाहरण से और भी स्पष्ट हो सकता है—बोर्ड पर खींची गई रेखा एक व्यष्टि विषय है, किन्तु जब वह ज्यामितिक सरल रेखा के रूप में खींची जाती है तब वह केवल सरल रेखा-सामान्य का उदाहरण मात्र होती है; यह रूप, रंग, चौड़ाई से

1. द्रष्टव्य आगे — आत्म और इतिहास।

रहित दो बिन्दुओं के बीच छोटे-से छोटा मार्ग मात्र होती है। यह कहना कि यह सामान्य व्यष्टि-रेखाओं से विश्लिष्ट कल्पना मात्र है, भ्रामक है; इसके विपरीत यह धर्मता का आदिम ग्रहण है जो एक विदेशी माध्यम में पुन: ग्रहण किया जा रहा है। ये धर्म शुद्धता अथवा सामान्यता की दृष्टि से विभिन्न स्तरों के होते हैं, उदाहरणत: मेज़त्व, वस्तुत्व, विषयत्व आदि; इसी प्रकार लम्बाई, चौड़ाई, भार, शुद्ध मात्रा आदि। व्यष्टि-विषयों के समान इनमें भी प्रकार-भेद हैं जो केवल सामान्यता की दृष्टि से ही नहीं, प्रकारत: भी भिन्न हैं; उदाहरणत: गणित और दर्शन को सम्भव करने वाले धर्म सामान्यता की दृष्टि से न्यूनाधिक नहीं होकर प्रकारत: भिन्न हैं, इसी प्रकार कला-चिन्तन और विज्ञान को सम्भव करने वाले धर्म हैं। ये धर्म अपनी शुद्धता में उसी प्रकार गम्य होते हैं जिस प्रकार गोचर-विषय गम्य होते हैं। उदाहरणत: विषय-विचार के प्रसंग में यहाँ हमारा ग्राह्य विषय शुद्ध विषय-धर्म है जो व्यष्टि-विषयों और विषय-प्रकारों से स्वतन्त्र है।

× × ×

विषय का परत्व उसक सत्त्व (बींग) के अपूर्ण ग्रहण अथवा अन्यथा-ग्रहण की सम्भावना के रूप में व्यक्त होता है। जैसाकि हमने पीछे कहा, परत्व एक अनिवार्य विषय-धर्म है। इस प्रकार विषय के सत्त्व की यह अनिवार्य शर्त है कि वह अपूर्णत: प्रस्तुत हो तथा अन्यथा रूप में प्रस्तुत हो सके। यह जितना सही गोचर विषयों के लिए है उतना ही गणित और तर्क के लिए भी है (डेकार्ट की दृष्टि का महत्त्व यह देखने में ही है)। किन्तु जैसाकि स्पष्ट होना चाहिए, ग्रहण की यह अपूर्णता अथवा अन्यथात्व प्रत्येक प्रकार के विषय के लिए भिन्न है। गोचर विषय के अन्यथा-ग्रहण का अर्थ है कि इस देश और उस काल में उससे भिन्न अर्थ आपन्न हुआ था जो समझा गया था कि हो रहा है। इस प्रकार कह जाता है, "साँप नहीं है, रस्सी है।" दूसरे शब्दों में, "साँप का यहाँ अस्तित्व नहीं है, रस्सी का है।" किन्तु यहाँ अन्य देश और काल में साँप के अस्तित्व का निषेध नहीं हो रहा है। सम्पूर्ण देश और काल में सम्पूर्ण वस्तु मात्र का निषेध भी किया जा सकता है और कहा जा सकता है कि 'संसार का ही अस्तित्व नहीं है।' किन्तु गोचर विषयों के अपूर्ण अथवा अन्यथा ग्रहण पर थोड़ा गम्भीरता से विचारने पर देखा जा सकता है कि गोचर विषयों में भी गोचरार्थ से कहीं अधिक आक्षिप्त रहता है। उदाहरणत: हम पत्थर के किसी खण्ड को ग्रेनाइट समझ सकते हैं और अनन्तर रासायनिक विश्लेषण से वह भिन्न प्रमाणित हो सकता है। इसी प्रकार, हम किसी प्राणी को सर्प समझ सकते हैं किन्तु पीछे शरीर-वैज्ञानिक विश्लेषण से वह असर्प प्रमाणित हो सकता है। यदि गोचर वस्तु को यह आयाम दे दिया जाय तब व्यष्टि अथवा तथ्य धर्मता से अवियोज्य हो जायेंगे। और धर्मता देश-कालात्मक नहीं है। यदि व्यष्टि को धर्मता से वियुक्त रखा जाय तो ग्रहण की अपूर्णता और अन्यथात्व को कोई अर्थ देना कठिन होगा। यदि गोचरार्थ को अत्यन्त सीमित रूप में लिया जाय और रज्जु में सर्प-भ्रम को गोचर गुणों के अपूर्ण ग्रहण तक सीमित रखा जाय केवल तभी वस्तुओं के अनिवार्य अस्तित्व की बात की जा सकती है।

अन्य कोई विषय देश-कालात्मक नहीं है। संगीत, चित्रकला तथा मूर्तिकला-मूलक विषय यद्यपि देश-कालयुत हैं किन्तु इनका सत्त्व देश-काल में होना नहीं है, देश-काल-युत होना है। उदाहरणत: रज्जु में सर्प का भ्रम इस देश और काल में उन संवेद्य गुणों के आधान के कारण है जो इस में नहीं हैं, और यह आधान इन गुणों के असम्यक् ग्रहण के कारण है, किन्तु किसी गान का अपूर्ण और अन्यथा ग्रहण किसी देश-काल में उन गुणों का आधान नहीं है जो वास्तव में वहाँ नहीं हैं बल्कि उस अर्थ का ही अपूर्ण अथवा अन्यथा ग्रहण है जो इस गान की आत्मा है, और इस अर्थ के असम्यक् ग्रहण का एक रूप उन भंगियों का असम्यक् ग्रहण हो सकता है जो इस गीत द्वारा रचित काल है। दूसरे शब्दों में, यह उपयुक्त कथन है कि "मुझे ध्वनि-भ्रम हुआ", जिसका अर्थ है कि मैंने ध्वनि हुए बिना ध्वनि सुनी, किन्तु यह उपयुक्त कथन नहीं है कि "मुझे गान-भ्रम हुआ", क्योंकि यदि यहाँ श्रव्य के सम्बन्ध में कहा जा रहा है तो यह ध्वनि के सम्बन्ध में है, गान के सम्बन्ध में नहीं। गान के सम्बन्ध में यह भ्रम हो सकता है कि "मैंने असावरी को माल्कौंस समझा", अथवा "चित्र में ये रेखाएँ देशगत दूरी को ही नहीं काल-गत दूरी को भी व्यक्त करती हैं, यह मैं पहले नहीं देखा पाया था।" इस प्रकार गोचर विषयों से भिन्न विषयों

का अस्तित्व-अनस्तित्व नहीं होता क्योंकि उनका सत्त्व अकालिक होता है। इसीलिए इसका कोई अर्थ नहीं है कि काव्य, कला अथवा सामान्य-विषय मेरे ग्रहण से पूर्व या पश्चात् अथवा सर्वदा विद्यमान होते हैं जिस प्रकार गोचर विषय होते हैं, क्योंकि ये विशेषण गोचर विषयों के ही हो सकते हैं, किन्तु इसीलिए न यह सार्थक है कि ये मेरे ग्रहण के साथ अस्तित्व में आते हैं। केवल इतना सार्थक है कि ये ग्रहण के लिए प्रस्तुत होते हैं।

× × ×

विषय-ग्रहण का क्या अर्थ है? मैं पैन देखता हूँ, कविता बनाता हूँ, विषय-विचार करता हूँ—इन स्थितियों में पैन, कविता और विषय-विचार से अतिरिक्त और क्या है जिसे इनका ग्रहण कहा जाता है? लोक-धारणा इसे संवेद-रूप समझती है, इसके अनुसार विषय चेतना का उद्दीपन करता है जिसे संवेद कहते हैं और इससे विषय 'दिखायी' देता है। अथवा, संवित् ही चेतना है और विषय इसके सम्मुख आने पर प्रकाशित हो जाता है, आदि। यद्यपि यह धारणा लोक-साधारण-परक और अनालोचनात्मक है किन्तु तब भी यह प्राय: सब दर्शनों में प्रत्यक्षत: अथवा परोक्षत: स्वीकृत है। यहाँ हम केवल डेकार्टीय प्रतिपादन पर विचार करेंगे जो मूलगामी आलोचना होने का दावा करता है। डेकार्ट प्रस्तुत वस्तु की सन्देहास्पदता दिखा कर कहते हैं कि, "किन्तु स्वयं सन्देह के अनुभव पर सन्देह नहीं किया जा सकता।" अनुभव तथा वस्तु की प्रदत्तता के इस भेद का विवेचन करते हुए हुस्सर्ल कहते हैं कि वस्तु स्वरूपत: परिप्रेक्ष्यों में ग्राह्य होती है जबकि अनुभव समग्र रूप से एकसाथ ग्राह्य होता है। यद्यपि वे स्वीकार करते हैं कि अनुभव वस्तु के समान ही प्रस्तुत और अप्रस्तुत होता है, किन्तु इसकी प्रस्तुतता, उनके अनुसार, मूलत: भिन्न प्रकार की होती है—अनुभव का ग्रहण निरपेक्ष और पूर्ण होता है जबकि वस्तु का ग्रहण सापेक्ष और अपूर्ण होता है। परिणामत:, उनके अनुसार, "प्रत्येक आन्तर (अनुभवगत) प्रत्यक्ष अनिवार्यत: अपने विषय के अस्तित्व को प्रमाणित करता है। यदि ग्रहण-वृत्ति अन्तरोन्मुख होकर अनुभव का ग्रहण करती है तब मैं निरपेक्ष आत्म का ग्रहण करता हूँ जिसका अस्तित्व सिद्धान्तत: अनिषेध्य है, अर्थात् यह अन्तर्दृष्टि कि, सम्भव है इसका अस्तित्व नहीं हो, परिभाषया अयुक्त है, यह कहना पूर्णत: अर्थहीन होगा कि एक अनुभव, जो इस प्रकार प्रदत्त है, उसका वास्तव में अस्तित्व नहीं है।"[1]

यहाँ यह द्रष्टव्य है कि हुस्सर्ल यहाँ सत् का एक प्रकार का त्रिधात्व स्वीकार करते हैं—दृक् अथवा उन्मुखता, अन्तस्थता, और परता। सम्भवत: डेकार्ट दृक् और अन्तस्थता में भेद नहीं करते। मेरे विचार में, इसके विपरीत अन्तस्थता और परता में मौलिक भेद अनावश्यक है। वास्तव में हुस्सर्ल में भी द्विधात्व की प्रवृत्ति दिखायी देती है, उसमें परता एक प्रकार की अन्तस्थता में, अथवा अन्तस्थता दृक् में, अथवा दृक् अन्तस्थता में अन्तर्भूत होती दिखायी देती हैं। उदाहरणत: उपर्युद्धृत में, अनुभव के ग्रहण को आत्म के निरपेक्ष ग्रहण से अभिन्न किया गया है। इस का क्या अर्थ है? 'मैं मेज़ देख रहा हूँ' का अर्थ है कि गोचरार्थ दृगत है। यहाँ एक प्रसंग में गोचरगतार्थ प्रस्तुत है और दूसरे में अनुभवगतार्थ प्रस्तुत है। यह विवरण हुस्सर्ल को स्वीकार्य होगा। अब यह समझ में आ सकता है कि 'अनुभव देख रहा हूँ' (देख रहा हूँ कि देख रहा हूँ) पर सन्देह नहीं किया जा सकता, क्योंकि यह परिप्रेक्ष्यात्मक विषय नहीं है। किन्तु इसका अर्थ हुआ कि यह विषय के रूप में गोचर विषय से भिन्न है, जैसे संगीत-विषय भिन्न है, किन्तु यह इसके 'आत्म' के साथ अभेदस्थापन के लिए कोई आधार नहीं देता। जहाँ तक इसकी असन्दिग्धता का प्रश्न है, सभी 'मानसिक अनुभव' अर्थ-गर्भ होते हैं और उनके निहितार्थ स्वत:स्पष्ट नहीं होते। ये न्यूनाधिक मात्रा में गम्य होते हैं और इनके सम्बन्ध में भ्रम सम्भव होता है। केवल संवेदों के सम्बन्ध में ही कहा जा सकता है कि उन पर सन्देह नहीं किया जा सकता।[2] किन्तु इसका अर्थ केवल इतना ही होना चाहिए कि

1. हुस्सर्ल, **आडियाज़,** पृ. 130.
2. वास्तव में हुस्सर्ल का कुछ ऐसा ही मंतव्य है, क्योंकि वे मनोवैज्ञानिक अनुभवों को भी विषयात्मक और परिणामत: परिप्रेक्ष्यात्मक मानते हैं। उन्होंने इसके लिए 'आह्लाद' का उदाहरण दिया है। उनके अनुसार, आह्लाद का मनोवैज्ञानिक अनुभव विषयात्मक है जो अतिक्रामी अपेक्षा द्वारा जोकि शुद्ध आह्लादात्मक चित्-स्थिति है, संचारित होता है।

उनका अर्थ और अस्तित्व सहगामी हैं, यह नहीं कि इनमें अपेक्षा (इंटेंशन) और विषय एकस्थ हैं। और यह एकस्थता केवल संवेद की क्षणिकता से प्राप्त की जाती है, अर्थात् विगत क्षण में यह विषय स्मृति-परक हो जाने से संवेद्यता और अस्तित्व दोनों खो देता है और भिन्न प्रकार का—संदेहास्पद भी—विषय हो जाता है। इस प्रकार हुस्सर्ल के दर्शन में यह मौलिक कठिनाई है—उसके अनुसार आत्म भी एक विषय है, अर्थात् विषयापेक्षा को प्रदत्त। किन्तु इस प्रकार प्रदत्त होने से वह उसी प्रकार सन्देहास्पद हो जाता है जैसे अन्य विषय सन्देहास्पद हैं। परिणामत: वह उसे अन्तस्थ और अव्यवहित विषय कह कर अन्यों से पृथक् करता है। किन्तु तब यह विषय संवेद के अतिरिक्त कुछ नहीं हो सकता। इसी से डेकार्ट प्राविधिक सन्देह द्वारा विश्व का निषेध कर आत्म को एक विषय के रूप में देखने से इन्कार कर देता है। चेतना का स्वरूप विषयापेक्षात्मक मानने पर और अपेक्षा को अनिवार्यत: चाक्षुष रूपक के अनुसार अवधारित करने पर केवल ये दो विकल्प ही शेष रह जाते हैं कि, या तो उसे गोचर विषय के अनुसार अवधारित करें अथवा उसे निर्विषय आत्म-अव्यवहितत्व की स्थिति के रूप में कल्पित करें। किन्तु चाक्षुषता के रूपक से मुक्त होने पर यह आवश्यक नहीं है। हमने अन्यत्र[1] अन्यान्य प्रकार के विषयों के विवेचन के प्रसंग में देखा है कि ये विषय सर्वथा भिन्न प्रकार के हैं। अत: हमारे लिए आत्म की एक सर्वथा भिन्न विषय के रूप में कल्पना कठिन नहीं है। जैसाकि हम अन्यत्र[2] देख चुके हैं, आत्म संवेद अथवा अव्यवहित आत्म-स्थिति नहीं होकर नेयार्थ, अथवा कहें कर्त्तृत्वाभिमान, है। इस प्रकार इसकी अन्तर्वस्तु चरितार्थ्य मूल्य है, प्रस्तुत वस्तु नहीं है। यद्यपि सब विषय अपूर्ण ग्राह्य होने से सम्भावनात्मक, और एक अर्थ में चरितार्थ्य, होते हैं किन्तु आत्म मूल्यात्मक होने से सम्भावनात्मक नहीं होकर आदर्शात्मक है और उसकी अपूर्ण ग्राह्यता परिप्रेक्ष्यात्मक अथवा संरचनात्मक अर्थ-मूलक नहीं होकर सर्वांशत: आदर्शात्मक, भाव्यात्मक और साधनात्मक होती है।

---

1. द्रष्टव्य **'ज्ञान और सत्'** तथा **'संस्कृति : मानव-कर्त्तृत्व की व्याख्या'**।
2. द्रष्टव्य आगे, अध्याय 5 और 6.

आत्म

हमारी पिछली स्थापना के अनुसार, विषय अभिमुखता का व्यापार है। इस वस्तुस्थिति में जो भी कुछ ग्राह्य होता है वह सारा का सारा इस विषय से और इसके परिवेश से सम्बद्ध होता है, अथवा कहें, यह सम्पूर्ण वस्तुस्थिति इस विषय में निश्शेष हो जाती है। उदाहरणत: दर्शनेन्द्रिय केवल इस विषय के वर्ण और संस्थान के अप्रकट से प्रकट होने के माध्यम से ही परोक्षत: सूचित होती है। किन्तु प्रकट केवल वर्ण और संस्थान ही होते हैं। इसी प्रकार अन्य इन्द्रियों के लिए भी है—कठोर-कोमल, मधुर-तिक्त आदि विषयों का ग्रहण होता है और इस वस्तुस्थिति का निश्शेष क्षेत्र इन विषयों द्वारा परिव्याप्त रहता है। किन्तु इन विषयों से परे एक अन्य विषय (वस्तु) का आक्षेप होता है जो इन विभिन्न विषयों का धारण करता है, जिसे हमने पिछले अध्याय में आदिम विषय कहा है। यदि यह सही है तो वास्तव में यह विषय ऐसा है जो अपने परिवेश के साथ ज्ञान के सम्पूर्ण क्षेत्र को निश्शेषत: परिव्याप्त करता है। इस प्रकार ज्ञान स्वयं ज्ञात नहीं होता, प्रस्तुत क्षेत्र के सीमान्तों पर भी नहीं। अत: आँख द्वारा स्वयं को नहीं देख सकने की बात युक्तियुक्त ही है। इसी प्रकार 'भीतर झाँकने' पर किसी विषय के अतिरिक्त कुछ नहीं दीखने की बात भी युक्तियुक्त है। दोनों का एक ही अर्थ है। लोक-साधारण आस्वाद, स्पर्श-सुख आदि को अविषय मान कर मानसिक और भौतिक का भेद करता है और मानसिक को विषयी समझता है। मानसिक और भौतिक का यह भेद सही है, किन्तु यह विषय और ज्ञान का भेद नहीं है; मानसिक उतना ही विषय है जितना भौतिक विषय है, इसलिए साँख्य द्वारा दोनों का प्रकृति में समावेश उपयुक्त ही है। कल के व्याख्यान में हमने गोचर विषयाभिमुखता के विवेचन के प्रसंग में देखा था कि यह विषय का जिस देश में आक्षेप करती है उसका केन्द्र शरीर होता है। किन्तु इस शरीर का ज्ञान से अथवा विषयों से व्यामिश्र नहीं करना चाहिए। यह केवल अभिमुखता का विषय-विनियोजक-केन्द्र होता है जो विषय से अवियोज्य होता है। इस प्रकार कहा जायगा कि इस अभिमुखता के द्वारा व्यापादित विषय इस केन्द्र से, जिसे निष्क्रमण केन्द्र कह सकते हैं, उस केन्द्र तक, जिस पर यह अभिमुखता पर्यवसित होती है, विद्यमान होता है। यही बात इसके काल-विस्तार के सम्बन्ध में कही जा सकती है—यह विषय अपेक्षा (इंटेंशन) से अनुप्राणित साम्मुख्य-केन्द्र से लेकर असीमांकित अतीत और भविष्यत् में विस्तारित होता है और सम्पूर्ण अवधि में यह समान रूप से विद्यमान होता है। इन दोनों (देश और काल के) विस्तारों में यह अपनी परता को स्थापित करता है।

जैसाकि हमने कल देखा था, यद्यपि विषय की परता आद्य अनुभव है और इस प्रकार किसी अन्य पर निर्भर नहीं है, किन्तु यह (परता) विषय की परिप्रेक्ष्यात्मकता, और इस प्रकार सन्दिग्धता, के द्वारा अपने को पुन:, और अब की बार परिस्फुट रूप से, सूचित करती है। यह सन्दिग्धता और परिस्फुट परता ही ज्ञान के सद्भाव की भी सूचक होती है : दृश्य विषय के अभाव की अथवा अन्यथा-भाव की सम्भावना दर्शक के सद्भाव को प्रकट करती है। इस प्रकार सन्देह प्रस्तुत में विस्फोट घटित करता है जिसमें आत्म और पर का द्वैत उत्पन्न होता है।

किन्तु यहाँ यह द्रष्टव्य है कि इस प्रकार के विस्फोट के लिए अपेक्षित सन्देह मन:स्थितिमूलक नहीं होता, क्योंकि मन:स्थितिमूलक सन्देह या तो विषय-परिवेश होगा अथवा विषय-गुण होगा अथवा स्वयं विषय होगा। विस्फोट होने के लिए इसका अतिक्रामी होना, अपनी निर्विषयता में अवगम्य होना, आवश्यक है।

यहाँ स्पष्टीकरण के लिए थोड़ा विराम लेना उपयुक्त होगा, क्योंकि अतिक्रामी निर्विषय का अवगमन प्रकटत: वदतोव्याघाती पद है। इसके अतिरिक्त, ऐसा सन्देह लोक-साधारण नहीं होने से साधारण विषय-ज्ञान में निष्प्रयोजन भी होगा, जबकि विषय और आतम का व्यवच्छेद लोक-साधारण अनुभव के स्तर पर भी घटित होता है।

यह सही है, हम अपने साधारण अनुभव में वस्तु के साथ युगपद् रूप से आत्म का भी ग्रहण करते हैं और इस प्रकार वस्तु का उसकी परता में ग्रहण करते हैं। किन्तु लोक-साधारण के स्तर पर भी यह सन्देह मन:स्थितिमूलक नहीं होता, यह प्रामाण्यमूलक होता है (यद्यपि लोक-साधारण में इसका बोध नहीं होता)। इसी से इसकी उपस्थिति-अनुपस्थिति मन:स्थिति की उपस्थिति-अनुपस्थिति की अनुषंगी नहीं होती। मन:स्थिति धर्मत: आगन्तुक है, यह विश्व में एक घटना है जो उतनी ही निर्धार्य और गोचर है जितनी कोई भी अन्य घटना। इसके विपरीत प्रामाण्य, और अतएव सन्देह, ज्ञान-धर्म हैं। ये विषय के संरचनात्मक घटक हैं जो विषय-रूप में ग्राह्य नहीं होते बल्कि विषय-ग्रहण की विधाएँ होते हैं। जिस विषय-ग्रहण में यह स्थिति आपन्न नहीं होती, कहना चाहिए, यह सन्देहात्मकता नहीं रहती, उसमें चेतना अपने को विषय में अशेषत: रिक्त कर देती है और परिणामत: इसमें विषय की परता का, और अतएव ज्ञान का, अभाव रहता है। इस प्रकार सन्देह विषय का निवारक नहीं होता बल्कि उसकी परता का अनिवार्य आधार होता है, और दूसरी ओर आत्म को उसका निजत्व देता है। किन्तु यह आत्म अनिवार्यत: अपने को विषय के परत्व की सापेक्षता में ही प्राप्त करता है। यह विषय का निवारण कर सकता है, किन्तु अपने को विषय की सम्भावना के अतिरिक्त और किसी रूप में नहीं प्राप्त कर सकता। इसकी अवधारणा निवर्त्तित दृष्टि-विषय के रूप में अथवा अतिक्रामी (ट्रांसेंडेंटल) रूप में उपयुक्त नहीं है। 'देख रहा हूँ, कि मेज़ है' में आत्म निवर्त्तित दृष्टि-विषय के रूप में कल्पित है और 'देख रहा हूँ (कि देख रहा हूँ, मेज़)' में अतिक्रामी आत्म के रूप में, जिसमें कोष्ठक से बाहर का वाक्यांश अतिक्रान्तता को सूचित करता है। वास्तव में आत्म की निवर्त्तित दृष्टि-विषय के रूप में कल्पना उसे केवल एक अन्य विषय बना देती है और इसके अतिक्रमण की ओर संकेत करती है, क्योंकि "यह मेज़ है" से निवर्त्तित दृष्टि "देख रहा हूँ कि..." से भी निवर्त्तित हो सकती है, और इस प्रकार यह या तो अनन्तक्रम में निवर्त्तनोन्मुख होगी अथवा आत्म के अतिक्रमण के साथ पर्यवसित होगी।[1] आत्म का अतिक्रमणात्मक (ट्रांसेंडेंटलिस्टिक) दृष्टिकोण विषयार्थ की व्याख्या तो करता है और इस प्रकार इसके विकल्प (अंडर्स्टेंडिंग) में निहित कोटियों को प्रकट करता है, किन्तु वास्तव में यह आत्म को विषय में रिक्त कर देता है। इसकी अपनी कोई अन्तर्वस्तु नहीं हो सकती। यह विकल्पात्मक विश्लेषण द्वारा केवल विषय की संरचनात्मक कोटियों के रूप में ही कल्पित किया जा सकता है—हुस्सर्ल की अपेक्षात्मक चैतन्य की कल्पना में ये दोनों कठिनाइयाँ हैं—या तो यह अपनी बहिरोन्मुख वृत्ति में अपने को विषय में रिक्त पाता है अथवा अन्तरोन्मुख वृत्ति में अपने को देखने के प्रयत्न में अपने को सर्वत्र विषय के रूप में पाकर निरन्तर पीछे की ओर दौड़ता है। किन्तु यह अपने को प्राप्त केवल विषय के माध्यम से परोक्ष रूप में ही कर सकता है।

किन्तु उतना ही अनिवार्य रूप से विषय भी अपने को आत्म की सापेक्षता में स्थापित करता है—विषय की परिप्रेक्ष्यात्मकता (पर्स्पेक्टिवनेस) विषय द्वारा विषयी (आत्म) की अपेक्षा ही है, अन्यथा इसका कोई पक्ष नहीं हो सकता और परिणामत: कोई परिप्रेक्ष्य नहीं हो सकता। इस प्रकार विषय और विषयी अनिवार्य रूप से परस्परानुविद्ध हैं और अभिमुखता द्वारा दोनों की युगपत् उत्पत्ति का यही अभिप्राय है। परिणामत: फिनोमिनलोजी-दार्शनिक का विषय के अतिक्रामी स्थगन (ट्रांसेंडेंटल रिडक्शन)[2] द्वारा निरपेक्ष आत्म को प्राप्ति का प्रयत्न सफल नहीं हो सकता।

किन्तु फिनोमिनलोजिकीय स्थगन का यथार्थ आशय आत्म का अतिक्रामी विषय के रूप में ग्रहण नहीं है, क्योंकि वह इस प्रकार प्राप्त ही नहीं हो सकता। चैतन्य अपनी सहज वृत्ति में अपने को विषयों में विनियुक्त ही पाता है और इस उन्मुखता में परिवर्तन केवल महत् प्रयत्न से ही सम्भव हो सकता है। इस प्रकार यह निवर्त्तित आत्म इसे मूल्यात्मक बना देता है। मूल्य के बिना यह स्थगन निष्प्रयोजन भी है और असाध्य भी, जैसाकि फिनोमिनलोजी दार्शनिकों के दर्शन में देखा भी जा सकता है। जैसाकि सार्त्र कहता है, "चेतना आन्तर शून्य है, अत: इसमें प्रवेश असम्भव है। यदि कोई इसमें प्रवेश का प्रयत्न करता है तो उसका बाहर फेंक दिया जाना

1. द्रष्टव्य, यशदेव शल्य — **ज्ञान और सत्,** में पृ. 91-92 तथा वहीं 'विश्लेषणात्मक और संश्लेषणात्मक' अध्याय।

2. इसके अर्थ के लिए द्रष्टव्य आगे 7.

अनिवार्य होगा।" चैतन्य की अतिक्रामी विषयापेक्षा के रूप में कल्पना का यह निगमनात्मक (डिडक्टिव) निष्कर्ष है। यह विषय के अतिरिक्त और कुछ नहीं हो सकती, इसका सत्त्व विषयात्मक ही हो सकता है।[1] यद्यपि सार्त्र और मार्ल्यू पोंती दोनों अपेक्षा को प्रोजेक्टिव (विनियोगात्मक) मानते हैं, किन्तु इस विनियोग का सार विषय ही है, अन्य कुछ नहीं। इस प्रकार विषय-चैतन्य स्वयं निस्स्वभाव है। अथवा कहें, इसका स्वभाव केवल विषय ही है।[2] परिणामत: आत्म भी केवल विषय ही हो सकता है। किन्तु मूल्यबोध से निवर्त्तित, जोकि एकमात्र यथार्थ निवर्त्तन है, आत्म अपने को ज्ञेय में नहीं पाकर मूल्य में पाता है। अथवा कहें, इसका अपने को पाने का प्रयत्न और प्राप्ति दोनों मूल्यात्मक ही होते हैं। इसके अतिरिक्त, मूल्यात्मक स्थगन से प्राप्त आत्म ही वास्तव में निर्विषय अवगम्य हो सकता है। भारतीय दर्शनों में यद्यपि यह बोध मिलता है कि विषय-निरोध अथवा स्थगन (मोक्ष) मूल्यात्मक है और आत्म पुरुषार्थ-स्वरूप है, किन्तु यह बोध उनमें भी निहित रूप में ही मिलता है, वे इसके आशय के प्रति स्पष्ट दिखायी नहीं देते। इसी से वे इसे इसके सत्-स्वरूप (रियालिटी) में ही जानना चाहते हैं, इसके मूल्यात्मक स्वरूप में इसका ग्रहण करते दिखायी नहीं देते। किन्तु बौद्ध नैरात्म्य और वैदान्तिक ब्रह्म का यथार्थ आशय अतिक्रामी अवगमन (ट्रांसेंडेंटल नोलेज अथवा अवेयरनेस) अथवा परात्परता (ट्रांसेंडेंटनेस) से नहीं समझा जा सकता। यह आशय केवल मूल्यात्मक निवर्त्तन और मूल्यात्मक अवबोध के द्वारा ही समझा जा सकता है।

इसका अर्थ यह नहीं है कि हम आत्म के सत्त्व का निषेध कर रहे हैं, हम केवल इसकी वास्तवता (रियालिटी) का निषेध कर रहे हैं, क्योंकि आत्म का सत्त्व मूल्य ही है, वास्तवता नहीं।

मूल्यात्मक स्वरूप में प्रबुद्ध आत्म अपने को नेयार्थता[3] में पाता है, अर्थात् अब यह सब वस्तुओं और धर्मों का कर्त्तव्य के प्रसंग में विनियोग करता है और उनकी सत्यता एक भाव्य पूर्णता से नापता है। यह पूर्णता, आत्म-प्रतिमा, यद्यपि स्वयं कालोत्तर और अतएव सदैव विद्यमान होती है, किन्तु तब भी यह इसे तब तक अधिगत नहीं होती जब तक यह अपने को अनात्म से मुक्त नहीं कर पाता। वह सब अनात्म है जो इसकी अपनी प्रतिमा से संगत नहीं है, अथवा कहना चाहिए, जिससे इसकी प्रतिमा की संगति व्याहत होती है। किन्तु इसकी सहज प्रवृत्ति अनात्म की ओर ही है, यह सदैव अपने को विषयोन्मुख ही पाता है और उसी के माध्यम से अपनी चरितार्थत खोजता है। इस उन्मुखता का निवर्त्तन अत्यन्त मूलगामी प्रयत्न से ही साध्य हो सकता है।

किन्तु अनात्म का निवारण अनिवार्य रूप से विषयों का विलयन नहीं है, केवल अब इनका अनात्मत्व जान लेना अथवा आत्म की प्रतिमा में इनका संवादित्व बना लेना है। इस प्रकार इसमें ज्ञान का निषेध नहीं है, न ज्ञाता के रूप में अपना निषेध है, किन्तु यह मात्र ज्ञातृत्व भी नहीं है, क्योंकि ज्ञाता आत्म या तो केवल विषय रूप में ही प्राप्त हो सकता है अथवा विषय के माध्यम से—विषयवृत्ति के रूप में प्राप्त हो सकता है। मूल्यात्मक आत्म का ज्ञातृत्व सार्थक क्रिया के रूप में, इस क्रिया के त्रवर्त्तक के रूप में, इससे पूर्व-स्थित होकर, आत्म का प्रकाशक बनता है। आत्म अब अपने को अर्थों के ज्ञाता के रूप में पुन: प्राप्त करता है; यह विज्ञान में सत्य को चरितार्थ करता है, कला में सौन्दर्य को निखारता है और धर्म में शिव को प्रतीकबद्ध करता है। यद्यपि ये सब क्रियाएँ मूल्यात्मक क्रियाएँ हैं, किन्तु ये तब तक आत्म-प्रकाशक नहीं हो सकतीं जब तक ये आत्म के स्वरूप-बोध से, उसके अपने को चरितार्थ करने के प्रयत्न से, प्रवर्त्तित नहीं होतीं। उसके बिना ये विषय और अतएव अनात्म होती हैं।

---

1. द्रष्टव्य **'ज्ञान और सत्'** में 'विश्लेषणात्मक और संश्लेषणात्मक'।
2. द्रष्टव्य **'संस्कृति : मानव-कर्त्तृत्व की व्याख्या'** में 'मानव-स्वातन्त्र्य'।
3. इस शब्द की व्याख्या के लिए द्रष्टव्य आगे अध्याय 5 और 6.

इस प्रकार नेयार्थ आत्म को एक ऐसा आन्तर एकत्व भी देता है जो ज्ञातृत्व नहीं दे सकता। वास्तव में ज्ञातृत्वमूलक एकत्व या तो विषय के एकत्व की अतिक्रामी सम्भावना के रूप में परोक्षत: गम्य होता है अथवा स्मृतियों और आशाओं-अपेक्षाओं के माध्यम से गम्य होता है। इसी से यह आत्म निरन्तर अवस्थात्मक (सिचुएनल) आत्म होता है, इसका वास्तव एकत्व कभी नहीं प्राप्त होता। जहाँ तक आत्म के स्वरूप का प्रश्न है, उसका तो कोई अर्थ ही ज्ञातृ चैतन्य की स्थिति में नहीं हो सकता, क्योंकि वह स्वरूप केवल विषयात्मक ही हो सकता है। जैसाकि हम पीछे देख आये हैं, यह आत्म अनिवार्य रूप से विषय-सापेक्ष है, जिस प्रकार विषय अनिवार्य रूप से ज्ञातृ-सापेक्ष है।

किन्तु नेयार्थतामूलक एकत्व केवल आत्म का ही हो सकता है, यह अन्य किसी माध्यम की अपेक्षा नहीं करता। यह सब घटनाओं, वस्तुओं, क्रियाओं को उस विशिष्ट अर्थ के वाहकों के रूप में रूपान्तरित कर देता है जो इसके स्वरूपगत होते हैं। अर्थात् ये या तो आत्मभूत हो जाते हैं अथवा अनात्म के रूप में तिरस्कृत और उपेक्षित हो जाते हैं। इस प्रकार यह अतीत, वर्तमान और भविष्यत् में तथा सर्व देश में वितत भी हो सकता है, किन्तु केवल इस वितति का अपने अर्थ में आकुंचन करने के लिए। संस्कृति में और ऐतिहासिक नायक में यह स्पष्ट रूप से देखा जा सकता है, यद्यपि प्रत्येक आत्म में यह न्यूनाधिक मात्रा में फलीभूत होता है।

× × ×

'अनात्म' शब्द का प्रयोग हमने विषय मात्र के लिए किया है, किन्तु यह उससे अधिक गम्भीर पद है। यह विषयत्व के अतिरिक्त उसकी निवारणीयता और आत्म से इसकी विसंगति का भी वाचक है। इस प्रकार फिनोमिनलोजिकीय स्थगन और कुछ हो भी नहीं सकता, क्योंकि यह विश्व की विज्ञानवादी (आइडियलिस्टिक) व्याख्या नहीं है, यह अभिवृत्ति का, उन्मुखता का, आमूल परिवर्तन है। यह विषय से विषयार्थ की ओर और विषयार्थ से आत्म की ओर संक्रमण है, जो विषय से विच्छेद के संकल्प के साथ प्रवर्त्तित होता है। अतिक्रामी आत्म को पाने के लिए विषय के स्थगन की आवश्यकता नहीं है, क्योंकि यह आत्म विषय के अपने भीतर, उससे अवियोज्य, रहता है। इस अर्थ में कांट की दृष्टि सही थी, जिसने अतिक्रामी चैतन्य को वास्तव में विषय-चैतन्य के रूप में देखा। उसकी भूल नैतिक चैतन्य को परात्पर (ट्रांसेंडेंट) तत्त्व के रूप में देखने में थी, क्योंकि आत्म को परात्पर तत्त्व के रूप में देखने का अर्थ होगा कि आत्म अपने को केवल विषय में ही पा सकता है और कर्म उसे स्वरूपत: अनवगम्य बना देता है। इस दृष्टि से फिनोमिनलोजी की दृष्टि अधिक उपयुक्त है, किन्तु यह सम्प्रदाय अपने को कांट से मुक्त नहीं कर पाया और अतएव अपना आशय ठीक नहीं समझ सका। भारतीय दर्शनों ने, विशेषत: साँख्य, वेदान्त और बौद्ध दर्शनों ने, इससे कम बड़ी भूल नहीं की। वास्तव में इससे भी बड़ी भूल की, क्योंकि उन्होंने विषय को अनात्म रूप में देखकर भी स्वयं आत्म को मूल्य रूप में नहीं देखा, इसे उन्होंने प्रकाश रूप में ही देखा। इसी से उनका दर्शन मुख्यत: विज्ञानवादी दर्शन होकर ही रह गया, जबकि उनकी वास्तविक प्रेरणा विषय का विज्ञान में अन्तर्भाव करना नहीं होकर आत्म को सिद्ध करना थी।

× × ×

दर्शन उचित रूप से केवल आत्म-दर्शन ही हो सकता है, आत्म का पुरुषार्थ के रूप में और उससे विसंवादी का अनात्म के रूप में दर्शन। अन्यत्र[1] हमने दर्शन की परिभाषा 'ज्ञान का आत्म-साक्षात्कार' यह की है। सब प्रकार का विषय-ग्रहण ज्ञान है और इस प्रकार विषय-ग्रहण पर विचार ज्ञान का आत्म-साक्षात्कार है। किन्तु एक बार अभिमुखता का निरोध कर देने पर, ज्ञान-विषय का स्थगन कर स्वयं ज्ञान-क्रिया के पीछे खड़े हो जाने पर, कहना चाहिए, इस प्रकार आत्म का जागरण हो जाने पर, यह वृत्ति यहीं विश्राम नहीं लेती। यह सब चीज से उसका अर्थ पूछती है, अपने विषयात्मक अनुभव से ही नहीं धार्मिक और नैतिक अनुभव से भी,

1. द्रष्टव्य आगे अध्याय 5.

कलात्मक और विमर्शात्मक अनुभव से भी, अन्ततः स्वयं अपने से भी। और इसकी यह पैनी प्रश्न–दृष्टि उस सब चीज़ को अविहित कर देती है जो अपना अर्थ नहीं बता पाती।

यह अर्थ क्या है? यह अर्थ–विषयक साधारण प्रश्न नहीं है, यहाँ यह द्रष्टव्य नहीं है कि 'इस कविता का क्या अर्थ है?' प्रश्न है कि 'कवि–कर्म का क्या स्वरूप है', और अन्त में 'कवि–कर्म की क्या सार्थकता है?' इसी प्रकार प्रश्न यह नहीं है कि 'मेज़ का क्या अर्थ है?' जिसका उत्तर होगा कि 'मेज़ वस्तुएँ रखने का साधन है।' प्रश्न है कि 'गोचर विषयानुभव का क्या स्वरूप है' और अन्त में 'इसकी क्या सार्थकता है, यह मुझे कहाँ ले जाता है, यह किस प्रकार पूर्वसिद्ध सार्थकता को समृद्धतर बनाता है', दार्शनिक सन्देहवाद का यही अर्थ है—'इसमें सन्देह सम्भव है तो हटाओ इसे।' 'यह आगन्तुक है तो छोड़ो इसे, क्योंकि यह सत्ता की अर्थ–समृद्धि में कुछ जोड़ेगा नहीं।' जिसका असत्त्व सम्भव है, उसका सत्व विश्व में अन्तर ही क्या डाल सकता है? जिसका अन्यथा हो सकना सम्भव है उसका यथात्व किस काम का?

किन्तु कौन अर्थ इसे सन्तुष्ट करेगा? स्पष्टत: वह विषयात्मक नहीं हो सकता, क्योंकि विषय सापेक्ष और सन्देहास्पद है। केवल निस्सन्दिग्ध और निरपेक्ष अर्थ ही इसे सन्तुष्ट कर सकता है। इस प्रकार यह परम अर्थ ज्ञान–विषय नहीं हो सकता, यह केवल साध्य ही हो सकता है, क्योंकि यह अपनी पूर्णता से सब अपूर्णताओं को नाप देता है और इस प्रकार पूर्ति के लिए प्रवृत्त करता है। अपूर्ण की यह प्रवृत्ति आत्म को कर्त्तृत्व और स्वातन्त्र्य देती है, क्योंकि आत्म अपने को स्वरूपत: पूर्ण ही कल्पित कर सकता है, जोकि वह वास्तव में (इन एक्चुआलिटी) नहीं है। इसकी वास्तव स्थिति अनात्म के बीच संवलित की स्थिति है, यह निरन्तर अपने को विषयाकार पाता है, यद्यपि निरन्तर अपने निर्विषय स्वरूप को खोजता है।

संवाद

संवाद की सम्भावना के लिए मेरे अतिरिक्त एक अन्य व्यक्ति का होना आवश्यक है, जो मेरे समान ही अर्थों का ग्रहण कर सके, और उन्हीं अर्थों का ग्रहण कर सके जो मुझे अभिप्रेत हैं और जो मैं किसी कथन अथवा संकेत द्वारा उसे सम्प्रेषित करना चाहता हूँ। किन्तु दर्शन के लिए यह एक अत्यन्त जटिल समस्या रही है कि मैं किसी अन्य व्यक्ति के सत्त्व को कैसे जान सकता हूँ। मैं अपने को भीतर से और अव्यवहित रूप से जानता हूँ, अथवा कहें, अपना भावन करता हूँ। किसी-न-किसी प्रकार विषय को भी जानता हूँ। विषय को जानना इसलिए सम्भव है कि इसका कुछ 'आन्तर' नहीं होता, केवल बाह्य होता है। उसकी प्रस्तुति मेरे ज्ञान में उसे पूरी तरह दे देती है। किन्तु व्यक्ति मुख्यत: आन्तर ही होता है, उसका बाह्य, यदि वह कुछ होता है तो, उसके आन्तर के तारतम्य में ही होता है और केवल उसके अन्तिम छोर पर। और पुन:, यह बाह्य इस आन्तर के बिना भी घटित हो सकता है। इसके अतिरिक्त, अनुभवकर्त्ता इस अनुभव की बाह्याभिव्यक्ति का अनिवार्यत: अनुभव नहीं करता। कुछ हर्ष में अपनी मुस्कान को भीतर से भी देख सकते हैं, किन्तु क्रोध में चेहरे की भंगियों और वर्णों को नहीं देख सकते। और फिर, मुस्कान को भी भीतर से देखना और बाहर से देखना दो सर्वथा भिन्न बातें हैं। भीतर से उसे केवल मैं ही देख सकता हूँ और इतर केवल उसे बाहर से ही देख सकता है। इस प्रकार शरीर हमारे बीच एक अनिवार्य और अभेद्य दीवार है जो हमें परस्पर पृथक् करती है, यद्यपि यही एक माध्यम है जिसके द्वारा हमारे बीच परस्पर संवाद सम्भव होता है।

किन्तु शरीर किस प्रकार मेरे द्वारा अन्य के ज्ञान में बाधक होता है, और वह क्या है जो मैं शरीर के पीछे अन्य में जानना चाहता हूँ? दो कुत्तों की कल्पना करें जो एक-दूसरे को देख कर गुर्रा रहे हैं। ये दोनों परस्पर देख कर परस्पर के विषय में कुछ जानते हैं। क्या इनके सम्बन्ध में यह कहना उचित होगा कि वे शरीर-व्यवहार से दूसरे की मनोऽवस्था के सम्बन्ध में कोई अनुमान करते हैं—अत्यन्त सहज निर्धारणात्मक ही चाहे उसे क्यों न कहें? मान लें कि वे आगमनात्मक अनुमान ही करते हैं। किन्तु तब वे क्या अनुमान करते हैं?

जैसाकि स्पष्ट है, वे दूसरे के व्यवहार से उसके भावी व्यवहार का और उसके अपने ऊपर प्रभाव का 'अनुमान' करते हैं। अब प्रश्न यह है कि क्या इससे अधिक कुछ होता है जो जानने योग्य होता है? क्या दूसरे कुत्ते के गुर्राने और उसकी आँखों में व्यक्त आक्रामकता के अतिरिक्त और भी कुछ होता है जो कुत्ते के 'मन में' घटित हो रहा और व्यवहार में व्यक्त हो रहा कहा जा सकता है? सम्भवत: ऐसा कोई नहीं कहना चाहेगा। तब क्या यह कहना उचित होगा कि कुत्ते का मन नहीं होता?

कोई ऐसा कह सकता है। किन्तु क्रोधानुभूति और क्रोध-व्यवहार में तर्कत: अन्तर है। यह तर्कत: सम्भव है कि क क्रुद्ध हो किन्तु क्रोध-व्यवहार घटित नहीं हो। उदाहरणत:, यह तर्कत: सम्भव है कि क कुत्ता दूसरे कुत्ते को देख कर क्रुद्ध हो किन्तु गुर्राये नहीं। निश्चय ही यह तर्कत: सम्भव है। जैसाकि हम अभी देखेंगे, मनुष्य में यह द्वैत वास्तव में है। किन्तु कुत्ते में अनुभव और व्यवहार के द्वैत की तार्किक सम्भावना कुत्ते की हमारी अवधारणा से तर्कत संगत नहीं है। अनुभव और व्यवहार के द्वैत के लिए संवेद में संवेद-घटना और संवेद-अन्तर्वस्तु में व्यवच्छेद घटित होना आवश्यक है। क्योंकि जैसाकि हम अभी आगे देखेंगे, संवेद की यह अन्तर्वस्तु विषय रूप में ग्राह्य हो कर ही अशारीरिक अनुभव को सम्भव करती है। इस पर यह कहा जा सकता है कि अशरीरीर संवित् की कल्पना की ही जा सकती है और तब यह कहा जा सकता है कि कुत्ते में क्रोध-संवेद और क्रोध-व्यवहार दोनों घटित होते हैं जो परस्पर भिन्न हैं। 'भिन्न हैं' से यहाँ अभिप्राय है 'तर्कत: भिन्न हैं।' किन्तु सम्भवत: ऐसा नहीं है। यद्यपि यह तर्कत: सम्भव है कि कुत्ता अशरीरी हो, किन्तु यह तर्कत: असम्भव है कि वह क्रोध-संवेद अथवा

पीड़ा-संवेद को शरीर-संवेद से पृथक् अनुभव कर सके, अर्थात् ये संवेद चेतना में शरीर-संवेदों के रूप में ही घटित हो सकते हें। उदाहरणत: क्रोध केवल शारीरिक तनाव के रूप में ही संवेदित होता है, इसी प्रकार पीड़ा शारीरिक पीड़ा के रूप में ही अनुभव की जा सकती है।

किन्तु तब मनुष्य में इतना मौलिक रूप से भिन्न क्या होता है जो उसे 'भीतर' और 'बाहर' की दो सर्वथा भिन्न प्रकार की सत्ताएँ दे सकता है? इसके लिए कल्पना करें कि मैं अपने सामने खड़े व्यक्ति को देखता हूँ और अनुमान करता हूँ कि वह क्रुद्ध है। अब मनुष्य में यह सम्भव है कि वह क्रुद्ध नहीं हो और केवल क्रोध-व्यवहार कर रहा हो, इसी प्रकार सम्भव है कि वह क्रुद्ध हो ओर क्रोध-व्यवहार नहीं करे। इस प्रकार मनुष्य में एक द्वैत है, वह अपने आवेग और वेदना को 'भीतर से' अनुभव कर सकता है और अपने शरीर में उसकी क्रिया रोक सकता है, और बिना वेदना के भी वेदना प्रदर्शित कर सकता है। यह सामर्थ्य निश्चय ही उसे दो भिन्न प्रकार की सत्ताएँ दे देती है और इन सत्ताओं को 'भीतरी' और 'बाहरी' कहने में कोई हानि नहीं है। किन्तु इन दो में जो अन्तर समझा साधारणत: समझा है वह भ्रामक है। उदाहरणत: क्रोध की आन्तर सत्ता को अन्यों के लिए अनवगम्य समझा गया है, क्योंकि क्रोध का अनुभव केवल क्रुद्ध व्यक्ति ही कर सकता है और अन्य व्यक्ति उसका व्यवहार ही देख सकता है। किन्तु जैसाकि हमने अभी देखा, यदि क्रोधनुभव क्रोध घटित होने का पर्याय है तब निश्चय ही यह अनुभव केवल शरीर-लक्षण-घटना-सन्तान का भाग ही हो सकता है और यह व्यवहार से या शरीर से, अथवा कहें शरीर-वृत्ति से, वियोज्य नहीं है। वास्तव में यहाँ यह कहना भी स्थाने होगा कि यदि यह घटना एक कुत्ते में अन्य कुत्ते की उपस्थिति में घटित हुई है तब इस दूसरे कुत्ते में कोई प्रतिक्रिया का भी इस घटना के अन्तर्गत ही समावेश करना उचित होगा और तब इस एक सायुज्य में से अन्य कुत्ते की प्रतिक्रियाओं को विश्लिष्ट करना उसी प्रकार का कार्य होगा जिस प्रकार का कार्य एक क्रुद्ध कुत्ते की भूंकने और टाँगें हिलो की क्रियाओं को पृथक् करना होगा। इस प्रकार क कुत्ते का क्रोध क को अद्वितीय रूप से प्रदत्त घटना नहीं है, वह वास्तव में एक ऐसी घटना है जो विभिन्न कुत्तों में घटित क्रियाओं-प्रतिक्रियाओं का समावेश करती है। इस प्रकार यह घटित क्रोध क कुत्ते का एकाधिकार नहीं है। इस स्थिति में इसे अनुभव कहना भी कहाँ तक उचित है यह सन्देहास्पद है, क्योंकि क्रुद्ध कुत्ते को 'क्रोध में' कहना अधिक उचित है बजाय 'क्रोध का उसमें होना' कहने के, क्योंकि कुत्ते का कोई 'आन्तर' होता ही नहीं।

इस पर आपत्ति की जा सकती है कि, क्रोध-संवेद के अनिवार्यत: शरीर-मूलक होने पर भी यह संवित् है और परिणामत: यह दूसरे किसी को संवेद रूप में ग्राह्य नहीं हो सकता, केवल व्यवहार के माध्यम से ही ग्राह्य हो सकता है। किन्तु यह कहने में कोई विशेष बात नहीं कही जा रही है और न वस्तुस्थिति में कोई अन्तर्दृष्टि ही दी जा रही है। यहाँ केवल इतना कहा जा रहा है कि एक संवेद-घटना दो संवेद-घटनाएँ नहीं हो सकतीं। यहाँ प्रस्तुत वस्तुस्थिति के दो पक्ष हैं, एक यह कि एक विशेष शारीरिक तनाव के रूप में एक संवेद घटित हो रहा है, और इससे अधिक इसकी अन्य कोई अन्तर्वस्तु नहीं है। और दूसरे, कुछ गोचर माध्यमों के द्वारा एक या कुछ अन्य शारीरिक तनाव घटित हो रहे हैं और ये सब शारीरिक तनाव एक ही स्थिति अथवा संस्थान के पक्ष कहे जा सकते हैं। यदि यहाँ यह प्रश्न किया जाय कि 'क्या ख कुत्ता यह जानता है कि क कुत्ता क्रुद्ध है?' तो इसका उत्तर होगा कि, जानने के प्रासंगिक अर्थ में निश्चय ही वह जानता है, इसके विपरीत, जानने के किसी भी अर्थ में क कुत्ता यह नहीं जानता कि वह (क कुत्ता) क्रुद्ध है। वह केवल अपने आपमें क्रोधापन्न होता है, क्योंकि उसका कुछ आन्तर नहीं है।

आन्तर दृष्टि-निवर्त्तन से बनता है। इस प्रकार, 'राम में क्रोध' होता है जब वह अपने को क्रोध से विच्छिन्न कर क्रोध को निवर्त्तित दृष्टि-विषय बनाता है। किन्तु यह निवर्त्तित दृष्टि-विषय-क्रोध क्रोध-घटना नहीं हो सकता, यह केवल इस घटना की अन्तर्वस्तु ही हो सकता है जो निवर्त्तित दृष्टि के द्वारा ही अस्तित्व में लायी जाती है। वह इस आवेग को उसकी निर्जीव धर्मता में प्रतिष्ठित और ग्रहण करती है। इस प्रकार क्रोध क्रोध-घटना को पूर्वकल्पित करता है, इन विकारों से धर्मत: वियोज्य होता है और अपनी इस वियुक्त ग्राह्यता के कारण ही यह

नियम्य होता है, जिससे शरीर-व्यवहार में इसकी अप्रकटता सम्भव होती है। यह सही है कि निवर्त्तित दृष्टि-विषय के रूप में यह मेरा अद्वितीय अधिकार है और यह अधिकार मुझे भी अद्वितीयता देता है, किन्तु इसके अपने धर्म में कुछ भी ऐसा नहीं है जो अन्य के लिए गम्य नहीं हो सकता। निवर्त्तित दृष्टि-विषय के रूप में अधिकार की अद्वितीयता इस बात में नहीं है कि यह केवल मेरा ही स्मृति-विषय हो सकता है, अन्य का नहीं। ऐसे कथन पुनः केवल परिभाषाओं के द्वारा ही स्थापित किये जा सकते हैं और इस प्रकार कोई सार्थक बात नहीं कहते। इस प्रकार, "यह **परिभाषया असम्भव है** कि कोई मेरे क्रोध का स्मरण कर सके," किन्तु यह कथन क्रोध-संवेद के सम्बन्ध में कथन है जो **मेरा** अथवा **अन्य किसी का** नहीं होता। संवेद मेरा तथा अन्य का निवर्त्तित दृष्टि-विषय के स्तर पर उठ कर ही होता है और यही स्मृति-विषय भी होता है। किन्तु स्मृति-विषय के रूप में यह दो प्रकार से मेरा होता है—ज्ञेय रूप में और मूल्य रूप में। ज्ञेय रूप में यह मेरा अद्वितीय अधिकार नहीं होता। वास्तव में ज्ञानात्मक रूप से मेरा अपनापन ही सन्दिग्ध होता है, क्योंकि यह उन विषयों पर आश्रित होता है जिन्हें मैं अनुषंगी परिस्थितियों के द्वारा एक तारतम्य में रचित करता हूँ और मदीयता से विशेषित करता हूँ। मदीयता से विशेषित इस तारतम्य के द्वारा ही आत्मत्व का ग्रहण होता है। इसी से स्मृति-विषय अद्वितीयतः मेरे नहीं होते, क्योंकि इनका मदीयता-लक्षण अनुषंगी परिस्थितियों के संयोग पर निर्भर करता है। इस प्रकार मैं एक अघटित घटना का भी स्मरण कर सकता हूँ और घटित घटना की स्मृति की सत्यता में सन्देह भी कर सकता हूँ। केवल मूल्य के रूप में ही यह मेरा अद्वितीय अधिकार हो सकता है—जब मैं अपने को प्रताड़ित करता हूँ कि 'मुझे क्रोध नहीं करना चाहिए था।' अब यह उस नेयार्थ से समाविष्ट हो जाता है जो मेरा आत्म है और इस प्रकार निस्सन्दिग्ध है।

इस पर आपत्ति की जा सकती है कि ज्ञान-विषय हुए बिना कुछ भी मूल्यार्थक नहीं हो सकता। यह सही है और इस प्रकार क्रोध के स्मृति-विषय हुए बिना वह मूल्यार्थ द्वारा निन्दित नहीं हो सकता। मैंने ऊपर जो कहा है उसका अभिप्राय यह है कि इसके ज्ञेय रूप में ऐसा कोई लक्षण निहित नहीं रहता जो इसे अद्वितीय रूप से किसी आत्म का भाग बना सके, केवल मूल्यार्थता ही इसे अद्वितीयतः मेरा अंश बना सकती है, क्योंकि केवल मैं ही इस पर उस प्रकार पश्चात्ताप कर सकता हूँ जिस प्रकार कोई अन्य नहीं कर सकता। किन्तु यह नेयार्थमूलक आत्म अद्वितीय होकर भी अगम्य नहीं होता। किन्तु जैसाकि हम आगे देखने का प्रयत्न करेंगे, यह गम्यता ज्ञानात्मक नहीं होकर संवादात्मक होती है, मैं तथा अन्य इसमें परस्पर विषयकरण के बजाय सहभाग लेते हैं।

× × ×

ऊपर हमने आत्मत्व तथा अन्यत्व की विभाजक रेखाएँ मिटाने का प्रयत्न किया। किन्तु ये विभाजक रेखाएँ अत्यन्त गहरी होती हैं। केवल आत्मैकवाद (सोलिप्सिज़्म) ने आत्म के चारों ओर जो दीवार खड़ी की है वह अयुक्ति-संगत है। आत्मैकवाद ने वास्तव में अन्य को आत्म से नितान्त भिन्न कर उसे सन्देहास्पद बना दिया और इस प्रकार आत्म को खोल-बन्द कर दिया। ऊपर हमने उसी की अयुक्ति-संगतता दिखाने का प्रयत्न किया। उसने आत्म का सत्त्व संवेदात्मक देखा और इस प्रकार मेरे द्वारा अन्य के संवेदों का संवेदन कर सकना असम्भव होने के कारण अन्य के ज्ञान को असम्भव बना दिया। किन्तु इसमें मौलिक भ्रान्ति है, और भ्रान्ति के अतिरिक्त और कुछ नहीं है। संवेद न आत्म देता है न अन्यत्व देता है, वह परिभाषया इनसे विलक्षण है। पुनः, अन्य के ज्ञान का भी अर्थ स्पष्ट नहीं है, क्योंकि गोचर विषय का ज्ञान संवेदों के पारस्परिक समर्थन से होता है किन्तु संवेद का ज्ञान इस प्रकार नहीं होता। इस प्रकार अन्य के सत्त्व के सम्बन्ध में अनुभववादी और प्रत्ययवादी (रैश्नलिस्ट) दोनों दृष्टिकोण नितान्त भ्रामक हैं।

अन्य उतना ही मूल प्रदत्त है जितना विषय और आत्म हैं। मैं और वह दो शरीरों के माध्यम से इस गोचर संसार को एक साथ अलग-अलग बाँट लेते हैं। इस अन्य के बिना मैं इस विश्व का एकान्त नियामक होता हूँ और उसकी उपस्थिति इस एकान्त को एकाएक और पूर्ण रूप से विनष्ट कर देती है। बल्कि वह मुझे केन्द्रच्युत करके एक बार मुझे भी इस विश्व में स्थापित कर देता है और इसका एकान्त नियामक हो जाता है। और उसमें यह जादू अद्भुत है, अपनी दृष्टि फेर कर वह मुझे मेरा केन्द्र और विश्व का एकाधिकार लौटा सकता है और दृष्टि मेरी

ओर घुमा कर एकाएक उसको छीन सकता है। उसकी यह शक्ति मैं नहीं छीन सकता, क्योंकि यह तभी सम्भव है यदि मैं उसे आत्मसात् कर सकूँ अथवा तदात्म हो सकूँ। किन्तु ये दोनों सम्भावनाएँ अनुपलभ्य हैं। न उसका विषय में समाहार ही सम्भव है। विषय के समान अन्य के भी अनेक प्रकार हैं। इसका एक प्रकार इसका ऐसा विषय-विनियोजन-केन्द्र होना है जो मुझे भी विषय रूप में स्थापित करता है। इस इतर का साम्मुख्य होते ही मैं अपने को प्रस्तुत, विषयभूत, पाता हूँ; यह मुझे बाह्यात्म बना देता है : देखा जा रहा, नापा-जोखा जा रहा, आत्म। इस अन्यात्म का मनुष्य होना आवश्यक नहीं है; यह पशु, देवता अथवा आँखों वाला पर्वत भी हो सकता है। वन में चलते हुए मैं एकाएक किसी अवलोकन से स्तम्भित हो जाता हूँ और यह अवलोकन वस्तुस्थिति में आमूल परिवर्तन ला देता है। अब मैं केवल विषयों का विनियोजक केन्द्र और ऐसा आत्म नहीं रह जाता हूँ जो अपने को इस केन्द्र के रूप में ग्रहण कर रहा है, बल्कि स्वयं एक विषय भी हो जाता हूँ। अथवा कहें ऐसा आत्म हो जाता हूँ जो अपने को विषय रूप में प्रस्तुत देख रहा है, ऐसे केन्द्र के रूप में जिसकी विनियोजकता एकाएक दूसरे विनियोजक केन्द्र में स्थापित हो गई है और जो स्वयं विनियोज्य-केन्द्र हो गया है। अब मैं अपनी स्थिति को उन आँखों से बचाने की योजना के अनुसार बदलना चाहता हूँ और ऐसी स्थिति ग्रहण करना चाहता हूँ जो मुझे अपना केन्द्र वापिस दे दे। यह इतर नितान्त अपरिचित, नितान्त विदेशी होता है। यदि मैं इस दृष्टि में अपने इस मदीयत्व की पूर्ण और सदा के लिए समाप्ति की सम्भावना देखता हूँ तो भयातुर हो उठता हूँ, अन्यथा उसकी उपेक्षा कर पुन: अपना एकाधिकार प्राप्त करता हूँ।

एक अन्य इतर मुझे अपनी आँखों से लज्जा-विगलित कर देता है। मैं अकेला जैसे भी चाहे बैठा हूँ, जैसे भी चाहे खा रहा हूँ, यह न अनुपयुक्त है, न अनुचित। किन्तु उसकी उपस्थिति एकाएक मेरे भोंडेपन अथवा विपन्नता को प्रकट कर देती है और मैं लज्जा से गड़ जाता हूँ। इसी प्रकार किसी कर्म के लिए भी—कोई अनुचित कार्य कर लेने पर मैं पश्चात्ताप और आत्मग्लानि से कितना भी पीड़ित क्यों नहीं होऊँ किन्तु लज्जित नहीं होता, यह कार्य लज्जाजनक केवल इतर की आँखों से, उसकी वास्तविक उपस्थिति में तुलने पर, ही होता है।

यहाँ यह द्रष्टव्य है कि इन दो स्थितियों में मेरी उपस्थिति में मौलिक अन्तर होता है। प्रथम स्थिति में मैं मुख्यत: गोचर विषय हूँ जबकि दूसरी स्थिति में गोचर विषय नहीं हूँ। किन्तु दूसरी स्थिति में भी गोचरता केवल प्रासंगिक ही नहीं होती बल्कि केन्द्रीय महत्त्व की होती है। मुझे ज्ञात हो जाने पर कि दूसरों को मेरे गर्हित कर्म का पता चल गया है, मैं उद्विग्न और कुण्ठित हो जाता हूँ, किन्तु इस परिस्थिति में भी मुझे दूसरों के सम्मुख होने और नहीं होने में एक मौलिक अन्तर प्रतीत होता है। मैं किसी प्रकार उनकी दृष्टि से सदा के लिए तिरोहित होना चाहता हूँ।

किन्तु यहाँ भी एक अन्तर है जो महत्त्वपूर्ण है। अनुपस्थिति में लज्जित हम केवल परिचितों से ही अनुभव करते हैं, अपरिचितों से नहीं। और जितना ही कोई परिचित होता है उतना ही हम उसे शारीरिक अनुपस्थिति में भी उपस्थित पाते हैं। किन्तु अपरिचित मेरे लिए शारीरिक उपस्थिति में ही महत्त्वपूर्ण होते हैं। जिसका अर्थ है कि परिचय एक शरीरोत्तर ठोस सत्त्व देता है जबकि अपरिचित मेरे लिए अधिकाधिक शरीराधिष्ठित होता है। किन्तु इन अपरिचितों की **आँखों के सम्मुख** मैं अनाम भी लज्जित हो जाता हूँ—'यह है वह व्यक्ति जिसने चोरी की थी।' यहाँ मैं सारा का सारा मानो अपनी दृग्गोचरता में समाहित कर दिया गया। यदि किसी जादू से मैं उस समय अदृश्य हो सकता तो मैं उन पर हँस देता—'यह लो, कहाँ है तुम्हारा चोर? रखो अपनी आँखों को।'

इन तीन उदाहरणों में मेरी इतर को उपस्थिति के स्वरूप में मौलिक अन्तर है—प्रथम उदाहरण में मैं और देखने वाला दोनों आत्म के रूप में परस्पर प्रस्तुत नहीं हैं, इस स्थिति में मेरा आत्म एक अभेद्य खोल में स्थायी रूप से आकुंचित हो जाता है और इतर को आत्म के रूप में देखने से इन्कार कर देता है। इस स्थिति में मैं इतर को प्रस्तुत होता हूँ और इस प्रकार मैं विनियोज्य-केन्द्र बनता हूँ। किन्तु इस प्रकार मैं विशुद्ध रूप से विषयकृत होता हूँ, जिसका आत्म अत्यन्त पूर्ण रूप से इस इतर के लिए बन्द है। इसी प्रकार यह इतर भी मझे आत्म के रूप में प्रस्तुत नहीं होता, वह केवल मुझे विनियोजक केन्द्र के रूप में प्रस्तुत होता है, उसका सम्पूर्ण सत्त्व उसकी

आँखों में अवस्थित होकर मेरे लिए आत्म के रूप में निषिद्ध हो जाता है। वह क्रिया-केन्द्र है, विनियोजन-केन्द्र है, अर्थात् विषयी है, किन्तु आत्म नहीं है। यही स्थिति कुछ जटिल रूप में कामुकता में होती है, केवल इतने अन्तर के साथ कि उसमें मैं विनयोजक के रूप में अधिक सक्रिय होता हूँ और इस प्रकार अन्य के द्वारा अपनी विनियोज्यता के प्रति उतना सतर्क नहीं होता। इसलिए इसमें दो सहयोगी विनियोजक होते हैं, परस्पर को विषयकृत करते हुए और अपनी विषयकृतता के प्रति अनभिज्ञ।

लज्जा में स्थिति इससे भिन्न होती है। लज्जा अपनी उस प्रतिमा को खण्डित देखकर होती है जो मैं समझता हूँ कि मेरी दूसरों की धारणा में है। इस प्रकार मैं इस इतर को अन्यतम महत्त्व देता हूँ, उसको प्रस्तुत होना चाहता हूँ और उस प्रकार प्रस्तुत होना चाहता हूँ जिस प्रकार वह चाहे। और वह, जिसे मैं उसकी धारणानुसार प्रस्तुत होना चाहता हूँ, विनियोज्य केन्द्र नहीं हो सकता, क्योंकि मैं उसकी आँखों में अपना विनियोजन करता हूँ। यहाँ यह द्रष्टव्य है कि मैं अपने को उसके सम्मुख विनियोज्य-केन्द्र के रूप में नहीं पाता बल्कि स्वयं अपने को विनियोजित करता हूँ। इस प्रकार मैं अपने को इतर के विनियोजन-केन्द्र से इतर के लिए विनियोजित करता हूँ। मेरी लज्जा इस प्रतिमा के अनुरूप नहीं होने से होती है।

किन्तु यहाँ भी अन्य आत्म न आत्म के रूप में गम्य होता है और न मैं आत्मस्थ होता हूँ, क्योंकि यहाँ मैं जिस कारण से लज्जित हूँ वह यह प्रकट होना है कि मैं वह नहीं हूँ जो मैंने दूसरों को मुझे समझने के लिए प्रेरित किया था, अर्थात् मैंने अपने को मुखौटे के पीछे छिपा रखा था, मैं अपने को अनजाने में स्वयं विषयकृत कर रहा था और अब भी उसी रूप में अपने को रखना चाहता हूँ। इसमें अन्य में भी मेरी रुचि उसके निजत्व में नहीं होती, मैं उसके आत्म से सम्पर्क नहीं स्थापित करता, मैं उस ओर उन्मुख ही नहीं होता, मेरी रुचि उसमें केवल अपने रूप को अनेक और अधिक सुरूप देखने में होती है, मानो अनेक दर्पणों में, प्राय: उसी प्रकार की जिस प्रकार की अपने चित्र बनवाने और उन्हें देखने में होती है। हम उन चित्रों को अस्वीकार कर देते हैं जिनमें हम सुरूप नहीं दीखते और उनको सुरक्षित रखते हैं और संख्या में बढ़ाते हैं जिनमें सुरूप दिखायी देते हैं। हमारी वास्तव आकृति कैसी है इसमें हमारी रुचि नहीं होती।

किन्तु तब भी लज्जा में अन्य विषयी की विद्यमानता उससे अधिक आत्म के रूप में रहती है जितनी आक्रामक आँखों के सम्मुख रहती है। मेरी लज्जा में वह मेरे से बाहर एक विनियोजक केन्द्र होता है, यद्यपि उतना ही जितना मैं उसे अपने लिए स्वीकृति देता हूँ। पुन:, यह विनियोजन मूल्यों के एक सहचरित विश्व में होता है जो अनिवार्यत: कर्त्ताओं का ही विश्व होता है, विषयों का नहीं। किन्तु तब भी, हम यहाँ परस्पर अपरोक्षत: नहीं मिलते, मैं यहाँ कहीं भी अन्य को नहीं देखता हूँ, केवल अपने को प्रस्तुत करता हूँ। इस प्रकार मैं अन्य को केवल अपनी उस प्रतिमा के माध्यम से मिलता हूँ जो वास्तव में, मेरी नहीं है, और यह प्रतिमा केवल विषय है क्योंकि यह विनियोजित और प्रस्तुत है, और इसके अतिरिक्त इसका कोई सत्त्व नहीं है।

किन्तु कहा जा सकता है कि तब भी यह मेरे से सर्वदा असम्बद्ध नहीं होती, यह मेरी ही असमर्थता और असफलता की द्योतक होती है, यह मेरे प्राप्त रूप की निकृष्टता को नाप-जोख देती है, सावधानी से देखने पर, यह पर्याप्त अंश में मेरी उस प्रतिमा के अनुरूप होती है जो मेरा नेयार्थ है; क्योंकि यद्यपि मैं अपने को दूसरों के सम्मुख वही प्रदर्शित करना चाहता हूँ जो उन्हें अच्छा लगेगा, किन्तु उन्हें क्या अच्छा लगेगा यह **मेरी** ही कल्पना होती है और इस प्रकार अंशत: अन्य की रुचियों पर मेरी अपनी रुचियों और मूल्यों का प्रक्षेपन होता है।

किन्तु यह सही नहीं है, क्योंकि मैं यहाँ अन्य के द्वारा अधिकाधिक आत्म-बहिष्कृत होता हूँ, मैं अपने से निषिद्ध रहता हूँ, मुझे कभी इसकी अनुमति ही नहीं मिलती कि मैं अपनी ओर लौट सकूँ, अपने सत्त्व से अपना स्वरूप दिखाने के लिए कह सकूँ। उपर्युक्त असमर्थता उस प्रतिमा से भ्रष्ट होने के बोध से जनित नहीं होती जो मुझे अपना स्वरूप देती है, बल्कि उस प्रतिमा से ही तुलित होने से होती है जो मेरे से बाहर किसी प्रकार उत्पन्न हो गयी होती है। वह अंश भी, जो इसमें मेरे योगदान का फल है, वास्तव में अन्य की रुचि का ही अपेक्षी होता है। यह

प्रतिमा पूर्ण रूप से मेरी प्रतीतिपरक ही होती है। इसी से मैं अकेले में लज्जित नहीं होता; वह कर्म जो मुझे अकेले में नहीं खलता दिख जाने पर मुझे व्यग्र कर देता है, वही कुरूप टाँगें जो मुझे अपने पायजामें में कोई खेद नहीं देतीं, दिख जाने पर खिन्न कर देती हैं, वे अंग जो किसी ने कभी देखे नहीं, दिख जाने पर विकल और विगलित कर देते हैं—मैं उद्घाटित हो जाता हूँ। इस प्रकार लज्जा मेरे आत्म का निषेध है, मैं पूर्ण रूप से अपनी उस प्रतीति को समर्पित हो जाता हूँ जो अन्य ने मुझे दी है।

इस प्रकार यह एक विचित्र स्थिति है। लज्जा मुझे अपने स्वरूप से बहिष्कृत कर मुझे इतर को समर्पित कर देती है। किन्तु न यह इतर को ही मुझे अपने स्वरूप में देती है। और यह इतर यद्यपि निश्चय ही अन्य विषयी होता है, किन्तु मेरी उसके आत्म में कोई रुचि नहीं होती, मैं अपने को उस ओर तनिक भी उन्मुख नहीं पाता, वह मेरे प्रतिमुख स्थित होकर मुझे अपने को उसके मानदण्ड पर नापने को बाध्य करता है। किन्तु जैसाकि हमने देखा, यह इतरत्व अनेक मात्राओं और रूपों में उपलब्ध होता है—कुत्ता मुझे तनिक भी लज्जित नहीं करता, यद्यपि मेरे विश्व को वह बाँट सकता है और इस प्रकार अन्य विषयी हो सकता है, अन्य मनुष्य मुझे उतना ही लज्जित करता है जितना वह मेरे से परिचित होता है—अपरिचय में कुत्ते के समीप से समीपतर पहुँचता हुआ। किन्तु वह कभी भी उतना अपरिचित नहीं हो सकता जितना कुत्ता हो सकता है, क्योंकि वह अधिकतम परिचित होने की योग्यता रखता है, वह मेरा सम्भाव्य बन्धु है। इस प्रकार लज्जा अत्यन्त आग्रही इतर का आक्षेप करती है—इसके लिए किसी ऐसे सत्त्व का होना आवश्यक है जो मुझे अपने विषयकरण के लिए तथा उसे विषयी के रूप में ग्रहण करने के लिए बाध्य करता है।

किन्तु इस इतर का अत्यन्त साग्रही इतरत्व मेरे और इसके बीच संवाद को असम्भव बना देता है। यह परिचय की उस सीमा पर आकर रुक जाता है जिसके आगे इसके इतरत्व का विलय नहीं हो सकता। यह एक ओर नितान्त अपरिचित रह कर भी विषय के रूप में विघटित होने से इन्कार करता है, दूसरी ओर नितान्त परिचित हो कर भी मेरे से एकात्म होने से इन्कार करता है।

संवाद दो आत्माओं के बीच होता है। इसमें प्रस्तुत इतर न विषय होता, जो मेरा विनियोज्य है, न विषयी होता है जो या तो मेरा विनियोजक है, अथवा जो मुझे परिप्रेक्ष्य के केन्द्र से च्युत कर उस परिप्रेक्ष्य का मुख अपनी ओर कर लेता है। वह मेरे सम्मुख प्रस्तुत होते ही मुझे मेरे आत्म की सीमाओं से निर्बन्ध कर देता है जिससे वह भी उसी केन्द्र पर स्थित हो सके जिस पर केवल मैं था और जिस पर मैं अन्य किसी को स्वीकृति देने को तैयार नहीं था। इसे मैं कुछ कहता नहीं हूँ, न वह मुझे कुछ कहता है। उसके उपस्थित होते ही हमारे बीच बात आरम्भ हो जाती है जिसे हम दोनों सुनते हैं। और इस संवाद में भाषा गौण हो जाती है, क्योंकि अर्थ शब्दों की सीमाओं के बाहर फूट पड़ते हैं और प्राय: कोई भी शब्द कोई भी अर्थ देने में समर्थ हो जाता है। इस प्रकार भाषा असीम प्रगल्भता और अभिव्यक्ति पा लेती है। उसके सम्मुख लज्जा का कोई प्रश्न ही नहीं है, क्योंकि उसकी उपस्थिति में मेरी सब बाह्यताएं, सब प्रतीतियाँ स्वत: ओझल हो जाती हैं। उसकी कोई आँखें ही नहीं होतीं जिनके लिए मैं अपना विनियोजन करूँ, केवल निरिन्द्रिय श्रोत्र होते हैं।

इस तू के साथ मेरा शाश्वत संवाद होता है।

किन्तु ये सब अभिव्यक्तियाँ केवल आंशिक और अधिकांशत: अत्यन्त क्षीण होती हैं। मैं किसी के लिए पूर्णत: बन्द, किसी से बहिष्कृत, किसी के प्रति न्यूनाधिक उद्घाटित होता हूँ। हम अपने लिए भी पूर्णत: उद्घाटित कहाँ होते हैं? अधिकांशत: अधिकांश लोग आत्म-बहिष्कृत अथवा आत्मरुद्ध ही रहते हैं। किन्तु अपने को उद्घाटित होने और अन्य से संवाद में होने में मौलिक अन्तर है—प्रथम में आत्मार्थ की परिपृच्छापूर्वक दृष्टि-निवर्त्तन अपेक्षित होता है और दूसरे में प्रेम-भाव अपेक्षित होता है। प्रेम अत्यन्त रहस्यमय वृत्ति है : यह नितान्त अहैतुक आकर्षण है, यह मुझे अन्य आत्म के साथ अनन्य भाव में स्थित करता है, इसमें मैं अपने को आत्मरूप में अन्य को प्रदान करता हूँ और उसके आत्म को उसके अपने केन्द्र में प्राप्त करता हूँ।

विषय और आत्म

जैसाकि स्पष्ट है, संवाद अन्य के ज्ञान की समस्या का समाधान नहीं है। क्योंकि मेरे से बन्द, मेरे से रुद्ध, मेरा बहिष्कारक, ये सब मेरी विषय-दृष्टि को रुद्ध नहीं करते। मैं कभी भी जान सकता हूँ कि उसकी मन:स्थिति क्या है। वास्तव में राज्य का गुप्तचर विभाग यही जानने का प्रयत्न करता है और अन्य का विनियोजन करने में इस ज्ञान का उपयोग करता है। अन्य का मेरे प्रति बन्द होना उसका मेरे प्रति प्रेम-शून्य होना है, बहिष्कारक होना शत्रुता-पूर्ण होना है। मेरा बहिष्कारक यह जान सकता है कि मैं दुःखी हूँ, किन्तु उसके अनुसार, मैं इस का ही पात्र हूँ, और यह उचित ही है कि वह मुझे इस मन:स्थिति में रखने में योगदान करे। मेरे से उदासीन यह जानने में अपनी शक्ति का अपव्यय नहीं करना चाहता कि मैं किस स्थिति में हूँ। केवल मेरा प्रिय यह जानता है कि मैं दुःख का अधिकारी नहीं हूँ, क्योंकि वह यह जानता है कि मैंने जो किया उसके लिए मैं दण्डनीय नहीं हो सकता, क्योंकि तब मैं अपने वश में नहीं था, अब मैं वैसा नहीं करने के लिए कृतसंकल्प हूँ, कि वह दुष्कर्म मेरे आत्म का वास्तव सत्त्व नहीं है, केवल आगन्तुक है, केवल अनात्म है। वह केवल मेरे वास्तव सत्त्व को देखता है, उसमें मेरे साथ अधिष्ठित होता है और मेरे असत्त्व को देखने से इन्कार करता है। इसी से मैं उसके सम्मुख सहज अनावृत होता हूँ, इसी से मेरा उसे अन्य प्रतिमा के माध्यम से प्रस्तुत होना अनावश्यक है। जैसाकि हमने पीछे देखा, मेरा यह सत्त्व सम्भूत, सिद्ध, अधिगत नहीं होकर सम्भाव्य, साध्य और अधिगम्य होता है। परिणामत: यह ज्ञान-विषय नहीं हो सकता, यह केवल प्रेम-विषय ही हो सकता है।

आत्म और इतिहास

अपने एक अन्य लेख 'इतिहास बोध'[1] में मैंने 'इतिहास' को 'नेयार्थ' से परिभाषित किया है। 'नेयार्थ' का अर्थ है ऐसी अभ्यर्थना जो अपनी मूल्यवत्ता के कारण नेय, वहनीय, धारणीय होती है। 'अभ्यर्थना' से हमारा अभिप्राय यहाँ 'अन्वेष्यार्थ' से है। अन्वेष्य स्वभावत: मूल्यवान् होता है और परिणामत: नेय भी। इस प्रकार इस परिभाषा के सब शब्द एक ही अभिप्राय को विभिन्न प्रकार से व्यक्त करते हैं। 'नेयता', 'वहनीयता', 'अन्वेष्यता' शब्द कालापेक्षी हैं। 'नेयता' अतीत और वर्तमान का भविष्य के लिए धारणा करना है और 'अन्वेष्यता' भविष्य का वर्तमान में धारण करना है। ये दोनों परस्पर सापेक्ष हैं और यह सापेक्षता काल के ऐतिहासिक होने के लिए अनिवार्य है। अतीत के भविष्य के लिए और भविष्य के अतीत में धारण हुए बिना काल केवल प्रलम्बित वर्तमान होता है। प्रलम्बित वर्तमान के अर्थ में कालिकता जीव-धर्म है जो उसे अजीव से पृथक् करती है, किन्तु अर्थानुप्रविष्ट कालिकता मनुष्य की ही विशिष्टता है।

काल काल-यापन और काल-बोध दोनों ही संयुक्त रूप से है—जन्म से जरा की ओर संक्रमण शरीर का काल-यापन है और विरही की घड़ियों की सुदीर्घता काल-बोध है। किन्तु काल-बोध काल-यापन को पूर्वापेक्षित करता है—काल-बोध मानसिक काल-यापन का बोध है। 'स्मृति' यापित काल के बोध का पर्याय है। मैं नहीं जानता कि याप्यमान और सम्भाव्य काल का बोध भी सम्भव है या नहीं, किन्तु सम्भाव्य काल के बोध की असम्भवता काल-बोध के लिए काल-यापन की पूर्वापेक्षितता से दिखायी जा सकती है। यही बात याप्यमान के लिए भी कही जा सकती है। इस प्रकार यहाँ पूर्वापेक्षितता केवल तार्किक ही नहीं कालात्मक भी होती हैं। जो भी हो, स्मृति और काल-बोध को पर्याय मान लेना सुविधाजनक भी है और यहाँ हमारे प्रतिपादन में यह कोई अन्तर भी नहीं डालता।

किन्तु काल-बोध से रहित काल-यापन काल नहीं है। यद्यपि प्राय: ही 'काल' शब्द का प्रयोग केवल काल-यापन के लिए भी किया जाता है—जैसे यह कहा जाता है कि 'काल सर्वत्र व्याप्त है', 'काल सम्पूर्ण विश्व का धारण किये है' आदि। इन प्रयोगों में 'काल' व्यतीयमानता का वाचक है। किन्तु काल-बोध के बिना काल-यापन को काल कहना उपयुक्त नहीं है। शरीर का जन्म से जरा में संक्रमण घटित होने पर भी कालात्मक इसलिए नहीं है क्योंकि 'शरीर' संज्ञक कोई एकत्व इस सम्पूर्ण काल में स्थायी नहीं होता। यह एकत्व केवल स्मृति से ही सम्भव होता है। इस प्रकार काल-यापन काल में एक घटक है, दूसरा घटक काल-बोध है। यद्यपि कालात्मक अनुभव प्रलम्बित वर्तमान को भी कहा जायगा, और इस प्रकार वह भी काल ही होगा, किन्तु वास्तव में प्रलम्बित वर्तमान अनुभवमूलक होने से बोध-समाविष्ट भी है, यद्यपि यह बोध अत्यन्त अस्फुट होता है। किन्तु इसीलिए यह केवल काल-यापन ही नहीं होता। काल-बोध अपने स्फुटतम रूप में स्मृति में चरितार्थ होता है।

स्मृति जबकि काल की जननी है, यह काल-बाधक भी है, क्योंकि यह काल-यापित घटनाओं को बोध के लिए स्थिर रखती है। यद्यपि ये घटनाएँ बोध के लिए अपरिवर्तित नहीं रहतीं किन्तु ये काल-क्षत भी नहीं होतीं; इनमें परिवर्तन अर्थमूलक होता है। स्मृति की काल पर यह विजय अनुभव के क्रिया और विषय में उद्भिन्न हो जाने के कारण सम्भव होती है। अनुभव-क्रिया से विश्लिष्ट विषय अनुभव पर निर्भर नहीं रहता, इसी से स्मृति सम्भव होती है। इसके अतिरिक्त कि यह विषय सामान्यों का अधिष्ठान होता है और इसका वैशिष्ट्य केवल संकेतक होता है, यह प्रयोजनों से भी अध्यारूढ़ हो जाता है। इसी से विषय को अर्थ भी कहा जाता है। स्मृत विषय के लिए यह

---

1. द्रष्टव्य आगे, अध्याय 6.

और भी अधिक सत्य है, क्योंकि यह विषय सन्निकर्ष द्वारा चेतना को ग्रहण के लिए बाध्य नहीं करता, इसका आह्वान किया जाता है। यह आह्वान अभ्यर्थनामूलक होता है। किस अभ्यर्थना से यह आह्वान किया गया है, यह उस विषय के अर्थ को निर्धारित करता है। कालोत्पादक स्मृति के विषय की यह कालोत्तीर्णता ही विषयी के एकत्व की भी विधायक होती है। विषयी विषय की व्यतीतता के बोध द्वारा कालक्रम में अपना एकत्व प्राप्त करता है। विषय की व्यतीतता के बोध के बिना मन विषयों में चुक जाता है और परिणामत: विषयिमूलक एकत्व उपलब्ध नहीं हो पाता। इसका उग्रतम रूप हम विक्षिप्तावस्था में और सपनों में देखते हैं। इस उदाहरण से उक्त प्रतिपादन को मनोवैज्ञानिक प्रतिपादन मानना उचित नहीं होगा, क्योंकि हमारे इस प्रतिपादन में तब भी कोई अन्तर नहीं पड़ेगा यदि इस उदाहरण को ग़लत दिखा दिया जाय। पुन:, विषय की व्यतीतता तर्कत: तब तक सम्भव नहीं है जब तक विषय पृथक् स्थापित नहीं हो और विषयी व्यतीत होते विषयों से जनित काल-प्रवाह में अपना एकत्व नहीं देखे।

उपर्युक्त विश्लेषण से स्पष्ट है कि व्यक्तित्व की सम्भावना के लिए काल और कालोत्तीर्णता, जोकि संयुक्त रूप से स्मृति के लक्षण हैं, आवश्यक हैं। किन्तु ये उसके लिए पर्याप्त नहीं हैं। ये व्यष्टित्व के लिए तो पर्याप्त हैं किन्तु व्यक्तित्व में इससे अधिक अपेक्षित होता हैं। व्यक्तितव का यह अतिरिक्त लक्षण नेयार्थ है। नेयार्थ स्मृति को भी एक भिन्न आयाम दे देता है और इसे वर्तमान तथा भविष्य के साथ संयुक्त कर देता है। यद्यपि सब स्मृति-विषय अनुभव में उद्भिन्न अन्तर्वस्तु (कांटेंट) के रूप में स्थित होने से अर्थमय होते हैं किन्तु वासना और प्रयोजनमूलक अर्थ में अवधारणा[1] नहीं होती, यह विषय अपनी ऐन्द्रिय प्रदत्तता में ही निश्शेष हो जाता है। इसलिए स्मृति-विषय के केवल वासना और प्रयोजनमूलक होने की अवस्था में उपलब्ध एकत्व व्यष्ट्यात्मक होगा; वह वैयक्तिक जीवनी का स्तर नहीं प्राप्त कर सकता। इसके विपरीत, अवधारणात्मक अर्थ का विषय न ऐन्द्रिय होता है और न प्रदत्त होता है, यह अर्थ ऐन्द्रिय विषय का संकेत के रूप में उपयोग करता है। ये संकेत भी नियत सम्बन्धमूलक उद्दीपक नहीं होते, ये स्वत: भी संरचित और अर्थाविष्ट होते हैं : उदाहरण के लिए संगीत की ध्वनियाँ या भाषा की ध्वनियाँ। नियत सम्बन्धमूलक उद्दीपकों के विपरीत ये संकेत चेतना और अर्थों के बीच माध्यम होते हैं। इनकी मध्यस्थता स्मृति और प्रत्यक्ष की सहायता के लिए स्वीकार की जाती है। अपने आप से ये विषय अनुषंगी ही होते हैं। जब ये मुख्य भी प्रतीत होते हैं, जैसे चित्र, राग या प्रिय की आकृति में, तब भी वास्तव में इनका संवेद्य रूप उतना मुख्य नहीं हेता जितना यह प्रतीत होता है। बल्कि कहना चाहिए, जितना ही इनका संवेद्य रूप मुख्य होता है उतने ही कला-विषय और प्रेम-विषय गौण पड़ जाते हैं और उसी सीमा तक ये अपने अर्थ का वैभव खो बैठते हैं। अवधारणात्मक अर्थ-विषय की दूसरी विशेषता इसकी संवेदन से स्वतन्त्रता है (दूसरे शब्दों में कहें तो, विषयी से स्वतन्त्रता अथवा विषयनिष्ठता है))। यद्यपि साधारणत: केवल ऐन्द्रिय प्रत्यक्ष के विषयों को विषयनिष्ठता का मानदण्ड माना जाता है, किन्तु वास्तव में प्रत्यक्ष-विषयों[2] की विषयनिष्ठता अर्थाक्षिप्त ही होती है। विषयनिष्ठता शुद्ध इन्द्रिय-गोचरता का लक्षण नहीं है। जिस सीमा तक प्रत्यक्ष-विषय इन्द्रियाधारित होते हैं उसी सीमा तक ये विषयि-निष्ठ भी होते हैं। इनकी विषयनिष्ठता वास्तव में इस बात में निहित होती है कि इनका अधिकांश अनिवार्य रूप से इन्द्रियागोचर रहता है। यदि मेरा मेज़ का किसी एक कोण से प्रत्यक्ष (काल के आयाम को छोड़ भी दें तो) उसके अर्थ को निश्शेष कर सकता तो वह प्रत्यक्ष विषयनिष्ठ नहीं हो सकता था। प्रत्यक्ष-विषय एक समग्र-परिप्रेक्ष्य के अभ्युपगम द्वारा आक्षिप्त होता है। इस प्रकार ऐन्द्रिय-विषय में परिप्रेक्ष्य का आक्षेप उसे ऐन्द्रियता से स्वतन्त्रता देता है। किन्तु प्रत्यक्ष-विषय अवधारणात्मक दृष्टि से पर्याप्त निम्न स्तर पर हैं : शुद्ध तर्क, और श्रेय तथा प्रेय मूल्यों के विषय अशेष्य और अनवगाह्य होते हैं, इसलिए ये कभी भी विषयी की निजी सम्पत्ति नहीं हो पाते। यद्यपि प्रत्यक्ष विषय भी अशेष्य होते हैं, किन्तु कुछेक कोणों और इन्द्रियों से उनका प्रत्यक्ष

---

1. 'अवधारणता' से हमारा अभिप्राय 'व्यवस्थात्मकता' या 'संरचनात्मकता' से है।
2. 'प्रत्यक्ष विषय' पद का प्रयोग मैं 'ऐन्द्रिय विषय' से भिन्न अर्थ में कर रहा हूँ। 'ऐन्द्रिय विषय' से मेरा अभिप्राय 'एक इन्द्रिय को तत्काल प्रदत्त' विषय से है जबकि 'प्रत्यक्ष विषय' से अभिप्राय 'पूर्ण विषय' से है।

शेष परिप्रेक्ष्य में अन्यथात्व की सम्भावना को अशेष कर देता है। इनमें एक अन्य भेद भी है—प्रत्यक्ष विषय परिप्रेक्ष्यार्थ से अनुप्रविष्ट होने पर भी संवेदनों में पर्यवसित होता है : उदाहरणत: मेज़ का एक कोण से अगम्य पक्ष दूसरे कोण से गम्य होता है और यह गम्यता इसके लिए अनिवार्य होती है। किन्तु संवेदन, जोकि प्रत्यक्ष विषयावधारण में पर्यवसायी होते हैं, अर्थ के लिए अभेद्य होते हैं। इसके विपरीत अवधारणात्मक विषय पूर्णत: रचित होने से पूर्णत: पारदर्शी होते हैं। इसीलिए प्रत्यक्ष विषय चरितार्थ्य होते हैं। **दोनों क्रियाएँ (प्रमाणीकरण और चरितार्थन की) काल को जन्म देती हैं, किन्तु इतिहास को केवल दूसरी ही जन्म देती है।** कोई कह सकता है कि प्रथम काल को भी जन्म नहीं देती; किन्तु यह सही नहीं है, क्योंकि इसमें आप न तो भावी घटना (संवेद्य-गुण) को निर्धारित कर सकते हैं और न व्यतीत पर लौट सकते हैं।

यहाँ आपत्ति की जा सकती है कि शुद्ध तर्क के विषय कालगत नहीं होते क्योंकि उनके सब सूत्र मूल स्वयंसिद्धों (ऐग्ज़ियम्स) से निगमनीय होते हैं। यह एक सीमा तक सही है, किन्तु इनका एक अन्य महत्त्वपूर्ण आयाम भी होता है जिसे उन विषयों का मूल प्रत्यय कहा जा सकता है। उदाहरणत: यूक्लीडीय ज्यामिति की प्रतिपत्तियाँ उसके स्वयंसिद्धों से निगमनीय हैं किन्तु यूक्लीडीय ज्यामिति का मूल अभ्युपगम उसके स्वयंसिद्धों में निश्शेष नहीं होता। उदाहरणत: यूक्लीडीय ज्यामिति ने अनेक दार्शनिक सिद्धान्तों और विधियों को भी जन्म दिया। दूसरे, यूक्लीडीय ज्यामिति स्वयं ज्यामिति के प्रतयय में केवल एक सम्भावना है। तीसरे, स्वयंसिद्धों से निगमन भी चरितार्थन की क्रिया ही है, क्योंकि निगमन स्वत:सम्भूत क्रिया नहीं है। पुन:, स्वयंसिद्धों से ग़लत निगमन भी सम्भव है और यह भी सम्भव है कि कोई निगमन घटित नहीं हो।

इसका अर्थ यह नहीं है कि अवधारणात्मक अर्थ स्वत: कालात्मक है। यदि यह कालात्मक होता तो इसके चरितार्थन का कोई अर्थ नहीं होता। चरितार्थन की अपूर्णता चरितार्थ्य की पूर्णता को आक्षिप्त करती है। यदि यह पूर्ण नहीं होता तो यह नहीं कहा जा सकता था कि यूक्लीडीय ज्यामिति का मूल अभ्युपगम उसके स्वयं-सिद्धों से निश्शेष नहीं होता। **यह निश्शेष्यता अवधारणात्मक अर्थ की कालातीत पूर्णता है। अपने इस पूर्ण रूप में अवधारणात्मक अर्थ काल-बाह्य होता है। किन्तु इसकी यह पूर्णता वास्तव नहीं होती। वास्तवता काल में सम्भाव्य का चरितार्थन है। इस प्रकार यह पूर्णता सम्भाव्य के रूप में काल में अवतीर्ण हो कर चरितार्थन की प्रक्रिया को जन्म देती है। काल में अवतीर्ण यह अवधारणात्मक अर्थ ही नेयार्थ है जिसके वास्तवीकरण की प्रक्रिया इतिहास बनती है।**

इतिहास को अर्थान्वेषण की प्रक्रिया, अथवा नेयार्थ का आत्मोद्घाटन, कह कर परिभाषित करने पर आपत्ति की जा सकती है, क्योंकि इतिहास को सामान्यत: सामूहिक मानव-जीवन में घटित होने वाली घटनाओं का क्रम समझा जाता है। किन्तु इतिहास के सम्बन्ध में यह धारणा भ्रामक है। इस प्रश्न पर हमने 'इतिहास-बोध' लेख में विस्तार से विचार किया है। किन्तु यहाँ भी इस पर संक्षेप में विचार करना स्थाने होगा।

इस प्रसंग में यहाँ सर्वप्रथम यह द्रष्टव्य है कि इतिहास क लिए घटनाएँ नहीं घटनाक्रम होना अपेक्षित है। यह क्रम चार प्रकार से सम्भव है—उत्तरोत्तरतामूलक, कारणात्मक, नियतिमूलक तथा अर्थमूलक सम्बन्ध के रूप में। प्रथम तथा द्वितीय में से कोई सम्बन्ध-प्रकार ऐतिहासिक नहीं है, यह दिखाने का प्रयत्न करना अनावश्यक होगा। बहुत-से इतिहासवेत्ताओं ने, जिनमें स्पैंगलर और टॉयन्बी प्रमुख हैं, तृतीय प्रकार के सम्बन्ध को इतिहास माना है। नियतिमूलक सम्बन्धों में घटनाएँ एक अन्तिम घटना की ओर इस प्रकार क्रमश: परिणत होती हैं मानो अन्तिम घटना इनके इस परिणामात्मक क्रम का नियमन कर रही हो। इतिहास की यह कल्पना वास्तव में बहुत प्राचीन है। 'कालचक्र' और 'युगान्तरों' की कल्पना में यही सम्बन्ध कल्पित है। किन्तु इसकी कुछ दुर्निवार कठिनाइयाँ हैं। प्रथम तो यह कि यह सम्बन्ध जबकि शरीर के समान एक जैव इकाई में पर्याप्त स्पष्ट रूप में दिखायी देता है, अन्यत्र वैसा, या उसका सहस्रांश भी, प्रकट नहीं है। अन्यत्र यह केवल उपमात्मक आरोपण से ही देखा जा सकता है। उदाहरणत: जैव विकास-क्रम में यदि यह सम्बन्ध देखना हो तो एक ऐसे जैवोत्तर तत्त्व की कल्पना के बिना यह नहीं देखा जा सकता जो अपने प्रयोजन की सिद्धि के लिए घटनाओं को नियोजित करता है। अन्यथा या तो

विकास की कारणवादी व्याख्या मानना आवश्यक होता है, जिसमें प्रथम घटना सहयोगी घटनाओं के साथ दूसरी को उत्पन्न करती है, अथवा आकस्मिकता को स्वीकार करना होता है, जो क्रम का निषेध है। डार्विन के सिद्धान्त में विभिन्न चयनों के विकास के कारकों के रूप में स्वीकृति वास्तव में इस यादृच्छिकता की ही स्वीकृति है, जिसका क्रमश: निरास जेनेटिक्स के कारणवादी सिद्धान्त के द्वारा किया जा रहा है। दूसरे, 'इतिहास' को 'सामूहिक मानव-जीवन की घटनाओं का अनुक्रम' कह कर परिभाषित करना 'सामूहिक एकत्व' को कोई अर्थ दिये बिना स्वीकार करना है। यद्यपि ये इतिहास-दार्शनिक संस्कृति का और सांस्कृतिक विकास का इस प्रकार वर्णन करते हैं जैसे मानो यह कोई एकक हो, किन्तु इस 'एकक' के लिए कोई निश्चित अधिष्ठान ये नहीं दिखा पाते। इस अधिष्ठान के बिना एकत्व केवल एक व्याख्योपयोगी कल्पना मात्र रह जाता है। किन्तु जैसाकि हमने अन्यत्र[1] विस्तार से देखा है, यह अधिष्ठान केवल अनुभूत एकत्व में ही उपलब्ध होता है जिसकी अन्तर्वस्तु नेयार्थक होती है। तब संस्कृति ऐसे व्यक्तियों के समूह से परिभाषित नहीं होगी जिसमें सम्बन्ध समस्यात्मक है बल्कि एक ऐसे अभिनिवेश से परिभाषित होगी जिसमें व्यक्ति-भेद केवल एक उद्ग्रहणात्मक कल्पना (एब्स्ट्रेक्शन) से प्राप्त होता है।

× × ×

इस प्रकार इतिहास को सांस्कृतिक नेयार्थ के आत्मचरितार्थन की प्रक्रिया कह कर परिभाषित किया जा सकता है। किन्तु उतना ही जीवन को वैयक्तिक नेयार्थ से परिभाषित किया जा सकता है। इस दृष्टि से व्यष्कत और संस्कृति में कोई मौलिक भेद नहीं है, यह भेद केवल अनुषंगी घटनाओं के संयोजन में निहित होता है। यदि इस प्रतिपत्ति को विवादास्पद भी माना जाय तो भी यह स्वीकार करने में आपत्ति नहीं होनी चाहिए कि जीवनी वैयक्तिक नेयार्थ से परिभाषित होती है। वैयक्तिक नेयार्थ व्यक्ति की उस पूर्ण प्रतिमा से परिभाषित होता है जिसकी अनुसारिता में वह अपने अतीत का मूल्यांकन करता है और वर्तमान का नियोजन करता है। यह प्रतिमा वास्तव नहीं होकर भाव्य होती है, क्योंकि यदि वह वास्तव होती तब व्यक्ति की अपूर्णता का कोई अर्थ नहीं रहता, और न तब ही इसका कोई अर्थ होता यदि वह सम्भाव्यत: पूर्ण नहीं होती। यह वास्तव अपूर्णता और भाव्य पूर्णता नेयार्थ के द्वारा घटनाओं का नियोजन कर जीवनी का निर्माण करती है। इस प्रकार वैयक्तिक आत्म अनिवार्यत: ऐतिहासिक है, यद्यपि इतिहासोत्तरता इसका स्वरूप है।

दर्शन को किसी संस्कृति का मूल अभिनिवेश कह कर परिभाषित किया जा सकता है, किन्तु प्रस्तुत प्रसंग में यह परिभाषा अपेक्षित नहीं है, क्योंकि यहाँ उस इतिहास के दर्शन का स्वरूप-निर्धारण अपेक्षित है जिसका दर्शन स्वयं एक महत्त्वपूर्ण घटक है।

दर्शन का एक महत्त्वपूर्ण लक्षण ज्ञान का आत्मनिरीक्षण हो सकता है। इसे इसका एकमात्र लक्षण भी कहा जा सकता है, यदि इसका निहितार्थ सम्यक् रूप से समझ कर अन्य लक्षणों को इसके लक्षणों के रूप में देखा जा सके। यहाँ 'ज्ञान का आत्मनिरीक्षण' से हमारा अभिप्राय साधारण अर्थ में 'ज्ञानमीमांसा' से नहीं है। हमारे इस पदप्रयोग के अन्तर्गत तत्त्वमीमांसा, ब्रह्माण्ड-मीमांसा और मूल्यमीमांसा का भी समावेश अभिप्रेत है। उदाहरणत: एक दर्शनिक प्रश्न लें—'भौतिक तत्त्व क्या है?' अब, वास्तव में कुछ वस्तु भौतिक तत्त्व नहीं है। वास्तव में केवल ईंट, पत्थर, आग और जल आदि ही हैं। 'भौतिक तत्त्व' अनुभव के एक आयाम की अवधारणा की संज्ञा है। अपनी पीछे प्रयुक्त पदावली में कहें तो कहेंगे, यह एक अवधारणात्मक अर्थ है और परिणामत: ज्ञान-स्वरूप है। यही बात ब्रह्माण्ड और मूल्य आदि के लिए भी सही है। ईंट, पत्थर आदि अनुभव-व्यापार के विषय हैं इसलिए ये स्वयं अनुभव नहीं हैं। इस तथ्य को नहीं समझना दर्शन की असफलता का द्योतक होता है। उदाहरणत: ऐसे कथन कि "विश्व की उत्पत्ति जल से, या आकाश से, या अग्नि से हुई" दर्शन के स्वरूप के स्पष्ट

---

1. द्रष्टव्य, **'संस्कृति : मानव-कर्त्तृत्व की व्याख्या'** में अध्याय 2.

नहीं होने के द्योतक हैं। यद्यपि इन कथनों में भी 'जल' आदि साधारण प्रचलित अर्थों में अभिप्रेत नहीं हैं और वास्तव में ये उसी कोटि के हैं जिसके "भौतिक तत्त्व...है" कथन है, अन्यथा ये दार्शनिक कथन नहीं होते, किन्तु इनमें दार्शनिक प्रयोजन अपने स्वरूप की खोज के बहुत आरम्भिक स्तर पर है। 'जल' आदि यहाँ शुद्धार्थ में रूपान्तरित होने पर भी यह सम्पूर्ण कथन अवधारणात्मक अर्थ या ज्ञान में अपना पूर्ण समाहार नहीं कर पाता। उत्पत्ति विषयक यही जिज्ञासा जब ब्रह्म, आनन्द, प्रत्यय या प्रकृति-पुरुष आदि को मूल के रूप में खोज लेती है तब दार्शनिक प्रयोजन के स्वरूप की उपलब्धि पूर्ण हो जाती है। इसके पश्चात् सब कुछ पारदर्शी होकर ज्ञान के स्वतन्त्र व्यापार के लिए प्रस्तुत हो जाता है।

किन्तु इतिहास के मूलत: ही अवधारणात्मक अर्थ होने से उसके लिए शुद्धार्थ में रूपान्तरण की अपेक्षा नहीं है, क्योंकि इतिहास संस्कृति या व्यक्ति द्वारा अपनी प्रतिमा के उत्कीर्णन की प्रक्रिया की संज्ञा ही है। परिणामत: इतिहास-दर्शन इस उत्कीर्णन की प्रक्रिया का प्रत्यङ्मुख होना मात्र है। यह कहा जा सकता है कि उत्कीर्णन, नेयार्थ का आत्मान्वेषण, अनिवार्यत: आत्मनिरीक्षण को भी पूर्वकल्पित करता है और इस प्रकार इतिहास दर्शन भी है। किन्तु यह सही नहीं है, क्योंकि न तो व्यक्ति और न संस्कृति ही अनिवार्यत: अपने स्वरूप की ओर उन्मुख होते हैं, जबकि ये सदैव और निरन्तर इतिहास में नियोजित रहते हैं।

और पुन:, व्यक्ति की अपनी ऐतिहासिकता के बावजूद, और उसके संस्कृति के इतिहास में सहभागी होने के बावजूद, उसे यह तथ्य और इस तथ्य का रूप स्वत:स्पष्ट नहीं होते। वास्तव में अपने को हम सब से कठिनाई से पाते हैं। आत्मोन्मुख होने पर भी साधारणत: ह्यूम के समान हमारा साम्मुख्य अनात्म से ही होता है। किन्तु यह कहा जा सकता है कि उस अवस्था में नेयार्थ, और परिणामत: इतिहास भी, आपन्न नहीं होता। यह सही है, और इस अर्थ में इतिहास तथा इतिहास-दर्शन को अभिन्न कहा जा सकता है।

यहाँ यह स्पष्टीकरण पुन: कर देना उचित होगा कि मैं 'आत्म' संज्ञक किसी तत्त्व की सत्ता का प्रतिपादन नहीं कर रहा हूँ, बल्कि आत्मा को नेयार्थ से परिभाषित कर रहा हूँ और इस प्रकार इसे अनिवार्यत: ऐतिहासिक मान रहा हूँ।

इतिहास-बोध

मानवीय वस्तुसिथति अनेक प्रकार के अध्ययनों के लिए विषय प्रस्तुत करती है। मनोविज्ञान, समाजविज्ञान, नृतत्त्वविज्ञान, जीवनी, इतिहास, कथा और कलाएँ इस वस्तुस्थिति के ही विभिन्न अध्ययन हैं। इन्हें 'मानवीय वस्तुस्थिति के विभिन्न अध्ययन' कहने का यह अभिप्राय नहीं है कि यह कोई एक ही वस्तुस्थिति है जो विभिन्न प्रकार से रचित होती है, किन्तु न यही ठीक है कि जितने प्रकार के अध्ययन हैं उतने प्रकार की वस्तुस्थितियाँ भी हैं, यद्यपि उतने प्रकार के विषय अवश्य ही हैं, क्योंकि विषय अध्ययन-दृष्टि के सापेक्ष होते हैं—ये उसके द्वारा उत्सृष्ट होते हैं। वस्तुस्थिति भी अध्ययन-दृष्टि के लिए विषय ही बनती है, किन्तु यह विषय **वस्तुस्थितिमूलक** होता है, अध्ययन-दृष्टि के द्वारा उत्सृष्ट नहीं होता। जीवनी, कथा, इतिहास तथा कलाएँ मानवीय वस्तुस्थितियों का विषयों के रूप में अभिग्रहण करते हैं जबकि मनोविज्ञान, समाजविज्ञान और नृतत्त्वविज्ञान अपने विषयों का आक्षेप करते हैं—इनके विषय वस्तुस्थितिमूलक नहीं होते। विषयों को वस्तुस्थितिमूलक कहने का अभिप्राय यह है कि वस्तुस्थितियाँ इनसे स्वतन्त्रत: स्थित होती हैं और ये अध्ययन उनकी पुनारचना करते हैं। ये वस्तुस्थितियाँ मानवीय अनुभव है। ये पुनारचनाएँ मानवीय चेतना के लिए दर्पण का कार्य करती हैं—ये मानवीय चेतना को, जो अनिवार्यत: अवधारणात्मक है, आत्म-साक्षात्कार कराती हैं। यह एक महत्त्वपूर्ण व्यापार है। यह वस्तुस्थिति को आमूलत: परिवर्तित कर देता है, क्योंकि 'अपना घटित होना' और 'अपने घटित होने को देखना' ये दोनों एक ही बात नहीं हैं। विज्ञान स्वयं यह वस्तुस्थिति है, यह वैज्ञानिक अवधारण का घटित होना है। इसमें चेतना अपने प्रत्यय की सृष्टि कर उसका ग्रहण करती है, इसलिए इसके विषय की सत्ता इसके अपने अर्थ में निहित होती है। इसके विपरीत विज्ञान का इतिहास, अर्थात् इस प्रत्यय के निहितार्थ के आत्मोद्घाटन और क्रियान्वयन की प्रक्रिया, स्वयं उस वस्तुस्थिति की पुनारचना करता है जो वैज्ञानिक अनुभव के रूप में चेतना में उत्पन्न हुआ है। यही बात जीवनी के लिए, और एक भिन्न प्रकार से कथा के लिए भी, सही है।

यहाँ यह आपत्ति की जा सकती है कि जीवनी भी (इतिहास और कथा की तो बात ही क्या है) जिस विषय का निरूपण करती है वह वस्तुस्थितिपरक नहीं होता, उस अवस्था में भी नहीं यदि वह जीवनी आत्मकथा हो, क्योंकि अनुभव का क्षण और ज्ञान का क्षण एक ही नहीं कहा जा सकता है कि ज्ञान-विषय के रूप में प्रस्तुत अनुभव अनिवार्यत व्याख्यायित होता है। किन्तु यह ठीक नहीं है, क्योंकि हमारा मूल प्रदत्त यह प्रस्तुत अनुभव ही होता है, अप्रस्तुत अनुभव नहीं। वास्तव में अप्रस्तुत अनुभव को 'जीवन' के अंग के रूप में ही स्वीकार नहीं किया जा सकता, क्योंकि इस अनुभव का कोई नेयार्थ नहीं हो सकता, जोकि जीवनी के होने की अनिवार्य शर्त है। सम्भवत: अत्यधिक तीव्र आवेग की स्थिति में अनुभव प्रस्तुत नहीं होता, हम समझते हैं कि पशुओं को भी अनुभव कभी प्रस्तुत नहीं होता। मनुष्य में ऐसे अप्रस्तुत अनुभव को वेदान्त ने निद्रा-काल में स्वीकार किया है, यद्यपि वह इस स्थिति की उपमा पाशव स्थिति से न देकर मोक्ष-स्थिति से देता है। किन्तु मीमांसा ने इस पर जो आपत्ति की है वह महत्त्वपूर्ण है—कि तब इसकी स्मृति सम्भव नहीं है कि 'मैं सुखपूर्वक सोया'। इसलिए 'सुखपूर्वक सोया' को सोने से पूर्व बिस्तर पर लेटने, सोने के बाद बिस्तर से उठने, और जगने पर अनुभूत संवेदनों से अनुमान मात्र कहा जायगा।

किन्तु तब भी, प्रस्तुत अनुभव केवल प्रस्तुत ही नहीं होता, यह व्याख्यायित भी होता है। किन्तु उसका व्याख्यायित होना तर्कत: अनिवार्य है या नहीं, यहाँ इस सम्बन्ध में कुछ कहना आवश्यक नहींहै, यद्यपि तथ्यत: वह सदैव व्याख्यायित होता है। कुछ लोग साधना के द्वारा मन के नियमन से अनुभव के अव्याख्यायित रूप को

देख सकने का दावा भी करते हैं; किन्तु तब भी, यह साधना के द्वारा ही सम्भव हो सकता है, यदि हो सकता है तो। मनोविश्लेषण-सिद्धान्त ने इस व्याख्या के स्वरूप पर बहुत व्यापक प्रकाश डाला है। अब, अनुभव के नेयार्थ के रूप में महत्त्व के लिए उसका व्याख्यायित होना और भी आवश्यक हो जाता है, अथवा कहें, जितना ही कोई व्यक्तित्व सुगठित होता है उतना ही अनुभव नेयार्थ के द्वारा व्याख्यायित होता है। जीवनी के लिए यह और भी आवश्यक होता है कि प्रत्येक अनुभव नेयार्थ के अनुषंगी के रूप में देखा जाय ओर जो इस प्रकार नहीं देखा जा सकता हो उसकी उपेक्षा की जाय।

नेयार्थ की दृष्टि से जीवन में और जीवनी में एक महत्त्वपूर्ण अन्तर है : जीवन में ऐसी विभिन्न क्रियाएँ, चेष्टाएँ और अनुभव घटित होते हैं जिन्हें उपयुक्त रूप से व्यक्तित्व के घटक तत्त्व नहीं कहा जा सकता : रोग में विक्षिप्ततावश मेरा व्यवहार, सपने में किसी दुर्घटना से भयभीत होकर मेरा चिल्लाना, आँखें कमजोर होने से मेरा पढ़ने में जल्दी थकना और परिणामत: बार-बार विश्राम करना। मेरी 'जीवनी' के अंग नहीं कहे जा सकते। ये सब मेरे जीवन में घटनाएँ हैं, ये अनुभव-विषय भी हैं, किन्तु तब भी ये मेरी 'जीवनी' के अंग नहीं हैं। 'जीवनी' के अंग वे अनुभव ही बनते हैं जिन्हें मैं आत्मालोचक के रूप में (अथवा कोई अन्य मेरे आलजोचक के रूप में) उस नेयार्थ की आनुषंगिकता में देखता हूँ जिसकी पदावली में मैं परिभाषित होता हूँ।

किन्तु यह पूछा जा सकता है कि क्या इससे यह अर्थापतित नहीं होता कि परिभाषित 'मैं' वह वस्तुस्थिति नहीं हूँ जोकि मेरा अपरिभाषित सत्त्व है? और क्या इस प्रकार 'मैं स्वयं' अपने से अपरिचित नहीं रहता हूँ? इसकी पुष्टि इस बात से और भी स्पष्ट रूप से होती कही जा सकती है कि हम यहाँ 'आत्म-कथा' और 'पर-कथा' को एक ही स्तर पर रख रहे हैं। किन्तु मुझे इसे स्वीकार करने का कोई कारण दिखायी नहीं देता।

हम दो स्तरों पर आत्म-संयोजन करते हैं, अथवा कहें, अपने को प्राप्त करते हैं—(1) स्मृति में या भविष्य-योजना में, तथा (2) आत्म-सर्जन में। प्रथम स्तर पर आत्मोपलब्धि में हमारा संयोजन इस रूप में सक्रिय होता है कि हमारे पूर्व अनुभव और संस्कार हमारे वर्तमान प्रयोजन के अनुषंगी होकर आते हैं—न केवल हम अपने पिछले कार्यों और अनुभवों की अपने वर्तमान प्रयोजन और रुचियों के अनुसार व्याख्या ही करते हैं बल्कि देखते भी उन्हीं अनुभवों को हैं जो वर्तमान प्रयोजन के लिए अपेक्षित होते हैं। इस स्तर पर उपलब्ध अहम् नेयार्थक होने पर भी तात्कालिक और क्षीण होता है। सामान्यत: मनुष्य इस स्तर के अहम् को ही उपलब्ध करता है। सर्जन के स्तर पर उपलब्ध अहम् किसी मूल्यात्मक नेयार्थ के द्वारा परिभाषित होता है, इस स्तर पर सभी क्रियाएँ कर्त्ता के अर्थ से अनुप्रविष्ट होती हैं, भविष्य अधूरेपन के निरास का पर्याय होता है और अतीत इसी प्रसंग में व्याख्यायित होता है। सूरदास का पद 'मो सम कौन कुटिल खलकामी' आत्म-सर्जन के इस स्तर को अत्यन्त स्पष्ट रूप में निरूपित करता है। 'कुटिल, खल, कामी' अपने अतीत की नेयार्थ के सन्दर्भ में व्याख्या है। व्यक्ति अपने को इन दो स्तरों पर ही प्राप्त करता है। अपने को उपलब्ध इस अहम् के बाहर व्यक्ति के वास्तव सत्त्व की खोज ऐसी ही है जैसी रंगों में, अथवा रेखाओं में, चित्र के वास्तविक सत्त्व की खोज करना।

किन्तु तब भी अनुभव, अथवा कहें मानसिक वस्तुस्थितियाँ, ग़लत व्याख्यायित भी होती हैं, इतना ही नहीं, अपने व्यक्तित्व तक को ग़लत समझने की बात कही जाती है। यदि व्यक्तित्व केवल वही हो जोकि उसकी मेरी अवधारणा है, तब ग़लत व्याख्या की बात नहीं कही जा सकती। वास्तव में ग़लत व्याख्या का कारण ही यह होता है कि हमारी बहुत-सी इच्छाएँ या वासनाएँ हमारी अपने व्यक्तित्व की अवधारणा, अपनी प्रतिमा, के अनुकूल नहीं होतीं। किन्तु तब इस तथ्य की संगति 'व्यक्तित्व के सर्जन' के साथ किस प्रकार बैठायी जा सकती है?

यह प्रश्न एक अन्य प्रश्न के उत्तर की अपेक्षा करता है : किसी अनुभव के किसी व्यक्ति का अनुभव होने का क्या अर्थ है? क्या सब अनुभव किसी व्यक्ति के होते हैं? दूसरे प्रश्न का उत्तर स्पष्टत: नकारात्मक होगा, क्योंकि चिड़िया या चींटे के अनुभव के सम्बन्ध में यह नहीं कहा जा सकता कि वे किसी व्यक्ति के—किसी

के—अनुभव होते हैं। यहाँ हमारे प्रयोजन के लिए व्यक्ति की परिभाषा 'आन्तर एकत्व' देना पर्याप्त होगा, यह न्यूनतम है जो व्यक्ति की अवधारणा में अपेक्षित है। अब, चिड़िया में कोई आन्तर एकत्व नहीं होता, यह एकत्व केवल हम उस पर आरोपित करते हैं। यह सही है कि उसका वर्तमान अतीत से निर्धारित और भविष्य की ओर उन्मुख होता है, वह गतिमान तीर के जैसा होता है, किन्तु यह एकत्व, जो मनुष्य के लिए अलभ्य है, व्यक्तित्व नहीं देता, यह 'वर्तमान' का एकत्व है। जीवनी का एकत्व अधिष्ठातृत्व से आता है, यह अपनी प्रभुता की उद्घोषणा जैसा होता है।

सो, व्यक्तित्व के एकत्व को अधिष्ठातृतव से परिभाषित किया जा सकता है और कहा जा सकता है कि वह अनुभव व्यक्ति का अनुभव है जो किसी अधिष्ठातृत्व में है। किन्तु इस अधिष्ठातृत्व से अनुभव के स्वरूप में भी आमूल परिवर्तन हो जाता है—यह अनुभव अपने आपको घटना और अन्तर्वस्तु में विभक्त कर लेता है और अन्तर्वस्तु के रूप में यह अकालिक तथा सामान्य हो जाता है। यदि यह नहीं हो तो स्मृति तक सम्भव नहीं हो। अपने इस स्वरूप के कारण ही यह निरीक्षण, आलोचना और ग़लत अथवा सही निर्णय और अध्यवसाय का विषय बनता है।

यहाँ यह आपत्ति की जा सकती है कि हमने एक हाथ से अधिष्ठातृत्व देकर दूसरे से सभी कुछ निकाल लिया जिसके द्वारा अधिष्ठातृत्व अपने को चरितार्थ कर सकता है, अथवा जिस पर उसकी अद्वितीय प्रभुसत्ता हो सकती है, क्योंकि यह अ-कालिक तथा सामान्य अन्तर्वस्तु किसी भी व्यक्ति का विषय हो सकती है। ऐसी अवस्था में अधिष्ठातृत्व और एकत्व-विधान किसका?

किन्तु यह आपत्ति सही नहीं है। वास्तव में अनुभव के घटनात्मक पक्ष में वे सभी विशेषताएँ होती हैं जो अधिष्ठातृत्व-रहित अनुभव में होती हैं। किन्तु यह पक्ष 'व्यक्ति' को देने में असमर्थ है। इस प्रकार घटना तथा अन्तर्वस्तु में उद्भिन्न अनुभव में कुछ क्षीण नहीं होता, इसके विपरीत यह अपनी सम्भावनात्म समृद्धि के द्वारा व्यक्तित्व-सर्जन को सम्भव करता है। अनुद्भिन्न अनुभव नेयार्थक नहीं हो सकता, यह अतीत से अनुप्रविष्ट और भविष्योन्मुख तो अवश्य होता है किन्तु यह भविष्योन्मुखता केवल प्रदत्त विषय में केन्द्रित होती है, अथवा उस उद्विग्नता (उद्दीप्त वासना अथवा आवेग) में केन्द्रित होती है जो किसी अप्रस्तुत को अपने व्यय के लिए खोजती है। इसके विपरीत नेयार्थ के लिए कुछ प्रदत्त नहीं होता, कोई उद्विग्नता भी नहीं होती जो किसी अप्रस्तुत में अपना व्यय खोजती हो। आत्म-व्यय-साधक लक्ष्य के विपरीत यह अपने **स्वरूप के क्रियान्वयन** में मानव-प्रयत्न को नियोजित करती है। मानव-प्रयत्न नेयार्थ की स्वरूपगत पूर्णता को काल-क्रम में सिद्ध करने की ओर अग्रसर होता है। इतिहास, व्यक्ति का हो या उससे गुरुतर, नेयार्थ की **इस पूर्णता की सिद्धि की प्रक्रिया** की ही संज्ञा है।

अब, यह उद्भिन्न अनुभव और नेयार्थ विज्ञान आदि के विषयों के समान रचित विषय नहीं है, यह वस्तुस्थिति है जो अपने अस्तित्व और ग्रहण में एक ही रहती है। यद्यपि यह विभिन्न निर्णयों और अध्यवसायों की विषय हो सकती है किन्तु यह वैसे अध्यवसाय के द्वारा आक्षिप्त नहीं होती जैसे वैज्ञानिक विषय होते हैं। दूसरे शब्दों में, कोई सिद्धान्त अथवा अध्यवसाय इसके स्वरूप को निश्शेष नहीं करता जैसे वैज्ञानिक तथा अन्य संरचनात्मक व्यवस्थाओं के विषयों को करता है।

वैयक्तिक वस्तुस्थिति के इस स्वरूप की एक महतवपूर्ण अर्थापत्ति और है, वह यह कि 'अन्य व्यक्ति' उसी प्रकार का ज्ञान-विषय होता है जिस प्रकार का ज्ञान-विषय व्यक्ति स्वयं अपने लिए होता है, अथवा कहें, आत्मकथा और पर-कथा का नायक एक ही प्रकार का होता है। आत्म-निरीक्षण केवल अनुभव की अन्तर्वस्तु का ही सम्भव होता है और इस अन्तर्वस्तु में कुछ ऐसा नहीं रहता जो स्वरूपत: एकपरक हो—वह सामान्यात्मक होता है। इस पर यह आपत्ति की जा सकती है कि 'अन्य व्यक्ति' हमें किसी ऐन्द्रिय माध्यम से प्राप्त होता है—श्रव्य या दृश्य या स्पृश्य रूप से, और परिणामत: हमें उसकी मन:स्थिति का अनुमान करना होता है। किन्तु क्योंकि

हमें इस अनुमेय का कभी प्रत्यक्ष होता ही नहीं इसलिए उसका अनुमान भी सम्भव नहीं हो सकता, उसे हम केवल अपनी उपमा पर कल्पित करते हैं। किन्तु यह ग़लत तर्क है। इसकी भ्रामकता ऐसे उदाहरणों द्वारा अधिक स्पष्ट रूप से समझी जा सकती है : मैंने दस वर्ष पूर्व क्या सोचा था या क्या भोगा था, यह मैं प्राय: अपनी दैनन्दिनी से जानता हूँ, मैंने आज क्या करने का निश्चय किया था, यह भी मैं प्राय: अपनी दैनन्दिनी देखकर ही जानता हूँ। भाषा को ऐन्द्रिय माध्यम कहना पूर्णत: भ्रामक है। यह अपने भौतिक रूप में भी अत्यन्त संरचित व्यवस्था है, और इसके संरचनात्मक होने का अर्थ है कि विचार ने ध्वनियों में या रेखाओं में प्रविष्ट होकर उन्हें रूपान्तरित कर दिया है। उदाहरणत: चित्र उस विषय का वाहन होता है जिसका कलात्मक चित्त ने अभिग्रहण किया होता है, किन्तु यह उससे अभिन्न भी होता है—इसीलिए वह 'ऐन्द्रिय मात्र' नहीं होता। उतना ही सही यह भाषा के लिए है। किन्तु कहा जा सकता है कि यदि भाषा के लिए यह सही भी हो तो भी हम अन्य व्यक्ति के केवल विमर्शात्मक अनुभव को ही जान सकते हैं, क्योंकि भाषा केवल विमर्शात्मक अनुभव को ही व्यक्त कर सकती है, अन्य प्रकार के अनुभवों को नहीं। उदाहरणत: अन्य के क्रोध को हम केवल उसके नेत्र-वक्त्र-विकार से ही 'जानते' हैं, परिणामत: यह जानना उपमात्मक अनुमान से ही हो सकता है। किन्तु यह भी उतना सही नहीं है। पहले तो यही देखने की बात है कि हम किसी आवेग या संवेदन का अनुभव करते हुए अपने नेत्र-वक्त्र-विकार से उपमात्मक अनुमान कैसे कर सकते हैं? किसी का लाल मुँह और तनी हुई भृकुटियाँ देख कर यदि हम उससे कुछ समझते हैं तब यह आकृति क्रोध की व्यंजक इस आधार पर नहीं कही जा सकती कि हम अपने क्रोधानुभव का आक्षेप दूसरे में करते हैं, क्योंकि हम अपने मुँह और भृकुटियों को कभी इस प्रकार नहीं देखते। दूसरी बात यह है, और यह आधारभूत महत्त्व की है, कि नेत्र-वक्त्र-विकार भी आवेग और संवेद की अन्तर्वस्तु के वाहक के रूप में 'भाषा' बन जाते हैं (यद्यपि यह 'भाषा' केवल अन्य व्यक्ति के लिए ही होती है, स्वयं क्रुद्ध व्यक्ति के लिए नहीं, क्योंकि वह ऐसी मुद्रा इस प्रयोजन से नहीं बनाता)। इसका प्रमाण अभिनय है। अभिनेता इन शरीर-विकारों का प्रयोग आवेग और संवेद की सामान्यात्मक अन्तर्वस्तु को व्यक्त करने के लिए, उसके सम्प्रेषण के लिए, ही करता है, और यह तभी सम्भव है यदि इनका यह रूप, अर्थात् प्रतीकात्मकता, मूलत: भी उनमें विद्यमान हो।

यहाँ एक स्पष्टीकरण आवश्यक है : यह आपत्ति की जा सकती है कि एक कुत्ता भी दूसरे कुत्ते के 'क्रुद्ध' होने पर उसके नेत्र-वक्त्र-विकार से उसकी अवस्था जान लेता है, किन्तु यह नहीं कहा जा सकता कि वह इसे भाषा के रूप में 'पढ़ता' है। यह ठीक है, किन्तु कुत्ता दूसरे कुत्ते के क्रोध को 'जानता' नहीं है और न ही स्वयं क्रुद्ध कुत्ता 'जानता' है। क्रुद्ध कुत्ता अनुद्विग्न अनुभव की स्थिति में होता है और उसे देख कर दूसरा कुत्ता भी एक अनुद्विग्न अनुभव की स्थिति में हो जाता है। किन्तु तब कहा जायगा कि, तब भी दूसरा कुत्ता प्रथम के अनुभव का अनुद्विग्न अनुभव के स्तर पर 'ग्रहण' तो करता ही है, और यह ग्रहण इस कुत्ते के नेत्र-वक्त्र-विकार से होता है। यह सही है, किन्तु यह केवल यही सिद्ध करता है कि वक्त्र-विकार आदि केवल दृश्य विषय ही नहीं होते बल्कि ये संवेग आदि के ही दृश्यमान पक्ष होते हैं, क्योंकि अन्यथा कुत्ते के सम्बन्ध में यह नहीं कहा जा सकता कि वह नेत्र-वक्त्र-विकार को संकेतों के रूप में देखता है और उनसे उपमात्मक अनुमान के द्वारा जानता है। यद्यपि यहाँ यह कहा जा सकता है कि एक कुत्ता दूसरे क्रुद्ध कुत्ते के क्रोध को 'ग्रहण' नहीं करता बल्कि उसके वक्त्रादि से उसकी आक्रामकता का 'अनुमान' करता है जोकि अभ्यासमूलक होता है और इस प्रकार उसके लिए दूसरे कुत्ते के वक्त्र-विकारादि संकेतात्मक होते हैं। किन्तु यह सही होने पर भी सम्यक् व्याख्या नहीं है, क्योंकि कुत्ता पूर्वाभ्यास के बिना भी यह 'अनुमान' कर लेता है। यहाँ यह कहना अधिक उपयुक्त व्याख्या मालूम पड़ती है कि एक कुत्ता दूसरे कुत्ते को उसकी 'सम्पूर्ण अवस्था में' ग्रहण करता है।

जो भी हो, कुत्ता यदि दूसरे कुत्ते को अनुभवगत स-सम्बन्ध (अभ्यास) के द्वारा ही ग्रहण करता है तो भी इससे इस प्रतिपादन में कोई अन्तर नहीं पड़ता कि यह ग्रहण क्रोध का ग्रहण नहीं होता बल्कि अपने पर खतरे की आशंका की स्थिति होती है। (वास्तव में 'ग्रहण' शब्द के सही अर्थ में, पशु ग्रहण के अवधारणात्मक स्तर तक

कभी नहीं उठता।) इसके विपरीत मनुष्य संवेगात्मक रूप से तनिक भी प्रभावित हुए बिना दूसरे के क्रोध का ग्रहण करता है—उसके नेत्र-वक्त्र-विकार से अथवा बोले या लिखे शब्दों से। यह जो हम जानते हैं कि वह उद्विग्न अनुभव की अन्तर्वस्तु को, और यह जिसके माध्यम से जानते हैं वह भाषा है—'भाषा' के उपर्युक्त अर्थ में।

× × ×

जीवनी के समान इतिहास भी नेयार्थक होता है। वास्तव में नेयार्थक होने से जीवनी भी इतिहास ही होती है। किन्तु 'इतिहास' शब्द के एक विशिष्ट अर्थ में इतिहास व्यक्ति से विराट्तर और उसका अतिक्रमण करने वाले 'व्यक्ति' की जीवनी होता है। सामान्यत: इतिहास उन अतीत घटनाओं को कह देते हैं जिनमें अनेक व्यक्ति सहभाग लेते हैं। किन्तु यह केवल 'इतिहास' शब्द की न्यूनतम अपेक्षा है, क्योंकि बहुत-से सन्दर्भों में अनेक व्यक्तियों के सहभाग लेने पर भी उस घटना को इतिहास नहीं कहा जायगा। उदाहरणत: एक बाज़ारू कलह को इतिहास नहीं कहा जायगा। यह इस कारण से नहीं कि बाज़ारू कलहों के विवरण हमें नहीं मिलते; यदि किसी पुरानी डायरी से हमें ऐसा विवरण मिल भी जाय तब भी वह इतिहास नहीं कहा जायगा। और, जो ये विवरण नहीं मिलते उसका कारण वास्तव में यही है कि ये घटनाएँ 'इतिहास होने योग्य' नहीं होतीं। मान लें कि किसी क्रान्ति में बहुत-से बाज़ारू संघर्ष हुए। तब इतिहास के लिए केवल इतना ही महत्त्वपूर्ण होगा कि उस क्रान्ति में बहुत-से बाज़ारू संघर्ष हुए, इन संघर्षों का विवरण रखना उसके लिए प्रयोज्य नहीं है। इस के विपरीत एक कहानी या उपन्यास न केवल आवश्यक रूप से इन कलहों और संघर्षों का विवरण ही देगा बल्कि उसमें भाग लेने वाले व्यक्तियों की मन:स्थितियों का विवरण भी देगा—यद्यपि ये विवरण काल्पनिक होंगे।

क्यों बाज़ारू कलह 'इतिहास' नहीं हैं? इसका एक कारण तो यही है कि इस कलह का कोई अपना नेयार्थ नहीं होता, इतिहास के लिए नेयार्थ आधारभूत है; दूसरे, इसकी ऐतिहासिक नेयार्थ के उपयुक्त पुनर्व्याख्या भी नहीं की जा सकती। इतिहास-लेखक जिस नेयार्थ को अपना विषय बनाता है ये घटनाएँ उसकी पोषक नहीं हो सकतीं, ऐतिहासिक नेयार्थ विराट्तर होता है और परिणामत: उसके अर्थ का धारण विराट्तर स्तर के कर्म और घटनाएँ ही कर सकती हैं। यहाँ 'विराट्तर' शब्द मात्रात्मक परिमाण का वाचक नहीं है बल्कि अवधारण का वाचक है। यही कारण है कि जबकि बाज़ारू कलह इतिहास का विषय नहीं हो सकती बुद्ध की करुणा इतिहास का विषय है—वह ऐतिहासिक घटना है। इसकी ऐतिहासिकता केवल इस बात में ही नहीं है कि वह महान् और विशाल धार्मिक आन्दोलन की प्रेरक बनी, यद्यपि निश्चित रूप से यह उसकी ऐतिहासिकता में योगदान करती है, बल्कि उसके अपने स्वरूप में भी है जिसके कारण वह कभी भी ऐसी प्रेरक बन सकती है। इतिहास की दूसरी मुख्य विशेषता उस मानस, अथवा विचार, जो भी संज्ञा उसे दें, में एक आन्तर गति का होना है। यही कारण है कि आदिम जातियों का इतिहास नहीं होता, यद्यपि उनमें अवधारण की वह विशालता होती है जो इतिहास-मानस के लिए अपेक्षित होती है।

यहाँ 'अवधारण की विशालता' और 'आन्तर गति' दोनों की व्याख्या आवश्यक है : शांकर अद्वैत और विशिष्टाद्वैत दोनों परस्पर बहिष्कारक हैं किन्तु दोनों हिन्दू-दर्शन के अन्तर्गत हैं, हिन्दू-दर्शन और बौद्ध-दर्शन दोनों परस्पर बहिष्कारक हैं किन्तु भारतीय-दर्शन के अन्तर्गत हैं। यह केवल दार्शनिक विचारगत नेयार्थ के लिए ही सही नहीं है बल्कि भाषा, संगीत, चित्रकला के लिए भी सही है, और उतना ही सही जीवनी के लिए भी है : राम और श्याम दो परस्पर बहिष्कारक जीवनियाँ हैं किन्तु दोनों एक परिवार के लक्षणों में संयुक्त हैं, आदि। विचारों के समान जीवनियों में बहिष्कारकता उस प्रकार तर्क-सिद्ध नहीं होती, किन्तु यह प्रत्यक्ष-सिद्ध होती है।

यहाँ यह देखना रोचक बात है कि अवधारण और आन्तर गति दोनों एक साथ केवल संरचनात्मक अर्थ (स्ट्रक्चरल मीनिंग—क्रियाकारी अर्थ से भिन्न) अथवा कहें प्रत्यय (इस शब्द के व्यापक अर्थ में) में ही मिलते हैं, ये न तो किन्हीं घटनाओं में मिलते हैं और न वस्तुओं में। घटनाओं या वस्तुओं में स्वत: न अवधारण होता है

और न आन्तर गति ही होती है : उदाहरण: भू–विस्फोट में, शिला के गिरने में, या किसी और ऐसी घटना में। ये दो गुण अपने आप से ऐसी बहुत–सी घटनाओं में भी नहीं होते जिनके कारक मनुष्य होते हैं—उदाहरणत: बाज़ारू–कलह में; बहुत बार युद्ध में भी ये गुण नहीं होते, यद्यपि जितने इतिहास ग्रन्थ युद्धों पर लिखे गये हैं उतने अन्य किसी मानव–कृत घटनाओं पर नहीं। किन्तु यह किसी ऐतिहासिकता के कारण नहीं बल्कि राजनीति और राजाओं को अनावश्यक महत्त्व देने के कारण तथा इनका विवरण देने की सरलता के कारण हुआ है। किन्तु युद्ध को 'एक युग के अर्थ' के प्रसंग में पुनारचित करना सहज है और इस प्रकार वह इतिहासवेत्ता द्वारा किसी नेयार्थ के सन्दर्भ में पुनर्व्याख्यायित हो जाता है और इस प्रकार यह अवधारण और आन्तर गति को प्राप्त कर लेता है जोकि इतिहास का लक्षण है। कलह का ऐसा व्याख्यान सम्भव नहीं है। यह द्रष्टव्य है कि पौराणिक युद्धों में युद्ध की 'ऐतिहासिकता' का तत्त्व आधुनिक युद्धों की अपेक्षा कहीं अधिक प्रविष्ट हो जाता है। वे 'घटनाएँ' नहीं रह कर नेयार्थ की सिद्धि में साधन मात्र हो जाते हैं।

इसका अर्थ यह नहीं है कि हम किसी घटना के ऐतिहासिक होने के लिए उसका 'सत्य' होना आवश्यक नहीं मानते। वास्तव में इन युद्धों की सत्यता के लिए प्रमाण नहीं होने के कारण ही इन्हें 'पौराणिक' कहा जाता है। किन्तु उतना ही सही यह भी है कि केवल सत्यता ही किसी घटना को, या युद्धों को भी, ऐतिहासिक नहीं बनाती। प्रत्येक घटना के, और सबसे अधिक युद्धों के, ऐतिहासिक होने के लिए उनका पौराणिक रूपान्तरण आवश्यक होता है, या फिर वे अपनी उत्पत्ति में ही पौराणिकता से अनुप्रविष्ट होते हैं। प्रथम अवस्था में वे ऐतिहासिक नेयार्थ के द्वारा रूपान्तरित होकर ऐतिहासिकता ग्रहण करते हैं और दूसरी अवस्था में वे ऐतिहासिक नेयार्थ के द्वारा ही उत्पादित होते हैं।

यहाँ आपत्ति की जा सकती है कि अधिकांश युद्ध केवल तुच्छ स्वार्थों और निकृष्ट आवेगों के अधीन ही लड़े गये थे। हमारे ही युग में द्वितीय विश्व–युद्ध हिटलर और उसके विक्षिप्त साथियों के आवेगात्मक असन्तुलन के कारण हुआ। इस प्रकार इतिहास वास्तव में लूट–खसोट, संगठित और महिमा–मण्डित डकैती का इतिहास है। कार्ल पॉपर ने मानव–अतीत को, मुख्यत: राजनैतिक अतीत को, इसी रूप में चित्रित किया है और इस आधार पर इतिहासवाद का विरोध किया है। अब, इसमें सन्देह नहीं कि मनुष्य के अतीत का अधिकांश इसी कोटि का है, किन्तु हमारा उस सम्बन्ध में कहना है कि, उस सीमा तक मनुष्य का अतीत 'ऐतिहासिक' अतीत नहीं है, वह असम्बद्ध घटनाओं का, कृत्यों का भी चाहे कहें, समवाय मात्र है। इसमें दो घटनाओं के बीच कोई कालात्मक सम्बन्ध नहीं है, वे ऐसी असम्बद्ध घटनाएँ हैं जिन्हें हम कैलैंडर पर निशान लगा कर तारीख दे देते हैं—दिनांकित कर देते हैं। किन्तु यह अतीत उस समय इतिहास बन जाता है जब इतिहासकार उसे किसी प्रसंग में, किसी लक्ष्य से, पुनारचित करता है। उस अवस्था में ये घटनाएँ एक नेयार्थ से अनुप्रविष्ट हो जाती हैं और ऐतिहासिक बन जाती हैं।

यह 'घटनाओं का स्वत: ऐतिहासिक हुए बिना ऐतिहासिक बन जाना' ठीक वही अर्थ रखता है जो व्यक्ति–जीवन में किसी अतीत असम्बद्ध घटना का किसी समय नये सम्बन्धों में प्रविष्ट हो जाना। यह इस कारण सम्भव होता है क्योंकि कोई मानवीय घटना स्थिर अर्थ नहीं रखती। किन्तु इसका अर्थ यह नहीं है कि इतिहास व्यक्ति–मन का आविष्कार होता है, यद्यपि वह व्यक्ति–इतिहासकार द्वारा ही लिखा जाता है। क्योंकि यदि वह व्यक्ति–इतिहासकार का ही आविष्कार हो तब उसे उपयुक्त रूप से उसकी आत्मकथा का अंग ही कहना चाहिए। इतिहासकार अतीत–घटना की ऐतिहासिक पुनारचना करते हुए ऐतिहासिक अर्थ में ही अधिष्ठित होता है। यदि हम यह कहें कि यह पुनारचना इतिहास–पुरुष की स्मृति होती है, तो यह केवल आलंकारिक प्रयोग ही नहीं होगा।

किन्तु इसके अतिरिक्त, इतिहास की अपनी एक स्वतन्त्र गति भी है जो तुच्छ और निकृष्ट स्वार्थों और आवेगों से पृथक् और ऊपर घटित होती है। इतिहास–मन में इस गति के कारण ही अतीत घटनाओं की

पुनर्व्याख्या की आवश्यकता होती है। इतिहास-मन में इस आन्तर गति के बिना अतीत घटनाओं की स्मृति तक सम्भव नहीं हो सकती थी, व्याख्या की तो बात ही क्या। वास्तव में स्मृति घटित ही पुनर्व्याख्या की अपेक्षा से होती है।

इस प्रकार अतीत केवल युद्धों और स्वार्थों के संघर्षों आदि का क्रम ही नहीं है। ये (युद्धादि) वास्तव में ऐसी घटनाएँ हैं जो प्रकटत: महत्त्वपूर्ण होने पर भी ऐतिहासिक जीवन के तन्त्र में आकस्मिक और असंकल्पित घटनाएँ हो सकती हैं और तब ये स्वयं काल-बाह्य और अनैतिहासिक होती हैं। इनका ऐतिहासिक महत्त्व कभी-कभी इस कारण होता है कि ये संस्कृति, अथवा कहें इतिहास, के प्रयोजन की वाहक बन जाती हैं, या कभी-कभी उनके लिए घातक होती हैं, ठीक उसी प्रकार जिस प्रकार वायु और कृमि पुष्प-केसर के वाहक होकर पौधों में प्रजनन के कारण बनते हैं। इस अनितिहास से पृथक् और अतिरिक्त भी मानव-चेतना कुछ प्रत्ययों का अवबोधन करती है : जैसे जीवन-लक्ष्य, दार्शनिक सिद्धान्त, विविध कला-रूप तथा धर्म आदि के रूप में, और तब इनके विभिन्न निहितार्थों के अन्वेषण में प्रवृत्त होती है; अथवा कहें, ये अवधारणाएँ मानव-चेतना में अवस्थित हो जाती हैं और अपने निहितार्थों को क्रियान्वित करती हैं। चाहे जिस भी प्रकार इस तथ्य को हम व्यक्त करें, महत्त्वपूर्ण बात इस तथ्य का होना है। संस्कृति इस अवधारणात्मक चेतना को ही कहते हैं जोकि इनके (अवधारणाओं के) स्वरूप से परिभाषित होती है, और इतिहास इस चेतना द्वारा इन अवधारणाओं के अन्वेषण की, अथवा कहें इन अवधारणाओं द्वारा अपने क्रियान्वयन की, प्रक्रिया है। वास्तव में यह केवल सांस्कृतिक अवधारणाओं के लिए ही सत्य नहीं है, यह वैयक्तिक स्तर पर भी सही है। किसी चित्र की कल्पना हो या कविता की, कोई धार्मिक दृष्टि हो या दार्शनिक दृष्टि, जबकि इनका प्रस्तुत अर्थ स्वत: कालातीत होता है, इनका क्रियान्वयन काल में ही होता है। यहाँ हमारा अभिप्राय यह नहीं है कि 'पूर्णता' और 'कालातीतता' भी वास्तव होते हैं; यदि ये ऐसे होते तब वह तनाव सम्भव नहीं होता जो इतिहास को सम्भव करता है।

यह ऐतिहासिक नेयार्थ स्वरूपत: ऐतिहासिक होता है, क्योंकि अवधारण और आन्तर गति इसके स्वरूप-लक्षण हैं। इसलिए इतिहासज्ञ इनका साक्षात्कार ऐतिहासिक वस्तुस्थिति के रूप में ही करता है, जोकि वह वस्तुत: होती है।

× × ×

इस प्रकार इतिहास को संस्कृति के आत्म-चरितार्थन की प्रक्रिया के रूप में परिभाषित किया जा सकता है। संस्कृति व्यक्ति का और समाज का अतिक्रमण करती है, किन्तु यह स्वयं भी एक व्यक्तित्व ही होती है। इसका यह अतिव्यक्तित्व उतना ही स्वाधिष्ठित होता है जितना व्यक्ति का, ये दोनों बराबर ठोस होते हैं।

बहुत-से विचारक संस्कृति का अस्तित्व स्वीकार नहीं करते, क्योंकि उनके लिए ऐन्द्रियगत ही अस्तित्व का पद पा सकता है। किन्तु जो संस्कृति का अस्तित्व स्वीकार करते हैं उनमें भी अनेक, इसका अधिष्ठान व्यक्तियों को ही मानते हैं। इस प्रकार उनके लिए भी संस्कृति का अस्तित्व आनुषंगिक और आश्रित होता है। इसका मुख्य कारण यह है कि वे व्यक्तित्व के सम्बन्ध में भी स्पष्ट नहीं होते कि उसका स्वरूप क्या है। वे अस्पष्टत: व्यक्तित्व को शरीर-लक्षण ही मानते हैं, या फिर शरीर के ही अनुरूप किसी सूक्ष्म तत्त्व को व्यक्तित्व मानते हैं। किन्तु यह व्यक्तितव की अनुपयुक्त कल्पना है।

व्यक्तित्व नेयार्थ का एकत्व है जो अपने अस्तित्व को संवेद के माध्यम से उपलब्ध करता है। यह जितना व्यष्टिगत व्यक्तित्व के लिए सही है उतना ही संस्कृति के लिए भी सही है। उदाहरणत: गाया या सुना जा रही गीत गायक विशेष और संस्कृति विशेष दोनों का युगपद् प्रकाश करता है, एक बोला या सुना गया वाक्य वक्ता और संस्कृति दोनों के विमर्श को युगपद् व्यक्त करता है; ये दोनों एक साथ इसिलए रह सकते हैं क्योंकि एक दूसरे का

अतिक्रमण करता है। किन्तु यहाँ आपत्ति की जा सकती है कि क्या कोई प्रत्यय, नेयार्थ अथवा अनुभव की अन्तर्वस्तु भी वैयक्तिक हो सकते हैं? ये अनिवार्यत: सामान्य होते हैं। क्या ऐसी अवस्था में व्यक्तित्व की स्थिति सन्दिग्ध नहीं हो जाती?

हमारे विचार में, आत्यन्तिक वैशिष्ट्य को व्यक्तित्व का अनिवार्य लक्षण बनाना अनुचित है। ज्ञानात्मक स्तर पर वैयक्तिक वैशिष्ट्य केवल 'इतर' से भिन्न 'अहम्' के एक अस्पष्ट बोध में निहित होता है। किन्तु यह वैशिष्ट्य का एक स्थायी अधिष्ठान नहीं कहा जा सकता, क्योंकि यह बोध अनुभूति या विचार में तल्लीनता के समय नहीं रहता और न ही यह किसी सामूहिक कृत्य में एक-भाव से तल्लीन होने पर रहता है। अस्तित्व के स्तर पर तो वैशिष्ट्य की उपलब्धि असम्भव ही हो जाती है, क्योंकि संवेद स्वत: विशिष्ट होने पर भी वैयक्तिक वैशिष्ट्य के लिए अप्रयोज्य होता है। इसलिए व्यक्तित्व के लिए वैशिष्ट्य की खोज अनावश्यक है। व्यक्तित्व का अधिष्ठान अनुभूत एकत्व है जो कर्त्ता के रूप में अपने को उपलब्ध करता है; दूसरे शब्दों में, व्यक्तित्व कर्त्तृतवाभिमान-बोध है। कर्त्तृत्वाभिमान और नेयार्थ का सम्बन्ध यह है कि कर्त्तृत्वाभिमान सदैव नेयार्थक होता है—अधिष्ठाता के रूप में अपने अस्फुटार्थ का कर्मों के माध्यम से विकासक। कोई अन्य एकत्व व्यक्तित्व की अवधारणा की अपेक्षा को सन्तुष्ट नहीं कर सकता।

चैतन्य शरीर या किसी अन्य विषय के एकत्व के माध्यम से भी एकत्व को उपलब्ध कर सकता है, और इसी प्रकार यह वंश, या प्रदेश आदि के माध्यम से भी एकत्व को उपलब्ध कर सकता है, और इसे भ्रमवश व्यक्तितव या संस्कृति समझा जा सकता है। किन्तु ये एकत्व व्यक्ति और संस्कृति के तुल्य नहीं हो सकते।

व्यक्ति और संस्कृति का यह स्वरूप इन्हें अनिवार्यत: ऐतिहासिक और इतिहासोत्तर बना देता है, क्योंकि इतिहास उस निहित अवधारणा का विशदीकरण या प्रस्फुटीकरण मात्र है जो कर्म के लिए सदैव अन्वेष्य बना रहता है। इतिहासोत्तर की ऐतिहासिक के रूप में यह उपलब्धि सब प्रतीक-रचनाओं में देखी जा सकती है। प्रतीक भाव या प्रत्यय का ऐन्द्रिय माध्यम में आत्म-दर्शन है, किन्तु इस माध्यम में आते ही यह ऐतिहासिक अस्तित्व ग्रहण कर लेता है, क्योंकि चरितार्थ्य की पूर्णता चरितार्थित की अपूर्णता के कारण बनती है। यह गति ही ऐतिहासिक काल है, अन्य किसी प्रकार का काल ऐतिहासिक काल नहीं कहा जा सकता—उदाहरणत: शरीर की शैशव से वार्धक्य की ओर गति भी 'काल में गति' ही है, किन्तु यह ऐतिहासिक नहीं है।

यह ऐतिहासिकता व्यष्टि-घटनाओं को आत्म-पर्याप्त नहीं रहने देती—घटनाओं के ऐतिहासिक होने का अर्थ है इस तनाव की तिर्यक् रेखा के विशिष्ट भंग पर स्थित होना। इस प्रकार प्रत्येक ऐतिहासिक घटना अद्वितीय किन्तु आपेक्षिक होती है, क्योंकि यह सम्पूर्ण से अद्वितीयत: परिभाषित होती है।

× × ×

'विषय' को यदि व्यापकतर पद मानें तब बोध-विषय इसका (विषय का) उपवर्ग कहा जा सकता है। किन्तु बोध-विषय अन्य प्रकार के विषयों से मूलत: भिन्न होता है। जबकि अन्य विषय वासना-व्यय के पर्यवसान-बिन्दु मात्र होते हैं, बोध-विषयों में ज्ञानात्मक अनुभव अपने ही उद्भिन्न रूप को विषय रूप में प्राप्त करता है। किन्तु तीन अन्य विषय हैं जो इनसे मूलत: भिन्न प्रकार के हैं—ये हैं 'अहम्', 'त्वम्' और 'वह'। इनमें प्रथम दो अनिवार्यत: मूल्य-विषय हैं। व्यक्ति अपने आपको और अपने अतीत को **उस रूप में देखता है जैसा उसे होना चाहिए,** उस रूप में नहीं जैसा वह है। 'त्वम्' यद्यपि 'अहम्' नहीं होता किन्तु अहम् उसके साथ एक घनिष्ट एकत्व में सम्मिलित होता है—ये दोनों एक ही सूत्र के दो छोरों पर होते हैं। संवाद की आत्मा अपनी प्रकृष्टतम तीव्रता प्रेम में चरितार्थ पाती है। 'त्वम्' को 'अहम्' की परिपूर्ति भी कहा जा सकता है। इस प्रकार 'त्वम्' उतना ही मूल्य-विषय होता है जितना 'अहम्' होता है। जहाँ तक 'वह' का प्रश्न है, यह भी पूर्णत: विदेशी नहीं

होता, न ही वह 'सैद्धान्तिक विषय' होता है, यद्यपि अंशत: वह यह दोनों ही होता है। 'सैद्धान्तिक विषय' और 'वह' में मौलिक भेद इस बात में होता है कि 'वह' में 'त्वम्' बनने की सम्भावना सदैव विद्यमान रहती है। वास्तव में तो 'वह' केवल 'अहम्' की संकुचितता की उत्पत्ति ही होता है, इस प्रकार उसका सैद्धान्तिक विषय के रूप में अवधारण 'मैं' की अपनी स्वतन्त्रता को परिसीमित करता है। किन्तु तब भी, अहम् की यह न्यूनता प्रदर्शित 'वह' के माध्यम में ही होती है।

संस्कृति (या इतिहास) एक उन्नततर स्तर पर गठित व्यक्तित्व होता है जिसमें 'अहम्' अपने को 'त्वम्' और 'वह' के साथ अभेद-सम्बन्ध में पाता है, अथवा जिसमें 'अहम्' और 'वह' 'त्वम्' में एकाकार हो जाते हैं।

नैतिक मूल्यों में परिवर्तन का स्वरूप

यहाँ लिखने के लिए इस विषय का चुनाव मैंने मुख्यत: इस कारण किया है क्योंकि 'नैतिक मूल्यों में परिवर्तन' की इधर बहुत चर्चा है और, मेरे विचार में, यह चर्चा करने वाले अधिकांशत: स्पष्ट नहीं हैं कि इसका क्या अर्थ है। बिना समझे पदों और वाक्यों का प्रयोग बहुधा हम करते हैं, और यह प्रयोग करते-करते उन पदों और वाक्यों को कोई अर्थ देने लगते हैं जोकि वास्तव में उनका वह अर्थ नहीं होता। इसमें भी कोई दोष नहीं है यदि किसी प्रकार यह अर्थ सम्यक् रूप ले ले, किन्तु अधिकांशत: ऐसे प्रयोग सम्यक् रूप ले नहीं पाते, जब तक कि कोई विचारक सचेष्टत: इस असम्यक्ता का निरास नहीं करता। यहाँ यद्यपि मैं इस असम्यक्ता के निरास का प्रयत्न करूँगा, किन्तु मैं वह विचारक होने का उत्तरदायित्व अपने ऊपर नहीं ले सकता, क्योंकि वह उत्तरदायित्व बहुत बड़ा है और उसके लिए मेरे में न उतनी योग्यता है और न इस महत् कार्य के लिए यह अवसर ही उपयुक्त है।

नैतिक मूल्यों में क्या परिवर्तन हुआ है यह देखने के लिए यह देखना आवश्यक है कि 'नैतिक मूल्यों में परिवर्तन' का क्या अर्थ है, इस परिवर्तन के स्वरूप को समझने के लिए यह देखना आवश्यक है कि नैतिक मूल्य क्या होते हैं जिनमें कि यह परिवर्तन घटित होता है। यह सब देखना इसलिए आवश्यक है क्योंकि इनमें कोई भी प्रश्न स्वत:स्पष्ट नहीं है। किन्तु यहाँ हम नैतिक मूल्यों के स्वरूप पर भी पर्याप्त विस्तार से विचार नहीं कर सकते, क्योंकि इस एक प्रश्न पर बहुत संक्षिप्त विचार के लिए भी एक काफी बड़े लेख की आवश्यकता है।[1]

नैतिक मूल्य किस प्रकार के विषय होते हैं? किसी के साथ विश्वासघात नहीं करना एक नैतिक मूल्य है। किन्तु मेरे साहित्यिक बन्धु इस पर थोड़ा चिढ़ेंगे, क्योंकि यह बहुत असाहित्यिक—अकविजनोचित—उदाहरण उन्हें लगेगा। वे जिस उदाहरण को पसन्द करेंगे वह होगा—'परायी पत्नी को आँख मारना अनुचित है।' अब, वे कहेंगे कि, 'यह अनुचित था, किन्तु अब अनुचित नहीं है। यह देश ओर काल की बात है कि यह अनुचित है या नहीं। पति-पत्नी सम्बन्धों की वह धारणा ही अब नहीं रही तब इनकी अनुषंगी आबद्धताओं की वह धारणा भी कैसे हो सकती है? इस समय हम स्त्री-पुरुष-सम्बन्धों की दकियानूसी धारणाओं से मुक्त हो चुके हैं, अब हम किसी प्रदत्त ढाँचे में नहीं ढलते, हम इनसे परे हैं—अ-तन्त्र, अद्वितीय क्षण, अतन्त्रता में ढकेल दिये हुए, आदि।' इस प्रकार, स्पष्ट है कि पति-पत्नी सम्बन्धों को लेकर नैतिक मूल्यों में परिवर्तन हो गया है—यद्यपि यह परिवर्तन पति-पत्नी सम्बन्धों को लेकर ही नहीं है। किन्तु पति-पत्नी सम्बन्धों को लेकर, और इसी प्रकार अन्य नैतिक मूल्यों को लेकर, परिवर्तन तो देश से देश में, दशाब्द से दशाब्द में और वास्तव में गाँव से गाँव में, होते मिलते हैं। ऐसी अवस्था में अब कौन-सी बात हो गयी है जिसको लेकर इतना कुहराम मचा हुआ है जिसको लेकर उपन्यास लिखे जा रहे हैं, कहानियाँ लिखी जा रही हैं, और यहाँ तक कि कविताएँ भी लिखी जा रही हैं? क्या रोज़ पोशाकों के फैशनों में परिवर्तन नहीं होता? और क्या हमेशा से चीनी, भारतीय और बर्मी की पोशाकें अलग-अलग नहीं रही हैं? तब 'पोशाकों में परिवर्तन और साहित्यकार की स्थिति' को लेकर निबन्ध क्यों नहीं लिखवाये जाते और कॉफी हाउसों में बहस-मुबाहिसा कर साहित्यकार अपने आपको उस सीमा तक धन्य क्यों नहीं मानते जिस सीमा तक नैतिक मूल्यों में परिवर्तन के प्रश्न पर विवाद करके मानते हैं?

इसके दो कारण हैं : एक तो यह कि 'नैतिक मूल्यों के परिवर्तन' में एक दूसरा पक्ष भी है जो इससे अधिक महत्त्वपूर्ण है और जो वास्तव में घटित हुआ है, किन्तु जिसकी ओर सामान्यत: ध्यान नहीं जाता। यह परिवर्तन है

---

1. द्रष्टव्य **'ज्ञान और सत्'** अ. 11 तथा **'संस्कृति : मानव-कर्त्तृत्व की व्याख्या'** अ. 6.

स्वयं नैतिकता के मूल्य होने में ही अनास्था उत्पन्न होना—जोकि पीछे पति-पत्नी सम्बन्धों विषयक उदाहरण में वास्तव में अन्तर्हित है। किन्तु सामान्य प्रकार का परिवर्तन भी कुछ गम्भीर समस्याएँ उत्पन्न करता है। ये गम्भीर समस्याएँ नैतिक निर्णयों की विषयनिष्ठता विषयक हैं। यदि नैतिक निर्णयों सम्बन्धी भेद पोशाकों में भेद के अनुरूप हों, जैसाकि हमारी उपर्युक्त तुलना में अभिप्रेत है, तब नैतिक विषयनिष्ठता का कोई अर्थ नहीं रह जाता, क्योंकि कोई यह नहीं मानता कि पोशाक के फैशन का, और इसी प्रकार अन्य किसी फैशन का भी, कोई विषयनिष्ठ आधार होता है। किन्तु जब हम कहते हैं कि 'अमुक-अमुक कार्य उचित नहीं है' तब हम यह मानकर चलते हैं कि इस निर्णय का कोई विषयनिष्ठ आधार है। किन्तु बहुत लोग यह नहीं मानते, वे नैतिकता का आधार संस्कारों को मानते हैं। इस प्रकार, उनके अनुसार, यह परिवर्तन फैशनों में परिवर्तन से मूलत: भिन्न नहीं है। किन्तु जैसाकि स्पष्ट है, यह विमर्श एक दूसरे स्तर का है। यह नैतिक मूल्यों में परिवर्तन के तथ्य का कथन नहीं होकर नैतिक मूल्यों के, और इनमें परिवर्तन के, स्वरूप के विषय में है। यहाँ यह तो स्वीकार कर ही लिया गया है कि यदि हम आज कहते हैं कि 'कार्य क उचित है' तो कल इस मान्यता में परितर्वन भी हो सकता है और हम क को अनुचित मान सकते हैं। उदाहरणत: ईसाई धर्म में बहु-पत्नीत्व को अनुचित माना जाता है जबकि मुसलमानों में इसे अनुचित नहीं माना जाता। पुन:, पहले वृद्ध पुरुष के बालिका तक से विवाह को अनुचित नहीं माना जाता था, अब इसे अनुचित माना जाता है; पहले माता-पिता की आज्ञा मानना धर्म समझा जाता था और आज इसे प्रतिक्रियावाद का सूचक माना जाता है। किन्तु यहाँ एक और कथन भी किया जा रहा है और यह अधिक आधारभूत है। यह कथन यह है कि इनमें कोई निर्णय निरपेक्षत: उचित या अनुचित नहीं हैं, ये केवल सापेक्षत: उचित या अनुचित हैं। अर्थात् वृद्ध का बालिका से विवाह उचित भी है और अनुचित भी, इसका औचित्य-अनौचित्य तत्कालीन सामाजिक धारणाओं से निर्धारित होता है।

यह दूसरे स्तर का कथन अधिक गम्भीर है और इसी कारण यह विवाद गम्भीर और रोचक होता है। केवल कठिनाई यह है कि इस प्रश्न की कठिनाइयों को पूरी तरह से हृदयंगम नहीं किया जाता। सर्वप्रथम, यदि यह मान भी लिया जाय कि नैतिक निर्णय सापेक्ष होते हैं तब भी यह स्वत:सिद्ध नहीं है कि ये फैशनों के समान होते हैं। इसलिए यह विचारणीय होता है कि यह सापेक्षता किस प्रकार की है? दूसरे कि, नैतिक निर्णयों की विशिष्ट सापेक्षता अर्थापतित क्या करती है—उदाहरणत: 'क लाल है' निर्णय क में लाल रंग की विद्यमानता का विधान करता है, किन्तु क का लाल दिखायी देना सूर्य-किरणों, प्रकाशित वस्तु तथा देखने वाले की आँखों इन तीनों में विशिष्ट सम्बन्ध का सापेक्ष होता है। शायद इससे भी अधिक सापेक्ष—किसी भाषा में सब रंगों के लिए शब्द नहीं हैं और प्रत्येक दो भाषाओं में अनामित रंग भिन्न-भिन्न हैं। ये भेद आदिम जातियों के और भारोपीय भाषाओं के अध्ययनों से विशेष प्रखरता के साथ सम्मुख आये हैं। यद्यपि इन तथ्यों का पता गत डेढ़ शताब्दी की खोजों से चला किन्तु इसकी अवधारणा कोई नयी चीज़ नहीं है। जैनों के स्याद्वाद में इस ज्ञानात्मक सापेक्षता की स्पष्ट अवधारणा मिलती है। किन्तु इस सापेक्षतावाद को कोई फैशनों के समान रुचि-भिन्नता नहीं कह सकता। अब, इस सापेक्षतावाद को थोड़ा गहराई से देखा जाय तो 'क लाल है' विषयक प्रत्यक्ष तथा निर्णय दोनों सापेक्ष होने पर भी अन्ततः निरपेक्ष ही हैं, क्योंकि इनके आधार सापेक्ष नहीं हैं, अर्थात् तत्तत् स्थिति-विशेष में कोई इससे भिन्न निर्णय नहीं दे सकता। इस प्रकार नैतिक निर्णयों को 'सापेक्ष' कहने मात्र से कुछ पता नहीं चलता कि क्या कहना अभिप्रेत है, यह बताना आवश्यक है कि यह सापेक्षता किस प्रकार की है।

इसके विरुद्ध कहा जा सकता है—यह तो सही है कि सापेक्षताएँ विभिन्न प्रकार की हैं, किन्तु नैतिक सापेक्षता रुचिमूलक ही है। उपर्युक्त उदाहरण को ही लें, 'पर-स्त्री अथवा पर-पुरुष से सम्बन्ध अनुचित है' यह विधान रुचि-सापेक्ष है। इसकी अन्य किसी प्रकार की सापेक्षता दिखायी नहीं देती। इसकी दूसरी सापेक्षता सामाजिक आचरण की सुविधा हो सकती है। किन्तु यह पुन: अन्ततः रुचि सापेक्षता ही है, क्योंकि यदि स्त्री-पुरुष सम्बन्धों की धारणाएँ बदल जाएँ तब तत्सम्बन्धी सामाजिक सुविधा का स्वरूप भी बदल जायगा।

किन्तु यह सही नहीं है। किसी कर्म को 'अनुचित' कहने में इससे बहुत अधिक और भिन्न तत्त्व भी सन्निहित होते हैं। ये भिन्न तत्त्व ही नैतिक निर्णयों के आधार हैं। इन भिन्न तत्त्वों को प्रकट करने के लिए हम कुछ दूसरे उदाहरण लेंगे—साहित्यिकों की खीझ के बावजूद। ये हैं—'असत्य बोलना, चोरी करना आदि अनुचित हैं, दूसरों के भूखे मरते होने पर हलवा खाना अनुचित है, कृतघ्नता अनुचित है' आदि। अब, इनमें 'उचित-अनुचित' का क्या अर्थ है? यह कहा जा सकता है कि इनके अनौचित्य का आधार सामाजिक उपयोगिता है। किन्तु यह भी सही नहीं है, यद्यपि यह कथन इस सापेक्षता को रुचि-सापेक्षता से पृथक् कर देता है। यद्यपि यह सही है कि इन उदाहरणों में सामाजिक उपयोगिता भी सम्मिलित है, किन्तु सामाजिक उपयोगिता इनके नैतिक अवगुण होने के लिए आधार नहीं है। ऐसे अनेक उदाहरण दिये जा सकते हैं जिनमें सामाजिक उपयोगिता की हानि होने पर भी उन्हें नैतिक गुण माना जाता रहा है। उदाहरणत: राजपूतों में जौहर-प्रथा, जैनों की अहिंसा, बौद्धों का संन्यासवाद सामाजिक रूप से अनुपयोगी थे, किन्तु इन्हें न केवल वे नैतिक गुण ही मानते थे बल्कि कोई भी अन्य इन्हें अन्य कुछ नहीं कह सकता। इसके अतिरिक्त, यदि सामाजिक उपयोगिता नैतिकता का आधार हो तब किसी कर्म विशेष के सम्बन्ध में यह दिखा देना मात्र कि वह व्यापक सामाजिक स्वार्थों के लिए हानिकर नहीं है, उसे नीति-अनुकूल बना देगा। उदाहरणत: यदि क ख के प्रति उपकारी है किन्तु ख उसे पीठ पीछे गाली देता है तब, यदि क को कभी इस बात का पता नहीं चलता, तो इसे कृतघ्नता और अतएव अनैतिकता नहीं कहा जा सकेगा। किन्तु स्पष्टत: यह कृतघ्नता के अतिरिक्त और कुछ नहीं है।

किन्तु मान लें कि उपर्युक्त सब उदाहरणों में यह दिखाया जा सकता हो कि इनका आधार सामाजिक उपयोगिता ही है। तब किसी के चुनौती देने पर कि, 'सामाजिक स्वार्थ मेरे स्वार्थों के अनुषंगी नहीं हो सकते' किसी के पास क्या उत्तर होगा? यदि इसका यह उत्तर दिया जाय, जोकि एकमात्र सही उत्तर प्रतीत होता है, कि सामाजिक स्वार्थ वैयक्तिक स्वार्थों से महत्तर हैं, तब इस उत्तर का आधार सामाजिक उपयोगितामूलक नहीं हो सकता, क्योंकि यह सन्देह स्वयं सामाजिक उपयोगिता के सम्बन्ध में है और इसका निरास उस कसौटी के प्रतिपादन से ही सम्भव है जो सामाजिक उपयोगिता की महत्तरता को स्थापित कर सकती हो। यद्यपि कम्यूनिस्टों की सारी अपीलें इस धारणा पर प्रतिष्ठित होती हैं कि सामाजिक स्वार्थ वैयक्तिक स्वार्थों से महत्तर हैं, किन्तु तब भी वे नैतिकता का आधार सामाजिक उपयोगिता को ही मानते हैं, क्योंकि वे इस प्रश्न की गहराई तक जाते ही नहीं कि इस महत्तरता का क्या आधार है?[1] इस महत्तरता का आधार यह बोध है कि आत्म-त्याग स्वार्थ-त्यास वरेण्य है, यह उत्कृष्ट गुण है। इस प्रकार सामाजिक स्वार्थ की महत्तरता इस बात में नहीं है कि इसमें अधिक का लाभ है और अधिक अल्प पर अपने स्वार्थों का आरोपण कर सकते हैं, बल्कि यह है कि क का उत्कर्ष क के अपनी सीमा को उत्तीर्ण करने में सिद्ध होता है।

किन्तु 'अपनी सीमा को उत्तीर्ण करने में उत्कर्ष है' इसका क्या औचित्य है? इसके उत्तर के दो पक्ष हैं : प्रथम यह कि इसके उत्तर की माँग का कोई अर्थ नहीं है, यह अयुक्त प्रश्न है, क्योंकि यह ऐसा ही प्रश्न है जैसा यह प्रश्न कि 'प्रत्यक्ष यहाँ मेज के होने का प्रमाण है इसका क्या प्रमाण है?' और दूसरा यह कि यह उत्तीर्णन और उत्कर्ष दोनों एक ही स्थिति की दो संज्ञाएँ हैं और इसे हम अनुभव में देखते हैं। इस उत्कर्षानुभव के औचित्य की माँग नहीं की जा सकती, इसके स्वरूप-निरूपण की माँग ही की जा सकती है।

नैतिकता का आधार सामाजिक उपयोगिता को मानने के बजाय सामाजिक उपयोगिता की प्राथमिकता का आधार नैतिकता को स्वीकार करने पर यह स्पष्ट हो जाता है कि सामाजिक रूढ़ियाँ नैतिकता की प्रतिमान नहीं हो सकतीं, ये नैतिक चेतना की अभिव्यक्ति की माध्यम होती हैं। इसीलिए ये नैतिक चेतना की प्रतिबन्धक नहीं हो

---

1. यहाँ एक पुराना श्लोक उल्लेखनीय है—त्यजेदेकं कुलस्यार्थे, ग्रामार्थे कुलं त्यजेत्, ग्रामं जनपदस्यार्थे, आत्मार्थे सर्वं त्यजेत्। यहाँ 'आत्मा' को सर्वोपरि महत्त्व दिया गया है।

सकतीं, यद्यपि इनका प्रतिमान नहीं हो सकतीं, ये नैतिक चेतना की अभिव्यक्ति की माध्यम होती हैं। इसीलिए ये नैतिक चेतना की प्रतिबन्धक नहीं हो सकतीं, यद्यपि इनका प्रतिबन्ध स्वीकार करना चाहिए। किन्तु प्रबुद्ध नैतिक चेतना द्वारा इनका अतिक्रमण करना सदैव उचित है—यह अतिक्रमण स्वयं सामाजिक रूढ़ियों को नये आयाम देता है। किन्तु यह अतिक्रमण नैतिक चेतना, अथवा व्यापकतर मूल्य-बोध, द्वारा ही वरेण्य हो सकता है, चंचलता द्वारा नहीं। उदाहरणत: जैनेन्द्र के **त्याग-पत्र** की नायिका यौन-सम्बन्ध विषयक सामाजिक रूढ़ियों को स्वीकार नहीं करती किन्तु उसके आचरण को अनैतिक नहीं कहा जा सकता। वास्तव में उत्कृष्ट साहित्य रूढ़ नैतिकता को चुनौती देकर नैतिकता के यथार्थ स्वरूप का उद्‌घाटन करता है।

किन्तु **त्याग-पत्र** के हमारे उदाहरण पर आपत्ति की जा सकती है, क्योंकि यह एक प्रतिनिधि उदाहरण नहीं है। इसलिए कुछ अन्य उदाहरण देखना उपयुक्त होगा। हम एक उदाहरण शोलोख़ोव के उपन्यास '**डॉन फ्लोज़ होम**' से लेंगे और दूसरा एक आत्मकथा '**माई लाईफ**' से। **डॉन फ्लोज़ होम** में ग्रैगोर तथा अक्सीनिया के प्रेम को तथा '**माई लाईफ**' में आइसा डोरा डंकन द्वारा वर्णित अपने प्रेम-सम्बन्धों को क्या कहा जाय?—नैतिक या अनैतिक? ये दोनों उदाहरण रूढ़ नैतिकता के स्पष्टत: विपरीत हैं और मृणाल के यौन सम्बन्धों के समान निर्लिप्त करुणा से उत्पन्न भी नहीं हैं। तब इनको क्या कहा जाय?

जैसाकि इन दो उदाहरणों को देखने मात्र से स्पष्ट है, ये दो भी एक-दूसरे से बहुत भिन्न स्तर के हैं—ग्रैगोर और अक्सीनिया का प्रेम शुद्ध मांसल प्रेम है जबकि डंकन के प्रेम-सम्बन्ध अत्यन्त जटिल आध्यात्मिक, बौद्धिक तथा कलात्मक अनुभूतियों की अभिव्यक्तियों के माध्यम हैं। इस प्रकार डंकन के प्रेम-सम्बन्धों को भी एक दूसरे प्रकार से रूढ़ नैतिकता का अतिक्रमण कहा जा सकता है। किन्तु ग्रैगोर-अक्सीनिया के, हीर-रांझा के, सोहनी-महीवाल के प्रेम को क्या कहा जा सकता है?

यह बहुत बड़ा प्रश्न है, यहाँ इसका संक्षिप्त उत्तर मैं यह देना चाहूँगा कि सब प्रेम नैतिक है, यदि वह प्रेम है तो, समाज केवल उसकी विहितता-अविहितता का निर्धारण करता है, उसके औचित्य-अनौचित्य का नहीं। इस बात को अपढ़ भी खूब अच्छी तरह जानता है। इसको उचित-अनुचित वे अन्य सम्बन्ध बनाते हैं जो इससे प्रभावित होते हैं—पति या पत्नी के प्रति वफ़ादारी तथा माता-पिता की भावनाओं का आदर, ये भी मूल्य हैं और परिणामत: दो मूल्य-स्थितियों के दोवों का ध्यान रखना आवश्यक होता है, जोकि अत्यन्त प्रबुद्ध नैतिक चेतना की अपेक्षा करता है। इस प्रकार, ऐसे सम्बन्धों की नैतिकता का प्रमाण रूढ़ि नहीं अन्तःकरण प्रवृत्ति ही हो सकता है। जहाँ उच्छृंखलता है, या कामातुरता है, वहाँ सम्बन्ध विहित होने पर भी अनैतिकता होगी। अपनी जोरू को पीटना विहित रहा है किन्तु इसे नैतिक कोई नहीं कह सकता, न कामातुर हो अपनी पत्नी में डूबे रहना नैतिक कहा जा सकता है। इसमें सामाजिक स्वीकृति है किन्तु अन्तःकरण प्रवृत्ति—उत्कर्षानुभव—का साक्ष्य नहीं है।

यहाँ 'उत्कर्षानुभव' शब्द का प्रयोग हमने लाघव के प्रयोजन से किया है, हमारा यह अभिप्राय नहीं है कि इसमें मनुष्य 'मेज़ देखने' के समान कुछ अनुभव करता है, न 'उत्कर्ष' शब्द में निहित 'ऊपर उठने' की दैशिक कल्पना अभिप्रेत है। हम यहाँ 'आत्मोत्तीर्णता' के स्वरूप-निरूपण का प्रयत्न भी नहीं करेंगे।[1] यहाँ हम केवल इतना कहना चाहेंगे कि जिस प्रकार मनुष्य में विषय-विधान (ऑब्जेक्टीफिकेशन) की प्रवृत्ति है उसी प्रकार उसमें औचित्य-विधान की भी प्रवृत्ति है। वह कुछ अवस्थाओं को 'उचित, उत्कृष्ट, शुभ' के रूप में ग्रहण करता है, जिस प्रकार वह कुछ अवस्थाओं को 'यह और ऐसी' के रूप में ग्रहण करता है। औचित्य-विधान का एक ही प्रकार नहीं है, यह सही है, किन्तु न तब विषय-विधान का ही कोई एक प्रकार है।[2]

---

1. '**संस्कृति : मानव-कर्त्तृत्व की व्याख्या**' में 'धर्म का स्वरूप' तथा 'नैतिक मूल्य' अध्याय द्रष्टव्य।
2. द्रष्टव्य '**ज्ञान और सत्**' में अ.1, तथा पीछे 'विषय' अध्याय.

किन्तु औचित्य-विधान के अनेक प्रकार होने का यह अर्थ नहीं है कि हमारे सब औचित्य-निर्णय बराबर सही होते हैं और उनमें कोई भ्रम की सम्भावना नहीं हो सकती—जैसेकि 'नथिंग इज़ गुड ऑर बैड, थिंकिंग मेक्स इट सो' जैसी उक्तियों में कल्पित है—ठीक उसी प्रकार जिस प्रकार विषय-विधान के प्रकारों में विभिन्नता का यह अर्थ नहीं है कि इनमें भ्रम और अयुक्त अवधारण नहीं होता। कर्त्तव्याकर्त्तव्य के निर्णय में विमूढ़ता उसी प्रकार होती है जिस प्रकार सत्यासत्य के निर्णय में। इस प्रकार यह स्वीकार करने पर भी कि नैतिक मूल्यों में परिवर्तन होता है, यह स्वीकार करना आवश्यक नहीं है कि नैतिक निर्णयों में हम विभ्रमित नहीं होते।

नैतिक निर्णयों में ये भ्रम दो प्रकार के होते हैं—एक तो स्थिति-विशेष के नैतिक स्वरूप को नहीं समझ पाने के कारण, जैसे किसी मानसिक दुर्बलता के क्षण में हम किसी अनुचित कर्म को उचित मानने लगते हैं, और दूसरे, जब हम मानसिक दुर्बलताओं को ही मूल्य के पद पर अभिषिक्त कर देते हैं, जैसे आज बहुत-से लोग यौन नैतिकता को पिछड़ेपन का पर्याय मानते हैं और यौन-वृत्तिता को उचित और प्रगति का पर्याय मानते हैं। ये मूल्य-परिवर्तन नहीं हैं, मूल्य विपर्यय हैं, अथवा कहें, मूल्य-बाध हैं।

किन्तु यौन-वृत्तिता को अथवा डाका डालने को उचित कहना, मूल्य-परिवर्तनमूल्य भी हो सकते हैं। जैसे, कम्यूनिस्ट जब यह कहते हैं कि सामाजिक न्याय की स्थिति लाने के लिए कुछ व्यक्तियों की हत्या, लूट-खसोट अथवा व्यापक अव्यवस्था लाना भी उचित है, तब वे नैतिक निर्णयों के लिए एक भिन्न आधार की वकालत कर रहे होते हैं, और जब ये आधार समाज में सामान्यत: स्वीकृत हो जाते हैं तब नैतिक मूल्यों में परिवर्तन की स्थिति उपलब्ध होती है।

इन आधारों में आज परिवर्तन हुए हैं। ऐसा नहीं है कि ऐसे परिवर्तन आज कोई पहली बार हुए हैं। महात्मा बुद्ध ने ऐहिक ब्राह्मण-मूल्यों को चुनौती देकर ऐहिक को दुःखम् कहा और इससे समाज में मूल्यों के आधारों में परिवर्तन घटित हुआ, तान्त्रिकों के कुछ सम्प्रदायों ने यौन सम्बन्ध को साधना का अनिवार्य अंग कह कर यौन-सम्बन्धों को नया अर्थ दिया, एक प्रकार से कृष्ण-भक्ति में पातिव्रत्य का गौण स्थान तो है ही। गोपियाँ पतियों की चिन्ता नहीं करतीं, न सीता और मीरा को एक ही नैतिक धारणा के दो आदर्श उदाहरण कहा जा सकता है।

हमारे युग में नैतिक धारणाओं में जो परिवर्तन घटित हो रहे हैं उनका सूत्रपात यूरोप के पुनर्जागरण युग के साथ हुआ। यद्यपि 'पुनर्जागरण युग' को परिभाषित करना बहुत कठिन है किन्तु तब भी इसकी विशेषताएँ तर्क-परायणता, ऐहिकता और मानववाद कही जा सकती हैं। उदाहरणत: विज्ञान को तर्क-परायणता और ऐहिकता का परिणाम कहा जा सकता है, प्रजातन्त्रवाद और साम्यवाद को मानववाद के दो रूप कहा जा सकता है, प्रत्यक्षवाद (पॉज़िटिविज़्म) को तर्कपरायणता और ऐहिकवाद का और अस्तित्ववाद को तर्क-परायणता और मानववाद का। किन्तु इसके बावजूद इस युग के सब विचार-आन्दोलनों का कोई एक सामान्य मान बताना कठिन है, सिवाय इस बात के कि इन सब आन्दोलनों में न्यूनाधिक मात्रा में ये तीनों तत्त्व मिलते हैं—कीर्केगार्ट और हाइडेगर जैसे अपवादों के बावजूद।

किन्तु जब विचारधाराएँ ऐतिहासिक, सामाजिक, राजनैतिक वस्तुस्थितियों में क्रियान्वित होती हैं तब एक बिल्कुल ही भिन्न बात होती है। यदि तर्कमूलक ऐहिकता एक सर्वथा सही सिद्धान्त भी हो (यद्यपि सिद्धान्तों के इस प्रकार सही होने का कोई विशेष अर्थ नहीं है) तो भी यह एक जीवन-दर्शन के रूप में किस प्रकार के समाज और व्यक्ति को सम्भव कर सकता है, यह विचारणीय है। किन्तु यह केवल एक पक्ष है, दूसरा पक्ष यह है कि एक आध्यात्मिक दृष्टिकोण भी भयानक वस्तुस्थितियों को जन्म दे सकता है। निष्कर्ष यह कि कोई दृष्टिकोण अथवा सिद्धान्त ऐतिहासिक-सामाजिक वस्तुस्थितियों में अपनी तार्किक-शुद्धता के साथ क्रियान्वित नहीं होता। यही पुनर्जागरण के उपर्युक्त त्रिसूत्री आदर्श के साथ हुआ। यद्यपि मैं तो सोचता हूँ कि नवजागरण युग कोई ऐसा आदर्श नहीं दे सका जो व्यक्ति या समाज के लिए एक पर्याप्त दर्शन कहा जा सके, किन्तु यहाँ मैं इस प्रसंग पर विचार

नहीं करूँगा,[1] यहाँ मैं केवल इतना ही कहना चाहूँगा कि प्रजातन्त्रवाद-साम्यवाद ने एक ओर और यान्त्रिक विकास ने दूसरी ओर सामाजिक-राजनैतिक सम्बन्धों को न केवल बदल दिया है बल्कि इन्हें इतनी विशालता भी दी है कि यह अपने आप में एक बड़ी समस्या हो गयी है। इस पर यह कठिनाई है कि मनुष्य को पराकाष्ठा मान लेने से मनुष्य की अपनी गरिमा खण्डित हुई है : हम प्राय: ही अपने जीवन का, अपने होने का, अर्थ जानना चाहते हैं। यह प्रश्न मनुष्य को अपने से 'परे' देखने को बाध्य करता है। 'परे' कुछ नहीं दीखने पर उसे अपने अर्थ के प्रति सन्देह होता है। और जीवन के अर्थ में सन्देह कैसी मन:स्थिति देता है, यह कल्पना करना कठिन नहीं है। यहाँ मैं यह स्पष्ट कर देना चाहता हूँ कि मैं यह नहीं कह रहा हूँ कि जीवन का कोई अर्थ है, कि मनुष्य पराकाष्ठा नहीं है, यहाँ इस सब की चर्चा करने के लिए अवसर नहीं है। यहाँ मैं केवल इसके परिणामों की ओर संकेत कर रहा हूँ।

---

1. इस प्रसंग पर विचार के लिए द्रष्टव्य **'संस्कृति : मानव-कर्त्तृत्व की व्याख्या'** में 'प्राकृतिक विज्ञान' अध्याय तथा आगे 'भारतीय संस्कृति : जीवति या मृत?'

मूल्यान्वेषण और अर्थ–विवेक

(मूल्यांकन की भाषा)

बाह्य या आन्तरिक विश्व का ग्रहण हम अनेक प्रकार के रचना–सन्दर्भों में करते हैं, भाषा उनमें से एक और सर्वाधिक महत्त्वपूर्ण रचना–सन्दर्भ है। सर्वाधिक महत्त्वपूर्ण इसलिए क्योंकि अन्य सब मानवीय रचना–सन्दर्भ : कला, धर्म, विज्ञान आदि : इस रचना–सन्दर्भ को माध्यम बनाते हैं। इस बात को कुछ कम दार्शनिक भाषा में कहें तो कहा जा सकता है कि **भाषा न केवल ऐसे शब्द–प्रतीक हैं जो भाव और विचार की अभिव्यक्ति के साधन हैं, बल्कि यह कि भाषा भाव–विचार का एक आयाम है।** इस प्रकार किसी मानव–वर्ग की भाषा के अध्ययन का अर्थ है उस वर्ग के अस्तित्व के अर्थ को समझना। इसलिए भाषा का अध्ययन अत्यन्त महत्त्वपूर्ण है।

किन्तु भाषा की इन सम्भावनाओं का अध्ययन एक बात है और इसके पक्ष–विशेष का अध्ययन दूसरी बात। बहुत प्राचीन युगों से काव्य की भाषा का अध्ययन किया जाता रहा है, **क्योंकि काव्य में भाषा का असाधारण प्रयोग होता है और परिणामत: यह निर्वचन को चुनौती देता है।** एक प्रकार से, न्याय को विचार अथवा तर्क की भाषा का अध्ययन कहा जा सकता है, निरुक्त और व्याकरण भाषा के अन्य पक्षों के अध्ययन हैं। भाषा–पक्षों के इन अध्ययनों को विज्ञान अथवा शास्त्र कहा जा सकता है, क्योंकि इनमें अध्ययन–विषयगत वस्तुस्थिति की संरचना को समझने का प्रयत्न रहता है। सिद्धान्त और व्याख्या नियम देने, आकलन करने और वर्गीकरण के प्रसंग में प्रवर्तित होते हैं। यद्यपि न्याय का अध्ययन दर्शन के एक विभाग के रूप में किया जाता है, किन्तु शुद्ध पृथक् न्याय शास्त्र अथवा विज्ञान है। किसी विषय के उसके विशिष्ट शब्दों और वाक्य–प्रयोगों की वैचारिक संरचना, अथवा तार्किक संरचना, का विश्लेषण उस भाषा का दार्शनिक अध्ययन कहा जाता है।

आलोचना की भाषा के वैज्ञानिक या शास्त्रीय अध्ययन का कोई विशेष अर्थ नहीं है, क्योंकि उस दृष्टि से आलोचना की भाषा में साधारण भाषा से कोई विशेषता नहीं रहती। जहाँ तक दार्शनिक विवेचन का प्रश्न है, उसके लिए पहले यह देखना आवश्यक है कि आलोचना क्या है? यह परिभाषा का प्रश्न है, अर्थात् इस शब्द के विभिन्न प्रयोगों में से एक को स्थिर और स्पष्ट करने का।

'आलोचना' शब्द का एक प्रचलित अर्थ निन्दा करना है। किन्तु यह इसका बोलचाल की भाषा में एक शिथिल प्रयोग है जो वास्तव में इसके पारिभाषिक अर्थ से ही लिया गया है। किन्तु पारिभाषिक प्रयोग में भी इसके दो अर्थ हैं : एक अर्थ में, किसी कृति के इतिहास, सन्दर्भ, स्वरूप आदि का विवेचन–विशदीकरण है। एक–दूसरे अर्थ में किसी कृति के गुणावगुण का निर्णय आलोचना है। इनमें प्रथम प्रकार की आलोचना में यह आवश्यक नहीं है कि आलोचक आलोच्य कृति का मूल्यांकन भी करे, जबकि दूसरे प्रकार की आलोचना में मूल्यांकन ही लक्ष्य होता है और अन्य सब प्रसंग मूल्यांकन के लिए युक्तता का सन्दर्भ (कांटेक्स्ट ऑफ वैलीडिटी) प्रस्तुत करते हैं। किन्तु तब भी, इस प्रकार की आलोचना में आलोच्य कृति के निर्माण–काल का अनुसन्धान, उसमें प्रयुक्त छन्दों, अलंकारों की गणना और वर्गीकरण आदि जैसी चीज़ें अप्रासंगिक होती हैं। संक्षेप में, हमारे विश्वविद्यालयों में लिखे जाने वाले शोध–प्रबन्धों में बहुत कुछ मूल्यांकन–प्रसंग में अप्रासंगिक होता है। यद्यपि 'आलोचना' शब्द का प्रयोग दोनों ही अर्थों में होता है, किन्तु मुख्य रूप से इसका प्रयोग 'मूल्यांकन' के अर्थ में ही होता है। इसलिए यहाँ हम इस शब्द को मूल्यांकन के अर्थ में ही लेंगे। किन्तु सब मूल्यांकनों को आलोचना नहीं कहा जा सकता। किसी वस्तु अथवा कृति की उत्कृष्टता–निकृष्टता का अंकन मूल्यांकन है। इस निर्णय के लिए यह आवश्यक नहीं है कि मूल्यांकनकर्त्ता अपने निर्णय की युक्तता भी प्रतिपादित कर सके। बहुत बार

युक्तता-सम्बन्धी प्रश्न भी अप्रासंगिक होता है—'मुझे मंगोल मुखाकृति की अपेक्षा आर्य मुखाकृति अधिक सुन्दर लगती है' कहने वाले से इसकी युक्तता की माँग नहीं की जा सकती। अभ्यास आदि के रूप में इस पक्षपात के कारणों का निरूपण इस निर्णय का युक्तता-निदर्शन नहीं है। किसी निर्णय की युक्तता निर्णय-विषय में ऐसे गुणों की विद्यमानता दिखाने से उपलब्ध होती है जिन्हें उस निर्णय के लिए उचित प्रमाण कहा जा सके। मूल्य-निर्णयों के लिए यह उतना ही सही है जितना अन्य किसी भी प्रकार के निर्णयों के लिए—कोई मूल्य-निर्णय तभी युक्त निर्णय कहा जा सकता है। इसीलिए, अधिकांशत: आलोचक आलोच्य कृति को उत्कृष्ट या निकृष्ट कहने की बजाय उसमें ऐसे गुणों का ही निदर्शन करता है जिसकी विद्यमानता यदि उस कृति में स्वीकार कर ली जाय तब यह तर्कत: अनुगत होता है कि वह कृति उत्कृष्ट है।

इस प्रकार आलोचना की भाषा का विश्लेषण वास्तव में युक्त मूल्यांकन की भाषा का विश्लेषण है। स्वभावत: मूल्यांकन के मानदण्ड मूल्यांकन-विषय के अनुसार भिन्न-भिन्न होंगे; उदाहरणत: कलाकृति के मूल्यांकन के मानदण्ड वे नहीं हो सकते जो दार्शनिक कृति के मूल्यांकन के मानदण्ड होंगे, और ये सर्वथा उनसे भिन्न प्रकार के होंगे जो किसी व्यक्ति के अपने पड़ोसी के साथ व्यवहार को आँकने के लिए होंगे। किन्तु यहाँ हमारा विवेच्य मानदण्ड नहीं है बल्कि मूल्यांकन विवेच्य है, इसलिए हमारे लिए यहाँ 'मेघदूत एक उत्कृष्ट काव्य है' और 'महात्मा गाँधी एक महान् व्यक्ति थे' निर्णयों में अन्तर प्रासंगिक नहीं है। वास्तव में कोई आलोचक भी किसी कलाकृति को अनेक आधारों पर आंक सकता है—उसका नैतिक प्रभाव क्या होगा, उसमें सम्प्रेषणीयता कितनी है, तत्कालीन सामाजिक परिस्थितियों को वह किस प्रकार चित्रित करती है, इसका शब्द-विन्यास कैसा है, आदि।

किन्तु मूल्य-निर्णयों की युक्तता के प्रश्न पर अधिकांश विचारकों की धारणा यह है कि अन्तिम विश्लेषण में यह युक्तता वास्तविक नहीं होती, क्योंकि युक्तता के तथाकथित आधारों के लिए कोई युक्तता नहीं होती, ये मनोवैज्ञानिक कारणों से—आवेग, सहसम्बन्ध, अभ्यास आदि से—निर्धारित होते हैं। उदाहरणत:, 'निर्धनों को दान देना उत्तम है' में मूल्य-निर्णय है और इसकी युक्तता इस बात पर निर्भर करती है कि हम दान-कर्म में ऐसा गुण दिखाएं जिसके होने के कारण यह कर्म उत्तम कहना युक्त है। मान लें कि वह गुण 'संसार में दु:ख की मात्रा का ह्रास' है। किन्तु हम यह कैसे जान सकते हैं कि 'संसार में दु:ख-ह्रास-योग्यता' उत्तमतर गुण है? यही बात किसी कलाकृति के मूल्यांकन की युक्तता के सम्बन्ध में भी कही जा सकती है।

× × ×

प्रथम दृष्टि में यह एक अत्यन्त निराशाजनक स्थिति प्रतीत होती है, किन्तु वास्तव में उपर्युक्त धारणा बहुत-से पूर्वाग्रहों पर प्रतिष्ठित है। अन्तिम विश्लेषण में, सभी प्रकार के निर्णयों का युक्तता-प्रसंग चक्राकार होता है—उसकी युक्तता तद्‌बाह्य नहीं होती एक तथ्यात्मक निर्णय की युक्तता का प्रसंग-निर्णय तथ्य के अर्थाभ्युपगम को पूर्वकल्पित करके ही प्रवृत्त होता है और स्वयं उस अर्थाभ्युपगम के लिए कोई औचित्य नहीं दिया जा सकता। अर्थात् किसी तथ्य-निर्णय की युक्तता जबकि वैज्ञानिक प्रमाणों के आधार पर स्थापित की जा सकती है, उस तथ्य के वैज्ञानिक निर्धारण का कोई औचित्य नहीं बताया जा सकता, यह नहीं बताया जा सकता कि उसका जादुई निर्धारण क्यों उचित नहीं है? वास्तव में, यदि विश्लेषण की अन्तिमता को ज़रा और आगे खिसकाया जाय तब, उसका न्यूटनीय निर्धारण, शांकर निर्धारण, स्पिनोज़ाई निधारण आदि भी हो सकते हैं। किन्तु यदि इतनी दूर नहीं भी जाया जाय, तब भी वैज्ञानिक और जादुई दो निर्धारण हैं जिनके लिए कोई औचित्य नहीं बताया जा सकता।[1] किन्तु किसी तथ्य-निर्णय की युक्तता को इस कारण से विषयिनिष्ठ कहना अर्थापघातक है। जब मैं कहता हूँ कि 'राम को ज्वर है' अथवा 'यह पुल धातु-थकान के कारण टूटा है' तब मैं अपनी किसी अभिवृत्ति या आवेग को व्यक्त नहीं कर रहा हूँ, मैं वस्तु-विश्व के सम्बन्ध में ही बात कर रहा हूँ। किन्तु न इसका ही कोई अर्थ

1. इस प्रसंग में प्रस्तुत लेखक की **'ज्ञान और सत्'** पुस्तक में प्रवेश, प्रदत्त, तथा व्याख्या अध्याय द्रष्टव्य।

है कि मेरा उक्त निर्णय इस अर्थ में विषयनिष्ठ है कि यह वस्तु-सत्-विषयक है, अथवा वह सार्वजनीन है। इसी प्रकार मूल्य-निर्णय के लिए भी—इस निर्णय में कि '**मेघदूत** उत्तम कृति है' **मेघदूत** के सम्बन्ध में कहा जा रहा है और यह कथन उतना ही **मेघदूत** के सम्बन्ध में है जितना सूर्य की गुरुत्वाकर्षण-शक्ति के सम्बन्ध में कथन सूर्य के सम्बन्ध में कथन है।

किन्तु मूल्य-निर्णयों में तथ्य-निर्णयों से कुछ अधिक निहित होता है—मूल्य-निर्णय के विषय स्वयं मूल्य-सृष्ट होते हैं जो कर्तृत्व के अर्थ-बोध के साथ उत्पन्न होते हैं।[1] आलोचक के कार्य को समझने के लिए यह अत्यन्त महत्त्वपूर्ण है कि आलोच्य कृति मूल्यात्मक प्रयत्न के रूप में ही मूल्य-निर्णय की विषय होती है, यह उसे उस सन्दर्भ में प्रस्तुत नहीं होती जिस सन्दर्भ में वनस्पति-वैज्ञानिक को पौधे प्रस्तुत होते हैं, अथवा भौतिक-वैज्ञानिक को भौतिक विषय प्रस्तुत होते हैं। इन विषयों की अपनी निजी कोई संरचना नहीं होती, कोई निजी 'सत्' नहीं होता, ये वैज्ञानिक के रचना-व्यापार से उत्सृष्ट होते हैं। इसके विपरीत, मूल्यांकन के विषय मूल्यात्मक प्रयत्न होने से इनका अस्तित्व मूल्यांकनकर्त्ता से स्वतन्त्र रहता है, ये विषय स्वरचित और स्वार्थगर्भ होते हैं। आलोचक का मूल्य-निर्णय केवल सैद्धान्तिक सुविधा या उपयोग की सुविधा से निर्धारित नहीं हो सकता।

मूल्यात्मक प्रयत्न और अन्य वस्तुओं के मूल्यांकन में बहुत अन्तर है। गुलाब, उषा और मणि सुन्दर हैं, इन्हें, 'सुन्दर' कहना इनका मूल्यांकन करना है, और इसी प्रकार किसी मुँह को 'कुरूप' कहना उसका मूल्यांकन करना है। किन्तु किसी चित्रित कुरूप मुखाकृति को 'कुरूप' नहीं कहा जा सकता, इस रूप में उस एक महत्त्वपूर्ण नवीन तत्त्व का समावेश हो गया रहता है। करुण स्थिति और करुण चित्र में अन्तर की व्याख्या करने का प्रयत्न बहुत पुराना है। इनमें अन्तर यह है कि चित्रित मुख और काव्याभिव्यक्त करुण स्थिति मूल्य-सृष्टियाँ हैं जबकि कुरूप मुख और करुण स्थिति मूल्य-सृष्टियाँ नहीं हैं। मुँह का सौन्दर्य आह्लादजनकता में है, उसकी कुरूपता विकर्षण उत्पन्न करने में। इस आकर्षण और विकर्षण के लिए कोई युक्ति नहीं है, इनके लिए इसके अतिरिक्त कोई युक्तता नहीं है कि ये ऐसा करते हैं, अथवा हम ऐसा अनुभव करने के लिए मनोवैज्ञानिक रूप से अभ्यस्त हैं—अर्थात् हमारे व्यवहार की कारण-कार्यपरक व्याख्या यहाँ युक्त है—स्वयं फूल के सौन्दर्य की अथवा मुँह की कुरूपता की कोई युक्तता नहीं है। इसके विपरीत, किसी कलाकृति के मूल्यांकन में हमारी मनोवैज्ञानिक अभिवृत्ति क्या है, यह अप्रासंगिक है, 'यह कृति उत्कृष्ट है' कहने वाले के संस्कार-स्वभाव का इस निर्णय की युक्तता से कोई सम्बन्ध नहीं है, इस निर्णय की युक्तता इस कृति में चरितार्थित कलात्मक कौशल से उपलब्ध होती है।

सुन्दर और सौन्दर्य-मूल्य में आधारभूत अन्तर है, यह अधिकांशतः देखा नहीं गया है। 'सौन्दर्य मूल्य है' प्रतिज्ञा का अन्तर्भाव 'सुन्दर वस्तु प्राप्तव्य है' में नहीं किया जा सकता, यदि यह किया जा सकता हो तब सुन्दर लड़की को प्राप्त करना और रसगुल्ले को प्राप्त करना भी मूल्यों का चरितर्थिन हो जायगा। 'सौन्दर्य मूल्य है' का अर्थ है 'सौन्दर्य चरिताथ्र्य है', अर्थात्, यह किसी वस्तु की उपलब्धि द्वारा नहीं कर्तृत्व के अर्थ-बोध द्वारा मूल्य बनता है। चरितार्थ्यता में कर्तृत्व और अर्थान्वेषण दोनों का समावेश है, अर्थात् मूल्य कर्तृत्व तथा उसकी प्रयोजनवत्ता के बोध की संज्ञा है।मूल्य के अर्थ में 'अर्थान्वेषण' अथवा 'प्रयोजनवत्ता का बोध' निहित होने से ही सौन्दर्य मंगल का अविरोधी ही नहीं पोषक भी है। (राम और कृष्ण में सुन्दर और मंगल का सामंजस्य आकस्मिक नहीं है।) मूल्य का यह अर्थ 'शिव' और 'सत्य' से और भी अधिक स्पष्ट देखा जा सकता है। 'शिव मूल्य है' का अर्थ 'शुभ वस्तु प्राप्तव्य है' करना उपहासास्पद होगा, क्योंकि कोई वस्तु शिव या शुभ नहीं हो सकती, वह अपने प्रभाव या परिणाम के कारण शुभ या अशुभ कही जाती है। इसी प्रकार सत्य के लिए भी। यदि क मेज़ है तो 'क मेज़ है' निर्णय सत्य है, किन्तु इस निर्णय या प्रत्यक्ष की सत्यता में कोई मूल्यवत्ता नहीं है, मूल्यवत्ता सत्य की अन्वेष्यता में है, इसीलिए 'कुत्ते के रोटी का ग्रास दबोच लेने में' सत्य की मूल्यवत्ता उपलब्ध नहीं होती और न

1. वहीं, 'मानव-प्रतिमा' अध्याय।

उसके ग्रास के प्रतिबिम्ब को ग्रास समझ कर नदी में कूद जाने को बलिदान कहा जा सकता है, सत्य की मूल्यवत्ता वैज्ञानिक और दार्शनिक कर्मों में उपलब्ध होती है।

वैज्ञानिक सत्य का अन्वेषण सूचनाओं का संकलन नहीं है, यह एक व्याख्या-सन्दर्भ का सर्जन है। वैज्ञानिक के विषय इसी सन्दर्भ में रचित होकर सत्य होने का सम्मान पाते हैं। इस प्रकार, वैज्ञानिक के विषय अन्वेष्य सत्य से आविष्ट रहते हैं।यही कलाकार के लिए भी सही है, वह चरितार्थ्य सौन्दर्य के सन्दर्भ में विषय-रचना करता है। **इसका अर्थ यह नहीं कि कला का शिव और सत्य से कोई सम्बन्ध नहीं है, किन्तु कला में सत्य व्यंजित होता है अन्वेषित नहीं,** इसी प्रकार कला में शिव आभासित होता है सम्पादित नहीं। यह उन कलाओं में स्पष्टत: देखा जा सकता है जिनमें भाषा का आश्रयण नहीं किया जाता। बहुत-से आलोचक और पाठक कलाकृति में सम्पादित शिव और अन्वेषित सत्य की माँग करते हैं, जो कला के सवरूप को न समझने के कारण है। किन्तु कलाकृति में व्यंजित सत्य और आभासित शिव का साहचर्य अनिवार्य है। चरितार्थ्य सौन्दर्य और सुन्दर वस्तु में इस मौलिक अन्तर को समझ कर ही हम वीभत्स की रसवत्ता का अर्थ समझ सकते हैं।

आलोचक के लिए, और यहाँ हम केवल कला के आलोचक के सम्बन्ध में ही कह रहे हैं, इस प्रकार के मूल्याविष्ट विषय मूल्यांकन के लिए प्रस्तुत होते हैं। साधारण पाठक अभ्यस्त और अल्प शिक्षित होने के कारण इन विषयों में अर्थ-विवेक नहीं कर सकता। आलोचक का कार्य इन विषयों का अर्थ-विवेक कर पाठक को कलाकार के मूल्यान्वेषण का अनुभव कराने में सहायक होना है। असमर्थ आलोचक प्राय: ही इसमें असफल रहता है—वह या तो किसी सिद्धान्त अथवा मतवाद की कसौटी पर कलाकृति को कसता है, अथवा संवेद्य सौन्दर्य (इन्द्रियगोचर सौन्दर्य) को कलाकृति का वास्तव सौन्दर्य (अथवा असौन्दर्य) समझ लेता है, या फिर कलाकृति की व्यंजना को नहीं समझ उस पर असत्य या अमंगल होने का आरोप लगाता है। मतान्धता की प्रवृत्तियाँ हम हिन्दी के मार्क्सवादी आलोचकों में (जिनमें 'पन्त का काव्य और युग' के लेखक (मेरा) का भी समावेश है) देखते हैं और सिद्धान्तान्धता की प्रवृत्तियाँ 'आधुनिकतावादी' आलोचकों में (यद्यपि ये लोग किसी भी सिद्धान्त से नितान्त अपरिचित हैं)। वाहवाही वाली असमर्थ आलोचना छायावाद के आलोचकों में बहुत थी, समर्थ आलोचक आचार्य रामचन्द्र शुक्ल काव्य में शिव और सत्य का भाव नहीं समझ सके थे।

किन्तु आलोचक का कार्य छद्म कलाकारों का उद्‌घाटन करना भी है। ये तथाकथित कलाकार किसी मूल्यादर्श से सम्मोहि नहीं होते, ये केवल सिर हिलाकर सम्मोहन में होने का नाटक करते हैं। इनके सन्दर्भ में आलोचक दण्डधर की भूमिका में आता है। यहाँ आलोचक का कार्य यह दिखाना है कि किस प्रकार आलोच्य कृतिकार सौन्दर्य का चरितार्थन नहीं कर रहा है बल्कि केवल सौन्दर्य का वर्णन कर रहा है, किस प्रकार उसका वीभत्स वास्तव में वीभत्स है—वह सौन्दर्य-सृष्टि नहीं है, और यदि कोई कलाकृति उस सौन्दर्य-साधना से, जोकि कलाकृति के लिए एकमात्र औचित्य हो सकता है, शून्य है तब उसमें शिव और सत्य को देखना बेकार है, क्योंकि वह कलाकृति ही नहीं है।

किन्तु इन दो छोरों के बीच दीर्घ शृंखला होती है : किसी कृति में कलाकार मूल्यादर्श से आकृष्ट होकर भी रचना-प्रक्रिया में उसके सम्मोहन से रिक्त हो सकता है, किसी कृति में उसकी भावित प्रतिमा को सफल अभिव्यक्ति नहीं मिल पाती, अनेक बार कलाकार अपने परिवेश से इतना दब जाता है कि उसका कर्त्तृत्व मूल्य-बोध में पूरा समर्थ नहीं होता। आलोचक का कार्य यहाँ नीर-क्ष्ज्ञीर-विवेक का होता है।

दुर्भाग्यवश हिन्दी-आलोचना की स्थिति इस समय बड़ी दयनीय है। छायावादी युग में सही आलोचना की दिशा में कुछ लक्षण दिखायी दिये थे, कम-से-कम आचार्य रामचन्द्र शुक्ल और कबीर के आलोचक आचार्य हजारी प्रसाद द्विवेदी छायावादी आलोचकों के लिए आलोचना का एक आदर्श प्रस्तुत कर चुके थे, यद्यपि स्वयं छायावादी आलोचक वाहवाही तक अधिक सीमित थे और उसका कोई अर्थ और परिप्रेक्ष्य नहीं देख पा रहे थे। किन्तु शीघ्र बाद ही मार्क्सवादी आलोचक झंझा के समान आये और उन्होंने सही आलोचना की सम्भावनाओं

को जड़ से ही उखाड़ फेंका। इधर तथाकति 'युग के मूल्य-बोध' के नाम पर अनास्था, क्षणिकता, कुरूपता आदि कवि के लिए विशेष रूप से और कथाकार के लिए सामान्य रूप से उसके चरितार्थ्य बन गए हैं। इस साहित्य के आलोचक, अधिकांशत: अभिज्ञता के अभाव के कारण, इस स्थिति से ऊपर नहीं उठ पा रहे हैं। मूल्य का यह विचित्र अर्थ है कि साहित्यकार अपने मूल्य (मूल्यहीनता?) युग से प्राप्त करे। यह मूल्य का समाज वैज्ञानिक अर्थ है जो निर्धारित प्रक्रिया के मनोविज्ञान पर आधारित है। दुर्भाग्यवश बहुत-से तथाकथित आधुनिक कवियों का मूल्य-बोध (मूल्यहीनता) निर्धारित ही है और इन्हें कोई आलोचक नहीं मिला है जो 'युग-बोध' के ऊपर उठ कर मूल्य-बोध प्रदान करे। बल्कि, जिस प्रकार प्रगतिवाद के आलोचक मार्क्सवाद को मानदण्ड बनाकर खरे-खोटे का निर्णय कर देते थे, उसी प्रकार ये आलोचक 'अनास्था' और 'धुरी-हीनता' आदि को मानदण्ड बना कर निर्णय कर देते हैं। और तुर्रा यह कि ये 'अनास्था का दर्शन' और 'क्षण-बोध का दर्शन' जैसे पदप्रयोग कर अपने अर्थहीन और दिशाहीन प्रलाप को सिद्धान्त का जामा पहनाने का प्रयत्न भी करते हैं।

हमारे उपर्युक्त विवेचन से स्पष्ट है कि आलोचक की भ्रान्तता को केवल भाषा-विश्लेषण द्वारा नहीं समझा जा सकता; प्रगतिवादी आलोचकों की भूल उनके भाषा-प्रयोग से नहीं समझी जा सकती और न छायावादी आलोचकों की असमर्थता उससे पूरी तरह से समझी जा सकती है। किन्तु 'अनास्था का दर्शन' और 'क्षण-बोध का दर्शन' जैस पद ही अर्थहीन हैं, यह देखा जा सकता है। अनास्था एक मानसिक स्थिति है जिससे कोई व्यक्ति अथवा युग पीड़ित हो सकता है। इस स्थिति के कारण व्यक्ति और युग का मूल्य-बोध भी प्रभावित हो सकता है, किन्तु यह केवल उस अवस्था में जबकि यह मन:स्थिति है और बोध-विषय नहीं है, अर्थात् जब तक व्यक्ति का अनास्थाभिभूत आत्म उसका बोध-विषय नहीं बनता। बोध-विषय होते ही यह विचार, और अतएव मूल्य का भी निर्धारक नहीं बन सकता, क्योंकि यह विषय निर्धारक नहीं विवेच्य हो सकता है। इसलिए 'अनास्था का दर्शन' वदतोव्याघात है। यही बात 'मूल्यहीनता का बोध' के बारे में भी कही जा सकती है। मूल्यहीनता बोध की नहीं अबुद्धता की स्थिति है : यह मन:स्थिति है, बोध-स्थिति नहीं। दुर्भाग्यवश हमारे अधिकांश कलाकार और आलोचक इस समय 'मन:स्थिति' में हैं, बोध-स्थिति में नहीं।

सौभाग्य की बात यही है कि आलोचक अभी कवियों के समान उतने प्रभावशाली नहीं हुए हैं, सिवाय कुछ कवि-आलोचकों के। कम-से-कम ये अभी उस प्रकार से त्रास की स्थिति उत्पन्न नहीं कर पाये हैं जिस प्रकार से प्रगतिवादी आलोचकों ने पहले ही आक्रमण में कर दी थी। किन्तु शेष अधिकांशत: रह जाते हैं विश्वविद्यालयों के वे महानुभाव जो विश्वविद्यालयों में नौकरी पाने के लिए या लेक्चरर से रीडर बनने के लिए पेपरों की संख्या में वृद्धि करने में अधिक संलग्न हैं बजाय कुछ समझने के। इनकी पीली, कलपनाहीन, बुद्धिहीन और शब्द-बहुल आलोचनाओं को तो शतवार प्रणाम।

4
सत्ताविषयक अन्वीक्षा

प्रवेश

सत्तान्वीक्षा, तत्त्वचिन्तन, परमार्थ-विचार, स्वरूप-चिन्तन आदि पद 'दर्शन' पद के पर्यायवाची माने जाने चाहिएँ, जो साधारणत: आज नहीं माने जाते। किन्तु प्राचीन समयों में ये पद पर्यायवाची थे। इसी धारणा के अनुसार उस समय दर्शन का कार्य आत्मा, ईश्वर, सृष्टि की उत्पत्ति और प्रयोजन आदि विषयक विचार और इस विचार को सत्य का ज्ञापक तथा उन्मेषक माना जाता था। किन्तु पीछे दर्शन के बौद्धिक कल्पना-प्रधान हो जाने पर ये तत्त्व मननीय और साक्षात्कार्य अर्थ नहीं रह कर परोक्ष अर्थों के रूप में कल्पनीय हो गए। इस प्रकार दर्शन के द्वारा प्राकृतिक वस्तु-लोक के समकक्ष एक अतिप्राकृतिक वस्तु-लोक की रचना हो गई और परिणामस्वरूप दर्शन को अपने सम्बन्ध में अतिप्राकृतिक वस्तु-विषयक विज्ञान होने का भ्रम हुआ। कांट द्वारा तत्त्वमीमांसा का प्रत्याख्यान इसी प्रकार के अपविज्ञान का प्रत्याख्यान है। किन्तु इस प्रत्याख्यान में यह भ्रम निहित है कि या तो प्राकृतिक वस्तु-लोक के अनुरूप कोई और लोक है, या नहीं है, और इस प्रकार यदि अप्राकृतिक लोक नहीं है तो फिर प्राकृतिक लोक ही एक मात्र लोक है। कांट की इस भ्रान्ति की पुष्टि उसके ईश्वर के अस्तित्व के निषेध से, और पुन: उसे "मनुष्य के नैतिक अन्वेषण की पार्यन्तिक कल्पना का आक्षेप" कहने से स्पष्ट है। किन्तु अन्वेष्य भाव कल्पित या आक्षिप्त नहीं होता, कल्पित या आक्षिप्त प्राकृतिक वस्तु की मानसिक अनुवृत्ति होती है और इस प्रकार वह प्राकृतिक ही होती है। इसके विपरीत औपनिषद 'तत्त्वमसि', 'आत्मा वै ब्रह्म' आदि उक्तियाँ हैं जो आत्ममनन-जन्य दृष्टि की अभिव्यक्तियाँ हैं। वास्तव में इन्हें मन्त्र कहना चाहिए, जो कि इन्हें कहा भी गया है। अब मन्त्र और दर्शन में अन्तर है। मन्त्र वाग्-अगोचर तत्त्व के प्रातिभ साक्षात्कार की अभिव्यक्ति होता है जबकि दर्शन वाग्गोचर प्रत्ययों द्वारा इस तत्त्व का अवगमन है। यहाँ कहा जा सकता है कि वाक् द्वारा वाग्-अगोचर का अवगमन कैसे हो सकता है? इसका उत्तर होगा कि यह अवगमन इस कारण सम्भव होता है क्योंकि ये प्रत्यय स्वरूपत: आत्म-अतिक्रमणशील होते हैं और अपनी पूर्णता, अपनी सिद्धि अपने लिए अगोचर के अनुमान में ही पाते हैं। इस परिभाषा के लिए 'दर्शन' शब्द अनुपयुक्त हो सकता है, क्योंकि अनुमान वह है जो दर्शन : प्रत्यक्ष-ग्रहण : का या तो अनुसरण करता है अथवा उसकी प्रमाण के रूप में अपेक्षा करता है। इस परिभाषा के अनुसार 'दर्शन' 'मन्त्र' का पर्याय जैसा हो जाता है और अतिक्रामी अनुमान के लिए 'आन्वीक्षिकी' शब्द का प्रयोग अधिक उपयुक्त जान पड़ता है। इस प्रकार दूसरे अर्थ में 'दर्शन' शब्द को व्युत्पत्ति के बजाय योगरूढ़ि के अनुसार ग्रहण करना चाहिए, क्योंकि दृष्टत्त्व प्रचलित अर्थ में दार्शनिक चिन्तन की प्रेरणा और लक्ष्य तो हो सकता है किन्तु स्वयं वह इस दृष्टि का वाग्गोचर प्रत्ययों द्वारा अन्वेषण, अवगमन और प्रत्यक्षीकरण होता है।

वाग्गोचर प्रत्यय का सत्य : प्रमा : यद्यपि तत्त्व-साक्षात्कार होता है किन्तु इसका प्रमाण युक्ति-तर्क-व्यवस्थागत आत्मसंगतिपरक होता है। यह व्यवस्था विश्लेषणात्मक होती है जिसमें विश्लिष्ट वह सत्य होता है जो अखण्ड दृष्टि का अखण्ड विषय होता है। इस पर कहा जा सकता है कि, अखण्ड का विश्लेषण कैसे सम्भव है? तत्त्व-विषयक इसी धारणा से दृष्ट को अनभिलाप्य कहा गया है। किन्तु वास्तव में विश्लेषण अनिवार्य रूप से साधारण विभाजन नहीं है, उचित रूप से यह अवयवी को अवयवों की व्यवस्था के माध्यम से देखना है। इस प्रकार विश्लेषण का उचित कार्य अखण्ड की अप्रकट विपुलता को प्रकट करना होता है। ऐसा भी नहीं है कि यह अखण्ड निरवयव होता है और विश्लेषण उसमें सावयवता का आरोप करता है। यह वास्तव में मूलत: ही सावयव होता है। किन्तु यह सावयव : अवयवी : अवयवों का संघात मात्र नहीं होने से उनका अतिक्रमण करता है। वाक् इस अवयवी का अभिलाप नहीं करती, किन्तु यह : अवयवी : वाग्गोचर के साथ उसके अतिक्रामी के रूप में उससे अनिवार्यत: सम्बन्धित होता है और उसका धारण करता है। मोक्ष, ईश्वर, प्लेटोई प्रत्ययगम्य अलौकिक तत्त्व इसी प्रकार की सत्ताएँ हैं। ये दर्शन के अन्वेष्य हैं। साक्षात्कार के लिए ये सत्ताएँ दर्शन से बहुत भिन्न प्रकार के

प्रयत्न की अपेक्षा करती हैं : ये अस्तित्व में आत्म-व्यवहित सत्ता के व्यवधान-निवारण की अपेक्षा करती हैं। यह निवारण अस्तित्व के अपने को सत्ता के अनुसार साधने के द्वारा होता है। यह साधना सगीत-साधना के समान होती है, जो कलाकार द्वारा न केवल प्रत्यय के बौद्धिक अवगमन की अपेक्षा करती है बल्कि कण्ठ को उस प्रत्यय के अनुसार साधने की अपेक्षा भी करती है।

किन्तु यह विचार आधुनिक मति को मान्य नहीं है। यह मति ह्यूम द्वारा प्रवर्तित मान्यता का अनुसरण करती है, जिसके अनुसार दर्शन का कार्य संवेद-ग्राह्य अर्थों का युक्ति-वितर्क की व्यवस्था में अनुशीलन है। किन्तु हमारे देश में एक दूसरी अन्तर्धारा भी प्राचीनतम युगों से निरन्तर प्रवहमान् रही है जो प्राचीन होने पर भी आधुनिक, और आधुनिकोत्तर भी है। इसका स्रोत उपनिषद् हैं। यह अन्तर्धारा दर्शन के क्षेत्र में कभी प्राचीन समयों में भी अक्षुण्ण रूप से प्रवहमान् रही है यह कहना सम्भवत: समीचीन नहीं होगा। किन्तु तब भी, भारतीय मानस में यह कभी स्फुट रूप में और कभी अस्फुट रूप में प्रवहमान् रही है, यह निस्संदिग्ध रूप से कहा जा सकता है।

उपनिषद्-दृष्टि में एक बड़ी मज़े की बात एक प्रकट अन्तर्विरोध है : जहाँ तू ही तू है, या मैं ही मैं हूँ : जहाँ दो के समाने की जगह ही नहीं है : वहाँ विचार और वितर्क के लिए स्थान ही कहाँ है? कबीर कहते हैं—

> प्रियतम को पतियाँ लिखूँ, जो कोई होय बिदेस,
> तन में, मन में, नयन में, वाको कहा सँदेस?

और बस यही प्रश्न है, यही उसका समाधान है : यदि प्रियतम निपट बिदेसी हो, तन में-मन में-नयन में नहीं हो, तो उसे पत्र लिखने की ज़रूरत ही किसे होगी? किन्तु यदि वह तन में-मन में-नयन में अभिन्न रूप से हो, तो भी उसे कोई पत्र क्यों कर लिखेगा? किन्तु हम तो पत्र लिखने को तड़पते हैं, विरह में विकल रोते हैं। यह व्याकुलता इस बात की द्योतक है कि प्रियतम एक-साथ बिदेस में भी है और तन में-मन में-नयन में भी है। दार्शनिक विचार-वितर्क यही अभिन्न के भिन्न होने, अपने को आप पतियाँ लिखने, का खेल है, अपने को अपने से अलग कर प्यार का स्वाद चखने का उपाय।

सत्ता को मैंने अस्तित्व की और वस्तुता की कोटियों से हटा कर भाव्य-भाव की कोटि में रखा है। अकेला भाव्य कहने में यह दोष है कि तब सत् स्वरूपत: अपूर्ण हो जायगा, केवल 'भाव' कहने से न अनिष्ट, अव्यवस्था और न्यूनता का कोई अर्थ रहेगा और न मूल्य-पर्येषणा का। एक ओर सत्ता की गरिमा के लिए यह आवश्यक है कि वह भाव्य हो और दूसरी ओर भाव्य के सत् होने के लिए यह आवश्यक है कि वह निरपेक्ष-पूर्ण भाव हो। यह अन्तर्विरोध ही सत्ता की विपुल पूर्णता का रहस्य है। दूसरी ओर अस्तित्व को मैंने सत्ता के जीवन में एक आगन्तुक आविर्भाव के रूप में देखा है, उसके एक आयाम या घटक के रूप में नहीं। "अस्तित्व" मेरी विचार-व्यवस्था में सांवृतिक चेतना, वेदना, अन्नमय-प्राणमय-मनोमय कोश, ऐन्द्रिक-दैहिक आविर्भाव है। यह अस्तित्व सत्ता की पूर्णता के लिए : ईश्वर के ईश्वरत्व के लिए : न केवल अनिवार्य ही नहीं है बल्कि अनावश्यक भी है। अस्तित्व के सत्य होने के लिए यह अनिवार्य है कि वह सत् में अधिष्ठित भी हो, किन्तु सत् के पूर्ण होने के लिए यह आवश्यक नहीं है कि उसका अस्तित्व भी हो। इस प्रकार जगत् ईश्वर के बिना, मनुष्य मोक्ष के बिना असत्य है, किन्तु मुक्त चैतन्य के लिए यह आवश्यक नहीं है कि वह अन्नमयादि कोशों के माध्यम से व्यक्त, या अस्तित्वयुक्त हो। इसी प्रकार, ईश्वर की पूर्णता के लिए भी यह आवश्यक नहीं है कि इस कुत्ते, उस सूअर, अथवा इस कीचड़ का अस्तित्व हो। इस पर कहा जा सकता है कि 'ईश्वर का अस्तित्व है' का अर्थ यह नहीं है कि 'जगत् की वस्तुओं और जीवों का अस्तित्व है', बल्कि यह ईश्वर के अपने अस्तित्व का ही कथन है, जिस प्रकार किसी कलाकार के अस्तित्व के सम्बन्ध में कथन का यह अर्थ नहीं है कि उसकी कृतियों का अस्तित्व है। किन्तु यह सही नहीं है। 'बेन्द्रे का अस्तित्व है' का अर्थ है कि "देह, इन्द्रियों और मनस् का संघात-विशेष घटित हो रहा है।" यह संघात उन क्रियाओं का भी समावेश करता है जो चित्र-रूप में प्रतिफलित होती हैं। अब, यदि ईश्वर का अस्तित्व है तो जगत् का अस्तित्व, बेन्द्रे की चित्र-निर्माण-क्रियाओं और चित्र-कल्पनाओं आदि के समान, या

तो उसका अंश है अथवा उसका सम्पूर्ण। यदि जगत् सम्पूर्ण रूप से ईश्वर के अस्तित्व को परिभाषित करता है तो स्पष्टत: यह उसके तत्त्व में कोई वृद्धि नहीं करता, बल्कि यह भी कहा जा सकता है कि इस अस्तित्व में वह आत्म-व्यवहित ही होता है, और यदि यह उसके अस्तित्व को निश्शेषत: परिभाषित नहीं करता तो बताना होगा कि उस अस्तित्व का शेष क्या है? ईश्वर के अस्तित्व को जैसे भी परिभाषित किया जाय, वह अस्तित्व उसके तत्त्व के अनिवार्य है, ऐसा कहना युक्त प्रतीत नहीं होता। इतना ही नहीं, 'मोक्ष या ब्रह्म, या साँख्यीय पुरुष का अस्तित्व है', अथवा 'इस पुस्तक के निर्दोष रूप का अस्तित्व है' इन कथनों का भी कोई अर्थ दिखायी नहीं देता। इस रुपये, अथवा मेरी थाली की रोटी का अस्तित्व यदि नहीं हो तो वे कुछ भी नहीं हैं, अस्तित्व इनके सत्य का एक मुख्य और अनिवार्य अंश है। इसके विपरीत, मेरे सत्य का यह मुख्य और अनिवार्य अंश नहीं है : आत्म-बलिदान की भावना में अस्तित्व की यह आगन्तुकता और औपचारिकता पूर्वगृहीत रहती है।

इस दृष्टि से अस्तित्व वास्तव में सत् में आत्मव्यवधान रूप भी देखा गया है : "कुम्भ फटा जल जलहिं समाना", किन्तु साथ ही वह सत् के आत्म-प्रकाशन, आत्मावगमन, आत्माभिव्यक्ति का अवसर भी है : भाषा एक-साथ विचार को उपहित भी करती है और व्यक्त भी करती है। इसी प्रकार, भव्यता (बिकमिंगनेस) में अस्तित्व जबकि भाव का निरन्तर तिरोभाव है, इसका सत्य निरन्तर आविर्भाव है जिसमें तिरोभाव कारक बनता है। इस प्रकार यह आत्मनिमीलित भाव का उन्मीलन, क्रियान्वयन और विकसन है। सत् के पक्ष से इसे ब्रह्म का आनन्दांश भी कह सकते हैं। यह बात केवल शब्द-कल्पना नहीं है : यह एक पौधे के असंख्य बीजों में अपने तिरोभाव का निषेध करने, अस्तित्व-रक्षा के सहज, आद्य और निरपेक्ष मूल्य होने से स्पष्ट है। किन्तु अस्तित्व का यह सत्य उसे सत्ता के केन्द्र में, उसके मूल में, प्रतिष्ठित नहीं कर देता, क्योंकि अपने सत्य के लिए अस्तित्व को सत्ता की अपेक्षा होती है, सत्ता को अस्तित्व की नहीं। यदि कहा जाय कि अपनी अभिव्यक्ति के लिए सत् को अस्तित्व की आवश्यकता होती है, तो भी सही नहीं है, क्योंकि व्यक्त सत् अपने स्वरूप से न भिन्न होता है और न अधिक। अन्तर केवल यह होता है कि वह अस्तित्व में विभक्त और इस विभिक्ति से उपहित होता है।

यहाँ सत् और अस्तित्व के सम्बन्ध में एक और भ्रान्ति का निवारण स्थाने होगा। ईश्वर को प्रतीत्यसमुत्पन्न सत्वों के विपरीत स्वोत्पन्न, अर्थात् अनुत्पन्न सत्त्व कहा गया है। यहाँ अनुत्पन्न सत्त्व : ईश्वर : जिस युक्ति से अनुमित है वह भ्रान्त है। युक्ति यह है कि प्रतीत्यसमुत्पन्न : अन्य को आश्रित कर उत्पन्न : एक अन्तिम आश्रय या प्रथम कारण को पूर्वकल्पित करता है, जो आश्रय अनुत्पन्न होना आवश्यक है, अन्यथा वह आश्रय नहीं होगा। किन्तु यह भ्रान्त युक्ति है, क्योंकि उत्पाद-शृंखला में आदि कारण के अनुमान में प्रथमत: तो कोई अनिवार्य हेतुता नहीं है और दूसरे, इस अनुमान की अपनी प्रामाणिकता स्वत:सिद्ध नहीं है। इसके अतिरिक्त, अजात आश्रय न अस्तित्व होगा, न सत्, क्योंकि अस्तित्व होने के लिए आविर्भाव होना आवश्यक है। दूसरी ओर अजातता सत्ता को उपलक्षित करती है, यह नहीं कहा जा सकता : वैदान्तिक माया अजात भी है और असत् भी, किन्तु वह निरन्तर आविर्भाव-युक्त और इस प्रकार सास्तित्व है।

यह मूल विचार है जिसका व्यापक रूप से मैंने इस पुस्तक में अवगाहन किया है। इस प्रकार इस पुस्तक को एक निबन्ध भी कह सकते हैं जिसके विभिन्न अध्याय अनुच्छेदों के समान हैं।

दर्शन के आधार

दर्शन के आधार पर विचार दर्शन के इतिहास में अपेक्षाकृत नयी बात है, किन्तु अन्यथा दर्शन आधार-विषयक प्रश्नों पर ही विचार करता है। सम्भवत: दर्शन की यह एक सबसे कम विवादास्पद परिभाषा हो सकती है कि यह आधार सम्बन्धी प्रश्नों पर ही विचार करता है। किन्तु ऐतिहासिक रूप से दर्शन ने सर्वप्रथम जिज्ञासा सत्ता (बींग) के आधार के सम्बन्ध में की थी। सब उपनिषद् इसी जिज्ञासा और ज्ञान को प्रकट करते हैं। ग्रीस के प्रथम दार्शनिक थेल्स ने इस जिज्ञासा का जो समाधान किया वह प्रसिद्ध ही है, उसके अनुसार सत्ता का आधार जल है। इस उत्तर में उसकी सत्ता की अवधारणा भी प्रकट होती है। थेल्स के विपरीत ऋग्वेद का ऋषि इस आधार को अगम्य पाता है, क्योंकि वह सत् की विराट्ता और अतलता से अभिभूत है।[1] सत्ता के आधार की अगम्यता के बोध का कारण वैदिक ऋषि द्वारा इसे भौतिक से बहुत अधिक व्यापक रूप में देखना है। यह वैदिक दृष्टि पीछे उपनिषद् में बहुत सूक्ष्म रूप ले लेती है। औपनिषद ऋषि सत् के आधार को स्वयं सत् से भी परे, असत् में, देखता है, जिससे उसका आशय चित् की उस अवस्था से है जो प्रत्ययों और प्रत्येयों में अभी स्फुटित नहीं हुआ है।[2] उपनिषद् ही में हम विश्व के वैचारिक इतिहास की एक अद्वितीय महत्त्व की क्रान्ति घटित हुई देखते हैं, जिसमें सत् अब चित् से बाहर ज्ञेय विषय नहीं होकर उसका अपना सत्य है जो जगद्भाव में अपने को सर्जित करता है (तदात्मानं स्वयमकुरुत) और आत्मोन्मुख भाव में अपने तत्त्व में प्रतिष्ठित होता है। पश्चिमी दर्शन के इतिहास में यह दृष्टि पहली बार डेकार्ट में दिखायी देती है, जिसका क्रमिक परिष्कार हम फ़िख़्ते, शैल्लिंग और हेगल में पाते हैं। ज्ञान का यह प्रत्युङ्मुख या आत्मोन्मुख निवर्तन, अथवा कहें उसकी आत्म-वृत्ति में अवस्थिति, उसके द्वारा सत्ता की बाहर खोज में निष्फल होकर उसे अपने ही भीतर पाने में है।

किन्तु सत् के आधार की जिज्ञासा वास्तव में उसकी चित् के हृदय में प्रतिष्ठा की ही द्योतक है। बाह्य सत् ऐन्द्रिक माध्यम में सद्य: प्रस्तुति के रूप में ग्रहण होता है। इस प्रस्तुति का भौतिक होना आवश्यक नहीं है, वह तान्मात्रिक भी हो सकती है, जैसे पौराणिकता में। इस प्रस्तुत सत् के आधार की जिज्ञासा उसके उस धर्म या स्वभाव की जिज्ञासा है जो प्रत्यय-ग्राह्य होता है। धर्म या स्वभाव का लक्षण व्यापकता है। आधार वह है जो व्यापकतम है। इस प्रकार दर्शन द्वारा आधार की खोज व्यापकतम तत्त्व की खोज है। किन्तु व्यापकतम के लिए यह अनिवार्य है कि वह स्वयं जिज्ञासा को भी व्याप्त करे। किन्तु जैसाकि हम आगे देखेंगे, जिज्ञासा का आधार ही व्यापकतम है, वही सब धर्मों और तत्त्वों का समावेश करता है।

किन्तु यहाँ यह द्रष्टव्य है कि जबकि सत्ता के आधार की खोज उपनिषद् में, और एक सीमा तक डेकार्ट में भी, स्वयं ज्ञान (या जिज्ञासा) में सत्ता का आधार देखने में निष्पन्न हुई, दर्शन के अपने आधार का प्रश्न केवल पाश्चात्य दर्शन के इतिहास में जर्मन प्रत्ययवादियों (आइडियलिस्ट्स) ने ही स्पष्ट रूप से उठाया; जबकि दर्शन के

---

1. को अद्धा वेद, क इह प्रवोचत्
कुत आ जाता, कुत इयं विसृष्टि:
अर्वाग्देवा अस्य विसर्जनाथा
को वेद यत आवभूव। — ऋक् 5.10.128.6
इयं विसृष्टिर्यत आबभूव
यदि वा दधे, यदि वा न
सोऽस्याध्यक्ष: परमेव्योमन्
सोऽङ्ग वेद यदि वा न वेद। — 5.10.128.7

2. (1) असद्वा इदमग्र आसीत्। ततोवै सदजायत। तदात्मानं स्वयमकुरुत। — **तैत्तिरीय,** वल्ली 2, अनुवाक 7.
(2) स पर्यगाच्छुक्रमकामव्रणमस्नाविरं शुद्धमपापविद्धम्। — **ईशावास्य,** मन्त्र 8.

सम्बन्ध में यह सहज और आवश्यक प्रतीत होता है कि उसमें अपने आधार का प्रश्न आरम्भ से ही उपस्थित हो, क्योंकि आधार-विषयक सभी जिज्ञासाएँ जिज्ञास्य के उस तत्त्व के बारे में होती हैं जो विचार की क्रिया को अपनी प्रत्यङ्मुख वृत्ति में ही ग्राह्य होता है, और इस वृत्ति के लिए अपने आधार की जिज्ञासा नितान्त स्वाभाविक है। किन्तु तब भी दर्शन के इतिहास में यह प्रश्न इतने समय बाद उठा यह एक तथ्य है, जिसका कारण यह कहा जा सकता है कि चेतना की विचारात्मक वृत्ति भी अपने सहज रूप में इन्द्रियानुगामी या बाह्योन्मुख है और दर्शन द्वारा अपने आधार की जिज्ञासा विचार (प्रत्यय) की आत्मोन्मुखता की पराकाष्ठा है। किन्तु वास्तव में दार्शनिकों ने, भारतीय दार्शनिकों ने विशेष रूप से, विचार के स्वरूप पर भी बहुत समय पहले विचार किया था, यद्यपि उन्होंने इसे दर्शन के आधार के प्रश्न के रूप में नहीं देखा था। 'नेति-नेति', 'अनिर्वचनीय', 'अनभिलाप्य' और 'तर्कानामप्रतिष्ठानात्', विचार के आधारों पर विचार के ही उदाहरण हैं। केवल इनमें और दर्शन के आधार-विषयक डेकार्टीय अन्वेषण में यह अन्तर है कि प्रथम का प्रश्न मूलत: सत्ता-विषयक है और इस प्रकार उसके लिए दार्शनिक आधार का विचार अवान्तरत: या परोक्षत: ही उपस्थित है जबकि डेकार्ट का प्रश्न मौलिक रूप से दर्शन-विषयक ही है, यद्यपि स्वयं डेकार्ट इस प्रश्न के, और विचार के, स्वरूप के अवगाहन में उस दूरी तक नहीं जा सका था जिस दूरी तक आदर्शवादी भारतीय दार्शनिक जा सके थे। उदाहरण के लिए, उसने यह देखकर भी कि गणित और निगमन स्वत:प्रमाण नहीं हैं, दर्शन की विधि के रूप में इन्हें ही स्वीकार किया[1] और यह प्रश्न नहीं उठाया कि इनको विधि के रूप में लेकर दर्शन किस प्रकार प्रामाणिक दृष्टि प्राप्त कर सकता है? वास्तव में डेकार्ट की दृष्टि का महत्त्व आत्म-चैतन्य के अतिरिक्त शेष सबकी आगन्तुकता देखने और इस आगन्तुक के निवारण को दार्शनिक विधि का रूप देने में है।[2] किन्तु वह इस दृष्टि की पूरी गहराई नहीं नाप पाया। इसी से उसका आत्म के आधार से विषय की पुन: स्थापना का प्रयत्न अत्यन्त स्थूल और अपनी दृष्टि के विपरीत है। उदाहरण के लिए विषयी आत्मा का तत्त्व यदि ज्ञातृत्व है तो वह द्रव्य नहीं हो सकता, ऐसा द्रव्य तो कभी भी नहीं जो पाइनियल ग्रन्थि में भौतिक देह के सम्पर्क में आये। ज्ञातृत्व विषयोन्मुख या आत्मोन्मुख चित्क्रिया है, जिसे गुणों का आधार-द्रव्य नहीं कहा जा सकता। इसी प्रकार, बाह्य विषय यदि आत्मा[3] के प्रत्यय के रूप में ही ग्राह्य है, तो प्रत्यय की सत्यता के लिए किसी भिन्न सत्ता की आवश्यकता नहीं है, विस्तारात्मक सत्ता की तो सर्वथा नहीं। किन्तु डेकार्ट में ये दोनों प्रतिपत्तियाँ मिलती हैं। वास्तव में डेकार्ट के प्रयत्न का दोष उसकी दृष्टि के मूल में ही है जो वह आत्मा को स्वरूपत: वैयक्तिक और विमर्शात्मक देखता है। इसके विपरीत औपनिषद दृष्टि है जिसके अनुसार ज्ञाता परम अनिर्धार्य और अगम्य है : "विज्ञातारं रे केन विजानीयात्", अथवा बौद्ध दार्शनिक वसुबन्धु की दृष्टि है, कि ग्राह्य-ग्राहक भाव उपचार मात्र है[4] और इस प्रकार विज्ञान वैयक्तिक निर्धारणों से परे है। यह दृष्टि आत्मा को स्पष्ट और विविक्त (क्लीयर एण्ड डिस्टिंक्ट) प्रत्ययों के समवाय या इनके अधिष्ठाता के रूप में, अथवा

---

1. डेकार्ट — **डिस्कोर्स ऑन मैथड,** भाग 2.
2. डेकार्ट की **'मैडीटेशंस्'** के अतिरिक्त इस पर द्रष्टव्य—

   पिअरे थेवनाज़-कृत **ह्वाट इज़ फिनामिनालोज़ी** पुस्तक में 'दि क्वश्चन ऑफ रैडिकल डिपार्चर इन डेकार्ट एण्ड हुस्सर्ल' अध्याय, तथा भगवती — 'डेकार्ट : दार्शनिक विवेचन', **दार्शनिक त्रैमासिक,** अप्रैल, 1973.
3. यहाँ यह द्रष्टव्य है कि डेकार्ट का 'इगो' उपयुक्त रूप से 'आत्मा' का पर्याय नहीं हो सकता, क्योंकि 'इगो' व्यक्तिगत अनुभवों का अनुभूत अधिष्ठाता है जबकि आत्मा वैयक्तिक निर्धारणों से पूर्णत: रहित है। इसलिए 'इगो' के लिए 'आत्म' (अस्मिता के अर्थ में) का प्रयोग ही उचित है और वही हम आगे करेंगे।
4. वसुबन्धु — **विज्ञप्तिमात्रतासिद्धि:,** दशम् कारिका पर वसुबन्धु की वृत्ति : 'यो बालैर्धर्मणां स्वभावो ग्राह्यग्राहकादि परिकल्पितस्तेन परिकल्पितेनात्मना तेषां नैरात्म्यं, न त्वनभिलाप्येनात्मना, यो बुद्धानां विषय इति।'

   हिन्दी अनुवाद—

   अज्ञानियों द्वारा धर्मों के स्वभाव की जो कल्पना ग्राह्य-ग्राहक रूप में की गई है उस कल्पित रूप में उनका नैरात्म्य है न कि अनिर्वचनीय रूप में, जो कि बुद्धों का विषय है।

प्रत्यय-क्रिया के रूप में भी नहीं देखती, क्योंकि ये सापेक्ष और विषयात्मक हैं और उस दृष्टि के सम्मुख निरस्त हो जाते हैं जो इनकी सापेक्षता को देखती है।

यहाँ यह आपत्ति की जा सकती है कि डेकार्ट विषय-प्रत्यय को नहीं बल्कि प्रत्यय-ग्रहण-मूलक विषयी को आत्मा मानता है। यह सही नहीं है, वास्तव में यह प्लेटो द्वारा निर्धारित सम्पूर्ण पाश्चात्य दर्शन की सीमा है कि वह आत्मा का धर्म प्रत्यय को ही मानता है, और प्रत्यय वस्तून्मुख, या वस्तुग्राही है; यह केवल कांट के अनुवर्ती जर्मन प्रत्ययवादियों के लिए ही सम्भव हुआ है कि वे चैतन्य को प्रत्यय से अतिक्रामी रूप में देख सकें, जिसका कारण सम्भवत: तत्कालीन जर्मनी का भारतीय दर्शन से परिचय था।

किन्तु इस पर कहा जा सकता है कि यह कोई स्वत:स्पष्ट बात नहीं है कि प्रत्यङ्मुख प्रत्यय अनिवार्यत: निरपेक्ष आत्मतत्त्व अथवा विषयी-तत्त्व को आधार बनाता है। प्रत्यय अपना आधार स्वयं भी हो सकता है, जैसा डेकार्ट में। दूसरे, यह भी कैसे स्वत:सिद्ध है कि प्रत्यय के लिए प्रत्यङ्मुख होना अनिवार्य अथवा सम्भव भी है? यह क्यों नहीं माना जाय कि प्रत्यय अनिवार्यत: विषयोन्मुख ही होता है, फिर चाहे विषय प्रत्यय का अन्तर्गत अर्थ (कांटेंट) ही क्यों न हो? जैसे माइनांग और हुस्सर्ल में? अथवा इससे आगे जाकर यह भी क्यों नहीं कहा जा सकता कि प्रत्यय अनिवार्यत: बाह्य सत् का अपेक्षी है, जिसे अव्यवहित भाव से प्रस्तुत होने में ही उसकी सार्थकता है, और दर्शन का कार्य प्रत्यय और सत् के बीच के व्यवधान को हटाना ही है, जैसा प्लेटो और न्याय-वैशेषिक में है? अथवा, यदि दर्शन अपने आधार की खोज में प्रत्यय की प्रत्यङ्मुखता को ही पाता है तो भी यह कैसे कहा जा सकता है कि यह प्रत्यङ्मुख प्रत्यय के समान ब्रह्म में, या नागार्जुन के समान शून्य में ही अपना आधार पाता है; वह ह्यूम के समान संवेदमूलक आत्म-विघटन में ही आधार क्यों नहीं पा सकता? और आगे जाकर यह भी पूछा जा सकता है कि दार्शनिक आधार की खोज प्रत्यय की दिशा में ही क्यों उचित है, भौतिक सत्, अथवा संस्कृति, अथवा इतिहास की दिशा में क्यों उचित नहीं है?

जैसाकि दर्शन के इतिहास से परिचित लोग जानते हैं, दार्शनिक आधार की खोज ने प्रत्यक्ष या परोक्ष रूप से ये सभी दिशाएँ ली हैं। तब किसी एक दिशा को पूर्वाग्रह-रहित और शेष को पूर्वाग्रह-ग्रस्त कहने का औचित्य स्वभावत: संदिग्ध हो जाता है : यहाँ यह द्रष्टव्य है कि पूर्वाग्रह-राहित्य का विचार दर्शन का आधार उस अनुभव में खोजने से सम्बन्धित है जो सब ज्ञान में आधारभूत और पूर्णत: निश्चयात्मक है। दर्शन के पूर्वाग्रह-रहित आधार के अन्वेषक दार्शनिकों का कहना है कि चेतना में सहज प्रदत्त अनुभव से आरम्भ कर उसकी आलोचना के सहारे ही क्रमश: आगे बढ़ना उचित दार्शनिक कार्य है, क्योंकि अन्यथा वह पूर्ण और निश्चित ज्ञान सम्भव नहीं हो सकता जो दार्शनिक विचार का लक्ष्य है।[1] इसके अतिरिक्त, दर्शन का अन्वेष्य आधारभूत तत्त्व होने से, वह किसी आधार को पूर्वमान्य कर अग्रसर नहीं हो सकता। उदाहरण के लिए मार्क्स की स्थापना को लें, कि "मूल सत् भौतिक है जो प्राण, इन्द्रियों और मनस् के रूप में रूपान्तरित होता है।" अथवा सामाजिक सन्दर्भ में, "मूल सत् आर्थिक सम्बन्ध हैं जो शेष सब सम्बन्धों, विचारों और भावनाओं का निर्धारण करते हैं।" अथवा डेकार्टीय स्थापना को लें, कि "मूल सत् दो हैं जिनमें एक विषयगत-भौतिक है और दूसरा विषयिगत-मानसिक।" दोनों स्थापनाएँ लोक-संज्ञान के बहुत निकट हैं, डेकार्ट की विशेष रूप से। (यहाँ डेकार्ट द्वारा इनके विवेचन की असाधारणता की हम उपेक्षा कर सकते हैं।) इस पर निराग्रहता के अधिवक्ता दार्शनिक कहेंगे कि 'भौतिक' और 'मानसिक' दोनों अवधारणाएँ जटिल परिभाषाओं की अपेक्षी हैं और उस सत्ता का कथन करती हैं जो किसी परिभाषा के लिए गम्य नहीं है, और सब परिभाषाएँ अनुभव-मूलक होती हैं, इसलिए सब सत्ताओं का ग्रहण अनुभव के माध्यम से ही करना सम्भव है। **ज्ञान और सत्** पुस्तक के लेखक के शब्दों में, "दर्शन 'वस्तु' की बात नहीं कर सकता, वह केवल 'वस्त्वर्थ' की बात ही कर सकता है, क्योंकि दार्शनिक के पास वस्तु की उपलब्धि

1. मार्विन फार्बन द्वारा सम्पादित — **फिलॉसफीकल एस्सेज़ इन मैमोरी ऑफ एड्मण्ड हुस्सर्ल** में मार्विन फार्बर का लेख "दि आइडियल ऑफ प्रीसप्पोज़ीशनलेस फिलॉसफी।"

का कोई उपाय नहीं है।"[1] किन्तु पूर्वाग्रह-रहित अर्थ की उपलब्धि कैसे हो? यह दो प्रकार 1. अनुभव के मूल में प्रतिष्ठित होकर, और 2. वस्त्वर्थों के बीच तटस्थ रहकर। किन्तु अनुभव के मूल में प्रतिष्ठित होना तब तक कैसे सम्भव है जब तक 'अनुभव क्या है' इसका निर्णय नहीं हो? पाश्चात्य दर्शन में 'अनुभव' अधिकांशत: 'इन्द्रियानुभव' के अर्थ में ही समझा गया है, यद्यपि बौद्धिक प्रत्यय को अनुभव मानने की प्लेटोई परम्परा भी है। भारतीय परम्परा में अनुभव का प्रयोग व्यापक है, वास्तव में बौद्धों के कुछ सम्प्रदायों के अतिरिक्त इस परम्परा में अनुभव को संवेद तक कहीं भी सीमित नहीं किया गया है। उदाहरण के लिए साँख्यकारिका में प्रत्यक्ष की परिभाषा 'प्रतिविषयाध्यवसाय:'[2] की गई है। इसमें प्रतिविषय का अर्थ 'संवेद-ग्राह्य विषय' लिया जा सकता है, किन्तु यह भी लिया जा सकता है—'अध्यवसाय को इन्द्रिय-माध्यम में प्रस्तुत विषय'। जो भी हो, साँख्य में पंचमहाभूतपर्यन्त सब ग्राहकत्व बुद्धि की ही विधाएँ हैं। किन्तु बौद्ध, जैन, वेदान्त और साँख्य सब एक अन्य स्तर के अनुभव को भी 'अनुभव' मानते हैं। इस प्रकार, अनुभव का स्वरूप-निर्णय स्वयं पूर्वाग्रह-ग्रस्त है। ऐसी अवस्था में केवल दूसरा विकल्प : वस्त्वर्थों के बीच ताटस्थ्य : ही रह जाता है। 'वस्त्वर्थों के बीच ताटस्थ्य' का अभिप्राय है वस्तुग्राही प्रत्ययों के स्तर का अतिक्रमण कर इन प्रत्ययों के स्वरूप का समीक्षक होना। हुस्सर्ल का विज्ञान के पूर्वाग्रहों से मुक्त होने के परामर्श का यही अर्थ है, और एक दूसरी प्रणाली से हमने अपने पिछले दो ग्रन्थों—**ज्ञान और सत्** तथा **संस्कृति : मानव-कर्तृत्व की व्याख्या** में इस आशय को व्याख्यायित किया है। किन्तु वास्तव में 'वस्तु' का 'वस्त्वर्थ' के रूप में ग्रहण प्रत्यय का अपने शुद्ध स्वरूप की ओर उन्मुख होना ही है, जिसमें अनुभव अनुभवेतर तत्त्वों से क्रमश: मुक्त होकर शुद्ध द्रष्टृत्व में स्थित होता है।

किन्तु इस प्रतिपादन में जबकि एक महत्त्वपूर्ण अन्तर्दृष्टि और पुष्ट युक्ति है, इसमें एक महत्त्वपूर्ण दोष भी है। इस दृष्टि में सब विषय अवास्तविक हैं। अवश्य ये विचारक चित् के सत्त्व (बींग ऑफ कांश्यसनेस) की बात भी करते हैं,[3] किन्तु यह सत्त्व आधारात्मक वस्तु-रूप, अथवा परम भाव-रूप[4] (हाइस्ट बींग) नहीं होकर भाव की अपेक्षा-रूप (लैक) है। यह दृष्टि मनुष्य के लौकिक अनुभव और वैज्ञानिक तथा तार्किक ज्ञान की दार्शनिक विमर्श में प्रकट स्थिति का तो बहुत युक्त अंकन करती है, जैसे हुस्सर्ल में, यह उसकी व्यग्रता और खिन्नता की पुष्टि भी कर सकती है, जैसे सार्त्र में, किन्तु यह उसके परमार्थानुशीलन और स्वरूपान्वेषण का आकलन नहीं कर सकती। हम विषय की सत्ता का आत्मसत्ता में समर्पण कर सकते हैं, अथवा आत्मसत्ता का विषय-सत्ता में समर्पण कर सकते हैं, किन्तु यह सम्भव नहीं है कि विषय और आत्मा दोनों को निरवलम्ब छोड़ दें, जोकि इस दृष्टि में किया गया है।[5] किन्तु आत्मसत्ता का विषय-सत्ता में समर्पण भी बहुत महँगा पड़ता है, क्योंकि इससे सब अर्थ, प्रसंग और अन्वेषण निराधार हो जाते हैं। सत्ता अवश्य शेष रहती है, किन्तु अपनी अंध निरर्थकता में स्थिर, जिससे सृजन, अन्वेषण, अन्वेष्य, भाव्य और भाव सब रिक्त हो जाते हैं। किन्तु यदि तात्कालिक रूप से यह मान भी लिया जाय (जोकि आग्रह मात्र ही होगा) कि सत् और इस प्रकार आधार, विषयमूलक है, तो भी दर्शन उसे अपने आधार के रूप में स्वीकार नहीं कर सकता, क्योंकि दर्शन के लिए यह प्रत्ययात्मक विमर्श द्वारा निर्धार्य है कि सत् क्या है।

---

1. यशदेव शल्य — **ज्ञान और सत्** में अध्याय 9, पृ. 107-108.
2. ईश्वरकृष्ण, **सांख्यकारिका,** का. 5.
3. द्रष्टव्य, हुस्सर्ल — **आइडियाज़,** अ. 8.
4. कहीं-कहीं 'सत्त्व' के स्थान पर हमने 'भाव' शब्द का प्रयोग भी किया है। इसमें 'वस्तुत्व' के बजाय 'होनेपन' की प्रमुखता अभिप्रेत है।
5. द्रष्टव्य — **ज्ञान और सत्** में 'मानव-प्रतिमा' अध्याय। यद्यपि यह पुस्तक पूरी ही इस दोष पर आधारित है किन्तु इस अध्याय में यह दोष स्पष्टतम है। इस दोष का परिशोधन अंशत: हमारी विषय और आत्म पुस्तक के 'आत्म' शीर्षक अध्याय में हुआ है, किन्तु इसका पूर्ण निवारण पिछली पुस्तक मनुष्य और जगत् में हुआ है।

किन्तु यहाँ यह कहा जा सकता है कि सत् इस प्रकार निर्धार्य नहीं हो सकता, क्योंकि सत् किसी कोटि में सीमित नहीं किया जा सकता। किन्तु इसके उत्तर में कहा जा सकता है कि कोटियाँ सत् को पूर्वापेक्षित करती हैं, वे सब उसको निर्धारित करती हैं, और जो उसे पूर्वापेक्षित नहीं करतीं वे निषेध के द्वारा उसका निर्धारण करती हैं। जो भी हो, यहाँ यह द्रष्टव्य है कि यह निर्धारण, अथवा अनिर्धार्यता का ख्यापन, स्वयं प्रत्ययगत है और दार्शनिक विमर्श का विषय है। अनिर्धार्यता प्रत्यय का ऐसा विषय है जिसका साक्षात्कार प्रत्यय अपनी सब उपाधियों से मुक्त होकर करता है। यहाँ यह भी द्रष्टव्य है कि अनिर्धार्यता केवल प्रत्ययमूलक तत्त्व ही है, इन्द्रिय अथवा अन्त:करणमूलक नहीं। निर्धारण इन्द्रियमूलक और अन्त:करणमूलक भी होता है, किन्तु प्रत्ययमूलक निर्धारण इनसे सर्वथा भिन्न प्रकार का होता है। इन्द्रिय और अन्त:करणमूलक निर्धारण जबकि विशिष्ट विषय को ही प्राप्त करता है, प्रत्यय विषय का निर्धारण व्यापकता के व्यावर्तन के रूप में करता है। उदाहरण के लिए घट, पट, वस्तु, अनुभूति, इतिहास, विज्ञान आदि ऐसे निर्धारण हैं जो अन्यों के अथवा अन्यों से व्यावर्तन के द्वारा होते हैं। इन निर्धारणों का यह लक्षण है कि ये अपने व्यावर्तक के साथ व्यापकतर निर्धारण में एकाकार हो सकते हैं, जैसे परस्पर व्यावर्तक 'घट' और 'पट' 'निर्मित वस्तु' में। व्यापकतरता का यही क्रम परम व्यापक, अथवा कहें सर्वव्यापक, को संकेतित करता है। अवश्य परम व्यापक प्रत्ययग्राह्य नहीं है, क्योंकि प्रत्यय का यह मूल स्वभाव है कि वह केवल निर्धारित का ही ग्रहण कर सकता है। यहाँ तक कि व्यापकतम तत्त्व : भाव : भी प्रत्यय द्वारा अभाव से व्यावृत्त के रूप में ही ग्राह्य हो सकता है, और तीसरी कोटि सम्भवन (बिकमिंग), जो इन दोनों का समावेश करती है, पुन: अपने व्यावर्तक के रूप में भाव का आक्षेप करती है। किन्तु व्यावर्तन का, अथवा कहें प्रत्यय का, यह भी स्वरूप है कि यह व्यावृत्त का केन्द्र पर : विषय-रूप से : ग्रहण कर अप्रस्तुत व्यावर्तक का परोक्षत: आकलन करता है और इस प्रकार अपने निर्धारण के परे देखता है।[1]

प्रत्यय[2] के प्रत्येक ग्रहण का विशेष या व्यष्टि से व्यापकतर होना उसके विशेष से स्वातन्त्र्य का द्योतक होता है और यह स्वातन्त्र्य चैतन्य के आत्मोन्मुख प्रवर्तन को प्रकट करता है। देश-काल क पर गृहीत विलक्षण घट विशेष है और 'यह घट है' अध्यवसाय में गृहीत घट सब विशेष घटों पर व्यापक है। यद्यपि इस अध्यवसाय में घट-जाति (सामान्य) ग्राह्य और प्रत्यय ग्राहक है और इस प्रकार प्रत्यय विषय-निबद्ध है, किन्तु जाति की व्यक्तियों पर व्यापकता प्रत्यय के चैतन्य की आत्मोन्मुखता में प्रतिष्ठित होने से ही है। यही कारण है कि घट-जाति का व्यापकतर जातियों : बर्तन, गोचर वस्तु, वस्तु : में समाहार हो सकता है। किन्तु यह आत्मोन्मुख प्रवर्तन परोक्ष है, क्योंकि यह विषय को माध्यम बनाता है। प्रत्यय तब प्रत्यक्षत: आत्मोन्मुख होता है जब वह अपनी ही आत्मोन्मुखता पर मनन करता है।

किन्तु यहाँ प्रत्यक्ष आत्मोन्मुख प्रवर्तन के इस निरूपण पर आपत्ति की जा सकती है कि इस निरूपण के अनुसार स्वयं प्रत्यय ही विषय होता है, जबकि प्रत्यय इस प्रकार मननीय नहीं होता क्योंकि वह विषयी होता है, विषयी की प्रत्यङ्मुखता उसकी पूर्ण पारदर्शिता है जोकि प्रत्यय के आत्मोन्मुख प्रवर्तन में भी अवगम्य नहीं होती। यही कारण है कि शंकर भी, जो इसे सत्ता में पूर्णत: पारदर्शी मानते हैं, ज्ञान में इसे कुछ धुँधला देते हैं। उनके अनुसार, "आत्मा पूर्णत: अविषय नहीं है क्योंकि यह आत्म-प्रत्यय का विषय है।"[3] ऊपर उल्लिखित अन्य मत भी उदाहरणार्थ प्रस्तुत किये जा सकते हैं, जिनमें प्रत्यय विचार्य विषय है और अतएव अपारदर्शी है। यह सही है,

---

1. इस पर हमने **मनुष्य और जगत्** पुस्तक के 'दर्शन का आरम्भ-बिन्दु : प्रत्यङ्मुख चैतन्य' अध्याय में विस्तार से विचार किया है। भगवती का लेख 'अपोहवाद', **परामर्श** (हिन्दी) वर्ष 1, अंक 1-2, भी द्रष्टव्य।

2. 'प्रत्यय' शब्द का प्रयोग इस पुस्तक में दो अर्थों में हुआ है, एक ज्ञान-वृत्ति के रूप में और दूसरे इस वृत्ति से उपलक्षित सत्ता के रूप में। पहले अर्थ में इस शब्द का प्रयोग हमने बहुत कम किया है और अधिकांश में उसके स्थान पर अवधारणा शब्द का प्रयोग किया है। किन्तु जहाँ इस शब्द का प्रयोग इस अर्थ में आवश्यक लगा वहाँ इसकी सूचना दे दी गई है, जैसे यहाँ।

3. "न तावदयमेकान्तेनाविषय: अस्मत्प्रत्ययविषयत्वात्।" **ब्रह्मसूत्र**-भाष्य, अ. 1, पा. 1, अधि. 1, सू. 1.

हिन्दी अनुवाद — किन्तु यह आत्मा एकान्तत: अविषय नहीं है, क्योंकि यह आत्म-प्रत्यय के द्वारा विषय भी होता है।

वास्तव में वस्तु, गुण, विषय आदि के स्वरूप और प्रत्यय के स्वरूप पर विचार में कोई अन्तर नहीं है। किन्तु प्रत्यय की प्रत्यक्ष प्रत्यङ्मुखता अपने प्रत्यङ्मुख स्वभाव के ग्रहण में है जिसका ग्रहण प्रत्यय परोक्ष-ग्रहण की परोक्षता के ग्रहण के साथ उस ग्रहण के आधार के रूप में करता है। दूसरे शब्दों में, जब हम प्रत्येय तत्त्वों की व्यापकतरता के सोपान को प्रत्यय के स्वातन्त्र्य में से उद्भूत होते देखते हैं तब प्रत्यय इस स्वातन्त्र्य के रूप में प्रत्यक्ष प्रत्यङ्मुखता में ग्राह्य होता है।[1] इस स्वातन्त्र्य अथवा निर्धारणों के आधार का साक्षात्कार सभी निर्धारणों में अपने से परे अनिर्धार्य के संकेत के रूप में होता है और प्रत्यङ्मुखता का प्रत्यक्ष दर्शन अनिर्धारित का साक्षात्कार है। निर्धारण-सोपान का यह स्वभाव है कि प्रत्येक उच्चतर निर्धारण निम्नतर निर्धारणों को उनके अतिक्रमण के साथ आत्मसात् करता है : घट-जाति यद्यपि घट-व्यष्टियों पर व्यापक है किन्तु व्यष्टियों की व्याप्यता घटत्व (जाति) के निर्धारण में होती है विशिष्ट अस्तित्व में नहीं। $घ_1$ की $घ_2$ से विशिष्टता घटत्व में अपना सत्त्व खो देती है और वस्तुत्व में घटत्व और पटत्व अपना सत्त्व खो देते हैं। उच्चतर में निम्नतर के सत्त्व का यह अतिक्रमण या निरास अनिर्धारित के स्तर पर एक दूसरा आयाम ले लेता है : अनिर्धार्य उच्चतर निर्धारणों के समान अपने निम्नतर निर्धारणों के समग्र पर व्यापक नहीं होता और परिणामत: व्याप्यों द्वारा निर्धारित भी नहीं होता, क्योंकि उसका कोई व्याप्य ही नहीं होता। किन्तु यह द्रष्टव्य है कि प्रत्यय अनिर्धारित नहीं हो सकता, अनिर्धारित (अनिर्धार्य) प्रत्ययता का अतिक्रमण करता है। कहा जा सकता है कि अनिर्धार्य में यह अतिक्रमण गणितीय अनन्तता के समान है जो अनन्तता वास्तविक नहीं होकर स्वयं संख्या-क्रम की अवधारणामूलक होती है। किन्तु यह सही नहीं है। यदि संख्या और उसका क्रम कल्पित है तो उसकी अनन्तता भी कल्पित होगी, किन्तु यदि संख्या कल्पित नहीं है तो उसकी अनन्तता भी कल्पित नहीं होगी। जहाँ तक प्रत्यय का सम्बन्ध है, वह कल्पित नहीं है, 'कल्पना' और 'प्रामाण्य' आदि उसके विषय के लक्षण होते हैं, प्रत्यय के नहीं, क्योंकि प्रत्यय स्वप्रकाशित होता है, परिणामत: उसके निर्धारणों का सोपान भी कल्पित नहीं हो सकता, इसलिए अनिर्धार्य को गणितीय अनन्तता से उपमित करना युक्तियुक्त नहीं हो सकता। किन्तु गणितीय अनन्तता और अनिर्धार्यता में एक दूसरा मौलिक अन्तर भी है : अनन्तता स्वयं संख्या नहीं होने पर भी संख्याक्रम की ही अनन्तता है और परिणामत: संख्या-क्रम की व्यवस्था के ही अन्तर्गत है, किन्तु अनिर्धार्यता प्रत्यय और तन्मूलक निर्धारणों की व्यवस्था के अन्तर्गत नहीं होती, यह केवल उसके द्वारा संकेतित होती है। प्रत्यय द्वारा अनिर्धार्य यह शुद्ध तत्त्व शुद्ध सत् है, जो एक-साथ प्रत्यय और प्रत्येय का अतिक्रामी आधार है।

उदाहरण के लिए किसी प्रत्यय को लें, जैसे 'घट'। 'घटत्व' इस प्रत्यय द्वारा ग्राह्य वस्तु है जो घट-प्रकारेण निर्धारित है। निर्धारण व्यावर्त्तक-व्यावृत्त के, अर्थात् अघट और घट के द्वन्द्व को उत्पन्न करता है जिसका एक पक्ष : अघट : दूसरे पक्ष : घट : का समावेश करने पर निर्धारणों से रहित हो जाता है। अब घट का ग्रहण अनिवार्यत: अनिर्धार्य : घट-अघट समावेशक पूर्णता : में प्रतिष्ठित होता है। यहाँ यह पुन: स्मरणीय है कि निर्धारणों में व्यापकता का सोपान और इस प्रकार अनिर्धार्यता का संकेत प्रत्येय-वस्तुगत नहीं हो सकता, क्योंकि वस्तु अपने व्यावर्तक का 'अवलोकन' नहीं कर सकती, यह अवलोकन प्रत्यय अपने आत्मोन्मुख आरोहण में ही कर सकता है। यहाँ प्लेटो का प्रत्यय-ग्राह्य वस्तुओं की सौपानिकता का सिद्धान्त स्मरणीय है, जो वास्तव में प्रत्ययगत प्रत्यङ्मुखता-मूलक है। किन्तु तब यह आपत्ति होगी कि व्यापकता वस्तुगत होती है न कि प्रत्ययगत, क्योंकि यदि व्यापकता प्रत्ययगत हो तो जाति भी प्रत्ययगत और इस प्रकार अवास्तविक होगी। इसका उत्तर यह है कि प्रत्यय वस्तु-तन्त्र है और वस्तु प्रत्यय-तन्त्र, प्रत्यक्ष ही के समान, जिसमें प्रत्यक्ष वस्तु-तन्त्र होता है और वस्तु प्रत्यक्ष-तन्त्र। दोनों एक ही सत् के दो पक्ष हैं और कोई दूसरे के सत्त्व का समावेश नहीं करता। किन्तु अर्थत:, अथवा कहें अस्तित्वत:[2] वस्तुएँ प्रत्यक्ष होती हैं और प्रत्यय से स्वतन्त्र होती हैं, क्योंकि प्रत्यय या प्रत्ययमूलक

---

1. यहाँ द्रष्टव्य है कि जहाँ शंकर आत्मा को प्रत्यय-विषय कहते हैं वहीं, उसी वाक्य में, वे उसे 'अपरोक्षत्वाच्च प्रत्यगात्म प्रसिद्धेः' भी कहते हैं, जोकि 'न तावदयमेकान्तेनाविषय:' से संगत नहीं है।
2. क्योंकि 'अस्तित्व' वस्तु के अर्थ का एक आधारभूत घटक है।

कोई ग्रहण ग्राह्य वस्तु का निश्शेषत: ग्रहण नहीं करता। इस प्रकार व्यापकता जबकि वस्तुगत है, क्योंकि गायों पर व्यापक गोत्व होता है न कि गाय-प्रत्यय पर गोत्व-प्रत्यय, आरोहण का क्रम इसके विपरीत प्रत्यय के आत्मोन्मुख स्वभावमूलक होता है। प्रत्यय और प्रत्यय-ग्राह्य की इस युग्मता के कारण ही अनिर्धार्य में दोनों का युगपद् लय हो पाता है, क्योंकि वह निरपेक्षभाव से चित् और सत् है।

यहाँ संक्षेप में प्रत्यय-विषयक ह्यूमीय सिद्धान्त का निराकरण भी स्थाने होगा : यह सिद्धान्त मनोवैज्ञानिक पूर्वमान्यताओं पर आधारित है, तात्त्विक नहीं है। किन्तु मनो-विज्ञान एक विज्ञान होने से आधारभूत नहीं हो सकता। इस मत की पूर्वाग्रह-ग्रस्तता इससे स्पष्ट है कि यह जबकि जाति का व्यष्टियों में और जाति-ग्रहणों का व्यष्टि-ग्रहणों (प्रत्यक्षों) में विश्लेषण करके औचित्य का एक भ्रामक आश्वासन पा सकता है, यह सर्जनों की प्रत्ययमूलकता का और प्रत्यय की आत्मोन्मुखता का आकलन नहीं कर सकता।[1]

प्रत्यय के आत्मोन्मुख या प्रत्यङ्मुख स्वभाव के इस निरूपण के बाद प्रत्यय की अन्तर्वस्तु (अन्तरार्थ) और विषयवस्तु (बाह्यार्थ) का स्वरूप विवेच्य है जो दर्शन के आधार की खोज के प्रसंग में समान रूप से प्रासंगिक है।

प्रत्येक विषय के उदाहरण के रूप में हमने ऊपर 'घटत्व', 'गोत्व' आदि का उल्लेख किया था। कुछ लोग घटत्व आदि का अस्तित्व नहीं मानते, केवल घट-व्यष्टियों का अस्तित्व ही मानते हैं, जिनके आधार पर, उनके अनुसार, हम घटत्व का प्रत्यय बनाते हैं। इस प्रकार, उनके अनुसार, प्रत्यय व्यक्तिमूलक सामान्य कल्पनाएँ हैं। यह मत इन्द्रियगम्यता के प्रति पूर्वाग्रह का द्योतक है। किन्तु यहाँ हम अस्तित्व के प्रश्न पर विचार नहीं करेंगे, यहाँ हम केवल प्रत्यक्ष के प्रति पूर्वाग्रह को अस्वीकार करते हुए प्रत्ययगम्य को सत् स्वीकार करेंगे। यह स्वीकृति हमारे ऊपर के सम्पूर्ण विवेचन में निहित है। यहाँ विचारणीय प्रश्न इनके अस्तित्व का नहीं होकर इनके स्वरूप का है। घटत्व, पटत्व अथवा घट, पट किस अर्थ में अनिन्द्रियगम्य प्रत्येय विषय हैं? एक इस अर्थ में कि ये एक प्रकार के सब विषयों पर व्यापक होते हैं और व्यापक विषय इन्द्रिय-गम्य नहीं होते। किन्तु घटादि की व्यापकता का आधार क्या है? क्या यह है कि हम 'घट' शब्द का प्रयोग समान या समानप्राय रूपाकार के विभिन्न व्यष्टियों के साथ होते देखते हैं? किन्तु जो घट-व्यष्टि अब नहीं रहे, या जो घट-व्यष्टि अभी नहीं बने, उनके साथ किस शब्द का प्रयोग होगा? दूसरे, जब प्रथम घट अस्तित्व में आया, और अभी कोई और समान व्यष्टि अस्तित्व में नहीं आया था, तब व्यष्टि और जाति में कोई भेद था या नहीं? दूसरे, क्या घट पहले हुआ या कि घट-कल्पना? यदि घट-कल्पना पहले थी तो उसका अन्तरार्थ (कांटेंट) पहले व्यष्टि रूप था याकि जाति-रूप? इन प्रश्नों के उत्तर स्पष्ट हैं। यद्यपि बर्कले द्वारा लॉक के 'सामान्य कल्पना-चित्र' का खण्डन दार्शनिकों के बहुमत द्वारा स्वीकार कर लिया गया किन्तु लॉक की दृष्टि में एक मौलिक सत्य है : यह सही है कि कल्पना-चित्र प्रस्तुत विषय के समान सदैव व्यष्टि होता है किन्तु ये दोनों (कल्पना-चित्र और प्रदत्त विषय) अपनी अपेक्षा में सामान्य हो सकते हैं। उदाहरण के लिए जब हम कागज़ पर त्रिकोण बनाते हैं तब वह अपनी प्रत्यक्षगत आकृति में नहीं बल्कि ज्यामितिक सिद्धान्त के निदर्श के रूप में ही ग्राह्य होता है। घट-विशेष के आविर्भाव से पहले कुम्हार की घट-कल्पना में तो वैशिष्ट्य का कोई भी अंश नहीं होता। तब यहाँ प्रश्न हो सकता है कि इस सामान्य या जाति का व्यष्टि-घट से क्या सम्बन्ध है? इसका उत्तर है कि व्यष्टि-घट (बाह्यार्थ) प्रत्यय के अन्तरार्थ-निरूपण में आलम्बन बनता है और उसी प्रक्रिया में यह आविर्भूत होता है। घट का आविर्भाव आत्मोन्मुख (आदर्शोन्मुख) प्रत्यय के अपने को इन्द्रिग्राम्य माध्यम में अनूदित करने के क्रम में होता है और इस माध्यम में अवतरित होकर प्रत्यय अपने अन्तरार्थ का प्रतिरूप इसमें देखता है। इसका अधिक उपयुक्त कथन यह होगा कि, घट-व्यष्टि घट-प्रत्यय के सत्त्व में एक अनिवार्य कड़ी है जिसका अपना सत्त्व विशिष्ट होने पर भी प्रत्यय के सत्त्व में सामान्य है। इस प्रकार घट-व्यष्टि केवल घट-जाति का एक उदाहरण मात्र नहीं होता, बल्कि ऊर्ध्वोन्मुख प्रत्यय के अन्तरार्थ

---

1. प्रत्यय की सर्जनात्मकता पर द्रष्टव्य, यशदेव शल्य — **मनुष्य और जगत्** में 'प्रत्यङ्मुख चैतन्य : दर्शन का आरम्भ-बिन्दु' अध्याय।

के इन्द्रिगम्य माध्यम में आत्म-निरूपण का साधन भी होता है, जिस कारण से प्रत्येक घट सुधार की अपेक्षा से गर्भित, असंख्य सम्भव घट-रूपों में से एक रूप का धारक, और व्यष्टि-रूप में पूर्णत: आगन्तुक और अनावश्यक होता है। किन्तु यहाँ जो सबसे अधिक महत्त्वपूर्ण बात है वह यह कि घट की व्यष्टिता भी इन्द्रियमूलक नहीं होकर प्रत्ययमूलक ही होती है—उसकी यह व्यष्टिता एक संवेद-ग्रहण की, जोकि विशेषवादी दार्शनिकों का सम्बल है, विलक्षणता में नहीं होकर घट की आकृति में है जो प्रत्ययमूलक है। प्रत्येक इन्द्रियगोचर आकृति देश में व्यावृत्ति को और परिप्रेक्ष्यता (पर्स्पेक्टिवनेस) को पूर्वापेक्षित करती है, और घट की व्यष्टिता की वस्तुता का यही आधार है। यदि उसके वर्ण, सौष्ठव आदि की विशिष्टता को उसकी विशिष्टता का आधार माना जाय तो यह उपयुक्त नहीं है, क्योंकि यह व्यष्टि से बाहर के मानदण्ड की सापेक्ष होती है और आकृति की परिप्रेक्ष्यात्मकता उसे प्रत्यक्ष : सद्य : प्रदत्त से परवस्तु के रूप में सत्त्व दे देती है।[1]

किन्तु प्रत्येय विषय केवल घट-पट प्रकार के ही नहीं होते, इनके अनेक प्रकार हैं जिनमें से कुछ ही ऐसे हैं जो सामान्य-लक्षण हैं, अन्य अधिकांश मूलत: ही विशिष्ट होते हैं, उदाहरण के लिए कलाकृति, मानव-व्यक्ति तथा संसार; ये सब मूलत: ही विशिष्ट होते हैं और ये सब प्रत्येय विषय हैं। अन्य विषय हैं जिनके लिए विशिष्टता-सामान्यता का प्रश्न ही अप्रासंगिक होता है, जैसे दार्शनिक या वैज्ञानिक सिद्धान्त। इस प्रकार प्रत्येक विषय को जाति या सामान्य से लक्षित करना भी भ्रामक है। तब यहाँ आपत्ति की जा सकती है कि हमने पीछे व्यापकता को प्रत्येय विषय का अनिवार्य लक्षण कहा था। यदि कुछ प्रत्येय विषय स्वरूपत: ही व्यष्टि होते हैं तो वे अव्यापक भी होंगे। इसका समाधान यह है कि प्रत्येय व्यष्टि-विषय भी व्यापक होते हैं, किन्तु इनकी व्यापकता इन्द्रियमूलक नहीं होकर प्रत्ययान्तर्गत ही होती है। किन्तु वास्तव में, जैसाकि हमने ऊपर देखा था, प्रत्येय की व्यापकता व्यष्टि-सापेक्ष नहीं होती, इसी से इसकी व्यापकता इसकी सदस्य संख्या से प्रभावित नहीं होती। प्रत्येय विषय की व्यापकता का वास्तविक आयाम दूसरा है जिसमें घट-प्रत्यय एक उपन्यास या महाकाव्य के आधार-प्रत्यय की तुलना में नितान्त क्षुद्र होता है। इस आयाम को 'तलोन्मुखता' की संज्ञा दी जा सकती है। प्रत्येय विषयों की यह तलोन्मुख व्यापकता प्राय: अनवगाह्य होती है। इनकी इस व्यापकता के दो प्रकार हैं। एक, विभिन्न अवधारणाओं में प्रत्येय विषय की अंश-ग्राह्यता और इस प्रकार अनिश्शेष्यता और दूसरे, एक अवधारण की उस एक अंश के ग्रहण में भी अपर्याप्तता। प्रथम के उदाहरण के रूप में एक ही प्रयोजन के साधक असंख्य प्रकार के उपकरणों, एक ही परम्परा में लिखे गए अनेक दर्शनिक ग्रन्थों, अथवा एक ही रस के निरूपक विभिन्न काव्यों को देखा जा सकता है जो अपने निरूपण को निरूप्य के लिए सदैव अपर्याप्त पाते हैं। इसका सर्वोत्तम उदाहरण मानव-व्यक्ति है जो सदैव अपने प्रत्यय से अपनी वास्तविक अपर्याप्तता की अनुभूति से व्याकुल रहता है।

वास्तव में अनवगाह्यता और अतिक्रान्तता सत्ता-विषयक है, जो केवल प्रत्यय में ही ग्राह्य होती है। अवश्य प्रत्यक्ष विषय के लिए प्रत्यक्षीकरण उसी प्रकार अपर्याप्त होता है जिस प्रकार प्रत्येय विषय के लिए अवधारण। प्रत्यक्ष विषय की अतिक्रान्तता उसकी परिप्रेक्ष्यात्मकता, अथवा कहें परत: प्रामाण्य का रूप लेती है। किन्तु यहाँ यह द्रष्टव्य है कि प्रत्यक्ष विषयक यह अतिक्रान्तता भी वास्तव में प्रत्ययमूलक ही होती है, क्योंकि इन्द्रिय अपने ग्रहण के परे नहीं देख सकती। इस प्रकार घट का अप्रस्तुत पक्ष, जोकि घट की वस्तुता की अनिवार्य अपेक्षा है, इन्द्रियमूलक अनिश्शेष्यता नहीं है बल्कि इन्द्रिय के लिए प्रत्यय-कल्पित अनिश्शेष्यता है। यही कारण है कि भौतिक-विज्ञान निरन्तर आत्मोन्मुख आरोहरण के द्वारा इन्द्रिय-गम्य के अनवगाह्य तत्त्व के अवगाहन में प्रयत्नरत है।[2] जैसाकि हमने ऊपर देखा, प्रत्ययमूलक प्रत्येक आरोहण निर्धारण की व्यापकता या गहनता की ओर प्रगति है, यद्यपि इस प्रगति के लिए अनिधार्य तत्त्व अनिवार्यत: अगम्य रहता है। किन्तु प्रत्येक अनन्त क्रम किसी तत्त्व में मूलित होता है जिसे वह अपने पर्यवसायी या अपनी पर्यन्तता के रूप में पूर्वकल्पित करता है। यह

1. द्रष्टव्य : यशदेव शल्य — **विषय और आत्म** पुस्तक में 'विषय' अध्याय।
2. इस पर आगे अध्याय 14 द्रष्टव्य।

पर्यवसायिता या पर्यन्तता एक ओर सत्ता में अनन्त वैविध्य की सम्भावना की द्योतक होती है और दूसरी ओर इसके अद्वय मूल की, जिसमें यह अनन्त वैविध्य अपनी सब सम्भावनाओं के साथ प्रतिष्ठित होता और अपनी सार्थकता पाता है।

प्रत्यय हमारे अनुसार अध्यवसाय के तार्किक आकार में व्यक्त बुद्धि मात्र नहीं है, यह चित्[1] के अनुद्भिन्न और निरपेक्ष भाव में आवयविकता, व्यवस्था, संस्थान या आकार का स्फुटन है।[2] अनुद्भिन्न चित् की उपमा वर्णहीन किरणों से दी जा सकती है जो असंख्य वर्णों में उद्भिन्न हो जाती हैं। प्रकाश और वर्ण केवल संस्थान या व्यवस्था नहीं हैं, यह वे उस उपादान के सहित हैं जो इस व्यवस्था के रूप में वर्णों में प्रस्फुटित होता है। "वर्णहीन किरण" वर्णों के वैविध्य को तार्किक आधार देने के लिए कल्पित भौतिक-विज्ञानगत एक सैद्धान्तिक परिभाषा है। अनुभवाद और अनुभववादी विज्ञान के अनुसार यह ऐन्द्रिक अनुभव की व्याख्या में उपयोगी एक कल्पना है, क्योंकि इसके अनुसार वास्तविक आधार ऐन्द्रिक अनुभव है जिसका ग्राह्य वर्ण-वैविध्य और वर्ण-व्यवस्था है। किन्तु इस प्रतिपादन में एक सैद्धान्तिक पूर्वाग्रह है। यदि वर्ण-वैविध्य की व्याख्या के लिए कल्पित निर्वर्ण किरण को विज्ञान द्वारा अर्जित दृष्टिमूलक भी माना जाय तो भी इससे अन्तर नहीं पड़ता, क्योंकि विज्ञान का मानव-बुद्धि में आविर्भाव मानव-यादृच्छिकतामूलक नहीं है, यह चित्त की सहज अवस्था है जो सत् के इस प्रकार अवधारण में समर्थ है। अन्यथा अनुभववादी को यह क्यों आवश्यक प्रतीत होता है कि वह वर्ण-वैविध्य की व्याख्या के लिए और उस व्याख्या के नियम बनाने के लिए व्यग्र हो? किन्तु इसका यह अर्थ भी नहीं है कि सत् (यहाँ वर्ण-संस्थान) इस चित् से पृथक् कोई तत्त्व है, वास्तव में वर्ण-व्यवस्था और चित्त अवधार्य और अवधारण : प्रत्येय और प्रत्यय : हैं जिनमें एक के बिना दूसरा नहीं है और दोनों संयुक्त रूप से वस्तु-सत् हैं। इसमें प्रत्यय को कल्पना (विकल्प) और प्रत्येय को आरोप या उपचार कहना युक्ति-युक्त नहीं है। यही बात सामान्य रूप से सांस्कृतिक व्यवस्थाओं के लिए कही जा सकती है। पुराण, धर्म, विज्ञान, शिल्प, कला और उद्योग सब चित्त के प्रत्ययात्मक व्यापार हैं जो तत्परक प्रत्येय विषयों का अवधारण करते हैं। मानव-चित्त-गत प्रत्यय और उसके विषयों को कल्पना कहने के पीछे युक्ति मानव-चित्त की आत्म-प्रकाशन, आत्म-अभिज्ञान की सामर्थ्य को सत् से स्वरूपत: विमुख मानने से सम्बन्धित है जो स्वयं युक्ति-युक्त विचार नहीं होकर अनालोचित मान्यता है। यदि हम जैव जगत् : जैव देह की आवयविकता और व्यवहार : को लें तो उसमें व्यवस्था, योजना आदि स्वतन्त्र वास्तविकता में परिलक्षित होते हैं। तब इन्हें किसी अतिमानवीय चित्त की कल्पना कहा जायेगा। एक प्रकार से 'अनादि अविद्या, अनादि वासना' के विचार को इस अर्थ में ही देखा जाना चाहिए। ये अतिचित्त की संसार-प्रवृत्ति के वाचक पद ही हैं। वासना और अविद्या मूल्यात्मक पद हैं किन्तु इनका वस्तुपरक पक्ष भी है और उसमें ये 'जैव उपादान में प्रत्ययात्मक चित्त के आविर्भाव' के वाचक कहे जा सकते हैं। इसी क्रम में मानवीय चित्त की आत्म-प्रत्यय-गोचरता को भी देखना चाहिए। किन्तु यह द्रष्टव्य है कि पुराण, धर्म या विज्ञान की व्यवस्थाओं में चित्त का प्रस्फुटन एक बात है और इनमें प्रतिष्ठित आत्म-अभिज्ञ चित्त का व्यापार दूसरी बात। उदाहरण के लिए, कोई वैज्ञानिक किसी वैज्ञानिक सिद्धान्त का प्रतिपादन आत्म-अभिज्ञतापूर्वक ही करता है, किन्तु मानव-चित्त में वैज्ञानिक विधा का आविर्भाव आत्म-अभिज्ञ प्रवर्तन नहीं है। यद्यपि यह सही है कि मानव-चित्त स्वयं इस विधा के पीछे भी जा सकता है और इसकी आलोचना कर सकता है, किन्तु आत्म-अभिज्ञता का आत्मालोचन (विज्ञान की आलोचना भी जिसमें सम्मिलित है) के स्तर पर आरोहण अधिक विकसित अवस्था है। इसकी प्रथम

---

1. 'चित्' और 'चित्त' शब्दों का प्रयोग हम भिन्न अर्थों में कर रहे हैं। 'चित्' शुद्ध अतिक्रामी चैतन्य का वाचक है जबकि 'चित्त' मनस् या मानस-व्यापार का।

2. चित्त में अनुद्भिन्नता और उद्भिन्नता की अवस्थाओं का बोध मुझे **विषय और आत्म** पुस्तक में संकलित लेख 'इतिहास-बोध' लिखते समय हुआ। इस बोध का आगे विस्तार **'मनुष्य और जगत्'** पुस्तक में चैतन्य विषयक विचार के क्रम में हुआ। इधर हेगल का ग्रन्थ **'लॉजिक'** (पृ. 125) पढ़ते हुए मैंने उसमें यह विचार पाया। किन्तु वास्तव में मेरा इन पदों का प्रयोग दो प्रसंगों में है। 'इतिहास बोध' में जबकि इन पदों का प्रयोग हेगल के अनुरूप हुआ है, 'मनुष्य और जगत्' में और यहाँ इनका प्रयोग **ईशावास्योपनिषद्** के 'स पर्यगात्' या **तैत्तिरीय** के असद्वा इदमग्र आसीत्...तदात्मानं स्वयमकुरुत के अनुरूप तथा फ़िख़्ते के 'तटस्थ आत्म-चैतन्य' के न्यूनाधिक अनुरूप हुआ है।

अभिव्यक्ति ऐन्द्रिक स्तर पर विषयकरण के रूप में प्रकट होती है जिसके साथ युगपद् रूप से विषयीकरण भी प्रकट होता है। इसी विषयी में क्रमशः आलोचक का आविर्भाव होता है जो प्रत्येक आरोहण के साथ विषय से क्रमशः स्वतन्त्र होकर आत्म-सायुज्य की ओर अग्रसर होता है। विषय-विषयि रूप में उद्भिन्नता से पहले की अवस्था चित्त की नितान्त विषयाधीन अवस्था है जिसमें विषय अपनी उपाधियों का समर्पण विषयी में करता है। इसी से उच्चतर ज्ञान का मानदण्ड विस्तृत सूचना नहीं होकर व्यापक सिद्धान्त और व्यापक दृष्टि होता है। किन्तु दर्शन को इस प्रकार सम्भूत तक सीमित करना और भाव्य का उसमें आकलन नहीं करना उसकी मूलगामिता के आदर्श के विरुद्ध है। इस प्रकार बहुत कम दार्शनिक हैं जो दर्शन की मूलगामिता के आदर्श का अनुसरण कर पाते हैं। उदाहरण के लिए कुछ दार्शनिक प्रमाण-मीमांसा को ही दर्शन का कार्य मान लेते हैं और प्रमाण का क्षेत्र ज्ञानेन्द्रिय या सैद्धान्तिक बुद्धि तक सीमित कर देते हैं, दूसरे सत्ता के स्वरूप पर विचार करते हैं और उसे सैद्धान्तिक बुद्धि-ग्राह्य तत्त्व के रूप में ही देखते हैं, जैसे वैज्ञानिक द्रव्य, बल और गति आदि को देखता है। किन्तु कोई समग्र दृष्टि केवल सैद्धान्तिक ग्रहण तक सीमित नहीं रह सकती। यदि वह अपने को इस प्रकार सीमित करती है तो वह उसी प्रकार पूर्वाग्रह-ग्रस्त है जिस प्रकार भौतिक-विज्ञान या जीव-विज्ञान। हुस्सर्ल ने गोचर जगत्-मूलक अभिवृत्ति को प्राकृतिक अभिवृत्ति (नैचुरल थीसिस या एटीट्यूड) की संज्ञा दी है, जिसे हम उसके अनुसार दार्शनिक विचार के प्रथम चरण में ही स्थगित करते हैं। किन्तु वह जिस सैद्धान्तिक दृष्टि को परम और इसी कारण दर्शन के लिए उपयुक्त कहता है वह भी वास्तव में सीमित दृष्टि ही है। परम दृष्टि भूत के साथ भाव्य का, और इनसे ऊपर समत्व का भी समावेश करती है। दर्शन को सैद्धान्तिक अन्वेषण (विज्ञान) के रूप में देखने वाले इसके उत्तर में कहेंगे कि उनका यह विज्ञान भाव्य और समत्व दृष्टि का भी समावेश करता है। किन्तु यह सही नहीं है, सैद्धान्तिक दृष्टि भाव्य और समत्व विषयक दृष्टियों का भी समावेश सैद्धान्तिक विषय के रूप में ही कर सकती है और इस प्रकार इन दृष्टियों के मर्म को समाप्त कर देती है। यह हुस्सर्ल में देखा जा सकता है। हाइडेगर और सार्त्र में इसके विपरीत सैद्धान्तिक और एषणात्मक दृष्टियों का एक व्यापकतर दृष्टि में समावेश मिलता है,[1] किन्तु उनमें समत्व दृष्टि या आध्यात्मिक दृष्टि का अभाव है। इसके विपरीत शंकर के **ब्रह्मसूत्र भाष्य** में वैज्ञानिक-सैद्धान्तिक दृष्टि का अभाव है। अवश्य नागार्जुन, वसुबन्धु, दिङ्नाग, ईश्वरकृष्ण आदि के, तथा प्लेटो, कांट, फ़िख़्ते, शैल्लिंग और शॉपेनहावर आदि के दर्शन में वैज्ञानिक और आध्यात्मिक दोनों दृष्टियों का समन्वय है, किन्तु इनमें, विशेषतः उपर्युक्त भारतीय दार्शनिकों में, एषणात्मक दृष्टि का संग्रह नहीं है।

यहाँ प्रश्न हो सकता है कि इन तीनों का समावेश इनसे भिन्न किसी चतुर्थ दृष्टि में होगा या कि इन तीनों में से ही एक दृष्टि में होगा?

वास्तव में सैद्धान्तिकता दर्शन की रीढ़ है। इसकी परिभाषा 'प्रत्यय का प्रत्यङ्मुख अभिसरण' यह करनी चाहिए। किन्तु यह अभिसरण केवल तभी अपनी पर्यन्तता को प्राप्त कर सकता है यदि यह उस सबका समावेश करे जो 'शुद्धमपापविद्धम्' के पर्यगमन के क्रम में आविर्भूत हुआ हो। प्लेटो का परम सत् परम श्रेयस् भी है, वास्तव में ये दोनों पद उस स्तर पर पर्यायवाची हैं; अथवा कहें परम श्रेयस् (दि गुड) परम सत् का समावेश करता है। परम भाव भाव्य ही है।[2] यही बात ब्रह्म के लिए है जो एक-साथ सत्, चित् और आनन्द है और वास्तव में जिसमें सत् और चित् आनन्द के अंश हैं। सत् और श्रयेस् में यह भेद नहीं है कि प्रथम द्रष्टृत्व का विषय है और दूसरा कर्त्तृत्व का; श्रेयस् कर्म का विषय नहीं होकर चित्त की भाव-पूर्णता, सत्त्व की निरपेक्षता है और इस प्रकार

---

1. सार्त्र चित् का लक्षण 'अपेक्षा' (लैक) अथवा 'अभाव' (नथिंगनेस) में देखता है। इसी से हमने उसके दर्शन को 'एषणात्मक दृष्टि' कहा है।
2. "तब जो ज्ञान-विषयों को उनका सत्य और मनस् को ज्ञान की शक्ति देता है वह तत्त्व परम श्रेयस् (दि फ़ोर्म ऑफ़ दि गुड) है। यह ज्ञान और सत्य का कारणभूत है, और इसके सम्बन्ध में यह मानना भी उचित होगा कि यह स्वयं भी ज्ञात होता है, किन्तु साथ ही यह भी कि यह ज्ञान और सत्य दोनों से भिन्न और दोनों से महत्तर है।"

— **रिपब्लिक,** 509.

कलुष या दोष भाव (बींग) की अपूर्णता है। कांट ने भी नैतिक श्रेयस् को कर्म से नहीं, संकल्प के स्वातन्त्र्य से परिभाषित किया है। श्रेयस् से पृथक् सत् अद्वय भाव में सत्–चित् के द्वैत का आरोप है, अन्यथा एक ही भाव अभाव–व्यवहित होकर विषय–पक्ष में एक ओर और आत्म–पक्ष में दूसरी ओर इस व्यवधान के निवारण का प्रयत्न करता है। इसी से सुकरात के लिए भैषज्य ज्ञान का आदर्श उदाहरण है। इसलिए तथाकथित शुद्ध सैद्धान्तिक–दार्शनिक कृतियाँ वास्तव में दर्शन की मूलगामी सैद्धान्तिकता की अपेक्षा को पूर्णतः सन्तुष्ट नहीं करतीं, क्योंकि उनमें श्रेयस् का, कभी–कभी चित् तक का भी, आकलन नहीं होता। मनन का विषय प्रत्यक्षगम्य विषय ही नहीं है, जैसाकि यूरोप के अनुभववादी समझते हैं, न मनन का विषय अवधारणाएँ और अवधार्य धर्म या तत्त्व (एस्सेंसिस) मात्र ही है, जैसाकि पश्चिम के कुछ प्रत्ययवादी दार्शनिक और हुस्सर्ल मानते हैं, मनन का विषय मृत्यु भी है, जो जीवन की आगन्तुकता, एषणाओं की असारता और सत्ता की रहस्यमयता में अन्तर्दृष्टि देती है, इसका विषय पुरुषार्थ और सत्यासत्य तथा सदसद का विवेक भी है। किन्तु यदि मनन जीवन की आगन्तुकता और विवेक को प्रत्यक्ष विषयों या अवधारणाओं की कोटि में ग्रहण करता है, जैसाकि अधिकांश दार्शनिक कृत्यों में हम पाते हैं, तो वह वास्तव में दोहरी भ्रान्ति उत्पन्न करता है। वास्तव में प्रत्यङ्मुख अभिसरण अथवा सैद्धान्तिक ज्ञान आधार तत्त्व के पर्यगमन के क्रम में आविर्भूत सम्पूर्ण वैभव का आत्मसात्कारण है जो स्वयं में सर्वोच्च मूल्य या पुरुषार्थ भी है। सैद्धान्तिक अन्वेषण की पारमार्थिकता का यह बोध डेकार्ट, शैल्लिंग और हुस्सर्ल आदि में परिलक्षित होता है, किन्तु पश्चिम के अधिकांश समकालीन दार्शनिक इससे पूर्णतः शून्य हैं, और इस कारण उन्हें संकुचित अर्थ में भी उत्कृष्ट सैद्धान्तिक दार्शनिक नहीं कहा जा सकता।

यहाँ इस प्रतिपादन को एक उदाहरण द्वारा स्पष्ट करना उपयुक्त होगा। हॉब्स और बैंथम उच्चतम आध्यात्मिक बोध और कीचड़ में मग्न सूअर के अनुभव में कोई अन्तर नहीं देखते। अपनी दार्शनिक व्यवस्था में मिल, रसल और मूर भी इनमें कोई अन्तर नहीं देख सकते। वास्तव में सार्त्र सूअर के अनुभव को ही अधिक प्रामाणिक कह सकता है, इस अन्तर के साथ कि वह मग्न सूअर के बजाय व्याकुल सूअर को अधिक महत्त्व देगा। दूसरी ओर गीताकार प्रकटतः इससे मिलती–जुलती किन्तु वास्तव में मूलतः भिन्न बात कहता है जब वह कहता है कि "विद्या और विनय–सम्पन्न ब्राह्मण में, और गाय तथा हस्ति आदि पशुओं में, एवं कुत्ते तथा कुत्ता खाने वाले चाण्डाल में जो भेद नहीं देखता वही ज्ञानी है।"[1] इनमें भेद यह है कि हॉब्स सैद्धान्तिक अन्वेषण में नैतिक और आध्यात्मिक मूल्यों का आकलन नहीं करता, दूसरे शब्दों में, वह चित्, श्रेयस् और आनन्द को सत् स्वीकार नहीं करता, वह केवल ऐन्द्रिय विषयता को ही स्वीकार करता है और प्रत्ययात्मक प्रत्यङ्मुखता को केवल परोक्षतः और केवल इस रूप में स्वीकार करता है कि वह इस विषयता पर विचार करता है। इसके विपरीत **गीता** प्रत्यङ्मुखता की पराकाष्ठा में सब भेदों को अभिन्नता में सन्निहित करती है। **गीता** की समदृष्टि राग को ज्ञान के बाधक के रूप में देखती है। राग अवधान की सम्यक्ता के अवरोध के द्वारा प्रत्यक्ष–विषय–ग्रहण में भी बाधक होता है, किन्तु अन्तःकरण और बुद्धिमूलक दृष्टि में इसकी अवरोधकता अत्यन्त भयावह होती है। दर्शन इस अवरोध से मुक्त बुद्धि है। यह समदृष्टि प्रदत्त–विषय का रूपान्तरण है, हुस्सर्लीय इपोख़े (स्थगन) से इस बात में भिन्न कि जबकि वह स्थगन वैज्ञानिक अर्थ में सैद्धान्तिक (भूत–विषयक) है, यह दृष्टि भाव्यात्मक भी है : हुस्सर्लीय स्थगन वस्तु–ग्राही चैतन्य में अतिक्रमण करता है, **गीता** उस चैतन्य में जो वस्तु–ग्राही के साथ–साथ आनुभूतिक भी है। इस रूपान्तरण का रहीम के एक पद में बहुत सुन्दर निरूपण हुआ है : "समझ झरोखे बैठिके जग का मुजरा देख।" वास्तव में प्रत्ययात्मक ऊर्ध्वारोहण द्वारा अपेक्षित वैराग्य की सिद्धि जगत् को एक तमाशे में

---

1. विद्याविनय सम्पन्ने, ब्राह्मणे, गवि, हस्तिनि,
शुनि चैव श्वपाके च पण्डिताः समदर्शिनः।। (5 : 18)

बदल देती है जो न केवल लक्षित के सत्त्व का स्थगन है बल्कि उसकी आकर्षकता का भी स्थगन है। वैज्ञानिक दृष्टि इस दूसरे पक्ष से अनभिज्ञ है।[1]

यहाँ इस दूसरे स्थगन की प्रासंगिकता पर हमारे उपर्युक्त स्पष्टीकरण के बावजूद आपत्ति की जा सकती है कि, यह दर्शन को अपने क्षेत्र से बाहर ले जाना और इस प्रकार उसके बल को विकीर्ण करना है। यह कहा जा सकता है कि अनुभूति, आवेग आदि भी सैद्धान्तिक विवेचन के विषय बनाये जा सकते हैं और इस प्रकार दर्शन के लिए मननीय हो सकते हैं। यह सही है, किन्तु यदि आवेग और अनुभूति स्वयं प्रत्ययानुविद्ध नहीं हों तब ये मनोवैज्ञानिक सिद्धान्त के विवेच्य तो हो सकते हैं, दार्शनिक सिद्धान्त के नहीं। उदहारण के लिए मृत्यु प्राणिविज्ञान का विषय भी हो सकती है और मनोविज्ञान का भी, प्रथम का दैहिक परिणति के रूप में और दूसरे का भय आदि प्रवेगजनक के रूप में। किन्तु इस रूप में यह अपने उस मौलिक और अनिवार्य तत्त्व से रहित हो जाती है जो मनुष्य के भावना-लोक में उसके अपने सत्त्व की अनिवार्यता में सहज आस्था को विचलित कर देता है और जो चैतन्य के अवलोकन को ही नहीं, पर्येषणा की, अन्वेषण की, भी उन्मुखता को बदल देता है।[2] मृत्यु यहाँ विषय के बजाय विषयमूलक अनुभव में रूपान्तरित होकर प्रत्यय द्वारा बोध का रूप ले लेती है जो जीवन और जगद्-विषयक दार्शनिक मनन का आधार बनता है। अवश्य यह मनन आनुभूतिक प्रत्यय का आत्म-विवेचन नहीं है जो किसी कलाकृति (गीत, राग, चित्र आदि) के माध्यम से ही अभिव्यक्त हो सकता है, किन्तु तब भी यह विषयिभाव में उत्पन्न बोध ही है, विषयभाव में आकलित ज्ञान नहीं। इस तथ्य के स्पष्टीकरण के लिए यहाँ कला-विषयक और विज्ञान-विषयक दार्शनिक मनन को लें। कलाकार और कला दार्शनिक में अवश्य एक मौलिक भेद है, कलाकार अनुभूत प्रत्यय का अनुभूति के विषयिभाव में मनन करता है जबकि दार्शनिक इस प्रत्यय के विषयिभाव परमनन करता है। कलात्मक अनुभूति प्रत्ययानुविद्ध भावना के विषयिभाव का भोगमूलक मनन है, कला-दर्शन इस मनन पर मनन है। भोगमूलक मनन में विषयकरण का प्रश्न ही नहीं है, किन्तु इस पर दार्शनिक मनन भी विषयोन्मुख वृत्ति नहीं है।[3] इसे प्रेक्षणात्मक विषयिवृत्ति कहना अधिक उपयुक्त है। दूसरे शब्दों में, यह प्रत्ययानुविद्ध भोक्तृ-भाव पर, अथवा भोक्तृ-प्रत्यय के विषयित्व पर मनन है, जो भोक्तृ-प्रत्यय को सर्वव्यापक पार्यन्तिक प्रत्यय : ब्रह्मानन्द : के ऊर्ध्वोन्मुख क्रम में स्थापित करता है। कला के विपरीत विज्ञान विषयानुशीलन है, यह एक निर्धारित क्षेत्र में प्रत्ययानुविद्ध विषयभाव से उपचरित (आवृत्त) रहता है और इस प्रकार विषय-प्रत्यय के आत्ममनन में बाधक होता है। दूसरे, विषयभाव किसी निर्धारण के बिना संचरित नहीं हो सकता, जिस प्रकार विषयिभाव भी नहीं हो सकता। इन दोनों भावों के संचरण के लिए निर्धारण आवश्यक है। विज्ञान निर्धारित क्षेत्र में विषय-प्रत्यय को विषयिमूलक उपाधियों से मुक्त कर उसके शुद्ध तत्त्व का मनन करता है और आत्मोन्मुखता के क्षणों में निर्धारण आवश्यक है। विज्ञान निर्धारित क्षेत्र में विषय-प्रत्यय को विषयिमूलक उपाधियों से मुक्त कर उसके शुद्ध तत्त्व का मनन करता है और आत्मोन्मुखता के क्षणों में निर्धारण के क्षेत्र का मनन करता है। दर्शन इस विषय-प्रत्यय के विषयि-तत्त्व (आन्तर स्रोत) का प्रत्ययात्मक साक्षात्कार है, जिसका अर्थ है विषय-प्रत्यय को सर्वव्यापक पर्यन्त प्रत्यय के ऊर्ध्वोन्मुख क्रम में स्थापित करना। इस प्रकार दर्शन सिद्धान्त और अनुभूति दोनों का समावेश कर उनका अतिक्रमण करता है। इसके लिए आवश्यक है कि जगत् को उसकी सम्पूर्णता में ग्रहण कर उसका अतिक्रमण किया जाय और इस प्रकार विषयात्मक का ही नहीं भावनात्मक का भी, ज्ञानात्मक का ही नहीं भोगात्मक का भी, सैद्धान्तिक का ही नहीं, मूल्यात्मक और पारमात्मिक का भी अपने प्रत्यङ्मुख अथवा ऊर्ध्वोन्मुख अभिसरण में समावेश और अतिक्रमण किया जाय।

---

1. द्रष्टव्य है कि हमने **विषय और आत्म** में आत्म को 'अवलोकनात्मकता' के विपरीत 'नेयार्थता' से परिभाषित किया था। मनुष्य और जगत् के 'आत्म और अनात्म' अध्याय में इस दृष्टि को और गहराई मिली है।
2. **'मनुष्य और जगत्'** में 'धर्म-दर्शन' अध्याय द्रष्टव्य।
3. यहाँ यह स्पष्टीकरण आवश्यक है अतिक्रामी (कांटीय ट्रांसेडेंटल) चिन्तन विषयोन्मुख चिन्तन ही है। इसे हमने अन्यत्र आत्मसम्बद्ध चिन्तन से मूलत: पृथक् किया है। द्रष्टव्य **विषय और आत्म** में 'आत्म' अध्याय।

ये सब आयाम चित् में सत् के प्रकाशक हैं। सैद्धान्तिक-वैज्ञानिक आयाम सत् के अस्तित्वात्मक, स्थिर नियमाधीन अथवा प्रदत्त रूप के प्रति चित्त के आग्रह को व्यक्त करता है। इसकी सफलता को हम सत्य की और असफलता को असत्य की संज्ञा देते हैं। तर्कशास्त्र, विज्ञान और सैद्धान्तिक दर्शन इसी सफलता को अपनी कसौटी बनाते हैं, किन्तु मूल्यात्मक या परमात्म-दृष्टि का जागरण इस सफलता को क्षुद्र और उपेक्षणीय बना देता है। सुकरात 'अपोलोजी' में जिस 'सत्य' को विचारणीय मानता है, उससे भी अधिक, बुद्ध या गाँधी जिस सत्य का अन्वेषण करते हैं, उस अन्वेषण के स्तर पर सैद्धान्तिक सत्य का आग्रह एक बाल-सुलभ कुतूहल ही लगता है, फिर चाहे कितना भी सूक्ष्म वह क्यों न हो। सुकरात जिस प्रकार के सत्यों की बात करता है उसके उदाहरण रूप में वह वैद्य और अश्वपाल का उल्लेख करता है। ये सत्य क्रमशः मानव-देह के और अश्व के अस्वास्थ्य के निवारण और उपयुक्त शिक्षण तथा स्वास्थ्य से प्रमाणित होते हैं। इसी प्रकार बुद्ध को भिषग्राज कहा गया है। नागार्जुन और वसुबन्धु का दर्शन उस तत्त्व को सैद्धान्तिक सन्दर्भ में समझने का प्रयत्न है जिस सिद्धान्त की प्रामाणिकता बुद्ध की दृष्टि में है। कोई दर्शन इस तथ्य की उपेक्षा कर प्रत्यय की प्रत्यङ्मुखता के वास्तविक तत्त्व का अवगाहन नहीं कर सकता। हुस्सर्ल के अनुसार फिलासफी विज़्डम[1] के रूप में ही उत्पन्न हो सकती है, उसका अपना बोध, जो सामान्यता (यूनीवर्सेलिटी) की ओर से प्रवृत्त होता है, ऐसा ज्ञान है जिसके सम्बन्ध में वह प्रथम चरण से, और प्रत्येक अगले चरण पद अपनी निजी अन्तर्दृष्टि के द्वारा प्रश्नों का समाधान कर सकता है।[2] दार्शनिक कर्म की यह बहुत सुन्दर व्याख्या है, किन्तु दुर्भाग्यवश हुस्सर्ल इस दृष्टि के आधार पर निराग्रह भाव से पहुँचने में असमर्थ है। उसकी 'सामान्यता' में केवल विज्ञानों का समावेश है : "सर्वप्रथम, जो भी दार्शनिक बनने की गम्भीर अभिलाषा से प्रेरित है उसके लिए आवश्यक है कि वह अपने जीवन में 'एक बार' अवश्य अपने अन्तर की ओर उन्मुख हो और अपने भीतर उन सब विज्ञानों का उन्मूलन करे जो उसके समय तक प्रतिष्ठित हैं और तब उनके पुनर्निर्माण की ओर अग्रसर हो।"[3] हुस्सर्ल का यह उन्मूलन इनके आधार में जाकर इनकी आलोचना के रूप में ही अभिप्रेत है, इस रूप में नहीं कि स्वयं उस चैतन्य में ही स्थिति प्राप्त की जाय जो सर्जन की अनेक विधाओं में प्रवर्तित होता है, और उन सब विधाओं की निजी विशिष्टताओं का साक्षात्कार किया जाय।

---

1. इसका उपयुक्त हिन्दी पर्याय होगा—'आर्षदृष्टि'।
2. हुस्सर्ल — **कार्टेसियन मैडीटेशंस,** पृ. 2.
3. वही।

सत्ता का परिशीलन

इस प्रकार से हमारा सर्वप्रथम साम्मुख्य सत्ता से ही होता है, इसलिए सत्ता को स्वत:स्पष्ट और मूल प्रदत्त होना चाहिए। वास्तव में सत् मानव-चित्त का ही प्रथम प्रदत्त नहीं है, यह चित्त के सभी स्तरों पर समान रूप से प्रथम प्रदत्त है। चित्त का सहज स्वभाव उन्मुखता और आत्म-संवेदन या आत्म-प्रकाशन कहा जा सकता है। इनमें दूसरा चित्त का मूल धर्म है, पहला आगन्तुक धर्म। आगन्तुक इसलिए क्योंकि यह निद्रा और कुछ दूसरी अवस्थाओं में नहीं रहता, किन्तु अन्यथा यह चित्त के सभी स्तरों पर रहता है। सत्ता चित्त की इन दोनों अवस्थाओं में प्रकट होती है। निद्रित चित्त को आत्मसत्ता में विश्रान्त चित्त भी कह सकते हैं। उन्मुखता में चित्त किसी विषय को लक्षित कर प्रवृत्त होता है। सत्ता उस विषय का आधार बनती है। वास्तव में यह कहना अधिक उपयुक्त होगा कि चित्त विषय की ओर उन्मुख सत्ता के प्रति आस्था के साथ ही होता है। चित्त की कुछ उन्मुखताएँ इस आस्था के बिना भी होती हैं, जैसे रंजनात्मक कल्पनाओं में, इनमें चित्त सत्ता के स्थगन के साथ प्रवृत्त होता है। किन्तु इस अवस्था में चित्त की आत्मसत्ता उसे प्रकृष्टतया विदित होती है, क्योंकि इसमें चित्त विषय की सत्ता के आधार के रूप में अपना भावन करता है। इस प्रकार सत्ता चित्त में स्वगत भी है और बाहर सम्मुखत: भी प्रकट होती है, और दोनों अवस्थाओं में यह युगपद्-रूप से भावित होती है। इस प्रकार सत् चित् से अनिवार्यत: इतर वस्तु का गुण या उसका घटक धर्म नहीं है, यह चित् का उतना ही अन्तरंग भाव भी है जितना चित् द्वारा सम्मुखत: गृहीत विषय का।

किन्तु यहाँ आपत्ति हो सकती है कि यह सत् का निरूपण नहीं होकर चित्त में सत् के भावन या ग्रहण का निरूपण है। सत् वस्तुगत तत्-त्व है, यह वस्तु का तद्‌गत आधार है जिसके कारण वह चित् या चित्त से निरपेक्ष है, और चित्त में इसका प्रकाशन ग्राह्य वस्तु के निरपेक्ष आधार के रूप में ही होता है। जहाँ यह आधार नहीं होता वहाँ विषय अवास्तविक होता है और इस प्रकार चित्ताश्रित होता है। किन्तु यह निरूपण युक्त नहीं है। इसमें दो पूर्वाग्रह हैं, प्रथम यह कि चित् स्वरूपत: बाह्यमुखीन है और दूसरा, कि चित् विषय के आश्रय से, उसकी परिधि पर ही घटित होता है, और इस प्रकार इसमें यह आपादित है कि चित् स्वयं सत् से रहित है, यह सत् की दृष्टि से विषयाश्रित (वस्तु-आश्रित) है। इस पूर्वाग्रह के बहुत-से रूप हो सकते हैं, कांट के **क्रिटीक् ऑव प्योर रीज़न** में इसका एक रूप दृष्टिगत होता है, सार्त्र के **बींग एण्ड नथिंगनेस** में एक दूसरा रूप, एक प्रकार से प्लेटो के आकार-सत्तावाद में भी इसका कुछ आभास देखा जा सकता है, यद्यपि वह चित् को एक पृथक् सत् भी मानता है। भारतीय दर्शनों में वैभाषिक और सौत्रान्तिक मतों में और न्याय-वैशेषिक में इस प्रकार की धारणा देखी जा सकती है। किन्तु जैसाकि हमने ऊपर देखा, चित् अविकसित जैव चित्त की अवस्था में भी अनिवार्यत: बाह्यमुखीन नहीं होता, यद्यपि इसकी योग्यता उसमें सदैव रहती है; इसी कारण चित् या चित्त को परिधिगत अवस्तु भी नहीं कहा जा सकता। दूसरे, चित्त की बाह्योन्मुखावस्था में सत् के विषयगत आधार के रूप में ग्राह्य होने पर भी उसका प्रथम भावन चिद्‌गत भावना के रूप में ही होता है, अर्थात् इस स्थिति का विवेचन "विषय की क्रिया-सामर्थ्य या प्रयोजन-साधकता में आस्था" (जैसे धरती पर पैर रखते हुए उसकी दृढ़ता में आस्था, खाद्य वस्तु देखकर उसकी खाद्य वस्तुता में आस्था) के रूप में ही किया जा सकता है, वस्तु के निरपेक्ष तत्त्व के रूप में नहीं। चित् से निरपेक्ष सत् अमूर्त्त-विचार-ग्राह्य तत्त्व है, जैव अनुभव-ग्राह्य विषय नहीं। जैव अनुभव में विषयगत आधार चिद्‌गत अर्थ की साधकता की सामर्थ्य के रूप में ही ग्राह्य होता है। जहाँ तक चित् की अपनी सत्ता का प्रश्न है, वह चित्त में प्रथम और मौलिक भावन तो है ही, इसके अतिरिक्त, चित् अस्तित्वत: : चित्तरूप में : भी सत् में प्रतिष्ठित है, जिस प्रकार अनुमानत:[1] बाह्य विषय भी है।

---

1. "अनुमानत:" इसलिए क्योंकि बाह्य विषय की सत्ता का असिन्दग्ध निश्चय नहीं होता।

किन्तु यह सत् आदिम बोध में जितना ही सहज है, विचारात्मक प्रत्यय के लिए यह उतना ही दुर्बोध और गहन है। विचारात्मक प्रत्यय का लक्षण उन्मुख चित्त द्वारा विषयी और विषय के द्वित्व में उद्भिन्न होकर विषय का विषयी से और परिवेश से विलग निर्धारण करना है। इसे द्विधा व्यावर्तन भी कह सकते हैं। किन्तु यह निर्धारण जबकि प्रकटत: विषयपरक प्रतीत होता है, वास्तव में यह विषयिपरक होता है। यह विषयभाव में निमज्जित चैतन्य का उस भाव से उन्मज्जित होकर अपना आकलन करना और तब इस आकलन के माध्यम से विषय का पुनर्ग्रहण करना है। बौद्धों द्वारा इसे विकल्प कहकर सत् का आवरक बताना, और कांट द्वारा विषयाकार (अ-प्रायराई फोर्म्स) कहकर इसमें विषयी की आत्मोपलब्धि या आत्मचरितार्थन को नहीं देखना, दोनों भ्रामक हैं। विषय का विषयनिष्ठ निर्धारण विषय से अंशत: मुक्त चैतन्य द्वारा उसको : विषय को : उसके अपने आधार में प्रतिष्ठित करना है। किन्तु यह चैतन्य द्वारा विषय के स्वरूप का आवरण नहीं होकर उसके तत्त्व के ग्रहण की दिशा में अग्रसर होना है। यदि प्रत्ययात्मक विषय-निर्धारण को, अथवा इन्द्रिय-प्रत्यक्ष के स्तर पर इन्द्रिय-सन्निकर्षमूलक अध्यवसाय को, विषय का आवरक कहें तो कहना होगा कि पाशव स्तर पर हम विषय के स्वरूप का अधिक सम्यक् साक्षात्कार करते हैं और विज्ञान के स्तर पर उससे पूर्णत: विच्छिन्न होते हैं, और दर्शन के स्तर पर विच्छिन्न ही नहीं, विमुख भी होते हैं। वास्तव में कुछ दार्शनिक हैं जो ऐसा ही मानते हैं। बर्गसां ऐसा स्पष्ट रूप से कहते हैं। किन्तु यह एक-दूसरे प्रकार का पूर्वाग्रह है जिसे हम गोचर विषयभाव का पक्षपात कह सकते हैं। यहाँ हम यथार्थ ज्ञान के सम्यक् करण (साधन) की परीक्षा नहीं कर केवल इतना ही कहना चाहेंगे कि प्रत्यय से अननुविद्ध विषय-बोध में ग्राह्य विषय प्रत्यय से अनुविद्ध बोध से ग्राह्य विषय से नितान्त भिन्न होता है, और यह भेद तब और मौलिक हो जाता है जब ग्राह्य विषय प्रत्ययानुविद्ध इन्द्रियमूलक नहीं रहकर शुद्ध रूप से प्रत्ययमूलक ही होता है। किन्तु विचार-प्रत्यय से अननुविद्ध शुद्ध ऐन्द्रिय विषय मानव-चेतना को अनुपलब्ध रहता है और विचार-प्रत्यय से अनुविद्ध ऐन्द्रिय विषय एक पूर्णत: रूपान्तरित विषय होता है। अब सत्ता एक ऐसा विषय है जो किसी भी स्तर पर इन्द्रिय-ग्राह्य नहीं होता : प्रत्यय से अननुविद्ध या शुद्ध ऐन्द्रिक स्तर पर सत्ता का ग्रहण विषय की सत्यता में आस्था के रूप में होता है और प्रत्ययानुविद्ध इन्द्रिय-विषयता के स्तर पर, अर्थात् विषय के अध्यवसायात्मक निर्धारण में, यह ग्रहण निर्धारण का अंश होता है और इसका स्वयं का तत्त्व शुद्ध विचार के स्तर पर निर्धार्य होता है। यहाँ यह द्रष्टव्य है कि स्वरूप-निर्धारण, जोकि सदैव शुद्ध प्रत्ययात्मक व्यापार है, दो प्रकार से होता है : एक विषयमूलक और दूसरा प्रत्ययमूलक। विषयमूलक स्वरूप-निर्धारण की परिधि विषय के निर्धारण के अनुसार ही निर्धारित हो जाती है, जैसे भौतिक-विज्ञान में भौतिक के अनुसार, मनोविज्ञान में विषयभूत मन के अनुसार, और गणित में मात्रा-तत्त्व के अनुसार। किन्तु प्रत्ययमूलक स्वरूप-निर्धारण किसी परिधि पर स्थिर नहीं हो सकता, क्योंकि प्रत्यय की कोई परिधि नहीं हो सकती। जैसाकि हमने पिछले अध्याय में देखा, प्रत्यय में चित् प्रत्यङ्मुख वृत्ति में स्थित होता है और यह वृत्ति केवल निरपेक्ष (अनिर्धार्य) पर ही पर्यवसित होती है। बहुत बार दर्शन भी, विज्ञान के समान ही, स्वरूप-निर्धारण में विषयमूलक होता है, किन्तु तब इसका विषय ऐसा होता है जो सब निर्धारणों का अतिक्रमण करता है, जैसे ईश्वर, आत्मा, सत्ता मात्र आदि...आदि। किन्तु जैसाकि हमने पीछे देखा, अनिर्धार्य तत्त्व इन्द्रिय या प्रत्यय-ग्राह्य नहीं होकर प्रत्ययात्मक निर्धारणों के माध्यम से संकेतित मात्र होता है। किन्तु ये निर्धारण अनिर्धार्योन्मुख होने से अतल गम्भीर होते हैं, यद्यपि प्रत्यय-ग्राह्य विषय-निर्धारण भी किसी ग्रहण द्वारा निश्शेष नहीं होते। उदाहरण के लिए हम भौतिक-विज्ञान में इन्द्रिय-ग्राह्य विषय के तत्त्व का निर्धारण करते हैं, किन्तु हम यह आशा कभी नहीं करते कि यह निर्धारण इस तत्त्व की गहराई की पूरी थाह कभी भी ले पायेगा।

सत्ता से हमारा प्रथम साम्मुख्य इन्द्रिय-विषय में और चित्त में होता है, किन्तु इन स्तरों पर स्वयं सत्ता के विषय रूप में ग्राह्य नहीं होने से प्रत्यय में इसका निर्धारण विषय-निर्धारण से तथा विषय-प्रत्यय के निर्धारण से कहीं अधिक दु:साध्य होता है। सत्ता के हमारे ग्रहण को भाषा वाक्य में 'अस्ति' (है) शब्द द्वारा व्यक्त करती है। इस प्रकार "यह घट है" में "है" शब्द इस घट-वस्तु की सत्ता का वाचक है, जिस सत्ता का ग्रहण हम घट-दर्शन के साथ युगपद् रूप से करते हैं। अब इस घट की सत्ता का क्या स्वरूप है? यह घट सत्ता में अन्य घटों से भिन्न है या अभिन्न? यदि भिन्न है तो, टूट जाने पर यह सत् रहता है या असत्? यदि कहें कि घट-रूप में यह असत् हो

जाता है किन्तु मिट्टी रूप में सत् रहता है, तो इस "घट-रूप" का क्या अर्थ है? इस रूप में दो घट किस प्रकार भिन्न होते हैं? दूसरे, यदि मिट्टी-रूप में यह सत् रहता है तो घट-रूप में यह असत् कैसे होता है? क्या तब यह घट अतीत घट-रूप में और सम्भाव्य घट-रूप में सत् नहीं रहता? इसके अतिरिक्त, घट की व्यष्टि-सत्ता का आधार क्या है, घट-रूपता याकि व्यष्टि-रूपता? यदि कहें कि दो ये रूप वस्तुत अभिन्न होते हैं, तो प्रश्न होगा कि यह घट इस गाय से व्यष्टि-रूप में भिन्न है या कि जाति और व्यष्टि-रूप में पृथक्-पृथक्? यदि घट और व्यष्टि अभिन्न हैं तो दो घटों और दो गायों में व्यष्टि-भेद समान होगा, और यदि भिन्न तो व्यष्टि-घट का नाश होने पर इस प्रश्न का समाधान अपेक्षित होगा कि नाश किसका होता है? व्यष्टि का? घट का? या कि दोनों का? पुन:, यदि घट-नाश होने पर घट उपादान में शेष रहता है तो प्रश्न होगा कि उपादान रूप में घट शेष रहता है या कि व्यष्टि? यदि घट, तो उसी उपादान से पुनर्निर्मित घट नष्ट घट से अभिन्न होगा, यदि व्यष्टि, तो व्यष्टि और उपादान में भेद कैसे होगा? यदि भेद सम्भव है तो प्रश्न होगा कि घट घट रूप में व्यष्टि सत् है या कि उपादान-रूप में? यदि घट-रूप में, तो व्यष्टि-सत्ता का आधार घटत्व-सत्ता होगी, और यदि उपादान रूप में, तो या तो इस व्यष्टि और उपादान में कोई भेद नहीं होगा, या फिर व्यष्टि उपादान रूप में सत् नहीं कहा जा सकेगा। अब, इन प्रश्नों का समाधान असम्भव है, क्योंकि कोई भी समाधान एक-पक्षीय ही हो सकता है जबकि समस्या बहुपक्षीय है।

पुन:, यह निर्धार्य सत् युगपद् रूप से असद्विशिष्ट भी होता है : घट जबकि घट-रूप में सत् है, गाय-रूप में असत् है; इस घट-रूप में सत् है, उस घट-रूप में असत्, विद्यमान रूप में सत् है, अविद्यमान रूप में असत्। अब यहाँ सत्ता-विषयक एक मूलगामी प्रश्न उत्पन्न होता है कि सत् असद्विशिष्ट कैसे हो सकता है? यदि कहें कि सत् अनिवार्यत: असद्विशिष्ट ही हो सकता है, तो कम-से-कम तीन कठिनाइयाँ होंगी : प्रथम, यह मानना होगा कि "निर्बाध सत्" वदतोव्याघात है, दूसरी, कि सत् नितान्त शून्य में से उद्भूत होता है और नितान्त शून्य में ही विलीन हो जाता है, परिणामत: तब नष्ट घट के उपादान रूप में सत् होने का भी कोई अर्थ नहीं रहता। तीसरी कठिनाई यह होगी कि जबकि गाय घट-रूप में असत् है, वह गाय-रूप में सत् होगी, परिणामत: घट गाय में जबकि अपनी असत्ता से व्यावृत्त होगा, गाय की असत्ता से नहीं, अन्य घट में वह अपनी और गाय की दोनों असत्ताओं से व्यावृत्त होगा। किन्तु इन सबसे गम्भीर और आधारभूत कठिनाई यह होगी कि असत् व्यावर्तक कैसे हो सकता है?

यहाँ एक समाधान यह हो सकता है कि कहा जाय कि प्रत्येक सद्-वस्तु असद्-वस्तु से नहीं बल्कि सद्-वस्तु से व्यावृत्त होती है और इस प्रकार असत् कोई वास्तविक कोटि नहीं है। परिणामत: घट-सत्ता अघट-सत्ता की, और व्यष्टि-सत्ता आत्मेतर व्यष्टि-सत्ता की व्यावर्तक होती है और इस प्रकार घट अ-घट के साथ निरपेक्ष सत्ता में प्रतिष्ठित होता है। किन्तु इससे भी पूर्ण समाधान नहीं होता, क्योंकि सत् घ सत् अ-घ से ही व्यावृत्त नहीं होता असत् घ से भी व्यावृत्त होता है, अर्थात् घ अपनी उत्पत्ति से पूर्व और नाश के उपरान्त अपनी असत्ता से व्यावृत्त होता है। यह तथ्य प्रत्येक इन्द्रिय-गम्य अस्तित्व को सदसद् का संघात बना देता है और इस प्रकार गोचर अस्तित्व-मात्र प्रवाह (बिकमिंग) हो जाता है। देश में अपने असत् से व्यावृत्ति की दूसरी समस्याएँ हैं, विशेषत: उन वस्तुओं में जिनका आकार परिवर्तमान होता है, अथवा जो परिवर्तन-सह होती हैं, जैसे गुब्बारा, स्प्रिंग आदि। इसका एक समाधान यह हो सकता है कि घ अतीत-अनागत में अपने असत् से नहीं अपने अस्तित्व से व्यावृत्त होता है, अर्थात् अस्तित्व और सत् एक ही बात नहीं है और इस प्रकार जो अभी सत् है वह त्रिकाल में सत् है और जो अब असत् है वह त्रिकाल में असत् है। किन्तु यदि यह माना जाय तो वह सब गोचरगत सत् हो जायगा जो तर्कत: असम्भव नहीं है। क्योंकि जो तर्कत: सम्भव है उसका घटित नहीं होना केवल आगन्तुक है और परिणामत: वह धर्मत: या तत्त्वत: सदैव घटित है और वस्तुत: गोचरत: कभी भी घटित हो सकता है। इसके अतिरिक्त, घटित होना उसकी सत्ता के लिए आगन्तुक होने से, वह कभी घटित नहीं होने पर भी सत् होगा। किन्तु यह समाधान सहज स्वीकार्य नहीं होगा, यद्यपि इस अस्वीकृति से यह आपादित होगा कि कम-से-कम गोचर जगत् में सत् अस्तित्व को पूर्वापेक्षित करता है। अर्थात् यह कहा जायगा कि गोचर वस्तु के सत्त्व में देश और काल दोनों घटक होते हैं और परिणामत: केवल घटमान् (घटित हो रही) वस्तु ही सत् हो सकती है, अतीत और

सम्भाव्य वस्तु नहीं। किन्तु ऐसा स्वीकार करते ही प्रवाहवाद को स्वीकार करना अनिवार्य हो जाता है, जिसका अर्थ है कि कोई वस्तु कभी अस्तित्व में रहती ही नहीं। किन्तु घट क्षण क-1 से क-2 तक अस्तित्व में रहता है, यह असन्दिग्ध है, प्रवाह की अवधारणा यदि कहीं लागू की जा सकती है तो उसके उपादान कारण पर, घट पर नहीं। घट घट-प्रत्यय का मिट्टी में निरूपण है,[1] और यह निरूपण अर्थात् घट-प्रत्यय का अस्तित्व धारण, इसके तत्त्व या सत्त्व में एक अनिवार्य घटक है। किन्तु यह घटना उसके सत्त्व का सम्पूर्ण नहीं है। प्रत्यय के उपादान में निरूपण के साथ स्वयं उपादान में, उपादान के रूप में, एक रूपान्तरण भी घटित हो जाता है, वह यह कि उत्पादन में (जैसे मिट्टी में) स्वगत परिवर्तन निरूपित प्रत्यय की : जैसे घट की : स्वगत अभिन्नता के लिए तब तक प्रासंगिक नहीं रहता जब तक वह उसके अस्तित्व को धारण करता है। इस प्रकार घट विशेष क-1 से क-2 पर्यन्त अभिन्न और अपरिवर्तित रहता है, क-2 के उपरान्त उसका अस्तित्वांश लुप्त हो जाता है, यद्यपि उसका सत्त्व घटत्व रूप में रहता है और वह सत्त्व उपादान और निमित्त का आश्रय लेकर पुन: अस्तित्व में प्रकट होता रहता है। इसकी पुष्टि में एक और उदाहरण हम भाषा का ले सकते हैं। प्रत्यय के अस्तित्व का एक उपादान ध्वनि है जो प्रत्यय के निरूपण में शब्द का आकार लेती है। गौणत: लिपि को भी भाषा का अस्तित्व कह सकते हैं। किन्तु सम्प्रति ध्वनि तक ही सीमित रहते हुए, यह देखा जा सकता है कि भाषाश्रित प्रत्यय का अस्तित्व अत्यन्त अल्प स्थायी होता है, किन्तु सत्त्व त्रिकालाबाधित होता है। यहाँ एक और तथ्य उल्लेखनीय है कि शब्द, अर्थात् शब्द-वाच्य प्रत्यय का अस्तित्व,[2] घट से भिन्न अवैयष्टिक होता है और परिणामत: वह अपनी विभिन्न घटनाओं में भिन्न नहीं माना जाता : "नाम" शब्द अपनी असंख्य घटनाओं में एक ही शब्द माना जाता है। इस भेद का कारण जानना महत्त्वपूर्ण है—यह कारण अस्तित्व में भेद के स्वरूप में निहित नहीं है, क्योंकि अस्तित्ववान् घट और लिखा या बोला गया शब्द दोनों उपादान में समान : भौतिक : होते हैं। किन्तु एक-साथ दस बार लिखा या बोला गया शब्द "नाम" दस भिन्न शब्द नहीं माना जाता, जबकि घट दो व्यष्टियों में भिन्न माना जाता है। इसका एक कारण इन प्रत्ययों के अस्तित्व में प्रयोजन-भेद है, सत्त्वगत स्वरूप-भेद नहीं। यह इससे भी स्पष्ट है कि एक ही प्रत्यय : घटत्व : इस शब्द और घट-व्यष्टि में दो सर्वथा भिन्न रूपों में अस्तित्व लेता है। मृद्-घट पानी भरने के लिए और शब्द-घट सम्प्रेषण या विचार के लिए होता है। इस प्रकार घट का सत्त्व किसी असत्त्व से व्यावृत्त नहीं होता है। इस प्रकार जहाँ तक पूर्वोक्त सम्भावना का प्रश्न है, गोचर वस्तुओं के सन्दर्भ में वह अस्तित्व-विषयक है सद्विषयक नहीं, और अस्तित्व के प्रसंग में सम्भव वह है जिसका अस्तित्व नहीं है किन्तु हो भी सकता है, और नहीं भी हो सकता : और यह स्थिति अस्तित्व को आधारभूत रूप से सत्त्व से पृथक् कर देती है—जो हो सकता है, और नहीं भी हो सकता, वह यदि है भी तो भी वह केवल आगन्तुक रूप से ही है, वह नहीं भी हो सकता था। वास्तव में यह अन्ततः चैतन्य के जगत् से सम्बन्ध का भी द्योतक है—प्रत्यय : चित् : जगत् के अन्तर्गत, या जगद्-रूप में, आविर्भूत होता है, किन्तु यह आविर्भाव उसके सत्त्व के लिए आगन्तुक है। किन्तु इस पर विशेष चर्चा हम आगे करेंगे।

यहाँ इस प्रसंग के एक दूसरे पक्ष पर विचार अपेक्षित है : हमने पीछे प्रश्न उठाया था कि क्या घट नष्ट होने के बाद रहता है या कि असत् हो जाता है? विचार के बाद हम इस निष्कर्ष पर पहुँचे थे कि वह वास्तव में घट का सत्त्व नहीं अस्तित्व है जो उद्भूत और नष्ट होता है। अब अस्तित्व के सम्बन्ध में यह प्रश्न कुछ अटपटा लगता है कि नाश के बाद अस्तित्व रहता है या नहीं। किन्तु जैसाकि हमें विदित है, इस प्रश्न पर भारतीय दर्शन में बहुत विचार हुआ है। किन्तु वास्तव में वह अस्तित्व को लेकर नहीं, सत्त्व ही को लेकर हुआ है। उनके अनुसार घट केवल प्रतिभास या संवृति है, सत् उसका उपादान है जिसमें यह नाम-रूप : घट : आभासित होता है। किन्तु इसके विपरीत हम "नाम" को घट का सत्त्व कह रहे हैं, रूप को उसका अस्तित्व, और ये दोनों मृत्तिका के लिए आगन्तुक हैं। किन्तु यहाँ हमारे लिए वह चर्चा अभिप्रेत नहीं है। हमारे लिए यहाँ अस्तित्व का प्रश्न ही प्रासंगिक

1. द्रष्टव्य — यशदेव शल्य : **मनुष्य और जगत्,** अध्याय 1.
2. अथवा कहें, ध्वनि के माध्यम में व्यक्त प्रत्यय।

है। घट अस्तित्व में आने से—आविर्भाव से—पूर्व मिट्टी था और तिरोभाव के साथ पुन: मिट्टी शेष ही हो जाता है। इस प्रकार उसका घट-रूप में अस्तित्व समाप्त हो जाता है। तब क्या मिट्टी-रूप में उसका अस्तित्व शेष रह जाता है? किन्तु यदि यह शेष रह जाता है तब आविर्भाव से पूर्व भी इसका यह शेष अस्तित्व मिट्टी-रूप में रहा होना चाहिए। किन्तु ऐसा नहीं कहा जा सकता। तब क्या पहली बात भी नहीं कही जा सकती? सम्भवत: यह पहली बात इस प्रकार कही जा सकती है कि यदि हम घट-नाश के बाद उसकी मिट्टी अलग सँभाल कर रख लें तो कह सकते हैं कि यह मिट्टी उस घाट की है। किन्तु स्पष्ट है कि यह शेष अस्तित्व घट का नहीं होकर हमारी स्मृति के उपचार (आरोप) का होगा। इस प्रकार घट का अस्तित्व उसके टूट जाने के बाद निश्शेष हो जाता है। किन्तु जैसाकि हम जानते हैं, मृत व्यक्ति की देह को जला देने पर उसकी राख और अस्थियों को, मृत व्यक्ति के ही शेष के रूप में देखा जाता है। किन्तु यह भी वास्तव में उसी प्रकार स्मृति-उपचार ही है। किन्तु यहाँ एक महत्त्वपूर्ण और रोचक वस्तुस्थिति है : जिस प्रकार घट का तिरोभाव मिट्टी में होता है उसी प्रकार मिट्टी का तिरोभाव भी होता है। इस तिरोभाव की प्रक्रिया की अन्तिम प्रतिष्ठा किस में है? कहें भौतिक सत्ता में। किन्तु यह भौतिक सत्ता क्या है? यह निर्धार्य है या अनिर्धार्य, या कि निर्धारण-निरपेक्ष? यह तृतीय कोटि वास्तव में इस सत्ता की चिद्भिन्नता, जड़भाव, का कथन करने के लिए है। किन्तु यह भिन्नता का कथन निर्धारण है, जो प्रत्ययान्तर्गत है। इसका उत्तर हो सकता है कि जड़भाव निर्धारण की अपेक्षा नहीं कर सकता, यह अपेक्षा प्रत्ययगत है, न कि जड़ सत्तागत। किन्तु यदि यह सही हो तो निर्धार्यता सत्तागत नहीं रहकर प्रत्ययात्मक अपेक्षागत हो जायगी और इस प्रकार सत्ता निरपेक्ष भाव-मात्रता हो जायगी। किन्तु तब प्रत्यय के लिए क्या कहा जायगा? यह सत् कहा जायगा या असत्, या कि इसे इस अपेक्षा के कारण तीसरी कोटि, असद्गर्भ सत्, में रखेंगे?

इस प्रश्न पर कुछ विचार हम पिछले अध्याय में कर आये हैं, आगे पुन: करेंगे, किन्तु यहाँ प्रस्तुत प्रश्न अचित् की सत्ता का है; क्या अचित् निरपेक्ष सत् हो सकता है? इसका एक उत्तर हो सकता है कि अचित् यदि सत् हो तो केवल वही निरपेक्ष हो सकता है, क्योंकि निर्धारण और अपेक्षा चित् के स्वभाव में ही सम्भव हैं। किन्तु निरपेक्ष अचित्-सत् तब पूर्णत: अचिंत्य, अर्थात् चिन्तन के द्वारा अपने से अतिक्रामी के रूप में भी असंकेत्य होगा, यह अन्तर्बाह्य सर्वत: अन्धतमस होगा। किन्तु इस रूप में भी यह निर्धारण, या निर्धारणों के अवसान का कथन ही है। इस प्रकार इसके सम्बन्ध में यह कथन भी सम्भव नहीं है। परिणामत: अचित् असत् भी नहीं है, यह अभाव या अविद्यमानता भी नहीं है, यह कुछ नहीं है, यह वदतोव्याघात है। यहाँ यह स्पष्टीकरण स्थाने होगा कि यह परमार्थ सत् या अनिर्धार्य के समान अनभिलाप्य नहीं है, क्योंकि यह निर्धारणों के परे संकेत्य नहीं है, यह वदतोव्याघात है। किन्तु हम मिट्टी के तिरोभाव के लिए अधिष्ठान की खोज कर रहे थे, यह अधिष्ठान वदतोव्याघात नहीं हो सकता, क्योंकि इसके वदतोव्याघात होने पर या तो मिट्टी भी वदतोव्याघात होगी अथवा वही अन्तिम अधिष्ठान होगी। तब इस अधिष्ठान का स्वरूप क्या है? दूसरे शब्दों में, प्रत्यय के अस्तित्व की, उसके भौतिक कलेवर की (जैसे अर्थाधायक और घटत्वाधायक मिट्टी की) सत्ता किसमें है? इस सत्ता का वदतोव्याघात-रहित आख्यान दो प्रकार से किया जा सकता है। एक, कि यह इन्द्रियगोचर विषय-निर्धारणों का अनिर्धार्य अधिष्ठान है, दूसरा, कि यह अव्यवहित चैतन्य में आत्मव्यवधान का उपचार (आरोप) अथवा सत् में असत् का आक्षेप है। इनमें पहला आख्यान उपयुक्त है किन्तु अपर्याप्त है, क्योंकि घटादि प्रदत्त विषय नहीं होकर सृष्ट विषय है और इस आख्यान में इस सृजनात्मकता का आकलन नहीं होता। और मिट्टी आदि भी, निर्धारित विषय होने से, प्रत्ययगत निर्धारण को प्रतिबिम्बित करते हैं, जो निर्धारण चैतन्यगत व्यवधान या असत् का सूचक है। वास्तव में सत् का इस प्रकार ख्यापन हुए बिना अभाव, वासना, दोष और सृजन को भी नहीं समझा जा सकता, जो कि चित्त के आत्मसत्ता-बोध में मौलिक हैं।

किन्तु चित्तगत आत्मसत्ता-बोध पर विचार से पहले विषयमूलक निर्धारण के स्वरूप पर कुछ और विचार स्थाने होगा। विषय-गत सत्ता के बोध का आदर्श उसकी प्रदत्तता में उपलब्ध होता है। इस प्रकार, यह दीवार, यह पैन, यह मिट्टी, यह पानी विषय-सत् हैं क्योंकि ये बाह्य देश में इस आस्था का धारण करते हुए स्थित हैं कि इनकी

सत्ता के लिए मेरा इन्हें देखना–नहीं देखना आदि अप्रासंगिक हैं। किन्तु आज यह कहना एक अनावश्यक आवृत्ति मात्र होगा कि इनका रूप, रंग, नाम आदि सब चिन्मूलक निर्धारण हैं। तब शेष केवल सत्ता बचती है जिसे दिङ्नाग और कांट ने स्वलक्षण वस्तु के रूप में निर्धारणों से परे स्थापित किया। किन्तु जैसाकि हमने पिछले अध्याय में देखा, निर्धारण का अतिक्रमण प्रत्यय के आत्मोन्मुख अभिसरण की पराकाष्ठा मात्र है और इस प्रकार स्वलक्षण वस्तु विषय–प्रत्यय के द्वारा अपने शुद्ध स्वरूप का साक्षात्कार है।

किन्तु विषय–निर्धारण का तत्त्व क्या है? अथवा कहें, चैतन्य की विषय–निर्धारण–प्रवृत्ति का क्या स्वरूप है? जैसाकि हमने देखा, प्रत्यय स्वरूपत: अनिर्धार्य की ओर अपना अतिक्रमण करता है, किन्तु यह अतिक्रमण अनिर्धार्य का कभी साक्षात्कार नहीं करता। निर्धारण ऐन्द्रिक आयाम में देश, काल और गुणमूलक व्यावर्तन के रूप में होता है और बौद्धिक आयाम में व्यापकता के व्यावर्तन के रूप में। इन दोनों में सामान्य लक्षण लक्षित और अलक्षित का परस्पर व्यावर्तन है : लक्षित चैतन्य को अपने में परिसीमित करता है और अलक्षित उसके स्वरूप की असीमता का संकेतक होता है। यहाँ एक और महत् आश्चर्य की बात है, कि लक्षित विषय भी अपने विस्तार और गाम्भीर्य में चित्त के ग्रहण का अतिक्रमण करता है, जो निर्धारण का एक–दूसरे प्रकार का अतिक्रमण है। उदाहरण के लिए इन्द्रिय–विषय दैशिक विस्तार में नितान्त लघु होने पर भी प्रत्यक्षीकरण में नितान्त अपूर्णत: ग्राह्य होता है और इस प्रकार वह ऐन्द्रिक निर्धारणों का अतिक्रमण करता है। इन्द्रिय–ग्राह्य विषय की आकृति अनिवार्य रूप से परिप्रेक्ष्यात्मक होती है, अथवा कहें परिप्रेक्ष्यात्मकता ही आकृति को सम्भव करती है, और परिप्रेक्ष्यात्मकता का अर्थ है असंख्य वास्तव–सम्भाव्य दृष्टिकोणों पर एक वस्तु की विद्यमानता। नैरात्म्यवादी बौद्धों ने भौतिक वस्तुओं के काल–पक्ष पर तो ध्यान दिया, देश–पक्ष पर नहीं दिया,[1] जो उतना ही प्रत्यक्षातिक्रामी रहता है। किन्तु यहाँ द्रष्टव्य है कि जबकि ऐन्द्रिक, बौद्धिक और आनुभूतिक विषयों की परिप्रेक्ष्यात्मकता ग्रहणों के अतिक्रमण की द्योतक है, यह उनकी अनिर्धार्यता नहीं है, क्योंकि ग्रहण के सब सम्भाव्य दृष्टिकोण निर्धारण की दृष्टि से समान होते हैं और परिणामत: ग्राह्य और निर्धार्य होते हैं। उदाहरण के लिए दृष्टिकोण द से देखे जा रहे घट का दृष्टिगत पक्ष उसके असंय सम्भाव्य दृष्टिगम्य पक्षों में से एक है और वे सब शेष पक्ष इस समय अदृ हैं। किन्तु स्थान बदलकर अन्य पक्ष देखे जा सकते हैं। उन सब पक्षों पर दृश्यमान घट के रूप और आकृतियाँ विलक्षण औरइस प्रकार देखने से पहले अनिर्धार्य हो सकती हैं, किन्तु ये स्वरूपत: अनिर्धार्य नहीं हैं। किन्तु जो तत्त्व इस घट में असंख्य परिप्रेक्ष्यों का, अथवा कहें आकृतियों और गुणों का, धारण करता है वह अनिर्धार्य है। वह इसलिए अनिर्धार्य नहीं है कि वह एक ऐन्द्रिक प्रत्यक्ष में, या एक बौद्धिक विचार–क्रिया में, या एक कवि–दृष्टि (सृजनात्मक दृष्टि) में निश्शेषत: ग्राह्य नहीं होता, बल्कि इसलिए अनिर्धार्य है कि प्रत्यक्षीकरण, विचार और सर्जन स्वरूपत: उसके निर्धारण या ग्रहण में अक्षम हैं। इनकी इस अक्षमता का मूल अतिक्रामी अहंकार में है। अतिक्रामी अहंकार चैतन्य की वह उपाधि है जो चित्त और विषय को विशिष्ट बनाती है जिसके कारण सत्त्व उसके लिए अनिर्धाय बना रहता है।

यहाँ आपत्ति की जा सकती है कि इस प्रकार की कल्पना के लिए कोई औचित्य नहीं है, क्योंकि यह कहना युक्त नहीं है कि ग्रहणों की निर्धारणात्मकता अनिर्धार्य चित्–तत्त्व की द्योतक है और ग्राह्य विषय की परिप्रेक्ष्यात्मकता अतिक्रामी अनिर्धार्य वस्तु–सत्त्व की। प्रथम के, अर्थात् चित्–तत्त्व के अनिर्धार्य नहीं होने के पक्ष में यह युक्ति दी जा सकती है कि "द्योतकता" स्वयं विचार या तर्कमूलक है इसलिए निर्धारणात्मक है, और दूसरे के, अर्थात् वस्तु–सत्त्व के अनिर्धार्य नहीं होने के पक्ष में यह कि वस्तु–सत् यदि निर्धार्य नहीं है तो वह उसी

1. बौद्धों में दैशिक पक्ष पर विचार वैशेषिकों के परमाणुवाद के खण्डन में मिलता है, किन्तु उसका सन्दर्भ दूसरा है, परिप्रेक्ष्यात्मकता का सन्दर्भ दूसरा। परमाणु–विचार ज्यामितिक निर्धारण का प्रसंग है, परिप्रेक्ष्य–विचार आकृति और विषय–सत्ता विषयक–प्रसंग। द्रष्टव्य **विषय और आत्म,** अध्याय 2.

प्रकार वदतोव्याघात होगा जिस प्रकार अचित्–तत्त्व। विषय की परिप्रेक्ष्यात्मकता से अतिक्रामी वस्तु–सत् के लिए संकेत–ग्रहण के विरुद्ध बौद्धों, जर्मन प्रत्ययवादियों, आंग्ल अनुभववादियों और फिनोमिनलॉज़ी मतावलम्बियों सभी ने अपने–अपने ढंग से युक्तियाँ दी हैं। किन्तु हमारा वास्तव विरोध केवल अन्तिम दो से है। जहाँ तक बौद्धों का सम्बन्ध है, इनमें नागार्जुन और वसुबन्धु दोनों वास्तव में जिसकी असत्ता स्थापित करते हैं वह निर्धारणात्मक जगत् (प्रतिभास या व्यवहार) ही है, आधार सत् नहीं, जिसे एक परमार्थ कहता है और दूसरा निर्धारणों से अनुपचरित (अनुपहित) विज्ञान। जहाँ तक अनुभववादी और फिनोमिनलॉज़ी दार्शनिकों का सम्बन्ध है, उन दोनों की युक्ति यह है कि दृश्य वस्तु में अदृश्य तत्त्व के आक्षेप के लिए कोई औचित्य नहीं है। किन्तु परिप्रेक्ष्यात्मकता में भी एक द्वैत है—घटितता और योग्यता का : मैं इस स्थान से मेज़ देख रहा हूँ, अन्य स्थानों पर से कोई नहीं देख रहा है और इस प्रकार वहाँ मेज़ इस समय दृश्यमान् नहीं है। अब प्रश्न है कि वहाँ मेज़ है या नहीं? यदि नहीं तो वहाँ जाने पर यदि मेज़ दिखायी नहीं देता तो मुझे यह नहीं कहना चाहिए कि मुझे उस स्थान से उस समय जो मेज़ दिख रहा था वह भ्रम था। किन्तु हम ऐसा कहते हैं, इसलिए यह आपादित होता है कि मेज़ वास्तव में प्रत्यक्षों का संघात मात्र नहीं है, बल्कि प्रत्यक्षों में प्रकट होने की योग्यता से युक्त वस्तु है। इसके लिए इस सम्प्रदाय का उत्तर है कि मेज़ वस्तव–सम्भाव्य प्रत्यक्षों के संघात के लिए ही व्यक्ति–नाम है, इनसे परे कोई वस्तु नहीं है। सार्त्र इससे एक कदम और आगे जाता है और कहता है कि "योग्यता और क्रिया का द्वैत भी उसी युक्ति से असिद्ध हो जाता है। क्रिया ही सब कुछ है। क्रिया के पीछे न कोई योग्यता है, न शक्ति और न श्रेष्ठता (वर्च्यू)। उदाहरण के लिए हम 'प्रतिभा' का—जैसे "प्रूस्ट प्रतिभाशाली था" वाक्य में—अर्थ यह नहीं स्वीकार करेंगे कि प्रूस्ट में कुछ कृतियों के सृजन की योग्यता थी जो उन कृतियों के सृजन में निश्शेष नहीं हुई। प्रूस्ट की प्रतिभा न तो अकेले उसकी कृतियाँ मात्र थीं, न उनको रचने की प्रूस्टगत योग्यता, यह वह सम्पूर्ण कार्य था जिसे हम उस व्यक्ति की अभिव्यक्तियों की समग्रता के रूप में देखते हैं।"[1]

यहाँ हम 'व्यक्ति की योग्यता' पर विचार नहीं करेंगे, यह योग्यता और 'मेज़' समतुल्य नहीं हैं, क्योंकि प्रूस्ट विषयी है और उसकी विषय–रूप में अभिव्यक्ति उसका तत्त्व नहीं है...और सार्त्र इससे सहमत है, यद्यपि अनुभववादी नहीं हैं। अब जहाँ तक 'मेज़' का सम्बन्ध है, इसके स्वलक्षण वस्तुगत आधार को हम पीछे अस्वीकार कर चुके हैं, कि यह शुद्ध बौद्धिक प्रत्ययमूलक निर्धारण है। किन्तु यहाँ विषय के सम्बन्ध में महत्त्वपूर्ण विचारणीय प्रश्न, निर्धारणों के अतिक्रमण का है, जो अतिक्रमण सत्ता की ओर उद्दिष्ट है। इस उद्दिष्टता का आभास या साक्षात्कार हो जाने पर कोई गोचर विषय तक ही सीमित नहीं रह सकता, इस विषय के संवेद–ग्रहणों या प्रत्ययों तक सीमित रहने का तो प्रश्न ही कहाँ रहता है?

दर्शन की प्राचीनतम जिज्ञासा सत्ता का स्वरूप रही है। स्वभावत: इसमें प्रत्यक्षगत जगत् सत्ता के लिए पर्याप्त नहीं पाया गया, तभी यह स्वरूप–विषयक जिज्ञासा उत्पन्न हुई। जगत् को या तो अभिव्यक्ति के रूप में देखा गया, जैसे प्रूस्ट की कृतियों को हम, सार्त्र के मत के विपरीत, प्रूस्ट के चित्त की अभिव्यक्ति के रूप में देखते हैं, अथवा व्यवहार के रूप में, जो परमार्थ (सत) से असम्बद्ध या उससे बाह्यत: सम्बन्धित माना गया। किन्तु प्रत्यक्षगत जगत् उन विचारकों को पर्याप्त क्यों नहीं लगा? ऐसे मनोवैज्ञानिक उत्तर कि, मनुष्य ने जगत् को कृति के रूप में देखा और तब कर्त्ता की कल्पना एक स्वाभाविक भ्रान्ति थी, अनवस्थित हैं, क्योंकि तब प्रश्न होगा कि उसने इसे कृति के रूप में क्यों देखा? इसके अतिरिक्त, यह भी सही नहीं है कि सत्ता–विषयक प्रश्न इस प्रकार के हैं। पिछले अध्याय के आरम्भ में उद्धृत ऋग्वेद के मन्त्रों में कृति के रहस्य को कर्त्ता के लिए भी अविज्ञेय कहा गया है। कर्त्ता के लिए कृति के रहस्य की अविज्ञेयता वास्तव में गुह्यतम प्रसंग है। किन्तु यहाँ अभी प्रश्न है कि सत्ता के लिए प्रस्तुत जगत् को पर्याप्त क्यों नहीं पाया गया? प्लेटो का उत्तर है—'क्योंकि इन्द्रिय–विषय–जगत्

1. ज्याँ पॉल सार्त्र — बींग एण्ड नथिंगनेस, पृ. 4–5.

परिवर्तन और क्षयशील है।'[1] यही बुद्ध का उत्तर है—सब्बं खनिकं। उपनिषद् में मैत्रेयी द्वारा जगत् की मूल्यहीनता का कथन भी इसी प्रकार का है—'येनाहं नामृता स्याम् किमहं तेन कुर्याम्?' मैत्रेयी की जगत् की अस्वीकृति परिवर्तनात्मकता को विषय से हटाकर भावना में, अथवा कहें सैद्धान्तिक प्रसंग से हटाकर मूल्यात्मक प्रसंग में स्थापित कर देती है। किन्तु इसका अर्थ यह नहीं है कि बुद्ध और प्लेटो के प्रसंग सैद्धान्तिक हैं। बुद्ध का प्रसंग तो पूर्णत: मूल्यात्मक है, प्लेटो का भी मुख्यत: मूल्यात्मक ही है, क्योंकि उसका यह कथन उसी क्रम में है जिसमें वह श्रेयस् को ज्ञान और सत् दोनों का स्रोत और दोनों से उच्चतर कह रहा है। किन्तु इस प्रश्न को शुद्ध सैद्धान्तिक स्तर पर भी यदि लें तो जगत् की वस्तुएँ व्यष्टिश: और समग्रत: दोनों ही प्रकार से आगन्तुम हैं। बुद्ध ने इनके इस स्वरूप को, अथवा कहें स्वरूपाभाव को, प्रतीत्य-समुत्पाद कहा है जिसकी युक्तिसंगत व्याख्या के आधार पर नागार्जुन ने **मूलमाध्यमिक कारिका** में शून्यवाद की स्थापना की है।[2] प्रस्तुत घट, न केवल यही कि यह पहले नहीं था और पीछे भी नहीं होगा, बल्कि यह होता भी इसमें भी कोई अनिवार्यता नहीं थी। इस पर कहा जा सकता है कि "किन्तु यह है, सो विद्यमानता है और परिणामत: यह अनिवार्य है।" किन्तु सर्वप्रथम, अनिवार्यता का यह अर्थ नहीं है, 'घट' अभिधेय रूप में 'यह' (उद्देश्य) को लक्षित करता है और इस उद्देश्य के लिए घट अनिवार्य नहीं है, आगन्तुक है—यह उद्देश्य चाहे देश हो, काल हो या उपादान हो। पुन:, यह अपने गुण और संस्थान (आकार) में भी आगन्तुक है—न इसका गुण यही होना अनिवार्य है और न वर्ण। किन्तु इसकी अनिवार्यता का अभाव इससे भी अधिक गम्भीर रूप से इस तथ्य से सूचित होता है कि यह उस प्रयोजन के लिए भी अनिवार्य नहीं है जिसमें इसकी वास्तविक स्थिति है, और न स्वयं वह प्रयोजन ही अनिवार्य है। ये सब बातें, ज्यों की त्यों, जगत् पर उसकी समग्रता में भी लागू होती हैं : जगत् जैसा है उससे भिन्न भी हो सकता था, या नहीं भी हो सकता था। लाइब्नीज़ ने तर्क दिया है कि यह जगत् उत्कृष्टतम सम्भव जगत् है। किन्तु तब यह सिद्ध है कि यह अन्यथा भी हो सकता था। इस पर उसका तर्क है कि ऐसा नहीं हो सकता था, क्योंकि ईश्वर के पूर्ण होने से उसकी कृति केवल उत्कृष्टतम ही हो सकती है। किन्तु तब जगत् की अनिवार्यता की प्रतिष्ठा जगत् में नहीं होकर ईश्वर की पूर्णता में हो जाती है और जगत् एक सम्भावना मात्र और इस प्रकार आगन्तुक ही बना रहता है।

यहाँ प्रश्न होगा कि आगन्तुक सत् है या असत्? नागार्जुन का उत्तर है कि आगन्तुक निस्स्वभाव और असत् ही हो सकता है। किन्तु यह उत्तर युक्त नहीं है, क्योंकि आगन्तुक पूर्णत: असत् भी नहीं हो सकता, यह सदसद् उभयात्मक ही हो सकता है, असत् होने के कारण यह आगन्तुकतया सत् है। नागार्जुन ने जगत् को आगन्तुकता से नहीं बल्कि प्रतीत्य (अस्मिन् सति=अन्याश्रय) से उत्पाद के कारण निस्स्वभाव कहा था। किन्तु 'अस्मिन् सति' और 'इदं भवति' दोनों सत् के सहित हैं, अन्यथा 'सति' और 'भवति' का कोई अर्थ नहीं रह जाता, यद्यपि दोनों विराट् में सत् के लघु क्षण मात्र हैं।

---

1. **रिपब्लिक,** 508.
2. न हि स्वभावो भावानां प्रत्ययादिषु विद्यते।
   अवद्यिमाने स्वभावे पर-भावो न विद्यते।।13।।
   उत्पद्यते प्रतीत्यमानितीमे प्रत्यया: किल।
   यावन् नोत्पद्यत इमे तावन् ना प्रत्यया: कथम्।।15।।

   चन्द्रकीर्तिकृत प्रसन्नपदा माध्यमिक वृत्ति: 'हेतु प्रत्ययापेक्षं भावानामुत्पादं परिदीपयता भगवता अहेत्वेक विषमहेतु सम्भूतत्वं स्वपरोभय कृतित्वं च भावानां निषिद्धं भवति। तन्निषेधात् सांवृतं स्वरूपमुद्भासितं भवति।'

   वृत्ति का हिन्दी अनुवाद — सांसारिक पदार्थों की उत्पत्ति हेतु और प्रत्यय की अपेक्षा से ही होती है, यह भगवान् ने स्पष्ट कर दिया है। इसलिए अहेतुवाद, एक-हेतुवाद और विषम-हेतुवाद निरस्त हो जाते हैं। इनके निरस्त हो जाने पर पदार्थों की सांवृतिक स्वरूपता प्रकट हो जाती है।

तब क्या सत् की परिभाषा अनिवार्यता से हो सकती है? प्रथम दृष्टि में, शुद्ध तार्किक कथन ही अनिवार्य होते हैं : यह अनिवार्य है कि 'सब विवाहित व्यक्ति विवाहित हैं।' किन्तु ऐसे कथन रिक्त या वस्तु-शून्य भी होते हैं और आगन्तुक भी। वस्तु-शून्य इसलिए कि ये कथन का उपक्रम करके वास्तव में कोई कथन नहीं करते, और आगन्तुक इसलिए, क्योंकि इनके आधार में एक पूर्वमान्यता होती है कि इनका उद्देश्य पद वस्तु-मूलक है, और यह वस्तु स्वयं आगन्तुक होती है। इस प्रकार यह कथन अपनी पूर्वमान्यता सहित इस प्रकार है : "कम-से-कम दो व्यक्ति हैं, और वे विवाहित हैं, और, ये विवाहित हैं।" अथवा "यदि कोई व्यक्ति जगत् में हैं, और यदि वे विवाहित हैं, तो वे विवाहित हैं।" इस प्रकार तर्क, जोकि शुद्ध आकार का अनुशीलन करता है, विधेय में वस्तु-शून्य होता है और उद्देश्य में आगन्तुक। केवल एक परिस्थिति में यह इस विषमता से बच सकता है—यदि इसका उद्देश्य-पद वक्ता के आत्म को लक्षित करे। तब कथन 'मैं=मैं' (मैं मैं हूँ) होगा जिसका उद्देश्य पद अनिवार्य साक्षात्कार को और विधेय उसी के साक्षात्कार्य को लक्षित करता है। किन्तु जैसाकि हेगल[1] ने दिखाया है "यह अनिर्धार्य मूल का साक्षात्कार है, वस्तु-शून्य आकार का नहीं", जो कि तर्क के अनुशीलन का विषय है।

ऊपर हमने आगन्तुक को असद्विशिष्ट सत् कहा, जिसका अर्थ हो जाता है कि पूर्ण सत् ही अनिवार्य हो सकता है। इस प्रतिपादन की संक्षेप में एक बार पुन: आवृत्ति उपयोगी होगी—

जैसाकि हमने देखा, यह घट देश, काल, अन्य वस्तु आदि-आदि सब में असत् से परिवेष्टित है। किन्तु यह केवल इसी कारण से आगन्तुक नहीं है बल्कि इसलिए भी आगन्तुक है क्योंकि यह अपने प्रत्यय में ही आगन्तुक है। उदाहरणत: यदि जगत् न केवल देश और काल में ही सर्वत्र आपूरित हो, बल्कि यह अस्तित्व मात्र का भी समावेश करता हो, तो भी यह अनिवार्य नहीं होगा, क्योंकि इसका अन्यथात्व कल्पनीय है, अर्थात् यह अपने प्रत्यय के लिए पर्याप्त नहीं है।

जैसाकि अपने अन्यत्र[2] देखा, आहंकारिक चैतन्य, जोकि 'मैं' पद का साधारणत: वाच्य है अनिवार्य नहीं है : यह न केवल देश और काल में परिसीमित और व्यक्ति के रूप में अन्य व्यक्तियों से व्यावृत्त है, यह अपने प्रत्यय में भी, घट और जगत् के समान ही, आत्म-अपर्याप्त है। किन्तु इसकी यह आत्म-अपर्याप्तता अन्य अस्तित्वों से अधिक गम्भीर और तीक्ष्ण है क्योंकि इसका प्रत्यय नहीं होकर आत्म-व्यावृत्त, आत्म-व्यवहित भी है : यह अपने भीतर अपने अभाव से, अपने वैपरीत्य से, अनात्म से, दंशित है। किन्तु यह परिस्थिति इसे एक दूसरा आयाम दे देती है यह इसे अपने से अतिक्रामी सत्ता दे देती है। यही वह अतिक्रमण है जो प्लेटो द्वारा श्रेयस् (दि गुड) को ज्ञान और सत् से ऊपर अतिसत् के रूप में रखने में अभिप्रेत है, और जो 'तत्त्वमसि श्वेतकेतो' में श्वेतकेतु का सत्त्व श्वेतकेतु से ऊपर ब्रह्म में स्थापित करने को सार्थकता देता है।

आहंकारिक चैतन्य आत्म-प्रकाशित आत्म-अपर्याप्तता होने से केवल अल्प भावात्मक नहीं होकर भाव्य रूप है, यह सर्वदा सिद्ध अल्पार्थ नहीं होकर पूर्ण साध्यार्थ है, यह सृजन-पर्येषणा द्वारा आवृत आत्मार्थ के विवृतीकरण का संकल्प है। मानव-व्यक्ति को कारण-कार्य-शृंखला में आविर्भूत एक प्राकृतिक घटना के रूप में भी देखा जा सकता है, किन्तु इससे उस पर्येषणा की व्याख्या ही असम्भव नहीं हो जाती जो स्वयं व्यक्ति में अपने के परे पहुँचने के रूप में दृष्टिगत होती है, बल्कि उस पर्येषणा की व्याख्या भी असम्भव हो जाती है जो व्यक्ति द्वारा अपनी प्रतिमा के आक्षेप के रूप में दृष्टिगत होती है।[3] यह आक्षेप (पाज़िटिंग) पूर्णत: अलक्षित और अतिक्रान्त

---

1. हेगल — **लॉजिक,** पृ. 125.
2. **मनुष्य और जगत्** में "आत्म और अनात्म" तथा "धर्म-दर्शन" अध्याय द्रष्टव्य।
3. द्रष्टव्य यशदेव शल्य — **ज्ञान और सत्** में "मानव-प्रतिमा" अध्याय।

संकल्प के रूप में होता है, व्यक्ति अपनी आँख इस प्रतिमा की पूर्व विद्यमानता में ही खोलता है।[1] इस प्रकार व्यक्ति का अपने आक्षेप का प्रथम कृत्य उसके अपने निर्णय के अधीन नहीं होता, वह स्वत: सम्भूत और पूर्णत: स्वतन्त्र कर्म होता है, और वह कर्म व्यक्ति का नियन्त्रण करता है। किन्तु व्यक्ति (उपहित या व्यवहित चैतन्य) न इस संकल्प के पूर्णत: अधीन होता है और न इस प्रतिमा से पूर्णत: अभिभूत, क्योंकि वह इस प्रतिमा और संकल्प के पूर्व, अर्थात् अपने अनुपहित मूल में, भी होता है, वह स्वतन्त्रतया अहंकार और प्रतिमा का आक्षेप करता है और अपने को उनमें प्रतिष्ठित करता है। किन्तु प्रतिष्ठापक के रूप में वह इनसे ऊपर इनका अधिष्ठाता भी रहता है। ठीक ही डेकार्ट ने 'मैं हूँ' के तुल्य ही 'मैं अपूर्ण हूँ' के बोध को भी असन्दिग्ध कहा था, यह बोध 'मैं हूँ' बोध का वास्तव में सहजात है, यह 'मैं' अपने को सिद्ध भाव से ऊपर साध्य भाव में प्रतिष्ठित करता है, जो उससे अत्यधिक अधिक है—'यो वै भूमा तत्सुखं नाल्पे सुखमस्ति।' यही कारण है कि सत् का मान ईश्वर, ब्रह्म, या शून्य है, मनुष्य या जगत् नहीं।

---

1. आगे "मानव-तत्त्व" अध्याय द्रष्टव्य।

सत्ता और पर्याप्तता

पिछले अध्याय में हमने सत् के स्वरूप पर विचार करते हुए पाया कि सब कुछ, जो है, वह सत् होने के लिए पर्याप्त नहीं है। घट है, किन्तु वह विराट् अघट से व्यावृत्त है। इसे दूसरे शब्दों में हम विराट् अपर्याप्तता भी कह सकते हैं। किन्तु अपर्याप्तता का एक और आयाम भी है : मिट्टी से घट अधिक है, घट से प्राणी, प्राणी से उसकी कलात्मक प्रतिमा, प्राणी की प्रतिमा से मानव की प्रतिमा, और मानव की कला-प्रतिमा से प्रतिमा-निरूपित व्यक्ति। किन्तु कभी ऐसा भी हो सकता है कि प्रतिमा अपने द्वारा निरूपित व्यक्ति से अधिक हो, निरूपित पौधे और पशु से तो उसकी प्रतिमा अधिक होती ही है—यदि पशु और पौधे को ईश्वर-सृष्ट नहीं मानें तो। सृष्ट होने पर पशु और व्यक्ति भी कला-प्रतिमा के समान ही क्रियान्वित प्रत्यय होंगे, सृष्ट नहीं होने पर ये क्रियान्वयन की अनीक्षित प्रक्रिया। किन्तु पशु के सृष्ट होने पर भी कभी-कभी प्रतिमा प्रतिमा-निरूपित से अधिक हो सकती है : गाय की प्रतिमा एक संस्कृति द्वारा विकल्पित अर्थ की व्यंजक होने पर वास्तविक गाय से, उसके ईश्वर-सृष्ट होने पर भी, अधिक होगी। मानव-व्यक्ति के सम्बन्ध में यह कहना कठिन है, क्योंकि वह स्वरूपत: सम्भावनात्मक है और परिणामत: सदैव प्रतिमा में निरूपित प्रत्यय से अधिक है। किन्तु उपन्यास अथवा जीवनी में निरूपित व्यक्ति किसी व्यक्ति की सम्भावनाओं से अधिक हो सकता है, उदाहरण के लिए **रामचरितमानस** के राम। अन्यथा भी, एक अच्छे उपन्यास के प्रमुख पात्र प्राय: ही लोक-दुर्लभ वैभव और आन्तर सामरस्य से युक्त होते हैं।

किन्तु यहाँ आपत्ति की जा सकती है कि प्रतिमाएँ और पात्र काल्पनिक होते हैं, इसलिए ये वास्तविक प्राणी और व्यक्ति से अधिक होना तो दूर, न्यून भी नहीं होते, क्योंकि ये होते ही नहीं। अवश्य कथा-निरूपित पात्र के निरूपण का अस्तित्व होता है, उस पात्र की अवधारणा का अस्तित्व भी होता है, किन्तु यह अवधारणा और निरूपण अप्रतिष्ठित होते हैं, क्योंकि कथा-निरूपित का अस्तित्व नहीं होता। अरस्तू के शब्दों के सहारे से कहें तो, ये ऐसे फोर्म्स हैं जो मैटर की अपेक्षा में अनवस्थित हैं। इसमें कांट का प्रसिद्ध प्रतिपादन स्मरणीय है, कि अवधारणागत सौ रुपये वास्तविक एक रुपये के भी बराबर नहीं हैं। वास्तव में इनमें बराबरी का कोई प्रश्न ही नहीं है : एक ऐसे सौ हैं जो नहीं हैं, और दूसरा ऐसा एक है जो है।

किन्तु कांट के इस प्रतिपादन में एक मौलिक एकांगिता है। उसके अनुसार ,वास्तविक (अस्तित्ववान्) वह है जो अनुभव की भौतिक अपेक्षाओं को सन्तुष्ट करता है, अथवा कहें, जब कोई कथन 'क है' ऐसे प्रत्यय-विषय का वास्तविक के रूप में आक्षेप करता है जो संवेद से प्रमाणित होता है। उसने यह तर्क ईश्वर के अस्तित्व-विषयक डेकार्टीय युक्ति के खण्डन में दिया है, कि अस्तित्व उचित विधेय नहीं है, इसलिए पूर्ण, अर्थात् ऐसा उद्देश्य जो सब विधेयों से लक्षित होता है, का प्रत्यय स्वत:सिद्ध होने पर भी, उसका अस्तित्व उससे प्रमाणित नहीं होता। किन्तु अस्तित्व के लिए कांट की यह शर्त अतर्क-सम्मत है, क्योंकि तब स्वयं स्वलक्षण वस्तु का अस्तित्व भी नहीं हो सकता और नैतिक नियम (मारल लॉ) तब और भी अधिक अस्तित्वहीन हो जाता है। अथवा इससे यह निष्कर्ष भी निकाला जा सकता है, जो वास्तव में एकमात्र युक्त निष्कर्ष है, कि अस्तित्व सत्त्व के जीवन में एक अत्यन्त महत्त्वहीन और आगन्तुक परिशिष्ट है। इस प्रकार, स्वलक्षण वस्तु ऐसा आधार सेतु है जो अस्तित्व की अपेक्षा ही नहीं करता, इसी प्रकार, नैतिक नियम ऐसा श्रेष्ठ सत् है जो अस्तित्व की पहुँच के परे है। दूसरे शब्दों में, इनका सत्त्व अस्तित्व के बिना ही आत्म-पर्याप्त है। ईश्वर इस पर्याप्तता की पराकाष्ठा है।

किन्तु पर्याप्तता का मानदण्ड क्या है? सौरमण्डल और अणुगत परमाणु-मण्डल (इलेक्ट्रॉन और प्रोटॉन के व्यवस्थान) के महत्त्व की तुलना किस आधार पर की जा सकती है? श्री अरविन्द सौर मण्डल की गुरुता और

चींटियों की बस्ती की लघुता का उल्लेख कर दोनों में सर्जक का समान वात्सल्य देखते हैं।[1] किन्तु चींटियों की बस्ती और भेड़ियों के समुदाय में तुलना की जा सकती है और एक को दूसरे से अधिक सम्पन्न-विपन्न कहा जा सकता है। इसी प्रकार बया और चील के घोंसले में तुलना की जा सकती है और एक को दूसरे से सम्पन्न-विपन्न कहा जा सकता है। अब, चींटियों की बस्ती और भेड़ियों के समूह को, तथा बया के और चील के घोंसले को सम्पन्नता-विपन्नता की दृष्टि से सत्त्व कहा जा सकता है, अस्तित्व नहीं, (यद्यपि इनकी सत्ता इनके अस्तित्व को पूर्वापेक्षित करती है) और ये सत्ताएँ सत्ता में एक-दूसरे से अधिक या कम सम्पन्न या पर्याप्त कही जा सकती हैं। अवश्य यह कहा जा सकता है कि वृकत्व (भेड़ियापन) में वृक-समूह और पिपीलिकात्व (चींटीपन) में पिपीलिका-बस्ती ही अन्तरंगत: संगत है, यदि इसके विपरीत होता, जोकि हो नहीं सकता था, तब यह असंगत और विसंवादी होता, इसलिए वृक-समूह और पिपीलिका-बस्ती सत्ता में एक-दूसरे से न्यूनाधिक या पर्याप्त-अपर्याप्त नहीं हैं, क्योंकि ये तुलनीय ही नहीं हैं। यही बात चील और बया के घोंसलों के बारे में कही जा सकती है। किन्तु तब भी, समूह और बस्ती में पिपीलिकात्व और वृकत्व, अथवा बयापन और चीलपन से पृथक् सहवासत्व या नीड़त्व की दृष्टि से तुलना की जा सकती है और उस प्रत्यय के प्रसंग से एक को दूसरे से सत्ता में अधिक और कम पर्याप्त कहा जा सकता है। यहाँ वृकत्व और पिपीलिकात्व के प्रत्ययों से जो शंका उत्पन्न होती है उसका निवारण मनुष्य के कार्यों या सर्जनों के उदाहरण से किया जा सकता है : एक आदिम समाज और संस्कृत समाज, केशव की **रामचन्द्रिका** और तुलसी का **रामचरितमानस,** विज्ञान का एक साधारण विद्यार्थी और आईंस्टाईन, एक ट्रक ड्राइवर और महात्मा गाँधी, सत्त्व की दृष्टि से तुलनीय हैं और एक-दूसरे से अधिक पर्याप्त-अपर्याप्त हैं।

अब यहाँ अनेक जटिल प्रश्न उत्पन्न होते हैं—क्या पर्याप्तता-अपर्याप्तता व्यावृत्ति से मापनीय हैं? व्यावर्तन का आधार क्या है? यदि पर्याप्तता-अपर्याप्तता व्यावृत्ति से मापनीय नहीं हैं तो पर्याप्तता का आधार क्या है?

इन प्रश्नों को समझने के लिए घट से ही आरम्भ करें—घट का व्यावर्तक क्या है? अपोहवादी घट का व्यावर्तक अघट को ही कहते हैं, किन्तु वे जाति को सत् नहीं मानते। किन्तु यदि जाति नहीं है तो न घट है, न अघट; अघट तो विशेष रूप से नहीं है, यदि घट को प्रस्तुत व्यष्टि और अनुरूप व्यष्टियों में मान भी लें तो, क्योंकि अघट घटत्व का ही व्यावर्तक हो सकता है, घट-व्यष्टि का नहीं : व्यष्टि का व्यावर्तन व्यष्टि से ही हो सकता है, और अघट कोई व्यष्टि नहीं है। किन्तु इस प्रसंग को अभी छोड़ते हुए, मान लें कि घट-व्यष्टि का व्यावर्तक घटेतर व्यष्टि है, जैसे गाय विशेष, किन्तु क्या वह अन्य घट-व्यष्टि के तुल्य ही व्यावर्तक है या कि न्यून या अधिक? जैसाकि स्पष्ट है, दो घट जबकि केवल देश के अधिष्ठान में परस्पर व्यावर्तक हैं, गाय और घट केवल देश के अधिष्ठान में ही व्यावर्तक नहीं हैं, ये गोत्व और घटत्व में भी परस्पर व्यावर्तक हैं। इस पर कहा जा सकता है कि घट और गाय का परस्पर व्यावर्तन भी केवल देशमूलक ही है, अन्यथा ये दोनों एक ही देश में भी स्थित हो सकेंगे। किन्तु यह युक्ति सही नहीं है, क्योंकि देशमूलक व्यावर्तन इन्हें केवल व्यष्टित्व देता है, घट और गाय के रूप में भिन्न नहीं करता। व्यष्टित्व को भी केवल देशमूलक नहीं कह सकते, इसलिए एक छोटे-से घट से अनेकधा बड़ा भी घट-खण्ड यह नहीं होता, वह घट-खण्ड ही होता है, और घट-खण्ड घट की वर्तुलता की गति और छन्द का धारक होने के कारण घट-खण्ड ही होता है, बाण-खण्ड नहीं होता। निश्चय ही व्यष्टित्व के लिए देश और काल अनिवार्य पूर्वापेक्षाएँ हैं, किन्तु ये उसके लिए भी पर्याप्त नहीं हैं। घट-खण्ड और घट में भेद केवल देश-मूलक नहीं है, देश के प्रसंग में दोनों समान रूप से व्यष्टि हैं, किन्तु वास्तव में घट-खण्ड घट-व्यष्टि नहीं है। पुन:, एक-साथ पड़ी कुछ मिट्टी भी व्यष्टि नहीं है, यद्यपि वह देश में संहत और व्यावृत्त है। अब, सौ घट अस्तित्व में सौ व्यष्टि होते हैं किन्तु केवल देश और कालपरक व्यावर्तन इनके व्यष्टित्व का निर्धारण नहीं कर सकता, क्योंकि घट-व्यष्टि के देशगत सीमांकन और कालगत अवधि का नियमन घटत्व करता है, देश-काल स्वत: नहीं करते। अब घट-घट और घट-गाय में व्यावृत्ति के अतिरिक्त तीसरी व्यावृत्ति घटत्व और गोत्व में होती है। यह व्यावृत्ति किस प्रकार की है? कोई इसे भी देश-कालमूलक कह सकता है, क्योंकि इनके अनुसार जातियों

---

1. श्री अरविन्द — **दि लाईफ डिवाईन,** भाग 1, पृ. 71-72.

में परस्पर व्यावर्तन जातियों के व्याप्य व्यष्टियों के माध्यम से ही होता है। किन्तु यह पूर्वाग्रह-ग्रस्त तर्क है, क्योंकि जैसाकि ऊपर के विवेचन से स्पष्ट है, व्यष्टि ही अपने आधार के रूप में जाति की अपेक्षा करते हैं, जाति व्यष्टि की नहीं, इसलिए देश-काल व्यष्टिमूलक व्यावृत्ति में तो अनिवार्य हो सकते हैं, जातिमूलक व्यावृत्ति में नहीं।

व्यावृत्ति के उपर्युक्त निरूपण के आधार पर इसकी परिभाषा निम्न प्रकार से की जा सकती है : व्यावृत्ति किसी वस्तु (व्यष्टि और जाति) अथवा प्रत्यय की व्यापकता का अन्य की व्यापकता से पार्थक्य है। इस प्रकार व्यावृत्ति वस्तु के स्वरूप से केवल इस रूप में ही सम्बन्धित होती है कि यह उसकी अनिवार्य सीमितता को प्रदर्शित करती है। गाय का अगाय से व्यावृत्त होना उसका भेड़िये और पत्थर आदि से पृथक् होना है। किन्तु जैसाकि हमने पिछले अध्याय में देखा, व्यावृत्ति-जन्य यह सीमा साथ ही सीमा के परे भी निर्देश करती है। सीमा से परे यह निर्देश व्यष्टि और जाति दोनों की आत्म-अपर्याप्तता को प्रदर्शित करता है। इस प्रकार व्यावृत्ति वस्तु की अस्तित्वगत और सत्त्वपरक दोनों की अपर्याप्तताओं की द्योतक होती है।

किन्तु जैसाकि हमने पीछे देखा, सत्त्वपरक अपर्याप्तता का एक दूसरा आयाम भी है जिसका मूल स्वरूपगत बाधा या व्यवधान में है। इसे पीछे हमने 'अधिक' और 'न्यून' विशेषणों द्वारा व्यक्त किया था। यह अधिकता-न्यूनता सत्त्व की मात्रा की है। दो घटों में हम एक को श्रेष्ठतर कहते हैं। श्रेष्ठता का यह तारतम्य : तर-तमता : एक घट की दूसरे की अपेक्षा स्वरूप-सत् से निकटता-मूलक होता है। जैव जगत् में यह अपर्याप्तता आन्तर विकलता और प्रयत्न का रूप लेती है। उदाहरणत: एक पौधे पर खिलने वाले दो पुष्पों को लें जिनमें एक का वर्ण दूसरे से अधिक चटकीला, पत्तियाँ अधिक बड़ी और समंजस हैं। इस पुष्प को हम अधिक स्वस्थ (स्व-स्थ) कहते हैं, जो सत्त्व की प्लेटोई परिभाषा का स्मरण कराता है। इस स्वस्थ पुष्प के लिए हम कह सकते हैं कि इसमें पुष्प का स्व-रूप : आत्मसत्ता को धारण करने का प्रयत्न : कम बाधित हुआ है। अब यदि व्यावृत्ति-मूलक अपर्याप्तता को थोड़ा भी गहराई से देखा जाय तो वह इस तारतम्यात्मक अपर्याप्तता का ही एक अंग हो जाती है, क्योंकि बाधा चाहे व्यापकता में हो और चाहे स्वरूप में, दोनों प्रकार से उपाधि है, क्योंकि दोनों में सत्ता का व्यावर्तन, अथवा कहें असत्ता द्वारा व्यावृत्ति, होती है।

किन्तु अपनी असत्ता से व्यावृत्ति की बात वास्तव में घट के लिए केवल उत्प्रेक्षा से ही कही जा सकती है, क्योंकि यह व्यावृत्ति उस सत् या भाव की अपेक्षा से ही होती है जो लोक में घटित होने में अंशत: बाधित हुआ, जैसे मानो बनाया जा रहा वृत्त अधूरा रह जाय। अब यद्यपि यह भाव या सत् घटित घट में ही बाधित हुआ है और इस प्रकार यह बाधा घट-विशेषमूलक ही है, किन्तु यह उसमें, उसके अचेतन होने के कारण, प्रकाशित नहीं होती, यद्यपि विद्यमान होती है। इस अप्राकशित बाधा को सत्त्वगत से भिन्न अस्तित्वगत कहा जा सकता है, क्योंकि आत्म-प्रकाशन के बिना वास्तव में असत्त्व की न्यूनता अथवा असत्त्व की उपस्थिति दोनों नहीं रहतीं, केवल अस्तित्व की व्यावृत्ति रहती है : कम पका या छेद वाला घट स्वयं में इस न्यूनता से कहीं बाधित नहीं होता, वह केवल अघट वस्तुओं से, और अपने आविर्भाव और तिरोभावमूलक व्यावृत्ति से बाधित होता है। इस प्रकार घटित घट (अस्तिमान् घट) आत्मपर्यवसायी, अथवा कहें सत्ता से अनपेक्ष, होता है। किन्तु आत्म-प्रकाशित होने पर अस्तित्वगत बाधा भी सत्त्वगत ही हो जाती है, मात्र अस्तित्वगत नहीं रहती, क्योंकि अस्तित्व की सीमाएँ तब सत्त्वपरक उपाधियाँ अथवा ऐसे आगन्तुक आरोप हो जाती हैं जो आत्मा को अपने से व्यवहित रखती हैं। उदाहरणत: मेरे जन्म के देश, काल, कुल, समाज तथा देह, अन्त:करण, विचार आदि मूलक सीमाएँ अस्तित्व की आगन्तुकताएँ हैं, किन्तु चित्त के स्तर पर ये सत्त्वगत व्यवधान हो जाती हैं। इस प्रकार आत्म-अपर्याप्तता, आत्म-व्यावृत्ति, या आत्म-बाधा केवल आत्म-प्रकाशित चित्त (मनुष्य) में ही होती है। घटत्वादि के क्रियान्वयन के रूप में घटादि भी आत्म-बाधित होते हैं, किन्तु तब भी घट को उपहित, आत्म-अपर्याप्त या आत्म-व्यवहित सत्त्व कहना युक्त नहीं है। इन दो स्थितियों में क्या भेद है? प्लेटो के अनुसार "सत्त्व स्वयं का स्वयं के स्वरूप के अनुसार घटित होना है।"[1] सत्त्व की इस कसौटी के अनुसार उपर्युक्त दो स्थितियों में भेद यह है

1. "टू बी इज़ टू बी इट्स ओन सेल्फ एकार्डिंग टू इट्स ओन सेल्फ" यह परिभाषा **टीमियस** और **पार्मेनाइडीज़** दोनों संवादों में है।

कि घट का सत्त्व घटत्व में है जो कि स्वरूप-सिद्ध है और किसी चित्त के निमित्त से घट-विशेषों में आविर्भूत होता है। घटों में आविर्भूत यह सत्त्व उस सीमा तक आत्म-बाधित होता है जिस सीमा तक यह स्वरूपानुसारी नहीं होता। निमित्त और उपादान घटत्व के स्वरूपानुसरण में साधक और बाधक दोनों होते हैं : घटत्व निमित्त (कुम्हार) और उपादान (मिट्टी आदि) के बिना घटित नहीं हो सकता, किन्तु साथ ही निमित्त घटत्व का पूर्णत: सम्यक् अवधारण और निरूपण भी नहीं कर सकता, और न उपादान उसके सम्यक् निरूपण को धारण कर सकता है। किन्तु उपादन में घटित घटत्व आत्म-अप्रकाशित होने से अपने अस्तित्व (घटना) में ही अपने सत्त्व को अशेष कर देता है। किन्तु कहा जा सकता है कि घट-सत्ता घटित घट में नहीं, कुम्भकार के चित्त में आविर्भूत होती है जिसका निरूपण कुम्भकार मिट्टी में करता है, और कुम्भकार के चित्त में घट का आविर्भाव उसी प्रकार प्रकाशित अपर्याप्तता या आत्म-व्यावृत्ति के साथ होता है जिस प्रकार मानव-व्यक्ति के अपने सत्त्व का आविर्भाव उसके चित्त में होता है। यह बात अधिक स्पष्ट रूप से कलाकृति आदि में देखी जा सकती है जिसकी रचना में कलाकार गृहीत और ग्राह्य, भावित और भाव्य के बीच निरन्तर तनाव का अनुभव करता है। वैसे यह तनाव प्राणि-अस्तित्व मात्र में ही अपरोक्षत: अनुभूत होता है, जैसाकि विभिन्न प्राणि प्रयत्नों में देखा जा सकता है, किन्तु मानव से अवर स्तर की (पराङ्मुख) चेतना अधिकांशत: प्राणमय और अन्नमय कोशों के स्तर तक ही सीमित रहती है, इसलिए उसमें व्यवधान या तनाव का अनुभव भी उसी स्तर का होता है, किन्तु मनुष्य के स्तर पर चेतना विज्ञानमय कोश में आत्म-प्रत्यक्ष भी करती है, जो प्रत्यक्ष विषय के अस्तित्व से परे उसके सत्त्व का, और आत्मा के औपाधिक अस्तित्व से परे उसके निरुपाधिक सत्त्व का आभास पाता है। वानस्पतिक और पाशव स्तर पर यह केवल प्राणिक और दैहिक स्वास्थ्य के लिए प्रयत्न के रूप में ही दृष्टिगत होता है।

यह सत्ता क्या है जो अपर्याप्तता के बोध में अपने को प्रकट करती है किन्तु अन्यथा भी जो वैयष्टिक अस्तित्व मात्र में व्यावृत्ति के द्वारा अध्यवसित (अध्यवसाय द्वारा निर्धारित) या लक्षित विषय की सीमाओं के परे अपना आभास देकर विषय की सीमाओं को उद्भासित करती है? जैसाकि हमने पिछले अध्यायों में देखा, विषय में यह अतिक्रमण दो प्रकार का होता है, विशेष का सामान्य में और सीमित का असीम में, जैसे घट का घटत्व में और इस घट का उस घट में या उस गाय आदि में, तथा घटत्व का गोत्व, अश्वत्व आदि में और इन सबका अनिर्धार्य सत् में। अब घट इन दोनों दिशाओं में अपर्याप्त है—घटत्व में भी और अश्वत्व आदि में भी। इस दूसरे प्रकार के अतिक्रमण की बात सबको विचित्र लगेगी—दिङ्नाग और धर्मकीर्ति को भी सम्मिलित करते हुए—किन्तु इस अतिक्रमण के बिना न इस अश्व की उस अश्व या उस घट से व्यावृत्ति हो सकती है और न अश्वत्व की घटत्व से, क्योंकि व्यावृत्ति के लिए व्यावृत्त और व्यावर्तक दोनों का एक-साथ प्रदत्त होना आवश्यक है, और व्यावर्तक केवल व्यावृत्त के अतिक्रमण में ही प्रदत्त हो सकता है। एक और अतिक्रमण है जो दोनों से अधिक महत्त्वपूर्ण है और जिसमें दोनों पूर्वगृहीत रहते हैं। यह अतिक्रमण मूल्यात्मक है जिसका उल्लेख पीछे हमने 'श्रेष्ठता' शब्द से किया। विशेष का ग्राहक चित्त में इन्द्रिय है, सामान्य का बुद्धि, किन्तु 'श्रेष्ठ' का ग्राहक करण कौन-सा है? इस पर हम आगे यथास्थान विचार करेंगे[1] किन्तु यहाँ महत्त्वपूर्ण द्रष्टव्य यह है कि ये अतिक्रमण उन सीमाओं के हैं जो स्वयं चित्त के करणों द्वारा आरोपित होते हैं, अन्यथा सीमाओं का आरोप अवास्तव हुए बिना उनका अतिक्रमण सम्भव ही नहीं हो सकता। अरस्तू ने व्यष्टीकरण, और इस प्रकार से ऐन्द्रिय विषय की सीमा का मूल भूत-तत्त्व में देखा है, किन्तु यदि ऐसा हो तब सामान्यों में व्यावर्तन अथवा सीमा, और इस प्रकार व्यष्टीकरण, का आधार क्या होगा? और फिर, भौतिक तत्त्व क्या है? वह इस घट और उस घट में, इस केतकी पुष्प और उस चम्पक पुष्प में, किस प्रकार भिन्न है? इनमें वैशिष्ट्य प्रत्यय-तत्त्व (फोर्म) मूलक नहीं कहा जा सकता। अरस्तू का कहना है कि प्रत्यय-तत्त्व के संयोग से भौतिक तत्त्व वैशिष्ट्य का आधार होता है। किन्तु तब भौतिक विषय में एक ऐन्द्रिक ग्रहण की अन्य वास्तव, सम्भाव्य ग्रहणों से व्यावृत्ति का, अथवा परिप्रेक्ष्यात्मक विभाजन का, आधार क्या है? परिप्रेक्ष्य और उसमें विभाजन को न भौतिक कहा जा सकता है और न प्रत्ययात्मक। यही बात वर्ण, ध्वनि आदि में है—भौतिक सत्ता में वर्ण-भेद नहीं है, न ध्वनि-भेद है, इनके

1. द्रष्टव्य आगे अध्याय 9.

वैशिष्ट्य भी इन्द्रियकृत विभाजनमूलक हैं, परिणामत: इस वैशिष्ट्य को भी भौतिक तत्त्वमूलक नहीं कहा जा सकता। वैशिष्ट्य को भौतिक तत्त्वमूलक मानने के विरुद्ध अप्रत्याख्येय युक्ति यह है कि ऐसा मानने पर व्यावृत्ति, जो अनिवार्यत: अप्रस्तुतपरक और इस प्रकार अतिक्रमणात्मक होती है, सम्भव नहीं होगी। (व्यावृत्ति को अतिक्रमणात्मक इसलिए कहा क्योंकि व्यावर्तक अगो गो के निर्धारण में गो से परे अनिर्धार्य रूप में लक्षित होता है।) किन्तु इससे अधिक सबल युक्ति स्वयं मानव-व्यक्ति के अस्तित्व-मूलक है : यदि व्यक्ति भूत-तत्त्व के कारण ही विशिष्ट हो तब उसके लिए निर्विशिष्ट : निर्वैयक्तिक : होना सम्भव नहीं होगा। यदि कहें कि निर्विशिष्ट वह मानवत्व के कारण है, तो भी ठीक नहीं है, क्योंकि तब वैशिष्ट्य का अतिक्रमण केवल मानवत्व में ही होना चाहिए, निर्वैयक्तिकता में नहीं। यदि कहें कि मानवत्व का तत्त्व ही निर्वैयक्तिता है, उसके विवेकी होने से, तो भी ठीक नहीं है, क्योंकि विवेक व्यक्तिमूलक भी हो सकता है, और यदि निर्वैयक्तिकता को विवेक का अनिवार्य लक्षण मानें, तब वैयक्तिकता की विद्यमानता का हेतु बताने की समस्या होगी, क्योंकि समान्यता और निर्वैयक्तिता एक ही बात नहीं है—जैसे घट घटत्व का व्यष्टीकरण होने से निर्वैयष्टिक नहीं होता और न अश्व अश्वत्व का व्यष्टीकरण होने से निर्वैयष्टिक होता है। किन्तु मानव-व्यक्ति एक-साथ वैयक्तिक और निर्वैयक्तिक, ससीम और असीम होता है और उसके विषय विशिष्ट, सामान्य तथा तत्त्व सभी प्रकार के होते हैं। ऐसा अहंकारोपाधि के कारण होता है जिससे मानव चैतन्य पूर्णत: उपहित नहीं होता। किन्तु अहंकार उसके अस्तित्व की अनिवार्यता है : यही वह नियामक है जो चैतन्य में अस्मिता, चित्त और देह का आधान कर ऐन्द्रिक, रागात्मक और विचारात्मक जगत् का हेतु बनता है। किन्तु मनुष्य इस अस्तित्व की सीमा में निरन्तर इसके अतिक्रमण के लिए व्यग्र रहता है, और यह व्यग्रता ही मूल्यान्वेषण है। इस प्रकार मूल्यान्वेषण स्वयं का स्वयं के तत्त्व या सत्त्व के अनुसार होने का, आत्मगत व्यवधान के निवारण अथवा सत्त्वगत असत्त्व के अपनयन का, प्रयत्न है।

यहाँ दो प्रश्न विचार्य हैं : आत्मगत व्यवधान या आत्मगत असत्य अथवा अहंकार का हेतु क्या है? क्योंकि मौलिक सत्त्व तो अखण्ड है। और दूसरे, अश्व और घट के सत्त्वों में व्यवधान की विद्यमानता आत्म-प्रकाशित नहीं होने से उसकी विद्यमानता के लिए प्रमाण क्या है?

यहाँ पहले हम दूसरे प्रश्न पर विचार करेंगे। जैसाकि हम पीछे संकेत कर आये हैं, घटों और अश्वों आदि का सम्बन्ध अपने तात्त्विक सत्त्वों से एक समान नहीं होता। घट में स्वत्व या स्वरूप की सिद्धि का प्रयत्न घटकार के चित्त में अधिष्ठित होता है जबकि अश्व में यह स्वयं अश्व-व्यष्टि (अश्व-देह) में अधिष्ठित होता है। प्रत्येक अश्व अश्वत्व के लोकावतरण के, अथवा कहें लौकिक माध्यम में क्रियान्वयन के क्रम में आविर्भूत होता है और इस माध्यम के कारण घटित विद्रूपता के निवारण में प्रयत्नशील दिखायी देता है। देह की आन्तर और बाह्य प्रतिकूल परिस्थिति देहिक अनात्म है जो दैहिक आत्म के अस्तित्व के लिए निरन्तर संकट बनी रहती है, और यह अपने अलौकिक तत्त्व (जाति) को सम्यक् रूप से व्यक्त करने के लिए इस अनात्म से निरन्तर संघर्षरत दिखायी देती है। किन्तु घट में अनात्म-बाधा के निवारण का यह प्रयत्न कुम्भकार में स्थित होता है। अब, घट-सत्ता की सिद्धि-विषयक प्रयत्न कुम्भकार के चित्तगत होने से घटमूलक अनात्म-बाधा हमारे लिए उसी प्रकार आन्तरत: अवगम्य होती है जिस प्रकार हमारे अपने स्वरूप की बाधा अवगम्य होती है। वास्तव में घटमूलक बाधा कुम्भकार की आत्म-बाधा के ही अन्तर्गत कही जा सकती है, क्योंकि यह घट कुम्भकार द्वारा घटत्व के प्रत्ययन की साधना का फल है। किन्तु यह द्रष्टव्य है कि चित्त और प्रयत्न स्वयं अस्तित्व हैं और इसी प्रकार उनका फल घट भी, और परिणामत: चित्त अपने और घटत्व के स्वरूप का न्यूनाधिक अपर्याप्त ही भावन कर सकता है।

यद्यपि अश्वत्व की अश्व-व्यष्टि में आत्म-व्यवधान या अनात्म-बाधा का और उसके निवारण के प्रयत्न का अवगमन हमें अपरोक्ष रूप से नहीं होता, किन्तु परोक्ष होने पर भी उसकी विद्यमानता में कोई सन्देह नहीं होता। क्योंकि जिस प्रकार अश्व-सन्तति के सब सदस्य अनुरूपता में उत्पन्न और वर्द्धित होते हैं और उनमें परस्पर भेद और विकृतियाँ नियमाधीनवत् होती हैं, और विकृतियों में भी अनुकरण के प्रयत्न की विफलता लक्षित होती है, उससे यह अनुमान सहज है कि ये व्यष्टि अश्वत्व से अनुप्रविष्ट और उस तत्त्व के सौन्दर्य से आकृष्ट हैं, और इस प्रकार व्यष्टि-अश्व में न्यूनता अश्वत्व से उसकी दूरी से, अथवा कहें उसमें अपने सत्त्व की न्यूनता अथवा असत्त्व

की विद्यमानता से मापित होती है। किन्तु अश्व जबकि केवल अश्वत्व में ही आत्म-व्यवहित दृष्टिगत होते हैं, आत्म-प्रकाशित चित्त मनुष्यत्व और अन्यत्व दोनों में आत्म-व्यवहित अनुभव करता है, और यह अन्यत्व सार्त्र के समान उसके लिए विपत्ति या संकट नहीं होकर आत्म-व्यवधान मात्र ही होता है।[1] इसे हम सर्वव्यापक आत्म-व्यवधान भी कह सकते हैं जो कि परम आत्मसत् को निर्धारण मात्र में आत्म-व्यवहित और इस प्रकार अनिर्धार्य में प्रतिष्ठित देखता है।

किन्तु तब प्रश्न है कि अव्यवहित अथवा अनिर्धार्य आत्मसत् के मौलिक होने पर व्यवधान की विद्यमानता का हेतु क्या है? इस पर विचार के लिए हम साँख्य, अरस्तू तथा वेदान्त की सहायता लेंगे।

साँख्य के अनुसार सत् निरपेक्ष : कैवल्य में विश्रान्त और पूर्णत: अनिर्धार्य चैतन्य है, किन्तु यह सत् वस्तुत: शाश्वत रूप से अव्यवहित होने पर भी प्रकटत: शाश्वत रूप से व्यवहित है; इस प्रकार व्यवधान उसके लिए शाश्वत होने पर भी बाह्य है। किन्तु मनुष्य में यह व्यवधान आत्मगत है, क्योंकि वास्तव में यह आत्म-व्यवहितत्व ही मनुष्य है; यद्यपि मनुष्य का सत्त्व स्वरूपत: और पूर्णत: आत्म-अव्यवहित, आत्म-अव्यावृत और पर-अव्यावृत चैतन्य ही है। इस प्रकार मनुष्य आत्म-असत्त्व से व्यावृत्त चैतन्य है, यद्यपि उसका मनुष्यत्व, सत्त्व या अन्वेष्यार्थ कैवल्य है। किन्तु तब प्रश्न है कि यह आत्म-व्यवधान या असत्त्व से व्यावृत्ति अनादि रूप से क्यों है, और उसका हेतु क्या है?

इनमें प्रथम प्रश्न का उत्तर सरल है : जगत् चैतन्य का जगद्भाव है, इसलिए चित्त या चेतना काल में ही उत्पन्न होती है, परिणामत: उसमें कोई घटना (ग्रहण, भावन, अनूभूति) अपने अतीत के बिना घटित नहीं हो सकती। प्रकृति से वियुक्त चैतन्य, या चैतन्य से वियुक्त प्रकृति काल में अधिष्ठित नहीं हैं, इसलिए उनमें आदि-अन्त का कोई प्रश्न ही नहीं है। अब जहाँ तक हेतु का प्रश्न है, ईश्वर-कृष्ण इसका समाधान करते हैं कि, यह अनिर्धार्य, निरुपाधिक, अनवगम्य और अनवधार्य सत्ता का निर्धारणों और अवधारणाओं के माध्यम से आत्मावगमन है।[2] यह हेतु सही है, यदि इसके निरूपण की काव्यात्मकता को हटाकर इसे समझा जाय तो, अथवा कहें, इसे प्रयोजन (मोटिव) के बजाय हेतु (रीज़न) की पदावली में समझा जाय तो। उदाहरणत: वर्ण वर्णहीन भौतिक तत्त्व का पहले वर्ण में और फिर वर्ण का विद्युद्वीचियों में अथवा इसके उलट क्रम में, निर्धारण है। भौतिक तत्त्व वर्ण का अनिर्धार्य आधार है। किन्तु जैसाकि हम पिछले अध्यायों में देख आये हैं, आत्यन्तिक रूप से अनिर्धार्य और निरपेक्ष आद्य तत्त्व चैतन्य ही हो सकता है। अब, आद्य अनिर्धार्य तत्त्व के निर्धारणों में स्फुटन का हेतु यह है कि अनिर्धार्य तत्त्व का अस्तित्व निर्धारणों के बिना नहीं हो सकता, जबकि सत्त्वत: निर्धारण अनिर्धार्यत: नहीं हो सकते, दूसरे शब्दों में, अस्तित्व केवल निर्धारणों का ही सम्भव है और यह निर्धारण सत्ता में होता है, जो स्वरूपत: अनिर्धार्य होने पर भी अस्तित्वत: निर्धारणों से मुक्त नहीं हो सकती।

यह द्रष्टव्य है कि साँख्य की प्रकृति भी प्रकटत: अनिर्धार्य है, यह अनिर्धार्य विषय-पक्ष में निर्धारणों के अतिक्रमण द्वारा संकेतित होता है। दसवीं कारिका में ईश्वरकृष्ण जगत् का निरूपण 'हेतुमत्, सक्रिय, अनेक और सावयव' आदि पदों से कर प्रकृति का निरूपण केवल 'इनके विपरीत' पद द्वारा करते हैं, किन्तु तब भी वे प्रकृति को स्वतन्त्र सत् नहीं मानते, जैसाकि उद्धृत 56वीं कारिका से और 'संघातपरार्थत्वात्'[3] से स्पष्ट है। प्रकृति साँख्य में दो प्रकार के निर्धारणों का अतिक्रामी आधार कही जा सकती है—ज्ञान-विषयात्मक और इच्छा-विषयात्मक। इनमें दूसरा निर्धारण विषयवृत्तिक अभावमूलक होने से दु:खात्मक और इस प्रकार पौरुषिक आत्म-व्यवधान अथवा आत्म-प्रवास का द्योतक है। जहाँ तक ज्ञान-विषय का सम्बन्ध है, वह भी स्वरूप पर पर-रूप का

---

1. 'सर्वंखल्विदं ब्रह्म', "आत्मा वै ब्रह्म" में इस आत्म-व्यवधान का ही निवारण अभिप्रेत है।
2. इत्येष प्रकृतिकृतो महदादि विशेष भूतपर्यन्त:, प्रतिपुरुष विमोक्षार्थं स्वार्थ इव परार्थ आरम्भ:। सां.का. 56.
3. कारिका 17.

उपचार ही है, यद्यपि ये दोनों उपचार स्वरूपसिद्ध कैवल्य को ही आत्मगोचर[1] बनाते हैं। किन्तु प्रकृति के पौरुषिक चैतन्य की आत्मपराङ्मुखता का माध्यम होने से उसे असत् ही कहा जा सकता है, सत् नहीं। संक्षेप में, पौरुषिक चैतन्य स्वरूपत: अनिर्धार्य सत् है और प्रकृति स्वरूप-सत् में असत् के उपचार का और इस प्रकार निर्धारणों का उपादान कारण है, निमित्त स्वयं यह उपचार है जो असत् अभाव की सृष्टि द्वारा निर्धारणों को धारण करता है।

अरस्तू में भी, साँख्य के समान ही, दो तत्त्व हैं : भूत (मैटर)[2] और चित् (फोर्म)। फोर्म मैटर को आधार बनाकर व्यष्टि-रूप में व्यक्त होता है और मैटर फोर्म के आत्म-क्रियान्वयन का माध्यम बनता है। मैटर अपने-आप में फोर्म के व्यक्त होने का माध्यम मात्र है और फोर्म इस अस्तित्व (अस्तिता) का भाव्य कारण है, जिसका अर्थ हो जाता है कि फोर्म ही व्यक्त होता है, वही इस अभिव्यक्ति का निमित्त कारण है और वही इस व्यक्त भाव का भाव्य कारण (नीतार्थ का नेयार्थ) है। किन्तु तब मैटर क्या है? अब, सत् अपने ही भाव में तभी भाव्य हो सकता है यदि वह अपने भाव में आत्मबाधित हो, अन्यथा भाव और भाव्य में, एक्चुअल और फाइनल में, कोई दूरी नहीं हो सकती। इस प्रकार मैटर सत्त्व की आत्मबाधा मात्र है, और उसके लिए आगन्तुक है। यह व्याख्या इससे और पुष्ट होती है कि ईश्वर ऐसा फोर्म है जो मैटर से आविल नहीं होता। यहाँ हम अपने समर्थन में एटीने जिल्सों को उद्धृत करना चाहेंगे। उनके अनुसार, "प्राय: ही यह कहा जाता है, और ठीक ही, कि अरस्तू के फोर्म प्लेटो के आइडियाज़ ही हैं जो द्यु-लोक से भू-लोक में उतार लिए गए हैं।" हम फोर्म को उस व्यष्टि के माध्यम से जानते हैं जिसे कि वह उत्पन्न करता है और उस व्यष्टि का ज्ञान हम उसकी परिभाषा के द्वारा प्राप्त करते हैं। ज्ञात और ज्ञेय के रूप में फोर्म को एस्सेंस (तत्त्व) कहा जाता है। अब यह एक तथ्य है कि फोर्म अथवा एस्सेंस एक जाति के सभी व्यष्टियों में अभिन्न रूप से एक ही रहता है। प्लेटो के विरुद्ध अरस्तू की मुख्य आपत्ति है कि, स्वयं में मनुष्य (मनुष्यत्व) का अस्तित्व नहीं है, और कि, यदि वह अस्तित्व में है तो उसमें हमारी कोई रुचि नहीं हो सकती, क्योंकि हम मनुष्यत्व को नहीं जानना चाहते बल्कि मनुष्यों को जानना चाहते हैं, उतनी ही स्वयं अरस्तू पर भी लागू होती प्रतीत होती है। प्लेटो के समान ही, उसके सिद्धान्त में भी व्यष्टियों का न कोई उपयोग है और न उनके लिए कोई रुचि है। अरस्तू जबकि कहता तो यह है कि उसकी व्यष्टियों के सिवाय और किसी में भी रुचि नहीं है, किन्तु उसके बाद सिद्ध करने यह चलता है कि, क्योंकि सम्पूर्ण जाति में एक ही स्वरूप-तत्त्व व्याप्त है इसलिए व्यष्टि का वास्तविक सत्त्व जाति के सत्त्व से किसी भी प्रकार भिन्न नहीं है।

"यह सब बहुत विचित्र है, किन्तु इससे बचना सम्भव नहीं था। एक ओर अरस्तू को यह ज्ञात था कि केवल 'यह' मनुष्य ही वास्तविक है, मनुष्य नहीं, किन्तु दूसरी ओर वह इस निर्णय पर पहुँचता है कि 'इस' मनुष्य में वही वास्तविक या सत् है जो किसी भी मनुष्य को परिभाषित करता है। अब उसके 'इस' और 'परिभाष्य' में संगति कैसे स्थापित की जा सकती है? यह सही है कि अरस्तू व्यष्टि का आकलन कर सकता है, उसके अनुसार व्यष्टि का अस्तित्व अपने भौतिक उपादान (मैटीरियल काज़) के कारण ही है। ठीक, किन्तु व्यष्टि का परिभाष्य तत्त्व उसका उपादान नहीं होता, यह (उपादान) उसमें निकृष्टतम अंश होता है, यहाँ तक कि अपने-आप में इसका कोई सत्त्व नहीं होता।"[3] जिल्सों की यह व्याख्या अरस्तू पर बलात् आरोप नहीं है, बल्कि अरस्तू के सिद्धान्त के विभिन्न सूत्रों में इसके बिना संगति ही नहीं बैठायी जा सकती, फिर चाहे यह अरस्तू की प्रकट स्थापनाओं से कितनी ही असमंजस क्यों नहीं प्रतीत हो।

इस प्रसंग में वेदान्त की स्थिति अधिक स्पष्ट है, यद्यपि प्लेटो की भी है, सिवाय इस बात के कि वह (प्लेटो) व्यवधान को अव्याख्यायित छोड़ देता है। प्लेटो के अनुसार भौतिक या ऐन्द्रिक विषय सत् का बाधक है

1. का. 57.
2. 'मैटर' शब्द पारिभाषिक है और इसका पूर्णत: सम्यक् पर्याय भारतीय दर्शन में नहीं है। 'उपादान' शब्द इसके निकट है किन्तु साँख्य का 'प्रकृति' शब्द और भी निकट है। किन्तु 'महाभूत' पद अर्थत: पर्याप्त निकट है और इसके अपारिभाषिक प्रयोग को ध्यान में रखते हुए यह निकटतम है।
3. एटीने जिल्सों — **बींग एण्ड सम फिलोसोफर्स,** पृ. 48.

जबकि प्रत्येय विषय (आइडिया) शुद्ध सत् है और वह शुद्ध प्रत्यय को गम्य है। किन्तु तब भौतिक की विद्यमानता का क्या हेतु है? इस प्रश्न का प्लेटो में कोई समाधान नहीं है। किन्तु प्लेटो में सत् भी अन्तिम स्तर नहीं है, उच्चतम स्तर सत्तातिक्रामी है, जो एक अखण्ड (वन) और शिव (दि गुड) है। प्लोटाइनस में सत्तातिक्रामी तत्त्व की विस्तृत चर्चा मिलती है, वह इसे असत् कहता है, क्योंकि सत् उसके अनुसार अपने कारक या हेतु की अपेक्षा करता है जो स्वयं सत् नहीं हो सकता, वह उससे परात्पर ही हो सकता है। यह कथन तैत्तिरीय उपनिषद् के 'असद्वा इदमग्र आसीत्' और नागार्जुन के शून्य का स्मरण कराता है, यद्यपि शून्य का प्रत्यय अधिक तार्किक है जबकि प्लोटाइनस और उपनिषद् के 'असत्' का प्रत्यय रहस्यात्मक : प्रातिभ : है।

शांकर वेदान्त भी अस्तित्व या जगत् को व्यवहित सत् के रूप में ही देखता है, जिसे वह उपहित कहता है। सत् उसके अनुसार, एक, अद्वितीय, और परिपूर्ण है। इसका अर्थ है कि, जो कुछ भी व्यष्टि रूप में है वह वास्तव में यह अखण्ड सत्त्व ही है, जैसे विभिन्न लहरों में जल। वास्तव में लहरों की विभिन्नता भी, वेदान्त के अनुसार, वास्तविक नहीं है, यह केवल प्रातीतिक है, अथवा, है तो सही किन्तु तब भी नहीं है। इस अतात्त्विक या असत् अस्तित्व को वेदान्त 'विवर्त' का नाम देता है, जो सत् के विविध हुए बिना विविध रूपात्मक अस्तित्व में प्रकट होने का वाचक पद है। किन्तु तब वैविध्य की प्रतीति या प्रतिभास किस कारण से है और क्यों है? वेदान्त का उत्तर है, अविद्या के कारण है और अविद्यामूलक साध्यों की सिद्धि के लिए है। किन्तु तब अविद्या का अधिष्ठान क्या है?

वास्तव में यदि एक प्रस्तर-खण्ड, पुष्प, या गाय को देखें तो इनके अधिष्ठान के सम्बन्ध में एक प्रकार से कोई समस्या नहीं है, क्योंकि प्रस्तर प्रस्तरत्व में, पुष्प पुष्पत्व में और गाय गोत्व में स्थित है, और ये अपने-अपने तत्त्व से अविभक्त कहे जा सकते हैं, और तब गोत्व का पशुत्व में और प्रस्तरत्व का भूतत्व में लय कल्पनीय है और इन दोनों का अन्ततः एक परम तत्त्व में।[1] यह परम तत्त्व मूल, आद्य, अखण्ड और सर्वगत है। दो व्यष्टियों का और दो जातियों का वैशिष्ट्य उस चित्त की कल्पना भी कहे जा सकते हैं जो चित्त आहंकारिक अस्मिता के कारण अपने अविशिष्ट : अविच्छिन्न : मूल से विच्छिन्न है। यह अविच्छिन्न मूल तत्त्व ही अहंकार की अपनी व्यष्टिता का और अपने विषय की व्यष्टिता का आधार है। अन्यथा सब जैसा और जो है, वैसा वही है— अनवच्छिन्न, अविशिष्ट, अनिर्धारित, अखण्ड और आपूर्ण। किन्तु यह आहंकारिक चित्त बाहर और भीतर से व्यवहित होकर सर्वत्र इतरत्व से आक्रान्त हो जाता है।

किन्तु इससे समस्या का समाधान नहीं होता, क्योंकि केवल मानव-चित्त के ही इतर-व्यावृत्त या आत्म-व्यवहित होने पर भी आत्म-व्यवहितत्व की विद्यमानता की समस्या समाप्त या न्यून नहीं हो जाती। न भौतिक और पाशव अस्तित्व में ये उपाधियाँ और आत्म-व्यवधान नहीं होने में ही कोई गौरव है, क्योंकि भौतिक अस्तित्व भीतर-बाहर उभयत: बन्द है और पाशव अस्तित्व भीतर से बन्द और बाहर इतरोन्मुख खुला है : यह केवल मानवीय अस्तित्व है जो भीतर और बाहर दोनों ओर खुला है और इस प्रकार खुले होने से ही जिसमें आत्म-अपर्याप्तता तथा उसका बोध और परिणामत: उस पर्याप्तता की स्मृति या आभास है जिससे वह वियुक्त है। (यह स्थिति आत्म-संशोधन के सभी प्रयत्नों में, उदाहरणत: अपने विचार या अनुभूति की अभिव्यक्ति के लिए उपयुक्ततर शब्द या वाक्य पर चिन्तन में, भी देखी जा सकती है।) और वास्तव में यह आत्म-अपर्याप्तता का बोध उपाधि और उस उपाधि के अस्तित्व की अज्ञानमूलकता का भी ज्ञापक है, अन्यथा यह उपाधि अनवगत रूप से पाशव चित्त और भौतिक अचित्त को पूर्णत: आत्म-विस्मृत रखती है, परिणामत: यह पूर्ण से अनवच्छिन्नता की स्थिति नहीं है। जैसे भी इसे देखा जाय, प्रस्तुत प्रश्न उपाधि की विद्यमानता का है, जो उपाधि असत् है; क्योंकि यदि यह असत् नहीं होती तब यह होती ही नहीं। और यह है, इसका प्रमाण यह है कि आत्म-अपर्याप्तता का बोध और तज्जनित आकुलता और आत्म-प्रवास-जनित खिन्नता की अनुभूति का अस्तित्व है।

उपाधि के असत् नहीं होने पर उसकी अविद्यमानता कहने, अथवा दूसरे शब्दों में, उसकी विद्यमानता से उसकी असत्ता निगमित करने, का कारण यह है कि 'सत् उपाधि' पद वदतोव्याघात है, क्योंकि असत् होने के

---

1. यहाँ ये समस्याएँ उपेक्षणीय हैं जो इस लय के तर्क से सम्बन्धित हैं।

कारण जो उपाधि है वह सत् होने पर स्वरूप हो जायगी : यदि मैं सत्त्वत: सीमित हूँ तब उन सीमाओं के अतिक्रमण का प्रयत्न या आकांक्षा उसी प्रकार अविद्यामूलक कही जायगी जिस प्रकार स्वरूप को असीमित मानने के कारण उपाधि को सत् मानना अविद्यामूलक कहा जाता है। किन्तु अस्तित्व के इतिहास में मानव-चेतना ऐसा क्षण है जिसमें सीमा के अतिक्रमण के लिए आत्म-प्रकाशित उद्विग्नता का आविर्भाव है और इस प्रकार जिसकी सीमाएँ अपने असत्त्व में अवगम्य हैं। डेकार्ट अस्मिता में अपनी सीमितता और ईश्वर की असीमितता का युगपद् बोध देखता है। किन्तु यह प्रतिपादन युक्तियुक्त नहीं है, क्योंकि यदि विचार-क्रिया में सीमा स्वरूपगत है तब असीमितता स्वरूपगत नहीं हो सकती और परिणामत: वह सीमा के साथ आत्म-प्रकाशित भी नहीं हो सकती। डेकार्ट का तर्क है कि सीमितता तब तक आत्म-प्रकाशित हो ही नहीं सकती जब तक असीमितता भी उसी आत्म में युगपद् रूप से आत्म-प्रकाशित नहीं हो। किन्तु यह प्रतिपादन एक गहरी भ्रान्ति पर आधारित है। आत्म-प्रकाशित प्रत्यय या विचार होता है और प्रत्यय की ससीमता उसके गोचर विषय : 'मैं' : के इतर-व्यावृत्ति-सहित प्रकाशित होने के द्वारा प्रकट होती है। 'मैं विचारता हूँ' में 'मैं' यदि 'विचारता हूँ' क्रियागत विषयिभाव मात्र है, जैसाकि डेकार्ट में है,[1] तब उसमें ससीमता आत्म-प्रकाशित या प्रकाशित नहीं कही जा सकती और यदि वह 'विचार-गोचर आत्म-प्रत्यय' है तब इसमें आत्म की ससीमता भी अन्य विचार-गोचर विषयों के समान ही इतर-व्यावृत्ति के द्वारा प्रकट होती है। अब यदि इस 'अहं' को अन्य विचार-गोचर विषयों की अपेक्षा विषयी के निकटतर भी मान लें तो भी इतर-व्यावृत्ति से प्रकाशित इसकी ससीमता इतर को असीम के रूप में प्रकट नहीं करती, जब तक कि इतर को वास्तविक इतर नहीं मानकर आत्म का समावेशक नहीं माना जाय। डेकार्ट की भ्रान्ति का स्रोत यह प्रतीत होता है कि जैसे 'गोत्व' 'अगोत्व' से व्यावृत्त होता है और परिणामत: गाय के साथ ही अगाय भी प्रदत्त होती है, उसी प्रकार ससीम भी असीम से व्यावृत्त होता है और दोनों युगपद् रूप से प्रदत्त होते हैं। किन्तु ऐसा नहीं है, सीमित अहं असीमित त्वं : ईश्वर : से नहीं, सीमित 'त्वं' से ही व्यावृत्त होता है, असीमित (अनिर्धार्य) से तो वह केवल अवसित होता है। यह केवल 'ससीम' पद है जो 'असीम' पद से व्यावृत्त होता है, असीम सत्त्व से नहीं। यदि कहा जाय कि वास्तव में प्रत्येक व्यावृत्ति में व्यावर्तक असीम ही होता है, जैसे अगाय, जो गाय के अतिरिक्त सर्वव्यापक है, तो यह दो प्रकार से अयुक्त है। प्रथम तो, अगाय गाय से सीमित है इसलिए वह असीम है ही नहीं, जबकि ईश्वर जीवों से सीमित नहीं है, और दूसरे अगाय अनिर्धारित नहीं है, यदि उसे असीम मान भी लें तो, क्योंकि यह निर्धारणों पर व्यापक है। इस प्रकार सत्त्वगत सीमितता का बोध या अवगमन आत्म-प्रकाशित होने पर स्वयं सत्त्व की अपनी ही असीमितता को असन्दिग्ध रूप से सिद्ध करता है और परिणामत: सत्त्व की सीमा की असत्ता : औपाधिकता : सिद्ध करता है, ईश्वर की सत्ता नहीं। यहाँ यह द्रष्टव्य है कि यह निष्कर्ष केवल तार्किक नहीं है बल्कि तर्क-समर्थित बोधमूलक है। इस प्रकार व्यवधान की विद्यमानता को भ्रान्तिमूलक देखने वाली वैदान्तिक दृष्टि सबसे अधिक प्रामाणिक है। यद्यपि साँख्य-दृष्टि भी व्यवधान को इसी प्रकार असत् देखती है, किन्तु साँख्य-दृष्टि व्यवधान का अधिष्ठान अन्यत्र और वास्तविक देखने से उद्विग्नता या प्रवासानुभूति की समुचित व्याख्या नहीं कर सकती।

किन्तु इससे अस्तित्वगत इतर-व्यावृत्ति समाप्त नहीं हो जाती; व्यष्टि व्यष्टिगत इतर से, और जाति-जातिगत इतर से व्यावृत्त रहती ही है। किन्तु यह व्यावर्तन व्यावृत्त की आत्म-अपर्याप्तता को ही प्रमाणित करता है, जो प्रमाण प्रत्यङ्मुख चैतन्य द्वारा अपनी सीमाओं, निर्धारणों या व्यावर्तनों के बीच से अपनी असीमता और अव्यवहितता के साक्षात्कार में प्रतिष्ठित होता है।

---

1. किन्तु बहुत-से विचारक डेकार्टीय 'मैं' को विषय मानते हैं। उदाहरणत: हाइडेगर के अनुसार डेकार्ट की तत्त्वमीमांसा में सत्त्व (बींग्ज) पहली बार प्रत्यक्ष की विषयता के रूप में परिभाषित होते हैं। (माइकिअल गर्रे (सं.) **हाइडेगर एण्ड मॉडर्न फिलोसोफी,** पृ. 36.)

प्राकृतिक जगत्

'प्रकृति' शब्द का प्रयोग साधारणत: 'बाह्य जगत्' और 'स्वभाव' दो अर्थों में होता है। साँख्य ने इस शब्द का प्रयोग 'जगत्-स्वभाव' के अर्थ में किया है, जिसका विपरीत 'पुरुष' है जो चित्स्वभाव है। सो, प्रकृति साँख्य के अनुसार जड़ है। किन्तु यहाँ हम साँख्य को आधार बनाकर नहीं चल रहे हैं और न प्रकृति का जड़ के रूप में निरूपण हमारा प्रयोजन है। भारतीय दर्शन के अधिकांश सम्प्रदायों की प्रकृति विषयक एक अत्यन्त महत्त्वपूर्ण अवधारणा 'अनात्म' है। हेगल ने भी प्रकृति को इतर (अदर) के रूप में निरूपित किया है। किन्तु 'इतर' 'अनात्म' से सर्वथा भिन्नार्थक शब्द है। इसमें भारतीय अवधारणा हमें हेगल की तुलना में अधिक अर्थगर्भ प्रतीत होती है। (यद्यपि भारतीय दार्शनिकों ने आत्म में से सब कुछ निकाल कर इसे रिक्त कर दिया है और हेगल ने इसमें सब कुछ समाहित कर इसे अत्यधिक विपुलता दी है) हेगल की प्रकृति-विषयक अवधारणा एक सीमा तक साँख्य के 'परार्थ' क अनुरूप है,[1] यद्यपि एक सीमा तक ही। किन्तु प्रकृति की अनात्म-रूप अवधारणा यहाँ हमारे लिए विशेष रूप से विचार्य नहीं है। प्रकृति प्रथमत: और सहज रूप से इन्द्रिय-गोचर प्रस्तुति का आधार तत्त्व है। सामान्यत: लोग इन्द्रिय-गोचर प्रस्तुति को ही प्रकृति कह देते हैं,[2] किन्तु 'इन्द्रिय-गोचर' को यदि हम व्यापक अर्थ में भी लें, जिसमें अध्यवसाय-गोचर भी सम्मिलित है, तो भी उसे प्रकृति नहीं कह सकते, उसे प्राकृतिक कह सकते हैं। प्रकृति इस गोचर में व्यक्त तत्त्व है। अवश्य वह तत्त्व इन्द्रियगोचर नहीं है, इन्द्रियगोचर संख्या और परिमाण वाले विशेष विषय होते हैं, जबकि प्रकृति अखण्ड और परिमाण को धारण करने वाला अपरिमेय तत्त्व है। किन्तु यह तत्त्व इन विशेषों से उद्गृहीत (एब्स्ट्रेक्टिड) भी नहीं होता, इसी से यह सामान्य भी नहीं होता, यह विशेषों के साथ उनके आधार तत्त्व के रूप में उतना ही साक्षात् होता है जितने विषय। इस तत्त्व का क्या स्वरूप है?

इस प्रश्न को हम अगले अध्याय के लिए स्थगित कर यहाँ प्राकृतिक जगत् के स्वरूप पर विचार करेंगे। इसका स्वरूप क्या है?

इस प्रश्न के उत्तर की दो दिशाएँ हो सकती हैं : एक प्रामाण्य की दिशा और दूसरी प्रमेय की, वस्तु-स्वभाव-निरूपण की, दिशा। प्रामाण्य की दिशा का अवलम्बन करने पर विचार का केन्द्र मानव-चेतना हो जाती है और तब हम इस प्रकार के प्रश्नों के साथ अग्रसर होते हैं कि इसका ही क्या प्रमाण है कि बाह्य जगत् सत् है? अथवा "बाह्य जगत् ज्ञान-सापेक्ष होने से, यह ज्ञान-विषय मात्र, और इस प्रकार प्रतिभास या आभास मात्र, ही नहीं है?" और तब, जो स्वत: नहीं है उसके आभासित होने का हेतु ढूँढ़ने का प्रसंग उपस्थित होता है, जिसके उत्तर में एक ओर बौद्ध, वैदान्तिक और सांख्यीय आदि मत हैं और दूसरी ओर कांट, फ़िख़्ते और शॉपेनहावर आदि के मत हैं, जिनके अनुसार प्रतिभास का हेतु वासना या संकल्प है। यद्यपि ये दोनों प्रकार के मत जगत् का आविर्भाव व्यक्ति-चित्त के विकल्प या संकल्प में नहीं देखकर अतिवैयक्तिक चित् या चित्त में देखते हैं, किन्तु विकल्प या संकल्प अतिवैयक्तिक चित् में किस प्रकार उद्भूत या निहित हो सकते हैं, इस सम्बन्ध में पर्याप्त सन्तोषजनक विचार नहीं मिलता। एक तीसरे प्रकार का मत ईश्वरीय सृष्टि-विषयक है। यह मत प्रकृति को एक प्रयोजनात्मक (टीलियोलोज़ीकल) व्यवस्था के रूप में देखता है जिसका नियामक उससे इतर है। यह इतर आत्म-चेतन प्रत्यय भी हो सकता है और अनात्म-चेतन प्रत्यय भी। अनात्म-चेतन प्रत्यय किस प्रकार व्यवस्था का नियामक हो सकता है यह एक अत्यन्त समस्यात्मक प्रश्न है, जिस समस्या से सृष्टि का ईश्वर-कर्तृत्व मुक्ति

---

1. हेगल, **'फिलोसोफी ऑफ नेचर'**, सं. एवं अनुवाद : मिलर, ए.वी., पृ. 13–14.
2. ह्वाइटहैड, ए.एन., **दि कांसेप्ट ऑफ नेचर**, पृ. 3.

देता है। किन्तु ईश्वर की कल्पना में यह एक अलंघ्य कठिनाई है कि इतर से व्यावृत्ति के बिना अस्मिता कैसे सम्भव है और अस्मिता के बिना कर्त्तृत्व कैसे सम्भव है? ऐतरेय उपनिषद् में आत्म-चेतना का आविर्भाव इतर के साथ ही कहा गया है—उसके अनुसार आत्म-अचेतन तत्त्व आत्म और अनात्म के द्वित्व में आविर्भूत होता है—"असद्वा इदमग्र आसीत्, ततो वै सदजायत, तदात्मानं स्वयमकुरुत।"[1] यही कल्पना फ़िख़्ते और शैल्लिंग में भी है। किन्तु इन सबमें प्रकृति ही इतर है और यह चैतन्य में आत्म-चेतना के साथ ही आविर्भूत होती है। ईश्वरीय सृष्टि की कल्पना में प्रकृति ईश्वर का इतर नहीं है, यह प्रकृति-तत्त्व या उपादान है जो ईश्वर द्वारा जगद्-रचना में प्रयुक्त होता है। साँख्य ने इसका एक दूसरा समाधान दिया है जो अद्भुत सूझ का परिचायक है। उसके अनुसार प्रकृति स्वरूपत: अपेक्षी तत्त्व है, उसका प्रत्यय तद्बाह्य है, किन्तु वह प्रत्यय पुरुषगत नहीं है, वह प्रकृतिगत-पुरुषोल्लेखी है।[2]

दूसरा मार्ग वस्तु-स्वभाव-निरूपण है। यद्यपि यह मार्ग प्रथमत: अधिक उपयुक्त प्रतीत होता है किन्तु थोड़ा गहराई से देखने पर यह अपनी अगम्यता प्रकट कर देता है। वास्तव में कांट की स्वलक्षण या स्वगत वस्तु (थिंग इन-इट्सेल्फ) की प्रपत्ति इसका एक उत्कृष्टतम दार्शनिक उदाहरण है। कांट को इसके सम्बन्ध में यही श्रेय दिया जाना चाहिए कि उसने दर्शन की एक बहुत महत्त्वपूर्ण समस्या को इतनी स्पष्टता के साथ प्रस्तुत किया। कोई निरूपण बुद्धि-विकल्पगत प्रत्ययों या प्रपत्तियों के बिना नहीं हो सकता और कोई स्वभाव अवधारणा या प्रत्यय से विलगाया नहीं जा सकता। 'देशगतत्व' एक-साथ भौतिक वस्तु-स्वभाव भी है और भौतिक वस्तु-अवधारणा भी, इसी प्रकार 'गोत्व' और 'मनुष्यत्व' हैं। कुछ दार्शनिक इन्हें केवल अवधारणाएँ और इस प्रकार सत्त्वत: निराधार मानते हैं और दूसरे इन्हें बुद्धिगम्य वस्तुएँ। हमें इनमें पहला मत पूर्वाग्रह-ग्रस्त प्रतीत होता है, क्योंकि इसके समर्थक दो सम्प्रदायों में से एक केवल संवेद को वस्तु-प्रकाशन-समर्थ मानने वालों का है और दूसरा वस्तु को अगम्य मानने वालों का। किन्तु केवल संवेद को ही वस्तु-प्रकाशक कहने में भी वस्तु-स्वभाव का एक प्रकार से निर्धारण है, और अगम्य कहने में एक-दूसरे प्रकार से निर्धारण है। यदि यह मानें कि 'अगम्य' कहने में कोई निर्धारण नहीं है, तो वास्तव में यह न अगम्य कहा जा सकेगा और न गम्य ही, तब उसके वस्तु-स्वभाव होने का प्रश्न भी उत्पन्न नहीं होगा। यह बात कांट में स्पष्ट है—वस्तु-स्वभाव उसके अनुसार विषयता की कोटियों में अवधार्य नहीं है, किन्तु संकल्प में वह आत्म-प्रकाशित होता है। कांट यहाँ उसे 'संकल्प की कोटियों में निर्धार्य' भी कह देता है, जिसे यहाँ उत्प्रेक्षात्मक प्रयोग-रूप में ही देखना चाहिए। किन्तु विषयात्मक रूप से अनिर्धार्य अनवगम्य नहीं होता, जैसे डेकार्ट और शंकर का 'अहं' और शंकर का ब्रह्म अगम्य नहीं हैं, यद्यपि वे विषय-रूप कोटियों या अवधारणाओं के लिए अगम्य हैं। यही बात कांट की स्वलक्षण वस्तु : स्वतन्त्र संकल्प : के लिए भी है।

वस्तु-स्वभाव की अविकल्पनीयता के आधार में एक दूसरी बड़ी भ्रान्ति है, कि चित्त स्वयं वस्तु नहीं है, अथवा वस्तु है किन्तु तब अपने स्वरूप में वह उसी प्रकार अविकल्पिनीय : अनवधार्य : है जिस प्रकार अचैतसिक वस्तु या वस्तुएँ हैं। अब, यदि चित्त वस्तु है और विकल्प चैतसिक हैं, तब विकल्पों को भी वास्तविक होना चाहिए, और यदि चित्त वस्तु नहीं है तब अवश्य विकल्प भी वास्तविक नहीं हैं, किन्तु तब वे ज्ञान या भ्रम के आधार भी नहीं हो सकते। इसका एक हल चित्त को विषयापेक्षा (इंटेंशन) के रूप में परिभाषित करके निकाला गया है, जिसके अनुसार चित्त वस्तु नहीं होकर वस्तु की अपेक्षा मात्र है। किन्तु यह हल वास्तव में चित्त और अचित्त दोनों को अवस्तु बना देता है और केवल चैतसिक को वस्तु-अपेक्षा के रूप में शेष छोड़ता है। यहाँ कहा जा सकता है कि अपेक्षा का विषय चैतसिक नहीं होता, वह अचैतसिक ही होता है। किन्तु यह सही नहीं है।

---

1. इसके विपरीत सांख्यदर्शन प्रकृति को सामान्य कहता है। द्रष्टव्य **सांख्य कारिका** 11. किन्तु वास्तव में यह सन्दर्भ-भेद के कारण है। सांख्य जबकि वस्तु के पक्ष से देख रहा है, हम ज्ञान के पक्ष से देख रहे हैं।

2. 'संघार्थ परार्थत्वात्'। इसकी व्याख्या के लिए द्रष्टव्य : भगवती का लेख : 'साँख्य-विवेचन', **दार्शनिक त्रैमासिक,** अक्टूबर, 1974.

अवश्य उसे ज्ञानात्मक दृष्टि से अचैतसिक कह सकते हैं, किन्तु सत्ता की दृष्टि से उसे चैतसिक द्वारा अचैतसिक का आक्षेप ही कहा जायगा। उसे उतना भी बाह्य नहीं कहा जायगा जितना 'बाह्यात्मक प्रत्यय' (आइडिया एक्स्टर्नेलाइज़्ड) पद में अभिप्रेत है।

किन्तु वेदान्त और कुछ बौद्ध दर्शन-सम्प्रदाय अचित्त या अचैतसिक को चैतसिक का आक्षेप मात्र मानते हैं और स्वयं चैतसिक को भी मिथ्या मानते हैं। दूसरे शब्दों में, उनके अनुसार केवल चैतन्य ही सत् है, चित्त और अचित्त दोनों मिथ्या हैं। किन्तु कठिनाई यह है कि इस सत् और असत् दोनों के इस प्रकार निरूपण के लिए प्रमाण चैतसिक ही बनता है : उपाधि की निस्स्वभावता स्वयं उपाधि में ही अपने को प्रकट करती है। परिणामत: यदि इन मतों को स्वीकार भी कर लिया जाय तो भी वस्तु-स्वभाव का निरूपण सम्भव नहीं है, केवल निस्स्वभाव : असत् : का निरूपण ही सम्भव है। इस प्रकार वस्तु-जगत् का निरूपण केवल निरूपण के आत्म-निरूपण के मार्ग से ही सम्भव है। किन्तु अन्ततः परिस्थिति यही होने पर भी निरूपण या ज्ञान अपने प्रथम प्रवर्तन में जिसका साम्मुख्य करता है वह आत्म-भिन्न निरूप्य या विषय ही होता है। उसकी सत्ता चाहे जो भी हो, उसका धर्म निरूपण-बाह्य ही प्रकट होता है—दूसरे शब्दों में, अर्थ (वस्तु) चाहे असत् ही हो, किन्तु अवभासित वही होता है। यहाँ हम इन अवभासित अर्थों पर, उनकी सत्यता-असत्यता के प्रश्न से निरपेक्ष, विचार करेंगे।

बाह्यार्थों में यद्यपि हमारी रुचि का अधिकतम और प्रमुखतम विषय मनुष्य ही होता है, उसके अनन्तर मनुष्यकृत उपकरण, उसके अनन्तर पशु-पक्षी, और भौतिक जगत् सबसे अन्त में विषय होता है; और वास्तव में भौतिक जगत् भी आदित: भौतिक रूप में गृहीत नहीं होता : ग्रह-नक्षत्र, यहाँ तक कि नदी-पर्वत भी, देवों के देहों के रूप में, अथवा कम-से-कम प्राण और चेतनावान् व्यक्तियों के रूप में, गृहीत होते हैं। बहुत-से भारतीय दार्शनिक ही नहीं, ग्रीक दार्शनिक भी—प्लेटो पर्यन्त—ग्रह-नक्षत्रों को देवात्माओं के अधिवासों या देहों के रूप में ही देखते रहे हैं। किन्तु तब भी दर्शन के इतिहास के प्राय: आदिकाल से कुछ ऐसी स्थिति है कि जब हम जगत् के सम्बन्ध में विचार करते हैं तब उसको 'भौतिक' विशेषण ही देते हैं। किन्तु वास्तव में अजैव प्रकृति की भी शुद्ध भौतिक के रूप में कल्पना अपेक्षाकृत बहुत बाद की बात है। किन्तु 'शुद्ध भौतिक' का क्या अर्थ है, यह भी अपने-आप में कोई सर्वसम्मत तथ्य नहीं है। किन्तु यहाँ हम देशात्मकता या विस्तारात्मकता को इसका एक अनिवार्य धर्म मानकर आरम्भ कर सकते हैं। यह द्रष्टव्य है कि डेकार्ट और लॉक ने इसी को भौतिक का एकमात्र धर्म माना, कांट ने एक-दूसरे प्रकार से इसकी पुष्टि की जब उसने बाह्य संवेदन का आकार देश को कहा। किन्तु भारतीय दर्शनों में पाँच प्रकार के बाह्य संवेदनों के अनुरूप भूतों के भी पाँच प्रकारों की कल्पना की गई है जो अधिक युक्तिसंगत प्रतीत होती है। किन्तु तब यह प्रश्न रह जाता है कि क्या इन पाँच में कोई एकता है? यदि नहीं है तब इन्हें एक वर्ग में किस आधार पर रखा जाता है? यदि इसका उत्तर दिया जाय कि यह वर्गीकरण ज्ञानेन्द्रिय-विषयता के आधार पर है, तब आगे यह प्रश्न हो सकता है कि पाँच ज्ञानेन्द्रियों में क्या एकता है? यदि उत्तर हो कि एकता विषयता (अपेक्षा) की है, तो यह विषयता अनुभूति (इच्छा, भावना आदि) और विचार में भी होती है, केवल इन्द्रियों में ही नहीं होती, परिणामत: उनके विषयों को भी इनमें सम्मिलित करना चाहिए जो नहीं किया जाता। दूसरा उत्तर हो सकता है कि "इनकी एकता बाह्यता में है, अर्थात् जो विषय बाह्यता धर्म से युक्त हैं वे भौतिक हैं, और इन विषयों की विषयता केवल इन्द्रियमूलक ही होती है।" किन्तु तब शब्द, स्पर्श, गंध और रस किस प्रकार बाह्यता से युक्त हैं? यदि कहें कि शब्द का ग्रहण हमें बाह्यता के भाव के सहित होता है, तो यह उस प्रकार स्वत:स्पष्ट नहीं है जिस प्रकार रूप के सम्बन्ध में यह स्पष्ट है। स्पर्श का अनुभव अवश्य कुछ अवस्थाओं में विस्तार और बाह्यता के साथ होता है, उदाहरणत: तर्जनी में सर्वाधिक, किन्तु शीत और घाम का अनुभव इस प्रकार नहीं होता। रस का अनुभव पूर्णत: अबाह्यात्मक होता है। यदि कहें कि यह अनुभव किसी रसदायक आधार-वस्तु के सहित होता है, तो यह युक्त नहीं है, क्योंकि इस आधार या कारक वस्तु का बोध स्पर्शमूलक होता है, स्वयं रसास्वाद वस्तु-अपेक्षी नहीं होता। यह केवल रूप का अनुभव है जो स्पष्टत: अनिवार्यत: दैशिक आकार के सहित होता है। इसी से केवल यह प्रतिज्ञप्ति ही विश्लेषणात्मक है कि 'कोई भी वस्तु, यदि वह

वर्णात्मक है तो वह विस्तारात्मक भी है।' किन्तु यह प्रतिज्ञप्ति विश्लेषणात्मक नहीं है कि 'यदि कुछ गंधवान् है तो वह विस्तारवान् भी है।' इसी प्रकार अन्य ज्ञानेन्द्रिय-विषयों के लिए भी है, अर्थात् विस्तार उनका स्वरूप-धर्म नहीं है। इस पर यदि कहा जाय कि सब ज्ञानेन्द्रियाँ परस्पर निर्भर रूप में व्यापार करती हैं और मनुष्य में दर्शनेन्द्रिय मुख्य नियामक होती है, तो यह दार्शनिक युक्ति नहीं है, क्योंकि जन्मान्ध मनुष्यों में यह इन्द्रिय ही नहीं होती किन्तु तब भी उनमें विषय की बाह्यता का बोध होता है। इसके उत्तर में यदि कहा जाय कि कुछ स्पर्श बाह्यता और विस्तार के सहित होते हैं और ये जन्मान्ध व्यक्तियों में विस्तार और बाह्यता की अवधारणा के आधार बनते हैं, तो यह भी सही नहीं है, क्योंकि एक तो यह आवश्यक नहीं है कि इस प्रकार के कोई स्पर्श घटित हों ही : यदि किसी व्यक्ति को पीठ के बल लिटाकर उसकी पीठ को संज्ञा-शून्य कर दिया जाय तब वह शीत-घाम का अनुभव बिना विस्तार के ही करेगा, और दूसरे, न तब उसे अन्य इन्द्रियों से ही विस्तार का ग्रहण होगा। इसके विरुद्ध कहा जा सकता है कि यह स्वाभाविक नहीं है। यह सही है, किन्तु इससे यह स्पष्ट है कि देश सब बाह्य संवेदनों का आकार नहीं है। यह केवल रूप का आकार है और कुछ स्पर्शों का सहगामी है। इस पर भी यह कहा जा सकता है कि देश भौतिक वस्तु का मूल धर्म है, अथवा कहें भौतिकता और देशात्मकता पर्यायवाची हैं, और यह धर्म केवल दर्शनेन्द्रिय को ही सम्यक् रूप से प्रकट होता है। किन्तु यह सर्वथा दूसरी बात होगी और इसके लिए प्रमाण की अपेक्षा होगी, जो प्रमाण ज्ञानेन्द्रियमूलक अनुभव के विवेचन से प्राप्त नहीं किया जा सकता।

वास्तव में बाह्यता रूप-रसादिमूलक और इस प्रकार इन्द्रिय-विषयक नहीं होकर इनसे प्राक् होती है, यह चित्त की जगत्-प्रवृत्ति में अन्तर्निहित भाव है जो स्वयं देह का भी हेतु कहा जा सकता है, अथवा कहें जो स्वयं इन्द्रियों के उपकरणों (आँख, कान आदि अंगों) से युक्त देह-रूप में व्यक्त होता है।[1] बाह्योन्मुखता का यह भाव ही इन्द्रिय-विषयों का आकलन बाह्य देश में करता है, उस देश का कोई निश्चित आकार भी आकलित हो, यह आवश्यक नहीं है। यह स्थिति अविकसित पाशव स्तर पर, अथवा हमारे शुद्ध स्पर्शमूलक देश-ग्रहण के स्वरूप पर विचार से अधिक स्पष्टता से देखी जा सकती है। कुत्ता दूसरे कुत्ते का शब्द सुनकर चौंकता है और सहज ही उसे बाहर किसी वस्तु : कुत्ते : में स्थापित करता है, पक्षी धमाका सुनकर भयभीत होता है और उस शब्द को बाहर स्थानित करता है। यहाँ यह द्रष्टव्य है कि व्यष्टि-पक्षी धमाके का आकलन स्पष्टतः बाह्य देश में करता है, यह नहीं कहा जा सकता, सम्भवतः वह केवल उससे भयभीत होता है, किन्तु इस भय का मूल 'अन्य से आघात' के अभिज्ञान में ही होता है। इसलिए धमाके से भय अन्य से, अर्थात् अपने से बाहर किसी से आक्रमण के आगमनात्मक अभिज्ञान को पूर्व-कल्पित करता है। यह अभिज्ञान व्यष्टिमूलक हो, यह आवश्यक नहीं है, यह आनुवंशिक अथवा सहज भी हो सकता है : केंचुआ भूख लगने पर भोजन-अन्वेषणार्थ किसी व्यष्टिगत अभिज्ञान के बिना ही अग्रसर होता है। देश के बोध का यही मूल है। अन्यथा न शब्द के लिए यह आवश्यक है कि वह किसी दैशिक आकार में घटित हो और न भूख के लिए ही यह आवश्यक है कि उसके सन्तुष्टि में किसी दैशिक आकारमय वस्तु का बोध हो। यही बात रस और गंध के लिए भी है।

यहाँ यह आपत्ति की जा सकती है कि, हम वस्तुओं का बाहर साम्मुख्य करते हैं, और दूसरे कुत्ते के शब्द से चौंका हुआ कुत्ता अपने पिछले अनुभव से कुत्ते और शब्द का सम्बन्ध जानता है। यह सही है, किन्तु 'दूसरा कुत्ता' यहाँ रूप और स्पर्शगुणों की अधिष्ठान-भूत वस्तु का वाचक है जिसे तीसरे एक और गुण : शब्द : का अधिष्ठान बनाया जा रहा है। अब, यदि कुत्ता जात्या ही चक्षुविहीन होता तब भौंकने वाला कुत्ता यहाँ केवल स्पर्श का अधिष्ठान होता, जिसे शब्द से और जोड़ा जाता। किन्तु तब ऐसी स्थिति में कुत्ते को शब्द के अधिष्ठान-रूप में अबाह्य क्यों नहीं देखा जाता? स्पर्श के लिए भी यह आवश्यक नहीं है कि उसका अधिष्ठान बाह्य ही हो। ऐसी स्थिति में, दुःख और इच्छा के, अथवा खुजली और पीड़ा के एक अबाह्य अधिष्ठान के ग्रहण के समान उस कुत्ते के भी शब्द और स्पर्श का अबाह्य अधिष्ठान अन्य कुत्ता नहीं होता, वह स्वयं ही होता। इस प्रकार अन्य कुत्ते की

1. इस प्रसंग में द्रष्टव्य : यशदेव शल्य, **विषय और आत्म,** अ. 2.

बाह्य ज्ञान-विषय-रूप में उपस्थिति मेरी बाह्योन्मुख प्रवृत्ति के कारण है, जो प्रवृत्ति संवेदों का संयोजन बाहर देश में करती है, यह स्वयं संवेद-विषय का धर्म नहीं है। अब यदि यह बात सही है तब इस देश का आकार भी बाह्योन्मुखता के क्रियान्वयन की विधा के अनुसार ही निर्धारित होगा, जो विधा अन्ततः चेतना की जगद्भाव में आत्माभिव्यक्ति की विधा से निर्धारित होती है। उदाहरण के लिए दर्शनेन्द्रिय-सहित और उससे रहित जीवों के देश का आकार समान नहीं हो सकता। यही बात अन्य इन्द्रियों के लिए भी सही है। और यह द्रष्टव्य है कि भिन्न-भिन्न प्राणियों में भिन्न-भिन्न इन्द्रियाँ प्रमुख होती हैं और इस प्रमुखता के अनुसार ही जगद्भाव की विधाएँ भी भिन्न-भिन्न होना अनिवार्य है। यह द्रष्टव्य है कि मनुष्य में देश का निर्धारण पाशव-निर्धारणों से बहुत मौलिक रूप से भिन्न होता है, जिसका कारण मनुष्य की विषय-ग्रहण वृत्ति की आवेग और वासना से पर्याप्त स्वतन्त्र होने की सामर्थ्य है। किन्तु तब भी हमारा विषय-मूलक देश-ग्रहण किस सीमा तक विषयिमूलक आग्रहों से निर्धारित होता है, यह हम अशंत: एक ही दृश्य के अनभ्यस्त ग्रहण और कलाकार द्वारा ग्रहण में तुलना से देख सकते हैं।

यहाँ चेतनामूलक सृजन के हमारे मूलगामी सिद्धान्त का कुछ और विशदीकरण आवश्यक है। हमारे उपर्युक्त प्रतिपादन के अनुसार, हमारा इन्द्रिय-विषय-ग्रहण चेतना की बाह्योन्मुख प्रवृत्ति का परिणाम है, क्योंकि अन्यथा ऐन्द्रिय संवेदों का संयोजन बाह्य विषय के रूप में होना आवश्यक नहीं है, क्योंकि स्वयं संवेदनों में, चाक्षुष संवेदनों को छोड़कर, ऐसा कुछ नहीं है कि वे अधिष्ठान के रूप में किसी बाह्य वस्तु की अनिवार्यत: अपेक्षा करें। तब देह में इन्द्रिय-द्वार या उपकरण (आँख, कान आदि) भी इसी प्रवृत्ति के परिणाम होने चाहिएँ, क्योंकि उपकरण केवल प्रयोजन-सिद्धि के निमित्त से ही अस्तित्व में आते हैं। इसके अतिरिक्त, स्वयं देह भी केवल बाह्योन्मुख वृत्तिता को ही प्रदर्शित करती है, मानो इस प्रवृत्ति ने अपने क्रियान्वयन के लिए ऐसे उपकरण का आविष्कार किया हो जो बाह्यता के नियोजन के लिए बाह्यात्मक क्रिया का केन्द्र हो सके। देह को 'बाह्याभिसारी चेतना' के रूप में भी परिभाषित किया जा सकता है, क्योंकि बाह्योन्मुख प्रवृत्ति के सन्तोष के लिए बाह्याभिसरण अनिवार्य है और बाह्याभिसरण के लिए बाह्याभिसरण के बीच स्थित बाह्यता, अर्थात् ऐसा साधन अनिवार्य है जो अपने को सबसे और सबको अपने से, बल्कि अपने को अपने से भी, बाहर रख सके। इसके लिए देशगत सीमित अस्तित्व अनिवार्य है। यह साधन केवल मूर्त्त : भौतिक : माध्यम में ही प्राप्त हो सकता है, क्योंकि अमूर्त्त या अदैशिक स्वभावत: बाह्यात्मक नहीं हो सकता। उदाहरण के लिए विचार को लें। विचार चेतना की एक दूसरे प्रकार की सीमित या अवच्छिन्न अभियक्ति है, जैसाकि उसकी अनिवार्य द्वन्द्वात्मकता से प्रकट होता है। किन्तु यह अवच्छिन्नता भाषा के सहारे ही अस्तित्व ग्रहण करती है, जो अंशत: भौतिक है, और उसी अंश तक विचार भी सीमितता या अवच्छिन्नता से उपहित होता है। विचार द्वारा एक द्वन्द्व का व्यापकतर द्वन्द्व में अतिक्रमण और स्वयं अपने अतिक्रमण की सामर्थ्य, जिसका उल्लेख हमने प्रथम अध्याय में किया था, सीमा की इसी आंशिकता के द्योतक हैं। किन्तु मूलत: विचार भी बाह्यता की प्रवृत्ति के पोषक के रूप में ही उत्पन्न होता है : ऐन्द्रिक ग्रहण का स्वतन्त्र बाह्यार्थ के रूप में सम्यक् रूप से निर्धारण अध्यवसाय के द्वारा ही होता है। इन्द्रियों में दर्शनेन्द्रिय बाह्यात्मक ग्रहण में सर्वोत्कृष्ट है, क्योंकि इसका विषय स्पष्टत: दैशिक आकार से युक्त होता है, और विचार इस प्रवृत्ति की पराकाष्ठा है, क्योंकि केवल यही सभी इन्द्रिय-विषयों का दर्शनेन्द्रिय द्वारा गृहीत देश में स्वतन्त्र बाह्य वस्तु के रूप में निश्चय करता है।

किन्तु वस्तु की बाह्यता और स्वतन्त्रता अपनी पूर्णता तब प्राप्त करती है जब वह पूर्ण रूप से विचार को समर्पित हो जाती है और ऐन्द्रिकता से मुक्त हो जाती है। वास्तव में इन्द्रियविषयक बाह्यता विषयनिष्ठ धर्म नहीं होकर प्रवृत्तिमूलक भाव ही होता है। विषय-धर्म के रूप में बाह्यता अध्यवसाय के द्वारा ही आविर्भूत होती है, जो विषय को चेतना से पृथक् ग्राहक के विरुद्ध ग्राह्य के रूप में स्थिर करती है। अध्यवसित इन्द्रिय-गोचर वस्तु का तत्त्व इन्द्रिय-अगोचर, अथवा कहें शुद्ध विचार-गोचर, भौतिकता है जो रूप-रस-गंध आदि से रहित है। इसका देश अवश्य दर्शनेन्द्रिय-गम्य देश के तारतम्य में होता है, किन्तु तब भी उससे अत्यधिक दूराकृष्ट होता है : वह पूर्णत: ज्यामितिक होता है, जिसमें रूप का लेशमात्र भी अग्राह्य होता है। बिन्दु और रेखा की यूक्लिडीय परिभाषा इसका स्पष्ट प्रमाण है।

यहाँ भौतिक वस्तु-विषयक ज्ञान के चार स्तर देख जा सकते हैं—(1) एकेन्द्रिय विषयक, (2) इतरेन्द्रिय-समर्थित, (3) अध्यवसाय-विनिश्चत इन्द्रिय-विषयक और (4) निरिन्द्रिय अध्यवसायात्मक आत्म-विमर्शमूलक। यह स्तर-क्रम वस्तु के विषयी से स्वतन्त्र स्वरूप-विनिश्चय का क्रम है। किन्तु जैसे-जैसे हम इसमें विषयी से स्वतन्त्र होते जाते हैं वैसे-वैसे विशेष से सामान्य की ओर तथा मूर्त्त और ठोस से अमूर्त्त और अगोचर की ओर अग्रसर होते जाते हैं। यह क्रम एक ओर विषयिनिष्ठता से मुक्ति का है और दूसरी ओर प्रत्यक्ष से विकल्प की ओर अग्रसरता का। अब, यदि इन्द्रिय बाह्य वस्तु की साक्षात्कारक है तब अध्यवसाय, और उसके आगे आत्मविमर्शी अध्यवसय (रीफ़्लेक्टिव जज्मेंटट) अवस्तु-विषयक होगा, और यदि अध्यवसाय वस्तु-ग्राहक है तब इन्द्रिय वस्तु-संकेतक भले ही मान ली जाय किन्तु वस्तु-ग्राहक किसी भी प्रकार से नहीं मानी जा सकती। निर्विकल्पक प्रत्यक्ष को साक्षात्कारात्मक कहने वाले दार्शनिक, जैस दिङ्नाग, इसमें एक छोर पर हैं और भौतिक-विज्ञान को वस्तु-प्रापक कहने वाले दार्शनिक दूसरे छोर पर। यहाँ कांट बीच की भूमि पर हैं, और वह इन्द्रिय तथा अध्यवसाय दोनों को संयुक्त रूप से प्रतिभास कहता है, जिसमें प्रतिभासित बाह्य वस्तु होती है। किन्तु तब भी, यदि उसे कटघरे में खड़ा किया जाय तो वह कहने को बाध्य होगा कि इन्द्रिय वस्तु के निकटतम होती है। किन्तु दूसरी ओर वह निर्विकल्पक प्रत्यक्ष जैसा कोई ज्ञान या ग्रहण नहीं मानता, उसके अनुसार संवेद देश या काल के आकार, संवेद-समन्वय (अप्पर्सेप्शन) और विकल्प इन तीनों के बिना घटित नहीं होते, वे सायुज्य में ही घटित होते हैं, जैसे गाय व्यक्ति-जाति सायुज्य के बिना अस्तित्व में नहीं आती।

स्पष्टत: कांटीय समाधान सत्ता-विषयक नहीं होकर ज्ञान-विषयक है। सत्ता-विषयक इसे इसी रूप में कहा जा सकता है कि इसके अनुसार ज्ञान के लिए सत्ता सब प्रकार से अगम्य है। वास्तव में यदि हम ज्ञान को इस प्रकार ही परिभाषित करें कि वह संवेद के आगे नहीं जा सकता, और वस्तु जिसके परे है, तब यह केवल पुनरुक्ति मात्र होगी कि ज्ञान का विषय प्रातिभासिक होता है, सत्ता नहीं होती। किन्तु जो मार्ग कहीं पहुँचाता ही नहीं उसके अवलम्बन का औचित्य ही क्या, यदि उद्देश्य भ्रमण ही नहीं हो तो?

किन्तु अन्य मार्ग भी कोई सहज प्रशस्त नहीं हैं। यदि बाह्यता को केवल बाह्यात्मक प्रवृत्ति का परिणाम मान लिया जाय और बाह्य वस्तुओं को इस प्रवृत्ति द्वारा जनित इन्द्रिय और अध्यसाय का परिणाम, तब भी स्थिति में कोई मौलिक अन्तर नहीं आता, क्योंकि तब हम वस्तु को पूर्णत: खो बैठते हैं। तब दूसरा मार्ग क्या है?

वास्तव में हमारे समाधान के प्रयत्न का मार्ग स्वयं प्रयत्न की वस्तुता की दिशा में है : जगद्भाव सत् चैतन्य में सत् प्रवृत्ति है और यह प्रवृत्ति इन्द्रिय और बुद्धि के माध्यम से भौतिक वस्तु-जगत् का सर्जन करती है। किन्तु यह समाधान आकारिक दृष्टि से अपर्याप्त नहीं होने पर भी उसी प्रकार असन्तोषजनक प्रतीत होता है जिस प्रकार वर्ण्य व्यक्ति के निश्चय के अभाव में वर्णन प्रतीत होते हैं। भौतिक-सत्ता इस अर्थ में बाह्य है कि वह चित् के सम्मुख उसकी इच्छा-अपेक्षा के बिना स्वत: प्रस्तुत होती है और उसकी इच्छा-अपेक्षा के अनुसार वह नहीं हटती। इसके अन्य सब गुण-धर्म : रूप-रसादि और देश-कालादि : चैतन्य में अन्तर्भूत (अपचयित-रिड्यूस) किये जा सकते हैं किन्तु यह धर्म : अनपवार्यता : इस प्रकार अपचयित नहीं किया जा सकता। किन्तु यह युक्ति सही नहीं है, क्योंकि यह सही होने पर भी कि ऐन्द्रिक विषय का आविर्भाव और तिरोभाव ग्राहक की इच्छा के अधीन नहीं होता, यह स्थिति उस विषय को चित् से स्वतन्त्र प्रतिष्ठा नहीं दे देती, क्योंकि स्वयं इच्छा और विचार का भी आविर्भाव स्वत: और अनपवार्य होता है। यदि कहा जाय कि इच्छा और विचार भी प्राकृतिक हैं, तो यह तर्क अपुष्ट है, क्योंकि 'प्राकृतिक' और 'भौतिक' एक ही बात नहीं है। इच्छा और विचार प्राकृतिक तो हैं किन्तु भौतिक नहीं हैं, ये चैतसिक हैं, और यहाँ हम भौतिकता पर विचार कर रहे हैं। यदि यह कहा जाय कि इच्छा और विचार का आविर्भाव मानसिक अभ्यास से रोका जा सकता है, तो संवेद्य विषय का आविर्भाव भी सम्पर्क हटाकर रोका जा सकता है, और अवधान नहीं होने पर वह अग्राह्य होता ही है।

किन्तु इस प्रसंग में मौलिक महत्त्व की बात यह है कि निर्विकल्पक इन्द्रिय-विषय में प्रस्तुति का नावीन्य तो होता है किन्तु बाह्य अनपवार्यता नहीं होती, क्योंकि बाह्यता और अनपवार्यता वस्तु-विनिश्चय के अंग होते हैं

और परिणामत: अध्यवसाय के विषय होते हैं। किन्तु यहाँ यह द्रष्टव्य है कि इन्द्रियगम्यता भौतिकता का कोई मौलिक धर्म नहीं है, भौतिक-विज्ञान उसे इससे परिभाषित नहीं करता। इसका मूल धर्म सम्भवत: अचैतसिक जड़ता को कहा जा सकता है और तदनुसार मूल लक्षण आन्तर-राहित्य अथवा नितान्त बहिर्भाव को, और सामान्यात्मकता तथा पारिमाणिकता को कहा जा सकता है। वास्तव में दूसरा लक्षण पहले से आपादित होता है, क्योंकि विशिष्टता स्वगत धर्म के रूप में भौतिक नहीं होकर चैतसिक, या कहें प्रत्ययमूलक, होती है। उदाहरण के लिए दो प्रस्तर-खण्डों में, अथवा प्रस्तर और स्वर्ण में, कोई मौलिक भेद नहीं है—दो प्रस्तर-खण्ड उस प्रकार एक जाति के दो व्यष्टि नहीं होते जिस प्रकार दो गाएँ एक जाति की दो व्यष्टि होती हैं, अथवा दो घट एक धर्म से अधिष्ठित दो व्यष्टि होते हैं। वे केवल इस बात में भिन्न होते हैं कि वे अपने बीच दैशिक अवकाश से पृथक्कृत होते हैं। इसी से एक प्रस्तर-खण्ड को तोड़कर कभी भी दो बनाये जा सकते हैं, किन्तु न घट को तोड़कर दो घट बनाये जा सकते हैं और न गाय को काटकर दो गाएँ बनायी जा सकती हैं। प्रस्तर और स्वर्ण में प्रकटत: बहुत भेद होने पर भी तत्त्वत: केवल मात्रा-भेद ही है : इनके मालीक्यूल्स में केवल परमाणु-भेद है, जिनमें पुन: संख्या-भेद मात्र है।

किन्तु भौतिकता के चाहे कोई भी धर्म और गुण माने जाएँ, यदि इसे ज्ञान-विषय के रूप में परिभाषित किया जाता है तब यह ज्ञान में अन्तर्भूत हो जाती है और यदि ज्ञान-विषय के रूप में परिभाषित नहीं किया जाता तब इसका कोई निरूपण या परिभाषा सम्भव ही नहीं हो सकती। ऐसा इसलिए है क्योंकि भौतिक वस्तु आन्तर-रहित होती है, और आन्तर-रहित होने से यह या तो ऐन्द्रिक ग्रहण में अशेष्य हो जाती है अथवा बौद्धिक ग्रहण में, अथवा दोनों में संयुक्त रूप से। और इससे भी कोई अन्तर नहीं पड़ता यदि हम ऐन्द्रिक को केवल बाह्य लक्षण या विषयिमूलक गुण मानकर केवल दूसरे को ही वस्तुमूलक मानते हैं, याकि दूसरे को विषयिमूलक उपचार मानकर केवल प्रथम को वस्तु से सम्बन्धित करते हैं, याकि दोनों को वस्तु पर बाह्यारोप मानते हैं, याकि भौतिक को अवस्तु मानकर इन दो से, अथवा इनमें दूसरे से, उत्सृष्ट मानते हैं। भौतिक में जो इन दोनों से अतिरिक्त शेष रहता है और जो इनमें अन्तर्भाव्य नहीं है वह है ज्ञान से बाहर देश में सत्ता, जिसका मूल चित्त की जगत्-प्रवृत्ति में है।

किन्तु इस अत्यन्त सामान्यात्मक निरूपण के उपरान्त बहुत कुछ है जो भौतिक जगत् के सम्बन्ध में निरूपणीय है, उदाहरण के लिए विभिन्न भौतिक वस्तुओं का अपना वैलक्षण्य। वास्तव में 'भौतिक वस्तु' के साथ बहुवचन का प्रयोग उस प्रकार उपयुक्त नहीं है जिस प्रकार निर्मित वस्तुओं—घट, मेज़ आदि—के साथ, क्योंकि भौतिक जगत् में व्यष्टिता या वैयक्तिकता नहीं है। किन्तु भौतिक जगत् में संरचनाएँ (स्ट्रक्चर्स), संस्थान (पैटर्न्स) और गतियाँ हैं जो एक नियम और व्यवस्था को प्रकट करती हैं। प्रस्तरों, धातुओं आदि में अवलोक्य विभिन्न संरचनाओं, ग्रहों-नक्षत्रों तथा परमाणुओं में अवलोक्य विभिन्न संस्थानों और गतियों में एक स्वायत्त क्रिया-कारित्व एक या विभिन्न नियमों के अधीन हैं। वास्तव में जगत् के इस आयाम की नियमाधीनता इतनी पूर्ण और इतनी सुघड़ है कि शुद्ध तर्क के अतिरिक्त केवल भौतिक तत्त्व-विषयक विज्ञान ही इतने पूर्ण नियम के न्यूनाधिक आकलन की आशा कर सकता है। यह कहना कि मानव-बुद्धि भौतिक जगत् पर नियम का आरोप करती है, अयुक्ति-संगत है। ऐसा इस आधार पर कहा जाता है क्योंकि एक तथ्य की व्याख्या विभिन्न सिद्धान्तों के अनुसार की जा सकती है। भौतिक-विज्ञान के विकास के इतिहास को इस रूप में भी देखा जा सकता है कि गेलिलियो, न्यूटन और आईंस्टाईन के सिद्धान्त वैकल्पिक व्यवस्थाएँ हैं जिनमें से एक दूसरी को सौष्ठव और लाघव के आधार पर विस्थापित करती है, सत्य के दावे के आधार पर नहीं। एक प्रकार से अध्यवसाय और विकल्प को उपचार कहने के पीछे भी इसी प्रकार की धारणा कही जा सकती हैं। वास्तव में, युक्ति, अध्यवसाय और विज्ञान मानव-बुद्धि के साथ ही आविर्भूत हुए हैं, जिस प्रकार रूप आँख के साथ और गंध घ्राण के साथ आविर्भूत होती है। मनुष्य से पूर्व कहीं नियम का ग्रहण नहीं है, सिवाय व्याप्ति के, जो वास्तव में नियम न होकर प्राणिक धारणा और सुविधा-धर्म है।

यह सब एक अंश तक सही है, किन्तु मूलत: यह भ्रान्ति है। यह कहना अधिक युक्त है कि आँख का आविर्भाव सत्ता के एक आयाम का उद्घाटन करता है, जो इसके बिना अव्यक्त या ढँका पड़ा रहता है। इसके

पीछे हमारी युक्ति यह है कि दर्शनेन्द्रिय की विद्यमानता या उसका आविर्भाव संदिग्ध नहीं है और परिणामत: इसकी सत्ता भी असन्दिग्ध है। परिणामत: यह सत्ता के एक आयाम का आविर्भाव है। इस पर आपत्ति की जा सकती है कि, यहाँ प्रश्न दर्शनेन्द्रिय का नहीं, दृश्य रूप का है। इसके लिए हमारा उत्तर है कि दृश्य रूप और दर्शनेन्द्रिय दोनों का आविर्भाव समान रूप से जगद्भाव या बाह्योन्मुखता की वासना से होता है—आँख (चक्षु-गोलक) व्यष्टि-देह में होती है और दर्शनेन्द्रिय भी व्यष्टिमूलक होती है, किन्तु ये दोनों अधिकांश जीवों में समान रूप से हैं, इसलिए इनका अस्तित्व व्यष्टिमूलक होने पर भी इनका तत्त्व या सत्ता व्यष्टिता के साथ युगपद् है, अर्थात् दर्शनेन्द्रिय, आँख, देह और व्यष्टित्व एक ही आद्य जगद्भाव के उन्मीलन हैं और उसी का उन्मीलन दूसरे पक्ष में दृश्य रूप है। यही बात भौतिक नियम और नियम-ग्राही बुद्धि के लिए भी सत्य है। इनमें नियम बुद्धि का आरोप नहीं है, बल्कि दोनों चित्-सत् के युगपद् आविर्भाव हैं और सत् हैं।

इसका अर्थ यह नहीं है कि प्राणि-जगत् से पहले भौतिक जगत् नहीं था और मनुष्य से पहले भौतिक जगत् में नियम नहीं था। यह कहना ऐसा ही होगा जैसा यह कहना कि प्राणि-लोक की उत्पत्ति से पहले इसकी कारणभूत मूल वासना नहीं थी। लोक यदि वासना का क्रियान्वयन है तो वह क्रमिक ही हो सकता है। इस लोक का स्वरूप भी ऐसा ही है कि इसमें क्रियान्वयन तत्काल नहीं हो सकता, केवल क्रमिक ही हो सकता है। इसे विचार के उदाहरण से समझा जा सकता है—(1) मैं या तो ग़लत विचार करता हूँ, या सही विचार करता हूँ। इसका अर्थ है कि विचार की प्रामाणिकता स्वयं मेरे विचार के अन्तर्भूत नहीं है। (2) जब मैं सही विचार करता हूँ तब भी विचार्य का ग्रहण क्रमिक ही होता है, यद्यपि स्वयं विचार का विषय कालात्मक नहीं होता, वह काल-बाह्य होता है। यही बात जगद्वासना के सम्बन्ध में है, यह कालातीत प्रत्यय का काल में क्रियान्वयन है। इस प्रकार जबकि प्राणी की उत्पत्ति से पहले भी जगत् बाह्यात्मक प्रत्यय-रूप में अरूप-अनाम था, इस प्रत्यय के आगे क्रियान्वयन के क्रम में रूप और नाम का आविर्भाव इन्द्रिय और इन्द्रिय-विषय के रूप में और अध्यवसायात्मिका बुद्धि और अध्यवसेय वस्तु के रूप में हुआ। यहाँ इस बात को दुहराना अस्थाने नहीं होगा कि विषय विषयी की कल्पना या आक्षेप नहीं है, क्योंकि ये दोनों एक ही क्रियान्वयन के दो पक्ष हैं, और विषयि-पक्ष जबकि व्यष्टि-रूप में विभक्त होता है, विषय पक्ष चैतन्य में बुद्धि तत्त्व के विकास के अनुसार क्रमश: सामान्यता और अनिवार्यता की ओर अभिक्रमित होता जाता है और इसके माध्यम से विषयी सीमितता और व्यष्टिता से मुक्त होता जाता है। यह विषय-ग्राह से मुक्त चित्त का विषय के साथ पुन: सामरस्य प्राप्त करना है। किन्तु अब चित्त इस सामरस्य को आत्म-स्वातन्त्र्य में प्राप्त करता है, विषय के तन्त्र में नहीं : विषय और विषय के नियम-विषयक विभिन्न सिद्धान्त चित्त के विषय और जगत् के साथ स्वतन्त्र सामरस्य के द्योतक हैं, उपचार या आत्म-प्रवंचना के नहीं।

भौतिक प्रकृति में सामान्यता का यह दर्शन, अथवा कहें भौतिक प्रकृति का सामान्य नियमों की व्यवस्था के रूप में यह रूपान्तरण, इन्द्रिय-वृत्ति पर बुद्धि-वृत्ति की विजय है। किन्तु प्रकृति से सम्पर्क का सूत्र तब भी इन्द्रिय ही रहती है। ऐन्द्रिकता से पूर्ण मुक्ति प्राकृतिक विषयता के लिए सम्भव नहीं है, केवल यह गौण से गौणतर हो जाती है। वास्तव में भौतिक-विज्ञान में इन्द्रिय-विषय सामान्य नियम में ही अन्तर्भूत रहता है, किन्तु तब भी नियम सत्ता से सम्पर्क-सूत्र के रूप में इन्द्रिय-विषयता का ही आश्रय लेता है।

किन्तु जैसाकि हमने पीछे संकेत किया, भौतिक प्रकृति का अध्यवसाय के अधीन इन्द्रिय-विषयमात्र के रूप में ग्रहण स्वयं मानव-इतिहास में भी बहुत बाद की स्थिति है। उससे पूर्व यह प्रकृति अलौकिक चेतन सत्त्वों : देवों : से अनुप्रविष्ट विशेष सत्त्वों (प्रस्तर, पर्वत, नदी, ग्रह, नक्षत्र आदि) की धातृ महत्तर और दिव्य सजीव सत्त्व ही थी। शुद्ध इन्द्रिय-विषयता में इसका रूपान्तरण वास्तव में साथ ही इसके निर्विशिष्ट नियमता में रूपान्तरण का आधार भी बना। विशिष्ट स्वयं में सामान्य का एक उदाहरण मात्र होता है, जब तक कि चित्त विशिष्ट को उसके अपने आधार से उद्गृहीत कर अपने में समाहित नहीं कर लेता। यही कारण है कि दिङ्नाग का निर्विकल्पक विषय केवल बुद्ध को ही गम्य हो सकता है, अंशत: अत्यन्त अभ्यस्त कलाकार को भी हो सकता है, किन्तु अध्यवसाय-सामर्थ्य से शून्य पशु को नहीं हो सकता।

इस प्रकार प्रकृति का भौतिक के रूप में ग्रहण वास्तव में विषय-ग्राह से अंशत विमुक्त चित्त का विषय-ग्रहण है। किन्तु इसमें भी स्तर-भेद हैं। प्रथम स्तर पर दृश्य या स्पृश्य रूप से पृथक् कोई भी प्रस्तर खण्ड पृथक् वस्तु के रूप में ही ग्रहण किया जाता है, और कम-से-कम एक सीमा तक व्यष्टित्व से आरोपित भी किया जाता है। व्यष्टि का अर्थ है इतर से व्यावृत्त आत्मतन्त्र व्यवस्था। इस प्रकार वह वस्तु : प्रस्तर खण्ड : आत्मतन्त्र रूप में कल्पित की जाती है। उदाहरणत: विभिन्न ग्रह, नक्षत्र, यह नदी, वह पर्वत, और यह प्रस्तर ये सब इस स्तर के विषय-ग्रहण के लिए व्यष्टि होते हैं। अवधारणा के इस स्तर पर ये देवात्माओं से अनुप्रविष्ट भी देखे जाते हैं। यह तथ्य हमारे उपर्युक्त कथन की और पुष्टि करता है। इनके विपरीत दार्शनिक लोग हैं जो प्रत्यक्ष ज्ञान पर विचार के प्रसंग में घट-पट आदि को उसी प्रकार देखते हैं जिस प्रकार प्रस्तर-खण्ड को। किन्तु प्रस्तर-खण्ड जबकि प्रत्यक्ष-गम्यता में निश्शेष, आन्तर-रहित, अथवा कहें पूर्णत: बहिर्भूत, वस्तु (प्रत्यय) है पेड़ और घट अपने अन्तर्गत प्रत्ययों से निर्धारित व्यवस्थाएँ हैं, ये प्रत्यक्षगम्यता में निश्शेष व्यवस्थाएँ नहीं हैं।[1] जैसाकि ऊपर कहा गया, प्रत्यक्षगम्य वास्तव में एक ओर नितान्त विशिष्ट होता है : इन्द्रिय-विषय होने से, और दूसरी ओर वह नितान्त सामान्य में अन्तर्भुक्त भी होता है : आन्तर शून्य होने से। इसके विपरीत व्यष्टि में सर्जनात्मक प्रत्यय व्यक्त होता है और इस प्रकार वह प्रेरणा, कल्पना और भाव्यता से अन्तर्गर्भ होता है। इन्द्रिय-गोचरता इसके लिए भी अनिवार्य होती है, किन्तु वह इसमें निश्शेष नहीं होता, वह वास्तव में भौतिकता के एक नितान्त भिन्न स्वरूप को प्रकट करता है : इसमें चैतन्य भौतिक का, उसके भीतर से, उसकी उपादान और उपकरण-स्वरूपता में, साक्षात्कार करता है। उदाहरणत: घट को लें। यह जबकि मिट्टी का एक पिण्ड भी है, यह पिण्डत्व इसका तत्त्व नहीं है, इसका तत्त्व प्रयोजन-प्रत्यय है जो मृत्तिका-पिण्ड के माध्यम से आकारित या व्यक्त हुआ है। इसे एक प्रयोजन-प्रत्यय का देहावतरण भी कह सकते हैं।

यह घट घटत्व-सामान्य का एक उदाहरण है, किन्तु यह सामान्य प्रस्तरत्व या काठिन्य के समान सामान्य नहीं है जो विशिष्ट के पक्ष से मात्र एक उद्ग्रहण (एब्स्ट्रेक्शन) और इस प्रकार कल्पना मात्र है, और दूसरी ओर विचार के पक्ष से यह वह सब कुछ है जिसका कोई भी कठिन वस्तु या कोई भी प्रस्तर-खण्ड एक उदाहरण मात्र है। घटत्व इनके विपरीत एक रचनात्मक और भाव्यात्मक प्रत्यय है जिसके क्रियान्वयन या अभिव्यक्ति के क्रम में घट-व्यष्टियों (विशेषों से भिन्न) का आविर्भाव होता है और प्रत्येक घट स्वयं में भाव (सत्) होने पर भी इस प्रत्यय के प्रसंग से भाव्यात्मक और इस प्रकार अपर्याप्त होता है। कठिन वस्तु या प्रस्तर काठिन्य या प्रस्तरत्व का आविर्भाव नहीं है, कठिन वस्तु युगपद् रूप से कठिन और काठिन्य है और प्रस्तर प्रस्तरत्व और अन्ततः भौतिकत्व है। कठिन और काठिन्य को युगपत् : उभय : कहने का औचित्य यह है कि कठिन संवेदनगत विषय मात्र है, जो यद्यपि ग्राह्य होने के लिए चैतसिक समन्वय (यूनिटी ऑफ अप्पर्सैप्शन) की अपेक्षा करता है किन्तु काठिन्य के ग्रहण की अपेक्षा नहीं करता। काठिन्य कठिन की धर्मता का बौद्धिक या अध्यवसायात्मक ग्रहण है, जो कठिन पर निर्भर रूप में उद्ग्रहण (एब्स्ट्रेक्शन) है किन्तु स्वतन्त्र रूप में संवेदनगत वस्तु के तत्त्व का साक्षात्कार है, जिसका विशिष्ट वस्तु : संवेद-प्रदत्त : सम्यक् उदाहरण है : कठिनधर्मता कठिन संज्ञान या ज्ञप्ति-विषय से सम्यक्तर नहीं हो सकती, किन्तु इनमें व्याप्ति-भेद है जो स्वरूप-भेद के कारण है। कठिन संज्ञानात्मक या संवेदनात्मक घटना या तद्गत विषय है और यही उसका निश्शेष स्वरूप होता है, जबकि काठिन्य उसी का अवेदनात्मक और अघटनात्मक ग्रहण होता है। किन्तु इससे भिन्न घटत्व में सम्बन्ध यौगपद्य का और सामान्य-विशेष का नहीं है, यह सम्बन्ध घट के पक्ष से भाव्य के साथ भाव का है और घटत्व के पक्ष से शुद्ध आकार के

1. यहाँ द्रष्टव्य है कि कांट 'फोर्म्स ऑफ नेचर' प्रकृति के व्यष्टि-विषयों को कहता है और इनके उदाहरणों के रूप में प्रस्तर और पेड़ का उल्लेख करता है। द्रष्टव्य — कासीरर, एच.डब्ल्यू, **ए कामेन्ट्री ऑन कांट्स क्रिटीक ऑफ जजमेंट**, 1938, पृ. 119। इसी प्रकार **साँख्य कारिका** 3 पर टिप्पणी करते हुए वाचस्पति मिश्र 'प्रकृति विकार' की व्याख्या करते हुए कहते हैं—"यद्यपि पृथ्वी आदि महाभूतों के गो, घट, वृक्ष आदि विकार हैं..." इनमें वह प्रस्तर का भी समावेश कर सकता था। भारतीय और पाश्चात्य दोनों दार्शनिक घट, मेज़ आदि का उदाहरण प्रत्यक्ष-गोचर प्राकृतिक विषयों के रूप में ही देते हैं। किन्तु किस प्रकार ये इन्द्रियगोचर विषय-मात्र नहीं हैं, इसका विशद विवेचन हमने **मनुष्य और जगत्** पुस्तक के प्रथम अध्याय में किया है।

साथ उसके भौतिक उपादान में अपर्याप्त निरूपण का। भौतिक उपादान में निरूपित आकार अपने प्रत्यय से आकारत: भिन्न नहीं होता, केवल वह अधिष्ठानत: भिन्न होता है : प्रत्ययगत आकार का अधिष्ठान चित्त में होता है और निरूपित का अधिष्ठान भौतिक में। इसी से घट संज्ञा या संवेदन में निश्शेष नहीं होता, अर्थात् घट प्रत्यक्षगम्य विषय मात्र या संवेदनामूलक संरचना (कंस्ट्रक्शन फ्राम सेंसडेटा) मात्र नहीं है, यह पक्ष केवल उसका धारक या माध्यम है, घट इस माध्यम में निरूपित आकार या प्रत्यय है। यहाँ यह उल्लेखनीय है, और अत्यधिक महत्त्वपूर्ण है, कि आकार के माध्यम के रूप में संवेदनगम्य (भौतिक) पक्ष भी मौलिक रूप से रूपान्तरित हो जाता है, अब यह अवयवी (व्यष्टि) हो जाता है जो देशिक बिन्दुओं का संघात नहीं होकर एक अन्तर्गर्भ गति और छन्द से अपने प्रत्येक बिन्दु में नियोजित होता है। एक वर्ण–संस्थान या प्रस्तर–खण्ड में घटक बिन्दुओं का परस्पर सम्बन्ध पूर्णत: बाह्य होता है और उनकी बाहरी सीमाएँ अनिर्धारित होती हैं। वे कहीं से भी तोड़े या बढ़ाए जा सकते हैं, किन्तु घट अपने आकार की गतिमय वर्तुलता से अपने प्रत्येक बिन्दु को अपने में समाहित करता है। यही उसकी व्यष्टिता है। यद्यपि यह आवश्यक नहीं है कि प्रत्येक आकारित या सृजनात्मक प्रत्यय से अनुप्रविष्ट वस्तु व्यष्ट्यात्मक हो, जैसे वस्त्र आकारित होने पर भी व्यष्ट्यात्मक नहीं होता, किन्तु ऐसा सम्भव नहीं है कि कोई व्यष्टि सृजनात्मक प्रत्यय से अनुप्रविष्ट नहीं हो। यहाँ आपत्ति की जा सकती है कि यह कैसे निश्चय हो कि कोई प्रातीतिक व्यष्टि वास्तव में भी व्यष्टि है या नहीं? और इस निश्चय के लिए यह आवश्यक है कि हमें पहले से पता हो कि वह आकार से अनुप्रविष्ट है या नहीं। यह सही है, किन्तु यह कोई दोष नहीं है, क्योंकि यद्यपि अधिकांश अवस्थाओं में हमें व्यष्टि ही प्रस्तुत होते हैं जिनमें हमें आकार का संकेत[1] लेना होता है, किन्तु यह संकेत मिलने तक हम यह नहीं कह सकते कि प्रातीतिक व्यष्टि वास्तव में भी व्यष्टि है या नहीं। उदाहरणत: किसी पत्थर में बनी कोई आकृति, या कागज़ अथवा भूमि पर बनी रेखाएँ मूर्त्ति या चित्र हैं या नहीं, इसमें हम भ्रम में पड़ सकते हैं। यहाँ प्रश्न किया जा सकता है कि यदि कागज़ पर बनी रेखाएँ वास्तव में आकारित नहीं हों : किसी बच्चे ने यों ही खींच दी हों : किन्तु देखने वाले को उनमें आकार दिखायी दे, तब क्या कहा जायगा? हम कहना चाहेंगे कि तब ये इस देखने के साथ ही आकार से अनुप्रविष्ट हो गईं और इस प्रकार व्यष्टित्व की निरूपक हो गईं।

किन्तु जहाँ आकार होने पर भी व्यष्टित्व नहीं हो, जैसे वस्त्र में, वहाँ आकार हमें उपादान और संरचना में भेद के द्वारा गम्य होता है। जैसे वस्त्र में तन्तुओं का सम्बन्ध आवयविक होता है, क्योंकि इस सम्बन्ध में परिवर्तन स्वयं रुई या तन्तुओं को प्रभावित नहीं करता, किन्तु यह परिवर्तन वस्त्र को परिवर्तित कर देता है।

अब भौतिक माध्यमों में घट–पटादि के रूप में व्यक्त आकार हमें अपरोक्षत: प्रदत्त होते हैं क्योंकि इन आकारों का प्रत्ययन मानव–चित्त में होता है और उसी चित्त में इनके क्रियान्वयन के कर्तृत्व का धारण होता है। इसलिए हम यह असन्दिग्ध रूप से कह सकते हैं कि ये वस्तुएँ निरूपित आकार हैं और इस प्रकार इनकी आकृतियाँ या मुद्राएँ प्रत्ययों से निविष्ट हैं। जब इसी प्रकार की यद्यपि इनसे कहीं अधिक जटिल और कुशल आकृतियाँ, व्यष्टि और संस्थान हम प्रकृति में देखते हैं तब सहज ही हम इनमें भी आकारों के संकेत देखते हैं। जैव प्रकृति में न केवल आकार–तत्त्व, अथवा कहें सृजनात्मक प्रत्ययों का आत्म–निरूपण, दृष्टिगोचर होता है बल्कि प्रत्येक भाव अपने भाव्य स्वरूप के निरूपण की उदग्रता भी अपने भीतर प्रकट करता है, जो मानवीय सर्जनों में हम नहीं पाते, जिनमें भाव्य का बोध आकार या प्रत्यय के साक्षात्कारी चित्त में होता है, निरूपक वस्तु में नहीं। उदाहरणत: घटों को देखकर हम उन्हें न्यूनाधिक उपयुक्त कहते हैं, किन्तु घट अपने भाव (भवता) में स्थिर होता है, जबकि प्रत्येक पौधे और प्रत्येक देह में अपर्याप्तता के निवारण का प्रयत्न, अपने भाव्य स्वरूप की सिद्धि के लिए उदग्रता और इस प्रकार अपर्याप्तता का बोध : वह बोध चाहे आत्म–अचेतन ही क्यों नहीं हो : दृष्टिगत होता है।

मानवीय कृतियों में आकारों का निरूपण मानव–चित्त में उनके साक्षात्कारपूर्वक होता है जिस कारण हम मनुष्य को उन कृतियों का कर्त्ता, सर्जक या कलाकार कहते हैं। यह कर्म कर्तृत्वाभिमानपूर्वक होता है। जैव प्रकृति

---

1. यहाँ हमने 'अनुमान' के बजाय 'संकेत' का प्रयोग इसलिए किया है क्योंकि हम संकेत से आकार को साक्षात्कार्य मानते हैं, व्याप्तिगम्य नहीं।

में हम इनकी अनुरूपता इनसे अत्यधिक जटिल और कुशल रूप में निष्पादित देखते हैं। इसी आधार पर बहुत-से लोग प्रकृति अथवा ईश्वर में प्राकृतिक वस्तुओं का कर्त्तृत्व देखते हैं। न्याय ने ईश्वर का अस्तित्व इसी आधार पर स्वीकार किया है। और कांट यह स्वीकार नहीं कर पाने के कारण इसे आत्मोन्मुख अध्यवाय (रीफ्लेक्टिव जज्मेंट) का बाह्यारोप मानता है।[1] द्रष्टव्य है कि कांट "प्रकृति ऐसा करती है" प्रकार के वाक्यों का प्रयोग करता है, किन्तु ये प्रयोग वास्तव में उत्प्रेक्षात्मक (मानो ऐसा है) या लाक्षणिक हैं, अभिधात्मक नहीं। किन्तु कांट का यह ऊर्ध्वमूल सिद्धान्त उसके इस मौलिक सन्देहवाद के कारण है कि क्योंकि हम प्राकृतिक आकृतियों का कर्त्तृत्व अपने आनुभविक ज्ञान की प्रागनुभविक वर्गणाओं (अ-प्रायराई-केटेगरीज़-ऑफ अण्डरस्टैडिंग) में नहीं देख सकते इसलिए यह कर्त्तृत्व प्रकृतिमूलक नहीं होकर हमारी विषयिनिष्ठ अपेक्षामूलक है। इसे दिङ्नाग की पदावली में कहें तो—यह अनादि वासनामूलक नहीं होकर व्यवस्थापनात्मक मानवीय विचारमूलक है। यहाँ हम कांट की विषयनिष्ठता-विषयिनिष्ठता की विचित्र अवधारणाओं का सन्दर्भ छोड़कर इस प्रश्न पर विचार करना चाहेंगे कि क्या प्रयोजनात्मक प्रतीत होने वाली प्राकृतिक सावयव वस्तुओं को कर्त्तृत्वाभिमान के बिना भी वस्तुगत सृजनों या प्रत्यय-निरूपणों के रूप में समझा जा सकता है?

इस दृष्टि से जैव प्रकृति भौतिक प्रकृति से मौलिक रूप से भिन्न है। यह एक ओर कृति के सब लक्षण प्रकट करती है और दूसरी ओर चैतन्य की चित्त के रूप में जागतिक प्रतिष्ठा की माध्यम बनती है। वास्तव में कृति चित्त की अभिव्यक्ति का एक माध्यम होती है जैसे घर, चित्र और काव्य, और चित्त अनभिव्यक्त चैतन्य का अभिव्यक्त रूप है। अब, दर्शनेन्द्रिय चित्त है और आँख उसकी देह, स्पर्शेन्द्रिय चित्त है और त्वक् उसकी देह, विचार या प्रत्यय चित्त है और मस्तिष्क उसकी देह। अब, ऐसा नहीं है कि देह चित्त के उपकरण के रूप में आविष्कृत यन्त्र है, बल्कि ये दोनों चैतन्य की अभिव्यक्ति के, तत्-सत् के, अस्तित्व में आविर्भाव के दो पक्ष हैं। इसे चित्त की अभिव्यक्ति के उदाहरण से समझने में सहायता मिलेगी—चित्र या काव्य चित्त की भौतिक माध्यम में अभिव्यक्तियाँ हैं, किन्तु इन्हें अभिव्यक्ति के उपकरण नहीं कहा जा सकता, ये चित्त के ही बाह्याभिव्यक्त रूप हैं। अवश्य वर्ण और रेखाएँ भौतिक हैं, इसी से चित्र का एक भौतिक पक्ष भी है, किन्तु यह भौतिकता चित्र में रूपान्तरित हो जाती है : चित्र चित्त का बाह्याकार बनता है, जिस प्रकार चित्र की कल्पना उसका आन्तर आकार है। वास्तव में जैव-देह : आँख, कान और मस्तिष्क आदि : ज्ञान के माध्यम के रूप में तो अंशत: अचैतसिक उपकरणता का भ्रम उत्पन्न करती भी है किन्तु वेदना और प्राण उसमें इस प्रकार अन्तर्गत हैं कि इनमें एक को दूसरे से केवल कल्पना में ही विलगाया जा सकता है। देह शैशव से मृत्यु तक प्राण का व्यापार है और प्रतिक्रिया तथा वृद्धि इसके लक्षण हैं। कहा जा सकता है कि हम निष्प्राण देह की बात करते हैं। किन्तु देह के मूल धर्म व्यष्टिता, वेदना-क्षमता, और वृद्धि या निष्पन्नता उसमें नहीं होते। देह बीज में स्फुटन के आरम्भ से मृत्यु-पर्यन्त एक ही अन्त:शासित क्रम है।[2]

किन्तु प्रस्तुत प्रसंग में जैव जगत् की दूसरी विशेषता विचारणीय है, और वह है इसकी वस्तुता का स्वरूप। भौतिक जगत् जबकि एक तार्किक नियम की अद्भुत प्रांजलता और सौष्ठव प्रकट करता है, प्राणि-जगत् में सृजन की अदम्य-अपार वासना और कलात्मकता प्रकट होती है। प्राणि-जगत् की विशिष्टता इसकी वस्तुओं में व्यष्टिता, जातिता और प्रत्यय के क्रियान्वयन की अभीप्सा और प्रयत्न है। भौतिक जगत् में जो विशिष्टता ऐन्द्रिक विषयता के रूप में और जो सामान्यता अध्यवसेय के रूप में सरल और अमिश्रित शुद्धता में मिलती है वे दोनों यहाँ क्रमश: जटिल कल्पना से उपलक्षित विशिष्ट कृति (देह) और उस कृति के आदर्श आकार (जाति) के क्रियान्वयन के न्यूनाधिक सफल प्रयत्नों के रूप में उपलब्ध होती हैं। वास्तव में भौतिक जगत् में विशिष्टता बाह्यारोप मात्र है, वहाँ केवल सामान्य नियम ही लक्षित होता है, किन्तु प्राणि-जगत् में विशिष्टता वास्तविक और

---

1. **क्रीटीक् ऑफ जज्मेंट,** पृ. 20, अनुच्छेद 61 (पृ. 205-207) भी द्रष्टव्य।

2. यह द्रष्टव्य है कि यह व्यष्टित्व जैव सृष्टि में भी सहज सिद्ध स्थिति नहीं है, बल्कि एक साध्य आदर्श है। इसी से यह केंचुए और थोर (कैक्टस) में अत्यधिक न्यून और मनुष्य में अधिकतम होता है।

सामान्यता विशिष्टता के माध्यम से क्रियान्वित होती है। इसे इस प्रकार भी कह सकते हैं कि यहाँ प्रत्यय का रूप तार्किक नहीं होकर कलात्मक होता है और परिणामत: वह विशिष्ट कृतियों के रूप में व्यक्त होता है, जो कृतियाँ अपनी सम्यकृता के प्रमाणीकरण के लिए जाति-रूप में अपने मूल प्रत्यय को लक्षित करती हैं। मानवकृत कलाकृतियों से इनका भेद यह है कि मानवकृत कलाकृतियाँ व्यक्तिमूलक कल्पना और प्रत्यय की अभिव्यक्तियाँ होती हैं जबकि प्राणि-जगत् अवैयक्तिक-अतिक्रामी चित्त का ही व्यापार है, ये केवल आत्म-चेतन मनुष्य में वैयक्तिक चित्त के स्तर के व्यापार बनते हैं।[1]

अनात्म-चेतन प्राणियों की क्रियाओं का मूल व्यक्ति-चेतना में नहीं हो कर जाति-चेतना में होने से उनकी कृतियों को शिल्प या कला नहीं कह कर सहज प्रवृत्ति (इंस्टिंक्ट) कहा जाता है। पक्षी बिना सीखे घोंसला बनाते और सही दिशा में प्रवास-यात्राएँ करते हैं; चींटियाँ, दीमक और मधुमक्खियाँ घर और व्यवस्थित समूह बनाती हैं, आदि-आदि। इस सबमें कलात्मक-प्रयोजनात्मक प्रत्ययों का क्रियान्वयन दृष्टिगोचर होता है, जो क्रियान्वयन व्यक्ति-चेतनामूलक नहीं होकर जाति-चेतनामूलक होता है। इस प्रत्यय को कलात्मक कहने का तात्पर्य यह है कि यह मूर्त्त सर्जनों में प्रतिफलित होता है। परिणामत: इसमें इन्द्रिय-विषयता उपचारात्मक (आरोपणात्मक) नहीं होकर स्वरूपगत होती है, यद्यपि यह विषयता भौतिक नहीं होकर व्यक्त विषयिता-रूप होती है। 'व्यक्त विषयिता' से हमारा तात्पर्य है, जिसमें चेतना अपने को अभिव्यक्त करने के लिए किसी इन्द्रियगम्य आकृति या संस्थान को उत्कीर्ण करती है। यह आकृति या संस्थान इन्द्रियगम्य होने पर भी भौतिक नहीं होता है, यह इन्द्रियगम्य चित्त ही होता है। किन्तु यहाँ यह स्मरणीय है कि यह विषयिता ज्ञातृत्व या कर्तृत्व के अभिमान-सहित, अस्मिता-बोधपूर्वक, नहीं होती, जैसी मनुष्य में होती है, यह इसी रूप में विषयिता कही जा सकती है कि यह बाह्यात्मक नहीं होकर अन्तरार्थमूलक होती है। यद्यपि प्राणी बाह्योन्मुख प्रवृत्ति को ही प्रदर्शित करता है किन्तु यह (कलात्मक) प्रवृत्ति स्वयं बाह्यात्मक नहीं होती, बाह्यता की ओर होती है। यहाँ प्राणि-चित्त की क्रिया देह, उसके व्यवहार और उससे निष्पन्न बाह्याकृति, जैसे घोंसला, तक अपने को निष्पादित करती है। जैसाकि हमने पीछे कहा, केवल भौतिक ही शुद्ध रूप से बाह्योन्मुख प्रत्यय है, देह भी पूर्णत: बाह्यात्मक नहीं है, वह देहात्म के रूप में बाह्योन्मुख आत्म : अस्मिता : का एक अधिष्ठान और चित्त के बाह्योन्मुख क्रियान्वयन का एक रूप है।

मनुष्य में चैतन्य मौलिक रूप से एक दूसरा स्तर प्राप्त करता है, यद्यपि बहुत-से स्तनपायी पशुओं में इसके आरम्भ के चिह्न मिलते हैं। यह स्तर-भेद अहं और पर के अध्यवसायात्मक ग्रहण का है। ये दोनों विषय (अहं और पर) अर्थ (आशय) के वैभव में, अपार समृद्धि से पूर्ण हैं और इस प्रकार चैतन्य के आत्म-क्रियान्वयन के इतिहास में यह एक उतना ही क्रान्तिकारी अध्याय है जितना भौतिक के बाद प्राणिक जगत् के आविर्भाव का था। चित्त में अस्मिता के आविर्भाव के साथ क्रिया के अधिष्ठातृत्व का आविर्भाव होता है, जो चैतन्य में, या सत्ता में एक सर्वथा नवीन अवस्था और दिशा है। यहाँ केवल देह ही व्यष्टीकृत नहीं होती, चित्त भी होता है, जिसका आधार चित्त का विषय के साथ तादात्म्य समाप्त होना है। इस अस्मिता को कभी-कभी अहंकार समझ लिया जाता है, जो यह वास्तव में नहीं है। अहंकार दैहिक और चैतसिक है, यह व्यष्टिता का अतिक्रामी मूल होता है। इस प्रकार गाय-व्यष्टि और उसके ग्रहण दोनों अहंकारमूलक हैं। उसी प्रकार मनुष्य और उसके ग्रहण भी हैं। किन्तु मनुष्य का अस्मिता-बोध चित्त में अहंकारातिक्रमण के प्रयत्न का, और चैतन्यमूलक निरवच्छिन्न स्वरूप की पुनराप्ति का, आरम्भ है। अनात्म-चेतन चित्त का विषय प्राय: पूर्ण रूप से विशिष्ट होता है, क्योंकि वह मात्र आवेगाधीन और ऐन्द्रिक होता है। विषयिता की ये दोनों अवस्थाएँ देश और काल दोनों में केवल प्रस्तुत तक ही सीमित रहती हैं। इसमें प्रस्तुत का अतिक्रमण केवल उसी स्तर के संस्कारों के द्वारा होता है। उदाहरण के लिए गाय मनुष्य के हाथ में डण्डा देखकर उसकी भयावहता को पहचानती है, जो उसमें दर्शनेन्द्रियगम्य प्रस्तुत के अतिक्रमण का द्योतक है। ये संस्कार जातिमूलक भी हो सकते हैं : कृमियों में ये पूर्णत: जातिमूलक ही होते हैं :

---

1. इस पर **चिद्विमर्श** में अध्याय 'जगचैतन्य' भी द्रष्टव्य है।

किन्तु क्रिया और प्रतिक्रिया का केन्द्र व्यष्टि ही होता है, उनमें यही आहंकारिकता है। मनुष्य में यह आहंकारिकता व्यक्ति-देह, व्यक्ति-संस्कार, व्यक्ति-ग्रहण, व्यक्ति-अवधारणा और व्यक्ति-उपकारक मूल्य (स्वार्थ) सब स्तरों पर, जो कि मानव-चेतना में हैं, उपलब्ध होती है। किन्तु इसके साथ ही मनुष्य में इसके अतिक्रमण की सामर्थ्य भी दृष्टिगत होती है। मनुष्य में साधारण ऐन्द्रिक विषय-ग्रहण तक में अहंकार और उसका अतिक्रमण देखा जा सकता है। विषय की अवच्छिन्नता जबकि ग्राहक की अवच्छिन्नता और इस प्रकार आहंकारिकता की द्योतक है। मनुष्य के लिए यह विषय साथ ही सर्व-ग्राह्यरूप भी होता है। यह अतिक्रमण विचार-विषय में और अधिक स्पष्ट होता है। अहंकार चैतसिक अवच्छिन्नता का नियामक तत्त्व (प्रिंसीपल) है और इस प्रकार यह देह, इन्द्रिय, अन्तःकरण और बुद्धि सब स्तरों पर व्यष्टिता का निर्धारक होता है। किन्तु चित्त में प्रत्यङ्मुखता के आविर्भाव के साथ विचार के स्तर पर इसका अतिक्रमण हो जाता है।

यहाँ यह द्रष्टव्य है कि घट या चित्र व्यष्टि होने पर भी अहंकारमूलक नहीं हैं क्योंकि ये आत्म-चेतन प्रत्यय के सर्जन हैं। इसी प्रकार जैव देह भी प्रत्यय के निरूपण के पक्ष से आहंकारिक नहीं है, किन्तु दैहिक चित्त के रूप में, अर्थात् उस चित्त के रूप में जो देह की उपाधि से उपहित है, यह आहंकारिक निर्धारण ही है। इस प्रकार गोत्व के निरूपक के रूप में गो-देह प्रत्यय का अवतरण है जबकि व्यष्टि गाय के रूप में यह अहंकार से अवच्छिन्न चित्त है।

चित्त जागतिकता का तीसरा आयाम है जिसका अवान्तरत: कुछ निरूपण प्राणिक के साथ ऊपर हो चुका है। चित्त भौतिक और प्राणिक के समान प्रत्यय नहीं होकर चैतन्य का जागतिक अस्तित्व है। चैतन्य अपना अस्तित्व वेदना में प्राप्त करता है और अपने को विदित होता है। वेदना का माध्यम देह बनती है, वेदना को देह का गुण भी कह सकते हैं, किन्तु चैतन्य का यह उपजीव्य है : इसके रूप में, अथवा इसकी उपाधि में, चैतन्य अस्तित्व धारण करता है। इच्छा, कर्म, ज्ञान और विमर्श अन्य उपाधियाँ हैं जो चैतन्य के अस्तित्व-धारण पर उसे आकार देती हैं। ये अस्तित्वात्मक उपाधियाँ मूलत: चैतन्य के जागतिक आविर्भाव के उपभोग की माध्यम बनती हैं। इस प्रकार भौतिक जगत् ज्ञानेन्द्रियोपभोग्य रूप-रसादि गुणों के रूप में और प्राणि-जगत् राग-द्वेषादि के विषयों के रूप में प्रस्तुत होता है, ज्ञान इन उपभोगों का उपकारक बनता है। किन्तु चित्त की यह अवस्था या स्तर भौतिक और प्राणिक से अवियोज्य होता है और इस पर वह अपने विषय में आपादमस्तक निमग्न रहता है। यह अपनी स्वायत्तता और परिणामत: उपभोग के तात्पर्य या अर्थ की विपुलता केवल तभी सिद्ध कर पाता है जब यह स्वयं अपने जगद्भाव को, अपनी उपभोग-स्वरूपता को, विषय बनाता है। अपने अर्थ-वैभव की सिद्धि या अवगमन चित्त का विमर्शात्मक व्यापार है जो केवल विषय-विमुक्त, अथवा कहें आत्म-चेतन चित्त में ही सम्भव है। विमर्श चित्त की अनुद्भिन्न या विषय-विमूढ़ावस्था में निमीलित अर्थों का उन्मीलन है। कला, शिल्प और विज्ञान आदि इसके विभिन्न रूप हैं। कला, शिल्प आदि को चित्त का आत्म-विमर्श कहना प्रथमत: अटपटा लग सकता है, किन्तु थोड़ा गहराई से देखने पर इसका औचित्य स्पष्ट हो जायगा। उदाहरण के लिए पाक-शास्त्र को ही लें। यह अपनी रसनोपाधि से उत्क्रमित चित्त द्वारा इस उपाधि में अव्यक्त रूप में निहत अर्थ का विमर्श है, इसी प्रकार संगीत है, जो शब्द (ध्वनि) गत अर्थों का विमर्श है।[1] इसी प्रकार विज्ञान भौतिक विषयानुभव एवं शिल्प उपयोगी कर्ममूलक अनुभव का विमर्श है। उदाहरण के लिए घोंसला-निर्माण और गृह-निर्माण को लें। इनमें प्रथम में पक्षी-चेतना ऋतु, प्रसव और शिशुपालन आदि परिस्थितियों से तदाकार रहती है और निर्माण-कार्य परिस्थिति-जनित वासना से नियुक्त यन्त्र-क्रिया जैसा होता है। आप अण्डे नष्ट कर दें और घोंसला हटा दें, किन्तु पक्षी का घोंसला-निर्माण-कार्य ऋतु-पर्यन्त चलता रहता है। ऐसा नहीं है कि पशु-पक्षियों में नयी परिस्थिति के लिए उपयुक्त नयी प्रतिक्रिया नहीं होती, और न यही है कि मनुष्य में विषय-निबद्धता नहीं रहती। वास्तव में पशु और मानव में एक तारतम्य भी है। किन्तु हम पशु और मनुष्य में भेद की बात वैसी नहीं कर रहे हैं, हम विषयावच्छिन्न और विषयानवच्छिन्न चेतनाओं की बात कर रहे हैं, जो क्रमश: पशु और मनुष्य में प्रमुखत: लक्षित होती हैं।

---

1. द्रष्टव्य : **चिद्विमर्श** में 'प्रत्यङ्मुख चैतन्य : दर्शन का आरम्भ बिन्दु' अध्याय 1.

वास्तव में उस अर्थ में मानवीय चेतना भी मुख्यत: विषयोन्मुख ही है जिस अर्थ में फिनामिनलॉज़ी दार्शनिक चेतना को विषयोन्मुख कहते हैं, किन्तु अस्मितात्मक और अनस्मितात्मक चेतनाओं की विषयोन्मुखता में आधारभूत अन्तर होता है, अथवा कहें इनकी विषयता में आधारभूत अन्तर होता है। परिणामत: यह आत्म-चेतन चित्त भौतिक और प्राणिक के समकक्ष एक तीसरा आयाम बनाता है, अनात्म-चेतन चित्त अधिकांशत: प्राणिक-दैहिक-ऐन्द्रिक आयाम के एक गुण के रूप में ही रहता है।

जैसाकि हमने पीछे देखा, आत्म-चेतन चित्त एक ओर विषय को स्वायत्त बनाता है, दूसरी ओर अपने को। उदाहरणत: इन्द्रिय-विषय भौतिक वस्तुता का स्तर केवल ऐन्द्रिक-ग्रहण का अतिक्रमण होने पर ही पाता है, और ऐन्द्रिकता का जितना ही अपवारण हम कर पाते हैं विषय की स्वायत्तता उसी सीमा तक स्थापित हो पाती है। भौतिक-विज्ञान इसी स्वायत्तता की अधिकाधिक सिद्धि का प्रयत्न है। (प्राणि-विज्ञान और मनो-विज्ञान इस दृष्टि से भ्रान्त हैं, क्योंकि ये प्राणिक और मानसिक की स्वायत्तता इन्हें भौतिक में घटाकर सिद्ध करना चाहते हैं) विषय को इस प्रकार स्वायत्त बनाकर ही चित्त अपनी स्वायत्तता स्थापित करता है। यहाँ यह स्मरणीय है कि यह चित्त जगत् का अतिक्रमण नहीं करता, यह उसमें अपने को स्वायत्त रूप में प्रतिष्ठित करता है। उदाहरण के लिए, इस चित्त के लिए काम-वासना 'स्वतोद्भूत क्रिया के व्यय होने तक की उद्विग्नता मात्र' नहीं है, अब यह स्वयं चित्त द्वारा अपने स्वाराज्य में लौटकर अपने अर्थों का प्रत्यक्षीकरण भी है जिससे प्रेम की जटिल मनोव्यवस्था जन्म लेती है, और यह व्यवस्था विमृश्य बनकर काव्य, संगीत आदि में अपने अर्थ-वैभव का साक्षात्कार करती है। यह अर्थ-वैभव जगत् में एक अतिजगत् का आविर्भाव तथा मूलजगत् का अतिरेकीकरण-उत्तानीकरण है। यही बात विज्ञान के लिए भी है। सिद्धान्त-पक्ष में यह ऐन्द्रिक अनुभवगत युक्ति का संधान और यन्त्र-पक्ष में उपयोगात्मक अनुभव का विमर्श है।

आत्म-चेतन चित्त की, जगत् के अन्य दो आयामों से मूलत: भिन्न, एक अद्भुत विशेषता चैतसिक व्यष्टिता का आविर्भाव है जिसे प्राणिक व्यष्टिता से भिन्न, व्यक्तित्व कहा जाता है। प्राणिक व्यष्टिता देहमूलक है और यह अपनी संरचना में तथा वेदना, आवेग और क्रिया की व्यष्टिमूलकता या पार्थक्य में व्यक्त होती है। किन्तु चैतसिक व्यष्टिता आत्म के इतर से चैतसिक पार्थक्य-बोध में व्यक्त होती है। यह चैतसिक पार्थक्य-बोध देह के समान चैतसिक विशिष्टता : अनुभूति, विचार, संकल्प, स्मृति और अपेक्षाओं की विशिष्टता : में प्रतिफलित होता है। चित्त के आत्म-चेतन होने से यह पार्थक्य या वैशिष्ट्य भी देह से भिन्न आत्म-चेतन होता है, किन्तु इसका आविर्भाव या सर्जन आत्म-चेतन व्यापार का फल नहीं कहा जा सकता, यह अतिक्रामी ही हो सकता है : व्यक्ति के रूप में मैं अपने चित्त का अधिष्ठाता हो सकता हूँ, किन्तु स्वयं अपने अधिष्ठातृत्व के आविर्भाव का कारण नहीं हो सकता।

इस प्रकार प्राणिक व्यष्टि-जाति के समान चैत्त व्यक्ति-जाति का आविर्भाव भी चैत्त नहीं होकर आद्य चैतन्य में आविर्भाव है। यहाँ पुन: अस्तित्व की दृष्टि से जाति के व्यक्तिमूलक होने से आत्म-चेतन चित्त चैतन्य में कलात्मक प्रत्यय की ही अभिव्यक्ति है। आत्म-चेतन चित्त की वैयक्तिकता के दो आधार हैं, प्राणिक या जैव और चैतसिक। प्राणिक आधार चैतन्य को अस्तित्व देता है और चैतसिक आधार उसे इस अस्तित्व पर अधिष्ठातृत्व देता है। किन्तु आत्म-चेतना : प्रत्यङ्मुख चेतना : में चित्त में एक-साथ दो वृत्तियाँ प्रकट होती हैं : चैतसिक का अधिष्ठातृत्व, और इस अधिष्ठातृत्व की निर्धारितता (कंडीश्नैलिटी) तथा अपारमार्थिकता का बोध। अपनी निर्धारितता का यह बोध अधिष्ठातृत्व अथवा आत्म के लिए एक ओर अधिष्ठाताओं के समाज के एक सदस्य के रूप में अपनी व्यक्तिगत सीमाओं के अतिक्रमण का प्रसंग सुलभ करता है और दूसरी ओर अनिर्धार्य तत्त्व में अपने स्वरूप का संकेत पाता है।

पिछले अध्याय में हमने अपर्याप्तता-बोध की चर्चा की थी। उसका आधार यह स्वरूप-बोध ही है। यह बोध जहाँ एक ओर निर्धारणों से परे सत्ता का संकेत करता है वहाँ निर्धारणों की विद्यमानता के सम्बन्ध में एक अत्यन्त विषम समस्या भी प्रस्तुत करता है, जिसका विचार यहाँ प्रासंगिक है। वस्तु-जगत् स्वरूपत:

निर्धारणात्मक है : निर्धारण उसके अस्तित्व का आधार है। आत्म-चेतन-चित्त इस अस्तित्व की, और इसमें अपने अस्तित्व की, निर्धारणात्मकता को देखता है और इस द्रष्टृत्व में अनिर्धार्य का आभास पाता है, किन्तु वह इन निर्धारणों का अस्तित्व में अतिक्रमण नहीं कर सकता : मैं इस देश-बिन्दु पर हूँ, किन्तु जबकि यह मेरे लिए अनिवार्य नहीं था कि मैं इस बिन्दु पर होता, अस्तित्वत: मैं इस बिन्दु पर ही हूँ, और अन्यत्र कहीं नहीं हो सकता। यद्यपि मैं अन्यत्र कहीं भी हो सकता था, किन्तु सर्वत्र नहीं हो सकता था, जबकि किसी भी बिन्दु पर होने की आगन्तुकता और किसी भी बिन्दु पर हुए होने की शक्यता मेरे स्वरूप की बिन्दु-रहित निरपेक्षता की द्योतक है। किन्तु बिन्दु-रहित निरपेक्षता उस सम्पूर्ण विपुलता के लय की, उस अस्तित्व के निरसन की, स्थिति है जो जगत् में है और जो मैं हूँ। इसका कुछ समाधान आत्म-चेतन ज्ञान और कर्म में होता है, क्योंकि इन दोनों में अस्तित्व का, उसके निरास के बिना, अतिक्रमण होता है। अतिक्रामी ज्ञान में अस्तित्व की उपाधियों के सहित उनका अतिक्रमण होता है। यद्यपि इस ज्ञान में अस्तित्व ज्यों-का-त्यों बना भी रहता है : मैं जानता हूँ कि इस दीवार का दूसरा पक्ष भी है और भीतरी भाग भी है, किन्तु मैं उन्हें तब तक नहीं देख सकता जब तक प्रस्तुत पक्ष को देखना नहीं छोड़ता। इसी प्रकार विचार में मैं किसी प्रतिज्ञप्ति को और उसकी निषेधक प्रतिज्ञप्ति को जानता हूँ, किन्तु मैं दोनों की सत्यता एक-साथ ग्रहण नहीं कर सकता। अवश्य मैं व्यापकतर प्रतिज्ञप्ति प्राप्त कर सकता हूँ और उसमें इन दो विरोधी प्रतिज्ञप्तियों का विरोध समाप्त कर सकता हूँ, किन्तु तब यह प्रतिज्ञप्ति अन्य अनेक विरोधी प्रतिज्ञप्तियों से बाधित हो जाती है। विरोधरहित प्रतिज्ञप्ति विचार के लिए अग्राह्य है, अथवा कहें, ऐसी प्रतिज्ञप्ति असम्भव है। यह केवल प्रतिज्ञप्ति-राहित्य की स्थिति है और यह विचार का, और इस प्रकार बौद्धिक अस्तित्व का, अतिक्रमण है। यह अतिक्रमण निरपेक्षता देता है, किन्तु अस्तित्व में यह निरपेक्षता असम्भव है और परिणामत: खेद और अवसादजनक है।

कर्म इस स्थिति से विमुक्ति का प्रयत्न है। इसका मूल इच्छा में है जो अस्तित्वगत अभाव की अनुभूति है, और इस प्रकार कर्म अस्तित्वगत अभाव की पूर्ति का प्रयत्न है। उदाहरणत: मैं एक-साथ दो बिन्दुओं पर नहीं हो सकता, किन्तु मैं एक से अधिक बिन्दुओं पर आधिपत्य स्थापित कर सकता हूँ : अर्थात् मैं देह से एक-साथ दो बिन्दुओं पर नहीं होकर भी संकल्प और अधिकार से दो पर हो सकता हूँ। किन्तु कर्म की मुख्य विशेषता एक दूसरे प्रकार के अतिक्रमण में है : मैं किसी भी बिन्दु पर हो सकता था, यद्यपि केवल एक पर ही हो सकता था, किन्तु किसी भी बिन्दु पर होने की सम्भावना तत्त्वत: होते हुए भी अस्तित्वत: मुझे उपलब्ध नहीं है, क्योंकि मैं जिस भी बिन्दु पर हूँ उससे अतिरिक्त अब और कहीं नहीं हो सकता। और न हो सकता है। सम्भावनाओं का यह क्षेत्र मेरे लिए तब तक पूर्णत: बन्द है जब तक मैं अस्तित्व पर अपना संकल्प स्थापित नहीं करता। कर्म यह स्थापना है, यह अस्तित्व की अनिवार्यता को भेद कर तात्त्विक सम्भावनाओं के व्योम में प्रतिष्ठित होना है। सम्भावनात्मकता का यह बोध जगत् को उपादान के रूप में रूपान्तरित कर देता है जिसमें चेतना अपने को कृति के माध्यम से सिद्ध करती है। अथवा कहें प्राकृतिक जगत् : कार्य-प्रकृति : अब पुन: कारण-प्रकृति में रूपान्तरित हो कर नये और द्वितीय स्तरीय जगत् के आविर्भाव के लिए उपादान बनती है। यह जगत् अब स्वतन्त्र चैतन्य की कृति या सृष्टि बनता है। सृजन की उपयुक्त परिभाषा है—"आत्म-साक्षात्कारी विषयिभाव का विषय में आत्म-निरूपण अथवा आत्म-क्रियान्वयन।" इस अर्थ में केवल कर्म-कृत जगत् ही सृजन या सृष्टि है, अकर्मोत्पन्न वस्तुएँ नहीं। किन्तु तब वस्तु-जगत् सृष्टि है या नहीं? इस प्रश्न के सम्मुख हम पुन: प्रस्तुत हैं।

इस प्रश्न का उत्तर बहुत समस्यात्मक है : यदि हम जगत् को कर्मकृत कहते हैं तब कर्त्तृत्व की अपेक्षा होती है और कर्त्तृत्व सीमित चेतना को पूर्वपेक्षित करता है, अर्थात् केवल सीमित चेतना ही कर्म में प्रवृत्त हो सकती है। यह इसलिए नहीं कि कर्म इच्छा को और इच्छा अभाव को और पूर्तिकर भावी स्थिति की कल्पना को आपादित करती है, बल्कि इसलिए क्योंकि सब कर्म अभावमूलक नहीं होता : आत्म-सर्जनात्मक कर्म भावमूलक ही होता है, वह अव्यक्त की व्यक्त होने की कामनामूलक होता है। यह कामना भी अभावमूलक नहीं होती, यह भावमूलक ही होती है, क्योंकि अव्यक्तता की स्थिति अभाव की स्थिति नहीं है, न व्यक्त में अव्यक्त से

अधिक भाव (सत्त्व) ही होता है, व्यक्त केवल भाव की क्रियात्मकता है। व्यक्त भाव को अव्यक्त भाव की स्फुटता या विकास कह सकते हैं। इस अर्थ में चाहें तो इसे सत्त्व की अधिकता भी कह सकते हैं। इसमें 'कामना' शब्द का प्रयोग एक प्रकार से रूपकात्मक प्रयोग मात्र है। यह इसलिए क्योंकि कर्तृत्व आत्म-चेतन कर्त्ता को पूर्वापेक्षित करता है और आत्म इतर को, यह इतर चाहे विषयकृत आत्म ही क्यों न हो। यह अनिवार्य अवच्छिन्नता की स्थिति है, जो ईश्वर में कल्पनीय नहीं है। यदि इस पर कहा जाता है कि सृजन में व्यक्त होने के लिए अव्यक्त चैतन्य का इतर व्यावृत्त आत्म से अवच्छिन्न होना आवश्यक नहीं है, तो यह युक्त नहीं है, क्योंकि स्वयं सृष्टि भी स्रष्टा से इतर होती है; यदि सृष्टि तत्त्वत: असत् भी हो तो भी उसकी प्रतीति इतरत्व के प्रत्यय की विद्यमानता के बिना नहीं हो सकती। इस प्रसंग में वेदान्त का समाधान उल्लेखनीय है। वेदान्त के अनुसार जगत्-स्रष्टा ईश्वर माया से उपहित ब्रह्म है। जिसका अर्थ है कि अद्वय चैत्य सृजन में आत्म-व्यवहित हो जाता है, वह अद्वय-अव्यवहितत्व नहीं रहता। **माया के मिथ्यात्व का यही अर्थ है : चैतन्य का अपने में अपने से व्यवहित होना।** तैत्तिरीय उपनिषद् के मन्त्र : "पहले केवल असत् ही था, उससे सत् उत्पन्न हुआ। उस सत् ने अपने को स्वयं जगद्-रूप में रचा,"[1] का भी यही आशय है, यद्यपि इसमें इतरत्व की या आत्म-व्यवधान की बात स्पष्टत: नहीं कही गई है। किन्तु इसका तीसरा पद (तदात्मानं स्वयमुकुरुत) इस प्रसंग में महत्त्वपूर्ण है : सृष्टि के लिए असत् (अव्यक्त) का सत् होना (व्यक्त भाव को धारण करना) ही पर्याप्त नहीं है, उसका आत्मत्व और इसके बोध (स्वायत्तता) से अवच्छिन्न होना भी आवश्यक है।

वास्तव में जगत्स्रष्टा में इस अवच्छिन्नता की विद्यमानता अयुक्तियुक्त नहीं है यदि उसका यह सर्जकत्व व्यवहित आत्म-चैत्य में प्रतिष्ठित हो, क्योंकि अन्ततः जगत् में इतर सत्ता से व्यावृत्त आत्म-चेतना (मानव-व्यक्ति) और इतर सत्ता से व्यावृत्त अनात्म-चेतना (पशु) दोनों तो हैं ही, पुन: संस्कृतियों के रूप में विराट्तर व्यक्तित्व भी जगत् में विद्यमान हैं, ऐसी अवस्था में विराट्तम आत्म-चेतना (ईश्वर) का अस्तित्व अकल्पनीय नहीं है। किन्तु यदि ईश्वर को ही आद्य-सत् माना जाय तब यह अकल्पनीय है कि वह आत्म-चेतन और सर्जक हो, क्योंकि तब आद्य सत् ही इतर-व्यावृत्त और इस प्रकार ससीम हो जायगा। ईश्वर के स्रष्टा होने से एक दूसरी कठिनाई प्रकृति के स्थान की है : क्या मूल प्रकृति भी ईश्वरीय सृष्टि है या कि स्वतन्त्र है? अधिकांश ईश्वरवाद इसे और जीव को ईश्वर से स्वतन्त्र द्रव्य मानते हैं, दूसरे इसे उससे सृष्ट और उसके अधीन मानते हुए भी आविर्भाव के बाद अस्तित्वत: उससे अलग मानते हैं। इनमें पहला मत विचारणीय नहीं है, क्योंकि यह ग्राम्य है, जहाँ तक दूसरे मत का प्रश्न है, यह वदतोव्याघात पूर्ण है, क्योंकि यह ईश्वर को असीम कहकर उसे व्यक्तित्व दे देता है जो सीमित में ही सम्भव है, क्योंकि व्यक्तित्व प्रत्यङ्मुख चैतन्य का व्यष्टि रूप में आत्मक्षेप है।

किन्तु तब प्रश्न होगा कि व्यक्तित्व-रहित आद्य सत् में व्यक्तित्व का आविर्भाव कैसे सम्भव है? वास्तव में इसका उत्तर स्वयं हमारे अपने व्यक्तित्व के आविर्भाव के साक्षात्कार से मिल सकता है। मानव-व्यक्तित्व का आविर्भाव निरात्मक चेतना में आत्म के व्यक्ति-रूप में आत्म-प्रतिष्ठापन से होता है, और व्यक्ति रूप में आत्म-प्रतिष्ठापन एक ऐसे मूर्त्त प्रत्यय की अस्मिता का आत्म-प्रतिष्ठापन होता है जिसकी सामान्यता व्यक्ति में अद्वितीयत: उदाहृत होती है। जैसे राम रामत्व धर्म से विशिष्ट व्यक्ति है। किन्तु यह धर्म घटत्व के समान अनेकत्र घटित नहीं हो सकता, क्योंकि यह आत्म-चेतना द्वारा प्रत्यय का अपने में निरूपण और उसका आत्मसात्करण होता है।

इसे हमने अन्यत्र[2] ज्ञातृत्व और कर्तृत्व के अभिमान की संज्ञा दी है। कुछ लोग इस अभिमान या व्यक्ति-प्रत्यय को सामाजिक परिवेश से अर्जित कहना चाहेंगे। किन्तु विशिष्ट संस्कृति : सांस्कृतिक प्रत्यय : के आविर्भाव का बाह्य परिवेश क्या होगा? विशिष्ट संस्कृति संस्कृति-सामान्य की एक सम्भावना का क्रियान्वयन और प्रत्यय

1. असद्वा इदमग्र आसीत्, ततो वै सदजायत, तदात्मानं स्वयमकुरुत। (सप्तम अनुवाक)
2. द्रष्टव्य : यशदेव शल्य — ज्ञान और सत् में अन्तिम अध्याय।

का आत्म-प्रतिष्ठापन होती है, और संस्कृति-सामान्य असंस्कृत (असत्-अव्यक्त) चैतन्य में संस्कार का बीज। यदि संस्कृति का उदाहरण रहस्यात्मक लगता हो तो भाषा का उदाहरण लिया जा सकता है : प्रत्येक भाषा भाषा-सामान्य (परावाक्) का विशिष्ट आविर्भाव है और भाषा-सामान्य मूल चेतना में भाषा-बीज का आविर्भाव। इसी प्रकार प्रत्येक व्यक्ति-प्रत्यय भी अवैयक्तिक-निरात्मक चेतना में अस्मितामूलक व्यक्ति-प्रत्यय का आविर्भाव है। अब हमारा व्यक्तित्व हमारे साथ सहज है, इसी प्रकार भाषा और संस्कृति भी, किन्तु हम इनके अव्यक्त-असत् मूल से आविर्भाव का प्रत्यक्ष भी कर सकते हैं। इन आविर्भावों को सृजन कहना उपयुक्त है, काव्य या चित्र के समान ही, क्योंकि काव्य या चित्र भी अव्यक्त भाव में प्रत्यय का आविर्भाव और अनुक्रमश: इस प्रत्यय का अद्वितीय क्रियान्वयन होता है। चित्र में चित्रकार द्वारा प्रयुक्त तूलिका और स्याही को उपकरण और इस प्रकार इतर के रूप में देखना उपयुक्त नहीं है, बल्कि इन्हें चित्र-कल्पना के ही क्रियान्वयन : चरितार्थन : के अवयवों के रूप में देखना उपयुक्त है। यह बात काव्य में स्पष्ट है जिसमें मूल्याकांक्षी अमूर्त्त प्रत्यय अपने को चरितार्थ करता है। कवि यहाँ काव्य-प्रत्यय से अभिन्न नहीं होता, न भिन्न ही होता है। वह उससे भिन्न इसलिए होता है क्योंकि वह उससे अधिक होता है, और अभिन्न इसलिए होता है क्योंकि प्रत्यय उसका ही अंश होता है। इसी प्रकार ईश्वर को भी जगत् से भिन्न और अभिन्न नहीं कहा जा सकता। वह भिन्न होता है, क्योंकि जगत् कृति होने से अन्य सम्भव कृतियों में से एक होता है और ईश्वर उन सब सम्भावनाओं का अकृत प्रत्यय के रूप में, और उससे परे प्रत्यय के बीज के रूप में, और उससे परे अव्यक्त के रूप में, अतिक्रमण करता है। किन्तु जगत् उससे भिन्न भी नहीं होता : वह उसकी ही अभिव्यक्ति होता है।

अब, इस अभिव्यक्ति या कृति को कर्तृत्वाभिमानमूलक कहा जा सकता है या नहीं, यह अत्यन्त महत्त्वपूर्ण प्रश्न है। जैसाकि हमने ऊपर देखा, 'भौतिक' नितान्त सामान्यात्मक और स्वरूपत: अमूर्त्त प्रत्यय है, इसलिए इसे जगत् और सृष्टि नहीं कहा जा सकता, और परिणामत: 'भौतिक सृष्टि' यह पद किसी पदार्थ का वाचक नहीं रहता। भौतिक में मूर्त्तता और इस प्रकार जागतिकता का आविर्भाव प्राणियों के आविर्भाव के साथ होता है और तब भौतिक इन्द्रिय-ग्राह्य विषय के रूप में आविर्भूत होता है। यह भौतिक सृष्टि अनादि, अनन्त और रूप के अपार वैभव से पूर्ण है, क्योंकि यह ग्रहण से, उसकी कल्पना के सहित, प्राक् और पर है, किन्तु इस प्राक् और पर के रूप में यह या तो नितान्त सामान्य प्रत्यय के अन्तर्भाव्य है अथवा आद्य कामना में, जो इन्द्रियों और उनके ग्राह्य रूपों में व्यक्त होती है।

प्रकृति–तत्त्व

पिछले अध्याय में हमने देखा कि प्राकृतिक जगत् अवच्छिन्न और भाव्यात्मक : साध्योन्मुख : अस्तित्वों की समष्टि है। किन्तु अवच्छिन्नता ग्राहक और ग्राह्य, विषयी और विषय दोनों पक्षों में आत्यन्तिक रूप से संवेदनमूलक वस्तुओं का ही धर्म है। संवेदग्राह से मुक्त होने पर वस्तुएँ अपनी अवच्छेदक भित्तियों से मुक्त हो जाती हैं। विषय–पक्ष में अवच्छेदों से मुक्ति की पराकाष्ठा प्रकृति–तत्त्व के प्रत्यय में चरितार्थ होती है। अवश्य, जगत् भी अवच्छिन्न अस्तित्वों के समकक्ष अस्तित्व नहीं होकर इनकी सावयव व्यवस्था है और इस प्रकार असंवेदग्राह्य है, अवच्छिन्न वस्तुएँ भी नितान्त अवच्छिन्न नहीं होकर अध्यवसाय के माध्यम से अपने को अपने बाहर व्यापक पाती हैं, किन्तु प्रकृति–तत्त्व इनसे मौलिक रूप में भिन्न है। प्रकृति–तत्त्व वस्तुओं की और जगत् की सत्ता, स्वभाव और तात्पर्य है, यह प्राकृतिक निर्धारणों का अनिर्धार्य आधार है। इस कारण इसका वस्तुओं के प्रकट रूप से कोई साम्य होना अपेक्षित नहीं है, बल्कि कहना चाहिए, इनमें कोई साम्य सम्भव ही नहीं है, क्योंकि जैसाकि हमने पीछे देखा, निर्धारित और अनिर्धार्य में कोई तारतम्य नहीं हो सकता।

किन्तु यदि हम प्रकृति–तत्त्व को नितान्त अनिर्धार्य कहें तो इसका अर्थ होगा कि यह इतर भी नहीं हो सकता, क्योंकि इतरता भी एक निर्धारण है। किन्तु इतरता का उच्छेद या उल्लंघन प्रकृति की सत्ता या स्वभाव का ही उल्लंघन करना है, क्योंकि 'प्रकृति' वास्तव में इतरता की अनपचेयता (इर्रिड्यूसेबिलिटी) और अनिवार्यता की स्वीकृति है, इतरता को अपचेय और केवल एक आगन्तुक उपाधि मानने पर प्रकृति भी एक आगन्तुक उपाधि मात्र रह जाती है।

जैसाकि हमने पिछले अध्याय में संकेत किया, इतर के समकक्ष प्रकृति की दूसरी अवधारणा 'अनात्म' की है, यद्यपि यह ग्रीक (प्लेटो) और ईसाई दर्शनों में, और अनन्तर कांट में भी देखी जा सकती है। 'अनात्म' के विपरीत 'इतरता' विषयात्मक तत्त्व है और वह सब विषय है जो आत्म का बाह्य व्यावर्त्तक या बाधक है। इसके विपरीत अनात्म मूल्यात्मक अनवधानजन्य आत्मविमुखता है। इसे आत्मपरक दोष या अपर्याप्तता भी कह सकते हैं। विषय का तत्त्व यदि अनपचेय है, अथवा इसी प्रकार, यदि दोष या अपर्याप्तता आगन्तुक या औपचारिक (अध्यस्त) नहीं हैं, तो प्रकृति अनिवार्यत: एक स्वाधीन व्यवस्था हो जाती है। अन्यथा यह अनिर्धार्य चित्–तत्त्व में अपचेय है।

किन्तु यहाँ द्रष्टव्य है कि इतरता आत्म के व्यावर्तक के रूप में निर्धार्य होने पर भी विषय के तत्त्व के रूप में अनिर्धार्य ही रहती है, क्योंकि यह तत्त्व विषय के सब निर्धारणों का अतिक्रमण करता है। किन्तु तब यह केवल अनिर्धार्य चेतना द्वारा ही ग्राह्य हो सकती है, जो वदतोव्याघात है, क्योंकि अनिर्धार्य चेतना इतर–व्यावृत्त और इस प्रकार इतर–निर्धारित नहीं हो सकती। इस कारण इतरता वास्तव में आत्मा का आत्मनिर्धारण मात्र ही हो सकती है, स्वतन्त्र तत्त्व नहीं। किन्तु तब आत्म भी अनिर्धार्य नहीं हो सकता, यह अपने ही अन्तस्तल में निर्धारित हो जाता है। किन्तु यह वास्तविकता के स्पष्टत: विपरीत है, क्योंकि जैसाकि हमने प्रथम अध्याय में देखा, निर्धारण अनिर्धार्य की आश्रय के रूप में अनिवार्यत: अपेक्षा करते हैं, और निर्धारणों का यह अतिक्रमण या तो विषय पक्ष में हो सकता है : जिसका अर्थ है कि विषय आत्ममूलक, अथवा कहें आत्मपरक, एक निर्धारण है : अथवा दोनों पक्षों में हो सकता है : जिसका अर्थ है कि पुरुष और प्रकृति दो पूर्णत: स्वतन्त्र और निरपेक्ष तत्त्व हैं। किन्तु जैसाकि उपर्युक्त विवेचन से स्पष्ट है, यह अतिक्रमण दोनों पक्षों में होने पर विषय–पक्ष का ग्राह्यता या इतरता से रहित होना आवश्यक है। दिङ्नाग की निर्विकल्पक प्रत्यक्ष की अवधारणा में एक प्रकार से इसी उभयात्मक अनिर्धार्यता को साधने का प्रयत्न है। साँख्य का प्रयत्न समग्रग्राही और सूक्ष्म है, क्योंकि यह दिङ्नाग के समान प्राकृतिक जगत् को केवल इन्द्रिय–गोचरता तक ही सीमित नहीं करता, बल्कि उसमें अनुभव के सभी आयामों

का आकलन करता है। तब उसका समाधान यह है कि आत्म स्वरूपत: अनिर्धार्य है, जबकि प्रकृति निर्धारणों का अनिर्धार्य आश्रय है। इसके अनुसार इतर आत्म के लिए प्रकृति नहीं होकर प्रकृति के लिए आत्म है, जिसकी इतरता का बोध प्रकृतिगत निर्धारणों के लय के रूप में प्रतिफलित होता है। दूसरे शब्दों में, आत्म इतरता के बोध का विषय तो है किन्तु आश्रय नहीं है, और इस प्रकार इतरता से व्यवहित भी नहीं है; इसके विपरीत प्रकृति इतरता की आश्रय होने से केवल प्राकृतिक निर्धारणों की अपेक्षा से अनिर्धार्य आधार है, अन्यथा वह अनिर्धार्य नहीं है, क्योंकि वह पुरुष की इतरता से निरन्तर और अनिवार्यत: व्यावृत्त है।[1]

यहाँ यह देखना उपयोगी होगा कि साँख्य को, वेदान्त से भिन्न, प्रकृति की स्वतन्त्र सत् के रूप में आवश्यकता क्यों प्रतीत हुई? इसका कारण यह है कि इतरता का आश्रय इतर–वास्तवकिता नहीं होने पर उसका आश्रय स्वयं आत्मा में हो जायगा और परिणामत: आत्मा आन्तरत: इतर–व्यावृत्त हो जायगा। जैसाकि हमने पीछे देखा, घट पट से भी व्यावृत्त है और स्वयं अपने स्वरूप से भी व्यवहित और अपर्याप्त है। ये दोनों इतरताएँ हैं, एक प्रकटत: बाह्य है और दूसरी आन्तरिक। घटादि में यह आन्तरिक इतरता, इनके स्वरूप के अविपुल : क्षुद्र : होने से, उतनी मुखर नहीं होती जितनी मनुष्य में, जो कि अत्यधिक विपुल स्वरूप–प्रत्यय है और आत्म–चेतन है। आत्म–चेतन होने से इसकी स्वरूपगत पूर्णता और वास्तविक अपूर्णता में खाई आन्तरत: प्रकाशित : विदित : होती है। इसी से साँख्य और शंकर ने क्रमश: दु:ख और युष्मद्–अस्मत् व्यामिश्र को विवेच्य : विवेक से निवार्य : बताया है। अब प्रश्न है कि यह अविद्या जो दु:ख या युष्मदस्मत्–व्यामिश्र के रूप में प्रकट होती है, आत्मगत है या परगत? यदि आत्मगत है तो आत्मा स्वरूपत: निर्धारित हो जाता है, और तब अनिर्धार्यता का कोई अर्थ नहीं हो सकता। इसलिए साँख्य का समाधान है कि यह आत्मगत नहीं है, यह इतर है; आत्मा स्वरूपत: और वस्तुत: पर्याप्त और पूर्ण है, उसमें भाव और भाव्य का भेद नहीं है। किन्तु स्वरूपत: पूर्ण भाव और पूर्ण अभाव में भेद कर पाना असम्भव है, इसलिए आत्मा पूर्ण भाव और पूर्ण अभाव के बीच तटस्थ हो जाता है। स्वयं सांख्यकारिकार ने प्राकृतिक व्यापार का प्रयोजन पुरुष–विमुक्ति कहा है, जो व्यंग्यत: केवली पुरुष में भाव और अभाव से ताटस्थ्य की, और इस ताटस्थ्य से मुक्ति के लिए प्रकृति की अपेक्षा की स्वीकृति है।

वास्तव में साँख्य के इस अत्यन्त अर्थगर्भित प्रयत्न की महत् असफलता से प्रकृति–विषयक समस्या में गहरी अन्तर्दृष्टि मिलती है। समस्या यह है कि भाव या अभाव भाव्य कैसे हो सकते हैं? क्योंकि भाव्य केवल अभाव से अन्त:प्रविष्ट भाव, भाव की न्यूनता, भवितव्यता (बिकमिंग) का ही गंतव्य हो सकता है। किन्तु भाव तब तक अभाव से व्यवहित कैसे हो सकता है जब तक वह पूर्ण भाव से अन्तर्गर्भ नहीं हो, क्योंकि अभाव भाव की अपेक्षा से ही अभाव हो सकता है। और यदि भवितव्य या भावाभाव पूर्ण भाव से अन्तर्गर्भ है तब पूर्ण भाव व्यवहित क्यों या कैसे है? उदाहरण के लिए घट–विशेष को लें जो घटत्व का एक आविर्भाव है। अब घट स्पष्टत: अपने प्रत्यय की अपेक्षा न्यून है, इसी से असंख्य प्रकार के घटों की सम्भावना है। किन्तु समस्या है कि घटत्व घटों में अपने से व्यवहित क्यों होता है, अथवा अधिक उपयुक्त शब्दों में, घटत्व के सत् होने पर उसमें आत्म–व्यवधान का (घटास्तित्वों का) आविर्भाव क्यों होता है? दूसरे शब्दों में, अविद्या, दु:ख, न्यूनता या दोष की विद्यमानता क्यों है और किस अधिष्ठान में है? साँख्य के अनुसार यह व्यवधान आत्मा या पूर्ण भाव में नहीं हो सकता।

किन्तु यहाँ आपत्ति हो सकती है कि दोष या अभाव यदि भाव के अन्तर्गत नहीं होंगे तो वे दोष या अभाव ही नहीं होंगे। उदाहरणत: घट की अपर्याप्तता घट में घटत्व के भाव की अपर्याप्तता है, यदि इस अपर्याप्तता का अधिष्ठान घटगत नहीं हो तो घट अपर्याप्त नहीं होगा। साँख्य की ओर से इसका उत्तर हो सकता है कि घट घटत्व नहीं है, घट घटत्व की अपेक्षा से अपर्याप्त है, स्वयं घटत्व अपर्याप्त नहीं है : अपर्याप्तता घटगत है, न कि

---

1. साँख्य की यह व्याख्या साँख्य की पदावली के अनुसार नहीं है, क्योंकि साँख्य पुरुष को आत्म और विषयी तथा प्रकृति को विषय कहता है। किन्तु उपर्युक्त पदावली उसके प्रतिपादन से असंगत नहीं है।

घटत्वगत। किन्तु तब आपत्ति होगी कि घट घटत्व के अतिरिक्त केवल उपादान (मिट्टी) है, जो स्वत: न अन्यून घट है और न न्यून घट है। इसका साँख्यीय उत्तर होगा कि घट उपादान में घटत्व का अपर्याप्त आविर्भाव है, अधिक पारिभाषिक पदावली में कहें तो, घट उपादान में घटत्व की अपेक्षा से घटत्व-निरूपण है जो अनिवार्यत: अपर्याप्त होता है। इस प्रकार अपर्याप्तता का अधिष्ठान निरूपण में है, न उपादान में है, न निरूपित में।

साँख्य का विचार्य विषय मनुष्य है, घटादि नहीं, जो उसके लिए नाम-रूप मात्र हैं। मनुष्य मुक्त नहीं है, किन्तु मोक्षाकांक्षी है। इसका अर्थ है कि मुक्ति है, क्योंकि यदि मुक्ति : मुक्त-भाव, स्वातन्त्र्य : वस्तुसत् नहीं हो तो मोक्षाकांक्षा भी नहीं हो सकती। मुक्त-सत् के बिना मोक्षाकांक्षा असम्भव है, क्योंकि आकांक्षा भाव-अभाव का यौगपद्य है, और अभाव यदि भावाश्रित नहीं है, भाव का आत्म-व्यवधान नहीं है, तो वह स्वयं एक भाव हो जायगा, और परिणामत: आकांक्षा एक अनन्त, शाश्वत और अनिवार्यत: असफल पर्येषणा हो जायगी। किन्तु यदि मुक्तावस्था मोक्षकांक्षा का साध्य नहीं हो कर नित्यसिद्ध अवस्था हो तो भी मोक्षाकांक्षा हो सकती। दूसरी ओर, यदि मोक्षाकांक्षा और मुक्त अवस्था एक ही अधिष्ठान में हों तो वह वास्तव में मोक्षाकांक्षा ही होगी, मुक्तावस्था नहीं, क्योंकि मोक्षाकांक्षा मुक्तामुक्त अवस्था है और अमुक्तता के रहते वह मुक्त-पूर्णता नहीं हो सकती। इसलिए उसका समाधान है कि भाव : मुक्ति : नित्यसिद्ध अवस्था है और मोक्षाकांक्षा अभाव में भाव का आत्म-व्याकरण है।[1] इसके विपरीत वेदान्त इनका एक ही अधिष्ठान मानता है, किन्तु तब वह मोक्षाकांक्षा को, अभाव को, मिथ्या मानता है।

हेगल एक भिन्न प्रसंग में इसके अनुरूप प्रश्न उठाता है। उसकी समस्या भवितव्यता (बिकमिंग) है, जिसे वह न प्लेटो के समान असत् मानता है और न हेराक्लाइटस के समान सत्। किन्तु तब उसका समाधान नितान्त विचित्र है। उसके अनुसार भाव (बींग) शुद्ध निरपेक्ष विचार (थॉट) और अव्यवहितता (इमीडियेसी) है। किन्तु भाव अपने शुद्ध रूप में उद्ग्रहण (एब्स्ट्रेक्शन) मात्र है और परिणामत: पूर्ण रूप से निषेधात्मक है : इसी प्रकार भाव के समान ही अभाव भी निरपेक्ष और अव्यवहितत्व है। परिणामत: भाव और अभाव का सत्य इन दोनों की एकता में है, जो एकता कि भवितव्यता (बिकमिंग) है।[2] इस प्रसंग में हेगल ने नागार्जुन के शून्यवाद का भी उल्लेख किया है, किन्तु यह द्रष्टव्य है कि नागार्जुन शून्य को स्पष्ट रूप से भावात्मक कहता है, अभावात्मकता केवल व्यवहार (फिनोमिना) की है।[3] जहाँ तक हेगल के 'अभाव' का प्रश्न है, इसमें एक-साथ दो कोटियों का व्यामिश्र प्रतीत होता है : पहले वह कहता है कि मात्र भाव नितान्त विपन्न अवधारणा है और अपनी अवस्तुता या रिक्तता में पूर्णत: उद्ग्रहणात्मक (एब्स्ट्रेक्ट) है, परिणामत: यह अपने निषेध से अभिन्न है। किन्तु आगे वह इसी आधार पर कहता है कि भाव और अभाव का सत्य इन दोनों के मिश्रण में, एकस्थता में है, जो मिश्रण भवितव्यता को जन्म देता है। किन्तु यहाँ कठिनाई यह है कि भवितव्यता में भाव और अभाव विपन्नता या रिक्तता के कारण समान अवधारणाएँ नहीं रहतीं, बल्कि संयुक्त रूप से अस्तित्व मात्र का स्वरूप हो जाती हैं, जो अस्तित्व अपनी सम्पन्नता में निरपेक्ष प्रत्यय में अपने परमार्थ का लाभ करता है। यहाँ स्पष्टत: भाव और अभाव दो भिन्न कोटियाँ हैं। अब यह दूसरी कोटि हमें पुन: उसी समस्या के सामने ला खड़ा कर देती है जिसके एक समाधान का प्रयत्न हमने साँख्य के रूप में देखा था। हेगल इसका दूसरा समाधान देता है। उसके अनुसार भाव और अभाव दोनों पूर्ण भाव की विपुल सम्पन्नता के विधायक हैं, जिनके सम्मिश्रण के बिना पूर्ण भाव पूर्णत: रिक्त होगा।

यहाँ एक आपत्ति पर विचार करना स्थाने होगा : यह कहा जा सकता है कि अनिर्धार्यता और निरपेक्षता वास्तवक नहीं हैं, ये बौद्धिक कल्पनाएँ हैं। इसी प्रकार मोक्ष के सम्बन्ध में भी, "मनुष्य में मोक्षाकांक्षा : पुरुषार्थान्वेषण : हो सकती है, किन्तु मोक्षावस्था या पुरुषार्थ भी सत् है, यह एक दूसरी बात है।" यह आपत्ति

1. ईश्वरकृष्ण — **सांख्यकारिका,** कारिका 56-65.
2. **लॉजिक,** पृ. 128.
3. नागार्जुन : **मूलमाध्यमिक कारिका**—13.8; 15.5; 15.6; 15.10.

वास्तविकता विषयक एक मौलिक भ्रान्ति पर आधारित है। इसमें वास्तविकता के सम्बन्ध में यह धारणा निहित है कि यह कोई देशकालमूलक स्थिति ही हो सकती है, और देशकालमूलक स्थितियाँ केवल वर्तमान में ही होती हैं, भावी स्थितियाँ केवल सम्भव होती हैं। किन्तु ये लोग भूल जाते हैं कि विचार भी सत्ता का एक आयाम है और यह चेतना के उच्चतर स्तर से सम्बन्धित होने के कारण सत्ता को उच्चतर आयाम में प्रकट करता है। विचार केवल अपने निजी क्षेत्र में ही सदुन्मुख नहीं होता, यह इन्द्रियगोचरता के क्षेत्र को व्यापकता और गहराई भी देता है। इन्द्रियगोचरता के क्षेत्र में चेतना द्वारा विषय का स्वतन्त्र निरीक्षण और विनिश्चय, और उसके गहनतर अर्थों का उद्घाटन विचार के कारण ही सम्भव होता है। किन्तु ऐन्द्रिक स्तर पर चेतना विचार के द्वारा कितनी भी स्वतन्त्र होकर भी अन्तर्विभक्त ही रहती है। यहाँ यह इतर का विचार करती है, यद्यपि विचारक के रूप में यह इतर से अपने पार्थक्य का भी ग्रहण करती है। इस स्तर पर इस पार्थक्य के अन्तराल में ही उसकी स्वतन्त्रता अधिष्ठित होती है। यह द्रष्टव्य है कि इसमें चेतना बाह्यत: नियुक्त होने पर भी नियमाधीन नहीं होती, नियम यहाँ चेतना के अपने प्रभुत्व का ही प्रसार होता है। किन्तु यह नियम आत्म-नियुक्त नहीं होकर इतर-नियुक्त होता है : उदाहरणत: 'यह पुस्तक है' वाक्य में तीनों पद सामान्य-ग्राही हैं, विशेषग्राही नहीं, जो कि : विशेष : इन्द्रिय-गोचरता का लक्षण है, और इन सामान्य पदों की व्यवस्था और इनके द्वारा व्यष्टि का अवच्छेदन यह सब भी विचार का स्वतन्त्र व्यापार है, किन्तु यह व्यापार इन्द्रिय-प्रदत्त का अतिक्रमण नहीं कर सकता, और यह इन्द्रिय-प्रदत्त इसके नियम के अधीन नहीं है। अब यहाँ वास्तवकिता : वस्तु-सत्ता : उस सीमा तक नितान्त उथली और विपन्न होती है जिस सीमा तक यह इन्द्रिय-विषयक होती है, इसके विपरीत काव्य, राजनीति, विज्ञान और दर्शन के सर्जन या चिन्तन में अवगत वस्तु-सत्ता की गहराई अतल होती है। जैसाकि हमने पिछले अध्यायों में देखा, विचार-ग्राह्य वस्तु निर्धारणों या अवच्छिन्नताओं के माध्यम से अनिर्धार्य या अनवच्छिन्न होती है, यह अनवच्छिन्नता विचारात्मक निर्धारणों की अनिवार्य पर्यन्तता है, और यही उनकी परम वस्तुता भी है, क्योंकि निर्धारित आत्मनिर्भर और परिणामत: पर्याप्त सत् नहीं होते। नागार्जुन और ब्रैड्ले कम-से-कम इस पक्ष में सही हैं। इस प्रकार मोक्ष, या अनवच्छिन्न, अथवा पूर्ण भाव, मौलिक वास्तविकताएँ हैं, जो पर्येषणाओं और अवच्छिन्नताओं को वास्तविकता देती हैं। किन्तु तब निर्धारणों की अपनी कोई वास्तविकता है या नहीं?

हमने पिछले अध्यायों में देखा था कि 'निर्धारित भाव' का अर्थ है 'अभाव-व्यावृत्त भाव'। भाव की यह अभाव-व्यावृत्ति तीन प्रकार से होती है—(1) अपने प्रत्यय से न्यूनता के रूप में : जैसे मनुष्य की अपने स्वरूप से, (2) जाति या गुणमूलक व्यावृत्ति के रूप में : जैसे गाय की अश्व में, और नील की रक्त में और कठोर में, (3) देश-कालमूलक, जैसे दो व्यष्टियों या घटनाओं में। किन्तु परस्पर थोड़ा गहराई से देखने पर इस निर्धारण में कठिनाइयाँ दिखायी देने लगती हैं : 1 और 3 में प्रकट भेद 1 में संगृहीत हो सकता है, उदाहरणत: एक ही जाति के दो व्यष्टियों में भेद का एक आधार व्यष्टियों की अपने प्रत्यय से न्यूनता होता है। यदि सब व्यष्टि अपने प्रत्यय को समग्रत: धारण कर सकें तो उनमें व्यष्टि-भेद केवल देशमूलक या कालमूलक ही रहेगा, जैसे एक ही इन्द्रिय-गोचर एक गुण दो संवेद-प्रदत्तों में होता है; किन्तु केवल देश और कालमूलक भेद केवल संवेदों और संवेद-प्रदत्तों में ही हो सकता है, अध्यवसायारूढ़ इन्द्रियगोचर विषयों में यह नहीं हो सकता, विचारगोचर विषयों की तो बात ही क्या है। विचारगोचर वस्तुएँ अपने तात्पर्य में इतनी अधिक सम्पन्न होती हैं कि व्यष्टि के लिए उनको समग्रता में धारण करना असम्भव होता है। प्राणि-जातियों में यह तथ्य जननकणमूलक सम्भावनाओं की अगणनीयता के रूप में स्थूलत: भी द्रष्टव्य है, जबकि मानवीय कृतियों में यह तथ्य प्रत्यय को आत्मगोचर होता है। अब, यदि यह सही है तो दो घट घट-प्रत्यय से व्यवधान की मात्रा और प्रकार के आधार पर अवच्छिन्न होते हैं और घट तथा पट अपने प्रत्ययों की परस्पर व्यावर्तकता के द्वारा अवच्छिन्न होते हैं। किन्तु यहाँ दिङ्नाग और धर्मकीर्ति आदि आपत्ति करेंगे कि गोत्व आदि मात्र कल्पनाएँ हैं : दो गायें संवेद्य गुणों के आधार पर ही परस्पर भिन्न होती हैं। इस प्रकार इनके अनुसार दो व्यष्टियों में भेद, चाहे वे दो गायें हों और चाहे गाय और अश्व, संवेद्य गुणमूलक ही होता है। किन्तु ये दार्शनिक यह नहीं देख पाते कि संवेद्य गुणात्मक व्यावर्तन अवयवियों, जैसे गाय और अश्व आदि, अथवा घट-पटादि में नहीं हो सकता, केवल संवेद्य गुणों में ही हो सकता है। इसके अतिरिक्त

इनके पक्ष में और कोई भी युक्ति नहीं है सिवाय इस पूर्वमान्यता के कि चैतन्य केवल संवेद के द्वारा ही वस्तु-साक्षात्कार कर सकता है। किन्तु यह भी सही है कि दो गायों या दो मेज़ों में व्यावर्तन संवेद्य गुणात्मक भी होता है। किन्तु संवेदात्मक निर्धारण को जिस प्रकार बौद्ध या अनुभववादी देखते हैं उस प्रकार से ये निर्धारण नहीं होकर चेतना के मौलिक उद्दीपन हैं। किन्तु तब चेतना परस्पर स्वतन्त्र उद्दीपनों का समूह मात्र रह जाती है जिसमें सामूहीकरण का कोई आधार नहीं है। बौद्ध इस निष्कर्ष को स्वीकार करने का साहस भी दिखाते हैं। किन्तु जबकि अत्यधिक अविकसित पाशव चेतना इसी स्तर पर क्रिया करती है, मानव-चेतना संवेदगत सीमाओं का विचार में अतिक्रमण कर संवेद-प्रदत्त विशिष्ट को सामान्य में और संवेद-ग्रहण को प्रत्ययन की व्यापकता में उन्मुक्त कर देती है और अनुक्रमशः इस स्तर के ग्रहणों को भी अनिर्धार्य और निरवच्छिन्न को समर्पित कर देती है। इस प्रत्ययन या अवधारण को उपचार या विकल्प कहना चेतना के निम्नतम स्तरों को उच्चतम मूल्य देना है।

इस प्रकार अभाव और न्यूनता भाव की पूर्णता की अपेक्षा से ही होते हैं और भाव की पूर्णता के अत्यन्त वास्तविक होने से अभाव और न्यूनता केवल प्रकटतः ही वास्तविक होते हैं, वस्तुतः नहीं। यदि यह स्वीकार कर लिया जाय तो साँख्यीय प्रकृति की पृथक्तः कोई आवश्यकता नहीं होनी चाहिए। किन्तु इस पर साँख्य की आपत्ति होगी कि अभाव या न्यूनता आत्यन्तिक भले ही नहीं हों किन्तु वे अनात्यन्तिक : तात्कालिक : रूप से तो हैं ही। अथवा इन्हें आत्यन्तिक सापेक्षताएँ भी कह सकते हैं, क्योंकि अनिर्धार्यता निर्धारणों को समाप्त नहीं करती, उसमें उनका अतिक्रमण होता है : जैसाकि हमने पिछले अध्याय में देखा, घट-प्रत्यय स्वरूपतः व्यष्टिमूलक है और इस प्रकार उसमें निर्धारण स्वरूपगत और निरपेक्ष हो जाता है। जहाँ तक अपने प्रत्यय से न्यूनता का प्रश्न है, यह न्यूनता प्रत्यय की अन्यूनता से असत् नहीं हो जाती। घट, चित्र, या मानव-व्यक्ति की न्यूनता निवार्य है, किन्तु यदि वह हो ही नहीं तो उसके निवारण का प्रश्न ही कहाँ रह जाता है?

इस प्रकार निर्धारितता या न्यूनता जगत् के स्वभाव में मौलिक है, परिणामतः यह जगत् अनिर्धार्य पूर्णता में अधिष्ठित नहीं होकर अपनी इतरता में अधिष्ठित है। जगत् रूप में व्यक्त सभी प्रत्यय व्यावर्तनात्मक हैं, ये व्यावृत्त वस्तुएँ और प्रत्यय अन्ततः परस्पर व्यावर्तनात्मक त्रैगुण्य में अधिष्ठित हैं। यह त्रैगुण्य आत्यन्तिक है, यद्यपि आत्म-पर्याप्त नहीं है : इसका अपना कोई अर्थ : प्रयोजन : नहीं है, अर्थ के लिए यह उस तत्त्व का अपेक्षी है जो तत्त्व अपनी पर्याप्तता को और प्रकृति के अर्थ को धारण कर स्वातन्त्र्य में प्रतिष्ठित है।[1] दूसरे शब्दों में, प्रकृति का प्रयोजन उस स्वातन्त्र्य, निरपेक्षता, सहज अन्यूनता या विपुलता का सापेक्षता, न्यूनता और विपन्नता के माध्यम से प्रकाशन है, जो इसके बिना अपने भाव की पूर्णता में अविदित रहता है।[2]

डेकार्ट के लिए प्रकृति एक दूसरे कारण से आवश्यक है, और यही 'प्रकृति' का अधिक प्रचलित अर्थ भी है। उसके अनुसार प्रकृति इन्द्रियगोचर अर्थों का सत्यापक तत्त्व है और इसका स्वरूप विस्तार या देशमात्रता है। इसका दूसरा आशय है कि यह तत्त्व ग्राहक चेतना से स्वतन्त्र है। किन्तु यहाँ प्रश्न होगा कि गोचर अर्थों (विषयों) का सत्य उन अर्थों से इतर होना क्यों आवश्यक है? यदि इसलिए कि चित् सत्य के लिए अन्य सत् का अपेक्षी है, तो यह बात डेकार्ट को अभिप्रेत नहीं है। पश्चिमी दर्शन के इतिहास में इस बोध का श्रेय डेकार्ट को ही दिया जाता है कि चित् जिस सत् का असन्दिग्ध रूप से साक्षात्कार करता है वह उससे अपने से अभिन्न है, कि असन्दिग्ध रूप से ज्ञात सत् चित् का अपने से अव्यवहितत्व ही है। इतर सत् वास्तव में डेकार्ट के लिए केवल अनुमेय और दो पद दूर है। उसके अनुसार अव्यवहित ज्ञान और अव्यवहित सत् एक ही हैं : 'मैं विचारता हूँ' यह तथ्य चित् और सत् का यौगपद्य है, ईश्वर का ज्ञान भी इसी ज्ञान के अन्तर्गत है, क्योंकि 'मैं विचारता हूँ' अपने स्वरूप की अपूर्णता का भी ज्ञान है और अतएव इतर पूर्णता का भी ज्ञान स्वाभाविक है। किन्तु यहाँ प्रश्न हो सकता है कि यह

---

1. संघार्थ परार्थत्वात् ...। 17.
2. नानाविधैरुपायैरुपकारिण्यनुपकारिणः पुंसः,
गुणवत्यगुणस्य सतस्तस्यार्थमपार्थकं चरति। 60.

अपूर्णता ज्ञान की है या भाव की? स्पष्टत: ज्ञान की अपूर्णता भाव की अपूर्णता को भी आपादित करती है और परिणामत: पूर्णता ज्ञान और भाव दोनों में आपादित ही होती है, प्रत्यक्ष नहीं : अर्थात् यह तर्कानुमान है, प्रत्यक्ष नहीं। किन्तु डेकार्ट अपूर्ण विचार को पूर्ण विचार का अनिवार्य अपेक्षी मानता है और यह अपेक्षा तार्किक नहीं बल्कि प्रत्यक्षात्मक है। किन्तु तब वह पूर्ण के अस्तित्व को तर्कसाध्य मानता है। किन्तु यदि अपूर्ण विचार ज्ञान में अव्यवहितत्व के कारण ही असंदिग्ध सत् है तो उसी प्रकार पूर्ण विचार भी अव्यवहित ज्ञान होने से असन्दिग्ध सत् होगा। किन्तु वास्तव में पूर्ण न ज्ञान में अव्यवहित प्रदत्त है और परिणामत:, न भाव में ही है, वह दोनों में अनिवार्य अतिक्रामी आधार है। जो भी हो, मुख्य बात यह है कि यदि ईश्वर का ज्ञान और भाव दोनों अव्यवहित भी माने जायें तो भी उसकी श्रेयस्ता प्रकृति के अस्तित्व को आपादित नहीं करती, क्योंकि यदि पूर्णता अनिवार्यत: अकलुष है तो अपूर्णता सकलुष होगी, और परिणामत: अपूर्ण सदैव अपने ग्रहणों और धारणाओं में भ्रान्त ही हो सकता है। इस प्रकार डेकार्ट को प्रकृति की आवश्कता आन्तरिक रूप से नहीं है, केवल उन अर्थों या प्रत्ययों की सत्यता के लिए है जिनकी सत्यता की रक्षा वह अपनी पहली आलोचना में नहीं कर सका। किन्तु यहाँ यह द्रष्टव्य है कि डेकार्ट को प्रकति की सत्ता स्वीकार करना आवश्यक प्रतीत हुआ : गोचर अर्थों की अतिक्रामी सत्ता की धारणा हममें इतनी सहज है कि उसका निषेध हमें क्रूरतम प्रवंचना प्रतीत होता है, जो हम स्वयं अपने प्रति कर ही नहीं सकते, तब दूसरे के सम्बन्ध में देखने की आवश्यकता है कि वह कर सकता है या नहीं?

कांट भी इन्द्रियगोचर अर्थों को इसी प्रकार एक बाह्य आधार पर प्रतिष्ठित देखता है। उसकी युक्ति है कि, यह सम्भव नहीं है कि प्रतीति (इन्द्रियगोचर अर्थ) किसी बाह्य आधार के बिना हों। किन्तु अन्ततः वह इस आधार की बाह्यता की रक्षा नहीं कर पाता। अन्ततः उसकी यह स्वलक्षण वस्तु स्वातन्त्र्य या आत्म-नियामक आद्य संकल्प ही सिद्ध होती है, इन्द्रियगोचर अर्थों की इन्द्रियातिक्रामी आधार नहीं। यहाँ इस बात की ओर पुन: ध्यान आकर्षित करना आवश्यक है कि कांट स्वलक्षण वस्तु के स्वरूप के सम्बन्ध में स्पष्ट नहीं है। जिसे वह प्रतीतियों का आधार और इन्द्रियों के लिए अगम्य किन्तु विचार के लिए गम्य कहता है वह वस्तु वही नहीं है जो स्वातन्त्र्य या संकल्प-स्वरूप है। किन्तु कांट को इस दुविधा में पड़ने का श्रेय देना होगा जो उस प्रकार दिङ्नाग और शंकर को नहीं दिया जा सकता। दिङ्नाग शुद्ध संवेद को गम्य शुद्ध वस्तु को निर्द्वन्द्व भाव से स्वीकार करता है और शंकर इसी प्रकार अध्यवसायात्मक इन्द्रियार्थों को वस्तुमूलक मानता है, अलीक अर्थों से भिन्न, किन्तु यह वस्तु उसके लिए ब्रह्म है। कांट की उलझन है कि संवेद अपने अनुरूप वस्तु के अपेक्षी हैं, परिणामत: आधार-वस्तु प्राकृतिक होनी चाहिए। किन्तु संवेद केवल बाह्य ही नहीं आन्तर भी होते हैं, तब इन दोनों की आधार वस्तु एक ही है या दो? शुद्ध रीज़न इसके लिए दो निर्देशक प्रत्ययों (आइडियाज़) की अपेक्षा करता है, किन्तु आधार वस्तुएँ दो नहीं हो सकतीं। किन्तु तब यह एक वस्तु प्रयोजन क्या सिद्ध करती है? सम्भवत: वही जो शंकर के लिए ब्रह्म करता है, जो सब प्रतीतियों और प्रतीत वस्तुओं का तत्त्व है। दिङ्नाग इस ओर देखता ही नहीं, उसके लिए स्वलक्षण वस्तु निर्विकल्पक संवेद की विषय है। किन्तु श्रवण और दर्शन के, और सुखादि के संवेदों में मौलिक भेद है। तब क्या स्वलक्षण वस्तु में भी ये भेद हैं? पुनः, इन्द्रियमूलक बुद्धि (विकल्प) और उससे स्वतन्त्र बुद्धि (शुद्ध विचार) में भी भेद है? शुद्ध विचार इन्द्रियगम्य की निर्विकल्पकता का और अध्यवसायगम्य की सविकल्पकता का आकलन कर सकता है, स्वयं दिङ्नाग उसी के द्वारा उसका आकलन कर रहा है। किन्तु वह यह नहीं देख पाता कि इस विचार के बिना निर्विकल्पक प्रत्यक्ष अपनी विपन्नता की पराकाष्ठा में अनभिलाप्य और अग्राह्य रहता है। कांट यह देखता है, किन्तु वह निरन्तर ह्यूम से आक्रान्त रहता है। अनुभववाद के इस आतंक को निरस्त करते हुए फ़िख़्ते ने इन्द्रियगोचर वस्तु को उस आद्य चैतन्य में स्थापित किया जो एक-साथ अपने को विषयी और विषय रूप में विभक्त करता है। फ़िख़्ते का यह विचार उपनिषद् के कितना निकट है, यह प्रथम अध्याय में उद्धृत ईशावास्य तथा ऐतरेय उपनिषदों के मन्त्रों से देखा जा सकता है। यह आद्य सत् स्वत: न विषयी है और न विषय, न चित् और न प्रकृति, वह दोनों का एक आधार है। किन्तु दोनों का यह एक आधार ऐसा भाव ही हो सकता है जो प्रत्यय में दोनों का अतिक्रमण करे। 'प्रत्यय में अतिक्रमण' कहने का अर्थ है कि विषयी और विषय, या चेतना तथा प्रकृति के भाव के बीच तटस्थ इस पर-तत्त्व से द्वैत की उत्पत्ति न कारण-कार्यात्मक है, न निमित्त-निष्पन्नात्मक, यह

प्रत्ययात्मक है जिसमें द्वैत के दोनों पक्ष परस्पर सापेक्ष हैं और परिणामत: यह युगल अपरम या अनन्तिम है और अपने परम आधार के रूप में अन्य पद : निरपेक्षता : का अपेक्षी है। किन्तु जैसाकि हमने पीछे देखा, यह अपेक्षा इस कारण काल्पनिक नहीं हो जाती कि यह अकारण-अकार्यात्मक है, बल्कि यह इस कारण और अधिक वास्तविक हो जाती है क्योंकि यह प्रत्यङ्मुख चेतना को अव्यवहिततया गम्य है। किन्तु यहाँ आपत्ति की जा सकती है कि चेतना को अव्यवहिततया गम्य केवल चेतना स्वयं ही हो सकती है, ऐसी अवस्था में जगत् और प्रकृति स्वत: ही व्यवहित हो जाते हैं, और यदि ये व्यवहित हैं तब ये ज्ञेय हो ही कैसे सकते हैं, ये केवल कल्पनामात्र ही हो सकते हैं। किन्तु यहाँ कहा जा सकता है कि चेतना स्वयं को या तो विषयी रूप में जानती है, जैसे काव्य-संगीत आदिपरक अनुभूति में, अथवा विषय रूप में, जैसे पशु में, जहाँ यह विषय में निश्शेष रहती है, अथवा उभय रूप में, जैसे प्रतिविषयाध्यवसाय में, जहाँ वह विषय का अपने से पृथक् रूप में निर्धारण करती है; यह कभी अतिक्रामी-अद्वय रूप में अपने को जानती है ऐसा नहीं कहा जा सकता। इस प्रकार वास्तव में अन्तिमता या परमता की बात केवल काल्पनिक ही ठहरती है।

किन्तु यह सही नहीं है, क्योंकि विषय-विषयिता जबकि बाह्योन्मुख चेतना में गम्य है, प्रत्यङ्मुख चेतना के लिए बाह्योन्मुखता में प्रदत्त भाव या सत्ता आत्म-पर्याप्त नहीं होती, इस चेतना के लिए केवल अतिक्रामी-अनिर्धार्य ही ज्ञान को धारण कर सकता है। जैसाकि स्पष्ट है, आधार विषयि-चेतना रूप या विषय-वस्तु रूप नहीं है, यह आधार चैतन्य की निरपेक्ष भाव में स्थिति है, जो स्थिति एक-साथ ज्ञान और सत् है। इस स्थिति की अनुरूपता हम दार्शनिक और कलात्मक सर्जनों के क्षणों में देखते हैं, जिन क्षणों में चैतन्य विषय को अपने भीतर से उत्सृष्ट कर विषयि-रूप से उसका साक्षात्कार करता है। इसमें सत्ता किसी भी दूसरी स्थिति की अपेक्षा अधिक प्रामाणिक होती है, केवल विषयी यहाँ अपने को विषय से नियन्त्रित नहीं देखता, जिस प्रकार वह इन्द्रियगोचरता की, तथा वासना और आवेग की स्थितियों में देखता है। इसी से इन दो स्थितियों को क्रमश: स्वातन्त्र्य और प्रकृति या पारतन्त्र्य के क्षेत्र कहा जाता है।

इस प्रकार प्रकृति पारतन्त्र्य का क्षेत्र है। इस पारतन्त्र्य का कारण यह है कि प्रकृति जिन निर्धारणों की आधार है वे निर्धारण परस्पर आगन्तुकतया ही सम्बन्धित होते हैं, स्वभावतया या अनिवार्यतया नहीं। इनमें एकमात्र सम्बन्ध कारण-कार्यात्मक होता है, जिसमें घटनाएँ जबकि पूर्व घटनाओं से नियुक्तवत् घटित होती हैं पूर्वगामी घटनाओं के लिए ये बाह्य और आकस्मिक ही होती हैं। इस प्रकार इनमें कोई तन्त्र नहीं रहता, सिवाय विवशतया नियुक्ति के। कारणता की चाहे जो भी व्याख्या स्वीकार करें : सत्कार्यवादी, प्रतीत्यसमुत्पादवादी, उत्पादवादी, अभ्यासवादी या कांटीय, इन सबमें यह तथ्य सामान्यतया स्वीकृत है कि प्रकृति घटनात्मक है और इन घटनाओं में यदि कोई सम्बन्ध है तो वह आगन्तुक है, सिवाय इस अनिवार्यता के कि द्वितीय घटना प्रथम से प्रेरित होती है और प्रथम द्वितीय से किसी भी प्रकार प्रभावित नहीं होती। अवश्य कारणता-सम्बन्धी एक अनिवार्यात्मक अवधारणा भी है, जिसके अनुसार समान कारण समान कार्य का उत्पादक होता है, और यह अवधारणा अतर्कित रूप से वैज्ञानिक अन्वेषणों की भी आधार है। किन्तु इस प्रकार निर्धारित घटनाएँ आनुभविक नहीं होकर उनके उद्गृहीत (एब्स्ट्रेक्ट) आकार मात्र होती हैं। इस अनिवार्यता-सम्बन्ध के विपरीत आभ्यासिक सम्बन्ध का सिद्धान्त घटनाओं में कोई भी सम्बन्ध नहीं देखता। किन्तु अभ्यास स्वयं प्राकृतिक सम्बन्ध है। ह्यूम, पश्चिमी दर्शन की प्राय: सर्वसामान्य धारणा के अनुसार, अन्तःकरण को मनस् के अन्तर्गत रखकर उसे अप्राकृतिक मान लेता है, जो सही नहीं है। अन्तःकरण उतना ही प्राकृतिक है जितना संवेद-प्रदत्त, परिणामत: अभ्यास स्वयं प्राकृतिक घटनाओं में कारणता-सम्बन्ध है। किन्तु यहाँ आपत्ति की जा सकती है कि अभ्यासवश हम जिन घटनाओं में सम्बन्ध देखते हैं उनमें वह सम्बन्ध नहीं होता : जैसे पत्थर लगने और काँच टूटने में यह सम्बन्ध केवल ग्राहक अन्तःकरण में ही होता है। किन्तु तब, ग्राह्य घटनाओं में सम्बन्धाभाव होता है, यह भी कैसे कहा जा सकता है? वास्तव में बौद्धों को इस बात का श्रेय है कि उन्होंने अन्तर-बाह्य के इस भेद को हटाकर कारणता-सम्बन्ध को प्रतीत्यात्मक : आश्रित्योत्पन्नात्मक : कहा, जिसमें सम्बन्ध का न विधान है, न निषेध।

किन्तु जगत् के एक बड़े भाग में उत्पादकता–उत्पाद्यता का सम्बन्ध भी दिखायी देता है : सब प्राणी घटनाओं को उत्पन्न करते हैं—हाथ को हिलाने की इच्छा हाथ के हिलने को, हाथ का हिलना पत्थर के हिलने को। इनमें हाथ से पत्थर का हिला और पत्थर से काँच का टूटना बाह्य : भौतिक : घटनाएँ हैं, जबकि इच्छा से हाथ का हिलना क्रमश: मानसिक और बाह्य : दैहिक : घटनाएँ हैं। यहाँ मानसिक, दैहिक और भौतिक में सम्बन्ध की समस्या को छोड़ते हुए केवल यह द्रष्टव्य है कि एक प्राकृतिक घटना दूसरी को क्रियान्वित कर रही है और यह सम्बन्ध केवल 'ऐसा होने पर ऐसा होता है' का नहीं है, बल्कि स्पष्टत: उत्पादकता–उत्पाद्यता का है, जिसका प्रत्यक्ष हम स्वयं घटनाओं के उत्पादक के रूप में करते हैं। किन्तु कहा जा सकता है कि यह सम्बन्ध मानसिक घटना की प्रथम प्रवर्तकता के कारण है, जिसके कारण घटनाक्रम में एक मौलिक रूपान्तर घटित हो जाता है : यहाँ अनुक्रम केवल प्रथम से द्वितीय का नहीं है बल्कि प्रथम की अन्तिम में प्रयोजकता का और अन्तिम की प्रथम में अपेक्षा का एक ऐसा घनिष्ठ सम्बन्ध है जैसा मात्र भौतिक घटनाओं में नहीं देखा जाता। किन्तु इस इच्छा का क्या कारण होता है? यदि इसे प्रथम कारण कहा जाय तब यह (इच्छा) प्राकृतिक नहीं होती, स्वतन्त्र हो जाती है और यदि यह प्रथम है कारण नहीं है तब प्रश्न होगा कि इसका कारण किस प्रकार का है, भौतिक प्रकार का या कि प्रयोजनात्मक प्रकार का? स्पष्टत: इच्छा प्रथम कारण नहीं होती, यह स्वयं कारित होती है, और इसका कारण दैहिक या मानसिक कुछ भी हो सकता है। यह कारण दैहिक होने पर उसका कारण भौतिक हो सकता है, जैसे भूख का कारण दैहिक होता है और दैहिक का कारण रासायनिक : भौतिक :। इस प्रकार यह कारण–शृंखला एक ओर अनादि और अनन्त होती है और दूसरी ओर कोई घटना ऐसी नहीं होती जो अपने से प्रथम से अनिवार्यत: अनुगत होती हो। दूसरे शब्दों में, जबकि कोई भी घटित प्राकृतिक घटना अनिवार्यत: घटनाओं की जनक–जननात्मक अनादि–अनन्त शृंखला को आपादित करती है, इनमें से कोई भी विशेष घटना अनिवार्य नहीं होती, केवल आगन्तुक होती है। यहाँ कहा जा सकता है कि शृंखला में से कोई भी घटना भिन्न होने पर अनुगामी शृंखला भी भिन्न हो जायगी, और परिणामत: पूर्वगामी शृंखला के वैसी रहे होने पर जैसी वह थी यह असम्भव है कि यह विशेष घटना भिन्न हो सकती थी, जिसका अर्थ है कि घटना–शृंखला में एक अनिवार्यता है। किन्तु यह सही नहीं है, घटना 100 तक की पूरी शृंखला 101वीं घटना के रूप और अस्तित्व को अनिवार्य नहीं करती। यह एक विचित्र विरोधाभास प्रतीत होता है कि जबकि कारण–शृंखला आकारत: अनिवार्य है, यह अस्तित्व और गुण में आगन्तुक है। किन्तु इसमें कोई वास्तविक विरोध नहीं है, क्योंकि अस्तित्वत: प्रकृति संवेदग्राह्य है जबकि नियमत: बुद्धिग्राह्य।

इस पर आपत्ति की जा सकती है कि हमारे ग्रहण की विधा ग्राह्य के वस्तु–स्वरूप की निर्धारक नहीं कही जा सकती। इस आपत्ति के अनुसार, अस्तित्व और नियम ये प्रकृति के मूलत: भिन्न दो पक्ष नहीं हो सकते : एक स्वरूपत: आगन्तुक और दूसरा स्वरूपत: अनिवार्य। यह भेद केवल इस बात का द्योतक है कि प्रकृति न संवेदत: ग्राह्य है और न बुद्धित: ही। यह आपत्ति अयुक्त है, क्योंकि नितान्त अग्राह्य होने पर हम न प्रकृति के निरूपण में प्रवृत्त हो सकते हैं और न निरूप्य का इस प्रकार निषेध कर सकते हैं। यह निरूपण और निषेध इस बात के द्योतक हैं कि निरूपण आत्यन्तिक नहीं है, केवल अन्तरिम है। इस प्रकार, घटनाएँ संवेदात्मकता में प्राकृतिक हैं, किन्तु इनका यह स्वरूप : प्राकृतिकता : आत्म–प्रतिष्ठित नहीं है, इसे इनकी नि:स्वभावता या नितान्त विपन्नता भी कह सकते हैं। इन घटनाओं में जहाँ तक ग्राह्य–ग्राहक के भेद का प्रश्न है, यह भेद भी संवेद–स्तरीय नहीं है। जैसाकि इच्छा, सुख–दु:खादि में देखा जा सकता है इनमें संवेद और संवेद्य अभिन्न होते हैं। ठीक इसी प्रकार बाह्य संवेदों में है : निर्विकल्पक स्तर पर इनमें यह भेद नहीं रहता क्योंकि इस स्तर पर चित्त पूर्णत: विषय में निश्शेष रहता है। न इन्द्रियगोचर गुणों और आकारों को बाह्य वस्तु के कार्य कहने में कोई युक्ति है, क्योंकि ये ऐन्द्रिक आरोप होते हैं। किन्तु तब ये आन्तर और बाह्य संवेद अपने–आप में इतने विपन्न होते हैं कि इनके प्रदत्तों को सत् कहना और शेष को विकल्प और उपचार कहना विकल्प और उपचार को सत् से अधिक सम्पन्न कहना है। इसीलिए इन संवेदों के आधार के रूप में स्वलक्षण वस्तु अथवा भौतिक तत्त्व का आक्षेप किया जाता है, जो प्रतिभास के लिए पर्याप्त आधार हो सके। किन्तु यहाँ यह नहीं समझना चाहिए कि आधार–सत् की यह अपेक्षा केवल काल्पनिक है, जैसाकि बहुत–से दार्शनिकों ने समझा है, इसकी अपेक्षा को यथार्थ कहने की युक्तता इस बात से और स्पष्टतया

सिद्ध होती है कि आक्षिप्त आधार-सत् के बारे में कोई सहमति नहीं है जो कि काल्पनिक के बारे में सहज ही हो सकती है। इस असहमति का एक मुख्य कारण वास्तव में आधार-सत् की अनवगाह्य और अनिर्धार्य सम्पन्नता है। विचार जिस सीमा तक अपने को संवेद या विशिष्ट के ग्राह से मुक्त कर पाता है उसी सीमा तक सत्ता की अतल सम्पत्तियों का अवगाहन कर पाता है। वास्तव में विभिन्न प्रयत्नों का कारण प्रत्येक दूसरे प्रयत्न की अपर्याप्तता का ही बोध है।

इस प्रसंग में यहाँ तीन प्रयत्नों को उदाहरण रूप में देखना उपयुक्त होगा : एक में भौतिकवाद को, दूसरे में साँख्यीय प्रकृतिवाद को, और तीसरे में औपनिषद अद्वैतवाद को लिया जा सकता है। शुद्ध भौतिकवाद, जैसे चार्वाकीय या हॉब्सीय, संवेदग्राह्य वर्ण, स्थौल्य और सुख-दुःख से आगे किसी भी अनुभव का आकलन नहीं कर पाता, और यह केवल इनके ही आधार के रूप में सत्ता को देखता है। यही बात डेकार्टीय भौतिक तत्त्व के सम्बन्ध में कही जा सकती है, सिवाय इसके कि उसका भूत-तत्त्व प्रत्ययगम्य शुद्ध विस्तार होने से भौतिक-विज्ञान को आधार दे सकता है। किन्तु तब उसे संवेद, कल्पना, अनुभूति और मूल्य-बोध आदि सबके लिए एक अन्य सत्ता की आवश्यकता रहती है। इस प्रकार डेकार्ट सत्ता के वैभव के आकलन के लिए भौतिक के अतिरिक्त मानसिक तत्त्व की भी कल्पना करता है। किन्तु सत्ता का यह द्वित्व इस पार्थक्य में न तो अपने को धारण कर पाता है और न उस वैभव को जो एक ओर प्राकृतिक जगत् के रूप में दृष्टिगोचर होता है और दूसरी ओर इसमें से स्वातन्त्र्य की ओर उत्क्रमित होती चेतना के प्रत्यङ्मुख व्यापार के रूप में दृष्टिगोचर होता है।

साँख्यीय प्रयत्न डेकार्टीय प्रयत्न की अपेक्षा अधिक सूक्ष्म और सूझपूर्ण है। उसके अनुसार प्रकृति केवल ऐन्द्रिक ग्रहणों का सत्यापक द्रव्य नहीं होकर वह व्यापार है जो साध्य अर्थ : स्वातन्त्र्य : के साधन के रूप में उससे पृथक् है, अथवा जो विषयिता के परिपूर्ण वैभव को सापेक्ष विषयता के माध्यम से स्फुटित कर उसे निरपेक्ष विषयता में उपसंहृत करता है। इसके अनुसार इन्द्रियगोचर वस्तु और ऐन्द्रिक प्रत्यय एक ही जगद्व्यापार के दो पक्ष हैं : प्रत्यय सत्त्व-प्राधान्य है और वस्तु तमस-प्राधान्य। पुरुष को सिद्ध-साध्य के रूप में और प्रकृति को साधक उन्मेष-व्यापार के रूप में कल्पित कर साँख्य अद्वैतवाद की इस समस्या के समाधान का प्रयत्न करता है कि स्वतन्त्र और सम्पन्न अद्वय तत्त्व सापेक्षताओं में आत्म-व्यवहित कैसे होता है, यद्यपि नागार्जुन, वसुबन्धु, और शंकर तीनों इसका समाधान देते हैं कि तत्त्वत: सापेक्षताएँ असत् हैं : जिस प्रकार वृत्त के दो अर्ध भागों की सापेक्षता निरपेक्ष वृत्त में उसकी प्रतिष्ठा के कारण ही होती है उसी प्रकार जागतिक सापेक्षताएँ निरपेक्ष चित् में प्रतिष्ठित हैं। किन्तु भ्रम, अभाव और दोष की विद्यमानता मानव-चेतना में अनुभवमूलक भी है और तर्कमूलक भी। अब यदि अनुभवमूलक और तर्कमूलक अपेक्षाएँ भ्रान्ति हैं तो फिर भ्रान्ति की वही समस्या होगी कि वह कैसे है? अवश्य उपर्युक्त तीनों दार्शनिक इस समस्या के समाधान का प्रयत्न भी करते हैं, किन्तु इसी समस्या के समाधान का एक द्वैतवादी प्रयत्न साँख्य करता है। साँख्यीय द्वैतवाद को निम्न तीन सूत्रों में रखा जा सकता है— (1) दर्शक-दृश्य, विचारक-विचार्य और भोक्ता-भोग्य सभी कुछ प्राकृतिक है। (2) परिणामत: जगत् या प्राकृतिक व्यापार पुरुषोल्लेखी है, अथवा कहें अर्थान्वेषण की प्रक्रिया है। (3) अन्वेष्य इस प्रक्रिया का लक्ष्यभूत निरपेक्ष-स्वतन्त्र चित्-सत् है, जो जगत्-प्रक्रिया के लिए साध्य होने पर भी स्वत: त्रिकाल सिद्ध है।

जैसाकि इस विवेचन से स्पष्ट है, यह सिद्धान्त जगत् और अतिक्रान्तता के सभी अर्थों की, उन्हें नकारे बिना, व्याख्या करने का प्रयत्न करता है। किन्तु इसका द्वैत उतना वास्तविक नहीं है जितना इसमें उद्घोषित है। क्योंकि प्रकृति की पुरुषापेक्षा, और प्राकृतिक व्यापार की पुरुषोन्मुखता प्रकृति को नितान्त पृथक् द्रव्य या पृथक् तन्त्र नहीं रहने देती। अथवा दूसरी ओर, पुरुष इसमें केवल मूल्यान्वेषण की पर्यन्तता की भाव्यात्मक सत्ता होने के बजाय अन्वेष्य की भावात्मक सत्ता है। अन्वेषण और अन्वेष्य को दो पृथक् सत्ताएँ देकर साँख्य अन्वेष्य को उस सम्पूर्ण वैभव से रिक्त कर देता है जो अन्वेषण में लक्षित है। अवश्य अनिर्धार्य तत्त्व निर्धारणों में लक्ष्यमान् पर्यन्ततारूप नहीं होता, जैसाकि हम प्रथम अध्याय में देख आये हैं, वह उनसे अलक्षित और अतिक्रान्त होता है; किन्तु तब यह बात भारतीय अद्वैतवादी सम्प्रदायों में भी स्वीकृत है, यह केवल साँख्य की विशिष्टता नहीं है। उनमें

जगत् के मिथ्यात्व का यही अर्थ है। साँख्य जो एक असम्भव कार्य करना चाहता है वह यह कि वह एक ओर निर्धारणों को स्वतन्त्र सत्ता देना चाहता है और उनके लिए एक पृथक् अधिष्ठान की कल्पना करता है, और दूसरी ओर उनके इस स्वतन्त्र अधिष्ठान को आत्म–अपर्याप्त पाकर इसकी पर्याप्तता अनिर्धार्य चित्–तत्त्व में देखता है। वास्तव में यही बात डेकार्ट और मध्व के दर्शनों में एक दूसरे प्रकार से देखी जा सकती है : इनमें ईश्वर सर्वशक्तिमान् और सर्वस्रष्टा है। मध्व स्पष्टत: प्रकृति को अस्वतन्त्र कहता है। अब यदि ऐसा है तब प्रकृति जीव से तो स्वतन्त्र हो सकती है किन्तु ईश्वर–द्रव्य से स्वतन्त्र द्रव्य कैसे हो सकती है, यदि वहाँ स्वतन्त्रता–परतन्त्रता का अर्थ स्वामी–दास जैसा नहीं हो तो? यदि परतन्त्रता का अर्थ यह है कि यह स्वप्रतिष्ठित नहीं है, कि वह अपनी प्रतिष्ठा के लिए, या व्याख्या की मूल प्रतिज्ञा के लिए, अनिर्धार्य प्रत्यय : पूर्ण चैतन्य : की अपेक्षा करती है, तो हम केवल प्रकटत: ही द्वैतवाद की बात कर रहे हैं, वास्तव में नहीं।

किन्तु यहाँ कहा जा सकता है कि इस अप्रतिष्ठितता के बावजूद इतरता और पारतन्त्र्य को हम अपने भीतर अनुभव करते हैं। यदि इन्द्रियगोचर को चित्त के क्षणिक उद्वेलनों : संवेगों : में अपचित किया भी जा सके तो भी इन क्षणिका उद्वेलनों के अधिष्ठान के रूप में हम स्थायी वस्तु को भी देखते हैं। यह देखना ऐन्द्रिक नहीं होकर विकल्पमूलक है इस बात से वास्तव में कोई अन्तर नहीं पड़ता, जैसा नैरात्म्यवादी बौद्ध और संवेद–सत्तावादी : अनुभववादी : समझते हैं, क्योंकि संवेद और वस्तु–प्रतिष्ठापन दोनों चैतसिक हैं और चित्त प्राकृतिक है। इसलिए यदि किसी ग्रहण को विकल्पमूलक कहकर उसकी यथार्थता से मुक्ति पा भी ली जाय तो वही समस्या संवेदानुरागी और वस्त्वनुरागी चित्त की हो जाती है—कि उसकी यथार्थता क्या है? यह द्रष्टव्य है कि साँख्य जगत् का प्रवर्तन बुद्धि में देखता है जो जगद्भाव की अवस्था में अहंकार से उपहित होकर अवच्छिन्न व्यष्टियों के रूप में व्यक्त होती है। इस प्रकार साँख्यीय द्वैतवाद का प्रतिवाद भौतिक वस्तुओं और भौतिक नियमों की चित्तमूलकता दिखाकर नहीं किया जा सकता, क्योंकि वह स्वयं ही इन्हें बुद्धिमूलक मानता है। किन्तु समस्या बुद्धि के मूल की है जिसका समाधान अद्वैतवादी नहीं कर पाते।

तब इसका समाधान क्या है? इसका समाधान यह हो सकता है कि वस्तु–अनुरागी चित्त प्रत्यङ्मुखता के क्रम में वस्तुओं को धर्मों या तत्त्वों में अन्तर्भाव्य पाता है और भोगानुरागी चित्त प्रत्यङ्मुखता के क्रम में जागतिक अन्वेषणों को परमार्थान्वेषण में। इसके विरुद्ध साँख्य का उत्तर हो सकता है कि, इससे जगत् की आगन्तुकता तो प्रकट होती है किन्तु चित्त की नहीं, और यह चित्त ही प्रकृति है, जो जगत्प्रवृत्ति में जगद्रूप में परिणत होता है और निवृत्ति में विवेक–रूप में। किन्तु तब अद्वैतवादी की आपत्ति होगी कि, तब पुरुष की क्या आवश्यकता है? चित्त ही अपनी दो गतियों में पर्याप्त होना चाहिए! यदि वह प्रवृत्ति में जगत् की वस्तुता का अधिष्ठान हो सकता है तो निवृत्ति में वह मोक्ष की वस्तुता (पुरुषता) का अधिष्ठान भी हो सकता है। और जगत् के अवस्तु होने से केवल मोक्ष की वस्तुता ही शेष रह जाती है : यही हमारे (अद्वैती के) अनुसार चित् और सत् का यौगपद्य है, इसे मोक्ष का आत्म–प्रकाशन भी कह सकते हैं। इस प्रकार जगत् का अधिष्ठान प्रकृति : इतर सत्ता : नहीं होकर चित् की आत्म–विमुखता मात्र ही रह जाता है। किन्तु तब प्रश्न होगा कि, इस आत्मविमुख प्रवृत्ति का क्या बीज है? अद्वैतवादी अधिकांशत: इसके उत्तर में भूल करते हैं। वे कहते हैं कि 'यह अनिर्वचनीय है', मानो यह कोई घटना या स्थिति हो। ऐसा 'असदेवेदमग्र आसीत्' जैसे वचनों से, फ़िख़्तीय प्रस्थाना से कि 'आद्य तत्त्व दो में विभक्त होता है', से भी प्रतीत होता है। किन्तु यह 'अग्रता' कालिक नहीं होकर पारमार्थिक है। उसी पारमार्थिक प्रसंग में यथार्थ यह है कि प्रकृति प्रदत्त और प्रस्तुत स्थिति है, किन्तु यह आत्म–प्रतिषेधक दृष्टि से भी अन्त:प्रविष्ट है। यह दृष्टि जागृत हो जाने पर यह प्रकृति का उसके अपने आधार में ही रीतापन प्रकट कर देती है।

तत्त्व

'तत्त्व' शब्द बहुत-से अर्थों में प्रयुक्त होता है। अपनी व्युत्पत्ति में यह पूर्णत: भाववाचक-उद्ग्रहणात्मक (एब्स्ट्रेक्ट) है : 'तत्-त्व' का योग, जिसमें 'तत्' स्वयं भाववाचक है, क्योंकि यह शब्द अवाच्य, संकेत-ग्राह्य, निर्विकल्पक प्रत्यक्षगम्य विषय का संकेत नहीं है, बल्कि निरपेक्षत: किसी भी वस्तु के संवेद और विकल्प से अग्राह्य विचारगम्य आधार का वाचक है, 'त्व' प्रत्यय केवल इस निरपेक्षता की पुन: पुष्टि के लिए है। यदि कहा जाय कि सभी भाववाचक पद अपने इस पक्ष में 'तत्त्व' पद के अन्तर्गत हैं तो भी अयुक्त नहीं होगा। उदाहरणत: 'गोत्व' और 'घटत्व' पद 'गाय' और 'घट' पदों के भाववाचक रूपान्तरण हैं और गायों तथा घटों के तत्त्वों के वाचक हैं। 'तत्त्व' पद वस्तुवाचक पदों के साथ प्रयुक्त होने पर उनके वाच्यार्थों (वस्तुओं) के तत्त्वों का वाचक होता है और इस प्रकार 'त्व' का ही पर्याय होता है, इनसे स्वतन्त्र यह निरपेक्ष : अनिर्धारित : भाव या सत् का वाचक होता है।

किन्तु इन्द्रियगोचर वस्तुओं के वाचक पदो के साथ 'त्व' के प्रयोग को आधारवाचक कहने के विरुद्ध कहा जायगा कि यह एक अनावश्यक आरोप है, यह सब पदों को वास्तविक नाम मानकर उनके अनुसार वस्तुओं को खोजने का भ्रम है। अन्यथा व्यक्तिवाचक नामों के भाववाचक रूपान्तरण केवल सुविधामूलक हैं, अपने अर्थ में ये उद्ग्रहणात्मक (एब्स्ट्रेक्ट) हैं, देश कालात्मक व्यष्टि-वस्तुओं के समान अदेश-कालात्मक वस्तुएँ नहीं। इस मतानुसार इन पदों को 'सामान्य' भी कह सकते हैं, जिनका आधार व्यष्टिनिष्ठ गुणों : वर्ण, आकृति आदि : में न्यूनाधिक समानता का होना होता है और उपयोग पद-लाघव होता है।

किन्तु यह सही नहीं है, तत्त्ववाचक पदों का एक प्रसंग जबकि सामान्यात्मक है, इनके दो अन्य प्रसंग भी होते हैं जो सामान्यात्मक नहीं हैं। इनमें एक प्रसंग धर्म या आधार का वाचक है और दूसरा भाव्य-वाचक। उदाहरणत: इन्द्रिगोचर प्रत्येक विषय निरन्तर परिवर्तमान है, स्थिति या प्रतिष्ठाविहीन इन विषयों का हम कोई स्थायी आधार कल्पित करते हैं। व्यक्तिवाचक संज्ञा सामान्यत: इस आधार की ही वाचक होती है : 'राम' जन्म से मृत्युपर्यन्त की अनवस्थाओं : गतिमानताओं : की अवस्थिति, उनकी प्रतिष्ठा, का वाचक पद है। इसी प्रकार, प्रत्येक गाय उत्पन्न होती और मरती है, इसी बीच वह निरन्तर बदलती है, किन्तु ये परिवर्तनमानताएँ प्रकारता और नियम की एकता व्यंजित करती हैं। ये प्रकारता और नियम इस गोचर अनवस्थिति और अनिश्चितता को आधार देते हैं। इसी प्रकार, प्राय: ही वस्तुएँ, व्यष्टि या व्यक्ति अपनी अपर्याप्तता प्रकट करते हैं, जो अपर्याप्तता अपने प्रतिमान के रूप में अपनी पर्याप्तता या पूर्णता का आक्षेप करती हैं। यह आक्षिप्त पर्याप्ति उस वस्तु का तत्त्व कहा जाता है। पीछे तीसरे अध्याय में हमने इस अन्तिम प्रसंग पर विचार किया था।

किन्तु इन तीन—(1) सामान्यात्मक, (2) धर्मात्मक-आधारात्मक, और (3) भाव्यात्मक : प्रसंगों में भेद वास्तविक नहीं होकर केवल प्रातीतिक है। ऊपर हमने दूसरे प्रसंग का एक उदाहरण गोत्व का दिया है, जो प्रथम का भी उदाहरण है। पहले और दूसरे प्रसंग में भेद केवल इस आधार पर ही हो सकता है कि समानता को हम केवल इन्द्रियगम्य गुणों तक सीमित रखें और इसका अधिष्ठान व्यष्टियों को मानें। किन्तु उस अवस्था में सामान्य तत्त्व ही नहीं रह जाते, क्योंकि व्यष्टियों में समानता तब स्वयं एक गुण नहीं होकर देखने वाले की अपेक्षा से गुणों में न्यूनाधिक अनुरूपता होगी। तत्त्व ये तभी हैं यदि ये व्यष्टियों या विशिष्टों के अधिष्ठान हों और विगत-अनागत के मिलन-बिन्दुओं की प्रतिष्ठा हों, जैसे गोत्व गायों का और राम जन्म-मृत्यु के मध्यवर्ती क्रम का। अवश्य 'त्व' प्रत्यय से युक्त सब पद समान रूप से आधार वाचक नहीं होंगे : जैसे 'पंकत्व' पंकों का और 'व्रणत्व' व्रणों का आधार नहीं कहे जाएंगे, किन्तु इससे 'गोत्व' और 'घटत्व' पदों की आधार-वाचकता का

निषेध करना उसी प्रकार अयुक्त होगा जैसे 'गोत्व' की आधार-वाचकता से 'पंकत्व' की आधार-वाचकता सिद्ध करना।

अब यह देखना अधिक कठिन नहीं होना चाहिए कि आधारार्थक प्रयोग भाव्यार्थक प्रयोग का केवल दूसरा पक्ष मात्र ही है, क्योंकि तत्त्व आधार इसी कारण है क्योंकि यह विभिन्न वस्तुओं को अपने में आधृत करता है और उनमें व्यक्त होता है। किन्तु व्यक्त करने वाली ये वस्तुएँ अपने आधार को केवल अंशतः और अपर्याप्ततः ही व्यक्त करती हैं, क्योंकि यदि अभिव्यक्ति पूर्ण हो तब अभिव्यंजक सभी वस्तुएँ गुणों में अभिन्न भी होंगी और अन्यथा होने की सम्भावना से रहित भी। वस्तुओं में व्यष्टि-भेद और सम्भावनात्मकता इन वस्तुओं को तत्त्व की अपेक्षा से अपर्याप्त और तत्त्व को इनके लिए भाव्य बना देते हैं। इस प्रकार 'तत्त्व' पद के प्रयोग के पिछले दो प्रसंग अन्ततः निहितार्थ में एक ही हैं, जबकि प्रथम उद्ग्रहणात्मक है।

किन्तु 'वस्तु के आधार' या 'भाव्यता' का अर्थ क्या है? क्योंकि आधार वस्तु से भिन्न तो नहीं हो सकता। या कि वस्तु के दो पक्ष होते हैं, एक आधार और दूसरा आधृत या आधेय? यहाँ स्पष्टतः हमारा दूसरा ही मन्तव्य है, किन्तु एक स्पष्टीकरण के साथ, कि आधेय का वस्तु में वही स्तर नहीं है जो आधार का है, ये दो पक्ष समकक्ष नहीं हैं। हेगल ने इन दो पक्षों को क्रमशः तत्त्व (एस्सेंस) और प्रतीति (अपीयरेंस) कहा है। वह इन दो पक्षों को एक तीसरे : अस्तित्व (एक्चुआलिटी) : में संयुक्त मानता है, अथवा कहें, इन्हें इस तीसरे से विश्लिष्ट कल्पनाएँ या उद्ग्रहण (एब्स्ट्रेक्शंस) कहता है।[1] इसका अर्थ है कि तत्त्व के लिए प्रतीति अनिवार्य है, और एक-दूसरे प्रकार की पदावली में कहें तो, हम वस्तु-जगत् की सत्ता का ग्रहण दो स्तरों पर करते हैं : प्रतीति के स्तर पर और अनन्तर उसमें गुह्य उसके सत्य के स्तर पर : "हिरण्यमयेन पात्रेण सत्यस्यापिहितं मुखम्।" आधुनिक साम्प्रतिक पश्चिम के दार्शनिक सत्ता के इन दो स्तरों में भेद के घोर विरोधी हैं। पीछे हमने सार्त्र से एक उद्धरण दिया था, विट्गिंस्टाईन और उसके अनुयायियों द्वारा सामान्यों की सत्ता की आलोचना मनोव्यवहारवाद के रूप में प्रसिद्ध ही है, जिसका सबसे अधिक प्रशंसित प्रतिपादन गिल्बर्ट राईल की पुस्तक **दि कांसेप्ट ऑफ माइंड** में मिलता है। किन्तु ये अभिमत तत्त्व के प्रश्न के सूक्ष्म तात्पर्य की अवहेलना ही करते हैं।

हमने पीछे कहा कि 'पंकत्व' पद केवल विभिन्न पंकों का संयुक्त रूप से कथन करता है किन्तु 'गोत्व' पद केवल यह नहीं करता, यद्यपि वह यह भी करता है। जैसाकि सब जानते हैं, सुकरात इस प्रश्न पर विचलित हो गया था।[2] वह इस कारण क्योंकि एक ओर वह 'गोत्व' और 'पंकत्व' पदों में व्याकरणात्मक समानता देख रहा था और दूसरी ओर इनके वाच्यार्थों में स्पष्ट भेद देख रहा था। अब, इनमें भेद क्या है? इनमें भेद यह है कि पंक में उसकी प्रतीति के आगे कुछ नहीं है, उसका स्वरूप उसकी इन्द्रियगोचरता में निश्शेष हो जाता है और परिणामतः दो पंक अपने अस्तित्व और स्वरूप में परस्पर पूर्णतः पृथक् हैं। इनमें एकता केवल शब्द द्वारा, अथवा कहें अवधारणा द्वारा, आरोपित होती है। शब्दारोपित एकता कम महत्त्वपूर्ण नहीं है, किन्तु इसका महत्त्व शब्द-बोध के योग्य चेतना के लिए है, इसका पंक से कोई सम्बन्ध नहीं है। इसके विपरीत 'गोत्व' पद इन्द्रियगोचर गाय-व्यष्टियों से आगे सत्ता के एक-दूसरे स्तर का कथन करता है। गोत्व वह सत्ता है जो गाय-व्यष्टियों के रूप में व्यक्त होती है और जो सब गायों को अगायों से पृथक् स्वभाव और गुण देती है। सामान्यवाचक के रूप में 'गोत्व' पद ठीक ही विभिन्न गायों का एक-साथ कथन करने का भाषिक उपकरण है और इस प्रकार इसके वाच्य अविशिष्ट रूप से गाय-व्यष्टि ही होते हैं, इस भेद के साथ कि इस शब्द के द्वारा चेतना स्थूल और बाह्य के बन्धन से मुक्त होकर अपनी निजी भूमि पर विचरण कर पाती है और इस चेतना के लिए गाय-व्यष्टियों का प्रत्यक्ष प्रत्यय-व्यवहित हो जाता है। यह चेतना की एक बहुत बड़ी उपलब्धि है और इस उपलब्धि के द्वारा ही यह व्यष्टियों के इन्द्रिय-ग्राह्य स्तर से आगे उनके अतीन्द्रिय-ग्राह्य तत्त्व को देख पाती है। बाह्यतः साक्षात्कृत इन तत्त्वों के समान ही कुछ दूसरे

---

1. हेगल — **दि साइंस ऑफ लॉजिक,** पृ. 389-390.
2. प्लेटो — **पार्मेनाइडीज़,** 130डी.

तत्त्व हैं जिनका साक्षात्कार मानव-चेतना स्वयं अपने भीतर करती है, जैसे घटत्व-पटत्व आदि का, गणित, विज्ञान, काव्य और दर्शन आदि का, और उसके भी ऊपर मनुष्यत्व का, जो स्वयं चेतना के अपने तत्त्व के साक्षात्कार हैं। अपने भीतर तत्त्वों का साक्षात्कार इसे बाह्य तत्त्वों के सम्बन्ध में एक निश्चितता देता है। यद्यपि असंख्य दार्शनिक हैं जो घटों से आगे घटत्व को देखने में अपनी असमर्थता प्रकट करते हैं, किन्तु यह देखना उतना कठिन नहीं है कि किसी भी घट-व्यष्टि के आविर्भाव के पहले मानव-चेतना में घट-प्रत्यय का आविर्भाव होता है जो मानव-कर्म के द्वारा भौतिक उपादान में घट-व्यष्टियों के रूप में आविर्भूत होता है। इसका यह अर्थ नहीं है कि तत्त्वों का साक्षात्कार हम कल्पना में करते हैं, जैसे पहले देखे गए विषयों का। यह साक्षात्कार हम अतीन्द्रिय रूप में करते हैं यद्यपि उसे 'जानते' हम उस आविर्भाव के माध्यम से ही हैं जो इन अलौकिक सत्त्वों का इस लोक में होता है। बहुत-से प्रत्ययों में हम तत्त्व और उसकी भौतिक उपादान में अभिव्यक्ति के बीच की दूरी को बहुत कष्टकर पाते हैं और इसे पाटने का प्रयत्न करते हैं : उदाहरणत: किसी जटिल विचार की भाषा में अभिव्यक्ति में, ज्यामितिक प्रत्ययों की भौतिक आकृतियों में, और सर्वाधिक, अपने तत्त्व की अपने अस्तित्व में : और बहुतों में वैसा नहीं हो पाता। यह दूरी भौतिक उपादान में प्रत्यय से अपर्याप्तता के रूप में प्रतिफलित होती है। आन्तरत: साक्षात्कृत तत्त्वों : जैसे घट आदि : के समान ही बाह्यत: साक्षात्कृत तत्त्व भी हैं : जैसे गोत्व आदि : जो विभिन्न व्यष्टियों में अस्तित्व ग्रहण करते हैं और उन व्यष्टियों को वह रूप देते और उस रूप में उनका धारण करते हैं जो रूप उनका होता है।

यहाँ आपत्ति की जा सकती है कि आन्तरत: साक्षात्कृत तथाकथित तत्त्वों की काल्पनिकता स्पष्ट है : घटत्व घटों के अतिरिक्त और सरल रेखा कागज़ पर बनी सरल रेखाओं के अतिरिक्त मात्र कल्पनाएँ हैं, जिस प्रकार दिवास्वप्न होते हैं—इस भेद के साथ कि ये कल्पनाएँ शब्दमूलक हैं और परिणामत: भाषा का स्वरूप जाने बिना इनका निवारण सम्भव नहीं होता। किन्तु यह आपत्ति भ्रामक है। यदि घट घट-प्रत्यय को पूर्वापेक्षित करता है और विभिन्न घट अपने भौतिक उपादान और विविध आकृति से निरपेक्ष उस प्रत्यय से सम्बन्धित हैं, तब यह प्रत्यय इन आकृतियों से निरपेक्ष उस प्रत्यय से सम्बन्धित है, तब यह प्रत्यय इन आकृतियों में आविर्भूत तत्त्व है और इनके अस्तित्व के स्वरूप का नियामक है। वास्तव में घट के लिए उपादान : मिट्टी, स्वर्ण, ताम्र आदि : और आकृति : लघुता-गुरुता या तनु-पृथुलग्रीवता आदि : की आगन्तुकता एक ओर घट-व्यष्टियों की तत्त्व की अपेक्षा से न्यूनता की द्योतक है और दूसरी ओर तत्त्वों की स्वतन्त्र साक्षात्कार्यता की द्योतक है। अस्तित्व की तत्त्व की अपेक्षा से आगन्तुकता और अपर्याप्तता की चरमता हम उन प्रसंगों में देखते हैं जिनमें हमारे लक्ष्य सीधे ये तत्त्व ही होते हैं, उनका अस्तित्व नहीं। उदाहरणत: ज्यामिति या आकारिक तर्क में : त्रिकोण या वर्गाकार के बारे में बात करते हुए हम कागज़ पर बनाई गई त्रिकोणाकृति या वर्गाकृति के प्रति नितान्त उपेक्षापूर्ण होते हैं, वे हमारी विषय नहीं होतीं। ऐसा घटों या गायों के प्रसंग में प्राय: नहीं होता, किन्तु हो सकता है, जैसे प्रस्तुत प्रसंग में हमारे विषय अस्तित्ववान् घट-व्यष्टि नहीं होकर स्वयं घटत्व है और उसके आगे वह तत्त्व-सामान्य है जिसमें विभिन्न तत्त्व धारण होते हैं।

यहाँ पुन: आपत्ति की जा सकती है कि अस्तित्व के बिना तत्त्वों की काल्पनिकता इससे स्पष्ट है कि सरल रेखा का भौतिक देश में सम्यक् अस्तित्व असम्भव होने से अत्यन्त सरलता के प्रत्यय की ही काल्पनिकता सिद्ध हुई है न कि भौतिक देश का कोई दोष, जैसाकि हमारे उपर्युक्त प्रतिपादन में कहा गया है। इसी प्रकार, एक अनुभव की व्याख्या के लिए हम विभिन्न सिद्धान्तों का आश्रय लेते हैं, परिणामत: यह वैभिन्न्य सिद्धान्तों की अपर्याप्तता ही दिखाता है, अनुभव की सिद्धान्त से अपर्याप्तता नहीं।

ये आपत्तियाँ बहुत महत्त्वपूर्ण हैं, क्योंकि ये बहुत गहरी सैद्धान्तिक भ्रान्तियों को प्रदर्शित करती हैं। इनमें पहली आपत्ति का उत्तर है कि, यह सही है कि वास्तविक भौतिक देश स्वरूपत: वक्र है, किन्तु इसका अर्थ यह नहीं है कि सरलता तत्त्व नहीं है। तब पूछा जा सकता है कि यह किसका तत्त्व है? इसका उत्तर होगा कि भौतिक देश का ही, जिसके मानदण्ड पर भौतिक देश की वक्रता द्योतित होती है। अवश्य इस वास्तव देश की भी

ज्यामिति हो सकती है, जो कि आधुनिक युग में रूहीमान द्वारा विकसित की गई है, किन्तु यह ज्यामिति यूक्लीडीय ज्यामिति का बाध नहीं करती, यह ज्यामिति इन्द्रियगोचर के दैशिक आयाम का उसकी वास्तवता में अवगाहन करती है। इसे आनुभविक सामान्य : साधारण : का अन्वेषण भी कहते हैं, किन्तु लक्ष्य यहाँ भी तत्त्व ही होता है, यहाँ व्यवहार की सरलता के लिए शब्द-कल्पित साधारण नहीं है।

जहाँ तक एक अनुभव की विभिन्न व्याख्याओं का सम्बन्ध है, इन व्याख्याओं से तत्त्व की वास्तविकता ही सिद्ध होती है, काल्पनिकता नहीं, क्योंकि अनुभव की व्याख्या की आवश्यकता इस बात की द्योतक है कि प्रस्तुत में केवल ऊपरी सतह ही प्रकट होती है जिसके नीचे विचार द्वारा जाने की आवश्यकता होती है, और विचार उन नवीन अर्थों को प्रकट करता है जो संवेद और संवेदमूलक विचार द्वारा गम्य नहीं होते। व्याख्याओं की विभिन्नता वास्तव में तत्त्व-विषयक ही होती है, प्रतीति-विषयक नहीं, क्योंकि सिद्धान्त जिस अनुभव की व्याख्या करने का प्रयत्न करते हैं वह तत्त्व-विषयक ही होता है, संवेद-विषयक नहीं। उदाहरणत: बुद्ध का जरा और मृत्यु के प्रत्यक्ष पर से दु:खिता का अनुभव, अथवा गोएथे का पौधों के अवलोकन पर से आद्य वानस्पत्य आकार का साक्षात्कार, अथवा स्पैंग्लर का मानव-निर्मित वस्तुओं और मानव-कल्पित विचारों के अवलोकन पर से संस्कृति-तत्त्व का साक्षात्कार। ये अनुभव या साक्षात्कार तात्त्विक थे जिनकी व्याख्याएँ स्वयं इन अनुभव करने वालों और उनके परवर्तियों ने कीं। वास्तव में 'अनुभव' शब्द का प्रयोग हम तीन पर्याप्त भिन्न अर्थों में करते हैं— (1) संवेदनिक-ग्रहण के अर्थ में, (2) विषय-जगत् से चेतना के साम्मुख्य के अर्थ में, और (3) इस साम्मुख्य के प्रतीकात्मक रूपान्तरणमूलक साक्षात्कार के अर्थ में। इनमें पहला अर्थ दर्शन में आज रूढ़ होने पर भी वास्तव में पारिभाषिक और उद्ग्रहणात्मक है, यह साधारण प्रयोगमूलक अर्थ नहीं है; तीसरा अर्थ दूसरे का विस्तार है, जो विस्तार पारिभाषिक नहीं होकर वास्तविक है, क्योंकि विषय-जगत् उतनी ही व्यापकता, गाम्भीर्य और सावयता (आर्गेनिक-यूनिटी) प्रकट करता है जितने के ग्रहण की सामर्थ्य चेतना में होती है। इस साक्षात्कारी 'तत्त्व-दृष्टि' को जब दर्शक स्वयं या अन्य विचारक भाषा या विमर्शात्मक विचार के माध्यम से समझना चाहता है तब वह एक ओर पुन: अवगमन-विषय होती है और दूसरी ओर वह अवगमन का अतिक्रमण करती है। साक्षात्कारी दृष्टि की विमर्श-दृष्टि के लिए यह अनवगाह्यता या अतिक्रान्तता ही विभिन्न सिद्धान्तों की सार्थकता की हेतु बनती है।

इस प्रकार आन्तरत: साक्षात्कार्य और बाह्यत: साक्षात्कार्य तत्त्वों में कोई स्वरूपगत अन्तर नहीं है, केवल यह अन्तर है कि प्रथम प्रकार के तत्त्व स्वप्रकाशक चेतना को अस्तित्व से निरपेक्षत: साक्षात्कार्य होते हैं और दूसरे प्रकार के तत्त्व अस्तित्व के माध्यम से साक्षात्कार्य होते हैं। किन्तु यह भेद भी वास्तव में नितान्त मौलिक नहीं है, उदाहरणत: भाषाएँ, संस्कृतियाँ, संस्थाएँ ऐसे अस्तित्व हैं जो मनुष्य के द्वारा अस्तित्व में लाए गए हैं और इस प्रकार इनके तत्त्व इनके अस्तित्व से पूर्व साक्षात्कृत होने चाहिएँ। किन्तु वास्तव में ऐसा नहीं होता, ये मनुष्य के माध्यम से स्वतोद्भूत अस्तित्व हैं, जैसे पक्षी के लिए नीड़, जिनक तत्त्वों का साक्षात्कार हम उतना ही बाह्यत: करते हैं जितना आन्तरत:।

हमने पीछे देखा कि कुछ अस्तित्व तत्त्व-शून्य होते हैं, कुछ तत्त्व में अपेक्षाकृत विपन्न होते हैं, और कुछ दूसरे अस्तित्व तत्त्व में अधिक सम्पन्न होते हैं। तत्त्व के अभाव और मात्रा-भेद का मानदण्ड उसके संवेदगम्य रूप और उसके वास्तव स्वरूप या 'तात्पर्य' के मध्यवर्ती अन्तराल को कहा जा सकता है। पंक को हमने तत्त्व-शून्य विषय के उदाहरण के रूप में प्रस्तुत किया था, इन्द्रियगम्य गुण : वर्ण, गंध, काठिन्य आदि : इसके दूसरे उदाहरण हो सकते हैं। निश्चय ही ये गुण संयुक्त रूप से एक अत्यन्त समृद्ध तत्त्व के लिए प्रतीक बनते हैं और इस प्रकार एक-एकश: भी उसके व्यंजक रूप में देख जा सकते हैं; किन्तु जिस प्रकार साधारणत: नीलिमा, काठिन्य या माधुर्य आदि सामान्यों की चर्चा की जाती है उस प्रकार ये तत्त्व-शून्य समवायों के वाचक पद-मात्र हैं। बौद्ध और पाश्चात्य अनुभववादी दार्शनिक इन्हें ऐसा ही देखते हैं। संवेदगम्य का तत्त्व उसकी विशिष्टता या व्यष्टिता है, और इस प्रकार दो बार देखी गई नीलिमा दो विशिष्ट घटनाएँ हैं और नीलिमा या वर्ण के रूप में ये अपनी प्रतीति में पर्यवसायी हैं। क्योंकि नीलिमा जब संवेद-प्रदत्त से आगे नीलवर्ण के अस्तित्व, या वस्तुता की भी, बोधक होती

है तब भी यह प्रतीति से गहनतर किसी अन्य अर्थ की व्यंजक नहीं होती। इस प्रकार नीलिमा-सामान्य कोई तत्त्व नहीं होकर समानता-ज्ञापक पद मात्र है, यद्यपि पद के रूप में यह पद-प्रयोक्ता को स्थूल और क्षणिक के ग्राह से मुक्त कर चेतनामूलक अर्थों के लोक में प्रतिष्ठित कर देता है।

इसके विपरीत गोत्व, चम्पकत्व, पुण्डरीकत्व क्रमश: गायों, चम्पकों और पुण्डरीकों के उत्सर्जक, अधिष्ठापक और नियामक तत्त्व हैं; ये सर्जनात्मक प्रत्यय हैं जिस प्रकार घट, भवन या काव्य में प्रादुर्भूत प्रत्यय होते हैं, अथवा जिस प्रकार नीड़ या मधु होते हैं। इनकी तत्त्वता एक ओर सर्जनात्मकता और प्रयोजनोन्मुखता में प्रकट होती है और दूसरी ओर उस सम्भावनात्मकता में जो सृष्ट वस्तुओं और अस्तित्वों के रूप की विविधता में अपने को अभिव्यक्त करती है। किन्तु सृष्ट वस्तुओं के लिए इन दोनों से अधिक महत्त्वपूर्ण प्रमाण एक ओर अस्तित्व की अपर्याप्तता है और दूसरी ओर उसकी असंहतता। अपर्यप्तता का अर्थ हमने पीछे देखा है, असंहति भी उतनी ही महत्त्वपूर्ण है। 'असंहति' का अर्थ है देश में भागों और अंगों की परस्पर से बाह्यता और काल में क्षणों की परस्पर से बाह्यता। इस प्रकार इस अस्तित्व के भाग तथा क्षण उस तत्त्व के द्वारा उस सावयवता या संहति में धारण होते हैं जो वह है : गाय, श्वान, नीड़ या घट। नीड़-तत्त्व पक्षी को अपना उपकरण बनाकर पृथक् तिनकों को नीड़ की संहति में ग्रथित और आकारित करता है। किसी को यह कथन यदि कर्तृत्ववाचक रूप में पसन्द नहीं आये तो इसे कर्मवाचक रूप में भी कहा जा सकता है : नीड़ तत्त्व पक्षी के माध्यम से पृथक् तिनकों की संहति में आकारित होता है। किन्तु संहति तत्त्वमूलक होने से अस्तित्व में अपने तत्त्व से न्यून ही रहती है। उदाहरणत: गौरैया के नीड़ की अपेक्षा बया का नीड़ अधिक सुघड़ होता है, किन्तु अधिक ही होता है, पूर्ण नहीं।

अब, इस अपर्याप्तता और असंहति के रूप, प्रकार और सम्भावनाओं की मात्रा विस्तार और गाम्भीर्य दोनों में तत्त्वों की विपन्नता और सम्पन्नता की मापक होती है। उदाहरणत: तत्त्व में भवन नीड़ से भी अधिक सम्पन्न है और झोंपड़ी से भी, किन्तु काव्य और प्राणी की तुलना में यह अत्यधिक विपन्न है। किन्तु मनुष्य इन दोनों की तुलना में सम्पन्नतर है और वास्तव में इसमें तत्त्व एक सर्वथा भिन्न आयाम में प्रकट होता है। यह आयाम चेतना की प्रत्यङ्मुखता का है, जिसमें एक ओर बाह्य विषय प्रत्यय के दर्पण में प्रतिबिम्बित होकर परोक्षत: ग्राह्य होता है और दूसरी ओर एक अन्य विषय : आत्मा : अनवगाह्य सम्भावना और अगम्य शिखर के रूप में प्रस्तुत होता है। बाह्य विषय से सम्बन्ध की यह परोक्षता चेतना को विषय की प्रतीतिगम्य सतह से मुक्ति देकर उसके यथार्थ को, उसके तत्त्व को, देखने की सामर्थ्य देती है। यह इसे इस परिपृच्छा के योग्य बनाती है कि, "जो है, वह नहीं क्यों नहीं है, अथवा, जैसा है उससे भिन्न क्यों नहीं है?" बल्कि जगत् ही का अभाव और अन्यथा-भाव इसके लिए कल्पनीय हो जाता है। यह वस्तुओं की, और जगत् की भी, आगन्तुकता का बोध है। किन्तु किसी वस्तु की आगन्तुकता का बोध उसकी तात्त्विक अनिवार्यता की ओर संकेत करता है : तर्कत: भी और सत्त्वत: (ओंटोलोजीकली) भी। तर्कत: इसलिए कि आगन्तुकता सापेक्ष अवधारणा है, और सत्त्वत: इसलिए क्योंकि आगन्तुकता भाव का आंशिक अभाव है, जो अभाव अपने निवारण के लिए व्यग्र रहता है : जैसे देह अपने अस्वास्थ्य के निवारण के लिए व्यग्र रहती है।

आगुन्तकता सत्ता के पक्ष में जबकि तत्त्व की अपेक्षी है बोध के पक्ष में यह स्वातन्त्र्य की अपेक्षी है, और स्वातन्त्र्य एक ओर आरोप का निषेध है और दूसरी ओर अपने में प्रतिष्ठा है। आगन्तुकता स्वयं में अनात्म-प्रतिष्ठा है, क्योंकि आगन्तुकता वह नहीं होने की सम्भावना है जो है, परिणामत: जो है और जो सम्भव है वह सब अपने आधार में नहीं होने से ही आगन्तुक होता है। इसी प्रकार आगन्तुकता अध्यास के निषेध की असामर्थ्य भी है, क्योंकि यह निषेध स्वरूप के बोध को पूर्वपेक्षित करता है, जो बोध सब आगन्तुकताओं को अपनी अनिवार्यता में धारण करता है। आगन्तुकताओं के इस प्रकार धारण हुए बिना आत्म अन्यथा हुए होने और अन्यथा हो जाने की सम्भावना के सम्मुख अवश होगा।

इस प्रकार स्वातन्त्र्य आत्मबोध की अपने आधार में प्रतिष्ठा है। आगन्तुकता से इसका सम्बन्ध निषेध का है : इस रूप में कि यह अपने में विद्यमान अनात्म के निवारण का प्रयत्न करता है और आत्म को अपने आधार में

प्रतिष्ठित करने का प्रयत्न करता है। आत्म–प्रतिष्ठा या स्वातन्त्र्य का यह भी अर्थ है कि स्वतन्त्र अपना नियामक स्वयं होता है, वह अपने को स्वयं घटित करता है। अपना नियामक वही हो सकता है जो नियम से पूर्ववर्ती हो, अपने को वही घटित कर सकता है जो अपने घटित होने से पूर्ववर्ती हो। इस स्थिति को अस्तित्ववादियों ने स्वतन्त्र की अतत्त्वता कहा है। उनके अनुसार, स्वतन्त्र : मनुष्य : का कोई तत्त्व नहीं है, क्योंकि वह प्रतिक्षण अपने को नया घटित करता है। क्योंकि, उनके अनुसार, तत्त्व होने पर वह स्वभाववश हो जायगा, वह अपना नियामक नहीं रहकर स्वभाव से नियमित हो जायगा।

किन्तु इसमें दो बड़ी भ्रान्तियाँ हैं : एक यह कि अपने को घटित करना काल–स्वभाव होना है, कम–से–कम इस अर्थ में कि ऐसा सत्त्व या संकल्प अतीत और अनागत में अपने अभाव से परिच्छिन्न होगा। दूसरे यह कि उसकी प्रतिष्ठा अपने में नहीं होकर निषेध में होगी : प्रकारता का निषेध, भाव का निषेध, भाव्यता का निषेध, और सम्भूति का निषेध। यहाँ आपत्ति की जा सकती है कि अस्तित्ववादी भाव्यता का निषेध नहीं करते, क्योंकि वे चेतना की निषेधकता को भविष्यतता से ही परिभाषित करते हैं।[1] यह सही है, किन्तु भविष्यतता भाव्यता नहीं है, भाव्यता तात्त्विक अपर्याप्तता के निवारण की प्रक्रिया है; भाव्य पुरुषार्थ है, जबकि सार्त्रीय भविष्यत् केवल अग्रोन्मुखता में भाव का, विद्यमानता का, निषेध है। किन्तु यह स्वतन्त्रता नहीं होकर व्यग्रता होगी। स्वातन्त्र्य अपनी प्रतिष्ठा स्वयं होने में है, किन्तु यह प्रतिष्ठा अस्तित्व में नहीं : जो प्रतिष्ठाहीनता है : तत्त्व में ही हो सकती है। अवश्य स्वातन्त्र्य अपना कारण स्वयं होने में, अपने को स्वयं घटित करने में है, किन्तु यह घटना अस्तित्वात्मक और इस प्रकार कालात्मक नहीं हो सकती, क्योंकि यदि यह घटना अस्तित्वात्मक होगी तो यह इतराश्रित नहीं होने पर भी स्वाश्रित नहीं होगी, यह आगन्तुक होगी। 'अपने को घटित करना' में जो घटना से पूर्व संकल्प का कथन है वह संकल्प यदि निस्स्वभाव है तो वह स्वयं एक आगन्तुक घटना ही हो सकता है। परिणामत: संकल्प स्वभाव की पूर्णता है, अर्थात् स्वतन्त्र अपने को स्वभाव के रूप में, तत्त्व के रूप में, घटित करता है। किन्तु यह संकल्प अपने को घटित करने के साथ आत्म–व्यवहित हो जाता है : यह स्मरणीय है कि अपने को घटित करने का यह संकल्प और घटना काल में नहीं होते, यद्यपि इस घटना के साथ ही काल का आविर्भाव हो जाता है और यह काल व्यवहित भाव तथा अव्यवहित भाव्य के बीच तनाव के द्वारा एक ओर और अव्यवहित भाव की स्मृति के द्वारा दूसरी ओर अन्तर्वस्तु पाता है।

यहाँ 'स्मृति' के सम्बन्ध में स्पष्टीकरण स्थाने होगा, इसकी चर्चा सर्वप्रथम और सप्रमाण प्लेटो ने फीडो संवाद में की है[2] : बहुत–सी बातें हैं जो हम देखते और उनका स्मरण रखते हैं, किन्तु देखे हुए या देखे जा रहे की सार्थकता हम उस पद से प्राप्त नहीं करते। घटनाओं या स्थितियों में सम्बन्धों, और उनकी सतह के नीचे उनके सत्य या तत्त्व का साक्षात्कार, यह हम मनन या 'विचार की गहराई में उतर कर' ही करते हैं। बुद्धि या कल्पना की सृजनात्मकता या उर्वरता उस अव्यवहितत्व की ही सिद्धि है जो अपने को घटित करने के साथ व्यवहित हो गया रहता है। यह अव्यवहितत्व साधारण अर्थ में विषयिनिष्ठता नहीं होकर चित् में सत् की प्रतिष्ठा–रूप होता है, यह प्रमाण का प्रमेय के साथ प्रमा में एकीभाव होता है।

यह भयानक, बल्कि उपहासास्पद भी, शब्दाडम्बर प्रतीत हो सकता है, किन्तु थोड़ा निराग्रह होकर देखने पर यह वैसा प्रतीत नहीं होगा। यह ऐसा प्रसंग है जो भाषा की सीमा का अतिक्रमण करता है और परिणामत: जिसे व्यक्त करने में भाषा को वक्र होना पड़ता है। इन्द्रिय–ग्राह्य विषय और उनके समवाय, ये चेतना को उसकी निष्क्रियता में अभिभूत और चकित करते हैं। यह प्रातिभासिक या चित्र–लोक एक दूसरे प्रकार का रहस्य प्रस्तुत

---

1. द्रष्टव्य ज्याँ पाल सार्त्र — **बींग एण्ड नथिंगनेस,** पृ. 28.
   "बींग ऑफ फार इट्सेल्फ इज़ ऐज़ बींग ह्वाट इट इज़ नॉट एण्ड नॉट बींग ह्वाट इट इज़" (आत्म–चेतन का सत्त्व वह होना है जो वह नहीं है, और वह नहीं होना है जो वह है).

2. **फीडो** — 72 ई.–78वीं.

करता है, यद्यपि यह स्वयं रहस्य के स्तर तक नहीं उठ सकता। किन्तु प्रतिभास के सत्य की जिज्ञासा और ज्ञान आत्म-अव्यवहितत्व की ओर संकेत करते हैं, जिसे और किसी प्रकार नहीं समझा जा सकता सिवाय उस अव्यवहित यौगपद्य या आत्म-प्रकाशकत्व के जो आत्म-व्यवहित : आत्मविभक्त : हो गया है।

यहाँ उदाहरण के लिए डार्विन की दृष्टि को लें। यह सही है कि उसका सिद्धान्त प्राणियों के विस्तृत अध्ययन पर आधारित है, किन्तु विकासवाद उन तथ्यों की बहुलता की एक समूहवाचक संज्ञा नहीं है, वह उस बहुलता से संकेतित किन्तु उससे सर्वथा भिन्न एक सत्य है जिसका साक्षात्कार उसकी दृष्टि ने उन तथ्यों के पीछे जाकर किया। इस पर कहा जा सकता है कि, तब वह सत्य चरम और अप्रत्याख्येय होना चाहिए, जोकि वह नहीं होता। इसका उत्तर है कि ऐसा सत्य चरम होना अपेक्षित नहीं है। ऐसा वह इसलिए नहीं हो सकता क्योंकि मनुष्य को साक्षात्कारी चेतना अपनी निरुपाधिकता में उपलब्ध नहीं होती। किन्तु जिस सीमा तक यह उपाधि-मुक्त हो पाती है उस सीमा तक वह अवगत सत्य अप्रत्याख्येय होता है। डार्विन के तथ्यों के सम्बन्ध में दूसरी दृष्टियाँ सम्भव हैं, किन्तु वे अधिकांशत: उसकी पूरक ही होंगी, असत्यापक नहीं। इधर पश्चिम के अनुभववादी दार्शनिकों ने इस पर से जो निष्कर्ष निकाला है कि 'वैज्ञानिक सिद्धान्त सत्यासत्य नहीं होते, वे केवल विषयिनिष्ठ व्यावहारिक कल्पनाएँ मात्र होते हैं', उसमें यह दृष्टि-दोष है कि वे चेतना को इन्द्रियात्मक और सत्य को इन्द्रिय-गोचरता तक सीमित देखते हैं। किन्तु डार्विन द्वारा इन्द्रिय-गोचर तथ्य-समवाय में देखा गया सत्य उस दृष्टि का आत्म-प्रकाशन है जो इस सत्य को देखती है, और इस कारण यह कल्पना या सुविधामूलक व्यवस्थापन नहीं होकर चित् और सत् के बीच व्यवधान का निवारण है। इसे और भी अधिक स्पष्टता के साथ तत्त्वमीमांसा में देखा जा सकता है, जहाँ हम सीधे आत्म-व्यवधान के तथ्य से ही जूझते हैं और समग्र आत्म-अव्यवहितत्व को साधना चाहते हैं। इसमें भ्रम उसी प्रकार सम्भव है जिस प्रकार इन्द्रिय-विषय-ग्रहण में; इस भेद के साथ कि इसमें भ्रम के स्तर और प्रकार प्रमेय की विपुलता के कारण असंख्य होते हैं।

स्वतन्त्र सत्त्व के अपने को घटित करने के साथ आत्म-व्यवहित होने का क्या अर्थ है? क्या आत्म-व्यवहितत्व इस घटित होने का अनिवार्य परिणाम है और इस प्रकार संकल्प के वश के बाहर है, या कि संकल्प स्वतन्त्रतया अपने को एक-साथ घटित और व्यवहित करता है? इनमें से जो भी विकल्प हम चुनें उससे यह निष्कर्ष समान रूप से निकलेगा कि घटित होना व्यवहित होना भी है और परिणामत: संकल्प इस व्यवधान का निवारण नहीं कर सकता। यदि कहा जाय कि व्यवधान का आरोप संकल्प का स्वतन्त्र वरण होने से वह स्वातन्त्र्य के द्वारा ही निवार्य है, तो यह ठीक नहीं है, क्योंकि तब यह भी सम्भव होगा कि स्वातन्त्र्य अपने को अव्यवहित रूप में ही घटित करे। वास्तव में अद्वैत वैदान्तिक विवर्तवाद का यही मन्तव्य है : कि व्यवधान स्वतन्त्र संकल्प का स्वतन्त्र वरण है। किन्तु तब स्वतन्त्र वास्तव में कभी अपने को घटित और व्यवहित दोनों ही नहीं करता, अथवा यह भी कहा जा सकता है कि वह घटित तो करता है किन्तु व्यवहित नहीं करता; अपने को व्यवहित करना उसके स्वभाव के विरुद्ध है, स्वतन्त्रतया वह केवल व्यवधान को अनुज्ञापित ही कर सकता है। ऐसा वह किस प्रकार कर सकता है, इसे किसी उपमा से नहीं समझाया जा सकता, क्योंकि सब उपमान लोक से ही हो सकते हैं, जो अनिवार्य व्यवहितत्व का क्षेत्र है।

किन्तु तब यह कहा जा सकता है कि यदि ब्रह्म अव्यवहित संकल्प है : यदि वह घटित होने पर भी पूर्णत: 'अपापविद्ध' है : तब व्यवधान असत् होने से लोक में भी विद्यमान नहीं होगा। यहीं पर स्वातन्त्र्य का निगूढ़ रहस्य निहित है : मानव-चैतन्य व्यवहित चैतन्य है, किन्तु अव्यवहितत्व में अतिक्रमण की सम्भावना और बोध के साथ। एक कवि शब्दों के बिना अपने बोध का साक्षात्कार नहीं कर सकता, न चित्रकार रंग और रेखाओं के बिना अपने बोध का साक्षात्कार कर सकता है, और इन माध्यमों में व्यक्त बोध अनिवार्यत: न्यूनाधिक अपर्याप्त होता है : एक तो बोध के पक्षत: ग्रहण के रूप में और दूसरे, इस अवगत बोध की अभिव्यक्ति की सम्यक्ता के न्यूनाधिक्य के रूप में। यहाँ यह स्मरणीय है कि इनमें प्रथम : पक्ष-ग्रहण : भौतिक माध्यममूलक नहीं होता,

बल्कि यह आद्य घटनामूलक होता है। इसे हमने पीछे और अन्यत्र[1] अहंकार कहा है। किन्तु मानव-चेतना में प्रत्यङ्मुखता स्वयं इस व्यवहितत्व को भी आंशिक बना देती है : कवि के लिए माध्यम एक-साथ व्यवधान और साक्षात्कार का साधन बनता है। कविता में बोध एक-साथ बाधित और स्फुटित होता है, और पुनः, यह बाधा कवि को विदित होती है : शब्द बोध से अनुप्रविष्ट और रूपान्तरित ध्वनि है और कविता में ये शब्द उपादान बनकर आनुभूतिक तत्त्व के साक्षात्कार की अभिव्यक्ति के माध्यम बनते हैं।[2] किन्तु यहाँ सर्वत्र संकल्प अपने को घटित करके ही इस अन्तर्विरुद्ध स्थिति को प्राप्त होता है। घटना-जन्य यह व्यवधान, इस व्यवधान का सृजन और बोध में अतिक्रमण ही वह स्मृति है जिसका उल्लेख हमने पीछे किया था। इस परिस्थिति को यहाँ एक उदाहरण द्वारा स्पष्ट करना स्थाने होगा : असंख्य प्रेम-काव्य प्रेम-तत्त्व को व्यवहित और व्यक्त करते हैं, और एक कवि का प्रेम-काव्य उसके प्रेमानुभव के साक्षात्कार को। यह तत्त्व अपने स्वरूप में अभिन्न होता है, किन्तु घटना और अभिव्यक्ति वैभिन्य को पूर्वकल्पित करती हैं। इस प्रकार कोई पूर्णतः सम्यक् अभिव्यक्ति वह होगी जो विभिन्नताओं को अभिन्न के समतुल्य बना देगी। किन्तु अभिन्न और विभिन्न में एक मौलिक अन्तर है, कि अभिन्न केवल विभिन्नता में ही अपना वैभव और सम्पन्नता देखता है, यद्यपि उस सामग्री की प्रामाणिकता मूल अभिन्न तत्त्व से ही आती है। अब, यह वैभिन्य जितना ही अधिक होता है उतना ही अभिन्न के निकट होता जाता है। यह अभिन्न के समतुल्य तब कहा जा सकता है जब यह 'समग्रता' को पा लेता है : यद्यपि समग्रता को पाना असम्भव है। अभिन्न के विभिन्न होने की क्रिया संकल्प के घटित होने से जनित व्यवधान के निवारण का प्रयत्न है। इस प्रकार व्यवधान का तत्त्व उसके अव्यवहितत्व में है और उसका याथार्थ्य उसके आत्म-निवारण में।

किन्तु मानव-चैतन्य अनिवार्यतः सीमित और व्यक्तिमूलक है और इस प्रकार मूलतः घटनात्मक और व्यवहित तथा भिन्न है। इसलिए जब हम कहते हैं कि मनुष्य अपने को स्वतन्त्रतया घटित करता या अपना आक्षेप करता है तब हमारा अभिप्राय मनुष्यता से नहीं होता, मानव-व्यक्ति से होता है। अब, यदि मानव-व्यक्ति आद्य संकल्प और इस संकल्प के अपने को घटित करने का परिणाम है, तब उसकी व्यक्तिता आद्य और सीमितता अनिवार्य हो जाती हैं। अवश्य वह अपने तत्त्व का संकल्प में अतिक्रमण करता है : इस अर्थ में कि वह अपने व्यक्तित्व का उसके भाव्य या साध्य और उसकी साधनाओं तथा सम्भावनाओं के साथ स्वयं आक्षेप करता है और परिणामतः उससे अतिरिक्त हो जाता है, और इस प्रकार स्वयं उस आक्षेप का निषेध कर अपना अन्य प्रकार से भी आक्षेप कर सकता है, किन्तु वह व्यक्तित्व की सीमाओं का अतिक्रमण नहीं कर सकता, और यदि वह व्यक्तित्व की सीमाओं का अतिक्रमण नहीं कर सकता तब वह अपने आक्षिप्त तत्त्व से भी पृथक् नहीं हो सकता, क्योंकि इस अतिक्रमण की सामर्थ्य का अर्थ होगा कि तब वह ऐसा उद्देश्य है जो विधेय के रूप में किसी भी प्रकार के व्यक्तित्व से अवच्छिन्न हो सकता था : राम रामत्व से अवच्छिन्न है, यह राम का स्वतन्त्र संकल्प है, किन्तु तब राम लक्ष्मणत्व से भी अवच्छिन्न हो सकता था, यदि वह वैसा संकल्प करता, या यदि वह अब वैसा संकल्प करे। दूसरे शब्दों में, व्यक्ति निर्गुण चैतन्य है जो सगुण होने का संकल्प करता है, और वह इस प्रथम अवसर पर जो भी चाहे चयन कर सकता है, और वह प्रत्येक अवसर प्रथम होगा जिसमें वह स्वतन्त्र है। दूसरे शब्दों में, मनुष्य स्वरूपतः तत्त्व-रहित है : अतात्त्विक है : तत्त्व उसका अपना वरण है। अब क्योंकि यह वरण अतत्त्व का है इसलिए यह आगन्तुक है कि वह क्या वरण करेगा। इस प्रकार, भले ही मनुष्य अस्तित्व मात्र नहीं हो, क्योंकि उसका अस्तित्व स्वयं संकल्प द्वारा घटित है और इस प्रकार वह अपने अस्तित्व से पूर्व है, और क्योंकि वह अस्तित्व की इस घटना को संकल्प द्वारा घटित करता है, इसलिए यह भी कहा जा सकता है कि वह अपने को तत्त्व के रूप में घटित करता है। किन्तु तब संकल्प केवल एक रीता आकार मात्र रह जाता है जो इस घटना और

---

1. शल्य — **चिद्विमर्श** पुस्तक में 'आत्म और अनात्म' अध्याय।
2. द्रष्टव्य आगे 'कला-तत्त्व' तथा **चिद्विमर्श** में 'कला-सर्जन' अध्याय।

तत्त्व को उतना ही निरवलम्ब और आगन्तुक छोड़ देता है जितने ये तब होते यदि वे स्वयं आद्य होते। वास्तव में पाश्चात्य अस्तित्ववादी, विशेषत: नास्तिक अस्तित्ववादी, इसी विपन्न स्थिति में हैं।

किन्तु यदि मनुष्य मूलत: व्यक्ति नहीं है तब क्या वह 'मनुष्यत्व' का अस्तित्व में व्यक्तीकरण है, जिस प्रकार गाय गोत्व का? निश्चय ही मनुष्य गाय के समान मनुष्यत्व से निर्दिष्ट और मनुष्यत्व-पार्यन्तिक भी है, किन्तु वह एक बात में गाय से बहुत मौलिक रूप में भिन्न भी है। यह भिन्नता इस बात में है कि उसमें व्यष्टित्व, अथवा कहें अपने तत्त्व का अस्तित्व, आत्म-अवगमन के द्वारा अपना स्रोत स्वयं हो जाता है। आत्म-अवगति या आत्म-चेतना अस्तित्व को प्रथम और नियामक बना देती है और तत्त्व को अवगम्य मूल्य के रूप में उसका परवर्ती बना देती है, क्योंकि अब अवगमन-क्रिया : आत्म-प्रकाशक विचार : आद्य हो जाती है। इस प्रकार मनुष्य, अन्य सत्त्वों से भिन्न, अपने तत्त्व से प्रथम, उसका स्रोत, हो जाता है : गाय गोत्व का आविर्भाव और गोत्व से निर्दिष्ट है, किन्तु मनुष्य न मनुष्यत्व का आविर्भाव है और न उससे निर्दिष्ट, वह आत्म-अवगति में अस्तित्व और तत्त्व का आविर्भाव और इस तत्त्व का स्वतन्त्र अनुसरण है, और परिणामत: अनुसरण में दोष के लिए उत्तरदायी है, जो गाय और पुष्प नहीं हैं। यहाँ पूछा जा सकता है कि मनुष्यत्व का अनुसरण उसके लिए अनिवार्य मूल्य क्यों है? इसका उत्तर होगा कि यदि वह इस मूल्य का निषेध मूल्यान्वेषण में प्रतिष्ठित होकर कर सकता है तो उसमें कोई दोष नहीं होगा, क्योंकि मूल्य में अवगति की, बोध की, प्रतिष्ठा ही मनुष्यत्व का तत्त्व है और परिणामत: वह मूल्यान्वेषण के लिए अनतिक्रमणीय और अनिवार्य है। किन्तु यदि प्रतिष्ठा मूल्य में नहीं है तब वह तत्त्व मात्र से भ्रष्टता है, और वह उसी प्रकार अस्वास्थ्य है जिस प्रकार देह का अस्वास्थ्य। आत्म-चेतन सत्त्व तत्त्व के प्रसंग में अन्य सत्त्वों से इस बात में भिन्न है कि अन्य सत्त्व अपने तत्त्व की अभिव्यक्ति के माध्यम मात्र हैं, वे तत्त्व के अस्तित्व में प्रतिफलन हैं, जैसे शब्द ध्वनि में अर्थ का, घट मिट्टी में घट-प्रत्यय का। किन्तु मनुष्य किसी तत्त्व का अस्तित्व में प्रतिफलन नहीं है, वह तत्त्व का आत्मावगमन है और परिणामत: वह इस अवगमन की सम्यक्ता-असम्यक्ता के रूप में ही अपने तत्त्व को चरितार्थ करता है। इससे वह अपने तत्त्व का निषेध भी कर सकता है, जिस प्रकार घट या गाय नहीं कर सकते, किन्तु तत्त्व का यह निषेध तभी वास्तव होता है जब वह अवगति में निषिद्ध या विपरीत होता है, जैसे ऐन्द्रिक सुखों का मूल्य के रूप में अनुसरण, या प्रतिशोध का मूल्य के रूप में अनुसरण। इस प्रकार तत्त्वागमन के क्रम में कोई ज्ञानमार्गी हो सकता है और कोई भक्तिमार्गी, कोई कलाकार हो सकता है और कोई वैज्ञानिक, कोई तत्त्वमीमांसी दार्शनिक हो सकता है और कोई तत्त्वमीमांसा-विरोधी दार्शनिक। ये सम्भावनाएँ आत्म-अवगमन के अंशत: व्यवहित होने की द्योतक होती हैं।

किन्तु आत्मावगमन को अपने सत्त्व का स्रोत कहने का अर्थ है व्यष्टित्व की सीमा को न केवल अस्तित्वात्मक अनिवार्यता दे देना बल्कि ज्ञानात्मक अनिवार्यता भी दे देना, जो सीमा को और अधिक अलंघ्य बना देता है : "मैं विचारता हूँ, अत: मैं हूँ" का एक अर्थ है कि विषयावगमन युगपद् रूप से आत्मावगमन भी है और यह आत्म के अस्तित्व को घटित करता है। किन्तु साथ ही इसका यह अर्थ भी है कि यह अवगमन इतर-व्यावृत्ति का बोध है जो युगपद् रूप से आत्म और इतर के व्यावर्तक द्वन्द्व के रूप में घटित होता है। यहाँ आपत्ति की जा सकती है कि डेकार्ट का यह मंतव्य नहीं था, उसके अनुसार 'मैं विचारता हूँ' में 'मैं' का अस्तित्व ही अभिप्रेत था, इतर का नहीं। किन्तु प्रथम तो हमारा प्रसंग यहाँ डेकार्ट का मंतव्य देखना नहीं है, और दूसरे, डेकार्ट का यह मंतव्य भी था, उसका ध्यान उसे भले ही नहीं हो, क्योंकि वह 'मैं' का : आत्म का : अस्तित्व केवल सीमित सत्त्व के रूप में ही मानता है, जिसके आधार पर वह असीमित को युगपद् रूप से साक्षात्कार्य : प्रातिभ-अवगम्य : मानता है। अब, सीमित सत्त्व से असीमित सत्त्व भले ही प्रातिभ यौगपद्य के रूप में अवगम्य नहीं हो, व्यावर्तक इतर अवश्य इस रूप में युगपद् अवगम्य हो जाता है। वास्तव में सीमित से असीमित का पूरक के रूप में आक्षेप : आत्म के समान प्रातिभ आक्षेप : हो भी नहीं सकता, क्योंकि असीमित सीमित का पूरक नहीं होकर उसका समावेशक होता है, और वह भी 'मैं हूँ' के मौलिक साक्षात्कार होने से असम्भव है। डेकार्ट में यह दुविधा

की परिस्थिति है, क्योंकि उसमें एक ओर सीमित आत्मप्रत्यङ्मुख विचार-क्रिया में साक्षात्कृत मौलिक सत्त्व : आत्म : है और दूसरी ओर ईश्वर है जो सर्वसर्जक, और इस प्रकार इस आत्म का भी सर्जक है। किन्तु यह दुविधा डेकार्ट की मौलिक दृष्टि पर पारम्परिक धार्मिक दृष्टि का आरोप मात्र है। इस प्रकार 'मैं विचारता हूँ' युगपद् रूप से 'इतरव्यावृत्त-इतर-व्यावर्तक आत्म द्वारा अस्तित्व में अपने आविर्भाव का साक्षात्कार है।'

किन्तु यदि यह सही है, तो न मैं स्वतन्त्र हूँ और न मेरे स्वातन्त्र्य के लिए कोई सम्भावना है, क्योंकि मैं तब अवश रूप से इतर से परिसीमित हूँ। किन्तु यहाँ द्रष्टव्य है कि ये 'आत्म' और 'इतर' केवल रिक्त आकार हैं जिनकी अन्तर्वस्तु कुछ भी हो सकती है, और इस प्रकार इतर न केवल आकारिक व्यावर्तक ही होता है बल्कि आत्म को उसके मूल में परतन्त्र भी बना देता है। उदाहरणत: इतर की अन्तर्वस्तु ऐन्द्रिक विषय, भौतिक परिवेश, अन्य व्यक्ति, संस्कृति, अपनी इन्द्रियाँ, ऐन्द्रिक कामनाएँ, देह, कुछ भी हो सकती है, और वास्तव में ये सब हैं। ऐसी अवस्था में 'मैं' केवल अहं-आकार, और अन्तर्वस्तु के रूप में अपने इतर-व्यावृत्त अस्तित्व के आक्षेप की क्रियामात्र शेष रह जाता है।

किन्तु वास्तव में यह केवल अवगमन का जैव स्तर मात्र है जो पाशव के तारतम्य में है। अवगमन का प्रत्यङ्मुख स्तर आकार का अन्तर्वस्तु से पृथक् ग्रहण कर सकता है और इस प्रकार वह 'मैं' को अपने अस्तित्व के आक्षेप की क्रिया से पृथक् ग्रहण कर अशेष अहं-प्रत्ययों में एक तथा अनियत अहं-प्रत्यय के रूप में पाता है। इसमें इतर अनिवार्यत: व्यावर्तक नहीं होकर उस समग्रता का द्योतक होता है जो प्रत्येक सीमित का समावेश करता है। शब्दार्थ की अपोहात्मकता के सिद्धान्त का वास्तव आशय यह है : 'गाय' पद 'अगाय' पद से व्यावर्तन की पारस्परिकता में, या अगाय से व्यावर्तन के द्वारा, अर्थज्ञापक होता है। इसका अर्थ हुआ कि 'गाय' पद 'अगाय' के सहित अर्थ-ज्ञापक होता है। इसी प्रकार अपने आक्षेप की क्रिया युगपद् रूप से समग्र में अपने अतिक्रमण की क्रिया भी है : 'मैं हूँ—और—वह समस्त है जिसके सहित मैं हूँ।' इसके अतिरिक्त, जैसा कि हेगल ने दिखाया है, 'मैं' पद वस्तुवाचक प्रयोग में जबकि मेरी इतर-व्यावर्तक अनन्य अस्मिता का वाचक है, पद के रूप में यह सर्वनाम है और इस प्रकार किसी भी इतर-व्यावर्तक अस्मिता का वाचक है।[1] यह स्थिति मुझे इतर को मेरे स्थान से और मेरे को इतर के स्थान से देखने और समझने की सामर्थ्य देती है। यह मुझे प्रातिभ साक्षात्कार से वंचित किये बिना मनोवैज्ञानिक विषयिनिष्ठता के ग्राह से मुक्त कर सार्वभौमता और निस्सीमता के व्योम में प्रतिष्ठित कर देती है : मैं एक-साथ इस बिन्दु और सब बिन्दुओं पर अवस्थित हो जाता हूँ। किन्तु यह इतर से सहितता भी आत्म को स्वातन्त्र्य नहीं देती, यद्यपि पारतन्त्र्य की अनिवार्यता को समाप्त कर देती है। इसके अतिरिक्त, यह 'मैं' के साथ साम्मुख्य की न तो प्रथम घटना है और न सहज स्थिति : "अपने को स्वतन्त्रतया घटित करने की क्रिया" मेरा संसार में जन्म लेना नहीं है, न मैं साधारणत: विचार, अनुभूति और कर्म में अपने को स्वतन्त्रतया घटित करता हूँ। ये सब पारतन्त्र्य की ही स्थितियाँ हैं। स्वातन्त्र्य पारतन्त्र्य के निवारण की क्रिया के रूप में प्रकट होता है, जो पारतन्त्र्य पर के तन्त्र में अपना तादात्म्य देखने में है। जब **भगवद्गीता** इन्द्रिय-व्यापार से अपना पार्थक्य घटित करने की बात कहती है[2] तब वह इसी स्वातन्त्र्य की बात कहती है। इस प्रकार अपने पार्थक्य को घटित करना ही स्वातन्त्र्य में अपने को घटित करना है। इस प्रकार कहा जा सकता है कि अन्तत: मानव-स्वातन्त्र्य निषेध की क्रिया ही है। किन्तु ऐसा नहीं है, क्योंकि स्वातन्त्र्य वास्तव में आत्म-प्रतिष्ठापन है, यह वास्तव में आत्म-निषेध का : अनात्म का : निषेध कर अपने साथ यौगपद्य की सिद्धि है। मौलिक आत्म निषेध की यह अवगति और उस निषेध का निषेध विशिष्ट रूप से मानवीय परिस्थिति है। मनुष्य सीमित और विशिष्ट : अवच्छिन्न : है किन्तु सीमा और अवच्छिन्नता के बोध के द्वारा अपने स्वरूप की अतिक्राम्यता की अवगति के साथ। किन्तु यह

---

1. हेगल, **लॉजिक,** पृ. 31.
2. **भगवद्गीता**—3/6.

अतिक्रमण वास्तव होने पर उसे ईश्वर से अभिन्न कर देता है, जो उसकी प्रदत्त स्थिति के दृष्टिकोण से नाम खोकर सर्वनाम मात्र : वस्तु से रीता उसका आकार मात्र : रह जाना है। निर्वाण या शांकर मोक्ष इसी प्रकार की तत्त्वोपलब्धि है जो कम संत्रासजनक नहीं है। इसी से अधिकांश धर्मों ने ईश्वर से तादात्म्य को नहीं बल्कि उससे सान्निध्य को पुरुषार्थ माना है। किन्तु यह सान्निध्य उसे दूसरा संत्रास देता है : तत्त्व से व्यवहित रहने की अनिवार्यता का संत्रास।

किन्तु अस्तित्व के स्तर पर इस उभयतोपाश (डाइलेमा) के संत्रास की स्थिति दुर्निवार होने पर भी मनुष्य उद्ग्रहणात्मक (एब्स्ट्रेक्ट) स्तर पर इससे मुक्ति की कुछ आशा रखता है। जैसे कि हेगल ने संकेत किया है, 'मैं' पद मेरी अद्वितीय अस्मिता का वाचक होने के साथ अपने भाषिक प्रयोग में किसी की भी अस्मिता का वाचक है। यह प्रत्यङ्मुखता मुझे आत्म के प्रातिभ साक्षात्कार से वंचित किये बिना विषयिनिष्ठता के ग्राह से मुक्त कर सार्वभौमता और निस्सीमता दे देती है। वास्तव में यह दृष्टि स्वयं प्रातिभ को भी रूपान्तरित कर देती है : इसका साक्षात्कार्य आत्म अब अस्तित्व नहीं होकर तत्त्व होता है—मानव-अस्मिता का तत्त्व।

ज्ञातृत्व

ज्ञान, प्रमा और अप्रमा दोनों का समावेश करते हुए, चित्त की विषयवृत्ति या विषयापेक्षा है और ज्ञातृत्व इस वृत्ति का प्रत्यङ्मुख प्रेक्षकत्व। विषय इस अपेक्षा-वृत्ति का लक्ष्य या पर्यवसान-पक्ष है। विषय को प्राय: ही इतर, अनात्म और प्रतिरोधक के रूप में परिभाषित किया गया है : साँख्य ने इस इतरत्व को विषय की आन्तर संरचना के रूप में देखा है और सार्त्र ने विषयी की आन्तर संरचना के रूप में,[1] किन्तु वास्तव में यह विषयमात्र का अनिवार्य लक्षण नहीं है। अपेक्षा का लक्ष्य अपेक्षी का आत्मबाध नहीं होकर उसकी पूर्ति ही होना चाहिए : अपेक्षी द्वारा विषय में प्रमा का अन्वेषण और अप्रमा के निवारण की आकुलता विषय के इसी स्वरूप की ओर संकेत करती है। प्रमा अपेक्षा और विषय के सारूप्य की सिद्धि है, अप्रमा इस सारूप्य का अभाव है। यद्यपि प्रमाण प्रकटत: विषय की अतिक्रान्तता और इस प्रकार इतरता का द्योतक होता है, क्योंकि यह विषय की सत्ता के लिए संकेत या लक्षण मात्र बनता है, किन्तु यह वास्तव में स्वयं अपेक्षा वृत्ति की अपनी ही आन्तर संरचना से निर्धारित अनुभव होता है जो अपनी परिपूर्णता में विषय-पर्यवसायी होता है। उदाहरणत: किसी भौतिक विषय के लिए प्रमाण स्वयं इन्द्रियानुभव की आन्तर संगति बनती है और प्रमाण-फल वह वस्तु होती है जो इन प्रमाणों से लक्षित होती है। अवश्य ऐन्द्रिय विषयों में एक प्रकट स्वतन्त्रता भी रहती है, किन्तु जैसाकि हम पीछे देख आये हैं यह स्वतन्त्रता वास्तव में उनकी प्रत्ययमूलकता के पक्ष में होती है, जबकि प्रमाण इन्द्रियमूलक होते हैं। इस प्रकार भौतिक विषय की यह बाह्यता वास्तव में उसकी चित् से निकटतरता में निहित होती है। किन्तु यह बाह्यता भी सभी विषयों का लक्षण नहीं है। उदाहरणत: तत्त्व, जोकि विचार-विषय : प्रत्यय : होते हैं, स्वतन्त्र होकर भी इतरता में मुखर नहीं होते : हम प्रत्यय का विचार में प्रत्यक्ष करते हैं, उसका हमारा ग्रहण प्रमा या अप्रमा भी होता है और परिणामत: वह : प्रत्यय या तत्त्व : विचार से स्वतन्त्र प्रकट होता है, किन्तु तब भी प्रत्यय इतर के रूप में प्रकट नहीं होकर विचार के आन्तर सत्त्व के रूप में ही प्रकट होता है। किन्तु प्रत्यय के सर्वसाधारण और प्रमाणीकरणीय होने से वह भी आन्तर (इम्मेनेंट) नहीं होकर अतिक्रामी ही होता है। किन्तु तब भी ऐन्द्रिय विषयों से इसके ज्ञान में एक आधारभूत भेद रहता है जो इसकी अतिक्रान्तता को और अधिक मुखर बनाता है, और वह यह कि जबकि भौतिक विषयों के लिए प्रमाण हमारी चैत्तस्थितियाँ (संवेद) होती हैं, प्रत्ययों के लिए प्रमाण चैत्तस्थिति से सर्वथा निरपेक्ष होते हैं : विचार-क्रिया प्रत्यय के विदित होने के लिए अवसर या प्रसंग बनती है किन्तु वह उसके लिए प्रमाण नहीं होती, जबकि देश-काल विशेष में घट के होने के लिए प्रासंगिक ऐन्द्रिय संवेदों का घटित होना प्रमाण होता है। किन्तु हमारी अपनी मन:स्थितियाँ भी विषय होती हैं, उदाहरणत: हमारे निजी क्रोध-प्रेम, इच्छा-अनिच्छा तथा सुख-दु:ख भी हमारे विषय होते हैं और इनके लिए इनका घटित होना ही प्रमाण और प्रमाण-फल होता है। दूसरे शब्दों में, इनके घटित होने में विषयि-विषय-तादात्म्य होता है, अथवा कहें, विषयि-विषय-भाव नहीं होता और इस प्रकार ज्ञान की स्थिति ही नहीं होती। यद्यपि यह सही है कि तत्क्षण ही यह स्थिति विषयि-विषय-द्वैत में उद्भिन्न हो जाती है, किन्तु आवेग से अत्यधिक अभिभूत होने की स्थिति में यह भेद नहीं रहता, अत्यधिक विचार-मग्नता की अवस्था में भी यह भेद नहीं रहता, अथवा कहें यह भेद उस अवस्था में अत्यधिक क्षीण होता है। इससे हम चेतना के ऐसे स्तर का अनुमान कर सकते हैं : जैसे कृमियों और वनस्पतियों में : जिसमें यह तादात्म्य कभी खण्डित ही नहीं होता और इस प्रकार ज्ञान की स्थिति कभी उपलब्ध नहीं होती। किन्तु इस

---

1. साँख्य प्रकृति को विषय के रूप में परिभाषित करता है जो प्रकृति कि नितान्त आत्म (पुरुष) के लिए नितान्त इतर है। सार्त्र विषय को निम्न प्रकार से परिभाषित करता है : "दि फार इट्सेल्फ इज़ ए बींग सच दैट इन इट इट्स बींग इज़ इन क्वश्चन इन सो फार ऐज़ दिस बींग इज़ एसेंश्यली ए सर्टेन वे ऑफ नॉट बींग ए बींग : ह्विच इट पाज़िट्स साइमल्टेनियस्ली एज़ अदर दैन इट्सेल्फ (**बींग एण्ड नथिंगनेस**)", पृ. 242.

तादात्म्य की स्थिति का उस स्थिति में परिणत होना जिसमें यह प्रेक्ष्य या विषय बनती है इस बात का द्योतक है कि प्रेक्षक भाव उस स्थिति में भी आवृत या प्रसुप्त रूप में विद्यमान रहता है। इस प्रकार कहा जा सकता है कि प्रेक्ष्यता या विषयता चेतना में आद्य है। किन्तु प्रेक्ष्यता चेतना का तत्त्व नहीं हो सकती, यह चेतना का निर्गमन या निर्गतता होती है : 'मैं क्रुद्ध हूँ' में क्रोध प्रतिस्थापित होता है। अवश्य यह मदीय होता है किन्तु तब भी मेरे से पृथग्भूत होता है, जिस पर मैं विचार कर सकता हूँ, जिसका मूल्यांकन कर सकता हूँ और जिसका अभिभव भी कर सकता हूँ। किन्तु अभिभव कर सकना इस विषय को ऐन्द्रिय विषयों और विचार-विषयों से मौलिक रूप में भिन्न करता है, यद्यपि यह इसकी प्रेक्ष्यता को न्यून नहीं बनाता। चैत्तस्थितियों का प्रेक्ष्य-रूप में निष्कासन प्रेक्षक-भाव द्वारा होता है जो अतिमानसिक चित् का आत्मभाव है। इस प्रेक्षक-भाव को प्रत्यङ्मुखता कहा जाता है : अर्थात् चित् की अपनी ओर उन्मुखता। प्रेक्षक-भाव का यह निरूपण पहली दृष्टि में अयुक्त प्रतीत हो सकता है, क्योंकि प्रेक्षक अनिवार्यत: प्रेक्ष्योन्मुख ही हो सकता है : जिस प्रकार प्रेक्ष्य प्रेक्षक-भाव का सापेक्ष है, उसके बिना वह अभिन्न मन:स्थिति मात्र है, उसी प्रकार प्रेक्षक-भाव भी प्रेक्ष्य-सापेक्ष ही हो सकता है, जिसके बिना वह उस मन:स्थिति में ही निमीलित रहता है। किन्तु यह निरूपण सही नहीं है, प्रेक्षक-भाव का आविर्भाव या उन्मीलन प्रेक्ष्य-भाव से विमुखता के रूप में होता है जिसे प्रेक्ष्य प्रस्तुत होता है, किन्तु यह प्रस्तुति भी प्रेक्षकत्व के लिए अनिवार्य नहीं होती। किन्तु तब कहा जा सकता है कि जब प्रेक्ष्य प्रस्तुत नहीं होता तब स्वयं प्रेक्षक ही अपने को प्रस्तुत होता है और इस प्रकार इस प्रस्तुति में प्रेक्षक-प्रेक्ष्य के द्वैत की स्थिति उत्पन्न होती है : उदाहरणत: (1) मैं जानता हूँ कि (मैं दु:खी हूँ), (2) मैं जानता हूँ कि (मैं जानता हूँ कि, मैं दु:खी हूँ), (3) मैं (अपने जानने के जानने के जानने को) जानता हूँ, आदि। किन्तु सम्भवत: इसमें प्रेक्षक-भाव को विषयापेक्षा-रूप देखना भ्रान्ति है। वास्तव में इसमें प्रेक्षक-भाव की केवल निवर्तनात्मकता और प्रत्यक्स्वरूपता प्रकट होती है, प्रेक्ष्यापेक्षा : विषयापेक्षा : नहीं। और प्रेक्षक-भाव के निवर्तनात्मक होने से प्रेक्ष्य प्रेक्षक को निर्धारित नहीं करता बल्कि यह प्रेक्षक है जो अपने को उपलब्ध कर अपने को कभी खोने या सापेक्ष नहीं होने देता। अन्यथा 'मैं जानता हूँ कि मैं दु:खी हूँ' में प्रकट प्रेक्षक-भाव प्रेक्ष्य दु:ख के साथ सापेक्ष अवस्थिति में ही सन्तुष्ट हो जाना चाहिए था, अथवा वास्तव में इस सम्मुखीनता या उद्भिन्नता की भी आवश्यकता नहीं थी, दु:खिता अपने-आप में पर्याप्त थी। किन्तु प्रेक्षकत्व इस मन:स्थिति में से उद्भिन्न होता है और यह उद्भिन्नता प्रकट हो जाने पर, अथवा कहें प्रेक्षक-भाव के एक बार प्रेक्ष्य से मुक्त हो जाने पर, वह इस बन्धन का निरन्तर निषेध करता है।

किन्तु यहाँ आपत्ति की जायगी कि ज्ञान-स्थिति 'मैं दु:खी हूँ' अथवा 'यह घट है' प्रकार से निरूपित होती है, जिसमें दु:ख-विशिष्ट 'मैं' अथवा घट-विशिष्ट 'यह' प्रेक्ष्य रूप में इन अध्यवसायों में अप्रकट या अनिर्दिष्ट प्रेक्षक को प्रस्तुत होते हैं। प्रेक्षक इनमें निर्दिष्ट नहीं होता क्योंकि वह निर्दिष्ट हो ही नहीं सकता, क्योंकि वह निर्दिष्ट होते ही प्रेक्ष्य हो जाता है : वह केवल प्रेक्ष्य के माध्यम से, उसकी अपेक्षा से, उद्भासित होता है, और इस प्रेक्षक के बिना उसकी अपनी कोई स्थिति नहीं होती। यह आपत्ति उस सीमा तक सही है जहाँ तक यह चित् के विषयभाव का निरूपण करती है, उस अवस्था में प्रेक्षक-भाव प्रेक्ष्य-भाव के अधीन रहता है। 'मैं दु:खी हूँ' में मेरी मन:स्थिति मुख्य है, यह मेरे ध्यान को आकृष्ट किये रहती है, किन्तु 'मैं जानता हूँ कि (मैं दु:खी हूँ)' में केन्द्र दु:खिता नहीं आत्म हो जाता है जो दु:ख-विशिष्ट है। यह दु:खिता मन:स्थिति होने से स्वविदित होती है, इसे विदित होने के लिए किसी अन्य अधिष्ठान की आवश्यकता नहीं होती, इसलिए आत्म-प्रसंग अथवा प्रेक्षकत्व यहाँ संवेदनात्मक या संज्ञानात्मक नहीं होकर आत्म-निवर्तनात्मक होता है और इस निवर्तन में ही यह प्रेक्ष्य या विषय को भी अपने में अधिष्ठित करता है।

प्रेक्षकत्व की इस प्रकार नितान्त अविषयता के कारण ही बौद्ध और ह्यूम तथा उनके अनुयायी आत्मा को संस्कार-प्रवाह के अतिरिक्त कहीं नहीं देख सके और कांट ने इसे केवल एक रिक्त आकार मात्र के रूप में देखा। किन्तु द्रष्टव्य है कि ये लोग प्रेक्षकत्व पर विचार नहीं कर अस्मिता (आई-सेल्फ) पर विचार कर रहे थे, जो उस प्रकार अविषय नहीं है जिस प्रकार प्रेक्षकत्व है। अस्मिता प्रेक्षकत्व से निकटत: सम्बन्धित अवश्य होती है, किन्तु यह प्रेक्षकत्व नहीं होती।

यह अस्मिता क्या है? यदि इसे अनुभव-विषय के रूप में लें तो यह अन्य आन्तर विषयों के समान एक विषय होगी और तब यह वर्तमान में संवेद्य, अतीत में स्मरणीय और भविष्यत् में सम्भाव्य होगी। किन्तु ऐसा स्वीकार करने में आधारभूत आकारिक कठिनाई है। क्योंकि तब अनुभव के अतीत, वर्तमान और भविष्यत् में एकत्व के लिए, और इस प्रकार विषय की एकता के लिए, आधार क्या होगा? स्वयं में अनुभव संक्रमणात्मक है और यह अतीत का संग्रह 'अपने अतीत' के रूप में नहीं कर वर्तमान के निर्धारण के रूप में करता है। अर्थात् अनुभवगत अतीत और भविष्यत् (भविष्योन्मुखता) वर्तमान अनुभव में ही सन्निहित रहते हैं। इसी प्रकार अस्मिता का आधार स्मृति नहीं हो सकती, क्योंकि स्मृति वास्तव में अस्मिता की पूर्वापेक्षी होती है। यह सही है कि हम स्मृति में अनुभवों का भी संग्रह करते हैं और अपना भी : 'मैं कल दिल्ली गया था', 'मैं परसों जयपुर में था' : और इस प्रकार स्मृति हमारी अतीत में विद्यमानता और भविष्यत् में रहने की सम्भावना के लिए आधार बनती है, किन्तु अस्मिता की एकता या अभिन्नता के बिना स्मृति अधिक-से-अधिक वर्तमान अनुभव-प्रवाह में संगृहीत ही हो सकती है, जो प्रवाह अतीत का अतीत के रूप में आकलन नहीं कर सकता। किसी अनुभव के स्मृति होने के लिए उसका अस्मिता के अतीत में कालांकित होना आवश्यक होता है। इसके अतिरिक्त, स्मृति जिस प्रकार बिना किसी क्रम के अतीत घटनाओं का आह्वान करती है उससे उन घटनाओं की अतीतता और इस प्रकार कालक्रमिकता असन्दिग्ध रूप से उन घटनाओं (अनुभवों) के बाहर अस्मिता में अवस्थित होती है। किन्तु यहाँ यह और द्रष्टव्य है कि स्मृति का विषय अनुभव नहीं होकर अनुभव का उद्गृहीत प्रत्यय होता है जो शुद्ध प्रेक्षकत्व को पूर्वप्रेक्षित करता है। स्मृति अनुभव के प्रेक्षक-प्रेक्ष्यत्व में उद्भिन्न होने और स्वयं प्रेक्ष्य के अनुभव-प्रवाह से बाहर प्रेक्षकत्व के अधीन निरूपित होने से सम्भव होती है। मैं उस घट का या अपने दुःख का स्मरण स्वयं घट और दुःख के अनुभव की अविद्यमानता में करता हूँ, स्मृति में ये अनुभव नहीं इनके प्रत्ययात्मक आकार और उद्गृहीत बिम्ब प्रेक्षक-भाव को प्रस्तुत होते हैं जिनका आकलन अस्मिता के काल-व्यापी अकालिक एकत्व में होता है : कालातीत मैं घट-ग्रहण या दुःखिता के कालगत अनुभव के कालातीत आकार को उद्गृहीत कर आकारात्मक काल की उद्गृहीत व्यवस्था में संस्थानित करता हूँ। 'कल मैं दुःखी रहा' में न दुःख का अनुभव है और न व्यतीयमानता का, इसमें दुःख और व्यतीयमानता दोनों प्रत्ययाकारों में रूपान्तरित होकर अस्मिता के अधीन प्रेक्षकत्व को प्रस्तुत होते हैं। ऐसा नहीं है कि कल दुःख के समय यह आकार उद्गृहीत नहीं था, प्रेक्षकत्व का यह अनिवार्य स्वभाव है कि यह आकार ही को प्रेक्ष्य बनाता है और इस प्रकार यह स्वयं मनःस्थिति को भी, उसकी प्राकृतिकता से उद्गृहीत कर, चित्त की प्रत्यङ्मुख वृत्ति में रूपान्तरित कर लेता है। किन्तु जैसाकि स्पष्ट होना चाहिए, प्रेक्षकत्व स्वयं अस्मिता नहीं है, क्योंकि अस्मिता प्रेक्ष्य और मनःस्थिति दोनों में इनके अधिष्ठान के बोध के रूप में सहचरित होती है। प्रेक्षकत्व के विपरीत यह (अस्मिता) विदित या अवबोधित भी होती है, यद्यपि इस पूर्वगामिता का यह अर्थ नहीं है कि यह कालतः अनुभव की नियत प्राग्वर्ती होती है, न इसका अर्थ तार्किक पूर्वापेक्षा ही है। वास्तव में अनुभव होने के लिए यह किसी भी प्रकार अनिवार्य नहीं है, जैसे साधारणतः बोलते हुए हम बोलने की क्रिया में घटित किसी भी संवेद का अस्मितापूर्वक ग्रहण नहीं करते, जिसका करते हैं, जैसे गला खराब होने पर गले के दर्द का, उसके वेदनात्मकतया घटित होने के लिए यह अनिवार्य नहीं है कि वह अस्मिता-सहित घटित और विदित हो। वास्तव में यह भी कहा जा सकता है कि इसका उन्मीलन अनुभव के प्रत्यय में रूपान्तरण का सहगामी होता है, और परिणामतः यह अनुभवमूल या अनुभवाश्रय भी नहीं होती। किन्तु अस्मिता के होने पर यह : अस्मिता : अनुभव को अधिष्ठित करती है। यह कहा जा सकता है कि यह अस्फुटतः अनुभव के सभी स्तरों पर विद्यमान होती है और जीव चेतना के जिस भी स्तर पर होता है : दैहिक, मानसिक (आवेगामक), या बौद्धिक : उसी पर यह उसकी एकता को, सावयवता को, धारण करती है। हमें यह विचार युक्त प्रतीत होता है, क्योंकि जिस प्रकार मनःस्थिति प्रेक्षकत्व में ग्राह्य होकर ही प्रेक्ष्यत्व के रूप में स्फुट होती है, अन्यथा विषय-रूप में अस्फुट रहती है, उसी प्रकार अस्मिता के लिए भी है, यह भी चेतना के बौद्धिक स्तर पर ही प्रेक्षकत्व के लिए प्रेक्ष्य बनती है, जिसका अर्थ है कि अस्मिता के लिए स्फुटतः ग्राह्य होने के लिए उसी प्रकार आकार में रूपान्तरित होना अपेक्षित होता है जिस प्रकार मनःस्थितियों के लिए। किन्तु इसका अर्थ यह नहीं है कि इस प्रकार स्फुट हुए

बिना ये अस्फुटत: विद्यमान नहीं रहती, जैसे वेदना के लिए यह नहीं कहा जा सकता कि यह अध्यवसाय-विषय के रूप में स्फुट हुए बिना विदित ही नहीं होती। किन्तु यह अस्मिता प्रेक्ष्य होने पर भी अन्य विषयों के समान विषय नहीं होती, यह जैव अस्तित्व में अधिष्ठातृत्व के सामान्य बोध के रूप में सब अनुभवों, सब ज्ञप्तियों और सब विषयों को अपने में धारण करती है। इस प्रकार वास्तव में 'यह घट है' अथवा 'मैं दु:खी हूँ' अथवा 'घर चलूँ' आदि वाक्यों में व्यक्त ज्ञप्तियाँ या आकांक्षाएँ इस अधिष्ठातृत्व में आधृत होती हैं और इसके सहित प्रेक्षकत्व को प्रस्तुत होती हैं। किन्तु विषय हुए बिना प्रेक्ष्य होने का क्या अर्थ है? किस प्रकार अस्मिता अविषय होकर भी प्रेक्ष्य होती है? 'मैं दु:खी हूँ' में 'मैं' क्या दु:ख-विशिष्ट विशेष्य के रूप में उसी प्रकार विषय नहीं है जिस प्रकार 'यह घट काले रंग का है' में काले रंग से विशिष्ट घट विषय है? वास्तव में कांट ने जब उपुर्यक्त प्रकार के वाक्यों में प्रयुक्त 'मैं' पद को प्रातिभासिक (फिनोमिनल) अस्मिता का वाचक कहा तब उसका यही अभिप्राय था। किन्तु वास्तव में इस प्रकार के वाक्यों में भी अस्मिता घट के समान या दु:ख के समान विषय नहीं होती, न यह विचारगम्य प्रत्यय : यथा 'घट वर्तुलाकार बर्तन है' : के समान ही विषय होती है। उदाहरणत: 'यह मैं हूँ' वाक्य लें, जिसमें स्वयं अस्मिता ही वाच्य है। किन्तु स्पष्टत: इस वाक्य में 'मैं' वक्ता के अपने देह का निर्देश करता है जो देह घट के समान भौतिक विषय है और इस प्रकार सब के लिए समानत: गम्य है। किन्तु स्पष्टत: 'मैं' सर्वगम्य विषय नहीं हो सकता, यद्यपि ऐसा भी नहीं कि 'मैं' शब्द श्रोता के लिए वाक्यीय आकांक्षा का पूरक शब्द-मात्र है जिस प्रकार, एक प्रकार से, 'यह घट है' में 'यह' पद है। द्रष्टव्य है कि वक्ता यहाँ श्रोता को वास्तव में इस पद द्वारा सूचना देना चाहता है और श्रोता यह सूचना प्राप्त करता है, किन्तु दोनों के लिए यह पद नितान्त भिन्नार्थक होता है : वक्ता यहाँ आन्तरत: अवगम्य आत्म-साम्मुख्य के अद्वितीय बोध को व्यक्त कर रहा है जबकि श्रोता शब्द-ग्राह्य सामान्य प्रत्यय के विशेष निर्देश का ग्रहण कर रहा है। यद्यपि प्रथमत: वक्ता यहाँ अपने बाह्यत: दृश्य देह का ही निर्देश कर रहा है, किन्तु तब भी वह उससे तदात्म नहीं होता, देह का यह निर्देश वह न्यूनाधिक श्रोता से तदात्म होकर करता है, यद्यपि वक्ता और श्रोता किसी के लिए भी 'मैं' पद केवल दृश्य देह का वाचक नहीं होता। निर्दिष्ट देह वक्ता की अस्मिता का विशिष्ट अधिकार होती है, इसे वह 'मेरी देह' के रूप में देखता है। किन्तु जब वह कुर्सी पर बैठता है, या सामने आती हुई कार से बचने के लिए एक ओर हटता है, अथवा जब वह आलिंगन करता है, उस समय यह देह उसका विशेषाधिकार नहीं होकर उससे अभिन्न होती है। यह अपने से अभिन्न, देश के नियोजनों की कर्तृ और वेदनाओं की भोक्तृ होती है और इसी कर्तृ और भोक्तृ रूप में यह अविषयतया प्रेक्ष्य होती है। इस प्रकार 'यह मैं हूँ' में वक्ता श्रोता के लिए इस अविषयगोचर अस्मिता का विषयकरण करता है। वक्ता के लिए यह अवषियगोचर अस्मिता क्रोधादि आवेगों, विषय-प्रत्यक्ष और विचार आदि सभी चेतना-क्रियाओं में विद्यमान होती है। अवश्य इसकी संरचना में इतर का व्यावर्तन भी सम्मिलित रहता है : मैं एक सीमित अस्तित्व के रूप में ही अपना ग्रहण करता हूँ : किन्तु यह उसकी संरचना में एकमात्र घटक नहीं है, यद्यपि आधारभूत घटक अवश्य है। अस्मिता में इतर-व्यावर्तन का घटक होना इसकी विषयता और प्रत्यङ्मुखता दोनों का द्योतक है। विषयता का इसलिए क्योंकि व्यावर्तक और व्यावृत्त विषय होता है और परिणामत: अस्मिता के किसी प्रकार से विषयों के साथ अवस्थित हुए बिना यह व्यावर्तन नहीं हो सकता, और प्रत्यङ्मुखता का इसलिए क्योंकि यह व्यावर्तन 'घट का पट से' या 'घटत्व का पटत्व से' प्रकारक नहीं होता बल्कि आत्म का आत्मेतर से होता है, जिस इतर के साथ तादात्म्य को तोड़कर चित्त अपनी ओर लौटता है। द्रष्टव्य है कि यह प्रत्यावर्तन प्रेक्षकत्व जैसा नहीं है, क्योंकि प्रेक्षकात्मक प्रत्यावर्तन आत्यन्तिक होता है, और इस रूप में अनन्त भी कि प्रत्येक प्रेक्षकात्मक प्रत्यावर्तन प्रेक्ष्य हो सकता है, जो वास्तव में उच्चतर प्रेक्षण का आविर्भाव है। किन्तु तब इसका अर्थ हो जाता है कि अस्मिता अनिवार्य रूप से विषय-व्यावर्तक और इस प्रकार विषय-सापेक्ष होती है। किन्तु ऐसा भी नहीं है। अपनी मन:स्थितियों की प्रेक्ष्यता में : 'मैं दु:खी' : अस्मिता इनका विशेषणों के रूप में धारण करती है और इस प्रकार विषयता यहाँ इतर और व्यावर्तक नहीं होकर अस्मिता की अपनी अभिव्यक्ति होती है। किन्तु तब भी अस्मिता आन्तरत: व्यावृत्त अस्तित्व है : 'मैं' 'पर' से प्रत्यावर्तित हुए बिना 'मैं' नहीं हो सकता, तब चाहे 'पर' की उपस्थिति सदैव स्पष्ट नहीं हो। उदाहरणत: 'मैं विचारता हूँ' में 'मैं' 'अन्य नहीं विचार रहा है' के 'अन्य' से अपने

अन्तरतम में व्यावृत्त है। इसे साहंकारता भी कहा जा सकता है, जिसका अर्थ है कि अस्मिता के व्यावर्तन के लिए इतर की वास्तविक विद्यमानता आवश्यक नहीं है, यह विद्यमानता उसमें स्वरूपगत है।

किन्तु प्रेक्षकत्व के लिए ऐसा नहीं है। सर्वप्रथम, प्रेक्षकत्व विषय का इतरत्व नहीं होकर विषय का प्रकाशक होता है, और दूसरे, स्वरूपत: अत्यन्त प्रत्यङ्मुख होने के कारण यह विषय का सापेक्ष भी नहीं होता। अवश्य विषयोन्मुख अवस्था में विषय इसका अंशत: निबन्धन करता है, किन्तु प्रेक्षकत्व सदैव विषय को अपनी अतिक्रामी व्यापकता में स्थापित करता है। उदाहरणत: अध्यवसाय प्रेक्षक की विषयोन्मुखता का प्राय: प्रथम चरण है जिसमें स्वरूपत: व्यष्टि-विषय विषयसामान्य में अन्तर्भुक्त हो जाता है : 'यह घट है' कथन में 'यह' पद इन्द्रियत: साक्षात्कृत व्यष्टित्व को बचाये रखने के प्रयत्न का द्योतक है जो व्यष्टित्व घट-सामान्य में निश्शेषवत् है। वास्तव में 'यह' के द्वारा निर्दिष्ट व्यष्टित्व भी अपने शुद्ध रूप में प्रेक्षकत्व की प्रत्यङ्मुखता में जागृत चित्त के लिए केवल उद्गृहीत (एब्स्ट्रेक्ट) रूप में ही ग्राह्य होता है, अन्यथा यह भी सामान्य से आविष्ट ही रहता है। यह तथ्य इस पद के द्वारा निर्दिष्ट अर्थ के निर्धारण का प्रयत्न करके देखा जा सकता है। वास्तव में ह्यूम को जो कठिनाई आत्मा को देखने में आई थी वह बाह्य व्यष्टि को देखने में है, आत्मा को देखने में नहीं। यदि कहा जाय कि व्यष्टि निर्धार्य नहीं होता, वह अनिर्धार्यतया साक्षात्कार्य होता है, तो यह अयुक्त है, क्योंकि ग्राहक चित्त अनिवार्यत: निर्धारित होता है और परिणामत: उसका कोई ग्रहण अनिर्धार्य नहीं हो सकता। अनिर्धार्यता के कारण हेगल ने शुद्ध सत् को असत् से अभिन्न कहा है। यह कथन 'यह' द्वारा निर्दिष्ट पर भी लागू होता है, क्योंकि 'यह घट है' में 'यह' घट से अतिरिक्त किसी भी वस्तु का कथन नहीं करता और इस प्रकार घट से निर्धारित होता और उसे वैशिष्ट्य देता है। अवश्य इस पद के बिना 'घट' अस्तित्व से वंचित हो जाता है, किन्तु अस्तित्व इन्द्रियगोचर वस्तुओं के प्रसंग में बहुत महत्त्वपूर्ण होने पर भी सत्ता के प्रसंग में इनकी अकिंचनता का ही द्योतक होता है, यह इनके प्रसंग में देश-कालगत उपस्थिति और प्रत्यय के बीच खाई को ही प्रकट करता है,[1] जो खाई इन वस्तुओं की वास्तविक निराधारता और तात्त्विक अकिंचनता को प्रकट करती है। उदाहरणत: कांट ने अवधारणागत सौ रुपयों के वास्तव रुपयों से भेद की ओर संकेत कर सत्ता की दृष्टि से अवधारणा की अकिंचनता दिखाने का प्रयत्न किया है। किन्तु अवधारणा के बिना रुपए का कोई मूल्य भी तो नहीं है, जिस प्रकार देश-कालोपस्थिति के बिना उसका कोई अस्तित्व नहीं है। किन्तु रुपए में ये दोनों पक्ष जबकि एकत्र करने पड़ते हैं, इनमें स्वत: कोई सापेक्षता नहीं होती, एकता तो दूर की बात है। अवधारणा के लिए कोई भी वस्तु यह प्रयोजन सिद्ध कर सकती है : रुपया चाँदी का, चमड़े का, या कागज़ का, किसी का भी हो सकता है और वस्तुओं का सीधा विनिमय भी इस प्रयोजन को सिद्ध कर सकता है। वास्तव में स्वयं कांट के अनुसार भी ज्ञान आत्ममूलक अवधारणा-कोटियों का ही फल होता है और स्वयं संवेद भी विचारित होने पर ही ज्ञान-विषय होता है। इस प्रकार कांट ज्ञान में संवेद की अनिवार्यता के लिए आग्रही होकर भी उसके महत्त्व की रक्षा नहीं कर सका, स्वतन्त्रता की बात तो बहुत दूर रह जाती है। अरस्तू इस प्रयत्न की असफलता का दूसरा उदाहरण है जिसने प्लेटो द्वारा संवेद की अकिंचनता के द्योतन के बाद उसकी अनिवार्यता और महत्त्व की स्थापना का प्रयत्न किया था। जैसाकि हमने पीछे देखा था, अरस्तू 'मनुष्य' को असत् और केवल मनुष्य-विशेष को सत् मानता है। किन्तु सत् का निरूपण करते हुए वह कहता है कि "सत् के अनेक अर्थों में से उसका पहला अर्थ है 'वह जो है' और इस प्रकार, जो द्रव्य को निरूपित करता है।"[2] इसकी व्याख्या करते हुए जिल्सों कहता है : 'दूसरे शब्दों में, वस्तु का अस्ति (इज़) उसकी निरूप्यता (ह्वाट) है, न कि यह तथ्य कि उसका अस्तित्व है।'[3] इस विमर्श के अन्त में जिल्सों इस निष्कर्ष पर पहुँचता है कि 'अरस्तू वास्तव में प्लेटो का प्रत्याख्यान नहीं कर पाया, उसका फोर्म मैटर के लिए कोई अवकाश नहीं रहने देता।' वास्तव में पश्चिमी दर्शन के इतिहास में अरस्तू और कांट दो ऐसी महत् दर्शन-व्यवस्थाएँ हैं जो प्रेक्षकत्व और प्रेक्ष्यत्व दो के पार्थक्य

---

1. हेगल — **लॉजिक,** पृ. 85.
2. प्लेटो — **मेटाफिज़िक्स,** ज़ेड 1, 10289 बी.
3. जिल्सों, एटीने — **बींग एण्ड सम फिलोसोफर्स,** पृ. 46.

में समन्वय स्थापित करने का प्रयत्न करती हैं, किन्तु इस प्रयत्न की सफलता स्पष्टत: सन्दिग्ध है। बल्कि, कांट के सभी अनुयायियों : फ़िख़्ते, शैल्लिंग, शोपेनहॉवर तथा हेगल : द्वारा इस प्रयत्न का प्रेक्षकत्व के पक्ष में परित्याग इस प्रयत्न की असम्भवता को ही प्रदर्शित करता है। भारतीय दर्शन में इस प्रसंग का सर्वथा भिन्न रूप और भिन्न अभिनिवेश साँख्य में दिखायी देता है जो इस सम्बन्ध को केवल एकपक्षीय देखता है : अर्थात् प्रेक्ष्यत्व जबकि प्रेक्षकत्व का अनिवार्यत: अपेक्षी है, प्रेक्षकत्व निरपेक्ष है।[1]

यहाँ व्याख्या में कांट के समावेश के कारण एक स्पष्टीकरण आवश्यक है, वह यह कि कांट ने प्रेक्षकत्व की सार्थकता केवल प्रेक्ष्यत्व के निरूपण में ही देखी है, उसकी विचार-कोटियाँ केवल विषय-निरूपण में ही चरितार्थ होती हैं, इसलिए उसका प्रेक्षकत्व वास्तव में प्रत्यङ्मुख नहीं होकर अनिवार्यत: पराङ्मुख है।[2] यही कारण है कि उसमें 'इगो' (आत्म) जबकि अतिप्रत्यक्ष (अप्पर्सेप्शन) और विषय-रचनात्मक कोटियों का वाचक पद है, अस्मिता केवल एक रिक्त आकार है जो सत् अनुभवों का अनुगमन करता है। किन्तु कांट यह नहीं विचारता कि अनुभव इस आकार की ओर अभिमुख ही क्यों होते हैं! यहाँ एक और प्रश्न विचारणीय है : कांट के अनुसार कोटियाँ अनिवार्यत: विषय-कोटियाँ हैं और इस प्रकार विषय के रूप में ही प्रतिफलित होती हैं, किन्तु ये कोटियाँ प्रागनुभविक और अतिक्रामी हैं, जिसका अर्थ है कि इनकी प्रागनुभविक-अतिक्रामी-स्वरूपता अवगम्य है।किन्तु यह अवगमन विषयता और अतिक्रामिता दोनों से ऊपर प्रत्यङ्मुख प्रेक्षकत्व में अवस्थित हुए बिना सम्भव नहीं है, जो प्रेक्षकत्व अति-प्रत्यक्ष और कोटियों के रूप में विषयोन्मुख चित्त की आत्ममूलकता का प्रेक्षण करता है। किन्तु कांट की व्यवस्था में यह बात नितान्त काल्पनिकता होगी, यद्यपि यह स्पष्ट नहीं है कि कांट इस प्रत्यङ्मुखता के बिना किस प्रकार कोटियों की अतिक्रान्तता की बात कर सकता है। वास्तव में यहाँ कहा जा सकता है कि कांट ने शुद्ध बुद्धि के नियामक प्रत्ययों (रेगुलेटिव आइडियाज़ ऑफ प्योर रीज़न) के रूप में एक भिन्न रूप में इस प्रत्यङ्मुखता को स्वीकार कर लिया है।

किन्तु यहाँ आपत्ति हो सकती है कि प्रेक्षकत्व के नितान्त प्रत्यङ्मुख होने के कारण वह नितान्त अग्राह्य होना आवश्यक है, विषयता से निवर्तन पर से इसका ग्रहण परोक्ष ही हो सकता है जिसका माध्यम निगमन है। किन्तु इस निगमन की प्रामाणिकता के लिए हमारे पास कोई प्रमाण नहीं है।

यह आपत्ति सही नहीं है, प्रेक्षकत्व प्रेक्ष्य की पूर्वापेक्षा नहीं होकर प्रातिभ-ग्राह्य है, जो अहं-प्रत्यय : अस्मिता : के रूप में वेद्य होता है किन्तु जो उसके आधार के रूप में उसके अतिक्रमण में साक्षात्कार्य भी होता है। जैसाकि हमने पीछे देखा, अहं-प्रत्यय स्वयं भी प्रत्यङ्मुखता में ग्राह्य होता है, यह विषय से उद्भिन्न आत्मोन्मुख निवर्तन में ही विदित होता है। इसी से यह सन्देह, निषेध और कल्पना में स्फुटतम होता है। किन्तु यह स्वयं प्रेक्षकत्व नहीं होता, क्योंकि यह विषयों के साथ उनके विषयी के रूप में, और कल्पना में विषय-प्रवर्तक के रूप में विदित होता है। किन्तु यह विषय-सापेक्ष प्रत्यङ्मुखता नितान्त प्रत्यङ्मुख प्रेक्षकता की ओर संकेत करती है जिसमें यह ग्राह्य होती है।

किन्तु शुद्ध प्रेक्षकता मनुष्य के लिए एक पार्यन्तिक कल्पना (लिमिटिंग कांसेप्ट) है, जिसकी विपरीत पार्यन्तिक कल्पना निर्विकल्पक प्रत्यक्ष है। व्यवहार में प्रेक्षकता विशिष्ट के सामान्यमूलक निर्धारण में अथवा विषय के स्वरूप-विषयक जिज्ञासा अथवा उसके ज्ञान में घटित होती है। सामान्य और स्वरूप एक ही तथ्य के दो नाम हैं, जो तथ्य प्रेक्ष्य की प्रेक्षकत्वोन्मुखता, अथवा कहें प्रेक्ष्य के प्रेक्षकत्व में उन्मीलन का है। उदाहरणत: इन्द्रियगोचर विषय, जैसे घट, इन्द्रिय-गोचर विशिष्ट का घट-सामान्य : घटत्व : में अन्तर्भाव है, जिस सामान्य के

1. साँख्य की हमारी इस व्याख्या से बहुत-से लोग असहमत होंगे, क्योंकि साँख्य की प्रकृति पुरुष के समान ही निरपेक्ष सत् प्रतीत होती है। किन्तु हमारे विचार में साँख्य की प्रकृति प्रेक्ष्यत्व के प्रेक्षकत्व से आत्म-निवर्तन की पर्यन्तता मात्र है, मौलिक नहीं। 'परार्थत्व' उसके स्वरूप में मौलिक है।

2. द्रष्टव्य, कांट — **क्रिटीक ऑफ प्योर रीज़न,** पृ. 107-108.

एक उदाहरण के रूप में हम घट–व्यष्टि का ग्रहण करते हैं। इसी से दृश्यमान् घट अपने असंख्य दृश्य और अदृश्यमान् पक्षों की अखण्ड समग्रता में और प्रयोजन–साधकता में एक अविशिष्ट घटक मात्र होता है। इस स्थिति का विश्लेषण प्राय: तीन घटकों में किया जाता है—ज्ञाता, ज्ञान और ज्ञेय। किन्तु यह विश्लेषण तीन प्रकार से भ्रामक है—एक तो इस प्रकार से कि इसमें ज्ञाता और ज्ञान ज्ञेय पर केन्द्रित हैं, जबकि वास्तव में इस विश्लेषण की सम्भावना ही ज्ञाता द्वारा ज्ञेय के अपने में आत्मसात्करण में निहित है। नहीं तो ज्ञेय–विषय की उपलब्धि होने पर ज्ञाता और ज्ञान उसमें अवसित हो जाने चाहिएँ, जोकि ये नहीं होते, जिस कारण से ही विचार ज्ञेय को उपलब्ध कर ज्ञाता की ओर लौटता है और ज्ञेय को उसकी : ज्ञाता की : एवं उसकी क्रिया : ज्ञान : की सापेक्षता में देखता है। दूसरे यह इस प्रकार भ्रामक है कि, इस विश्लेषण का ज्ञाता वास्तव में प्रेक्षकत्व और अस्मिता का व्यामिश्र है, यह शुद्ध ज्ञातृत्व : प्रेक्षकत्व : नहीं है। तीसरे, ज्ञान यहाँ ज्ञाता और ज्ञेय के बीच सम्बन्ध का वाचक है, जो इस विश्लेषण के अनुसार, ज्ञाता की विषयिता है। इस विषयिता का स्वरूप कभी स्पष्ट नहीं किया गया, किन्तु इनका मन्तव्य किसी प्रकार की मानसिकता से प्रतीत होता है जो ज्ञेय का काल्पनिक या वास्तविक बिम्ब ज्ञाता के लिए धारण करती है। ज्ञान को एक पृथक् घटक का स्थान भ्रम के आकलन के लिए भी दिया गया है, किन्तु यदि ज्ञान एक मध्यवर्ती घटक हो जो ज्ञेय को ज्ञाता के लिए प्रस्तुत करता है तो ज्ञाता कभी इस घटक को उत्तीर्ण नहीं कर सकता, और यदि ज्ञाता उसको उत्तीर्ण कर सकता है तो ज्ञान की मध्यस्थता अनावश्यक हो जाती है। वास्तव में यह सम्पूर्ण अवधारणा ही अत्यन्त स्थूल है, इसमें ज्ञाता और ज्ञेय को वस्तुओं के रूप में और ज्ञान को इनके ऐसे मध्यवर्ती स्थल के रूप में देखा गया है जिस पर ये परस्पर मिलते हैं। अवश्य वेदान्त इस त्रित्व को पारमार्थिक नहीं मानता, किन्तु उसके व्यवहार और परमार्थ में कोई तारतम्य बैठाना असम्भव है। किन्तु व्यवहार में भी, अनिन्द्रिय विषयों के ज्ञान के प्रसंग में यह भेद कैसे होगा? उदाहरणत: मेरी अपनी लिखी कविता या अपने बनाए चित्र में, उससे आगे मेरी अपनी मन:स्थिति, और अन्ततः मेरी अपनी अस्मिता के प्रसंग में यह भेद कैसे होगा? वहाँ ज्ञान और ज्ञेय में भेद कैसे किया जायेगा?

किन्तु ज्ञान को एक पृथक् घटक नहीं मानने पर भ्रम और सन्देह को किस प्रकार समझा जा सकता है? इसके उत्तर के लिए यह पूछना प्रासंगिक होगा कि स्वयं प्रश्न किस प्रकार की जिज्ञासा है? यह जिज्ञासा ज्ञातृत्व की सीमितता और इस सीमा की अतिक्रमणीयता की द्योतक है : प्रत्येक ज्ञान में भ्रम की सम्भावना निहित है जो ज्ञातृ की सीमितता को प्रकट करती है, किन्तु इस सीमा का अवगमन इसकी अतिक्राम्यता को प्रकट करता है। किन्तु यहाँ आपत्ति की जा सकती है कि बाह्य विषयों के, जिनमें स्वरचित विषय भी सम्मिलित हैं, ज्ञान में भ्रम की सम्भावना का ज्ञान, अथवा भ्रम का भी ज्ञान, हमारे ज्ञान की सीमितता का निवारण नहीं करता। किन्तु यह सही नहीं है। ज्ञान में भ्रम के निरास में युगपदरूप से ज्ञातृत्व की सीमा का निरास भी होता है, यद्यपि वह उसका अत्यन्त निरास नहीं होता, उस विषय के प्रसंग में ही निरास होता है। उदाहरणत: रज्जु को जब हम सर्प समझते हैं, और जब इस भ्रम का निरास होता है, इन दो स्थितियों में इन्द्रिय–विषयता की दृष्टि से कोई अन्तर नहीं होता, इसी से इस दृष्टि से इनमें कोई बाधा भी नहीं हो सकता, ये दोनों परस्पर स्वतन्त्र स्थितियाँ हैं। यहाँ अनुभववादियों के भाषा के प्रमाणीकरण–सिद्धान्त का दोष देखा जा सकता है। अनुभववाद भौतिक विषय का संवेदों में विश्लेषण कर लेता है और उस अविश्लेष्य को भूल जाता है जो वास्तव में विषय है और प्रतिज्ञप्ति का वाच्य है। किन्तु उसकी यह भूल इस सत्य को और प्रखरता से प्रकाशित करती है कि कोई विषय वास्तव में ऐन्द्रिय नहीं होता, वह चित् की उस अखण्ड आवयविकता का प्रतिबिम्ब होता है जो अवयवों में विभक्त होकर उनके माध्यम से अपने को पुन: समेटती है। अन्यथा संवेद प्रमाण कैसे होंगे?

ऐन्द्रिय विषय पर थोड़ा गहराई से विचार करें तो हम पायेंगे कि यह एक अत्यन्त जटिल परिस्थिति है : रज्जु निर्जीव वस्तु है सर्प सजीव, पुन:, रज्जु निर्जीव वस्तु मात्र नहीं है, यह मनुष्य द्वारा निर्मित, अर्थात् प्रयोजनान्वेषी चित्त द्वारा आविष्कृत, वस्तु है, जबकि सर्प स्वयं प्रयोजनान्वेषी चित्त है, तब इनमें व्यामिश्र कैसे होता है? इनमें सामान्य स्वयं एक आविष्कार है : यह सामान्य एक अत्यधिक उद्गृहीत वस्तु है जो न रज्जु है

और न सर्प, किन्तु तब भी दोनों में सामान्य है। किन्तु चित्त कभी इस वस्तु का ग्रहण नहीं करता, वह रज्जु या सर्प का ही ग्रहण करता है, इनसे न्यून केवल विश्लेषणात्मक उद्ग्रहण (एनेलिटिकल एब्स्ट्रेक्शन) मात्र होता है। किन्तु तथाकथित शुद्ध ऐन्द्रिय विषय, जो कि प्रस्तुत होता है, इस उद्गृहीत सामान्य से भी न्यून होता है, जिसका हम कभी विषय-रूप में ग्रहण नहीं करते। परिणामतः भ्रम का कारण यह नहीं होता कि हम पहले किसी उद्गृहीत विषय (एब्स्ट्रेक्ट ऑब्जेक्ट) का ग्रहण करते हैं और पीछे पूर्ण विषय का ग्रहण करते हैं, क्योंकि उद्गृहीत विषय का ग्रहण पूर्ण के ग्रहण को पूर्वकल्पित करता है। भ्रम का मूल विषय की असीम स्वरूपता और हमारे ग्रहण की ससीमता में होता है, और यह असीमितता सभी प्रकार के विषयों में स्वरूपगत होती है, फिर चाहे वे ऐन्द्रिय विषय हों, चाहे भावनात्मक, और चाहे बौद्धिक। ऐन्द्रिय विषय परिप्रेक्ष्यता में, भावना-विषय अपने अर्थ के विस्तार, गाम्भीर्य तथा बहुआयामात्मकता में, और प्रत्यय आयामों तथा व्यवस्थात्मक सम्बन्धों में असीम होते हैं। उदाहरणतः ऐन्द्रिय विषय, यथा घट, को देखने के असंख्य दृष्टिकोण हो सकते हैं, इनमें यदि वे स्थान और क्षण भी सम्मिलित कर लें जिनसे वह दूरी, बाधा तथा अतीतता के कारण नहीं देखा जा सकता, तब तो उसकी असीमता के आयाम भी अनेक हो जाते हैं। उदाहरणतः "आविर्भाव के पूर्व और तिरोभाव के अनन्तर" ये भी घट की सत्ता के आयाम हो सकते हैं। असंख्य प्रेम-काव्य एक ही प्रेम-भाव के अर्थ-विवेचन के प्रयत्न हैं और प्रत्येक कवि उसके अर्थ-वैभव का साक्षात्कार करते हुए जबकि उसकी अतलता को अनवगाह्य पाता है, दूसरे कवियों के वर्णनों में वह उसकी अनेक-पक्षता और अनेक-आयामात्मकता देखता है। इसी प्रकार प्रत्ययों के लिए है : मोक्ष का प्रत्यय बौद्ध, वैदान्तिक तथा साँख्यीय परम्पराओं में अपने आयामों की असंख्यकता को और प्रत्येक दार्शनिक में अपने अवलोकित पक्ष की अनवगाह्यता को प्रदर्शित करता है। ग्राह्य की यह असीमता और ग्रहण की अल्पता ही भ्रम की सम्भावना की मूल होती है।

किन्तु विषय या प्रेक्ष्य की यह असीमता प्रेक्षकत्व के प्रत्यङ्मुख आरोहण की सापेक्ष होती है। यद्यपि विष प्रत्यङ्मुखता के किसी भी स्तर पर अखण्ड एकत्व के रूप में और इस प्रकार असीमतया ही प्रदत्त होता है, किन्तु इस असीमता के उतने ही आयाम और विस्तार प्रकट होते हैं जितना प्रेक्षकत्व अपनी ओर लौट पाता है। उदाहरणतः रज्जु में सर्प-भ्रम का निवारण प्रथम ग्रहण की अपर्याप्तता को प्रकट करता है, और वास्तव में दूसरे : युक्त : ग्रहण की अपर्याप्तता को भी प्रकट करता है : क्योंकि दोनों ग्रहणों में स्वतः कोई अन्तर नहीं होता : और इस प्रकार ग्राह्य की अतिक्रान्तता या स्वतन्त्रता को प्रकट करता है। किन्तु विषय की यह अतिक्रान्तता वास्तव में प्रेक्षक का प्रस्तुत से प्रत्यावर्तन में आत्मावगमन ही है, क्योंकि ग्रहण की अपर्याप्तता के बोध के बिना ग्राह्य की अतिक्रान्तता ग्राह्य नहीं हो सकती। किन्तु इन ग्रहणों की अपर्याप्तता के स्वरूप का ग्रहण प्रेक्षकत्व में और आगे निवर्तन की अपेक्षा करता है।

किन्तु ऐन्द्रिय विषय मूलतः और स्वरूपतः बाह्यात्मक होता है, यद्यपि उसका तत्त्व प्रेक्षकत्व की प्रत्यङ्मुखता में ही अपना स्वरूप प्रकट करता है। और जितनी ही इसकी बाह्यता विषयी से स्वतन्त्रता में निश्चित होती है उतना ही इसका तत्त्व प्रेक्षकत्व की प्रत्यङ्मुखता में गहन होता है, जैसाकि भौतिक-विज्ञान में हम देखते हैं। किन्तु अब बाह्यता इन्द्रियमूलक और इस प्रकार व्यष्ट्यात्मक नहीं होकर स्वयं तात्त्विक हो जाती है : अब विषय प्रस्तुत रज्जु या सर्प नहीं रहकर ऐन्द्रिक विषय-सामान्य हो जाता है। यह विषय की अपनी व्यष्टिता की उपाधि से मुक्ति है जो प्रेक्षकत्व की उपाधि-मुक्तता की सापेक्ष होती है : सर्प का उसकी स्वतन्त्र विषयता में निश्चय उसके प्रस्तुत इन्द्रियग्राह्य रूप और तज्जनित आवेग आदि से क्रमशः दूर उसके जीव-वैज्ञानिक लक्षणों आदि से होता है।

भावनाएँ प्रेक्षकत्व के स्वरूप को और अधिक सम्यक् रूप में प्रकट करती हैं। मूलतः ये भावनाएँ आवेग हैं जो चित्त की उद्विग्नता के रूप में प्रकट होती हैं। इस स्थिति में ज्ञान का प्रसंग ही प्रस्तुत नहीं होता। किन्तु प्रत्यङ्मुख चित्त इस उद्विग्नता को प्रेक्ष्य के रूप में अपने से पृथक् कर प्रेक्षकत्व में इसके तत्त्व का साक्षात्कार करता है। यह द्रष्टव्य है कि यह प्रेक्ष्य मनोवैज्ञानिक विषय और प्रेक्षकत्व मनोवैज्ञानिक सिद्धान्त नहीं होता बल्कि

आवेगा का भोक्तृत्व होता है जो कलात्मक बोध और सर्जन के रूप में प्रेक्षकत्व से अपने तत्त्व को प्राप्त करता है। यह आवेग अब विशिष्ट घटना, अथवा विशिष्ट चैतसिक गुणों की विद्यमानता नहीं होकर प्रेक्षकत्व में साक्षात्कृत अविशिष्ट : उपाधिमुक्त : उपभोग का तत्त्व होता है। अर्थात् अब यह कवि की व्यक्तिगत जीवनी का भाग नहीं होकर सार्वभौम चित्त में आस्वाद्य भाव होता है। इसका सहज ग्राह्य उदाहरण अभिनय हो सकता है, जिसमें अभिनेता भाव को उसकी घटनात्मकता में धारण नहीं कर प्रेक्ष्यत्व रूप में ग्रहण करता है और दैहिक भंगिमा द्वारा उसे सम्प्रेषित करता है। किन्तु जब यह अनुभव प्रेक्षकत्व के इस स्तर तक नहीं उठ पाता, जैसे प्रेम के साधारण अनुभव में, तब भी यह प्रेक्ष्यत्व से नितान्त शून्य नहीं होता : कोई भी व्यक्ति इस अनुभव का स्मरण कर सकता है और इसको भाषा के माध्यम से सम्प्रेषित कर सकता है। किन्तु यहाँ यह स्पष्ट करना महत्त्वपूर्ण है कि यह सम्प्रेषण कथनात्मक भाषा में नहीं होकर अभिव्यंजनात्मक भाषा में होता है।[1] इसका कारण यह है कि यहाँ प्रेक्ष्य विषय नहीं होकर भोक्तृभाव में विषयी होता है। किन्तु यह विषयी स्वयं भोगात्मक नहीं होकर उसका प्रत्ययाकार होता है और अतएव सामान्य होता है। उदाहरणत: किसी राग की धुन, विषयकृत हुए बिना, अपनी विषयिता में ही, प्रेक्षक चित्त द्वारा विषयिगत भोक्तृभाव के अवगमन को अभिव्यंजित करती है, और इस विषयिता के प्रेक्ष्य होने से यह संवेदनात्मक विशिष्ट नहीं होकर प्रत्ययात्मक सामान्य होती है। अर्थात् विषयिता यहाँ अपने अस्तित्व में नहीं अपने तत्त्व में ग्राह्य होती है। धुन की अभिव्यंजनात्मक सामान्यता इस बात की द्योतक है कि चित्त विषयिता में भी प्रत्यङ्मुख होने पर अहंकार की सीमाओं का अतिक्रमण कर सार्वभौम हो जाता है।

1. द्रष्टव्य — **चिद्विमर्श** में 'कला-सर्जन' और आगे 'कला-तत्त्व'।

मूल्य : विषयि–सत्ता

पिछले अध्याय में हमने विषय की असीमता और उसके हमारे ग्रहण की ससीमता के बीच अन्तराल के स्वरूप पर विचार किया था, जो अन्तराल सन्देह और भ्रम की स्थितियों का हेतु बनता है। किन्तु सन्देह और भ्रम जहाँ एक ओर ग्रहण की सीमितता को सूचित करते हैं वहीं दूसरी ओर इस सीमा की अतिक्राम्यता को भी सूचित करते हैं। सीमा की यह अतिक्राम्यता ससीम और असीम के युगपद् बोध में प्रतिष्ठित होती है। इस प्रकार यह बोध उस सीमा का बोध है जो अतिक्रमणीय है, जिसकी विद्यमानता उसकी अविद्यमानता की सापेक्ष है। दूसरे शब्दों में, सीमा एक अभाव–सापेक्ष भाव है। सन्देह और भ्रम की तार्किक संरचनाएँ भी इसकी पुष्टि करती हैं : 'यह रज्जु है या सर्प?' प्रश्न का अर्थ है कि ग्रहण की विद्यमान स्थिति अविद्यमान ग्राह्य स्थिति से व्यवहित है और ग्राह्य इस व्यवधान से रहित है, परिणामत: ग्रहण का बोध भी इससे रहित है, क्योंकि बोध में रज्जु और सर्प दोनों अव्यवहिततया विदित हैं। इस प्रकार ग्रहणगत व्यवधान अव्यवहित से आप्रविष्ट है, जिसके बिना यह : व्यवधान : होता ही नहीं : असंदिग्ध के और सन्देह की असंदिग्ध में निरास्यता के बोध के बिना सन्देह नहीं हो सकता। ज्ञानतगत यह व्यवधान उस सामान्य व्यवधान का एक पक्ष मात्र होता है जो मानव–चेतना में उसका घटक है। चेतनागत यह व्यवधान मूल्यान्वेषण का बीज है। मूल्य अभाव का बोध और भाव की पर्येषणा है, अथवा इसे केवल भाव की पर्येषणा भी कह सकते हैं, क्योंकि भाव–पर्येषणा में अभाव का बोध पूर्वगृहीत है। किन्तु मात्र अभाव–बोध को मूल्य नहीं कहा जा सकता, क्योंकि अभाव–बोध में भाव अभाव की सापेक्षता में और परोक्षतया ही गम्य होता है, निरपेक्ष रूप में नहीं, जो कि मूल्य–बोध के लिए आवश्यक है। मूल्य उस पूर्ण की एषणा है जिसकी अविद्यमानता या अनुपलब्धि अभाव–बोध की जनक और उसको सार्थकता देने वाली होती है, अभाव का बोध नहीं, जिसमें भाव की अपेक्षा तो अवश्य रहती है किन्तु अनिवार्य रूप से उसका बोध नहीं रहता। उदाहरणत: भूख में उसके निवारण की आकुलता तो अवश्य रहती है किन्तु उसकी समाप्ति के सुख का और इस समाप्ति के साधनभूत भोजन का बोध भी रहे, यह अनिवार्य नहीं है : जैसाकि शिशु में और नितान्त अविकसित जीवों में हम देखते हैं। भाव की इस पर्येषणा के अनेक आयाम हैं, जिनमें एक ज्ञान भी है। ज्ञान के आयाम में यह पर्येषणा सत्य को, अथवा कहें प्रेक्ष्य के साक्षात्कार को, लक्षित करती है। सन्देह का स्फुट बोध, भूख के बोध के समान, अपने निवारण के लिए उद्विग्नता उत्पन्न करता है और सत्य इस उद्विग्नता के लिए साध्य बनता है।

यह अभाव और उद्विग्नता चेतना के स्वरूप के अत्यन्त निगूढ़ रहस्य हैं। उदाहरणत: भूख, अपने भौतिक अर्थ में, शरीर की एक रासायनिक स्थिति है, जिसे शरीर–वैज्ञानिक रासायनिक असन्तुलन की एक स्थिति कहता है। किन्तु इसे 'रासायनिक असन्तुलन की एक स्थिति' कहने में सिद्ध–साधन दोष है, क्योंकि यह स्थिति वास्तव में भूखजन्य आकुलता के सहगामी अनुभव के आधार पर ही 'असन्तुलन' कही जाती है, जो इस सहगामिता के बिना केवल एक रासायनिक स्थिति होती है, जिसमें असन्तुलन की कोई बात नहीं होती। यह असन्तुलन की स्थिति प्रथमत: शरीर की आवयविकतामूलक होती है, जो पुन: एक रासायनिक स्थिति नहीं है बल्कि जैविक अवस्था है, किन्तु भूख यह आवयविक असन्तुलन मात्र भी नहीं है, यह चेतना में प्रकट एक विशिष्ट अभाव की स्थिति है, जो अभाव चेतना का एक अद्वितीय स्वभाव है और जो अनुभव में विदित होकर चेतना को इसके निवारण या पूर्ति के लिए उद्विग्न करता है। यही अनुभूति एक–दूसरे स्तर पर सन्देह और जिज्ञासा में होती है। इनका स्तर–भेद परोक्षत: सहगामी शारीरिक घटनाओं से भी सूचित होता है और प्रत्यक्षत: स्वयं अनुभूतिगत प्रकार–भेद से भी। किन्तु सन्देह और जिज्ञासा की सहगामी शारीरिक घटनाएँ भूख के समान यह भ्रम उत्पन्न नहीं करतीं कि जिज्ञासादि भौतिक स्थिति–रूप हैं अथवा इस प्रकार की स्थिति से कारित हैं : सूर्य को देखकर यह जिज्ञासा होना कि वह पृथ्वी पर क्यों नहीं आ गिरता, अथवा हवा में कागज़ के उड़ जाने किन्तु पत्थर के नहीं उड़ने से यह

कुतूहल होना कि कागज़ क्यों उड़ गया और पत्थर क्यों नहीं, प्रत्यक्षत: बौद्धिक चित्त में उत्पन्न उद्विग्नताएँ हैं जो शारीरिक (मस्तिष्कीय) उद्विग्नता में भी प्रतिबिम्बित हो सकती हैं, जो कि अन्ततः परमाणुओं की भौतिक व्यवस्था मात्र है, किन्तु चित्तगत उद्विग्नता (जिज्ञासा और सन्देह) का इस व्यवस्था या मस्तिष्कीय तनाव में अपचय या उससे तादात्म्य-स्थापन दृष्टि-विपर्यास मात्र ही कहा जा सकता है।

जैसाकि हमने पीछ कहा, यह अभावानुभूति मूल्य-पर्येषणा की बीजभूत है, किन्तु यह स्वयं मूल्य नहीं है, मूल्य इस अभाव की समाप्ति है। किन्तु भाव की सिद्धि घटित हो जाने पर वह मूल्य नहीं रहती, जब तक कि उस घटित स्थिति अथवा भाव की पूर्णता के साथ पूर्वगत अभाव और सिद्धि के प्रयत्न की स्मृति नहीं जुड़ी हो, अथवा जब तक भाव की सिद्धि पुन: खो जाने की सम्भावना से आक्रान्त नहीं हो : वर्ण, पत्तियों के आकार और संस्थान, तथा पारिवेशिक संस्थान में आदर्शत: रचित फूल का सौन्दर्य अपरिष्कार्य होने पर भी स्खलन और अस्वास्थ्य की असंख्य सम्भावनाओं को निरस्त कर और भावी ह्रास की सम्भावनाओं को रोक कर अवस्थित होता है, इसी से वह प्रकृत्या सिद्ध होने पर भी साधना के फलवत् होता है। किन्तु तब यह एक महत् रहस्य है कि साध्य भाव अस्तित्वरहित होने से भाव किस प्रकार हो सकता है? **गीता** में इस सम्बन्ध में एक श्लोक है—

> नासतो विद्यते भावो, नाभावो विद्यते सत:,
> उभयोरपि दृष्टोऽन्तस्त्वनयोस्तत्त्वदर्शिभि:।।2.16।।

यह इसी प्रश्न का एक सत्कार्यवादी उत्तर है। किन्तु सत्कार्यवादी साँख्य यह नहीं बताता कि तब नाम-रूपात्मक जगत् : अविवेक : कैसे मात्र त्रैगुण्य है। यह प्रतिपादन चेतना के उस निगूढ़ रहस्य को भूल जाने के कारण है जो अभाव के रूप में लक्षित होता है। अभाव चेतना में मौलिक है, इस प्रकार 'असदेवेदमग्र आसीत्' चेतना के स्वभाव को सम्यक् रूप से निरूपित करता है, और तब भाव : सत् : केवल इस अपेक्षा के, इस चिद्गत अभाव, या असत्-मूलक उद्विग्नता, या पर्येषणा के भाव्य पर्यवसायी के रूप में ही हो सकता है, वस्तुत: या अस्तित्वत: नहीं। इस अभाव और भाव को हम केवल भूख और तृप्ति तथा सन्देह और समाधान के रूप में ही नहीं देखते बल्कि अनेक रूपों में देखते हैं; बल्कि कहा जा सकता है कि चेतना जितने भी प्रकार से उद्गत होती है उतने ही अभाव और भाव्य के प्रकार होते हैं। उदाहरण के लिए कलाएँ, विज्ञान, समाज, भाषा आदि प्रकारक विभिन्न रचनाएँ इस अभाव और उसकी पूर्ति के प्रयत्न की ही द्योतक हैं, और पुन: इनमें न्यूनता का दर्शन : जैसे कविता, चित्र, दार्शनिक प्रतिपादन तथा वैज्ञानिक सिद्धान्त में न्यूनता का दर्शन : इस अभाव का, और इस अभाव को मापने वाले भाव का ही दर्शन है। यह न्यूनता हम अनिवार्य रूप से मानवीय कृतियों में ही नहीं देखते, यह हम जैव, भौतिक और दैव-सृष्टि में भी देखते हैं। उदाहरणत: प्राणियों और वनस्पतियों के दैहिक स्वास्थ्य या आवयविक गठन में, सूर्योदय के सौन्दर्य में, अथवा पर्वत-शृंखला के सांस्थानिक सौष्ठव में तथा घटनाओं की अयुक्तता में : जैसे प्राणियों के, विशेषत: व्यक्तियों के, अहैतुक दु:ख में, प्राकृतिक सम्पदा के असमान वितरण, और अतिवृष्टि-अनावृष्टि आदि : में भी देखते हैं। ऐसा नहीं है कि स्वास्थ्य-अस्वास्थ्य, संस्थान और घटनाएँ वस्तुत: नहीं हैं, ये स्पष्ट रूप से वस्तुत: हैं, किन्तु इनमें न्यूनता-अन्यूनता मूल्य-दृष्टि-सापेक्ष होती है, वस्तुगत नहीं। किन्तु यहाँ यह अविलम्ब कहना आवश्यक है कि मूल्य-दृष्टि-सापेक्ष का अर्थ 'मनोनिष्ठ-काल्पनिक' नहीं है, क्योंकि यह दृष्टि चेतना के स्वभाव में गर्भित और तात्त्विक होती है।

यहाँ यह द्रष्टव्य है कि ऊपर चर्चित अभाव के उदाहरणों में बहुत स्तर-भेद और स्वरूप-भेद है। उदाहरणत: भूख, जिज्ञासा और सूर्योदय के सौन्दर्यदर्शन में मौलिक भेद है : प्रथम दैहिक है और किसी खाद्य वस्तु का देह में प्रवेश इस अभाव की पूर्ति में साधन बनता है, दूसरा प्रेक्षणात्मक है, जिसमें आत्म-व्यवहित चित्त व्यवधान के निवारण द्वारा आत्म-तादात्म्य को सिद्ध करना चाहता है, तीसरा पश्यनात्मक और चिन्तनात्मक है, जिसमें बाह्य दृश्य भावना के आलम्बन के रूप में आदर्श प्रतिमान से तुलनीय बनता है। अब जबकि इन तीनों की तार्किक संरचना (स्ट्रक्चर) एक ही है : अभावानुभूति और भाव-पर्येषणा : प्रथम में अभाव और भाव विस्तार और गाम्भीर्य से नितान्त शून्य हैं, इसे इस प्रकार भी कह सकते हैं कि ये सत् के स्तर का स्पर्श नहीं करते, केवल

अस्तित्व के स्तर पर ही उपचरित होते हैं, इसलिए इनमें सत् की पर्याप्तता-अपर्याप्तता का प्रसंग ही उपस्थित नहीं होता, केवल एक-आयामात्मक अस्तित्व ही अपने को बनाये रखने के प्रयत्न में व्यस्त रहता है।

किन्तु दूसरी दो पर्येषणाएँ भी अपने सब उपचारों में मूल्यात्मक नहीं होतीं : रज्जु-सर्प के बीच अनिर्णय की स्थति निर्णय के लिए उद्विग्न करती है, परिणामत: उसका निवारण हमें इष्ट होता है, किन्तु इसका निवारण अपने-आपसे ज्ञान को विस्तार और गाम्भीर्य नहीं देता, क्योंकि यह पुन: विशिष्ट : अस्तित्व : के स्तर पर ही उपचरित होता है, तत्त्व के स्तर पर नहीं। इस कारण यह अनुसन्धन व्यवहारोपयोगी तो है किन्तु मूल्य रूप में पर्येष्य नहीं। इन दो में अन्तर यह है कि जबकि व्यवहारोपयोगी अनुसन्धान अस्तित्वपरक अभावों की पूर्ति को लक्षित करता है, अन्वेष्य मूल्य सत्त्वगत अभाव के निवारण को लक्षित करता है। ऊपर सन्देह को हमने चित्तगत आत्म-व्यवधान कहा, इस परिभाषा के अनुसार सभी सन्देह सन्मूलक हो जाते हैं और परिणामत: उनका निवारण मूल्य हो जाता है। यह सही है, जहाँ तक इनमें इस अभाव की पूर्ति होती है। किन्तु प्रेक्षण का उत्कर्ष प्रत्यङ्मुखता के उत्कर्ष का अनुसारी होने से और विशिष्ट विषयमूलक सन्देह के अतिशय बहिर्मुख होने से, इसमें : जैसे रज्जु-सर्प सन्देह में : अभाव और भाव चित्त को परिव्याप्त नहीं करते। यही सन्देह जब प्रज्ञापारमिता को लक्षित करता है, जिसमें विशिष्ट प्रेक्ष्य ही नहीं बल्कि सामान्य प्रेक्ष्य भी, अर्थात् वस्तुएँ ही नहीं उनके विज्ञान भी, सीमित होने से उपेक्षित हो जाते हैं और प्रेक्षण का मूल ही प्रेक्ष्य के रूप में अन्वेष्य होता है—तब सत्य परम मूल्य के रूप में साध्य बनता है। इसका अर्थ यह नहीं है कि मूल्य के अवर स्तर नहीं होते : भौतिक वैज्ञानिक के लिए भौतिक तत्त्व का स्वरूप, मनोवैज्ञानिक के लिए मनस्तत्त्व का स्वरूप, तर्क-वैज्ञानिक के लिए चिन्तन के आकारात्मक सम्बन्ध मूल्य के रूप में पर्येष्य होते हैं, ये पर्येषक प्रेक्ष्यता के इन विभिन्न क्षेत्रों में निगूढ़ सत्य का अन्वेषण करते हैं। जैसाकि हमने पिछले अध्याय में देखा, अन्वेष्य सत्यों में स्तरभेद का मानदण्ड व्यापकता है जो अन्वेषक-दृष्टि : प्रेक्षकत्व : के प्रत्यङ्मुख आरोहण की सापेक्ष होती है। किन्तु यह सत्यान्वेषण मूल्य के रूप में तब अत्यन्त भ्रामक हो सकता है जब यह अपनी व्यापकता के किसी सीमित क्षेत्र को समग्र मान लेता है, और यह तब भी भ्रामक होता है जब यह सत्य को दृष्टि की सम्पन्नता के रूप में नहीं देखकर संकलन या कौशल के रूप में देखता है। उदाहरण के लिए आईंस्टाईन के अन्वेषण का उत्कर्ष भौतिक तत्त्व-विषयक व्यापकतर सत्य को पाने में तो था ही, उतना ही अधिक इस सत्य को अपनी दृष्टि की सम्पन्नता के रूप में पाने में भी था। इसी कारण वह उन वैज्ञानिकों से भी महत्तर है जो उसके अन्वेषण का अर्थ और उसकी सार्थकता को समझते हैं और उनसे भी जो उसके अन्वेषण की न्यूनताएँ खोज सके हैं, क्योंकि पश्चाद्वर्ती वैज्ञानिक की खोज की अधिक व्यापकता अनिवार्य रूप से उसकी प्रेक्षकता की व्यापकतरता नहीं बनती, उसकी व्यापकतरता उस वाङ्मय के आश्रित होती है जो वाङ्मय स्वयं आईंस्टाईन की दृष्टि से अस्तित्व में आया। इसे इस उपमा से समझा जा सकता है कि, भूमि पर से दो गज़ ऊपर कूदने वाला भूमि से दो गज़ ऊपर बने मंच पर से एक गज़ ऊपर कूदने वाले से कूदने की सामर्थ्य में श्रेष्ठतर होता है।

सूर्योदय के सौन्दर्य-दर्शन में विषय प्रेक्षा का आलम्बन नहीं होकर भावना का आलम्बन होता है और प्रत्यङ्मुख चित्त में आलोकित होकर अर्थ प्राप्त करता है। इसका मूल्य इस आलोकित अर्थ की प्रांजलता और सम्पन्नता में होता है। यहाँ पुन: मूल्य का स्रोत चित्त का प्रत्यङ्मुख ऊर्ध्वारोहण ही है, जिसके उत्कर्ष के अनुसार भाव अर्थों का वैभव प्राप्त करते हैं। इसे दो चित्रकारों द्वारा सूर्योदय के चित्रण के उदाहरण से समझना सरल हो सकता है, जिनमें एक चित्र को हम दूसरे की अपेक्षा उत्कृष्टतर कहते हैं। इनमें एक चित्र का दूसरे की तुलना में उत्कर्ष उसके आरेखन-कौशल या वर्ण-सौष्ठव में भी हो सकता है, किन्तु उससे अधिक वह उसकी अर्थ-सम्पदा में होता है जो स्वयं सूर्योदय में उसी सीमा तक लक्षित होती है जिस सीमा तक भावना-ग्राही चित्त आत्म-प्रकाशित होता है। यह काव्य में और स्पष्ट देखा जा सकता है, जिसमें भावना किसी बाह्यालम्बन के बिना ही पश्यनात्मक चित्त को प्रस्तुत होती है। जब राधा-कृष्ण, दुष्यन्त-शकुन्तला, या हीर-राँझा के रूप में किसी आलम्बन को अपनाया भी जाता है तब वह आलम्बन वास्तव में अर्थों के निरूपण के लिए कल्पित एक माध्यम

मात्र होता है। भावना भी वास्तव में पश्यनात्मक चित्त के अर्थों के धारण के लिए उपादान मात्र बनती है। जिन मूल्यों में भावना उपादान बनती है उनको हम रागात्मक या रसात्मक मूल्य कह सकते हैं। एक तीसरे प्रकार के मूल्य हैं जिन्हें नैतिक कहा जाता है और जिनके पुन: अनेक प्रकार हैं : जैसे परोपकार, वीरता, मुक्ति, वैराग्य आदि। प्रकटत: इनमें परस्पर बहुत अन्तर है, किन्तु ये सब इस कारण नैतिक कहे जाते हैं क्योंकि इनमें चित्त द्वारा भावनाओं का नियमन और रूपान्तरण साक्षात्कृत श्रेयात्मक अर्थों के अनुरूप करने का प्रयत्न होता है। यहाँ 'श्रेयात्मक' शब्द के अर्थ पर विचार आवश्यक नहीं है, यहाँ केवल इतना कहना ही पर्याप्त होगा कि जबकि सत्यान्वेषण में प्रेक्षकत्व की अकलुषता और सौन्दर्यान्वेषण में भावनागत अर्थों का परिशीलन पर्येष्य होता है, नैतिक अन्वेषण में आवेगात्मक-भावनात्मक मनस् का श्रेयात्मक अर्थ-दृष्टि को समर्पण साध्य होता है। नैतिक या श्रेयात्मक मूल्यों में अन्वेष्य आत्मा : अपनी समग्रता में अस्मिता : स्वयं होता है और इस प्रकार यहाँ पश्यनात्मक चित्त व्यक्ति-सत्ता या अस्मिता के अर्थों की उद्भावना करता है। अब क्योंकि व्यक्ति या अस्मिता सर्वसमावेशी है इसलिए नैतिक चेतना सत्यान्वेषण और सौन्दर्यान्वेषण का भी समावेश करती है। उदाहरणत: उपनिषद् में विद्या और अविद्या दोनों के उपासकों को जो तमसावृत कहा गया है उसमें ज्ञानात्मक अर्थ के श्रेयात्मक अर्थ में समर्पण की अपेक्षा है। इसी प्रकार सौन्दर्यान्वेषण में भी है : सौन्दर्य-दृष्टि अपनी सम्यक्ता और व्यापकता के लिए नैतिक उत्कर्ष को पूर्वापेक्षित करती है और यह उत्कर्ष सौन्दर्य-दृष्टि की सार्थकता के प्रश्न के समाधान को पूर्वापेक्षित करता है।

जैसाकि हमने पीछे देखा, मूल्य अभावात्मक चेतना का भाव-दर्शन है। अभावानुभूति और उसकी पूर्ति के लिए उद्विग्नता चेतना का स्वभाव है और परिणामत: अभावमूलक यह उद्विग्नता जीव-मात्र में पायी जाती है : भूख-प्यास आदि मूलक उद्विग्नताएँ जैव उद्विग्नताएँ हैं। वास्तव में सभी प्रयोजनात्मक अभिनिवेशों को अभाव-पूर्तिमूलक पर्येषणाएँ कहा जा सकता है और इस प्रकार व्यष्टि-जीव के स्तर पर अनुभूत उद्विग्नता को ही नहीं जीव-सृष्टिमूलक विकास को भी इसी पर्येषणा के रूप में देखा जा सकता है। इसी प्रकार भौतिक सृष्टि को भी देखा जा सकता है, जो यद्यपि अपने-आप में एक पूर्ण और अतएव स्थिर व्यवस्था है किन्तु जिसकी अगाध अपूर्णता जैव सृष्टि और पुन: चित्त के विकास से प्रकट होती है। किन्तु यह सब प्रयोजनात्मक अभिनिवेश मूल्यात्मक नहीं है, क्योंकि मूल्य के लिए चित्त की प्रत्यङ्मुखता अनिवार्यत: अपेक्षित है और यह प्रत्यङ्मुखता चेतना के ,अथवा कहें सृष्टि ही के, इतिहास में एक मौलिक रूप से नव्य परिच्छेद है; क्योंकि केवल यही चेतना अभाव को और भाव को, और स्वयं अपने को प्रेक्षकत्व के आलोक में धारण कर सकती है और अभाव तथा भाव के बीच के अन्तराल के निवारण के प्रयत्न की साक्षी हो सकती है। वास्तव में भाव का प्रेक्षकत्व ही इस अन्तराल के निवारण के प्रयत्य को मूल्यवान् बनाता है, क्योंकि यह प्रेक्ष्य-भाव ही मानदण्ड बनकर अभाव को नापता है और प्रयत्न को अर्थ देता है।

किन्तु भाव के प्रेक्ष्यत्व का यह अर्थ नहीं है कि वह इन्द्रिय-विषयवत् या उसके प्रत्ययवत् स्फुट रूप से ग्राह्य होता है। वास्तव में वैसा वह कभी नहीं होता। वास्तव में कुछ अवस्थाओं में तो भाव की अवधारणात्मक स्फुटता और सम्यक्ता ही अन्वेष्य होती है, परिणामत: वह सिद्ध नहीं होकर साध्य होती है, और जहाँ वह अन्वेष्य नहीं होती वहाँ वह अपने-आप में मूल्य नहीं होती, केवल उसके लिए सहायक मात्र होती है। उदाहरण के लिए गणित, तर्क, विज्ञान और दर्शन में अवधारणात्मक स्फुटता और संगति ही अन्वेष्य होती है जबकि कला और नीति आदि में वह अन्वेष्य नहीं होती, केवल यह उसमें एक अपेक्षा होती है : संगीत में भावनागत अर्थों का और तदनुरूप ध्वनिगत अर्थों का प्रत्ययन पूर्वापेक्षित होता है, किन्तु साध्य उन अर्थों को ध्वनि में साधने का उत्कर्ष होता है। नैतिक मूल्यों में भाव बुद्धि-ग्राह्य रूप में नहीं बल्कि सम्पूर्ण चेतना : भावना, आवेग और विचार : के तदनुरूप हो जाने के रूप में साध्य होता है। किन्तु तब, यह भाव क्या है जो साध्य है? आत्मा किस अभाव से व्यवहित है? ये प्रश्न विचार-कोटि-मूलक हैं और परिणामत: इनका समाधान भाव की प्रत्यय-रूप में ग्राह्यता की अपेक्षा करता है। उदाहरणत: किंकर्त्तव्यविमूढ़ता प्रेक्षणात्मक और पश्यनात्मक दोनों स्तरों की संयुक्त संज्ञा है जो

युक्त : उचित : कर्म करने के संकल्प को, और इस प्रकार नैतिक व्यक्ति को उसकी समग्रता में, पूर्वापेक्षित करती है। किन्तु युक्त कर्म क्या है, इसके लिए प्रेक्षक दृष्टि की निष्कलुषता अपेक्षित होती है, जिसके लिए अनुक्रमश: व्यक्ति के अस्तित्वात्मक पक्षों, विशेषत: आवेगों और भावनाओं पर अधिष्ठातृत्व की सिद्धि अपेक्षित होती है।

किन्तु किंकर्त्तव्यविमूढ़ता विशिष्ट प्रसंगों में होती है जबकि नैतिक अभाव-बोध अपने अस्तित्वमात्र को लेकर होता है और इस अस्तित्व की सार्थकता, जो पहले असंदिग्ध थी, संदिग्ध हो जाती है। धर्म इस सन्देह के समाधान का एक प्रयत्न है, अथवा कहें यही एक ऐसा प्रयत्न है, स्वभावत: तत्त्वमीमांसा उसका अनिवार्य अंग होती है। किन्तु इस सन्देह-दृष्टि का जागरण अपने-आप में आत्म-प्रवास की चेतना का, स्वभाव से च्युत होने की अभिज्ञता का, जो सत्त्वान्वेषण-भावान्वेषण के लिए अनिवार्य है, अपेक्षित होता है।

यहाँ संक्षेप में इस अवान्तर प्रश्न पर विचार भी स्थाने होगा कि इस सन्देह और अन्वेषण की युक्तता क्या है? जागतिक जीवन, जिसमें कलाएँ और विज्ञान भी सम्मिलित हैं, की विपुलता के अन्वेषण की युक्तता स्वत:-सिद्ध है, किन्तु जगद्भाव मात्र पर सन्देह और इससे परे के भाव के अन्वेषण की युक्तता के लिए आरम्भ-बिन्दु कौन-सा होगा? इसका समाधान है कि इस सन्देह का, इस अभावानुभूति का होना मात्र इसकी युक्तता के लिए प्रमाण है : कि यह प्रश्न न केवल किया जा सकता है, बल्कि प्रत्येक प्रत्यङ्मुख चेतना इसकी आकुलता अनुभव करती है, यही इसके लिए प्रत्यक्ष प्रमाण है कि इस अस्तित्व : जागतिक जीवन : और इसके सब अन्वेषणों का मूल्य संदिग्ध है और भाव का : सत्ता का, मूल्य का : स्थान कहीं अन्यत्र है। किसी भाव की आगन्तुकता के लिए इसके अतिरिक्त और क्या प्रमाण हो सकता है कि वह आगन्तुक रूप में अवधार्य है : "मैं इस क्षण में इस स्थान पर हूँ, किन्तु यह अवधार्य है कि मैं इस स्थान पर नहीं होता" यह प्रतिज्ञप्ति का होना मात्र इस बात के लिए प्रमाण है कि मेरा इस क्षण पर यहाँ होना आगन्तुक है। और यह सन्देह जहाँ एक ओर प्रस्तुत की सार्थकता की न्यूनता के लिए प्रमाण है वहीं अन्यूनार्थ की विद्यमानता के लिए भी प्रमाण है, जो अन्यूनार्थ अवगत नहीं होने पर भी अपनी सत्ता में सन्दिग्ध नहीं होता, जिस प्रकार सत्य-सन्धान और सौन्दर्य-सन्धान में सिद्ध स्तर से उत्कृष्टतर स्तर की सत्ता अनुपलब्ध होने पर भी संदिग्ध नहीं होती।

किन्तु आत्मा की स्वभाव-च्युति की के बोध की प्रामाणिकता असंदिग्ध होने पर भी उस प्रकार सहज स्पष्ट नहीं होती जिस प्रकार किसी प्राणी की उसके प्रत्यय से अथवा चित्र की उसकी अवधारणा से न्यूनता स्पष्ट होती है। इस स्वभाव-च्युति को आत्म-अनात्म-अविवेक, अथवा भ्रष्टता भी कहा जाता है। इसके विपरीत, आत्मा का स्वभाव स्वातन्त्र्य कहा गया है, जो साध्य के रूप में अनात्म का निवारण करता है। वास्तव में अर्थान्वेषण, ज्ञानान्वेषण या सौन्दर्यान्वेषण मात्र की सार्थकता में सन्देह सम्भव है। यह सन्देह, यह सम्भावना आत्मा की अर्थमात्र से अतिक्रान्तता की द्योतक है।[1] किन्तु तब आत्मा का स्वभाव या स्वातन्त्र्य क्या है?

इस प्रश्न पर विचार के लिए पहले चित्र की उसकी अवधारणा से न्यूनता के स्वरूप पर विचार करना सहायक होगा। चित्र की न्यूनता हम कैसे जानते हैं? इसका उत्तर हो सकता है कि उसकी अवधारणा से तुलना करके। किन्तु तब, इस चित्र की अवधारणा को हम कैसे जानते हैं? यहाँ सार्त्र का उल्लेख रोचक होगा।[2] उसके अनुसार, "कोई अनुभूति किसी प्रतिमान की विद्यमानता में अनुभूति होती है...। यह प्रतिमान, अथवा अनुभूतिमय आत्म की समग्रता, अभाव की वेदना के रूप में स्वयं इस वेदना के ही भीतर प्रत्यक्ष प्रस्तुत होती है। हम दु:खित होते हैं और साथ ही पर्याप्त रूप से दु:खित नहीं होने के लिए दु:खित होते हैं। वह दु:ख, जिसके अनुभव की हम बात करते हैं, कभी ठीक वही नहीं होता जिसका हम अनुभव करते हैं। जिसे हम 'उत्तम', 'पावन' अथवा 'सच्चा' दु:ख कहते हैं, और जो हमें द्रवित करता है, वह दु:ख वह होता है जो हम दूसरों के चेहरे पर देखते हैं,

---

1. द्रष्टव्य — **समसामयिक चिन्ताएँ** में 'धर्म-दर्शन' अध्याय।
2. ज्याँ पॉल सार्त्र — **बींग एण्ड नथिंगनेस,** पृ. 141-142.

बल्कि उससे भी अधिक उपयुक्त रूप से, जो हम चित्रगत अथवा मूर्त्तिगत चेहरे पर अथवा किसी दु:खाभिव्यंजक नकाब में देखते हैं।" किन्तु सार्त्र यहाँ यह विचार नहीं करता कि हम इस चित्र या मूर्त्ति को किस प्रतिमान पर कल्पित करते हैं? हम कहना चाहेंगे कि अनुभूत दुःख पश्यनात्मक चित्त को अपना आकार प्रस्तुत करता है जो आकार अभिव्यक्ति की विधाओं से तटस्थ होता है; किन्तु यह चित्त अभिव्यक्ति की जिस भी विधा को अपनी अभिव्यक्ति के लिए अंगीकार करता है उसके लिए यह उस आकार के आधार पर आदर्श प्रतिमान को कल्पित करता है जिसके अनुसार चित्रकार चित्र का, कवि कविता का और गायक संगीत का सृजन करता है। यह प्रतिमान और उसका बीजभूत आकार दोनों उतने ही स्पष्टत: ग्राह्य होते हैं जितनी स्पष्ट ग्राहक की चेतना : भावुक की पश्यना : होती है। इसी से कभी-कभी दर्शक चित्रकार से और पाठक कवि से अधिक स्पष्टता से चित्र अथवा कविता की न्यूनत को और उसके अन्यून प्रतिमान को देख पाता है। यहाँ यह विशेष रूप से द्रष्टव्य है कि भावना स्वयं एक अभिव्यक्ति है : यह चित्त का विजृम्भन, उसका स्फुटन है, किन्तु चित्र या काव्य भावनात्मक अभिव्यक्ति नहीं है, यह भावना की पश्यनात्मक अभिव्यक्ति है और इस प्रकार भावनाधीन नहीं है, यह भावना के आकार को स्वीकार करने और उसे सृजनात्मक कल्पना में रचने में स्वतन्त्र होती है : अर्थात् न तो यह कल्पना किन्हीं कारणों के अधीन होती है और न वह मूल आकार जो पश्यना में गृहीत होता है, ये दोनों चित्त के स्वतन्त्र आक्षेप होते हैं। किन्तु चित्र या काव्य इस स्वतन्त्रता की अभिव्यक्ति होते हुए भी उससे न्यून रहता है, जो न्यूनता केवल इस पक्ष में नहीं होती कि चित्र अपने कल्पनामूलक प्रतिमान के लिए पर्याप्त नहीं होता बल्कि इस पक्ष में भी होती है कि पश्चना द्वारा दृष्ट भावना का आकार स्वयं इस प्रतिमान से भी अतीत होता है और इस प्रकार काव्य, चित्र, उपन्यास या दार्शनिक लेखक में व्यक्त इसके विमर्श सब औपाधिक होते हैं। इस प्रकार, यद्यपि चित्त की न्यूनता हम उसके कल्पित प्रतिमान से आँकते हैं, किन्तु वास्तव में यह न्यूनता द्विविध होती है।

आत्मगत न्यूनता का प्रश्न इससे कहीं अधिक जटिल है, यद्यपि इससे इसकी अनुरूपता भी है। सब मूल्यान्वेषण अन्तत: आत्मान्वेषण है : दार्शनिक, वैज्ञानिक या धार्मिक व्यक्ति सत्यान्वेषण में, कलाकार सौन्दर्यान्वेषण में, और समाज-सुधारक कर्मात्मक अन्वेषण में वास्तव में आत्म-कल्पित आत्म-प्रतिमा के अस्तित्व में चरितार्थन के उद्देश्य से ही प्रवृत्त होते हैं। उनका यह अन्वेष्य अस्तित्व अपने सब आयामों : विचार, आवेग, भावना, संवेद और क्रिया : की समग्रता के साथ पश्यना में अपना आकार प्रस्तुत करता है, जो आकार विशिष्ट रूप से अन्वेषक के स्वरूप के आदर्श प्रतिमान का आक्षेप करता है, जिसे वह अपने लौकिक व्यक्तित्व के माध्यम में पुन: चरितार्थ करने के प्रयत्न में दार्शनिक, वैज्ञानिक या कलाकार आदि होता है। पश्यना में अस्तित्व का यह आकार-ग्रहण और उसका अस्मिता-निरूपण, दूसरे शब्दों में आत्म-प्रतिमा के आक्षेप का प्रथम नैतिक संकल्प, चेतना का पूर्णत: स्वतन्त्र कर्म होता है और इस कर्म के लोक में अन्वयन में वह उतना ही स्वतन्त्र होता है जितना वह अपने आदिम संकल्प में : अर्थात् व्यक्ति-रूप में अपनी प्रतिमा के आक्षेप के कर्म में : प्रतिष्ठित होता है। जैसाकि स्पष्ट है, पश्यना और संकल्प दोनों में वह अहंकारोपहित व्यक्ति नहीं होता, व्यक्ति वह उस अस्तित्व में होता है जिसका अतिक्रमण वह सब प्रत्यङ्मुख अतिक्रमणों में करता है। यह अतिक्रमण समग्रात्मक तब होता है जब यह नैतिक, अर्थात् अस्तित्व का समग्रत:, होता है : 'यह कर्म, यह भावना, यह प्रवृत्ति, मेरे योग्य नहीं है' इस संकल्प के रूप में : अपने में आत्म-प्रतिकूलता का यह बोध उस मूल नैतिक संकल्प के अनुसार होता है जो संकल्प प्रतिमान के रूप में व्यक्ति-प्रतिमा का प्रतिष्ठापक होता है। यहाँ यह आपत्ति हो सकती है कि हमारा यह नैतिक व्यक्तित्व सामाजिक संस्कारों और शारीरिक प्रकृति के अनुसार निर्धारित होता है न कि सृजनात्मक चेतना : स्वातन्त्र्य : द्वारा संकल्पित। यह आपत्ति उस सीमा तक सही है जहाँ तक यह साधारण व्यक्ति के साधारण व्यवहार के सम्बन्ध में है, और उस सीमा तक यह व्यवहार उसकी पराङ्मुखता का सूचक होता है। किन्तु इस व्यवहार का नैतिक तत्त्व, यदि वह उसमें होता है तो, चेतना के प्रत्यङ्मुख जागरण के स्तर के अनुसार ही निर्धारित होता है और इस प्रकार पराङ्मुख निर्धारण इस जागरण की प्रभावहीनता का द्योतक होता है।

अस्तित्व के इस इतिक्रमण में अस्तित्व का निषेध अपेक्षित नहीं है। अस्तित्व चित् में अर्थों के उद्घाटन और उन अर्थों के ऐन्द्रिक आयाम में प्रत्यंकन का आधार होता है। उसके बिना न प्रत्यङ्मुखता सक्रिय हो सकती है और न आत्म-प्रतिमा का आक्षेप सम्भव है, व्यक्तित्व के आविर्भाव का तो प्रश्न ही कहाँ रह जाता है! वास्तव में भाव : सत्त्व : के लिए अस्तित्व में क्रियान्वित होना उतना ही अनिवार्य होता है जितना अस्तित्व से परिसीमित नहीं होना : ऐसा भी कह सकते हैं कि भाव आत्म-अतिक्रमणशील अस्तित्व है, यह भाव्यात्मक पर्यन्तता है। किन्तु तब भी नैतिक सन्दर्भ में भाव को अस्तित्व का जो अतिक्रमण करना होता है वह किसी चित्र की असम्यक्ता या सदोषता की अथवा देह की अस्वस्थता की निवारणीयता जैसा नहीं होता, ये न्यूनताएँ सत्ता को केवल अंशत: और निम्न स्तरों पर व्याप्त करती हैं, इनसे भिन्न नैतिक दोष आत्म-विदित सत्ता में आत्म-व्यवधान होता है जो सत्ता को गहनतम स्तरों पर आविल करता है। वासनाएँ और आवेग इस व्यवधान के उपादान बनते हैं। उदाहरणत: 'मुझे अमुक कर्म करना चाहिए या नहीं?' इस सन्देह के सभी सन्दर्भ किसी वासना, आवेग या सम्भावित सुख-दु:ख से सम्बन्धित होते हैं जिनसे उबार सही निर्णय के लिए अनिवार्य होता है : कुरुक्षेत्र में अर्जुन का सन्देह इसका उत्कृष्टतम उदाहरण है, चौरीचौरा में गाँधीजी द्वारा सत्याग्रह वापिस लेने का निर्णय इसका एक दूसरा उदाहरण है। प्रथम में अर्जुन युद्ध नहीं करने के लिए जो युक्तियाँ देता है वे प्रकटत: उसकी उदारता और नीतिबोध की द्योतक प्रतीत होती हैं और इसी रूप में वह अपनी मन:स्थिति को देखता है। **गीता** हमें अपनी इसी प्रकार की मन:स्थितियों को समझने की दृष्टि देती है। इसी प्रकार चौरीचौरा का संघर्ष समाप्त करने में एक प्रकट कायरता थी; उस मन:स्थिति की पहचान करने में ही नैतिक दृष्टि थी। मन:स्थिति की यह पहचान, विशेषत: अर्जुन के सन्दर्भ में, नितान्त अतिक्रामी प्रत्यङ्मुख दृष्टि की अपेक्षा करती है।

ऐसे सब प्रसंगों में निर्णय के लिए पश्यना को उन भावनाओं के स्वरूप पर मनन करना होता है जो भावनाएँ कर्म की परिस्थिति में उत्पन्न होकर निर्णय में : भाव के स्वरूप-दर्शन में : बाधक होती हैं। इस प्रकार भावनाएँ ही यहाँ व्यवधान होती हैं और वे ही मननीय होती हैं। मनन-कर्त्ता जहाँ तक इनसे स्वतन्त्र होता है वहीं तक उसका निर्णय नैतिक होता है। इस प्रकार नैतिक निर्णय स्वातन्त्र्य को और व्यवधान के निवारण को पूर्वकल्पित करता है। यहाँ यह द्रष्टव्य है कि वासनाओं से स्वातन्त्र्य वासना-शून्यता नहीं है।

किन्तु यहाँ आपत्ति हो सकती है कि, यह कैसे जाना जाय कि जिस भी निर्णय पर हम पहुँचते हैं उस निर्णय पर पहुँचना पूर्व-नियत नहीं था और इस प्रकार सम्पूर्ण ऊहापोह, अन्तर्द्वन्द्व और मनन के उपरान्त लिया गया हमारा निर्णय वास्तव में वही नहीं होता जो होना हमारे वासना-आवेग-संस्कार आदि मूलक स्वभाव के अनुसार पूर्वनियत होता है? इस प्रकार का प्रश्न वास्तव में बहुत बड़े पूर्वाग्रह : तत्त्वमीमांसीय पूर्वमान्यता : पर आधारित है। इसमें कारण-कार्य-नियम की सार्वभौमता में अविचारित आस्था निहित है। अन्यथा इसके अपवाद नैतिक निर्णय में ही नहीं, मानवीय प्रज्ञा के सब व्यापारों में पदे-पदे परिलक्षित होते हैं। उदाहरण के लिए, परस्पर विचार-विमर्श के क्रम में उस समय तक की हमारी धारणाओं में सहसा परिवर्तन : 'हाँ, आपकी बात समझ में आ गई' : अथवा विचार करते हुए सहसा एक सम्पूर्णत: नई दृष्टि का आलोकित हो उठना, ये सब कारण-कार्यात्मक निर्धारण के उदाहरण नहीं हैं। फिर वह तो और भी नहीं है जहाँ संघर्ष मन की सहज प्रवृत्ति और धारणाओं से होता है। उदाहरण के लिए, महाराणा प्रताप के शौर्य को परम्परा-प्राप्त धारणाओं का अनुसरण चाहे कह भी दें किन्तु महात्मा गाँधी के आत्मसर्जन को परम्परा प्राप्त धारणाओं का परिणाम नहीं कहा जा सकता, क्योंकि वहाँ स्वयं के द्वारा स्वयं के निर्धारण का एक अद्भुत संकल्प दिखायी देता है। आत्म-निर्धारण का मार्ग और लक्ष्य कहाँ तक परम्परा-प्राप्त था, इससे उस निर्धारण की स्वतन्त्रता पर कोई प्रभाव नहीं पड़ता। यह द्रष्टव्य है कि नैतिक सर्जन विचार के नावीन्य में नहीं, आत्म-अस्तित्व के अधिष्ठातृत्व में होता है। इसी से महाराणा प्रताप का अदम्य साहस नैतिक स्वातन्त्र्य की ही अभिव्यक्ति है, फिर चाहे वह राजपूत परम्परा का कितना भी अनुसारी रहा हो।

यहाँ गाँधी जी और महाराणा प्रताप के उदाहरणों से आदिम संकल्पपूर्वक आत्म-प्रतिमा के आक्षेप के आशय को समझने में भ्रान्ति हो सकती है। वास्तव में इस प्रतिमा का आक्षेप उस आदर्श प्रतिमान का आक्षेप है

जो स्वातन्त्र्य में : दूसरे शब्दों में असद्गर्भ में से : होता है और जिसके अनुसार व्यक्ति अपने को नापता और चरितार्थ करने का प्रयत्न करता है। यह प्रयत्न अपने उज्ज्वलतम रूप में महात्मा बुद्ध और महात्मा गाँधी जैसे व्यक्तियों में परिलक्षित होता है, किन्तु राधा, हीर-राँझा, कालिदास और नागार्जुन आदि भी इसके दूसरे उज्ज्वल उदाहरण हैं। यह द्रष्टव्य है कि राधा महात्मा बुद्ध से अपने व्यक्तित्व का विनिमय स्वीकार नहीं करेगी, क्योंकि दोनों व्यक्तित्व अस्तित्व में भाव की पर्यन्तता की सिद्धियाँ हैं। सब व्यक्तित्व इसी प्रकार आदिम स्वतन्त्र संकल्पमूलक प्रतिमानों के आक्षेप होते हैं, यद्यपि अधिकांश व्यक्तियों का जीवन प्रतिमान-भ्रष्टता का वृत्तान्त अधिक होता है, सफल क्रियान्वयन का कम।

मानव-चित्त अपने स्वरूप में : आत्मसत्ता में : स्वतन्त्र है, इसके लिए कांट ने दो प्रमाण दिये हैं—एक यह कि 'नैतिक अनुभव स्वातन्त्र्य को पूर्वपिक्षित करता है और नैतिक अनुभव की प्रामाणिकता प्रत्यक्ष है, दूसरा यह कि कारण-कार्यात्मक सम्बन्ध विषय-बुद्धिमूलक व्यवस्था है, किन्तु कारण-कार्य-शृंखला का आरम्भ कल्पनीय नहीं होने से यह व्यवस्था के रूप में कभी पूर्ण नहीं हो सकती और इस प्रकार यह बुद्धि के नियम का अतिक्रमण करती है। इस व्यवस्था की पूर्णता की यह अपेक्षा है कि इसमें कोई आदि कारण हो, जो कारण इस व्यवस्था के बाहर के तत्त्व की विद्यमानता का संकेत देता है।' इन दो युक्तियों में पहली पूर्णत: आधारभूत और अकाट्य है, क्योंकि प्रत्यक्ष अनुभव पर आधारित है, किसी कल्पित पूर्व-प्रतिज्ञा पर नहीं, जबकि दूसरी युक्ति कांट की दर्शन-व्यवस्था की युक्तता को पूर्वमान्य करती है, जिसकी युक्तता स्वत:स्पष्ट नहीं है, और उससे भी यह अनिवार्यत: आपादित नहीं होती : यदि प्रत्येक कार्य के कारणमूलक होने से इस शृंखला का कोई आरम्भ नहीं हो सकता तो इससे यह सिद्ध नहीं होता कि यह व्यवस्था तर्कत: अपने अतिक्रमण को पूर्वपिक्षित करती है। यदि शृंखला की अनादिता इसकी अपूर्णता की आपादक है तो इससे यह आपादित नहीं होता कि यह वस्तुत: सादि और इस प्रकार वर्तुल है। फिर बौद्धिक कोटि के रूप में तो कारण-कार्य की अनादिता बनी ही रहेगी। संकल्प उसमें हस्तक्षेप तो कर सकता है किन्तु उसका आदि कारण कैसे हो सकता है?

किन्तु कांट की प्रथम युक्ति निरापद और महत्त्वपूर्ण है, इसे किसी और समर्थन की आवश्यकता नहीं है। किन्तु यह प्रामाणिकता इस तार्किक पूर्वपिक्षा के रूप में नहीं है कि नैतिक कर्म नैतिक उत्तरदायित्व को पूर्वकल्पित करता है और नैतिक उत्तरदायित्व नैतिक स्वातन्त्र्य को। इस प्रकार की युक्ति केवल दण्ड-व्यवस्था के औचित्य को सिद्ध करती है और इसका निराकरण इतने मात्र से किया जा सकता है कि "अपने कर्म के लिए वास्तव में ही कोई उत्तरदायी नहीं है और परिणामत: दण्ड का कोई तात्त्विक औचित्य नहीं है, केवल व्यावहारिक उपयोगिता है।" इस प्रकार स्वातन्त्र्य के लिए युक्ति नैतिक अनुभव : नैतिक चेतना : की संरचना में ही निहित है। किन्तु जैसाकि हमने पीछे देखा, स्वातन्त्र्य चेतना के प्रत्येक प्रत्यङ्मुख साक्षात्कार में है, नैतिकता जिसका उत्कृष्टतम रूप है। इस संरचना के दो पक्ष हैं, एक किंकर्त्तव्यविमूढ़ता में कर्त्तव्य के निर्णय की प्रक्रियापरक : क्योंकि इस निर्णय में सब प्राकृतिक प्रेरणाएँ और प्रवृत्तियाँ निवारणीय होती हैं : और दूसरा आत्मोत्कर्ष की साधनापरक : जिसमें व्यक्ति अपने भाव की प्राप्त स्थिति को अप्राप्त स्थिति से नापता है और उसे न्यून : अभाव-व्यवहित : पाता है और जिसमें उसे अपने अस्तित्व और अपने अन्वेषणों की सार्थकता सन्दिग्ध दिखायी देने लगती है। स्पष्टत: अप्राप्त स्थिति की नियामकता कारण-कार्यात्मक नहीं हो सकती। स्वतन्त्रता के ये दोनों पक्ष अस्मिता को उसके ठोसतम रूप में प्रस्तुत करते हैं और इनमें स्वयं अस्मिता ही विवेच्य और अपने प्रतिमान के लिए संकेत बनती है।

मूल्य : विषय–सत्ता

जैसाकि हमने पीछे देखा, ज्ञान जबकि तथ्य–विषयक होता है, मूल्य प्रतिमान–विषयक होता है। तथ्य का एक अनिवार्य धर्म अस्तित्व में होना है। जो अस्तित्व में रहा है किन्तु अब नहीं है वह भी तथ्य है, यद्यपि वह अब अतीत तथ्य है। इसी प्रकार भविष्यत् में होने वाली घटनाओं को भी तथ्य कहा जा सकता है—जब भविष्यत् को आगे घटित होने वाले वर्तमान के रूप में देखा जाता है। उदाहरण के लिए 'कल होने वाला सूर्योदय' एक भावी तथ्य है, 'आज उदित सूर्य' एक वर्तमान तथ्य, और 'पिछले कल का सूर्योदय' एक अतीत तथ्य। इनमें काल विषयी और विषय के बीच एक बाह्य सम्बन्ध है, परिणामत: भावी या सम्भव भी वस्तुत: वर्तमान ही हो जाता है। इसके विपरीत प्रतिमान वह है जो तथ्य नहीं है किन्तु जो तथ्य को होना चाहिए। यदि काल की पदावली में तथ्य और मूल्य में भेद करें तो कहा जा सकता है कि तथ्य विद्यमानता : वर्तमानता : है और मूल्य भाव्यता। किन्तु यह अन्तर इनके स्वरूपों की ओर संकेत तो करता है इनका निरूपण नहीं करता, क्योंकि 'भाव्य' का अर्थ यदि विद्यमान का रूपान्तरण, अथवा विद्यमान सम्भावनाओं का वास्तवीकरण भी माना जाय तो भी यह पद प्रतिमान या मूल्य के तत्त्व को सम्यक् रूप से व्यक्त नहीं करता। ऐसा नहीं है कि कोई तथ्य प्रतिमान नहीं हो सकते : कृतियाँ और कार्य तथ्य भी होते हैं और इन्हें हम प्रतिमानों के रूप में भी देखते हैं : किन्तु उनकी प्रतिमानता उनकी तथ्यता से मौलिक रूप में भिन्न होती है, यह किसी अन्य तथ्य की इस अपेक्षा से होती है कि उसको वैसा होना चाहिए था जैसा प्रतिमानभूत तथ्य है और वह तथ्य नहीं है। यह अपेक्षा दोनों तथ्यों को उनकी पार्थिवता से मुक्त कर उन्हें आदर्शों के चिदाकाश में प्रतिष्ठित कर देती है। अब एक तथ्य न्यून और असन्मय हो जाता है और दूसरा अन्यून, आदर्श और असत्त्व से मुक्त।

जैसाकि हमने तीसरे अध्याय में देखा था, बया का घोंसला गौरैया के घोंसले से उत्कृष्टतर है : यहाँ कहा जा सकता है कि, वह प्रतिमान के निकटतर है। अब, यहाँ यह भी कहा जा सकता है कि 'यह उत्कृष्टता एक तथ्य है।' किन्तु एक–दूसरे अर्थ में, यह तथ्य नहीं है और न यह कभी तथ्य हो सकती है। तथ्य केवल दो प्रकार के घोंसलों का होना है। किन्तु यह प्रकारता–भेद किस बात में है? एक प्रकारता में ये दोनों एक हैं : कि ये दोनों घोंसले हैं, एक दूसरी प्रकारता में ये भिन्न हैं, यह प्रकारता इनकी संरचना और गठन की है। इस दूसरी प्रकारता को इनका ज्यामितिक गुण भी कहा जा सकता है। इस प्रकार दो घोंसले दो ज्यामितिक संरचनाएँ हैं, वे दोनों गौरैया के हों, या एक गौरैया का और दूसरा बया का। अवश्य इनमें भी प्रकार–भेद है, कि गौरैया के दो घोंसले केवल दैशिक रूप से परस्पर व्यावृत्त हैं, किन्तु गौरैया और बया के घोंसले दैशिक और रचनात्मक दो रूपों में परस्पर व्यावृत्त हैं।

किन्तु तिनकों की केवल ज्योमितिक संरचना उन्हें घोंसला नहीं बनाती, उस संरचना में प्रतिफलित प्रयोजन उन्हें घोंसला बनाता है। यह प्रयोजन ही उस संरचना को एक अन्विति, एक संहति, देता है। यहाँ कहा जा सकता है कि परमाणुओं और सौरमण्डल में यह संहति अपने सौष्ठव की पराकाष्ठा पर है, किन्तु इन संहतियों को प्रयोजनात्मक नहीं कहा जा सकता, ये केवल ज्यामितिक और यान्त्रिक होती हैं। जैसाकि हमने पीछे देखा, भौतिक प्रकृति को यान्त्रिक नियम के रूप में देखना केवल एक पूर्व–मान्यता है, किन्तु यहाँ हम केवल इतना कहना चाहेंगे कि किसी वस्तुस्थिति को इस प्रकार भी देखा जा सकता है और भौतिकता इस दृष्टि का एक आदर्श उदाहरण है। किन्तु कुछ दूसरी वस्तुस्थितियाँ हैं जिन्हें इस प्रकार नहीं देखा जा सकता, जैव प्रकृति इसी प्रकार की वस्तुस्थिति है। किन्तु जैव प्रकृति की प्रयोजनात्मकता आत्म–चेतन नहीं होती। भौतिक प्रकृति प्रयोजनात्मक और यान्त्रिक दोनों रूपों में कल्पित की जा सकती है, वास्तव में इसके कुछ अंशों को तो पृथक्–पृथक् यान्त्रिक व्यवस्था के रूप में ही अधिक सम्यक् रूप से समझा जा सकता है : जैसे पानी के बहाव से मिट्टी का कटना,

अधिक वर्षा होने से नदियों में बाढ़ आना आदि : किन्तु प्राकृतिक व्यवस्था का उसकी समग्रता में ज्यामितिक-यान्त्रिक व्यवस्था के रूप में अवधारण सहज प्रतीत नहीं होता। इसका कारण यह है कि 'समग्रता' इन्द्रियगम्य नहीं होकर विचारगम्य है और विचारगम्य : प्रत्यय : एक आदर्शात्मक सत्ता है। वास्तव में जैसाकि हमने पीछे अनेक स्थलों पर देखा, विशिष्ट विषय भी केवल अंशत: इन्द्रियगोचर एक समग्र ही होता है और अपनी समग्रता में यह बुद्धिगोचर ही होता है। इस प्रकार प्लेटो और अरस्तू ने जो इन्द्रियगोचर का सत्त्व या सत्य क्रमश: प्रत्यय (आइडिया) और आदर्श (फोर्म) में देखा वह कल्पना को तथ्य के ऊपर स्थान देना नहीं है, बल्कि तथ्य को उसकी सम्पूर्णता में देखना है।

किन्तु यहाँ आपत्ति हो सकती है कि यदि समग्रता इन्द्रियगोचर विषय नहीं है तो उसे कल्पनामूलक क्यों नहीं कहा जाय? अवश्य यह कल्पना यादृच्छिक नहीं होकर अतिक्रामी, अथवा कहें बुद्धि-स्वभावमूलक ही होती है, इसी से बौद्ध इसे अनादि वासना, कांट प्रत्यक्ष की अतिक्रामी एकता (ट्रांसडेंटल यूनिटी ऑफ आप्पर्सेप्शन) और अनुभववादी तार्किक संरचना (लॉज़ीकल कंस्ट्रक्शन) कहते हैं, किन्तु ये नाम इसकी असत्कल्पनामूलकता की ही विभिन्न व्याख्याएँ हैं। किन्तु ये विचारक यह भूल जाते हैं कि इस दृष्टि से सत्ता सबसे अधिक कल्पनामूलक हो जायगी।

समग्रता को विकल्पमूलक : कल्पना-मूलक : कहने के पीछे सत्ता-विषयक एक जैव धारणा है, जिसके अनुसार इन्द्रिय-गोचरता सत्ता का आदर्श प्रतिमान है। किन्तु यह आदर्श वास्तव में पराङ्मुख चित्त की आस्था का है, प्रत्यङ्मुख चित्त के विषय ऐन्द्रिक नहीं होकर प्रत्यय और तत्त्व आदि ही होते हैं। ये विषय : प्रत्यय : द्विआयामात्मक होते हैं, एक आयाम प्रस्तुत-परकता का होता है और दूसरा प्रतिमान-परकता का : प्रस्तुत विषय का अस्तित्व है और प्रतिमान उसका सत्य। कुछ प्रत्यय ऐसे भी होते हैं जो सत्ता-पक्ष में न्यूनतम होते हैं और अस्तित्व-पक्ष में अधिकतम होते हैं : भौतिकता इस क्रम में सर्वप्रथम है, दूसरे प्रत्यय हैं जो सत्ता-पक्ष में अधिकतम होते हैं। परम श्रेयस्, ऋत आदि दूसरे हैं, जिनके लिए अस्तित्व का प्रश्न अप्रासंगिक होता है। ईश्वर : ब्रह्म : के सम्बन्ध में यह प्रश्न करना कि उसका अस्तित्व है या नहीं, इसलिए अप्रासंगिक है क्योंकि अस्तित्व में जो कुछ भी सत् है वह वही है, अथवा कहें, वही अस्तित्व का सत्य है।[1] इसी प्रकार ऋत के लिए यह कहना कि उसका अस्तित्व है, इसलिए अप्रासंगिक है क्योंकि जो भी कुछ अस्तित्व में है वह उसी के द्वारा है, वह अस्ति-वस्तुओं की व्यवस्था और छन्द है : परमाणु में उतना ही जितना सौरमण्ड में, पिपीलिका-बस्ती में उतना ही जितना मनुष्य-समाज में। यहाँ कहा जा सकता है कि, 'मुनष्य-समाज का अस्तित्व है' यह प्रतिज्ञप्ति उसकी व्यवस्था के अस्तित्व को भी सम्मिलित करती है, इसकी व्यवस्था इसके अस्तित्व के बाहर कुछ नहीं है। किन्तु ऐसा नहीं है, सामाजिक व्यवस्था जितनी होती है उससे कहीं अधिक वह नहीं होती है, और जितनी वह होती है उसको अस्तित्व में बनाये रखना अत्यधिक दुष्कर होता है। उसका यह अस्तित्व ऋत में अवस्थित होता है, यह स्वयं ऋत नहीं होता, यह उसकी केवल न्यूनाधिक और औपाधिक अभिव्यक्ति होता है। गोत्व और मनुष्यत्व दूसरे तुलनीय प्रत्यय हैं : गोत्व गाय के अस्तित्व को धारण करता और उसका नियमन करता है, इसके विपरीत मनुष्यत्व मनुष्यों के अस्तित्व को धारण करने वाला और उसका नियामक नहीं है, यह उस धारणा का, उस प्रतिमा : प्रतिमान : का आधार है जो प्रतिमा व्यक्ति की पर्येषणा-अभीप्सा को धारण करती और उसका नियमन करती है। दूसरे शब्दों में, मनुष्यत्व मानव-तन का प्रतिमान नहीं होकर आध्यात्मिक सत्त्व है और उसी अनुपात में वह सत्ता में गुरुतर और अस्तित्व में क्षीणतर है।

इसका अर्थ हो जाता है कि अस्तित्व सत् और असत् का संयोग है : वह कुछ सत् है और कुछ असत्। उदाहरण के लिए मेरा यह लेख एक विचार की अभिव्यक्ति का प्रयत्न है। मैं आन्तर अवधान और मनन से इस

1. यद्वाचानभ्युदितं, येन वागभ्युद्यते...। यन्मनसा न मनुते, येनाहुर्मनोमतम्...। यच्चक्षुषा न पश्यति, येन चक्षूंषि पश्यति...। यच्छ्रोत्रेण न शृणोति, येन श्रोत्रमिदं श्रुतम्...। यत् प्राणेन न प्राणिति, येन प्राण: प्रणीयते...। तदेव ब्रह्म त्वं विद्धि नेदं यदिदमुपासते। (**केनोपनिषद्**, 1.4-8).

विचार की सत्ता का अवगाहन करने का प्रयत्न कर रहा हूँ और इस लेख में इसे व्यक्त करने का प्रयत्न कर रहा हूँ। यहाँ सहज ही तीन स्तर उत्पन्न हो जाते हैं : व्यतता का स्तर, मनन में अवगत स्तर, और मनन में अनवगत स्तर। अब, यह विचार इस अभिव्यक्ति का आधार और सत् है और यह अभिव्यक्ति उसी सीमा तक सत् है जिस सीमा तक यह इस विचार को व्यक्त करने में सफल है, और यह उस अनुपात में असत् है जिस अनुपात में यह इसे व्यक्त करने में असफल है। शारीरिक और मानसिक अस्वास्थ्य इसका एक दूसरा उदाहरण हो सकता है। स्वास्थ्य की परिभाषा हो सकती है—'अपने तत्त्व अथवा प्रत्यय के अनुसार अस्तित्व-स्व में स्थिति।' अब, किसी देह के अपने प्रत्यय के अनुसार होने का क्या अर्थ है? प्रत्येक देह अपने में एक पृथक् आवयविक संहति और क्रिया-व्यवस्था होती है। व्यष्टि-देह की यह व्यवस्था और संहति बल, पृथुलता-कुशलता आदि से परिभाषित नहीं होती, ये : व्यवस्था और संहति : अपने आन्तरिक सामरस्य और सप्रणता से परिलक्षित होते और बल तथा पृथुलता आदि के रूप में व्यक्त होते हैं। इसी से दो देहों में एक का दूसरे से कम सबल, पृथुल या कृश होना उसे दूसरे से कम या अधिक स्वस्थ नहीं बनाता, प्रत्येक देह की पृथुलता-कृशता का प्रतिमान उसका निजी होता है। किन्तु यह निजी प्रतिमान वास्तविक होता है, काल्पनिक नहीं, यद्यपि यह पार्थिव लोक में विद्यमान नहीं होता। यह प्रतिमान उस शरीर की सबलता आदि की सम्भावनाओं का निर्धारण करता है और परिणामत: इसी से उसका स्वास्थ्य-अस्वास्थ्य निर्धारित होता है। इसे उस देह का प्रत्यय भी कह सकते हैं, ठीक उसी प्रकार जिस प्रकार किसी चित्र या गीत का प्रत्यय होता है। प्रत्येक अवयवी या व्यष्टि एक ओर इस प्रकार अपने विशिष्ट प्रत्यय से निर्धारित होता है और दूसरी ओर किसी जाति-प्रत्यय से, जिस प्रकार गाय-व्यष्टि अपने विशिष्ट प्रतिमान से भी निर्धारित होता है और सामान्य प्रत्यय : गोत्व : से भी। दो देहों के विशिष्ट प्रतिमान उनके उत्कर्ष की अधिकतमता को पृथक्-पृथक् निर्धारित करते हैं, और इस अर्थ में उन्हें परस्पर अतुलनीय बनाते हैं कि एक को दूसरे से बल या सौष्ठव आदि में अल्प या अधिक केवल बाह्यत: ही कहा जा सकता है, आन्तरत: नहीं।

इन प्रत्ययों या प्रतिमानों को हम एक-दूसरे अर्थ में भी आन्तर और बाह्य कह सकते हैं। वह इस अर्थ में कि प्रतिमान आत्म-विदित (सेल्फ अवेयर) है या नहीं? आत्म-विदित प्रतिमानों को हम आन्तर और अविदित को बाह्य कह सकते हैं। आत्म-अविदित प्रतिमान को बाह्य कहने से हमारा अभिप्राय है कि इससे सम्बन्धित चित्त और अस्तित्व अपने आविर्भाव और नियोजन का स्वयं अधिष्ठाता नहीं होता, इसके विपरीत आत्म-विदित चित्त अपने प्रतिमान और अस्तित्व का अपने संकल्प से आक्षेप करता है, जिस प्रकार वह अपनी अन्य कृतियों का भी करता है। इस प्रकार मनुष्य अपने आध्यात्मिक व्यक्तित्व में तो आत्म-विदित होता है, अपने दैहिक व्यक्तित्व में नहीं, यद्यपि योग में वह उसका भी अधिष्ठातृत्व सिद्ध करने का और इस प्रकार उसमें भी आत्म-विदित होने का प्रयत्न करता है। यह आत्म-विदित प्रतिमान ही मूल्य कहा जाता है। यों इस अर्थ में आत्म-अविदित प्रतिमानों को भी मूल्य कहा जा सकता है कि वे भी अपने से परिभाषित अस्तित्व का उत्कर्षण करते हैं, वह उत्कर्ष चाहे आत्म-अविदित ही क्यों न हो : जैसे जैव देह अपनी क्षति की पूर्ति के लिए उद्विग्न होता है। किन्तु यहाँ वास्तव में यह कल्पना रहती है कि यह अविदितता आत्यन्तिक नहीं है, केवल प्रसुप्त या अत्यधिक है। उदाहरणत: भौतिक प्रकृति में, उसकी शुद्ध भौतिकता में भी, व्यवस्था या संरचना के अभाव, न्यूनता और अन्यूनता के उदाहरण देखे जा सकते हैं : जैसे सिकता, साधारण पत्थर और स्फटिक में, किन्तु इनमें हम किसी भौतिक प्रतिमान की बात नहीं कर सकते। अब यहाँ यह कल्पनीय है कि आत्म-विदितता स्वयं एक मूल्य है और इस प्रकार भौतिक और आत्म-अविदित चित्त का अन्वेष्य और नियोजक है, जिसके बिना सभी प्रत्यय अपने स्वरूप और अर्थ में अधूरे रहते हैं। यही कारण है कि अविदित अस्तित्व के स्तर पर मूल्य केवल दैहिक, आवयविक तथा व्यवस्थात्मक मात्र रहते हैं। अब, यदि जगत् अपनी समग्रता में भी आत्म-अविदित है तो उसका पर्येष्य आवयविक अथवा व्यवस्थात्मक उत्कर्ष होने के अतिरिक्त स्वयं आत्म विदितता भी होना चाहिए, जिसमें आवयविकता, व्यवस्था और संहति साधन मात्र बनते हैं।

ऐतिहासिक रूप से आत्म-विदितता का आविर्भाव केवल मनुष्य में ही मिलता है। जिसका अर्थ है कि मनुष्य जगत् के सत्त्व की अद्यावधि उत्कृष्टतम अभिव्यक्ति है। किन्तु यदि आत्म-विदितता जगत् का अन्वेष्य और सत्य है तब इसे जगत् का मूल और आद्य तत्त्व भी होना चाहिए, क्योंकि नहीं तो स्वयं में जगत् एक निराधार गति होगा और उसकी दिशा और लक्ष्य आगन्तुक होंगे। वास्तव में इतिहास के लिए (बिकमिंगनेस) पूर्वापेक्षित होने से सत्त्व (बींग) जगत् का अन्वेष्य : मूल्य और गंतव्य : तो हो सकता है, उसका यान्त्रिक फल या परिणाम नहीं। अर्थात् आत्म-विदित चित्त यदि जगत् का मूल्य, सत्त्व और अन्वेष्य है तो यही उसका आधार तत्त्व और नियामक भी है। ऐसा नहीं है कि जगत् यान्त्रिक रूप से भौतिक से जैव और जैव से आत्म-चेतन में परिणत होता है।

किन्तु इस प्रतिपादन में एक कठिनाई है : आत्म-विदितता में आत्म विषय-रूपेण आक्षिप्त होता है, यद्यपि यह विषयभूत आत्म : अस्मिता : अपने विषयी से भिन्न होने पर भी अभिन्न होता है। किन्तु तब भी यह भिन्न होता है : आत्म-प्रत्यय रूप में : और यह भिन्न आत्म पूर्णतः पारदर्शी, पूर्णतः आत्म-विदित नहीं होता : मैं अपने चित्त को केवल अंशतः ही जानता हूँ। यह स्थिति विषयी की सीमितता को प्रकट करती है, अन्यथा उसके लिए विषय-मात्र पूर्णतः पारदर्शी होना ही चाहिए। अब यदि आत्म-विदित चित्त इस प्रकार आत्म-विभक्त और सीमित है तब वह पूर्ण सत् नहीं हो सकता, केवल वह असत्-व्यवहित सत् ही हो सकता है। फ़िख़्ते ने आद्य और आत्म-अविदित सत् (इगो) में आत्म-विदित सत् के विषयी और विषयभूत आत्म के रूप में आविर्भाव की बात की है। शैल्लिंग ने उस पर आरोप लगाया कि उसका आद्य अविभक्त आत्म : सत् : सीमित और वैयक्तिक है। किन्तु तब भी, उसके अनुसार इस आद्य आत्म से उद्गत आत्म-विदित आत्म अन्तर्विभक्त और वैयक्तिक ही होता है। शैल्लिंग भी आत्म-अविदित प्राकृतिक चित् (गॉड एज़ नेचर) को ही आद्य सत् के रूप में देखता है, जो चित् आत्म-विदित मानव-चेतन के रूप में विकसित होता है। किन्तु यदि अविभक्त सत् को आत्म-विभक्तता और अपारदर्शिता में ही पर्यवसित होना है तब यह मूल्य नहीं हो कर अवांछनीय स्थिति ही हो सकती है। किन्तु फ़िख़्ते और शैल्लिंग में यह इस कारण मूल्य है क्योंकि आद्य सत् नितान्त रूप से बहिर्भूत (आइडिया एक्स्टर्नेलाइज़्ड), प्रकृतिमय ईश्वर, है और आत्म-विभक्त चित् : मनुष्य रूपेण : साथ ही आत्म-विदित भी है।[1] इसके विपरीत कुछ भारतीय दर्शन-सम्प्रदाय आद्य सत् को अविभक्त किन्तु आत्मप्रकाश-स्वरूप और आत्मस्थ देखते हैं, यह उनके द्वारा निद्रा को ब्राह्म स्थिति के निकट कहने से स्पष्ट है। किन्तु इस दृष्टि की मुख्य कठिनाई यह है कि प्रकाश-स्वरूप अखण्ड चित् अपने को अपारदर्शी तथा अंशतः अपारदर्शी रूप में क्यों कर घटित करता है? यहाँ दो उदाहरण लें : एक, अपनी समग्रता में प्रकृति और दूसरा, चित्र। अब प्रश्न होगा कि प्रकृति अपने प्रत्यय से न्यून है या अन्यून? यहाँ इसका उत्तर सहज नहीं है, क्योंकि यदि प्रत्यय को आत्म-विदित माना जाता है तो प्रकृति वास्तव में प्रत्यय से स्वरूपतः अभिन्न हो जाती है, क्योंकि तब प्रत्यय आत्म-बहिष्कृत (एक्स्टर्नेलाइज़्ड) केवल हमारे लिए ही होता है, जो हम इन्द्रियों द्वारा आत्म-बहिष्कृत होते हैं, स्वयं प्रकृति के अपने लिए नहीं। और यदि यह प्रत्यय आत्म-विदित नहीं है तो प्रकृति अपने प्रत्यय से अधिक हो जाती है, क्योंकि अपनी समग्रता में यह प्रत्यय की पूर्ण अभिव्यक्ति है, और अभिव्यिक्त होने से यह तद्गत अव्यक्तार्थ को व्यक्त करती और इसमें मूर्त्तता का नया आयाम जोड़ती है। किन्तु यहाँ प्रतिवाद किया जा सकता है कि जगत् के अभिव्यक्त और इन्द्रियग्राह्य होने पर इसकी 'समग्रता' का कोई अर्थ नहीं रह जाता, क्योंकि काल-प्रवाह इसका अनिवार्य घटक हो जाता है। किन्तु सम्भवतः प्रकृति को इनमें से एक रूप में नहीं बल्कि दोनों रूपों में देखना उपयुक्त है : यह स्वरूपतः आत्म-विदित और पूर्णतः पारदर्शी प्रत्यय है और पर-रूपतः यह इन्द्रिय-ग्राह्य अभिव्यक्त जगत्। इसकी पर-रूपता इसकी इन्द्रिय-ग्राह्यता में है। दूसरा उदाहरण किसी कृति : जैसे चित्र : का लिया जा सकता है। चित्र अपने प्रत्यय की अभिव्यक्ति होता है। यद्यपि यह प्रत्यय व्यक्ति-चित्त द्वारा गृहीत सामान्य होता है किन्तु यह पूर्णतः पारदर्शी : अपनी अखण्ड सम्पूर्णता में साक्षात्कार्य : नहीं होता और अपने रूप-रेखांकन में यह और भी असम्यक्तया ग्राह्य होता है। किन्तु अपने मूल में यह प्रत्यय आत्म-विदित ही होता

---

1. इस पर द्रष्टव्य **पाश्चात्य दर्शन का इतिहास,** भाग 2, सं. दयाकृष्ण में हमारे लेख 'फ़िख़्ते' तथा 'शैल्लिंग'।

है, क्योंकि व्यक्ति-चित्त आत्म-अविदित को व्यक्त नहीं कर सकता, क्योंकि व्यक्ति-चित्त अव्यवहित चैतन्य का प्रकृतीकरण है, अचित् का चित्करण नहीं। इसका प्रमाण यह है कि चित्त प्रत्यय का साक्षात्कार उसी सीमा तक स्पष्टतया कर पाता है जिस सीमा तक वह अपनी बहिर्मुखता का निरोध कर पाता है। किन्तु रूप-रेखाओं में अंकन प्रत्यय का आगे और प्रकृतीकरण है, जहाँ यह पूर्णत: आत्म-अविदित होकर चित्त-गृहीत प्रत्यय के लिए संकेत मात्र होता है।

किन्तु यहाँ आक्षेप हो सकता है कि मूल्य चित्र होता है, न कि अव्यवहित प्रत्यय, क्योंकि हम चित्र के निर्माण का प्रयत्न करते हैं और इसकी सफल रचना में अपनी सिद्धि देखते हैं, अव्यवहित प्रत्यय के अव्यवहित साक्षात्कार के लिए प्रयत्न नहीं करते, वह प्रयत्न हम केवल चित्रण की सम्यक्ता के लिए करते हैं। यह सही है, किन्तु 'चित्र की सफल रचना' किस में निहित होती है? स्पष्टत: इसका प्रतिमान अव्यवहित का सम्यक् निरूपण ही होता है। किन्तु तब यह एक अत्यन्त गुह्य पहेली है : मूल्य प्रत्यय का साक्षात्कार होना चाहिए न कि उसका अपारदर्शी माध्यम में निरूपण, जो कि कभी भी सम्यक् और पर्याप्त नहीं हो सकता। दूसरे, प्रत्यय के आत्म-विदित और स्वत:सिद्ध रहते उसके चित्र द्वारा पर-रूपेण निरूपण की अपेक्षा ही क्यों उत्पन्न होती है, हम उसके स्वरूप में ही उसके साक्षात्कार का प्रयत्न क्यों नहीं करते?

वास्तव में इस वैपरीत्य में ही मनुष्य के अस्तित्व की और मूल्य की सत्ता की गुह्यता निहित है। मनुष्य न प्रत्यय की आत्म-विश्रान्त अव्यवहित सत्ता है और न पर-रूपेण कल्पित आत्म-अविदित अस्तित्व, यह पर-रूप में स्वरूप का द्वितीयावर्तन है, आत्म-अविदित में आत्म-विदित का आविर्भाव, जिसके द्वारा दूसरी सृष्टि का प्रवर्तन होता है। यह चित् की आत्म-विभक्त सत्ता है, आत्म-विश्रान्त पूर्ण पारदर्शिता नहीं। अव्यवहित सत्ता का द्वितीयावर्तन होने से इसके लिए मूल्य पर-रूप में स्वरूप का सम्यक् निरूपण है : हम चित्र में प्रत्यय को मूर्त्तित करना चाहते हैं, उसकी असम्यक्ता और अपर्याप्तता का ग्रहण हम उसके अन्त:साक्षात्कृत प्रत्यय से उसकी तुलना के द्वारा करते हैं, और हमारे लिए मूल्य साक्षात्कृत प्रत्यय का पर-रूप : प्रकृति : में निरूपण होता है, साक्षात्कार मात्र नहीं। इसे नैतिक मूल्य के सन्दर्भ में और भी स्पष्टता से देखा जा सकता है : नैतिक श्रेयस् के प्रत्यय का बौद्धिक साक्षात्कार अत्यधिक दुस्साध्य है, किन्तु वह सम्भव हो जाने पर भी मूल्य उसका हमारे प्राकृतिक व्यक्तित्व : चित्त और देह : में अन्वयन होता है। यहाँ यह द्रष्टव्य है कि प्रत्यय का साक्षात्कार भी वास्तव में द्वितीयावर्तन ही है, केवल इस भेद के साथ कि इसमें प्राकृतिक चित्त अपने पर-रूप का अतिक्रमण कर आत्मसत्ता का पुनराकलन करता है। यह आकलन भी अत्यधिक दुस्साध्य होता है, किन्तु यह प्रत्यय के पर-रूप में निरूपण से भिन्न प्रकार का व्यापार है, इसमें अव्यवहित प्रत्यय की सत्ता के पर-रूप के निवारण के द्वारा साक्षात्कार अपेक्षित होता है, उसका पर-रूप में निरूपण नहीं। इस दूसरी साधना के बिना प्रथम सिद्धि सार्थक नहीं मानी जाती, और वास्तव में इसके बिना प्रथम सिद्धि की प्रामाणिकता में भी सन्देह उत्पन्न होता है।

यहाँ पारमार्थिक तत्त्व-कल्पना के लिए दो विकल्प हैं जो तत्त्व-साक्षात्कार के लिए अनुसन्धेय हैं। एक विकल्प आत्म-विभक्त आत्म-चेतना, अंशत: आत्म-चेतन चित्त : मनुष्य : को सत्ता में नवीन प्रादुर्भाव के रूप में देखने का है, जिस प्रादुर्भाव के द्वारा सत्ता आत्मगत अविदित अर्थ-विपुलता का दर्शन करती है। शैल्लिंग का आधार तत्त्व (फाउंडिंग प्रिंसिपल) अथवा प्रकृत्यौपाधिक ईश्वर (गॉड एज़ नेचर) इसी प्रकार का तत्त्व है। किन्तु हम ऊपर आत्म-अविदित सत्ता की आद्यता के विकल्प को अस्वीकार कर चुके हैं। दूसरा विकल्प इस व्यवहित आत्म-चेतना : मनुष्य : को निस्सीम और अखण्ड आत्म-चेतना में द्वितीयावर्तन के रूप में देखने का है, जिसके द्वारा एक दूसरी सृष्टि का प्रवर्तन होता है, जो सृष्टि आत्म-विभक्ति के कारण मूल सृष्टि से सर्वथा भिन्न है किन्तु जिसके लिए पर्येष्य इस विभक्ति के मार्ग से उस पूर्ण पारदर्शिता की सिद्धि है जिस पारदर्शिता में अपने से व्यवहित आत्म अब अपने से तादात्म्य प्राप्त नहीं करता बल्कि अपने से यौगपद्य प्राप्त करता है। दूसरे शब्दों में, यह चित् की अखण्ड आत्मसत्ता का अपने पर आवर्तन है जो उसमें अस्फुट-स्थित अर्थों के असीम वैविध्य में विस्फुटन का हेतु बनता है।

हमें यह दूसरा विकल्प अधिक युक्त प्रतीत होता है, क्योंकि प्रथम विकल्प के अनुसार आत्म-चेतन अर्थ-गवेषणा के सत्य होने के लिए कोई आधार नहीं रहेगा, कम-से-कम इसके लिए कोई प्रमाण नहीं रहेगा, क्योंकि यदि आत्म-विदितता सर्वथा नवीन आविर्भाव माना जाता है तब आधारसत् तमसावृत गह्वर-वत् होगा और आत्म-चेतना द्वारा दृष्ट अर्थों की सत्यता में विश्वास के लिए कोई आधार नहीं हो सकेगा। कहा जा सकता है कि अर्थ-गवेषणा की सत्यता की कसौटी आत्म-चेतना की स्पष्टता ही हो सकती है। तब कहा जा सकता है कि आत्म-चेतना के नव्योत्पत्ति होने पर यह चेतना तामस आधार का आत्मोत्क्रमण होगी और यह उत्क्रमण जितना ही अधिक होगा यह उतना ही सत्य होगा। इस दृष्टि के अनुसार गवेषणा का सत्य उसके अपने भीतर निहित है, क्योंकि गवेषणा सत्ता में इस दृष्टि के आविर्भाव के मार्ग का ही निरालस अनुसरण है। इसमें असत्य इस अनुसरण से विरति, अथवा कहें आधार-तमस् से तादात्म्य, का होना है।[1] यद्यपि इस युक्ति में प्रयत्न की अनन्तता और इसकी प्रामाणिकता की अनिवार्य निराधारता के बावजूद प्रयत्न में आस्था का गौरव है, किन्तु इसमें कुछ गम्भीर कठिनाइयाँ हैं। प्रथम कठिनाई प्रकृति को समझने की है। जैसाकि हमने पीछे अध्याय 5 में देखा, प्रकृति एक सुरचित आवयविक व्यवस्था है। यह व्यवस्था अपने आधार में विचार और योजना या अभिप्राय की स्वीकृति के बिना व्याख्येय नहीं है। इस स्वीकृति के बिना व्याख्या की युक्तता के लिए एक ही उपाय है कि व्यवस्था को हमारा आरोप माना जाय, प्रकृति में स्वभावगत नहीं। किन्तु तब व्यवस्था को ही नहीं प्रकृति को भी हमारा आरोप मानना होगा, क्योंकि ज्ञान की दृष्टि से व्यवस्था में और व्यवस्थित वस्तुओं में कोई अन्तर नहीं है, सिवाय इसके कि एक मुख्यतः बुद्धिगम्य है और दूसरी मुख्यतः संवेदगम्य। किन्तु यदि व्यवस्था को हमारी कल्पना का आरोप मान लिया जाता है तब भी इससे वास्तव में कोई मौलिक अन्तर नहीं पड़ता, क्योंकि उस अवस्था में व्यवस्था और व्यवस्थित का उपादान और निमित्त मानवीय चेतना को मानना पड़ता है जो व्यक्तिमूलक या यादृच्छिक नहीं होकर अतिक्रामी और अवैयक्तिक है और इस प्रकार स्वयं उस सब का भी उपादान और निमित्त है जो मानवीय है। इस प्रकार स्वयं मानवता एक आरोप हो जाती है। अब, मानवीय चित्त आत्म-चेतन है, किन्तु यह आत्म-चेतन मानवीय चित्त व्यक्तिगत या समाजगत नहीं है बल्कि वह है जो मानव-व्यक्ति और मानव-समाज रूप में व्यक्त होता है। यदि आप मानव-व्यक्ति और मानव-समाज को भी आरोप कहना चाहें, जैसाकि जगन्मिथ्यात्ववादी भारतीय दार्शनिक[2] और कुछ पाश्चात्य दार्शनिक भी कहते हैं, तो यह चित्त स्वभावतः आद्य सर्जक और आत्म-प्रकाशित हो जाता है, क्योंकि यही चित्त मानवता के आरोप : उपाधि : का उपादान और निमित्त होने से सम्पूर्ण आरोप का निमित्त हो जाता है, और वह फलक या पटल भी हो जाता है जिस पर यह आरोप होता है।

किन्तु इसमें सबसे बड़ी कठिनाई आत्म-प्रकाशित चित्त को निस्सीम और पूर्णतः पारदर्शी चैतन्य स्वीकार करने की है। किन्तु यह कठिनाई इस कारण है क्योंकि इस चित्त की प्रथम और अनिवार्य क्रिया आत्म का विषयकरण देखी गई है जो इसे विषयी और विषय दोनों पक्षों में सीमित कर देती है। किन्तु वास्तव में चित्त के आत्म-प्रकाशन के लिए उसका आत्म-विभाजन अथवा सीमित विषयरूपेण अपना आक्षेप आवश्यक नहीं है।[3] अवश्य अस्मिता, अथवा व्यक्तिरूपेण अपना अवधारण, आत्म-चेतन चित् का ही व्यापार है, किन्तु यह उसका एकमात्र व्यापार नहीं है, और न इस विषयाक्षेप का सीमित विषयरूपेण आक्षेप होना ही अनिवार्य है। सीमितता वास्तव में चित्त की पराङ्मुखता में आविर्भूत होती है, प्रत्यङ्मुखता में इसका चैतन्य में अतिक्रमण होता है। अस्मिता, अथवा सीमित आत्म-विदितता, सांवेदनिक उपादान में संरचित आत्म-प्रत्यय है जो इसी उपादान में

---

1. ज्याँ पॉल सार्त्र ने **बींग एण्ड नथिंगनेस** के अन्तिम अध्याय में इस मत का बहुत स्पष्ट और सशक्त प्रतिपादन किया है।
2. इसमें हम साँख्य तथा विज्ञानवादी, शून्यवादी और सौत्रान्तिक बौद्धों को भी सम्मिलित करते हैं।
3. हमने अपनी पुस्तक **'चिद्विमर्श'** के 'धर्म-दर्शन' अध्याय में निस्सीम चित् को आत्म-विदित स्वीकार नहीं किया है और इस कारण ईश्वर की सत्ता का निषेध किया है। ऐसा इस मान्यता के कारण हुआ कि हमने वहाँ आत्म-चेतना के लिए आत्म का विषयकरण अनिवार्य माना और इस विषय के लिए इतर-व्यावृत्ति को और इस प्रकार सीमितता को। किन्तु यह अयुक्त है, जैसाकि यहाँ हम देखेंगे।

रचित इतरताओं से व्यावृत्त और अवच्छिन्न होता है। किन्तु प्रत्यङ्मुखता में यह प्रत्यय निरपेक्ष सामान्यता में अतिक्रमित हो जाता है : नैतिक ऋत (मॉरल लॉ) सीमित अस्मिता को सामान्य के अधीन करके ही प्रकाशित होता है जबकि तात्त्विक ऋत इस अस्मिता के नितान्त विलय के द्वारा प्रकाशित होता है। उपनिषद् के 'तत्त्वमसि' आदि तीन महावाक्य इसी विलय के आख्यान हैं, दर्शन इस दृष्टि की बौद्धिक सिद्धि का प्रयत्न है।

वास्तव में आत्म के आक्षेप का प्रथम कर्म, जो सीमित विषयी द्वारा अपना सीमित और किंचित् अपारदर्शी विषय के रूप में आक्षेप है, साथ ही पराङ्मुख चेतना में व्याप्त तमस् के भेदन का प्रथम कर्म भी है। पराङ्मुख चेतना पूर्णत: सांवेदनिक और परिणामत: सीमित चेतना है। इसमें अस्मिता का आविर्भाव वास्तव में मात्र विषयता का आविर्भाव नहीं है, क्योंकि विषयता पराङ्मुख चेतना का मूल धर्म है, बल्कि विषयि-सापेक्ष विषयता का आविर्भाव है, और विषयिता का आविर्भाव नितान्त पराङ्मुखता और तमसाच्छन्नता से मुक्ति का प्रथम चरण होता है। किन्तु इसमें इस तमस् से पूर्ण मुक्ति का बीज विद्यमान होता है। इसी से इस विषय : आत्म : का आक्षेप मात्र आहंकारिक अस्मिता का आक्षेप नहीं होता बल्कि साथ ही उस प्रतिमान का आक्षेप भी होता है जो समग्र और व्यापकतम सामान्य के रूप में इसको निर्बन्ध करता है।

जैसाकि हमने पीछे अनेक स्थलों पर देखा है, चित् का प्रत्यङ्मुख आरोहण विशेष से, अस्तित्व से, सामान्य में उन्मुक्तता की ओर होता है। यह सामान्य उद्ग्रहणात्मक (एब्स्ट्रेक्ट) नहीं होता, जैसाकि 'वार्धक्य', 'शैशव' आदि पदों में होता है, जिनमें अर्थ अस्तित्व से पृथक् होकर कल्पना में पुनारचित होते हैं, बल्कि इसमें स्वयं अस्तित्व का अपने मूल सत् की ओर अभिगमन होता है और इस प्रकार अपने सत्य से अपना सायुज्य होता है। इस प्रकार विषयभूत अस्मिता का आविर्भाव वास्तव में चित् की विषयोन्मुख वृत्ति में नहीं होता बल्कि आत्मोन्मुख वृत्ति के प्रथम चरण में होता है। इस आविर्भाव के साथ चित् की विशिष्ट विषयता से मुक्त होकर अपनी मूल सर्वव्यापकता की ओर, सर्वसमावेशी सामान्यार्थ की पुनरुपलब्धि की ओर, यात्रा का आरम्भ होता है। इस प्रकार विषयकरण वास्तव में चित् की विषयिरूपेण आत्मोपलब्धि का चरण है जो विषयी अब उन अर्थों को निरीक्षणार्थ और व्याकरणार्थ प्रस्तुत करता है जो अर्थ इस विषयकरण के बिना उसमें निमीलित अथवा अव्याकृत थे। परिणामत: आत्म का विषयकरण उन अर्थों के अपरोक्ष साक्षात्कार का आरम्भ होता है जो साक्षात्कार चित्त को विषय-निबन्धन से, विशिष्टता से, और इस प्रकार अहंकार से, मुक्त करता है।

किन्तु मनुष्य आहंकारिकता, विषयि-निरपेक्ष विषयता और तमस् से एक ओर, और निरहंकारता या सार्वभौमता, विषयिता और ज्ञान से दूसरी ओर उपलक्षित होता है। यह उभयता ही उसे मूल्यान्वेषी बनाती है, क्योंकि उसकी साहंकारता, विषय-निबद्धता और तमसाच्छन्नता उसे आत्म-व्यवहित करती है और यह व्यवधान उसमें न्यूनाधिक आत्म-विदित रहता है। किन्तु द्रष्टव्य है कि इस व्यवधान से मुक्ति ही उसके लिए प्रयत्न-साध्य नहीं होती बल्कि व्यवधान की अवगति भी प्रयत्न-साध्य होती है, क्योंकि अस्तित्वगत चित् : चित्त : सहज रूप में आत्म-पराङ्मुख होता है।

यहाँ प्रश्न हो सकता है कि, तब मूल्य सबके लिए एक ही होने चाहिएँ, जोकि नहीं होते। इसका उत्तर है कि, मूल्य ही नहीं ज्ञान-विषय भी सर्वसामान्य नहीं होते—जटिलतम वैज्ञानिक ज्ञान से लेकर सरलतम ऐन्द्रिक ज्ञान तक। जहाँ तक सरल ऐन्द्रिक ग्रहणों में पर्याप्त समानता होने का सम्बन्ध है, इस स्तर की चेतना में वास्तव में वैसा मूल्य-भेद भी नहीं होता : ऐन्द्रिक सुख और उनकी कामना इस स्तर पर सबमें होती है। किन्तु वास्तव में ऐन्द्रिक ग्रहण स्वरूपत: विशिष्ट होते हैं, इसलिए उनमें न ज्ञान-विषय सामान्य होते हैं और न कामना-विषय समान होते हैं, यह व्यक्ति-विशिष्टता की पराकाष्ठा का स्तर है। जिस प्रकार नमकीन या मीठे की पसन्द प्रत्येक की निजी होती है उसी प्रकार उनके ग्रहण के संवेद भी निजी होते हैं—दोनों चित्त के अनधीन होते हैं। इसीसे न इसमें कोई युक्ति या विवेक सम्भव होता है कि मीठा अधिक कमनीय है या नमकीन, और न इसमें कि इस दाल में नमक का कितना सेवन करना चाहिए, अथवा करना भी चाहिए या नहीं? इसकी युक्ति-योग्यता इसके एक सार्वभौम नियम का उदाहरण होने के कारण है। किन्तु यह नियम केवल रासायनिक सन्तुलन-विषयक ही नहीं है,

यह उसके ऊपर एक अन्य उच्चतर नियम के अधीन है जो मूल्यात्मक है : कि सांवेदनिक सुख कमनीय है किन्तु शारीरिक स्वास्थ्य श्रेयोमय है, और परिणामत: प्रथम तभी वरेण्य है यदि वह दूसरे का उपकारक हो, अन्यथा यह त्याज्य है। 'किन्तु क्यों?' यहाँ यह प्रश्न किया जा सकता है और यह एक युक्तियुक्त प्रश्न है, इस प्रश्न के समान अयुक्तियुक्त नहीं कि, 'आपको नमक मीठे से अधिक क्यों पसन्द है?' अथवा 'जबकि मुझे इस दाल में नमक कम लग रहा है तब आपको अधिक क्यों लग रहा है?'

क्यों शारीरिक स्वास्थ्य संवेद-सुख की अपेक्षा अधिक वरेण्य है? क्यों मित्र के स्वास्थ्य के लिए अपने शारीरिक स्वास्थ्य की हानि अधिक वरेण्य है? अथवा क्यों मानसिक स्वास्थ्य शारीरिक स्वास्थ्य से अधिक वरेण्य है? आदि प्रश्न युक्ति-योग्य हैं किन्तु इनके उत्तर देने पर पुन: उन उत्तरों की युक्तता के लिए प्रश्न किया जा सकता है, उसका भी उत्तर मिलने पर पुन: उसके सम्बन्ध में भी वही प्रश्न किया जा सकता है। किन्तु इसका अर्थ यह नहीं है कि यह क्रम अनन्त है। यह क्रम पर्यवसायी है, किन्तु इसकी पर्यवसायिता इसकी युक्ति-योग्यता की पर्यवसायिता नहीं है, यह युक्ति की युक्त आधार में पर्यवसायिता है, क्योंकि यह पर्यवसान आत्म-प्रातिभ में होता है जो प्रकाश-स्वरूप और स्वत:प्रमाण है और परिणामत: जो यौक्तिकता और विवेक का आधार है। यह प्रतिभा सत्ता का अपने से साक्षात्कार है, अपने से यौगपद्य, अपने पर प्रत्यावर्तन। तब, क्यों शारीरिक स्वास्थ्य संवेद-सुख से वरेण्य है? क्योंकि संवेद-सुख की अपनी कोई व्यवस्था, कोई संहति और नियम नहीं है, यह किसी प्रतिमान में प्रतिष्ठित नहीं है, न यह स्वयं कोई प्रतिमान है। इसके विपरीत शारीरिक स्वास्थ्य आवयविक सन्तुलन की सिद्धि है, यह जैव सत्ता का प्रतिफलन है, यह आवयविक संहति के नियम की प्रतिष्ठा है—सबसे अधिक, संवेद-सुख चित् की प्रत्यक्ता का वैपरीत्य है जबकि शारीरिक स्वास्थ्य उसमें साधन-भूत है। किन्तु कहा जा सकता है कि, संवेद-सुख वास्तव में पर-रूप में स्वरूप के निरूपण का एक आधारभूत आयाम है। यह सही है, किन्तु ऐसा तब होता है जब यह किसी व्यवस्था, संहति और प्रत्यय के निरूपण का माध्यम होता है, जैसे ललित कलाओं में, उसके बिना यह स्वरूप-रहित पर-रूपता मात्र होता है—बिखराव, असंहति, और अव्यवस्था।

यहाँ एक बहुत गम्भीर आपत्ति हो सकती है कि 'असत् की विद्यमानता' कैसे सम्भव है, सत् असत् को अवकाश ही कैसे देता है? या कि असत् सत् के तुल्य-बल है और तुल्य-रूप से साधार है? वास्तव में यह प्रश्न विचार के लिए एक कठिनतम पहेली है। जगज्जीवन इस द्वन्द्व का ही महाकाव्य है और पौराणिक आख्यान इस द्वन्द्व के सबलतम चित्रण हैं। वास्तव में 'प्रतिमान' पद में ही असत् की विद्यमानता की स्वीकृति है, अन्यथा अबाधित सत् में प्रतिमानता का प्रश्न ही उपस्थित नहीं होता। किन्तु प्रश्न है कि यह सम्भव कैसे है? इसका एक उत्तर इसी अध्याय में हमने पीछे दिया है कि, प्रकृति स्वरूपत: आत्म-विदित चित् से अभिन्न है और पर-रूपत: उससे पृथक् और बाह्य। किन्तु तब प्रश्न होगा कि यह पर-रूपता क्यों है? दूसरे शब्दों में, सत् में आत्म-व्यवधान, सीमा, पराङ्मुखता क्यों है? इसके अनेक उत्तर दिये गए हैं। एक उत्तर 'लीला' है। किन्तु द्रष्टव्य है कि लीला में कोई सीमा या व्यवधान नहीं है, उसमें व्यवधान स्व-रचित हैं और इस रूप में ज्ञात होते हैं।मनुष्य में व्यवधान स्व-रचित नहीं हैं, उसके लिए पर-रूप मौलिक है। इसीलिए उसके लिए यह अनात्म मौलिक और उससे स्वतन्त्र है।

किन्तु यह एक रोचक बात है कि ऐसा वास्तव में नहीं है। अवश्य मनुष्य में ज्ञानात्मक और मूल्यात्मक भ्रम ठोस रूप में विद्यमान होते हैं, उसके लिए स्वयं अपना चित्त भी पूर्ण पारदर्शी रूप में प्रस्तुत नहीं होता : उसकी अपनी स्मृतियाँ, प्रयोजन, प्रेरणाएँ, विचार के सभी पक्ष और उसके आपादन आदि उसे सहजत: प्रस्तुत नहीं होते, अन्य अस्तित्वों पर तो उसका वश होता ही नहीं। ऐसी परिस्थिति में असत् उसके लिए मौलिक हो जाता है, देव-दानव द्वन्द्व उसके लिए वास्तविक और अनन्त है।

किन्तु यह रोचक बात है कि ऐसा नहीं है, वास्तव में ऐसा केवल प्रकटत: ही है। मनुष्य के लिए असत् दुर्जेय है किन्तु अजेय नहीं है : वह ज्ञान में भ्रान्ति की सम्भावनाओं को न्यून से न्यूनतर कर सकता है, नीति में भ्रान्ति की सम्भावनाओं को समाप्त भी कर सकता है, चित्त के अंध गह्वरों को अधिकाधिक प्रकाशित कर सकता

है, इतरता को अपनी चेतना में समाप्त कर सकता है। अवश्य वह वह सब पूर्ण रूप से समाप्त नहीं कर सकता, किन्तु इसका अधिकाधिक निवारण इसकी पूर्ण निवारणीयता, असत्ता की पूर्ण निरास्यता को प्रकट करता है : मनुष्य के स्वाभाविक ईश्वरत्व को प्रकट करता है। इसके विपरीत यदि मनुष्य में असद्बाधा वास्तविक हो तो यह यथाप्राप्त रूप में अनिवार्य होगी। यहाँ सबसे बड़ी रोचक बात यह है कि ज्ञान और मूल्य में सदसद् का द्वन्द्व केवल मनुष्य के लिए ही उत्पन्न होता है : क्योंकि केवल वही आत्म-विदित और स्वतन्त्र है। भौतिक और जैव प्रकृति सत्ता के तन्त्र के अन्तर्गत है, उनसे नियमित और निर्धारित। इससे उनमें असद्बाधा का प्रश्न उपस्थित नहीं होता। पाँचवें अध्याय का अनुसरण करते हुए इन्हें असन्मात्र भी कहा जा सकता है। ईश्वर स्वयं सत्ता का ही परमोत्कर्ष है, इसलिए उसमें भी इस बाधा के लिए अवकाश नहीं रहता, केवल मनुष्य है जो अंशत: आत्म-विदित और अंशत: स्वतन्त्र है। यदि वह भी अन्य जीवों के समान पूर्णत: आत्म-अविदित ही होता तब वह भी असद्बाधित नहीं होता, क्योंकि तब वह प्राकृतिक असत् का अथवा ईश्वरीय सत् का ही अंग होता।

अनिर्धार्य

प्रथम अध्याय में हमने देखा था कि निर्धारण किस प्रकार अतिक्रामी अनिर्धार्य का संकेत करते हैं किन्तु उसके साथ कोईई शृंखला या क्रम नहीं बनाते, न ये किसी अध्यवसायात्मक वाक्य में निर्धारणों के साथ 'और' अथवा किसी अन्य योजक प्रत्यय के द्वारा सम्बन्धित हो सकते हैं। इस प्रकार, किसी अध्यवसाय में 'निर्धारित और अनिर्धार्य' ऐसा कोई उद्देश्य पद नहीं हो सकता, क्योंकि ऐसा होने पर अनिर्धार्य वस्तुत: अनिर्धार्य नहीं रहता, वह निर्धारणों से व्यावृत्त और इस प्रकार निर्धारित हो जाता है। निर्धारण हमारे ज्ञान और ज्ञेय की परिधियों का भी सीमांकन करते हैं : हमारे ज्ञान और उसके विषयों का यह स्वभाव है कि वे निर्धारित रूप में ही घटित होते हैं : विषय परस्पर और विषयी से, तथा विषयी विषयों से निर्धारित होते हैं। इस प्रकार अनिर्धार्य ज्ञान और विषय दोनों से परे और परिणामत: अज्ञेय है। कुछ दार्शनिक इसे असत् भी कहते हैं, क्योंकि सत् भी उनके अनुसार निर्धारणात्मक है : वह या तो विषय-वस्तुओं का अपने स्वरूप के अनुसार होना है, जो कि अन्य वस्तुओं से सापेक्षता को सम्मिलित करता है, अथवा यह उद्ग्रहण (एब्स्ट्रेक्शन) मात्र है, जो सब विशेषणों को हटा देने से उपलब्ध होता है और परिणामत: किसी भी अन्तर्वस्तु से नितान्त रहित होता है। इसी से ये दार्शनिक इसे 'असत्' या 'शून्य' कहते हैं : 'असत्' पद **तैत्तिरीय उपनिषद्**[1] द्वारा और प्लोटाइनस द्वारा प्रयुक्त है और 'शून्य' नागार्जुन द्वारा।[2] प्लेटो ने अनिर्धार्य के लिए 'दि गुड' (परम शिव) पद का प्रयोग किया है जो पूर्व पदों के समान अभावात्मक नहीं होकर भावात्मक है। प्लेटो के अनुसार, ज्ञान और सत् अपने आधार आप नहीं हो सकते, ये उस शिवत्व में आधृत होते हैं जो इनका साध्य है।[3] किन्तु इसके लिए 'अखण्ड' और 'निरपेक्ष' पद भी प्रयुक्त किये जाते हैं। यद्यपि इन दोनों पदों में ये सत्य का, संभरितता का, आग्रह है और इस प्रकार ये पद 'असत्' और 'शून्य' के विपरीत हैं, किन्तु अन्य भेदों को छोड़ते हुए, अनिर्धार्यता में ये पद वास्तव में 'असत्' और 'शून्य' के समान ही हैं। उदाहरणत: अद्वैतिक ब्रह्म सत्-चित्-आनन्द स्वरूप है, इस प्रकार वह प्लेटो के 'दि गुड' से प्रकटत: विपरीत है जो चित् और सत् दोनों का कारण और इनसे अतिक्रामी है। किन्तु तब भी यह अनिर्धार्य है : यह अखण्ड और पूर्ण है जबकि निर्धारण खण्डात्मक और अपूर्ण होते हैं, और परिणामत: यह 'परम शिव' से भिन्न नहीं है।

किन्तु अनिर्धार्य को असत् या सत् कहने के पीछे एक सैद्धान्तिक भेद है। यह भेद अनिर्धार्य की कारणता-विषयक है। अनिर्धार्य ऐसे आद्य तत्त्व या आद्य स्थिति के रूप में देखा गया है जो जगद् रूप में प्रवर्तित होती है। अब यहाँ एक वर्ग का कहना है कि सत् की उत्पत्ति सत् से ही हो सकती है, असत् से नहीं,[4] किन्तु दूसरों का कहना है कि, तब कारण और कार्य में भेद नहीं रहेगा, दोनों कारण या दोनों कार्य हो जायेंगे। यद्यपि यह तर्क साँख्य के सत्कार्यवाद के विरुद्ध बहुत-से भारतीय दार्शनिकों द्वारा भी दिया गया है, किन्तु यहाँ वे मत प्रासंगिक नहीं हैं, इस प्रसंग में प्लोटाइनस और शैल्लिंग के मत उल्लेखनीय हैं। प्लोटाइनस प्रश्न उठाता है : "अद्वय तत्त्व (दि वन) जगत् को वह कैसे दे सकता है जो उसमें नहीं है?" और तब इसका उत्तर देते हुए वह कहता है कि "वास्तव में अद्वय तत्त्व में कुछ भी नहीं होने से ही उसके लिए यह सम्भव है कि उसमें से सब कुछ का प्रादुर्भाव हो सकता है। इस प्रकार, सत् के होने के लिए यह आवश्यक है कि अद्वय तत्त्व सत् नहीं हो, वह सत् का

---

1. अनुवाक—7.
2. **मूल माध्यमिक कारिका,** तथा चन्द्रकीर्तिकृत **प्रसन्नपदा वृत्ति।**
3. **रिपब्लिक,** 50.8.
4. **छान्दोग्य उपनिषद्,** 6.2.2.

उत्पादक हो। इस प्रकार सत् इस अद्वय असत् तत्त्व का प्रथम शिशु है।"[1] इस उद्धरण का क्या अर्थ समझा जाय? इसमें 'सत्' और 'असत्' का क्या अर्थ है? **उपनिषद्** के 'असत्' शब्द का अर्थ भाष्यकारों ने 'अव्यक्त' किया है, जिसका अर्थ हो जाता है कि 'सत्' यहाँ व्यक्त जगत् का वाचक है और असत् उसी के 'अव्यक्त' तत्त्व का, जो तत्त्व ब्रह्म है। किन्तु प्लोटाइनस का तात्पर्य यह नहीं है, वह आद्य तत्त्व और जगत् में मौलिक अन्तर देखता है। यहाँ कहा जा सकता है कि जो तत्त्व जो स्वयं नहीं है उसका वह उत्पादक कैसे हो सकता है? इसका उत्तर एक सीमा तक विचार और उसके द्वारा सृष्ट आकृतियों के उदाहरण से दिया जा सकता है : विचार, अथवा कहें सृजनात्मक प्रत्यय, घट का सर्जक है किन्तु वह घट नहीं है, घटत्व भी नहीं है। वह इसी कारण घट का निमित्त हो सकता है क्योंकि वह घटत्व से शून्य है। अन्यथा यह कहना होगा कि घट, अथवा कम-से-कम घटत्व, आद्य और स्वयंभू तत्त्व है। अपने आशय को आगे स्पष्ट करते हुए प्लोटाइनस कहता है कि "यह स्पष्ट है कि सत् और द्रव्य दोनों का स्रष्टा स्वयं सत् नहीं है, बल्कि वह है जो सत् और द्रव्य दोनों का अतिक्रमण करता है।"[2] जिल्सों प्लोटाइनस के मत को और स्पष्ट करने के लिए ईसाई सन्त-दार्शनिक ऑगस्तीन के एक कथन को उद्धृत करता है : "हे ईश्वर, ऐसी कौन-सी वस्तु है जिसकी सत्ता इस कारण नहीं है क्योंकि तू नहीं है?"[3] किन्तु इससे प्लोटाइनस की दृष्टि की युक्तता प्रकट नहीं होती। वह युक्तता, मेरे विचार में, इसमें है कि यदि सत् : कार्यसत् : कारण की सम्भावनाओं का चरितार्थन है तो परिणामत: कारण अपने चरितार्थन में निर्बाध रूप से स्वतन्त्र नहीं है। कारण की निर्बाध स्वतन्त्रता के लिए यह आवश्यक है कि वह कार्य की अपेक्षा से असत् हो। वास्तव में यही अर्थ कर्त्तृत्व की सृजनात्मकता और स्वातन्त्र्य में निहित है। तब ऑगस्तीन के उपर्युक्त कथन के आधार में क्या युक्ति है? यह युक्ति कारण को उपादान के रूप में देखने में है, जब इन्हें कारण निमित्त के अर्थ में अभिप्रेत है। साँख्य कारण को स्पष्टत: उपादान के रूप में ही देखता है, वह निमित्त को अस्वीकार करता है, इसलिए उसके लिए सत्कार्यवाद ही उचित सिद्धान्त हो सकता था, किन्तु ऑगस्तीन के लिए नहीं।

इस प्रकार प्लोटाइनस का असत् से तात्पर्य 'अव्यक्त' से नहीं है, न वास्तव में **तैत्तिरीय उपनिषद्** का असत् ही 'अव्यक्त' का वाचक है। इनका 'असत्' पूर्णरूप से जगत् से, सत्ता से, उस सबसे जो है या हो सकता है, अतीत है, वह सृजनात्मक कर्म है : "उसने स्वयं अपना सृजन किया—स आत्मानं स्वयमकुरुत।"

किन्तु द्रष्टव्य है कि प्लोटाइनीय असत्, शांकर ब्रह्म, और बौद्ध शून्य निमित्त के रूप में कल्पित नहीं हैं। यद्यपि शंकर ब्रह्म में कर्त्तृत्व, सर्वशक्तिमत्त्व आदि का बार-बार उल्लेख करते हैं किन्तु वास्तव में उनका ब्रह्म उपादान कारण मात्र है, जो कारण कभी कार्यरूप में परिणत नहीं होता। इसी से शंकर अजातिवादी हैं। शांकर मत में वास्तव निमित्तत्व माया में है।

ब्रह्म जगत् से नितान्त अतीत, नितान्त तटस्थ है। यह दृष्टि शून्यवाद में, और वसुबन्धु के 'बुद्धत्व' में अधिक स्पष्ट है। 'निर्वाण' में यह दृष्टि और अधिक स्पष्ट हो जाती है। ये सब दृष्टियाँ औपादानिक अनिर्धार्य : असत् : की संकेतक हैं। प्लोटाइनस की दृष्टि के अनुरूप शांकर दृष्टि को इस प्रकार रखा जा सकता है कि "ब्रह्म है, और क्योंकि वह है इसलिए और कुछ नहीं है।"

इस प्रकार ब्रह्म, शून्य, निर्वाण, असत् तथा दि गुड आदि सब अनिर्धार्य के संकेतन के प्रयत्न हैं। किन्तु द्रष्टव्य है कि इन सब प्रयत्नों में दार्शनिकों की दृष्टि समान रूप से स्पष्ट नहीं रहती। उदाहरणत: इन उपर्युक्त दृष्टियों के अतिरिक्त अन्य प्राय: कहीं भी, हेगल को अपवाद छोड़ते हुए, यह स्पष्टता दिखायी नहीं देती। किन्तु यहाँ प्रश्न हो सकता है कि यह अनिर्धार्यता-विषयक स्पष्टता क्या है? और यह स्पष्टता दर्शन के लिए क्यों अपेक्षित है? बल्कि, ज्ञान और व्यवहार का सम्पूर्ण क्षेत्र निर्धारितता का क्षेत्र होने से, अनिर्धार्य क्या केवल निर्धारितता का ऐसा निषेधक पद मात्र नहीं है जिसका इस शाब्दिक निषेध और इस प्रकार निर्धारण के अतिरिक्त और कोई अर्थ नहीं है?

---

1. प्लोटाइनस — **एन्नीड** 2.1, यहाँ जिल्सों की पुस्तक **'बींग एण्ड सम फिलोसोफर्स'** पृ. 24 से उद्धृत।
2. जिल्सों, वही।
3. वही।

'अनिर्धार्य' शब्द स्पष्टतः 'निर्धार्य' के निषेध से निर्मित है और इस प्रकार अपने अर्थ के लिए इस पर निर्भर है, किन्तु यह निर्भरता अन्य निषेधात्मक शब्दों से बहुत भिन्न प्रकार की है। उदाहरणतः 'घट' का निषेधक पद 'अघट' घटों से भिन्न सभी वस्तुओं का एक-एकशः और समग्रशः वाचक है। इनसे सर्वथा भिन्न प्रकार के पद 'अभाव' और 'असत्' भी निर्धारणात्मक सन्दर्भ में 'अनिर्धार्य' पद से भिन्न प्रकार के हैं : 'घट-भाव' और 'घटाभाव' परस्पर निर्धारक पद हैं और इनके वाच्यार्थ परस्पर के कारक हैं : घटाभाव के बिना घट-भाव सम्भव नहीं है, क्योंकि घट व्यक्ति और प्रत्यय दोनों स्तरों पर अपने अभाव से व्यावृत्त हुए बिना आविर्भूत नहीं हो सकता। इसी प्रकार घटाभाव भी घट-भाव से अवच्छिन्न होना अनिवार्य है। शुद्ध भाव या सत् के : ऐसे भाव या सत् के जो निर्धारित वस्तुओं से व्यवहित नहीं है : निषेधक पद का अर्थ निषिद्ध पद से भिन्न नहीं होता। अर्थात् शुद्ध भाव-मात्रता (बींग क्वा बींग) शुद्ध अभावमात्रता से भिन्न नहीं की जा सकती, दोनों का एक ही विस्तार और एक ही अन्तर्वस्तु, अथवा कहें अन्तर-अवस्तु है। अन्य सब विषय अन्य से निर्धारित या व्यावृत्त होते हैं, परिणामतः वे अपने आधार के रूप में अन्य की अपेक्षा करते हैं जिसके ये निर्धारण हो सकें, शुद्ध भाव-मात्रता में यह अपेक्षा नहीं होती, अथवा कहें वह अन्य किसी से निर्धारित नहीं होती, केवल अपने-आपसे निर्धारित होती है। इस प्रकार यह अभाव से व्यवहित नहीं होती। ठीक यही बात अभावमात्रता के लिए है, यह भी भाव से व्यवहित नहीं होती। ऐसा इस कारण है क्योंकि दोनों प्रत्यय नितान्त सरल और नितान्त रिक्त हैं, और परस्पर के बाधक नहीं होने से परस्पर अनवच्छेदक हैं।

यहाँ आपत्ति की जा सकती है कि, भावमात्रता अभाव से व्यवहित नहीं हो, यह एक बात है, किन्तु वह भाव से अव्यवहित अभावमात्रता से अभिन्न हो, यह सर्वथा दूसरी बात है। इस आपत्ति का औचित्य यह है कि भावमात्रता भाव-वस्तुओं के सब गुणों और धर्मों का निरास कर केवल उनके होने का, भाव का, उद्ग्रहण है, और केवल होना : भावमात्रता : अभाव से व्यवहित इसलिए नहीं हो सकता क्योंकि अभाव केवल भाव का सापेक्षतः निषेध है, जैसे गाय में घट का अभाव तो है किन्तु वह केवल इसलिए क्योंकि वहाँ गाय का भाव है। इसके विपरीत अभावमात्रता भाव-वस्तुओं के भाव का ही निषेध है। यह हाइडेगर के इस प्रश्न से स्पष्ट है 'कुछ भी, जो भी है, वह क्यों है? बजाय कुछ भी होने के?' (ह्वाई देअर इज़ समथिंग रादर दैन नथिंग?) इसे और भी पैने और मूलगामी रूप में इस प्रकार प्रस्तुत किया जा सकता है : "भाव-मात्र ही क्यों है, ऐसा भी हो सकता था कि केवल अभाव ही होता!" द्रष्टव्य है कि यहाँ विशेष वस्तुओं के समग्रतः भाव की और उनके संयुक्त रूप से अभाव की बात नहीं की जा रही है बल्कि उस क्रिया-शक्ति या तत्त्व की बात की जा रही है जिसके कारण विशेष वस्तुओं का भाव है। यदि वह क्रिया नहीं होती तो कोई वस्तु नहीं हो सकती थी। किन्तु द्रष्टव्य है कि ऐसा केवल तभी सम्भव है यदि उस तत्त्व या क्रिया को तर्कतः : सम्भावनात्मक रूप से : अभाव-व्यवहित कल्पित नहीं किया जाय। ग़ालिब का एक शेर है : "कुछ न था तो ख़ुदा था, कुछ न होता तो ख़ुदा होता।" इसका अभिप्राय यदि इस प्रकार समझा जाय कि ख़ुदा 'कुछ भी नहीं है से अभिन्न है', तो भी अनुपयुक्त नहीं होगा। वास्तव में भाव-मात्रता और अभाव-मात्रता में आशय-भेद तो है किन्तु तत्त्व-भेद नहीं है। किन्तु निर्धारण के प्रसंग में ये परस्पर विपरीत और संयुक्त रूप से निर्धार्यों के कारण होते हैं। यहाँ हेगल का स्मरण स्थान होगा जिसके अनुसार भाव और अभाव अभिन्न हैं और एक का दूसरे में संक्रमण भव्यता (बिकमिंग) का कारण बनता है।

'भाव' और 'अभाव' अथवा 'सत्' और 'असत्' के समान ही 'चित्' और 'अचित्' का प्रयोग भी दो सन्दर्भों में होता है, एक सन्दर्भ में ये दोनों परस्पर निर्धारणों के रूप में प्रयुक्त होते हैं और दूसरे में अनिर्धार्यों के रूप में। निर्धारणों के रूप में ये क्रमशः विषयी और विषय होते हैं, अनिर्धार्यों के रूप में या तो चित् एकमात्र और समग्र के रूप में गृहीत होता है अथवा अचित् एकमात्र और समग्र के रूप में, और इनमें एक का दूसरे में अन्तर्भाव कर लिया जाता है। किन्तु यह वास्तव में भ्रान्ति है, इन दोनों में से कोई भी एक अनिर्धार्य नहीं हो सकता, इनमें एक के अनिर्धार्य के रूप में उन्नयन से दूसरे का उसमें केवल छद्म रूप में ही अन्तर्भाव होता है जबकि वास्तव में वह उससे निर्धारित होता है। उदाहरणतः माइनांग और हुस्सर्ल द्वारा विषय का चेतना की अपेक्षा (इंटेंशन) के रूप में

निरूपण चेतना को विषय द्वारा उसके निर्धारण से मुक्ति नहीं देता बल्कि इस निरूपण में चित्त परिभाषित ही विषय से होता है। इसी प्रकार उन दूसरे सिद्धान्तों में भी है जो विषय की सत्ता का चित्त की कल्पना के रूप में अपचय करते हैं। विषयमूलक सत्ता : विषय-सत्ता : को अनिर्धार्य के रूप में देखने वाले और भी अधिक भ्रान्त हैं क्योंकि विषयात्मक अनिर्धार्य : जैसे भौतिक द्रव्य, अथवा साँख्यीय प्रकृति भी : कारण-कार्यता के केवल भौतिक आयाम में ही उपचरित हो सकता है और यह आयाम आगमनात्मक तर्क, बोध, अन्तरोन्मुखता और अतिक्रामिता का कारक नहीं हो सकता। इससे भी अधिक, कारण-कार्य-सम्बन्ध या तो बुद्धि-ग्राह्य ही नहीं हो सकता, और यदि वह बुद्धि-ग्राह्य रूप में कल्पित किया जाता है, जैसे कांट में, तो यह भौतिक नहीं हो सकता, विषयिमूलक ही हो सकता है। इसी प्रकार निर्धारण में भी : विषयी के अनिवार्यत: विषय-सापेक्ष और विषय के विषयि-सापेक्ष होने पर भी विषयी प्रथम और मुख्य है, क्योंकि विषयी तो विषय का आशय या अपेक्षा के रूप में धारण कर सकता है किन्तु विषय विषयी का इस प्रकार धारण नहीं कर सकता।

किन्तु अपेक्षात्मक रूप में इस प्रकार धारण होने पर भी विषय की विषयी से स्वतन्त्रता अक्षुण्ण रहती है, जिसकी पराकाष्ठा अध्यवसायारूढ़ ऐन्द्रिक विषयों में दिखायी देती है, जो देश और काल के रूप में बाह्यता के दो स्वतन्त्र आयामों के साथ घटित होते हैं। यद्यपि विषयी अपने को विषयमात्र से निवर्तित भी कर सकता है, किन्तु यह सिद्धि उसे अनिर्धार्यता नहीं देती : 'अस्मिता' में 'अहं' अपने को निरपेक्षत: तो प्रतिष्ठित कर सकता है, किन्तु तब वह विषय को भी निरपेक्षत: प्रतिष्ठित करने को बाध्य होता है। साँख्य इसका बहुत उत्कृष्ट उदाहरण है। किन्तु यदि वह विषय को सापेक्षत: प्रतिष्ठित करता है तो उसका स्वयं का भी सापेक्ष होना अनिवार्य हो जाता है, जिसका स्पष्टतम उदाहरण हम हुस्सर्ल में देख सकते हैं। इस प्रकार विषयी अथवा विषय अनिर्धार्य या पराकाष्ठा नहीं हो सकते, अनिर्धार्य का इन दोनों निर्धारणों से अतिक्रान्त और इनका आधार होना अनिवार्य है। वास्तव में साँख्य में विषयी और विषय को क्रमश: सत्व और तमस् के अतिरेक से एक ही प्रकृति के दो पक्षों में स्थापित करने और उन्हें पुरुषोल्लेखी कहने में इस दृष्टि का आभास भी मिलता है, यह दृष्टि तब और भी स्पष्ट प्रकट होती है जब साँख्य इस द्वैत को पुरुषोन्मुखता में निरास्य कहता है। किन्तु साँख्य इसके इतना निकट जाकर भी इसे पूर्णत: अपना नहीं पाया, वह विषयि-विषयात्मक जगत् के अधिष्ठान के रूप में प्रकृति को पुरुष के अधीन रखकर भी उसे स्वतन्त्र तत्त्व मानता है। द्वैतवाद वास्तव में दर्शन में एक विचित्र दृष्टि है : यह एक ओर विषय और विषयी को दो पूर्णत: स्वतन्त्र सत्ताएँ रख कर उन्हें पृथक्-पृथक् अनिर्धार्यता देती है, किन्तु दूसरी ओर इसे अनुभव के सर्वत्र विपरीत पाकर इन्हें पुन: सम्बन्धित करने के लिए युक्तियों की खोज करती है, जो कभी सफल नहीं हो पातीं। इसलिए दर्शन के लिए वास्तव में एक ही मार्ग रहता है कि वह इस द्वैत को अनिर्धार्यों के द्वैत के रूप में नहीं देखकर निर्धारितों के द्वैत के रूप में देखे, जो एक अनिर्धार्य में प्रतिष्ठित हैं। भारतीय दर्शन में वसुबन्धु का विज्ञानवाद और शंकर का ब्रह्मवाद यही करते हैं। किन्तु वे, विशेषत: वसुबन्धु, इस दृष्टि को पाकर भी तब भ्रमित हो जाते हैं जब वे निर्धारणों को असत् मान लेते हैं। किन्तु ऐसा भी कहा जा सकता है कि वे निर्धारणों को असत् भी नहीं मानते, उन्हें वे निर्धारणों के रूप में : व्यवहारत: : सत् ही मानते हैं, जिसका अर्थ है कि निर्धारण परमार्थत: सत् नहीं हैं। उदाहरणत: वसुबन्धु कहते हैं : "अज्ञानियों द्वारा धर्मों के स्वभाव की जो कल्पना ग्राह्य-ग्राहक रूप में की गई है उस कल्पित रूप में उनका नैरात्म्य (अवास्तविकता) है, न कि अनिर्वचनीय रूप में, जो बुद्धों का विषय है। इस प्रकार विज्ञप्ति मात्र को भी अन्य विज्ञप्ति के द्वारा परिकल्पित रूप में असत् समझने से (अर्थात् ग्राह्य-ग्राहक भाव रहित विज्ञप्ति मात्रता में प्रवेश करने से) सभी धर्मों के नैरात्म्य-ज्ञान में प्रवेश होता है, न कि उनके अस्तित्व को ही न मानने से।"[1] किन्तु वास्तव में इस उद्धरण का आशय यह नहीं है, यहाँ 'सब धर्मों

1. यो बालैर्धर्माणां स्वभावो ग्राह्य-ग्राहकादि परिकल्पितस्तेन कल्पितेनात्मना तेषां नैरात्म्यं, न त्वनभिलाप्येनात्मना, यो बुद्धानां विषय इति। एवं विज्ञप्तिमात्रस्यापि विज्ञप्त्यन्तर परिकल्पितेनात्मना नैरात्म्य प्रवेशात् विज्ञप्तिमात्र व्यवस्थापनया सर्वधर्माणां नैरात्म्य प्रवेशो भवति, न तु तदस्तित्वापवादात्। (**विंशतिका प्रकरण-वृत्तिः**, 10) ऊपर हिन्दी अनुवाद डॉ. महेश तिवारीकृत (चौखम्भा विद्या भवन, वाराणसी, 1967)।

के नैरात्म्य-ज्ञान में प्रवेश' से निर्धारणों के नैरात्म्य का ही कथन किया गया है, इस बात का नहीं कि वे निर्धारणों के रूप में परस्पर सापेक्ष होने से आत्म-प्रतिष्ठित नहीं होकर अनिर्धार्य में प्रतिष्ठित हैं। अवश्य निर्धारित आत्म-प्रतिष्ठित नहीं हैं : कोई वस्तु तब तक दाहिने नहीं हो सकती जब तक कोई दूसरी उसके बाएँ नहीं हो : किन्तु उनकी परस्परता उन्हें निरात्म नहीं बनाती, केवल पारस्परिक बनाती है और उस 'एक' की ओर संकेत करती है जिसके आधार पर वे पारस्परिक हैं।दाहिने-बाएँ देश के निर्धारण हैं और विभिन्न बाह्य सम्बन्ध अपनी समग्रता में 'जगत्' के, और ये सम्बन्ध और इनके निर्धार्य दोनों अपनी-अपनी प्रकारता में वास्तविक हैं। अवश्य सम्बन्धित वस्तुएँ इस अर्थ में निरात्म हैं कि 'जो दाएँ है' उसका आत्मा 'जो बाएँ है' उससे व्यवहित है, जिसका अर्थ है कि उसका आत्मा स्वाधिष्ठित नहीं है, यह बात 'निर्धारित' कहने में ही निहित है; किन्तु यह बात निर्धारणों को अवास्तविक नहीं बनाती। यही दोष नागार्जुन की इस युक्ति में भी है कि सब वस्तुएँ प्रतीत्य-समुत्पन्न होने से निस्स्वभाव हैं। दूसरी ओर उतनी ही भ्रामक युक्ति यह है कि ज्ञान और उसका विषय, या अनुभवगम्य सब कुछ, निर्धारणात्मक होने से, अनिर्धार्य केवल कल्पना मात्र है। इसके पीछे युक्ति यह है कि हम घट-पट आदि की सत्ताओं को जानते हैं, भौतिक, जैविक आदि की सत्ताओं को भी जानते कहे जा सकते हैं, किन्तु सत्-मात्रता (बींग क्वा बींग) को जानने का क्या अर्थ है? क्या यह केवल शब्द के होने से उसके वाच्यार्थ के भी होने की अनिवार्यता मानने की भ्रान्ति नहीं है? अथवा, किसी विधा में होने से पृथक् और ऊपर सत्ता के होने का क्या अर्थ है? क्या यह भाषा में उद्ग्रहण की सामर्थ्य को सत्ता के लिए मानदण्ड बनाना नहीं है? विचार के ये दोनों पक्ष समान रूप से भ्रामक हैं।

मान लें कि सब वस्तुएँ प्रतीत्य-समुत्पन्न (तत् सति तद् भवति-रूप) हैं, किन्तु इससे यह कैसे आपादित होता है कि वे निस्स्वभाव भी हैं, उन्हें एक-स्वभाव क्यों नहीं कहा जा सकता? इसके विरुद्ध कहा जा सकता है कि स्वभावता के लिए किसी ऐसी वस्तु की सत्ता स्वीकार करनी होगी जो प्रतीत्य-समुत्पन्न नहीं हो। इसका उत्तर होगा कि, किन्तु सब वस्तुएँ सस्वभाव हैं, घट घटत्ववान् है और पट पटत्ववान्, इससे सिद्ध होता है कि ये प्रतीत्य-समुत्पन्न वस्तुएँ अप्रतीत्य-समुत्पन्न में प्रतिष्ठित हैं। वास्तव में नागार्जुन यह स्वीकार कर सकता है, उसका शून्य यह प्रतिष्ठा दे सकता है। और वास्तव में कहा जा सकता है कि नागार्जुन शून्य को अभावात्मक कहने वालों की भर्त्सना करके यही करता है।[1] किन्तु यह युक्ति एक और पक्ष से भी सदोष है : यह युक्ति इस धारणा पर आधारित है कि प्रत्येक घटना के पूर्वगामी घटना पर आधारित होने से घटनाओं का कोई आधार नहीं हो सकता और परिणामत: उनका कोई स्वभाव नहीं हो सकता। किन्तु इस धारणा के लिए क्या युक्ति है? वर्तमान घटना का कोई स्वभाव होने के लिए पूर्वगामी घटना के स्वभाव का वर्तमान घटना में संक्रमण ही क्यों आवश्यक माना जाय? ऐसा क्यों नहीं माना जाय कि एक-स्वभाववान् अनिर्धार्य ही घटनाओं के अनादि और अनन्त क्रम में स्वयं काल और देश-रूप में भी व्यक्त होता है? तीसरे, अन्य पर आश्रित उत्पत्ति में यह भी कहीं अनिवार्यता नहीं है कि यह उत्पत्ति अपना स्वभव भी अपने उत्पादक से प्राप्त करेगी, : प्रत्येक मानव-व्यक्ति अपने माता-पिता की सन्तान होता है किन्तु यह स्थिति उसका अपना स्वभाव होने में बाधक नहीं है। मनस् के क्षेत्र में स्थिति इससे और भी भिन्न दिखायी देती है : एक विचार सर्वथा विपरीत विचार को, कोई विचार आवेग और उद्वेग को, अथवा उद्वेग विचार को जन्म दे सकते हैं। मौलिक विचार या कलात्मक : सृजनात्मक : कल्पना एक सर्वथा दूसरी ही परिस्थिति प्रस्तुत करते हैं : ये अपने स्वभाव के साथ अपने को स्वयं आविर्भूत करने की क्रियाएँ हैं। इस प्रकार न तो सब घटनाएँ और वस्तुएँ प्रतीत्य-समुत्पन्न हैं और न यही आवश्यक है कि यदि कोई घटना प्रतीत्य-समुत्पन्न हो तो वह निस्स्वभाव भी होगी।

जहाँ तक दूसरे पक्ष : अनिर्धार्य के उद्ग्रहणात्मक कल्पनामात्र होने : का सम्बन्ध है, इसकी भ्रान्ति अधिक सूक्ष्म और भयावह है। इसकी भयावहता, जैसाकि हम अभी देखेंगे, दार्शनिक प्रयत्नमात्र को निरर्थक बनाने में है।

---

1. शून्यता सर्वदृष्टीनां प्रोक्ता निस्सरणं जिनै:। येषां तु शून्यता-दृष्टिस्तानसाध्यान् वभाषिरे। 13.8.
शून्यमिति न वक्तव्यमशून्यमिति नो भवेत्। उभयंनोभयंचेति, प्रज्ञप्त्यर्थं तु कथ्यते।। 22.11.
तथागतो यत्स्वभावस्तत्स्वभावमिदं जगत्, तथागतो निस्स्वभावो निस्स्वभावमिदं जगत्। 22.16. **(मूल माध्यमिक कारिका)**

सर्वप्रथम, अनिर्धार्य को भाषामूलक उद्ग्रहण के रूप में देखने के पीछे यह धारणा है कि इन्द्रिय-ग्राह्य ही ज्ञान-विषय हो सकते हैं और ज्ञान-विषय ही सत् हो सकते हैं। इस धारणा की अयुक्तता हम पीछे अनेक प्रसंगों में देख आये हैं, इसलिए यहाँ हम इस प्रसंग में कुछ नहीं कहेंगे। यहाँ केवल इतना ही कहना अभिप्रेत है कि अनिर्धार्य उद्ग्रहणात्मक नहीं होता, यह निर्धारण की पूर्वापेक्षा होता है। उदाहरणत: 'गोत्व' पद तब उद्ग्रहणात्मक होता है जब यह गाय-व्यष्टियों पर व्यापक होता है, किन्तु जब यह उस नियम या तत्त्व का वाचक होता है जो गायों को उनके वैशिष्ट्य की सब सम्भावनाओं में शासित करता है तब यह वस्तु : जाति : वाचक होता है। किन्तु इन दोनों ही पक्षों में गोत्व अनिर्धार्य नहीं होता, और 'गोत्व' के ये दो ही प्रकार के वाच्य हैं। इस प्रकार अनिर्धार्य न केवल उद्ग्रहणात्मक ही नहीं है, यह जातिवाचक भी नहीं है। यहाँ आपत्ति की जा सकती है कि गोत्व आदि इस कारण अनिर्धार्य नहीं हैं क्योंकि ये निम्न स्तर के उद्ग्रहण हैं, निर्बाध उद्ग्रहण अनिर्धार्य होना अनिवार्य है। उदाहरणत: 'पशुत्व' 'गोत्व' से उच्चतर उद्ग्रहण है और 'जीव' पशुत्व से उच्चतर। इसी क्रम में सत्-मात्रता उच्चतम उद्ग्रहण है, और तब यह उद्ग्रहण पूर्णत: निर्बाध हो जाता है जब यह असत् को भी व्याप्त कर लेता है। किन्तु यह स्पष्टत: भ्रान्ति है, क्योंकि जैसाकि हमने पीछे देखा, निर्धारण अनिर्धार्य को अपनी व्यावर्त्यता से इंगित करते हैं और व्यावर्त्यता निर्धार्य की आत्म-अपर्याप्तता है। किन्तु वास्तव में उद्ग्रहण के क्रम का भी एक दूसरा आयाम है जिसे हमने गोत्व-कल्पना (उद्ग्रहण) के विपरीत गोत्व-जाति (वस्तु) कहा। यह जाति व्यष्टियों की जनक और नियामक होती है। सत्-मात्रता इस अर्थ में उच्चतम जाति है कि यह वस्तुमात्र की उद्भावक और नियामक है : इसी के कारण सब कुछ, जो कुछ भी है, वह है, बजाय नहीं होने के, यद्यपि यह स्वयं होने-न-होने को एक-साथ अपनी अखण्डता में अन्तर्भूत करती है।

किन्तु तब आपत्ति हो सकती है कि निर्धारितों की आत्म-अपर्याप्तता से अनिर्धार्य की ओर संकेत विचार का एक स्वभाव हो सकता है किन्तु उसकी प्रामाणिकता स्वत:सिद्ध नहीं है। यद्यपि इस आपत्ति के पीछे कुछ अत्यन्त प्रतिष्ठित दार्शनिक सम्प्रदाय हैं, जिनमें से एक के समर्थन में स्वयं हमने भी पीछे दो पुस्तकें लिखी थीं,[1] किन्तु इस आपत्ति के आधार में एक बहुत मौलिक भ्रान्ति यह है कि यह मत जबकि अवधारणा को सत्ता का मानदण्ड निश्चित करता है यह स्वयं इस अवधारणा में ही निहित अपने से परे के सत्ता-विषयक निर्देश की उपेक्षा करता है। यहाँ पहले हम दो सापेक्ष अनिर्धार्यों का उल्लेख करेंगे जिनमें से प्रथम की अवधारणात्मक निर्धार्यता के समर्थन में हमने **ज्ञान और सत्** पुस्तक में विस्तार से युक्तियाँ दी हैं। यह अनिर्धार्य है व्याख्येय विषय। अब यह सर्वविदित है कि एक ही घटना या वस्तुस्थिति की अनेक व्याख्याएँ हो सकती हैं, जिसका अर्थ है कि व्याख्या-विषय इन सब व्याख्याओं के बीच तटस्थ होता है। उक्त पुस्तक में हमने प्रतिपादित किया था कि प्रत्येक व्याख्या अपने एक स्वतन्त्र विषय या वस्तु को अनिर्धार्य सत् के रूप में स्थापित करती है, किन्तु विभिन्न व्याख्याओं के अनिर्धार्य उन व्याख्याओं के अपने आक्षेप होते हैं। किन्तु इस मत में इस तथ्य की उपेक्षा है कि हम व्याख्येय तथ्य की विभिन्न व्याख्याओं के सम्बन्ध में भी जानते हैं और अपनी व्याख्या की एक-पक्षता को भी जानते हैं। उदाहरणत: किसी ऐतिहासिक घटना के स्वरूप, अथवा किसी प्राकृतिक वस्तुस्थिति के स्वरूप की व्याख्या कितनी भी समीचीन होने पर भी वह प्रसंग, प्रयोजन और दृष्टिकोण विशेष से निर्धारित होनी अनिवार्य होती है और व्याख्याकार के रूप में हम इस तथ्य को जानते हैं। इस प्रकार व्याख्येय व्याख्या-सापेक्ष आक्षिप्त नहीं होकर व्याख्याओं का अतिक्रमण करने वाला होता है।

किन्तु यहाँ कहा जा सकता है कि इससे अधिक-से-अधिक यही सिद्ध होता है कि अनिर्धार्य हमारे विचार की एक अनिवार्य अपेक्षा है, यह हमारे विचार का एक स्वभाव है, किन्तु इसकी प्रामाणिकता के लिए क्या युक्ति है? इसलिए यह दिखाना आवश्यक है कि किस प्रकार संकेतित अनिर्धार्य केवल हमारे विचार की अपेक्षा नहीं है। उदाहरणत: हम देश और काल के आदि-अन्तों की कल्पना नहीं कर सकते, न इनका अभाव ही कल्पनीय है,

---

1. द्रष्टव्य—**ज्ञान और सत्**, तथा **संस्कृति : मानव-कर्त्तृत्व की व्याख्या**।

किन्तु इनका स्वरूप-विचार इनकी अपारमार्थिकता प्रकट करता है। तब कहा जा सकता है कि अपनी व्यावहारिक सत्ता में तो ये अनादि-अनन्त ही हैं, और कल्पना व्यवहार-विषयक ही होती है। यह सही है, किन्तु इसका अर्थ है कि देश-काल की अनादि-अनन्तता पारमार्थिक नहीं है, व्यावहारिक कल्पनामूलक है, और तब यह कहना भी सही नहीं है कि यह व्यावहारिक कल्पना के लिए कोई अनिवार्यता है, क्योंकि व्यावहारिक कल्पना के लिए कुछ भी अनिवार्य नहीं होता, वह स्वयं और उसकी अन्तर्वस्तु दोनों स्वभावत: आगन्तुक होती हैं।

किन्तु विचार द्वारा अपेक्षित होने पर भी अनिर्धाय वैचारिक कल्पना मात्र नहीं है, न यह व्यावहारिक : सांवृतिक : ही है। वास्तव में यदि हमारे पीछे के प्रतिपादन में कुछ भी सार है तो यह व्यवहार के अतिक्रमण की पराकाष्ठा है : भाषा और विचार दोनों को व्यवहार में सम्मिलित करते हुए यदि कहा जाय कि विचार का स्वभाव है कि वह अपना अतिक्रमण करता है किन्तु इस अतिक्रमण का कोई पारमार्थिक आधार नहीं है, तो यह युक्त नहीं है, क्योंकि इसकी प्रामाणिकता के निषेध के लिए भी क्या प्रमाण है? वास्तव में विचार अपना अतिक्रमण बौद्धिक साक्षात्कार में करता है, यद्यपि सब अतिक्रमण अनिवार्यत: साक्षात्कारात्मक नहीं होते। किन्तु तब साक्षात्कारी अतिक्रमण का क्या लक्षण है?

जैसाकि हमने प्रथम अध्याय में, और अन्यत्र भी अनेक प्रसंगों में देखा, निर्धारण अपनी अतिक्रमणीयता विचार की प्रत्यङ्मुखता के क्रम में प्रकट करते हैं। यह अतिक्रमण अपनी पर्यन्तता अधिगत करने से पूर्व निर्धारण के उन-उन स्तरों का उत्तानीकरण-प्रकर्षण करता है जिन-जिन स्तरों का अतिक्रमण होता है। यह विज्ञान के इतिहास से देखा जा सकता है। विज्ञान की यात्रा निरन्तर संश्लेषणात्मक : आगन्तुक और बाह्यत: सम्बन्धित : से विश्लेषणात्मक : अर्थात् अनिवार्य और अन्त:सम्बन्धित : को अधिगत करने की ओर रही है, इसी से विज्ञान का आदर्श भौतिक-विज्ञान रहा है जो अपने विषय को उन सभी निर्धारणों से अधिकाधिक मुक्त करने में सफल हो सका है जो प्रत्यय की पारदर्शी विश्लेषणात्मकता और अनिवार्यता में अन्तर्भूत नहीं किये जा सकते। इसी से मनो-विज्ञान, वनस्पति-विज्ञान और प्राणि-विज्ञान केवल इस अर्थ में ही विज्ञान हैं कि वे भी उसी आदर्श को लेकर अग्रसर हैं और अपनी विषयवस्तु को इस प्रकार निर्धारित करने का प्रयत्न करते हैं कि वह उस आदर्श की कसौटी पर यथासम्भव पूरी उतर सके। किन्तु विज्ञान में विचार की यह आत्मोन्मुखता आत्मार्थ : आत्मविषयक : नहीं होकर परार्थ : विषयार्थ : होती है। दूसरे शब्दों में, विज्ञान में ज्ञान अपना अतिक्रमण विषय में करता है जबकि दर्शन में ज्ञान अपना अतिक्रमण अपनी आत्मेन्मुख गति में ही करता है। इस प्रकार वह विज्ञान के विपरीत विषय को उसकी मूलाग्र अवधारणाओं में, अवधारणाओं को उनकी मूलाग्र चिद्वृत्तियों में, और इन वृत्तियों को उनके निरुपाधिक चैतन्य में से आविर्भूत होते देखता है। अरस्तू जब कहता है कि "दर्शन एक ऐसा विज्ञान है जो सत्-मात्रता (बींग क्वा बींग) तथा उसके स्वरूपगत लक्षणों का अध्ययन करता है जबकि तथाकथित विशिष्ट विज्ञान सत्ता के एक पक्ष को पृथक् कर लेते हैं और उस पक्ष का अध्ययन करते हैं।"[1] तब वह वास्तव में हमारे इस प्रतिपादन को ही विषयपरक पदावलीमें प्रस्तुत करता है।

1. **अरिस्टॉटल्स मैटाफिज़िक्स,** सम्पादन और अनुवाद — जॉन बैरिंग्टन, पृ. 116-123.

मानव–तत्त्व

मनुष्य क्या है? यह प्रश्न मनुष्य का स्वयं से है; और स्वयं से यह प्रश्न इस सृष्टि में मनुष्य के अतिरिक्त कोई दूसरा सत्त्व नहीं करता। कहा जा सकता है कि दूसरा कोई सत्त्व कोई और प्रश्न भी नहीं करता। किन्तु सम्भवत: यह बात उतनी निश्चित रूप से नहीं कही जा सकती; सम्भवत: सब जीव, कम–से–कम बहुत–से जीव, अपरिचित परिस्थिति में संशयग्रस्त होते हैं और उस संशय के निवारण का प्रयत्न करते हैं। यदि इस संशय को प्रश्न का स्तर नहीं भी दिया जाय और केवल मनुष्य को ही प्रश्न करने के योग्य माना जाय तो भी अन्य प्रश्नों और इस प्रश्न में एक मौलिक अन्तर है : यह प्रश्न विषयी की अपनी ओर उन्मुखता से उत्पन्न होता है। कहा जा सकता है कि विषयी की अपनी ओर उन्मुखता किसी भी वस्तु के स्वरूप–चिन्तन में लक्षित होती है : इसमें विषयी सद्य: प्रस्तुत विषय को स्थगित कर, उसे उसके अस्तित्व में परोक्ष कर, उसके चिद्गत स्रोत की ओर उन्मुख होता है। उदाहरणत: 'गाय क्या है?' इस प्रश्न का उदय होते ही गाय अपने ठोस, सप्राण अस्तित्व से विरहित होकर अपने प्रत्यय में पुनर्जन्म लेती है, जो प्रत्यय चित्त को आत्मोन्मुखता में ग्राह्य होता है। यह सही है, किन्तु तब भी 'मनुष्य क्या है?' प्रश्न इस प्रकार के अन्य प्रश्नों से भिन्न है।

किन्तु यह प्रश्न शुद्ध विषयी की शुद्ध आत्मोन्मुखता भी नहीं है; यह शुद्ध आत्मोन्मुखता केवल शुद्ध आत्म–प्रत्ययन, शुद्ध आत्म–ख्यापन में होती है जो आत्म वस्तु–रूप में उपलब्ध नहीं होकर कल्पना में वस्तु से निवर्तन की पर्यन्तता पर उपलब्ध होता है। वास्तव में 'मनुष्य क्या है' इस प्रश्न में एक ओर विषय अपने अस्तित्व में स्थगित होता है और दूसरी ओर विषयी भी अपने अस्तित्व में स्थगित होता है; इसमें विषयी या अस्मत् विषयकृत : अस्मत्प्रत्ययगोचर : होता है और अस्मत् प्रत्ययगोचर सामान्यीकृत होता है। इस सामान्य प्रत्यय को विषयि–विषय भी कहा जा सकता है, जिसमें एक ही तत्त्व दो पक्षों के यौगपद्य में संश्लिष्ट होता है। इसमें दोनों पक्ष तुल्य–बल रहते हैं।

विषयिता स्वरूपत: एक नितान्त सरल स्थिति है, विषयि–विषयता एक संश्लिष्ट स्थिति है। किन्तु मनुष्य में यह संश्लिष्ट स्थिति अत्यधिक जटिल भी हो जाती है, क्योंकि मनुष्य में इस संश्लिष्ट स्थिति : विषयि–विषय–युग्मता : में विषयिता के कम–से–कम चार स्तर रहते हैं। ये स्तर हैं देहमय, मनोमय, विज्ञानमय और अतिक्रामी, जिसे उपनिषद् आनन्दमय कहते हैं। शुद्ध विषयिता की स्थिति में चित्त जिस भी भाव में होता है उसी भाव के साथ एकाकार होता है। यह केवल अपना किसी भी भाव से पृथक् ग्रहण होने पर ही सम्भव होता है कि हम इन विभिन्न भावों को, उनमें अवस्थित हुए बिना, अपने विभिन्न स्तरों के रूप में देख सकें। किन्तु तब इस दर्शकत्व को पाँचवाँ भाव होना चाहिए। किन्तु इसके पाँचवाँ भाव होने पर यह इन सब भावों का सहगामी भाव नहीं रहेगा। इन सब भावों का सहगामी होने के लिए इसे इस स्तरक्रम से पृथक् होना चाहिए। किन्तु वास्तव में यह इन भावों से पृथक् भाव नहीं होता, इस विषयि–विषयता की स्थिति में ही चित्त किसी भी स्तर पर अपना विषयकरण कर विषयी रूप से उसका साक्षी होता है। यह साक्षित्व ही विज्ञानमय स्तर है। यहाँ यह स्मरण दिलाना अनावश्यक होना चाहिए कि यह स्तरक्रम न देशमूलक है और न कालमूलक, न ऐसा ही है कि चित्त एक समय किसी एक भाव में ही हो सकता है, किन्तु न ऐसा ही है कि उसका एक–साथ सब भावों में होना उसके लिए अनिवार्य है। किन्तु उसकी इन भावों में अवस्थिति उसमें एषणाकृत होती है, ये सब भाव उसके संकल्प के, पर्येषणा के, द्योतक होते हैं : पशु में चित्त सदैव देह–भाव या देह–मनोभाव में होता है, मनुष्य में साधारणत: मनोभाव का प्राबल्य रहता है और विज्ञान–भाव भी गौणत: रहता है, किन्तु मनुष्य में इन भावों का बल पर्येषणा के अनुसार घटता–बढ़ता रहता है। अतिक्रामी भाव मनुष्य का परम पर्येष्य है, किन्तु इसकी सिद्धि नितान्त विरल होती है। जैसाकि हमने पीछे अध्याय 7 में देखा, विज्ञानमय स्तर मानवीय चेतना में प्राय: सहज उपलब्ध है, यद्यपि इसका बल व्यक्तिभेद से भिन्न होता

है। किन्तु इसका अस्तित्व सब दार्शनिक मतों और संस्कृतियों में समान रूप से मान्य नहीं है, और न इसके मान्य होने पर इसके स्वरूप के सम्बन्ध में सहमति है। इस असहमति में मनुष्य के स्वरूप की आधारभूत सीमितता या औपाधिकता प्रकट होती है जबकि उसमें अर्थ सहज आभासित होते हैं, ये उसे कभी भी सम्पूर्णत: अवगत नहीं होते। यह परिस्थिति जितनी अन्य अर्थों के सम्बन्ध में है उससे कहीं अधिक मनुष्य के अपने सम्बन्ध में है। क्योंकि वह स्वयं अपने को विषयि-विषय के रूप में अवगत होता है इसलिए उसमें : विषयिता के घटक होने से : अपने प्रत्येक अवगमन को अव्यवहित मानने की प्रवृत्ति सहज होती है। किन्तु वास्तव में विषयिता दुर्गमतम स्थिति है—इस कारण ही नहीं कि विषयी अनुव्यवसायगम्य और परिणामत: विषय-रूपेण परोक्षत: गम्य होता है बल्कि इस कारण भी कि यह विषयी अतल और अपार व्यापकता वाला है : यह अपने दैहिक आयाम में जीव मात्र को और मानसिक आयाम में संस्कृति मात्र को व्याप्त करता है, और इस अथाह और अपार अर्थ की कुछेक वीचियाँ और विशाल तल का नगण्य भाग ही अवगमन में उपलब्ध हो पाता है। इस प्रकार मनुष्य-विषयक कोई भी अवधारणा अनिवार्य रूप से एक खण्ड-दृष्टि को अखण्ड मानने की भ्रान्ति पर आधारित हो जाती है। वास्तव में विभिन्न संस्कृतियाँ मनुष्य के स्वरूप-विषयक विभिन्न दृष्टियाँ या विभिन्न अवधारणाएँ कही जा सकती हैं, प्रत्येक व्यक्ति भी वास्तव में मानव-स्वरूप-विषयक एक अवधारणा का सफल अथवा असफल क्रियान्वयन कहा जा सकता है। अब, क्या ये सभी अवधारणाएँ समानरूप से युक्त हैं, या कि कुछ अयुक्त और कुछ न्यून और कुछ अधिक युक्त हैं? यदि सब समान रूप से युक्त हैं तब मनुष्य के स्वरूप पर विचार अनावश्यक हो जाता है, और यदि कुछ न्यून और कुछ अधिक युक्त हैं तब इनकी युक्तता के मानदण्ड का प्रश्न उपस्थित होता है। किन्तु मानदण्ड की उपलब्धि में पुन: वही समस्याएँ हैं जो युक्त अवधारणा के निर्णय में हैं। वास्तव में 'मनुष्य की अवधारणा' ही 'मनुष्यता का मानदण्ड' होती है। यदि इस मानदण्ड के लिए किसी और मानदण्ड को खोजने चलेंगे तब पुन: उसके मानदण्ड की आवश्यकता होगी। किन्तु इस अवधारणा की युक्तता के निर्णय के लिए मानदण्ड की खोज वास्तव में ही की गई है। यह मानदण्ड, कुछ अपवादों को छोड़कर, 'सुख या शान्ति' निर्धारित किया गया है, और जिन्हें यह मानदण्ड युक्त प्रतीत नहीं हुआ उन्होंने मानदण्ड स्वातन्त्र्य को माना। किन्तु सुख क्या है? इसी प्रकार, स्वातन्त्र्य क्या है? इन प्रश्नों का कोई एक उत्तर नहीं है। तब इन उत्तरों में निर्णय कैसे किया जाय? निर्णय के लिए साक्षी किसकी स्वीकार्य होगी?

यद्यपि इसका प्राय: सर्वसम्मत उत्तर है कि साक्षी अन्त:करण की प्रामाणिक होगी। किन्तु तब सब अन्त:करणों की साक्षी प्रामाणिक नहीं मानी जाती, 'अधिकारी' की साक्षी ही प्रामाणिक मानी जाती है। अस्तित्ववादी इस अधिकार को ऑथंटिसिटी : अपने प्रति और अपने अन्त:करण में सच्चाई : से परिभाषित करते हैं। इसी प्रकार स्वातन्त्र्य के सम्बन्ध में भी है : जितने मुण्ड हैं उतनी ही इसके सम्बन्ध में मतियाँ हैं। किन्तु इन सबमें जिस एक बात पर सहमति है वह यह कि न तो सुख की यथार्थता-अयथार्थता के निर्धारण के लिए सबके अन्त:करण की साक्षी समान रूप से प्रामाणिक मानी गई और न स्वातन्त्र्य के लिए ही, साक्षी होने के लिए अन्त:करण को अपने साक्षी होने की योग्यता प्रमाणित करनी होती है। अन्त:करण की यह योग्यता या अधिकार कहाँ से आता है? इस सम्बन्ध में यदि विभिन्न मतों की समीक्षा करें तो हम पायेंगे कि वे सब इस सम्बन्ध में एकमत हैं कि यह अधिकार अन्त:करण के अपने तत्त्व : आत्म-तत्त्व : के साथ अपने अभेद से, अव्यवहितत्व से, आता है। किन्तु तब इस बारे में कोई ऐकमत्य नहीं है कि यह अन्त:करण क्या है और इसका अपने तत्त्व के साथ अव्यवहितत्व क्या है। किन्तु तब भी इसमें एक सीमा तक सहमति है, और वह जितनी भी है उतनी भी बहुत महत्त्वपूर्ण है। इसमें महत्त्व की बात यह स्वीकृति है कि अन्त:करण आत्म-अव्यवहित हो सकता है, और सहज रूप में वह आत्म-व्यवहित ही रहता है, आत्म-व्यवहितत्व प्रयत्न-साध्य है, उसके लिए 'आठों पहर जागते रहना' पड़ता है। इस अव्यवहितत्व को मलावरण का अपक्षय, उपाधियों का विवर्जन, विवेक या निर्वाण : व्यवधान-भूत संस्कारों का निर्वापन : भी कह सकते हैं : मल, उपाधि, युष्मत् या एतत्, अथवा स्कन्ध, क्या है,

यह एक दूसरी बात है। उदाहरण के लिए बर्ट्रेण्ड रसल[1] वासना-विवर्जित तर्क-बुद्धि को सत्य की साक्षात्कारी मानता है और इस की सिद्धि के लिए न केवल वैयक्तिक अहंकार को ही विवर्जनीय मानता है बल्कि मनुष्योपाधि को भी विवर्जनीय मानता है। उसके लिए मानव-केन्द्रकता सत्य के साक्षात्कार में बहुत बड़ी बाधक है। अब इस तर्क-बुद्धि का आकार और वस्तु क्या है, यह एक दूसरी बात है। यदि प्रश्न करें कि स्वयं मनुष्य-विषयक सत्यों की परीक्षा के लिए मानदण्ड क्या हो, तो रसल का उत्तर होगा, तर्क-बुद्धि ही, जो तर्क-बुद्धि वैयक्तिक अहंकार और मानव-केन्द्रकता से विनिर्मुक्त हो।

रसल इस प्रकार की शब्दावली का प्रयोग नहीं करता, यह शब्दावली उसकी व्यवस्था में वर्जित है, किन्तु यदि हम मनुष्य को इच्छा, भय आदि से मुक्त होने को कहते हैं तो हमारे लिए यह स्वीकार करना अनिवार्य हो जाता है कि ये मनुष्य के स्वरूप में बाधक : अनात्म उपाधियाँ : हैं, मनुष्य अनात्म से उपहित है, वह अपने में इनसे व्यवहित है और उसके लिए इनसे मुक्ति अपेक्षित है। क्योंकि अन्यथा इच्छा, भय आदि उसी के मनस् के अंश या गुण हैं। इन्हें त्याज्य कहने का अर्थ है कि, तब भी ये किसी प्रकार उसके अंश नहीं हैं और परिणामत: ये उसके भीतर उसे अपने से बहिष्कृत, अपने से व्यवहित रखने वाले हैं, अनात्म हैं। अब यदि हम इस स्वीकृति के तर्क का अन्त तक अनुसरण करें तो हम पायेंगे कि मनुष्य का साध्य या प्राप्य अपने प्राप्त भाव का विवर्जन, अपने से अपने व्यवधान का निवारण, अनात्म से मुक्ति है, उसी अर्थ में जिस अर्थ में यह साँख्य, या वेदान्त, या शून्यवाद को अभिमत है।

किन्तु मनुष्य को आत्म-व्यवहित कहने के पीछे बहुत महत्त्वपूर्ण तात्त्विक पूर्व-मान्यताएँ अन्तर्निहित हैं। क्योंकि सर्वप्रथम, 'आत्मा का अपने से व्यवहितत्व', अथवा 'आत्मा का अनात्म से व्यवहितत्व', इसमें आत्मा की एक विशिष्ट संरचना की धारणा है। दूसरे, किसी वस्तु अथवा वस्तुस्थिति का आत्म-रूप में और दूसरी का अनात्म-रूप में अभिधान इस मान्यता को पूर्वकल्पित करता है कि मनुष्य का कोई निश्चित स्वरूप या तत्त्व है और यह तत्त्व सिद्ध नहीं होकर साध्य है। और यदि इस साध्यता को मूलगामी अर्थ में स्वीकार किया जाय, केवल प्रकट अर्थ में नहीं, तो इसका अर्थ हो जाता है कि मनुष्य का यह तत्त्व या स्वरूप सत्कार्यात्मक नहीं है : अव्यक्त-स्थिर वस्तु का व्यक्त रूप : बल्कि आत्म-सर्जनात्मक है : असत्-कार्यात्मक, असत् से सत् का, अत्यन्त नवीन वस्तु का, उत्पादन। द्रष्टव्य है कि कुछ असत्कार्यवादी कारण-कार्य-सम्बन्ध मात्र को असत्कार्यात्मक, नव्योत्पत्त्यात्मक, मानते हैं। यहाँ हमारे लिए इस मतभेद पर विचार प्रासंगिक नहीं है। इसके सम्बन्ध में यहाँ हम केवल इतना ही कहना चाहेंगे कि कार्य की उत्पत्ति में नव्यता मानने पर भी यह नव्यता उस प्रकार मूलगामी नहीं होती जैसी सर्जन में। ऑक्सीजन-हाइड्रोजन से जल की और भौतिक से जैविक की उत्पत्ति में भी 'असत् से सत् की उत्पत्ति' की मौलिक नवता नहीं रहती। मूलगामी नव्योत्पत्ति नितान्त अहैतुक होती है, जो स्वातन्त्र्य का लक्षण है : जो स्वातन्त्र्य स्वरूप की साध्यता में पूर्वकल्पित है। यह साध्यता कर्म का लक्षण है, जो कर्म ऐसे कर्त्ता को पूर्वकल्पित करता है जो अपने भाव में अभाव की विद्यमानता और अभाव-निवारक पूर्णता की कल्पना से अन्तर्निविष्ट है। किन्तु अभाव से अत्यन्त विरहित भाव के साध्य होने के लिए कल्पना और कल्पित में, अपेक्षा और अपेक्षित में अन्तराय का, व्यवधान का, होना आवश्यक है, और साथ ही यह भी आवश्यक है कि यह अभाव वास्तविक हो और अपने को अपने में अविद्यमान भाव में घटित करे। किन्तु अविद्यमान भाव विद्यमान अभाव को अपने निवारण के लिए तभी नियुक्त कर सकता है यदि विद्यमानता और अवद्यिमानता भाव की उपाधियाँ हों, अन्यथा भाव और अभाव दो निरपेक्ष और मौलिक कोटियाँ हो जायेंगी। विद्यमानता और अविद्यमानता के उपाधियाँ होने पर अभाव वास्तविक नहीं रहता, वह उपाधिमात्र हो जाता है और भाव अव्यवहित और अनवच्छिन्न हो जाता है। परिणामत: साध्य मनुष्य का स्वरूप या आत्मा नहीं बल्कि उपाधि का निवारण हो जाता है। किन्तु मनुष्य में अभाव वास्तविक है, वह वास्तव भावापेक्षा है, जिसका अर्थ है कि मनुष्य

---

1. ब. रसल — **मिस्टिसिज़्म एण्ड लोजिक,** अ. 3, 'ए फ्री मैन्स वर्शिप।'

उपहित विद्यमानता और अनुपहित अविद्यमानता के बीच तनाव की स्थिति है। सार्त्र इसे निहिलेटिंग प्रॉजेक्ट कहता है। किन्तु यदि मनुष्य स्वरूपत: निहिलेटिंग प्रॉजेक्ट : उपलब्ध से असन्तोष और अनुपलब्ध के लिए अनन्त पर्येषणा : है तब पर्येषणा और पर्येष्य की युक्तता का कोई आधार नहीं रहता, क्योंकि पर्येष्य पर्येषणा-सापेक्ष हो जाता है और पर्येषणा चित्त की निरालम्बता और निस्स्वभावता का लक्षण। किन्तु पर्येषणा भ्रान्त हो सकती है, निरालम्ब नहीं। किन्तु भ्रान्ति अभ्रान्त अवलम्ब को पूर्वकल्पित करती है। अब यदि पर्येषणा निरालम्ब है : कहें, जैसे मृदु-कटु स्वाद : तब वह कभी भ्रान्त नहीं हो सकती, वह भ्रान्ति-अभ्रान्ति के प्रसंग से परे होगी। यहाँ यह कहा जा सकता है कि पर्येषणा इसी स्वरूप की है : स्वरूपत: निस्स्वभाव और सर्जनात्मक और इस प्रकार स्वरूपत: अपने पर्येषय की स्वयं निर्धारक। किन्तु हम प्राय: ही पर्येषणात्मक अनुसरण की व्यर्थता और इस प्रकार उसके भ्रान्त होने का अनुभव करते हैं और निर्भ्रान्त पर्येष्य में आस्था के साथ अग्रसर होते हैं। इस आस्था की साधारता के लिए न कोई निगमनात्मक तर्क-प्रमाण हो सकता है और न ऐन्द्रिय प्रत्यक्ष, किन्तु जैसाकि ऊपर के निरूपण से स्पष्ट है, पर्येषणा की संरचना और पर्येष्यों के अनुसरण में खिन्नता और सन्तोष का अनुभव पर्येषणा की साधारता, अथवा कहें प्रस्तुत और काम्य के बीच अन्तराय की औपाधिकता के द्योतक हैं।

किन्तु यहाँ दो कठिनाइयाँ उत्पन्न होती हैं, प्रथम यह कि यदि अन्तराय औपाधिक है और भाव परमार्थत: अव्यवहित पूर्णता है तब भाव मानुषिक नहीं होकर अतिमानुषिक होगा, परिणामत: इसे मनुष्य का स्वरूप नहीं कह सकते। दूसरे, यदि यह भी मान लिया जाय कि मनुष्य का स्वरूप आत्म-अतिक्रमण में ही है तो स्वभावत: यह भाव या साध्य एक एवं निरपेक्ष होगा, जबकि मनुष्य प्रस्तुत रूप में एक सापेक्ष-भाव है : निर्धारित सत्त्व : तब यह सत्त्व इस भाव के निर्भ्रान्त स्वरूप के सम्बन्ध में निर्णय कैसे कर सकता है? विभिन्न व्यक्ति मानव-स्वरूप की विभिन्न अवधारणाएँ बनाते हैं, इनमें युक्तता का निर्णय कैसे सम्भव होगा? मनुष्य का स्वरूप आत्म-अतिक्रामी हो सकता है, किन्तु क्या वह अपने स्वरूप की अवधारणा में अपना अतिक्रमण कर सकता है? दूसरे शब्दों में, क्या निर्धारित अनिर्धार्य की अवधारणा कर सकता है?

इसका उत्तर होगा कि अनिर्धार्य अनिवधार्य भी है, इसलिए इसकी निर्भ्रान्त अवधारणा का अर्थ अनिर्धार्य का अवधारण नहीं हो सकता, क्योंकि यह वदतोव्याघात है; इसका अर्थ केवल अपने स्वरूप की अनिवार्य अनिर्धार्यता और प्राप्त निर्धारित स्थिति की औपाधिकता का बोध है। किन्तु अधिकांश संस्कृतियाँ और अधिकांश विचार यह नहीं देख पाये, यह केवल कुछ भारतीय दर्शन और पश्चिम में हेगल ही देख पाये। उदाहरणत: ईश्वर के धार्मिक प्रत्यय को लें। इसमें मनुष्य के भाव की आत्म-व्यवहितता और अव्यवहित भाव की अपेक्षा का बोध स्पष्ट है, किन्तु आत्म-व्यवहित भाव के अव्यवहित भाव में प्रतिष्ठित होने का बोध इसमें नहीं है, मनुष्य की औपाधिकता इसमें पारमार्थिक रूप में स्वीकृत है। वह और उसका संसार दोनों ईश्वर द्वारा पृथक्-पृथक् सृष्ट हैं, परिणामत: दोनों परस्पर के लिए ऐसे व्यावर्तक हैं जो परस्पर के लिए अनिवारणीय हैं। दूसरी ओर, दोनों आगन्तुक हैं, क्योंकि ईश्वर की निरपेक्ष पूर्णता में दोनों का अभाव और अन्यथाभाव दोनों कल्पनीय हैं। यदि जो कुछ है और हो सकता है सबको ईश्वर की पूर्णता में निगमनात्मक रूप में अनवार्य मानें तब मनुष्य और संसार जैसे हैं वैसे, अपनी औपाधिकता में भी, अनिवार्य हो जायेंगे और मनुष्य की मुक्ति की, अथवा संशोधन की भी, कोई सम्भाना नहीं रहेगी, यदि इसे आगन्तुक मानें, तब मनुष्य की निरीहता का कोई अन्त नहीं रहेगा। इस प्रकार की सब कठिनाइयाँ ईश्वर-विषयक मान्यता में हैं। ईश्वरवाद वास्तव में मनुष्य के लिए औपाधिकता से मुक्ति की सम्भावना को, जो उसकी प्रत्यङ्मुख स्वरूपता में उसे उपलभ्य है, समाप्त कर देता है।

किन्तु कहा जा सकता है कि निरुपाधिकता का प्रत्यय भी उसे स्वरूपविहीन बना देता है, क्योंकि निरुपाधिक चैतन्य : ब्रह्म, बुद्धत्व, अथवा निरपेक्ष प्रत्यय : मनुष्यत्व से उतना ही विलग है जितना 'पशु' से या 'भौतिक प्रकृति' से, क्योंकि मनुष्यत्व अपने अस्तित्व, अपनी सीमाओं या व्यावृत्तियों से अनिवार्य-रूपेण परिभाषित होता है। मनुष्य का स्वरूप ब्रह्म कहना वैसा ही है जैसा चित्र का स्वरूप आकृति-प्रत्ययहीनता को कहना। यह स्थिति सबसे अधिक खेदजनक है, वैसी ही जैसी मृत्यु को मानव-अस्तित्व का अन्त कहने में है :

इस भेद के साथ कि मृत्यु और आत्महत्या से मृत्यु में इस दृष्टि से कोई अन्तर नहीं है कि दोनों में अस्तित्व की पूर्ण समाप्ति है। इसी से ईश्वरवाद, जिसमें मानव-व्यष्टित्व की मौलिकता की स्वीकृति है, अधिक युक्त और अधिक अभीष्ट हो जाता है।

वास्तव में मोक्ष की सभी भारतीय अवधारणाओं पर यह आरोप उस सीमा तक सही है जहाँ तक ये अवधारणाएँ ब्रह्म को उपादान के रूप में कल्पित करती हैं : नाम-रूप को बौद्धिक विकल्प और ब्रह्म को उपादान कारण कहने में इसी प्रकार की अवधारणा प्रतीत होती है। वास्तव में 'योग द्वारा चित्त-वृत्तियों के उपशमन' के प्रयत्न में इस अवधारणा के क्रियान्वयन का : निराकारता में लय का : प्रयत्न ही दिखायी देता है। किन्तु हमारे विचार में यह भारतीय दृष्टि भ्रामक है। ब्राह्म स्थिति या मोक्ष का उस प्रकार उपादान कारण के रूप में अवधारण जिस प्रकार आभूषणों में स्वर्ण का, इस सबके वास्तविक अर्थ को समझने की असामर्थ्य का द्योतक है। जैसाकि हमने पीछे देखा, सब अस्तित्व प्रत्ययमूलक है और इन प्रत्ययों के आरोहात्मक और अवरोहात्मक दो आयाम हैं। उदाहरणत: पृथिवीत्व मृद्, प्रस्तर, धातु आदि में अवरोही है और भूत तत्त्व में आरोही, इसी प्रकार घटत्व घटों में अवरोही है और भाण्डत्व में आरोही। प्रत्ययों का आरोह-क्रम अनिर्धार्य में पर्यवसायी होता है। अब सत्ता को उपादान-कारण के रूप में देखने वालों के अनुसार उच्चतर प्रत्यय निम्नतर का उपादान कारण होगा और उच्चतम स्थिति मूल उपादान। किन्तु वास्तव में उनके अनुसार सब निर्धारण समान रूप से नामरूप हैं, उपादान केवल अनिर्धार्य है। यहाँ इसी निदर्श के अनुसार देखने वाले दूसरे मतावलम्बियों ने आपत्ति उठायी है कि तब नाम-रूप का अधिष्ठान क्या है? उत्तर दिया गया है, माया-अविद्या। किन्तु तब अविद्या को नाम-रूप का अनन्तर्भाव्य : अनपचेय (इर्रिड्यूसीबल) : उपादान मानना होगा, ऐसा अनिर्धार्य उपादान जो नाम-रूप में निर्धार्य हो सके। परिणामत: अविद्या एक दूसरा और ब्रह्म की सत्ता से असम्बद्ध उपादान हो जायगी। स्पष्टत: यह स्थिति किसी को भी अभीष्ट नहीं है।

इस प्रकार की भीतरी तार्किक कठिनाइयों के अतिरिक्त यह निर्देश मूलरूप से ही मानवीय वस्तुस्थिति के विपरीत है, क्योंकि सब प्रत्यय अपने प्राकृतिक व्यापार में अवरोहात्मक हैं : पशुत्व गोत्व में और गोत्व गायों में अवतरित होता है, गाय गोत्व में और गोत्व पशुत्व में उत्तीर्ण नहीं होता। किन्तु मानव-चेतना में प्रत्यय के दोनों आयाम प्रकट होते हैं, क्योंकि उसमें चेतना के पराङ्मुख और प्रत्यङ्मुख दोनों आयाम हैं। चेतना के ये दोनों आयाम मनुष्य में यगपद् रहते हैं, उसके लिए यह सम्भव नहीं है कि वह एक आयाम से पूर्णत: मुक्त हो सके : न सहज रूप में और न प्रयत्नपूर्वक : केवल उसमें एक आयाम दूसरे की अपेक्षा क्षीण रह सकता है। भारतीय साधकों ने पराङ्मुख आयाम को पूर्णत: निरस्त करने का प्रयत्न किया है और दार्शनिकों ने इस पूर्ण निरास की सम्भावना स्वीकार की है। किन्तु ऐसा सम्भव नहीं है। पराङ्मुखता के आयाम को प्रयत्न के साथ वस्तु-शून्य : निस्सत्त्व और स्थगित : तो किया जा सकता है, जैसे जगत् के अभाव, अन्यथाभाव, निस्सारता आदि के सैद्धान्तिक और मूल्यात्मक विचार में, किन्तु चेतना को पराङ्मुखता के आकार से निवृत्त नहीं किया जा सकता। किन्तु मनुष्य का अवच्छेदक गुण उसमें चित्त के प्रत्यङ्मुख आयाम की विद्यमानता है जो प्रत्ययों के ऊर्ध्वोन्मुख आयाम को प्रकाशित करता है। चित्त का यह गुण मनुष्य के लिए अपने प्रत्यय की भी ऊर्ध्वोन्मुखता प्रकट करता है। किन्तु मानव-प्रत्यय की यह ऊर्ध्वरूपता उपर्युक्त ऊर्ध्वरूपता या आरोहात्मकता से सर्वथा भिन्न प्रकार की है। वास्तव में चित्त के इतिहास में प्रत्यङ्मुखता का यह आविर्भाव एक पूर्णत: मूलगामी घटना है : इस इतिहास को प्राकृतिक दृष्टि से देखें या तार्किक दृष्टि से। इसके साथ प्रत्ययों का आरोहात्मक आयाम ही व्यक्त नहीं हुआ, मूल्यात्मक प्रत्यय भी प्रकट या आविर्भूत हुए जिनमें आद्यतम और आधार-प्रत्यय 'अस्मिता' है। 'मैं हूँ' यह अस्तित्व की ही आद्य और अधिष्ठानभूत घोषणा नहीं है बल्कि अधिक मौलिक रूप से यह अपनी भाव्यता की भी घोषणा है : आद्य-अस्तित्व के तत्त्व से उपलब्ध-अस्तित्व के तत्त्व के अन्तराय की घोषणा। इसी में मनुष्य के स्वरूप-विषयक प्रश्न की सार्थकता निहित है। यदि मनुष्य को एक प्राकृतिक कोटि (नैचुरल कैटेगरी) के रूप में ही परिभाषित करना हो, जैसे 'मनुष्य एक बुद्धि-युक्त प्राणी है' में, तो इस प्रश्न के उत्तर में कोई कठिनाई नहीं

है, इसके वर्गीकरण के साथ इसका विच्छेदक गुण निश्चित करने की बात है जो तथ्यपरक खोज की अपेक्षा करता है; तब मनुष्य प्रत्यय हमारी अवधारणा के लिए निरन्तर अथाह और अपार नहीं बना रह सकता। किन्तु मनुष्य इस प्रकार का प्रत्यय नहीं है, यह आत्म-विदित अविद्यमानता से अनुप्रविष्ट विद्यमानता : भाव्य-भाव अथवा उपहित अव्यवहितत्व से अनुप्रविष्ट आत्म-विदित व्यवहितत्व : उपहित पूर्णभाव : है। दूसरे शब्दों में, यह मूल्य-स्वरूप है।

यहाँ आपत्ति की जा सकती है कि मनुष्य को मोक्ष, निर्वाण या बुद्धत्व से परिभाषित करना एक पक्ष : नैतिक-धार्मिक पक्ष : को समग्रव्यापी बनाना है। मूल्यों के अनेक आयाम हैं : दैहिक, सौन्दर्यात्मक, शिवात्मक, सत्यात्मक और कुछ अन्य प्रकार के भी। व्यक्ति और संस्कृतियाँ इनमें से किसी भी एक के अनुसार अपनी आदर्श प्रतिमा का आक्षेप करती हैं और इनमें से कोई भी एक प्रतिमा दूसरी से अधिक प्रामाणिक नहीं कही जा सकती, एकमात्र प्रामाणिक होने की तो बात ही क्या है। **गीता** में ज्ञान-योग, कर्म-योग और भक्ति-योग वैकल्पिक साधना और वैकल्पिक प्रतिमान-विषयक इसी बोध को प्रदर्शित करते हैं।

यह आपत्ति केवल अंशत: ही सही है, केवल इस सीमा तक कि प्रत्यङ्मुख चेतना का गन्तव्य अनिर्धार्य होने से उसके मार्ग का निर्धारण किसी भी प्रकार से हो सकता है। किन्तु किसी भी निर्धारण के लिए यह अनिवार्य है कि उसे अनिर्धार्य में पर्यवसायी देखा जाय। इसमें भ्रान्ति सदैव सम्भव है, और वास्तव में जैसाकि हम पीछे संकेत कर आये हैं, इसमें अधिकांशत: भ्रान्ति ही हुई है और मोक्ष तथा निर्वाण की अवधारणा ही इस गन्तव्य की और मूल्यान्वेषण के शुद्ध अर्थ की अभिज्ञता को प्रकट करती है। उदाहरणत: 'निर्वाण' केवल निर्धारणों की आगन्तुकता का, अथवा कहें जगद्भाव की औपाधिकता अथवा व्यवधानात्मकता का, और निर्धारणों से अनुपहित परमार्थ की आत्म-अभिन्नता अथवा अव्यवहितता का कथन करता है, वह अनिर्धार्य का निर्धारण नहीं करता। इसमें दोष केवल यह है कि यह अनिर्धार्य को निर्धारणों से पृथक् कर उसी पर अपने को केन्द्रित कर देता है, यह निर्धारणों को उसमें उपसंहृत नहीं करता। निर्धारणों का यह उपसंहरण मूल्यान्वेषण के स्वरूप के सम्यक् ग्रहण के लिए आवश्यक है।

जैसाकि हमने पीछे देखा, इस उपसंहरण के बिना निर्धारित एक पृथक् और स्वतन्त्र सत्ता प्राप्त कर लेंगे, जोकि बौद्धों को अभीष्ट नहीं है। निर्धारितों को असत् कह देने से वे असत् नहीं हो जाते, उनकी असत्ता केवल मूल्यात्मक मानी जा सकती है : इस अर्थ में कि औपाधिक और आगन्तुक इस रूप में नहीं देखा जाने पर निरुपाधिक सत् का आवरक और इस प्रकार अनेष्य हो जाता है : वास्तविक नहीं, क्योंकि वस्तुत: व्यवहित भाव की व्यवहित रूप में वस्तुता तो है ही, इसके अतिरिक्त अव्यवहित भाव व्यवहित के उपसंहरण के बिना उसका अतिक्रमण नहीं कर सकता। अव्यवहित में व्यवहित का निषेध उसके असत्करण के रूप में नहीं बल्कि केवल व्यवहित के रूप में : सापेक्ष सत् के रूप में : होता है। उदाहरणत: बौद्धों द्वारा निर्वाण का निरूपण : इसकी अनिरूप्यता का कथन : 'अनभिलाप्य' पद से किया गया है। किन्तु 'अनभिलाप्य' में अभिलाप की सामर्थ्य के अतिक्रमण का कथन है, अभिलप-असमर्थ चित्त : जैसे पाशव चित्त : के लिए ग्राह्य का कथन नहीं। दिङ्नाग और कांट की स्वलक्षण वस्तु की अवधारणाओं में भी यह दृष्टि-दोष है : दोनों के अनुसार यह वस्तु विकल्प-कोटियों (केटेगरीज़ ऑफ़ अण्डरस्टेंडिंग) का अतिक्रमण करती है, किन्तु उनके कथनानुसार यह अतिक्रमण कोटियों के विवर्जनपूर्वक है, उनके उपसंहरणपूर्वक नहीं। दिङ्नाग में तो विकल्प-कोटियाँ स्पष्टत: अविद्यामूलक हैं, किन्तु कांट में भी स्वलक्षण वस्तु की अवगम्यता असंस्कृत चित्त के लिए ही है : केवल शुद्ध संवेद ही स्वलक्षण वस्तुग्राही है : अतिमनस् के लिए नहीं। किन्तु वास्तव में यदि स्वलक्षण वस्तु को विकल्प-रहित चित्त का विषय ही माना जाता है तो यह चित्त विकल्प की निर्धारणात्मकता, खण्ड-ग्राहकता के ज्ञान के द्वारा इनसे मुक्त होगा, विकल्प से अवर स्तर में अवस्थिति से नहीं। यह उपसंहरणात्मक अतिक्रमण अनिर्धार्य को उस वामनावतार के समान नाप देता है जो अपने तीन पदों में तीनों लोकों को नापते हुए उनका अतिक्रमण करता है। यह दृष्टि मनुष्य के इतिहास और वैयक्तिक तथा सांस्कृतिक वैविध्य को भी स्थान देती है : मनुष्य का इतिहास वास्तव : सदसद्,

आत्म–अनात्म से संश्लिष्ट : मनुष्य की अपने अश्लिष्ट तथा शुद्ध तत्त्व की ओर क्रमिक यात्रा है और वैविध्य का परिणाम वास्तव–संश्लिष्ट मनुष्य द्वारा अपने अश्लिष्ट तत्त्व के अवधारण के प्रयत्न का परिणाम। किन्तु जैसाकि हमने पीछे देखा, यह अश्लिष्ट तत्त्व अपने प्रथम अवधारण : अस्मिताबोध : में ही आत्म–इतर : युष्मदस्मद् : के रूप में संश्लिष्ट हो जाता है और इसी संश्लेष में वास्तव व्यक्ति का आविर्भाव होता है। वास्तव व्यक्ति युगदपद् रूप से आत्म–साम्मुख्य और पर–साम्मुख्य के बीच अपनी प्रतिमा या प्रतिमान के आक्षेप का फल होता है। व्यक्ति को 'प्रतिमा के आक्षेप का फल' कहने का तात्पर्य है कि व्यक्ति की सत्ता मूल्यात्मक है, दूसरे शब्दों में, वह निरन्तर अपने प्राप्त रूप का निषेध और आदर्श–पर्येष्य रूप का आक्षेप है, वह आदर्श से परिभाषित अस्तित्व है। प्रतिमा की यह प्रतिष्ठापना या आक्षेप एक प्रत्यय के रूप में होता है जिसके आधार पर व्यक्ति अपने को संकलित और गठित करता है। व्यक्ति इस आक्षेप का, इस संकलन और गठन का, कर्त्ता और प्रतिफल दोनों होता है, जिसका अर्थ है कि वह भाव और भाव्य के बीच वास्तव तनाव से परिभाषित होता है। किन्तु यह प्रतिमा स्वत:प्रमाण नहीं कही जा सकती, क्योंकि इसका आक्षेप स्वयं व्यवहित चित्त द्वारा अपने अव्यवहित स्वरूप की ऐसी झलक के आधार पर होता है जो झलक युष्मदस्मद् के यौगपद्य से परिभाषित निर्धारित चित्त द्वारा ग्रहण होती है और परिणामत: जो इस चित्त के लिए अनिवार्य रूप से परोक्ष होती है। इस प्रकार, जबकि मानव–प्रतिमा व्यक्ति को आधार देती है और अपने अस्तित्व की प्रामाणिकता की परख के लिए मानदण्ड देती है, यह स्वयं प्रमाणापेक्षी होती है और इसके अप्रामाणिक होने पर व्यक्ति व्यक्तिरूपेण अव्यवस्थित और बिखरा हुआ, तथा कुशाग्र बुद्धि एवं आत्मालोचित होने पर भी आधार–रहित होता है। इस प्रकार का व्यक्तित्व शक्ति, इन्द्रिय–सुख आदि की साधना से लक्षित होता है। इसमें व्यक्ति ही नहीं, संस्कृतियाँ भी भ्रान्त हो सकती हैं। व्यक्तियों में उदाहरण के रूप में नीत्शे[1] और स्पैंग्लर[2] का उल्लेख किया जा सकता है और संस्कृतियों में विशेषत: आधुनिक यूरोप और अमरीका का, जिनकी संस्कृति को सोरोकिन[3] ने ऐन्द्रिक (सैंसेट) विशेषण दिया है। इस दृष्टि की भ्रान्तता व्यवहार में असंयम और मूलगामी असन्तुलन से लक्षित होती है और सिद्धान्त में इस बात से कि इसमें साध्य के रूप में चित्त की मौलिक अव्यवहितता अभीप्स्य नहीं होकर युष्मद्मूलक युष्मदस्मद् : आत्म–बहिष्कृत देहेन्द्रियमूलक आत्म : ही साध्य–रूपेण कल्पित होता है।

यहाँ इन्द्रियार्थवादी (एम्पिरिसिस्ट) इस अव्यवहितता को कल्पना मात्र कहने पर आपत्ति कर सकते हैं, क्योंकि उनके अनुसार सत् केवल इन्द्रियार्थ ही हो सकता है। यहाँ इस आपत्ति की अयुक्तता के सम्बन्ध में कुछ कहना अनावश्यक है, क्योंकि इसके सम्बन्ध में हम पीछे अनेक स्थलों पर चर्चा कर आये हैं। किन्तु यहाँ कुछ भारतीय अध्यात्मवादियों के लिए यह स्पष्टीकरण पुन: आवश्यक है कि अव्यवहितत्व चित् का अर्थ–राहित्य और अनिर्धार्यता चित् का आकार–राहित्य नहीं है, बल्कि यह अर्थों और आकारों का अपने अतल और अपार आधार में उन्मीलन है। उदाहरणत: ध्वनि इन्द्रियार्थ की सत्ता है और उसकी प्रियता–अप्रियता उसका मूल्य, किन्तु संगीत चित्त के अव्यवहितत्व में अर्थों का ध्वनि के आलम्बन से उन्मीलन है, जो अर्थ सत्ता और मूल्य में अगाध और अपार हैं। जैसाकि स्पष्ट है, यह अव्यवहितत्व केवल सापेक्ष चित्त का है, निरपेक्ष चित्त का नहीं, जो ब्राह्म स्थिति है, मानवीय स्थिति नहीं। किन्तु मनुष्य का तत्त्व यह ब्राह्म स्थिति ही है जो उसकी सापेक्षता को निरपेक्षता में, आंशिक अव्यवहितत्व को निरंश–अखण्ड अव्यवहितत्व में, मितार्थ की अतलता–अपारता को अमितार्थ की अतलता–अपारता में धारण करती है।

यह प्रतिपादन उन लोगों को कल्पनामात्र प्रतीत होगा जो 'धारण' का निदर्श 'पृथ्वी द्वारा घट–धारण' में ही देख सकते हैं। स्पष्टत: अनिर्धार्य में निर्धारित का, अखण्ड अव्यवहितत्व में खण्ड अव्यवहितत्व और व्यवहितत्व

---

1. नीत्शे — **ह्यूमन, ऑल टू ह्यूमन** में शक्ति–पर्येषणा (विल टु पॉवर) की वकालत द्रष्टव्य।
2. स्पैंग्लर — **मैन एण्ड टैक्नीक्स** पुस्तक द्रष्टव्य।
3. सोरोकिन — **सोश्योलोजीकल थ्योरीज़ ऑफ टू डे।**

का धारण घट-भूतल के समान नहीं होता, यह व्यापक-व्याप्य के अर्थ में और उत्कर्ष के तारतम्य के अर्थ में होता है। अब, ब्रह्म या निर्वाण को आधार के इस अर्थ में देखने पर मनुष्य के वे सब प्रयत्न उसके अपने तत्त्व के अन्वेषणपरक हो जाते हैं जिनमें वह प्रत्यङ्मुख प्रवर्तित दिखायी देता है। सामाजिक स्तर पर संस्कृतियाँ इस अन्वेषण को अधिक निश्चित और स्थिर रूप में प्रदर्शित करती हैं, क्योंकि विभिन्न संस्कृतियों के उत्थान-पतन के अन्तराल में से मनुष्य सामान्यत: भाषा, वज्ञिान, कला आदि के माध्यमों से क्रमश: अधिकाधिक अर्थों के आन्तर वैभव के उन्मीलन में अग्रसर दिखायी देता है।

संस्कृति–तत्त्व

विंग–त्सि चान के अनुसार, एक चीनी के लिए "मनुष्य सब वस्तुओं का मानदण्ड है। कन्फ्यूशियस का अनुसरण करते हुए वह : चीनी व्यक्ति : यह मानता है कि मनुष्य सत्य को महान् बनाता है, सत्य मनुष्य को महान् नहीं बनाता।"[1] इसी प्रकार गैस्सेट के अनुसार, "मानवीय जीवन एक विचित्र सत्ता है, जिसके सम्बन्ध में सबसे आधारभूत बात यह है कि यह मौलिक यथार्थ है, इस अर्थ में कि अन्य सब सत्ताएँ इसी से अपना अर्थ प्राप्त करती हैं।"[2] इसके विपरीत पिछले अध्याय में हमने देखा कि मनुष्य का तत्त्व मनुष्य से उत्तर है, मनुष्य अपने में पर्याप्त अर्थ नहीं है। यद्यपि इससे भिन्न अर्थ में, किन्तु तब भी इसकी पुष्टि में और अपने उपर्युद्धृत कथन के विपरीत, स्वयं गैस्सेट ही कहता है कि, "जीवन हमें प्रदत्त होता है, इसे हम स्वयं को प्रदान नहीं करते, हम अपने को इसमें पाते हैं—अकस्मात्, और यह बिना जाने कि कैसे।"[3] अब, यदि हम अपने सर्जक स्वयं नहीं हैं तब, किसी अन्य से सृष्ट नहीं होने पर भी, हम अपने में पर्याप्त नहीं हो सकते। अस्तित्ववादी इसका उत्तर देते हैं कि, यद्यपि हम अस्तित्व में आत्मकृत नहीं हैं किन्तु अपने तत्त्व में हम आत्मकृत ही हैं, अस्तित्व में हम किसी तत्त्व के बिना ही : आकस्मिक और अपूर्व : आविर्भूत होते हैं, किन्तु यह तथ्य तत्त्व में हमें आत्मकृत : आत्म–सर्जक : बनाता है।" किन्तु उनके इस मत का कोई आधार नहीं है, न कोई स्पष्ट अर्थ ही है। क्योंकि सर्वप्रथम, 'यदि हम अस्तित्व में आत्मकृत नहीं हैं तो पर–कृत भी नहीं हैं, केवल आकस्मिक और अपूर्व हैं' इस धारणा के लिए अस्तित्ववादी के पास क्या आधार है? हम अपने अस्तित्व में पूर्णत: वैश्व नियमों से निर्धारित भी हो सकते हैं, जिस प्रकार भौतिक और जैविक अस्तित्व हैं। दूसरे, यदि हम अस्तित्व में आकस्मिक हैं भी तो भी इससे हम तत्त्व में स्वत: आत्मकृत नहीं हो जाते, क्योंकि अस्तित्व में अन्य जीव भी हमारे ही समान हैं, किन्तु वे तत्त्व में आत्मकृत नहीं हैं। यदि कहें कि मनुष्य की आत्म–सर्जकता का स्रोत उसकी आत्म–वेदिता : आत्म–चेतनता : में है, जिससे पशु वंचित है, तो आत्म–वेदिता मनुष्य का पर–कृत तत्त्व हो जाती है, क्योंकि अस्तित्व के समान यह भी मनुष्य को पूर्व प्रदत्त है, आत्म–प्रदत्त नहीं। यदि यह भी कहें कि आत्म–वेदिता ऐसा तत्त्व है जो मनुष्य को सब पूर्व–निर्धारितताओं से मुक्त कर अपने में प्रतिष्ठा देता है, तो भी यह प्रष्टव्य है कि उसका यह तत्त्व व्यक्तिमूलक है या कि जातिमूलक? अस्तित्वादी इसे व्यक्तिमूलक ही मानते हैं, अन्य लोग प्राय: ही इसके सम्बन्ध में किसी स्पष्ट निर्णय से बचते हैं। किन्तु उनकी ओर से कुछ ऐसी बात कही जा सकती है कि, यह तत्त्व अपने को व्यक्ति–मनस् में ही घटित करता है, और जिस भी व्यक्ति में यह घटित होता है वही मनुष्य कहा जा सकता है। किन्तु आत्म–वेदिता को व्यक्तिमूलक कहने के लिए क्या आधार है? 'व्यक्ति' का क्या अर्थ है?

द्रष्टव्य है कि 'व्यक्ति' पद 'जाति' पद का अपेक्षार्थक नहीं है बल्कि 'समाज' पद का अपेक्षार्थक है, 'जाति' का अपेक्षार्थक 'व्यष्टि' है। इनमें अन्तर यह है कि जाति जबकि व्यष्टि की अतिदैहिक–अतिचैतसिक धारयित्री है, समाज और व्यक्ति दोनों चैतसिक सत्ताएँ हैं और, हम कहना चाहेंगे कि, इनमें से कोई दूसरे की धारक नहीं है। इस प्रकार व्यक्ति जबकि व्यष्टि रूप में अपनी जाति : मानव–जाति : में धारित है, वह व्यक्ति रूप में उससे स्वतन्त्र है। उदाहरणत: व्यक्ति की दैहिक और चैतसिक रचना जबकि जातिगत है : हम समान रूप से पुच्छ–विषाणहीन हैं और विषय–ग्रहण आदि समान रूपों–आकारों में करते हैं : प्रत्येक व्यक्ति अपनी अस्मिता

---

1. सर्वेपल्लि राधाकृष्णन् तथा पी.टी. राजू (सं.) **दि कांसेप्ट ऑफ मैन** में 'दि कांसेप्ट ऑफ मैन इन चाइनीज़ थॉट' लेख, पृ. 152.
2. जोसेफ ओर्टेगा बाई. गैस्सेट — **हिस्ट्री ऐज़ ए सिस्टम,** पृ. 165.
3. वही।

और अपनी नेयार्थता के आक्षेप[1] में, अपने तात्पर्य और अपनी प्रतिमा के अवधारण में, विशिष्ट और स्वतन्त्र होता है। किन्तु उसकी यह विशिष्टता और स्वतन्त्रता किसमें है, आक्षेप में या प्रतिमा में? द्रष्टव्य है कि नेयार्थ या प्रतिमा प्राय: ही व्यक्ति अपनी संस्कृति से प्राप्त करता है और प्राय: ही इसके सम्बन्ध में अस्पष्ट और अनिश्चित होता है, स्वयं उसकी अस्मिता भी इतर की सापेक्षता में आक्षिप्त और स्फुट होती है। इस प्रकार उसका वैशिष्ट्य और स्वातन्त्र्य आक्षेप और अवधारण में होता है। इस प्रकार व्यक्ति अपने आक्षेप का कर्म है, अपने स्वरूप का संकल्प। तब समाज किसमें आधृत है? अपने संकल्प में, व्यक्ति में, या कि मानव-जाति में?

अधिकांशत: समाज को व्यक्ति-समुदाय के रूप में देखा जाता है, इस सामुदायिकता का क्या तत्त्व है, यह प्राय: स्पष्ट रूप से देखने का प्रयत्न नहीं किया जाता। उदाहरणत: एक ओर भेड़ियों या हरिणों का झुण्ड है और दूसरी ओर मधुमक्खियों का छत्ता, दोनों में दैहिक गठन का एकक (यूनिट) और सामुदायिक गठन का एकक भिन्न-भिन्न है : दैहिक गठन के एकक जबकि व्यष्टि-भेड़िया और व्यष्टि-मधुमक्खी हैं, सामुदायिक गठन के एकक झुण्ड और छत्ता। किन्तु ये दोनों पत्थरों के समूह से भिन्न हैं, ये जैविक गठन हैं और परिणामत: दैहिक गठनों से पृथक् अस्तित्व रखते हैं। किन्तु तब भी हरिण-समुदाय और मधुमक्खी-छत्ते में मौलिक अन्तर है : हरिण-समुदाय जबकि व्यष्टियों का व्यवस्था-रहित और आगन्तुक समूहन है जो सम्भवत: पारस्परिक निकटता में व्यष्टि को रक्षा का आश्वासन देता है, मधुमक्खी-छत्ता व्यवस्थित गठन है, जो गठन दैहिक गठन से इस बात में भिन्न है कि दैहिक गठन भौतिक-रासायनिक उपादान में जैविक व्यापार है और छत्ता चैत्त उपादान में जैविक व्यापार। यहाँ यह स्पष्टीकरण अविलम्ब अपेक्षित है कि छत्ता स्वयं में चैत्त व्यापार नहीं है, जो व्यापार निम्न स्तरों पर आवेगात्मक प्रतिक्रिया के रूप में प्रकट होता है और उन्नत स्तरों पर बौद्धिक चिन्तन में, यह जैव सृष्टि के रूप में व्यक्त जैव क्रिया द्वारा उसी प्रकार विशिष्ट आयोजन है जिस प्रकार व्यष्टि-देह विशिष्ट आयोजन है, इनमें केवल उपादान-भेद है। किन्तु मानव-समाज इस प्रकार का गठन नहीं है, न वह हरिण-समुदाय के प्रकार का आवेगात्मक-आश्वासनपरक परस्पर निकटता में विचरण मात्र ही है। वह इन दोनों से मौलिक रूप में भिन्न है। समाज मानव-व्यक्ति के समान ही चैत्त सत्ता है, यद्यपि, जैसाकि हम आगे देखेंगे, इसके सूत्र अतिचैतसिक चित्त : जाति-चित्त : में भी दृष्टिगत होते हैं। मानव-समाज को चैत्त सत्ता कहने का अर्थ है कि इसका आविर्भाव और विद्यमानता उसी प्रकार संकल्पमूलक हैं जिस प्रकार व्यक्तित्व का आविर्भाव और विद्यमानता है। यद्यपि छत्ते के समान यह व्यवस्थात्मक भी है किन्तु इस व्यवस्था का मूल जैव नहीं होकर बौद्धिक चित्त है। इसे संकल्पमूलक कहने का यह अर्थ नहीं है कि किसी समय कुछ व्यक्तियों ने सम्मिलित होकर विचारपूर्वक इसकी स्थापना की थी,[2] यदि ऐसा होता तो समाज व्यक्ति-समुदाय ही होता; इसे संकल्पमूलक कहने का अर्थ है कि यह अपने निर्माण में अतिचित्तमूलक नहीं है और इसकी विद्यमानता और सुचारुता निरन्तर प्रयत्नापेक्षी है, जिसके न्यून होने पर यह शिथिल या नष्ट भी हो जाता है। किन्तु तब इस संकल्प का अधिष्ठान कहाँ है? किसी चित्त-वृत्ति का अधिष्ठान किसी अतिवैयक्तिक चित्त में देखना अधिकांश लोगों की कल्पना के बाहर हो सकता है, यह उनके लिए सामान्य की सत्ता से भी अधिक अकल्पनीय है। यहाँ उदाहरणार्थ हम क्रोबर तथा प्रो. गोविन्दचन्द्र पाण्डे के मत उद्धृत करेंगे। क्रोबर के अनुसार : "संस्कृति का अधिष्ठान (लोकस) या निवास (रेज़िडेंस) स्पष्टत: मानव-व्यक्तियों में है, जिनके व्यवहार से (जिसमें संस्कृति-भिन्न तत्त्व भी रहते हैं) संस्कृति अनुमित और कल्पित की जाती है, अर्थात् उद्ग्रहण द्वारा प्रतिपादित की जाती है।"[3] द्रष्टव्य है कि इसी क्रोबर के अनुसार इतिहास या समाजशास्त्र में हम "वस्तुस्थिति की व्याख्या के लिए दो में से किसी एक विधि का सहारा लेते हैं, या तो हम

1. द्रष्टव्य यशदेव शल्य — **विषय और आत्म,** अध्याय 3, 5.
2. समाज विषयक करार-सिद्धान्त (कांट्रेक्ट-थीसिस) समाज की उत्पत्ति इसी प्रकार देखता है, यद्यपि इस करार को यह वास्तविक रूप में नहीं देख कर केवल सैद्धान्तिक रूप में ही देखता है। द्रष्टव्य : जोह्न राल्स — **ए थ्योरी ऑफ जस्टिस,** अध्याय 1.
3. ए.एल. क्रोबर — **दि नेचर ऑफ कल्चर,** संकलन ग्रन्थ में 'कॉज़िज़ इन कल्चर' लेख, पृ. 107.

विशिष्ट घटनाओं के आधार पर संस्कृति को निगमित करते हैं अथवा संस्कृति के आधार पर घटनाओं को।"[1] और उसके अनुसार इनमें से दूसरी विधि ही युक्त है। इस प्रकार उसने संस्कृति को एक ठोस अस्तित्व स्वीकार कर उसके आधार पर विभिन्न संस्कृतियों में उत्कृष्ट प्रतिभाओं के आविर्भाव को वैयक्तिक उपलब्धियों के रूप में देखने के बजाय संस्कृति के इतिहास में घटनाएँ सिद्ध करने के लिए इस विशाल ग्रन्थ की रचना की है। इसी प्रकार डॉ. गोविन्द्रचन्द्र पाण्डे के अनुसार "संस्कृति का उद्भव व्यष्टि-मानस् (इंडिविडुअल साइके) में प्रातिभ साक्षात्कार के रूप में होता है और यह साक्षात्कार प्रतीक के रूप में सामाजिक परम्परा में प्रवेश करता है।"[2] किन्तु तब प्रश्न होगा, यहाँ 'प्रतीक' और 'सामाजिक परम्परा' पदों की वाच्य वस्तु क्या है? स्वभावत: इसका उत्तर होना चाहिए 'अनेक व्यक्तियों द्वारा समान अर्थ से उच्चरित भौतिक वस्तु या आकृति प्रतीक है और देश और काल के आयाम में सम्बद्ध अनेक व्यक्ति समाज।' किन्तु इस प्रकार समाज इतर-व्यावर्तक व्यक्तियों का समूह मात्र रह जाता है और संस्कृति एक व्यक्ति के मन में घटित घटना की अनेक व्यक्तियों के मन में सांयोगिक अनुवृत्ति। निश्चय ही पाण्डे जी को यह अभीष्ट नहीं हो सकता। किन्तु यदि 'प्रतीक' और 'सामाजिक परम्परा' को किसी प्रकार का अतिवैयक्तिक अस्तित्व देना अभीष्ट हो तो संस्कृति को वह देना अधिक उपयुक्त होगा। यहाँ इस कठिनाई के अतिरिक्त व्यक्ति मनस् से प्रथम हो जाता है और मनस् से स्वतन्त्र परिभाषा की अपेक्षा करता है। इस प्रकार इस परिभाषा में अन्ततः व्यक्ति को इन्द्रियगम्य विषय (देह) के रूप में देखने की एक सहज, अनालोचित धारणा कार्य कर रही है। किन्तु यह धारणा युक्तियुक्त नहीं है, क्योंकि चेतन सत्त्व स्वरूपत: विषयी है और उस की देह भी इसकी अपवाद नहीं है। अवश्य देह के सम्बन्ध में हमारी प्रथम और सहज धारणा इन्द्रियगोचर विषय के रूप में ही होती है, वह चाहे हमारी अपनी देह ही क्यों नहीं हो, दूसरे की देह की तो फिर बात ही क्या है! किन्तु यह वास्तव में आत्म-विदित चेतना की एक अत्यन्त जटिल निष्पत्ति का परिणाम है कि हम अपनी अस्मिता का, अपनी विषयिता का, विषयकरण कर पाते हैं और उस विषय से अपने को अभिन्न रूप में ग्रहण कर पाते हैं। चेतना के पाशव स्तरों पर ऐसा नहीं होता।

वास्तव में चेतना की आत्मवेदिता उसके आत्म-विषयकरण के साथ ही आरम्भ होती है, यही आत्म-विषयकरण आत्मा को प्रत्यय-गोचर बनाता है और विकीर्ण विषयिता को वैयक्तिक एकत्व का आधार देता है। किन्तु इस विषय का मूल उस आद्य चित् में है जो आत्म-वेदि चित्त में विषयि-विषय युगल के रूप में प्रस्फुटित होता है। विषयता के इस स्वरूप की विस्मृति अन्य सन्दर्भों में वैसी भयावह नहीं होती जैसी मनुष्य के अपने सन्दर्भ में होती है। उदाहरणत: यह विषयकरण चित्त के स्तर पर एक पक्ष में आत्म-प्रत्यय के रूप में अपने पारमार्थिक स्वरूप के लिए प्रतीक प्रस्तुत करता है और दूसरे पक्ष में दर्शन, विज्ञान और कलाओं के रूप में सर्जन को सम्भव करता है, और देह के स्तर पर यही चित्त आत्मा को एक इन्द्रियगम्य आधार देकर अन्य देहियों के समाज में प्रतिष्ठित करता है। किन्तु ये विषयकृत मनस् और विषयकृत देह स्वरूप-विस्मृत होने पर भी किसी अविभाज्य एकत्व का निर्माण नहीं करते, जैसाकि भ्रान्त सिद्धान्तों के अधीन कुछ विचारक समझते हैं, ये केवल एक स्मृतिमूलक और अनिश्चित एकत्व का निर्माण करते हैं, जिस एकत्व को बौद्धों ने प्रवाह या सन्तान कहकर चुनौती दी है। वह चुनौती पूर्णत: युक्तियुक्त है, क्योंकि विषय की एकता बाह्यत: केवल आरोप मात्र ही हो सकती है, उसकी मौलिक एकता प्रत्ययमूलक होती है जो प्रत्यय अपने स्रोत के रूप में निर्माण-चित्त की ओर देखता है। किन्तु चित्त और देह विषय नहीं होकर विषयकृत विषयी हैं और ये अपनी आत्मीयता विषयिता में ही पाते हैं : और यह तब भी होता है यदि चित्त को अनिवार्यत: विषयापेक्षी भी माना जाय : यदि 'मैं विचारता हूँ' क्रिया अनिवार्यत: सकर्मक हो और कर्म के माध्यम से ही प्रकाशित होती हो। इस प्रकार आत्म-विदित चित्त अपने को विषय रूप में जानता है, किन्तु विषयी रूप में इस विषय का ज्ञाता होता है। किन्तु यह विषयिता चित्त की प्रत्यङ्मुखता में एक-दूसरे स्तर पर प्राप्त होती है, जिसे हम विषय के विषयी में उपसंहरण का स्तर कह सकते हैं।

---

1. **कान्फिगुरेशंस् ऑफ कल्चर-ग्रोथ।**
2. गोविन्द्रचन्द्र पाण्डे — **मीनिंग एण्ड प्रॉसेस ऑफ कल्चर,** पृ. 2.

इस स्तर पर विषय-ग्राहक वृत्ति आत्म-साक्षात्कारात्मक होती है। पीछे हम इस पर विस्तार से विचार कर चुके हैं। अप्रत्यङ्मुख चित्त की विषयिता विषय पर केन्द्रित और उसके प्रति सक्रिय होती है और विषय विषय-प्रत्यय के आधार से रहित होता है। इस प्रकार इस चित्त को न विषयमूलक एकत्व उपलब्ध होता है और न आत्ममूलक। किन्तु प्रश्न है कि आत्म-वेदि चित्त की व्यष्टिता का आधार क्या है, विषय-प्रत्यय याकि विषयिमूलक अनुभूत एकत्व? कांट ने इस एकत्व को विषयमूलक माना है, जो विषय देहमय या मनोमय आत्म-प्रत्यय नहीं होकर इन्द्रियमूलक होता है। किन्तु ऐन्द्रिक या आध्यात्मिक किसी भी विषय को चैतसिक एकत्व का आधार मानना दो कारणों से अयुक्ति-संगत है, एक तो इसलिए कि हम एकत्व को विषयज्ञानात्मक स्तर पर ही नहीं आनुभूतिक स्तर पर भी ग्रहण करते हैं : अस्मिता एक मौलिक एकत्व की अनुभूति भी है, यह केवल आत्म-विषय-प्रत्यय ही नहीं है। दूसरे, विषयगत एकत्व का आधारभूत विषय-प्रत्यय विषयि-निरपेक्ष नहीं होता, क्योंकि विषय और विषयी परस्पर सापेक्ष और निर्भर होते हैं और परिणामत: विषय-प्रत्यय विषयी के प्रत्ययन में प्रतिष्ठित होना अनिवार्य होता है। यह इससे भी सिद्ध है कि विषय की एकता अध्यवसाय में व्यक्त होती है और अध्यवसाय विषयी और विषय का युगपद् भाव है : 'यह घट है' उतना ही घट के एकत्व की अपेक्षा करता है जितना चित्त के एकत्व की, जिसमें उद्देश्य और विधेय विभक्त और संयुक्त होते हैं। इसी प्रकार, जितना इसका उद्देश्य 'यह' विषय-प्रत्यय के एकत्व में अधिष्ठित है उतना ही यह 'यह वही है' इस प्रत्यभिज्ञा में भी अधिष्ठित है, और यह प्रत्यभिज्ञा चित् का विषय-विधायक चित्त में आविर्भाव है। किन्तु इसका अर्थ केवल इतना ही होता है कि एकत्व का आधार विषय या विषयी नहीं होकर प्रत्यय है जो उतना ही विषयमूलक होता है जितना विषयिमूलक। यदि वैयष्टिक एकत्व का आधार अनुभूत एकत्व को भी मानें, जो निश्चय ही एकत्व के आधारों में से एक है, तो भी यह सांवेदनिक विषयिता नहीं है बल्कि प्रत्यङ्मुख चित्त की विषयिता है जो विषय-विज्ञप्ति के विषयिता की भूमि पर निवर्तन और उसके आत्म-साक्षात्कार के रूप में प्रतिफलित होती है। इसे आत्म-प्रत्यय का अस्फुट भावन भी कह सकते हैं जो उसके स्फुट ग्रहण से पूर्ववर्ती होता है। यह आत्म-प्रत्यय इस एकत्वानुभूति में प्रतिष्ठित होकर व्यक्तित्व का प्रतिष्ठापक होता है, जो अनुभूति स्वयं प्रत्ययानुविद्ध होती है। जैसाकि हमने अभी कहा, इसे ज्ञातृत्व-कर्तृत्व-भोक्तृत्व की आत्म-विषयता, अथवा आत्म-प्रत्यायक विषयिता कह सकते हैं। दूसरे शब्दों में, आत्मा[1] या वैयक्तिक एकत्व चित्त का अपना अवगमन है जो विषय-जगत् की अपने से स्वतन्त्र स्थापना कर अपने में अपने साथ संयुक्त होता है। यह अपने में अपने साथ अपना संयोजन अपने प्रति एक अतिक्रामी कर्तृत्व को, संयोजन की क्रिया और उसके साध्य के प्रत्यय को, पूर्वकल्पित करता है, जिस क्रिया का उपादान इस चित्त की वृत्तियाँ बनती हैं। इस प्रकार वैयक्तिक एकत्व एक जैव-चैत्त तथ्य और अस्तित्व नहीं होता बल्कि वह कर्तृत्व द्वारा आक्षिप्त या साक्षात्कृत आत्म-प्रत्यय या प्रतिमान होता है जिसके अधिष्ठान में जैव-चैत्त सामग्री व्यवस्थित और ग्रथित होती है।

अवश्य व्यष्टि को देह से भी परिभाषित किया जा सकता है और चित्त को देह के गुण के रूप में देखा जा सकता है, किन्तु स्पष्टत: यह व्यष्टि बाह्यत: निर्धारित विषय होगा, कर्तृत्व और अधिष्ठातृत्व की विषयिता नहीं, जो व्यक्तित्व का स्वरूप है। किन्तु जैसाकि स्पष्ट है, क्रोबर और पाण्डे जी का व्यक्ति बाह्यत: निर्धारित विषय है जिसका एकत्व संख्यामूलक है और परिणामत: जो गणितीय योग द्वारा समाज को और अपने गुणों के सम्मिश्र द्वारा संस्कृति को घटित करता है। अवश्य क्रोबर संस्कृति से व्यक्ति या घटना के निगमन की बात भी करता है और इस प्रकार व्यक्ति और संस्कृति में अवयव-अवयवी-सम्बन्ध देखता है, और वास्तव में उसे यही अभिमत भी है। वह व्यक्ति को एक स्वतन्त्र सत्ता नहीं मानता, जिसका अर्थ है कि वह संस्कृति को मूल चैत्त सत्ता मानता है जिसमें व्यक्ति एक चैत्त घटक है। किन्तु तब उसे संस्कृति का अधिष्ठान व्यक्ति या उसके व्यवहार में नहीं देखकर व्यक्ति और उसके व्यवहार का अधिष्ठान संस्कृति में देखना चाहिए, जो वह वास्तव में देखता है। किन्तु यह एक

---

1. इस शब्द का प्रयोग हम किसी द्रव्य या वस्तु के लिए नहीं कर रहे हैं बल्कि अस्मिता के लक्ष्य, अथवा मात्र अस्मिता-भाव, के लिए कर रहे हैं।

दूसरी भ्रान्ति है, क्योंकि क्रोबर यहाँ इस चैत्त सत्ता को आत्म-वेदी चेतना के रूप में, या कम-से-कम ऐसी चेतना के रूप में जिसका व्यापार अन्त:स्फूर्त और अनुभूत है, देखता हो ऐसा प्रतीत नहीं होता, बल्कि वह उसे उद्दीपनों-प्रतिक्रियाओं के विशाल देश-काल-व्यापी संस्थान के रूप में ही देखता प्रतीत होता है। व्यक्ति की स्वतन्त्रता के निषेध में उसकी चित्त-विषयक यह अवधारणा ही निहित प्रतीत होती है। किन्तु यदि व्यक्ति में स्वातन्त्र्य नहीं है तो संस्कृति में यह और भी सम्भव नहीं है, क्योंकि वास्तव में व्यक्ति संस्कृति की आन्तर निर्धारितता में एक घटक है और उसी कारण अस्वतन्त्र है। किन्तु व्यक्ति या संस्कृति में, अथवा दोनों में, स्वातन्त्र्य को स्वीकार किये बिना व्यक्ति और समाज में सृजनात्मक परिवर्तन की व्याख्या सम्भव नहीं है। सृजनात्मक परिवर्तन से हमारा तात्पर्य है जो परिवर्तन परम्परा के अतिक्रमण द्वारा घटित होता है। व्यक्तिगत स्तर पर यह परिवर्तन व्यक्ति द्वारा किसी साक्षात्कार के आधार पर पूर्वस्वीकृत मान्यताओं, विश्वासों अथवा अभ्यासों के निषेध के द्वारा होता है।

यहाँ कहा जा सकता है कि ये दोनों प्रकार के परितर्वन समान रूप से व्यक्तिमूलक ही होते हैं, उदाहरणत: बुद्ध का साक्षात्कार एक-साथ समाज और व्यक्ति में परिवर्तन का आधार बना था। यह मत प्रकटत: युक्तिसंगत प्रतीत होता है और इसी प्रकट युक्ति के कारण पाण्डे जी ने संस्कृति को वैयक्तिक साक्षात्कारमूलक परम्परा कहा है। किन्तु यदि बुद्ध का यह साक्षात्कार व्यक्ति-मनस्-मूलक है और इस प्रकार सब विचार और उद्भावनाएँ व्यक्ति-मनस् गोचर ही होती हैं तब परम्परा भी कालात्मक आयाम में अनेक व्यक्तियों की सामूहिकता मात्र, क्षण-सन्तान मात्र, होगी। किन्तु यह निष्कर्ष पाण्डे जी को भी अभीष्ट नहीं होगा।[1] संस्कृति को मनोमूलक सामूहिकता के रूप में देखना वास्तव में किसी को भी अभिप्रेत नहीं है, किन्तु अस्तित्व को अनिवार्यत: देहमूलक व्यक्ति-समूह से परिभाषित करने पर यह निष्कर्ष अनिवार्य हो जाता है। तब संस्कृति को यदि मात्र उद्ग्रहण, अथवा अनेक विशिष्टों की एकत्र अवस्थिति से उत्पन्न रूप-वैचित्र्य अथवा गुण वैचित्र्य मात्र नहीं भी माना जाता तो अधिक-से-अधिक इसे व्यष्टियों में सम्बन्धों से प्रकटित प्रतीति (एपिफिनोमिना) माना जा सकता है। किन्तु हमारे विचार में यह युक्त नहीं है। जैसाकि हमारे पिछले विवेचन से स्पष्ट है, स्वयं व्यक्ति एक तथा आणविक अस्तित्व नहीं होकर एक आवयविक संहति है। आवयविक संहति एक ऐसा मौलिक एकत्व होता है जो बहुत्व के माध्यम से अपने को व्यक्त और चरितार्थ करता है। यह आवयविकता चित्त का स्वभाव है : चित्त अपने प्रस्तुत विषय में यह आवयविकता बाह्यत: देखता है और अपने में इसे आन्तरत: घटित देखता है। उदाहरणत: अणु ऋणात्मक-धनात्मक कणों के बहुत्व में व्यक्त एकत्व या सावयवता है और ब्रह्माण्ड पिण्डों के बहुत्व में व्यक्त एकत्व, इसी प्रकार जैव देह अंगों आदि के बहुत्व में व्यक्त एकत्व है और अस्मिता असंख्य चिद्वृत्तियों के बहुत्व में व्यक्त एकत्व। वास्तव में चित्त केवल स्वयं में ही आवयविक : बहुत्व में स्फुटित एकत्व : नहीं है बल्कि यह जिस भी वस्तु में प्रविष्ट होता है उसी को एकत्व और बहुत्व के दो विरुद्धों की समन्विति में रूपान्तरित कर देता है। जैव और मानवीय सब कृतियाँ इस समन्विति को, बहुत्व में स्फुटित एकत्व को, प्रकट करती हैं। उदाहरणत: नीड़, गृह, छत्ता और परिवार को देखा जा सकता है। इस प्रकार अस्तित्व और सत्ता दोनों दृष्टियों से व्यक्ति और संस्कृति एक-दूसरे से इस रूप में भिन्न नहीं हैं कि इनमें एक दूसरे से प्रथम और उस पर निर्भर है बल्कि इस रूप में भिन्न हैं कि एक की संरचना और उसका आकार दूसरे से भिन्न प्रकार के हैं। अवश्य यह सही है कि परिवार या समाज में व्यक्ति संस्थित होते हैं, किन्तु परिवार का अधिष्ठान व्यक्ति नहीं है बल्कि एक सामाजिक प्रत्यय है जो व्यक्तियों को अपनी आवयविकता में संस्थित करता है। अब यदि व्यक्ति और परिवार, अथवा व्यक्ति और समाज में अधिष्ठान-अधिष्ठित का सम्बन्ध ही देखना हो तो समाज व्यक्ति में नहीं बल्कि व्यक्ति समाज में अधिष्ठित होता है। किन्तु समाज में व्यक्ति के अधिष्ठित होने पर भी यह उसे उस प्रकार निश्शेष नहीं करता जिस प्रकार अवयवी अवयव को करता है, क्योंकि व्यक्ति अपने-आप में एक स्वतन्त्र अवयवी भी है : दैहिक रूप में

---

1. पाण्डेजी ने एक लेख में संस्कृति को इस प्रकार परिभाषित किया है—"सांस्कृतिक चेतना एक निरात्मक और प्रतीत्यसमुत्पन्न संस्कार-प्रवाह है जो कि वैयक्तिक न होकर लोक-साधारण है।" (**पं. सुरतिनारायण त्रिपाठी अभिनन्दन ग्रन्थ** में उनका लेख 'संस्कृति और भारतीयता', पृ. 2)।

भी और चैतसिक रूप में भी।[1] उसकी दैहिक आवयविकता जैव प्रत्ययगत है और चैतसिक आवयविकता आत्म-प्रत्ययगत। (इस प्रकार, व्यक्ति की वैयक्तिकता उसकी देह की अनुषंगी नहीं होती, इसके विपरीत देह उसकी चैतसिक क्रिया के एक आयाम के रूप में : उसकी विषयिता में : उसकी चैतसिक आवयविकता की अवयव होती है।) उदाहरणत: परिवार में एक व्यक्ति पिता या पुत्र, और दोनों होता है। अब, पिता पितृत्व को और पुत्र पुत्रत्व को उदाहृत करते हैं और ये दोनों परिवार के अन्तर्गत और उसकी अवधारणा में निश्शेषत: निहित होते हैं। यहाँ यह कहा जा सकता है कि, किन्तु पिता कोई व्यक्ति होता है और इस प्रकार पिता-व्यक्ति, पुत्र-व्यक्ति आदि सम्मिलित होकर परिवार का निर्माण करते हैं। वास्तव में यहाँ निहित रूप में व्यक्ति को मनोमय देह-विशेष के रूप में कल्पित किया जा रहा है जो युक्त नहीं है। जैसाकि हमने ऊपर देखा, अवश्य केवल व्यक्ति ही पिता या पुत्र हो सकता है और देह उस व्यक्ति का एक अनिवार्य पक्ष है, किन्तु 'यह व्यक्ति परिवार को अधिष्ठित करता है' कहने का अर्थ होगा कि पितृत्व आदि व्यक्ति में अनिवार्य हैं और ये व्यक्ति संयुक्त होकर परिवार को घटित करते हैं, जबकि वास्तव में पितृत्व आदि परिवार-प्रत्यय के अंग हैं और व्यक्ति इस प्रत्यय को धारण कर परिवार में अधिष्ठित होते हैं।

यहाँ एक दूसरे प्रकार की आवयविकता का उदाहरण व्यक्ति और समाज के सम्बन्ध को समझने में उपयोगी होगा : पीछे[2] हमने ऐन्द्रिक विषयों के परिप्रेक्ष्यात्मक स्वरूप का विवेचन किया था। यह परिप्रेक्ष्यात्मकता प्रेक्षक के पक्ष से व्यक्ति की अनिवार्य सामाजिकता की द्योतक है, क्योंकि परिप्रेक्ष्यता में प्रत्येक प्रेक्षण अन्य असंख्य वास्तव-सम्भाव्य प्रेक्षणों की एक व्यवस्था को पूर्वकल्पिक करता है और इस व्यवस्था में प्रत्येक प्रेक्षण अन्यों का सापेक्ष होता है। उदाहरणत: एक कुर्सी का स्थान स से प्रेक्षण स्वयं में संवेदमूलक एक गुण : वर्ण-संस्थान : मात्र है, किन्तु यह गुण कुर्सी के अस्तित्व के लिए प्रमाण होता है, जो कुर्सी प्रेक्षण के सन्दर्भ में प्रेक्ष्यों के बहुत्व को संहत करने वाला एक मौलिक एकत्व है। इसी कारण मेरा कुर्सी को देखना उसकी विद्यमानता के लिए अन्य द्रष्टाओं के समर्थन का अपेक्षी होता है। ज्ञान-विषयक यह तथ्य व्यक्ति की अनिवार्य सामाजिकता का और समाज की व्यक्ति से प्रथमता का द्योतक है। द्रष्टव्य है कि विषय की यह परिप्रेक्ष्यात्मकता कांट के अर्थ में विषय-ग्रहण की अतिक्रामी संरचना (ट्रांसडेंटल स्ट्रक्चर) में निहित है और इस प्रकार सामाजिकता मानव-चित्तगत एक निर्धारक तत्त्व है। यहाँ कोई आपत्ति कर सकता है कि यह अतिक्रामी संरचना व्यक्ति-चित्त के द्वारा ही कार्यान्वित होती है और इससे पृथक् इसका कोई अस्तित्व नहीं है। किन्तु यह वही भ्रान्ति है जिसका खण्डन हम पीछे कर आये हैं : यहाँ विषय की तात्त्विक परिप्रेक्ष्यात्मकता के एक दृष्टि-बिन्दु को व्यष्टि-देह में स्थापित किया जा रहा है और व्यष्टि-देह को व्यक्ति कहा जा रहा है। किन्तु यह अयुक्त है, विषय की परिप्रेक्ष्यात्मकता विषयी की अतिक्रामी संरचना में निहित होती है, जिस संरचना से पूर्वनिर्धारित दृष्टि-बिन्दु पर एक ग्रहण घटित होता है। इस ग्रहण को व्यक्ति-चित्तमूलक कहना अयुक्त है, क्योंकि यह चित्त न वैयष्टिक या वैयक्तिक है और न सामष्टिक, यह दोनों का अंगांगिभाव है।

इसके अनन्तर यहाँ विशिष्ट रूप से अतिवैयक्तिक संस्कृति-मनस् के कुछ उदाहरण देना स्थाने होगा। इनमें भाषा सबसे अधिक स्पष्ट उदाहरण है। भाषा अनेक व्यक्तियों की समवेत मानसिकता है, क्योंकि इसका आविर्भाव व्यक्तियों के पारस्परिक सम्प्रेषण के क्रम में होता है। यदि यहाँ सम्प्रेषण के प्रसंग को जाने भी दें तो भी यह : भाषा : अपने सब व्यापारों में, वे कथनात्मक हों या अभिव्यंजनात्मक, सामान्यात्मक और सामाजिक हैं, विशेषात्मक और वैयक्तिक नहीं। दूसरे, इसकी रचना के किसी भी पक्ष : ध्वनि, शब्द, वाक्य और अर्थ : के सम्बन्ध में यह नहीं कहा जा सकता कि यह व्यक्ति-मनस्-मूलक या व्यष्टि-व्यवहार-मूलक है। निश्चय ही भाषा का प्रत्येक

---

1. द्रष्टव्य है कि देह के अंगों में भी एक सीमा तक स्वतन्त्रता रहती है : आँख, चर्म, या कान आदि के कुछ रोग हैं जो उन अंगों के अपने होते हैं। किन्तु आयुर्वेद और होम्योपैथी अवयवी को एक अविभाज्य व्यवस्था मानते हैं, केवल एलोपैथी ही बहुत सीमा तक अंगों का पृथक्ता में निदान करती है। किन्तु यहाँ इस बात की उपेक्षा की जा सकती है।

2. द्रष्टव्य अध्याय 4.

व्यक्ति का प्रयोग, उसके सभी पक्षों में, विशिष्ट होगा, किन्तु यह वैयक्तिक प्रयोग सामान्य की विशेष मुद्रा, या कहें भंगी मात्र, होता है, विशेषों से उद्गृहीत सामान्य नहीं : आकाश में घट-पट आकृतियों के समान, वृद्धों से वार्द्धक्य-कल्पना के समान नहीं।

वास्तव में यह बात अन्य सब सृजनात्मक मानस-व्यापारों या अभिव्यक्तियों के लिए भी, न्यूनाधिक अन्तर के साथ, सही है। उदाहरणत: काव्य, दर्शन या विज्ञान को लें। ये एक-साथ व्यक्ति और समाज दोनों के लक्षण प्रकट करते हैं : कालिदास, भवभूति या तुलसीदास की काव्य-कृतियाँ उतनी स्पष्टता के साथ उनकी वैयक्तिक भंगियों को प्रकट नहीं करतीं जितनी स्पष्टता के साथ सांस्कृतिक भंगी को प्रकट करती हैं : हम कालिदास की किसी कृति के सम्बन्ध में सन्देह में पड़ सकते हैं कि वह उसी की है या अन्य किसी की, किन्तु वह भारतीय है या नहीं, इसमें सन्देह होना कठिन है। दर्शन, वास्तु-कला, पाक-शास्त्र आदि में वैयक्तिक भंगी और भी अस्पष्ट होती है जबकि सांस्कृतिक भंगी उतनी अस्पष्ट नहीं होती, दर्शन में तो सांस्कृतिक भंगी बहुत अधिक स्पष्ट होती है। जो भी हो, यहाँ महत्त्वपूर्ण यह है कि संस्कृति एक पृथक् भंगी या मुद्रा है और कम-से-कम उतनी ही विशिष्ट जितनी वैयक्तिक भंगी होती है।

यहाँ कहा जा सकता है कि भंगी की संस्कृति-विशिष्टता व्यक्तियों के परस्पर अनुकरण की ही परिणाम होती है। कालिदास और भवभूति के काव्यों में इस कारण एक व्यापक समानता है क्योंकि ये दोनों व्यक्तियों के एक ही वर्ग के सदस्य हैं। यह युक्ति सही नहीं है और इसकी अयुक्तता पर विचार हमें व्यक्ति और समाज के स्वरूपों में और गहरी अन्तर्दृष्टि देता है : यदि भंगी का अनुकरण सम्भव है तब वह विषयी नहीं होकर विषय और सामान्य है, और यदि वह विषय और सामान्य है तब उसमें व्यष्टि-समष्टि का भेद अयुक्त है। इसका उत्तर हो सकता है कि भंगी मूलत: विषयिता है जो देखी जाने पर विषय और सामान्य बनती है, इसी से यह सिद्ध होता है कि भंगी मूलत: व्यक्तिनिष्ठ होती है और अनन्तर वह व्यक्तियों के वर्ग में संक्रमित हो सकती है, यद्यपि तब वह उस वर्ग में भी विषयिता का रूप ले लेती है। किन्तु तब प्रश्न होगा कि विषयिता की व्यक्तिमूलकता के लिए क्या युक्ति है? यदि थोड़ा गहराई से देखा जाय तो हम पायेंगे कि विषयिता केवल दैहिक और सांवेदनिक स्तर पर ही वैयक्तिक होती है, चित्त की उच्चतर अभिव्यक्तियों के स्तरों पर यह नितान्त निर्वैयक्तिक होती है, और जैसाकि हमने पीछे[1] देखा, यह दैहिक और सांवेदनिक स्तरों पर भी केवल अंशत: ही वैयक्तिक होती है, क्योंकि स्वयं देह और संवेद के आकार भी जातिमूलक ही होते हैं। चित्त का यह अतिक्रामी स्तर चित्त की वैयक्तिक और सांस्कृतिक दोनों से व्यापकतर, और अन्ततः अनवच्छिन्न सत्ता का द्योतक है और इस प्रकार वैयक्तिकता को उसके लिए आगन्तुक और उपाधि सिद्ध करता है। किन्तु संस्कृति उस स्तर का अस्तित्व नहीं है, वह अतिक्रामी नहीं होकर चैत्त व्यापार है और परिणामत: वैयक्तिक प्रकार का ही अस्तित्व है।

तब संस्कृति क्या है? अब तक हमने जो कहा उसमें यह पूर्वगृहीत है कि यह एक चैत्त आवयविकता है और देश और काल में विकीर्ण मानव-व्यक्तियों को एकत्व देती है। इस प्रकार इसे एक सामाजिक व्यक्तित्व भी कह सकते हैं।[2] इस प्रकार कहा जा सकता है कि व्यक्तित्व के दो प्रकार या आकार हैं, एक वैयष्टिक और दूसरा सामष्टिक। वैयष्टिक व्यक्तित्व का विच्छेदक लक्षण देह को कहा जा सकता है, जो बाह्यत: एक भौतिक : इन्द्रियगम्य : विषय है और आन्तरत: भौतिक-क्रिया का अधिष्ठाताभूत आत्मा। किन्तु यह विच्छेदक लक्षण इसका आधारभूत तत्त्व नहीं है। इसका आधार-तत्त्व वही है जो सामाजिक व्यक्तित्व का भी है। यह तत्त्व है आत्म-प्रतिमा, आत्म-स्वरूप-प्रत्यय। व्यष्टि-चित्त के जो व्यापार तर्कत: इस प्रत्यय के नियमन के क्षेत्र में आते

---

1. अध्याय 4.
2. इस परिभाषा की युक्तता का प्रतिपादन हमने अपनी पुस्तक **संस्कृति : मानव-कर्त्तृत्व की व्याख्या** के प्रथम दो अध्यायों में तथा 'भारतीय संस्कृति के आधार, वर्तमान सन्दर्भ' लेख में विस्तार से किया है। यह लेख **भारतीय संस्कृति, दर्शन एवं सभ्यता**, सं. राजेन्द्र गौतम में प्रकाशित।

हैं वे सब व्यष्टि–व्यक्तित्व के घटक होते हैं और जहाँ तक यह प्रत्यय वास्तव में चित्तवृत्तियों और क्रियाओं का नियमन करता है वहाँ तक वह व्यक्ति अपने स्वरूप के अनुसार होता है, जहाँ तक वह यह नियमन अपने संकल्प की क्षीणता के कारण नहीं कर पाता वहाँ तक व्यक्ति अपने स्वरूप से विसंगत होता है; जो वृत्तियाँ उसके नियमन के क्षेत्र या प्रसंग से बाहर होती हैं वे वैयक्तिक वृत्तियाँ अथवा वैयक्तिक क्रियाएँ नहीं कही जातीं। संकल्प की क्षीणता व्यक्ति को अपने से व्यवहित करती है और इस व्यवधान की अभिज्ञता व्यक्ति को अपने लिए अपना आदर्श बनाती है।[1] व्यक्ति की यह आत्म–आदर्श–स्वरूपता ही उसकी सब क्रियाओं को सृजन का आयाम देती है, उसके अभाव के कारण ही अन्य जीवों के निर्माण सृजनात्मक नहीं होते, न मनुष्य की वे क्रियाएँ सृजनात्मक होती हैं जो इस आदर्श–स्वरूपता में प्रतिष्ठित नहीं होतीं। इस प्रकार सब सृजन अन्ततः आत्मलाभ या आत्मसृजन हैं, अथवा कहें, एकमात्र आत्मसृजन ही सृजन है।

व्यक्तित्व का यह तत्त्व संस्कृति में भी उतना ही स्पष्ट रूप से दृष्गित होता है। संस्कृति का लक्षण सृजन–परम्परा है, क्षीण–सृजन परम्परा सांस्कृतिक ह्रास की द्योतक होती है। सृजन का तत्त्व मूल्य का चरितार्थन है। मात्र परम्परा मानव–समाज से कहीं अधिक सबल जैव समुदायों में देखी जाती है, किन्तु उस परम्परा का आधार मूल्यात्मक प्रत्यय का चरितार्थन नहीं होकर संस्कार होता है।[2] दूसरे शब्दों में, उसका आधार आत्म–व्यवधान की अभिज्ञता–जन्य आकुलता नहीं होकर प्रस्तुत स्थिति के प्रति अभ्यास से नियत प्रतिक्रिया होती है। ऐसा नहीं है कि मानव–समाज में यह मूल्य–दृष्टि निरन्तर और सर्वत्र स्पष्ट होती है, इसी प्रकार ऐसा भी नहीं है कि सांस्कृतिक परम्परा में अभ्यास के लिए कोई स्थान नहीं है, किन्तु संस्कृति में अभ्यास का प्रयोजन केवल प्रयत्न–लाघव है, यह संस्कृति का तत्त्व नहीं है, उसका तत्त्व मूल्य ही है, जबकि जैव परम्परा का तत्त्व अभ्यास है। अवश्य यहाँ आपत्ति की जा सकती है कि जैव परम्परा भी जैव मूल्यात्मक होती है। यह सही है, किन्तु यहाँ दो बातें महत्त्वपूर्ण हैं—प्रथम यह कि जैव मूल्य केवल तथाकथित रूप से ही मूल्य हैं, दूसरे, यह अभ्यास आत्म–अभिज्ञतामूलक नहीं होता और परिणामत: प्रयत्न–लाघव की सिद्धि केवल अतिक्रामी रूप से ही प्रयोज्य होती है, विचारपूर्वक नहीं। यहाँ कहा जा सकता है कि उत्कर्ष–परम्परा केवल विज्ञान में ही देखी जाती है, दर्शन, कला और नैतिक जीवन में उत्कर्ष–सिति केवल वैयक्तिक होती है। उदाहरणत: बुद्ध, कालिदास, नागार्जुन, या ईश्वरकृष्ण द्वारा साक्षात्कृत मूल्य उन व्यक्तियों के जीवन में ही महत् सिद्धि के रूप में प्रतिफलित हुए, किसी परम्परा में परिष्कृत नहीं हुए। किन्तु यह आक्षेप सही नहीं है। यहाँ यदि इस पक्ष को जाने भी दें कि प्राय: ही महान् व्यक्तियों के आविर्भाव के भी युग होते हैं : इधर हमने अपने देश में 1947 से पहले 19वीं–20वीं शताब्दियों में एक साथ अनेक महापुरुषों का आविर्भाव देखा, जर्मनी में17वीं–18वीं शताब्दियों में एक–साथ कांट, फ़िख़्ते, शैल्लिंग, शिलर, हेगल, गोएथे, बीथोवन जैसी अद्भुत प्रतिभाओं का आविर्भाव हुआ, और उसके बाद वैसी एक भी प्रतिभा शताब्दियों तक दृष्टिगोचर नहीं होती : और 'सम्भवामि युगे–युगे' महान् व्यक्ति के आविर्भाव की युग–परिस्थिति–सापेक्षता का ही कथन है, तो भी यह द्रष्टव्य है कि बुद्ध या कालिदास के रूप में उद्भूत शिखर एक पक्ष में परिष्कार–परम्परा के ही विषय होते हैं और उसी रूप में ये सांस्कृतिक होते हैं। उदाहरणत: महात्मा बुद्ध की सम्बोधि का एक पक्ष वैयक्तिक प्रयत्न, वैयक्तिक साक्षात्कार, वैयक्तिक सिद्धि और वैयक्तिक अनुभूति है और दूसरा पक्ष वह मूल्य–प्रत्यय या परमार्थ सत् है जो वैयक्तिक नहीं होकर सार्वभौम है। किन्तु यह सार्वभौम सत्य संस्कृति–विशेष में साक्षात्कृत होता है, क्योंकि यह सत्य सहज ग्राह्य नहीं होकर प्रयत्न की एक सुदीर्घ परम्परा की अपेक्षा करता है, और अपने स्वरूप में नितान्त सरल होने पर भी अपनी अभिव्यक्ति और ग्रहण में अत्यन्त जटिल व्यवस्था का रूप लेता है, जो व्यवस्था अपने अवगमन के लिए भी अत्यधिक विराट् मनस् की अपेक्षा करती है, उसके जनन के लिए तो विराट् मनस् अपेक्षित होता ही है। सर्वप्रथम, ऐसी व्यवस्था के लिए भाषा का

---

1. इस पर विस्तृत चर्चा के लिए द्रष्टव्य यशदेव शल्य — **संस्कृति : मानव–कर्तृत्व की व्याख्या** में अध्याय 1, तथा यशदेव शल्य — **विषय और आत्म** में अध्याय 5.
2. यहाँ पाण्डेजी की पीछे उद्धृत परिभाषा की अपर्याप्तता देखी जा सकती है।

अत्यन्त जटिल और सूक्ष्म उपकरण अपेक्षित होता है और तदुपरान्त अनुभव, क्रिया, और चिन्तन की सुदीर्घ प्रक्रिया अपेक्षित होती है, जो प्रक्रिया असफलताओं, विरोधों, आक्षेपों और उनके निवारण को पूर्वापेक्षित करती है। उदाहरणत: बुद्ध की मध्यम प्रतिपदा के लिए अतिवादी साधनाओं की निष्फलता की परम्परा और प्रतीत्य-समुत्पाद की अवधारणा के लिए कारणता-विषयक अन्यान्य सिद्धान्तों की अपेक्षा थी और ये सब सिद्धान्त संयुक्त रूप से उस सांस्कृतिक दृष्टि का निर्माण करते हैं : कुछ सत्य के विभिन्न पक्षों के रूप में और कुछ अपने प्रत्याख्यान द्वारा स्वीकृत दृष्टि को सम्पन्नता देने के रूप में। ज्ञान-विषयक यह एक अत्यन्त महत्त्वपूर्ण तथ्य है कि आक्षेप और उनके निवारण किसी दृष्टि की सम्पन्नता और प्रामाणिकता के निश्चय के लिए आवश्यक होते हैं, और किसी दृष्टि के विरुद्ध जितने ही आक्षेप प्रस्तुत होकर निराकृत होते हैं उतनी ही वह दृष्टि सम्पन्न होती है। कहा जा सकता है कि वह द्वन्द्व अतिव्यक्तिमूलक नहीं होकर व्यक्तिमूलक ही होता है, क्योंकि व्यक्ति ही हैं जो मत-प्रतिपादन करते हैं और दूसरे भी व्यक्ति ही होते हैं जो आक्षेप करते हैं। यह सही है, किन्तु इस प्रकार जो सम्मिश्र निष्पन्न होता है वह वैयक्तिक नहीं होता, वह एक ठोस अतिवैयक्तिक अस्तित्व होता है जो व्यक्तियों को सांस्कृतिक उत्तराधिकार के रूप में उपलब्ध होता है। इस प्रकार जब हम 'भारतीय दर्शन' या 'पाश्चात्य दर्शन' अथवा 'भारतीय काव्य' या 'चीनी काव्य' कहते हैं तब, विशिष्ट सांस्कृतिक भंगी की बात छोड़ते हुए भी, इन पदों के एक-साथ दो वाच्य होते हैं, एक विभिन्न व्यक्तियों की विभिन्न कृतियाँ और दूसरा सांस्कृतिक मनस्, जिसमें से ये विभिन्न कृतियाँ उद्भूत होती हैं और उसके अव्यक्त तत्त्व को व्यक्त कर उसे वैचित्र्य और वैविध्य देती हैं। अव्यक्त तत्त्व को व्यक्त करने के पक्ष में वैयक्तिक कृति भी भिन्न प्रकार की नहीं होती, वह भी एक अरूप-अनाम प्रातिभ या साक्षात्कार को ही व्यक्त करती है, और उसी प्रकार वह भी विभिन्न वास्तव-सम्भाव्य आपत्तियों के निवारण के माध्यम से अपने ग्रहण को विपुल बनाती है। अन्तर केवल इनके आयतन और परिमाण का होता है। यह द्रष्टव्य है कि विचार के लिए उसका व्यक्ति-मनस् में घटित होना अनिवार्य नहीं होता, क्योंकि विचार स्वयं मनस् का एक आयाम है और घटना दूसरा आयाम : यह दूसरा आयाम संवेद है। विचार की वैयक्तिकता केवल उसकी संरचना, व्यवस्था और अभिव्यक्ति की भंगिमा-विषयक होती है जो विचार के तत्त्व पर अवांछनीय आरोप होते हैं : 'यह मेरा व्यक्तिगत विचार है' का अर्थ है कि इसकी ज्ञानात्मकता और सत्य संदिग्ध हैं।

यहाँ यह स्पष्टीकरण स्थाने होगा कि सांस्कृतिक मनस् का अतिवैयक्तिक अस्तित्व वैयक्तिक मनस् के स्वातन्त्र्य को समाप्त या न्यून नहीं करता। स्वातन्त्र्य का अर्थ अकारण-अनैमित्तिक होना नहीं है : 'राम दशरथ के पुत्र थे' का यह अर्थ नहीं है कि, जैविक रूप में भी, राम पृथक् व्यष्टि नहीं थे। कारण का यह अर्थ केवल भौतिक सन्दर्भ में ही है कि कार्य उससे पूर्णत: नियत होता है, जैविक सन्दर्भ में भी विज्ञान कारणता को इसी अर्थ के अन्तर्गत लाता है जो युक्त नहीं है। किन्तु मानसिकता के सन्दर्भ में तो कारणता का यह अर्थ सर्वथा नहीं रहता, अथवा कहें उस सन्दर्भ में कारण-कार्य-निर्धारण होता ही नहीं : 'मैंने आपकी बात समझ ली' इसमें कथन और बोध के बीच कारण-कार्य-सम्बन्ध का कथन नहीं है, यह पूर्व-विद्यमान निर्वैयक्तिक ज्ञान का व्यक्ति-चित्त में प्रकाशित होना है, जिसमें कथन प्रसंग या हेतु बनता है। किन्तु यह हेतु कारण-रूप नहीं होता, मानसिकता के सन्दर्भ में निर्धारण उसी स्तर पर होता है जिस पर मन प्रत्यङ्मुख नहीं होकर पराङ्मुख होता है, अथवा वासना-आवेग आदि वृत्तियों में होता है। इसके विपरीत प्रत्यङ्मुख वृत्ति मन के स्वातन्त्र्य की वृत्ति है और व्यक्ति-मनस् की इसमें प्रतिष्ठा उसे स्वातन्त्र्य में प्रतिष्ठा देती है। उदाहरणत: मान लें कि बुद्ध द्वारा सम्बोधि में साक्षात्कृत सत्य सम्पूर्णत: अपनी सांस्कृतिक परम्परा से प्राप्त था, जोकि वास्तव में था ही, किन्तु इससे उसके साक्षात्कार की मौलिकता, उसकी निजता, सबसे बढ़ कर बुद्ध के आत्म-सर्जन की अपूर्वता समाप्त नहीं होती। क्योंकि विचार के तत्त्वों की सांस्कृतिक परम्परा में विद्यमानता और उस विचार का साक्षात्कार, एवं उस व्यक्तित्व का नियोजक, व्यवस्थापक और साध्य होना, एक ही बात नहीं है और इनमें केवल दूसरे में ही व्यक्ति का स्वातन्त्र्य प्रकट होता है। यही बात कालिदास, नागार्जुन, ईश्वरकृष्ण या शंकर के बारे में कही जा सकती है। कालिदास की महत्ता अनुभूत विषय, विचार, अलंकार और भाषा के नावीन्य में नहीं है, जो नावीन्य उनमें नहीं था, न ही उस मानसिक विद्युच्चुम्बकत्व में है जो परम्परा में विकीर्ण प्रासंगिक तत्त्वों को अपने में समेट कर उन्हें नवीन और अधिक

सशक्त रूप में व्यक्त कर सका, बल्कि अपनी दृष्टि के प्रति सच्चाई में, अधिक उपयुक्त शब्दों में, अपनी दृष्टि के प्रति दर्शकत्व में, चित्त की अनाविलता : अव्यवहितता : में है। स्वातन्त्र्य का दूसरा पक्ष, अथवा उचित रूप से कहें, दूसरा आयाम, मूल्यान्वेषण है जिसका तत्त्व, जैसाकि हमने पीछे कहा, स्वरूप-सिद्धि और तद्विषयक व्यवधान का निवारण है। यह तत्त्व चित्त को सम्भूत से निर्धारित नहीं कर भाव्य के अनुसार आत्म-सर्जन में नियुक्त करता है। जैसाकि हमने पीछे देखा, यह तत्त्व व्यक्ति और संस्कृति दोनों को समान रूप से निरूपित करता है : व्यक्ति उस प्रतिमान से परिभाषित होता है जो उसकी सब विशिष्ट क्रियाओं को अधिष्ठित और नियुक्त करता है और संस्कृति उस प्रतिमान से जिसे वह मानव-स्वरूप के रूप में अवधारित करती है। इस प्रकार व्यक्ति और संस्कृति दोनों का तत्त्व स्वातन्त्र्य है, यह बात दूसरी है कि व्यक्ति-विशेष और समाज-विशेष क्रमश: व्यक्तित्व और संस्कृति से किस सीमा तक सम्पन्न होते हैं।

इतिहास–तत्त्व

'इतिहास' शब्द का व्युत्पत्त्यर्थ है 'ऐसा हुआ', अर्थात् अतीत घटनाओं का विवरण। प्रकटत: यह एक अत्यन्त सरल–सीधी सी बात है, किन्तु इसे थोड़ा गहराई से देखें तो इसकी अपार जटिलता विचार को अभिभूत किये बिना नहीं रहती। 'अतीत घटना', अथवा 'अतीत' ही कहें, पद का क्या अर्थ है? क्या पत्थर अथवा मिट्टी का कोई अतीत होता है? यद्यपि हम काल की गणना सूर्य और पृथ्वी की सापेक्ष गति और स्थिति आदि से करते हैं और ग्रहों–नक्षत्रों के आविर्भाव और अतीत–वर्तमान आदि की भी बात करते हैं, किन्तु एक महत्त्वपूर्ण अर्थ में भौतिक प्रकृति कालात्मक नहीं होती, यह पूर्णत: देशात्मक होती है। जैव प्रकृति इस दृष्टि से भौतिक प्रकृति से मौलिक रूप से भिन्न होती है, यह काल–यापित होती है : पुष्प कली से विकसित होता है और फिर क्रमश: मुरझा कर झड़ जाता है। इसमें एक अनिवार्य क्रम, अनिवार्य अनिवर्तनीयता होती है। विकसित पुष्प कली नहीं बन सकता और झड़ा हुआ पुष्प पुन: वृन्त पर खिलता हुआ पुष्प नहीं बन सकता। किन्तु इस अनिवार्य अनिवर्तनीयता को क्या अतीत–वर्तमान–भविष्यत् ऐसा त्रि–आयामात्मक काल कहा जा सकता है? काल तो यह अवश्य है, क्योंकि अनिवार्य अनिवर्तनीयता ही काल का लक्षण है, किन्तु अनिवर्तनीयता, और आवृत्ति–असम्भवता भी, अनिवार्य रूप से त्रि–आयामात्मक काल की सृष्टि नहीं करते। कहा जा सकता है कि खिले हुए पुष्प का कली–रूप उसका अतीत और सूख कर झड़ने वाला रूप उसका भविष्यत् होता है। यह सही है, किन्तु ऐसा स्वयं पुष्प के लिए नहीं होता, हमारे लिए होता है और इस प्रकार यह पुष्पमूलक नहीं होकर पुष्प–विषयक होता है। पुष्पमूलक काल में पुष्प का अतीत और भविष्यत् उसके वर्तमान में सन्निहित होते हैं और उसे बाण की नोक का–सा रूप देते हैं। दूसरे शब्दों में, इसमें पुष्प उद्दिष्ट–घटनात्मक रहता है। इसके विपरीत पुष्प–विषयक काल में घटनाएँ घटनात्मक नहीं रहकर क्रम में निर्धारित और स्थित हो जाती हैं : पुष्पमूलक काल में कली पुष्प हो जाती है और पुष्प मुरझा जाता है, जबकि पुष्प–विषयक काल में पुष्प पहले कली की अवस्था में रहा होता है और पीछे मुरझा जाना उसकी नियति, उसकी भवितव्यता होती है। इस प्रकार ये तीनों अवस्थाएँ काल–पट पर अनुक्रमश: अवस्थित रहती हैं। कुछ लोगों ने काल को क्षण–सन्तान–रूप और दूसरों ने प्रवाह–रूप देखा है। ये दोनों निरूपण भ्रामक हैं, क्योंकि इन दोनों में यह पूर्वमान्यता है कि काल का कोई निरपेक्ष स्वभाव और सत्ता है। किन्तु इनमें पहला मत भयानक रूप से भ्रामक है, क्योंकि इसमें यह पूर्वमान्यता है कि "सत्ता कालात्मक है और इसमें अतीत क्षण अतीत रूप में रहते हैं : वे अर्थ–क्रिया के रूप में तो अवश्य समाप्त हो जाते हैं किन्तु अक्रियात्मकतया रहते हैं, जैसे सिनेमा की रील के चित्र—यदि रील एक ही बार चलायी जाय तो।" यद्यपि यह बात स्वयं क्षण–सन्तानवादियों को अभिप्रेत नहीं है किन्तु उत्पत्ति–नाश में युगपद् क्षण, आगे के क्षण में परिणत नहीं होने से, अपनी अतीतता में अक्षुण्ण तो रहेगा ही, क्योंकि परिणत होने वाला क्षण ही अपने अतीत को वर्तमान में खो सकता है, अपने में अवसित क्षण नहीं। दूसरी ओर काल को प्रवाह कहने में यह दोष है कि प्रवाह में, जैसे जल–प्रवाह में, कोई एक वस्तु या पिण्ड पीछे से सम्मुख और सम्मुख से आगे की ओर नहीं आता बल्कि निरन्तर पीछे से आता और आगे को जाता रहता है। किन्तु काल के बारे में ऐसा नहीं है : पुष्प की विकसित स्थिति में कली की अतीत स्थिति से कुछ निरन्तर नहीं आता रहता बल्कि कली पुष्पित होती है और पुष्प मुरझा कर समाप्त होता है, अथवा कहें कली पुष्प–रूप में और मुरझाने के रूप में परिणत होती है। इस प्रकार काल प्रवाहात्मक नहीं होकर परिणामात्मक होता है। परिणामात्मक वस्तु का कुछ अतीत नहीं होता, उसका केवल भविष्योन्मुख वर्तमान होता है, अथवा कहें उन्मुख वर्तमान होता है। यद्यपि यह सही है कि जो वह 'है' सो वह 'अन्य कुछ रहा होने से' ही होता है, किन्तु 'रहा हुआ कुछ' वही'हो गया' रहता है जो वह अब है। इसके विपरीत अतीत वह होता है जो घटित होकर परिणाम–प्रक्रिया से पृथक् हो जाता है। अवश्य वह एक प्रक्रिया का अंग होता है : काल–क्रम का अंग : इसी कारण वह अतीत भी होता है, किन्तु यह क्रम उसको वह स्थिति देने का प्रयोजन सिद्ध करता है जो

उसे परिणत होने, वर्तमान में निश्शेष होने, से बचाती है। उदाहरणत: मान लें कि दस दिन पहले मेरे पैर पर पत्थर लगा ओर उससे कुछ घाव हो गया, आज वह पूरी तरह भर चुका है, केवल उसका चिह्न बचा है। अब, शुद्ध रूप से शारीरिक काल की दृष्टि से यह कहना युक्त है कि आघात लगने की घटना इस चिह्न में परिणत हो गई। उस घटना का 'घटित हुए होना' स्मृति है जो मानसिक काल के अन्तर्गत है, शारीरिक काल में 'घटित हुई इस घटना' की चर्चा असम्भव है। यहाँ कोई देह और मन के इस पृथक्करण पर आपत्ति कर सकता है। किन्तु जैसाकि हम अभी देखेंगे, स्मृति-समर्थ मनस् देह से मौलिक रूप से भिन्न होता है; स्मृति-असमर्थ या आवेगात्मक मनस् को चाहे देह के तारतम्य में रखा भी जा सके किन्तु स्मृत्यात्मक मनस् को इस तारतम्य में नहीं रखा जा सकता। इस मनस् की विशेषता विषयकरण में है, जो विषय एक सन्दर्भ के बीच रेखांकित होता है। विषय अनेक सन्दर्भों में घटित होते हैं जिनमें से एक सन्दर्भ काल है। उदाहरणत: प्रस्तर-खण्ड दैशिक सन्दर्भ में घटित होता है और पत्थर का ऊपर से नीचे गिरना कालिक सन्दर्भ में। कालिक सन्दर्भ के विषयों को हम घटनाएँ कहते हैं। घटनाएँ मनस् द्वारा कालिक सन्दर्भ में जड़ी गई या उत्कीर्ण विषय होती हैं। अब, क्योंकि ये घटनाएँ जड़ी गई होती हैं इसलिए इनके परिणमन का प्रश्न उत्पन्न नहीं होता : दूध दही में परिणत होता है किन्तु विषय-रूप में विकल्पित दूध दही बनने की प्रक्रिया से पृथक् दूध ही रहता है, पहले प्रत्यक्षगत और पीछे स्मृतिगत। 'इस दूध' में जामन डालने की घटना घटित होती है और 'यही दूध' दही बनता है। अब यह सम्पूर्ण क्रम कारण-कार्य घटनाओं का क्रम बनता है, जिसमें ये घटनाएँ यथाकाल-यथास्थान स्थित होती हैं।

जैसाकि हमने पिछले अध्यायों में देखा, विषय और विषयी एक ही चित्त में से उद्भिन्न दो पक्ष हैं जो उद्भिन्नता चित्त के आत्मोन्मुख संक्रमण के क्रम में घटित होती है, और यह आत्मोन्मुख संक्रमण अर्थों : सत्ताओं या तत्त्वों : के एक सर्वथा भिन्न लोक और उसके असंख्य आयामों को सम्भव करता है। इतिहास : विगत का विवरण : इनमें से एक आयाम है। इस आयाम में काल का भी रूपान्तरण घटित होता है, जिस रूपान्तरण का एक पक्ष काल का तीन आयामों में विभाजन है : हम वर्तमान में होते हैं, अतीत का स्मरण करते हैं, और भविष्यत् के लिए योजनाएँ बनाते हैं। ऐसा न तो चेतना के उस स्तर पर होता है जो पूर्णत: विषयात्मक है और न उस चेतना के लिए जो पूर्णत: निर्विषय है, यह केवल चेतना के उस स्तर पर घटित होता है जो विषय-ग्राह से अंशत: मुक्त होकर उसके माध्यम से अपने अर्थों को ग्रहण करती है। यह द्रष्टव्य है कि यद्यपि सभी वर्तमान भूत पर प्रतिष्ठित और भविष्यत् की ओर उन्मुख होते हैं : सभी प्राणी परिचय के सन्दर्भ में नवीन का ग्रहण करते हैं और उसके प्रति क्रिया के लिए अपने को तैयार करते हैं : किन्तु ये अतीत और भविष्यत् वास्तव में वर्तमान के ही अन्तर्गत आकलनीय होते हैं। इस प्रसंग में 'अतीत' और 'भविष्यत्' पद परिचय और सम्भावना से आविष्ट घटनाओं के विशेषणों को एक परम्परा में : कारण-कार्य-परम्परा या प्रतीत्य-समुत्पाद-परम्परा में : प्रतिष्ठित करते हैं और यह परम्परा दोनों ओर स्वरूपत: अनन्त होती है। यद्यपि प्रत्येक वस्तु सादि और सान्त होती है किन्तु कारण-कार्य-क्रम में यह अनिवार्यत: अनादि-अनन्त क्रम की एक कड़ी मात्र होती है। किन्तु क्योंकि यह सादि-सान्त होती है इसलिए यह काल-मय भी होती है, और जो काल-मय है वह अनिवार्यत: अनादि-अनन्त कारण-कार्य-परम्परा का एक भाग मात्र होता है, उसका कोई अपना स्वत्व नहीं होता। इस क्रम में वास्तव में वर्तमान का प्राय: कोई अर्थ नह रह जाता, यह केवल अतीत और भविष्यत् को पृथक् करने वाला एक उद्ग्रहणात्मक (एब्सट्रेक्ट) बिन्दु मात्र रह जाता है जिसकी अपनी दूसरी कोई मात्रा नहीं होती। किन्तु द्रष्टव्य है कि ऐसा केवल भौतिक जगत् की वस्तुओं के लिए ही सत्य है, और भौतिक जगत् में कोई वस्तु व्यष्ट्यात्मक होती ही नहीं। सम्पूर्ण भौतिक जगत् अपने में एक अखण्ड सत्त्व है। इसमें व्यष्टिता का आविर्भाव या तो प्राण के प्रवेश से होता है या चित्त के प्रवेश से। उदाहरणत: चिड़िया और घोंसला क्रमश: प्राण और चित्तमूलक हैं, चिड़िया को चित्त और प्राण का संयुक्त फल भी कहा जा सकता है। इन दोनों को अनादि-अनन्त कारण-कार्य-शृंखला में अपचित नहीं किया जा सकता, और इनका वर्तमान अतीत-अनागत को विभाजित और समाहित करने वाली एक निश्चित कड़ी होता है। ठीक बात यह है कि प्राणमूलक वस्तुएँ केवल वर्तमान की विपुलता को ही प्रदर्शित करती हैं, क्योंकि उनका निमित्त और तत्त्व अस्तित्व : अस्ति-त्व : मात्र होता है। इसमें अतीत अस्तित्व को : वर्तमान को : घटित करने का

प्रयत्न और भविष्यत् इसके क्रियान्वयन के प्रयत्न का आधार होता है। अवश्य भविष्यत् इसके नाश की सम्भावना भी है, जिस सम्भावना का प्रतिकार यह अस्तित्व अन्य असंख्य अस्तित्वों के सृजन के द्वारा करता है। फूल जैसे खिलता और रंग तथा गंध की अमित राशि विकीर्ण करता है, पक्षी-शावक अण्डे को तोड़कर या बीज मिट्टी की परतों को फोड़कर जैसे निकलते हैं, उससे अस्तित्व के सुखोपभोग की आकुलता प्रकट होती है। यह आकुलता ज्ञानेन्द्रियों के रूप में एक दूसरे आयाम को प्रकट करती है : भोजन देह को अस्तित्व में बनाये रखने का प्रयोजन सिद्ध करता है और इसकी शरीर में एक व्यवस्था है जो अपने-आप में पर्याप्त है, किन्तु रसना उसी भोजन में आस्वाद्यता को आविर्भूत करती है जिसमें निष्प्रयोजन सुखोपभोग-तत्त्व की अभिव्यक्ति और उपभोग की आकुलता प्रकट होती है। इसी प्रकार वर्णों की छटा और गंधों का वैविध्य केवल अस्तित्व के वैभव की विपुलता के उद्‌गार मात्र हैं। ज्ञानेन्द्रियों को अस्तित्व के उपयोगी उपकरणों के रूप में देखना भ्रामक है, यद्यपि अस्तित्व के उपयोग की सिद्धि भी अस्तित्व की अपार सुखदता और निरपेक्ष मूल्यवत्ता को ही प्रदर्शित करती है, किन्तु वास्तव में ज्ञानेन्द्रियाँ अस्तित्व की विपुलता और अतिशयता की अभिव्यक्ति हैं। इन्द्रियों की अनेकता विशेष रूप से इसकी पुष्टि करती है। जैव जगत् इस अस्तित्व की, वर्तमान की, आत्म-प्रतिष्ठा का ही सन्दर्भ कहा जा सकता है। यह इसके भविष्यत् के स्वरूप से पूर्णत: स्पष्ट है जो केवल अस्तित्व की आवृत्तिपरकता और इस प्रकार वर्तमान को अक्षुण्ण रखने का प्रयत्न मात्र होता है।

किन्तु अस्तित्व की इस आवृत्तिमात्रता के साथ एक विकास का क्रम भी देखा गया है। यह क्रम डार्विन ने जैव जगत् में देखा। भौतिक जगत् में ऐसा क्रम अभी तक नहीं देखा गया है।[1] किन्तु तब भौतिक जगत् में अस्तित्व की उद्विग्नता, अस्तित्व का आह्लाद भी दिखायी नहीं देता। जैव जगत् में भी डार्विन से पहले किसी ने विकास-क्रम नहीं देखा था, प्राचीनों के लिए प्रत्येक जाति एक पृथक् वस्तु थी। डार्विन ने इन जातियों को विकासमान् जैव सत्ता की अवस्थाओं के रूप में देखा, किन्तु उसके अनुसार यह विकास यान्त्रिक था : नियत कारण से नियत कार्य की उत्पत्ति के सिद्धान्त का अनुसारी, भाव्योन्मुख, या अन्त:स्फूर्त अथवा स्वरूपान्वेषी नहीं। अवश्य उसकी यह यान्त्रिकता मानसी थी : चयनात्मक और आवश्यकतामूलक : किन्तु उसका आदर्श भौतिक ही था। किन्तु यदि यान्त्रिक व्यवस्था विकासात्मक हो सकती है तब भौतिक जगत् में भी विकास-क्रम होना चाहिए था। किन्तु यहाँ विचारणीय यह नहीं है कि भौतिक जगत् में विकास-क्रम है या नहीं, यहाँ विचारणीय यह है कि यदि यह क्रम यान्त्रिक है तब क्या इसे विकासात्मक कहा जा सकता है? इसका उत्तर हो सकता है कि, अवश्य कहा जा सकता है, उदाहरणत: सरल से जटिल और जटिल से जटिलतर की उत्पत्ति का क्रम तब यान्त्रिक कहा जा सकता है यदि इसे मात्रात्मक मूल्य के अतिरिक्त और कोई मूल्य नहीं दिया जा सके तो। किन्तु यदि जटिलता में कोई उत्कर्ष देखा जाता है तब वह व्यवस्था यान्त्रिक नहीं रहती। वास्तव में वैज्ञानिकतावादी निर्मूल्यीकरण में इससे भी आगे गए, उन्होंने क्रम मात्र को विकास कहा, वह चाहे सरल से जटिल की ओर हो या जटिल से सरल की ओर। ऐसी अवस्था में जैव विकास का सरल से जटिल की ओर होना एक संयोग मात्र है, यदि यह जटिल से सरल की ओर होता तो भी यह विकास ही होता। अथवा कहें, यह क्रम कालात्मक नहीं है, अतीत और भविष्यत् पूर्व और पश्चिम के समान हैं, आगे और पीछे की ओर गमन में कोई स्वरूप-भेद नहीं है। सामान्य जन यदि प्रथम को 'विकास' और दूसरे को 'ह्रास' की संज्ञा देते हैं तो यह उनकी दृष्टि की अवैज्ञानिकता का : मूल्यात्मक निकृष्टता का : ही द्योतक है, वस्तुस्थिति की मूल्यात्मकता का नहीं।

किन्तु यहाँ प्रश्न किया जा सकता है कि जैव जगत् में जातियों को आत्म-तन्त्र और पृथक् सत्ताएँ क्यों नहीं माना जाय, क्योंकि ये प्लेटो के प्रत्ययों के स्पष्ट उदाहरण प्रस्तुत करती हैं, जबकि भौतिक जगत् में ऐसा दिखायी नहीं देता। यदि भौतिक जगत् में पृथ्वी, जल, तेज, वायु आदि को जातियाँ माना भी जाय तब भी इनमें एक से

---

1. भौतिक से जैविक की उत्पत्ति में एक विकास, अथवा एक गुह्य प्रयोजन का क्रियान्वयन भी, देखा जा सकता है; किन्तु भौतिक-वैज्ञानिक पदावली में ये अवधारणाएँ ग्राह्य नहीं हैं।

दूसरे की उत्पत्ति में कोई तारतम्य : तर-तमता : नहीं कहा जा सकता, इसे केवल एक का दूसरे में रूपान्तरण कहा जा सता है, क्योंकि पृथ्वी से जल और जल से पृथ्वी में रूपान्तरण पूर्ण रूप से समान प्रक्रियाएँ हैं और परिणामत: इसमें पार्थक्य और आत्म-तन्त्रता नहीं है। अब, प्रश्न है कि जैव जगत् में व्यष्टि जाति का और जातियाँ क्रम का निर्माण कैसे कर सकती हैं? किन्तु जातियाँ क्रम का अवधारणात्मक रूप से नहीं वस्तुत: निर्माण करती हैं, यह बात जीव-विज्ञान पर्याप्त निश्चयात्मक रूप से प्रमाणित कर चुका है। किन्तु यह विकास एक उत्स्फूर्ति मात्र है, या खुलना है, या आत्म-क्रियान्वयन है, अथवा स्वरूप-साधना, यह निर्णय विज्ञान के क्षेत्र में नहीं आता। किन्तु जैव विकास में अत्यधिक अपव्यय, दिशा-भ्रमों, बिखरावों के बावजूद गठन और व्यवस्था के उत्कर्ष की ओर एक निश्चित प्रगति, तथा इस जैव प्रगति का चेतना के स्वातन्त्र्य की सिद्धि की दिशा में प्रगति से सामंजस्य, विकास की निश्चित लक्ष्योन्मुखता की ओर संकेत करता है : लक्ष्योन्मुखता लक्ष्य की अवास्तविक विद्यमानता की, अथवा कहें अनस्तिसत्ता की, द्योतक है जिसके आधार पर अस्तित्व अपनी सार्थकता प्राप्त करता है। यह विकास ही आत्मबोध-सम्पन्न होने पर, अतीत की स्मृति और भविष्यत् की कल्पना से मण्डित होने पर, इतिहास बनता है। इस प्रकार प्राणि-जगत् में हम काल की दृष्टि से दो प्रकार की घटनाएँ देखते हैं, अस्तित्वात्मक तथा भाव्यात्मक या विकासात्मक। ये दोनों प्राणि-जगत् के प्राणिक स्तर पर घटित होती हैं। प्राणि-जगत् में ही सत्ता का एक दूसरा स्तर या प्रकार मानसिक है जो पुन: द्वि-आयामात्मक है। इन दो आयामों में भी काल के दो भिन्न रूप दिखायी देते हैं। इनमें एक आयाम क्रिया-प्रतिक्रियात्मक है और दूसरा आवरणापनयनात्मक। प्रथम का उदाहरण सम्पूर्ण प्राणि-व्यवहार है : मछलियों और पक्षियों की प्रवास-यात्राएँ, भूख लगने पर भोजन की खोज, और भोजन दिखायी देने पर उसकी ओर प्रवृत्ति या औदासीन्य, तथा हमारा आवेगात्मक या बौद्धिक व्यापार आदि। दूसरे का उदाहरण चेतना का विषय से सम्बन्ध है। जैसाकि दर्शन के विद्यार्थी जानते हैं, कुछ दार्शनिक चेतना को अनिवार्यत: विषयात्मक मानते हैं और कुछ स्वरूपत: निर्विषय। यहाँ यह विवाद हमारे लिए अप्रासंगिक है।[1] किन्तु यहाँ यह देखना महत्त्वपूर्ण है कि सविषया चेतना का भी विषय से सम्बन्ध सर्वत्र एक सा नहीं है। उदाहरण के लिए आवेग या कामनातिशय में एक ओर तथा तटस्थ विचार में दूसरी ओर हमारी चेतना का विषय से सम्बन्ध सर्वथा भिन्न प्रकार का होता है। दूसरी दशा में यह पर्याप्त स्वतन्त्र होता है। अशिक्षित व्यक्ति विषय को उसके अपने तन्त्र में ग्रहण करने में अपेक्षाकृत असमर्थ होता है जबकि वैज्ञानिक अधिकाधिक समर्थ होता है। दर्शन में यह स्वातन्त्र्य पराकाष्ठा पर होता है। अशिक्षित जनोचित विषयिनिष्ठता वास्तव में चेतना की विषयावृतता : विषय के आवरण में निबद्धता : है, क्योंकि चेतना उसी सीमा तक विषय को उसके तन्त्र में प्रतिष्ठित कर पाती है जिस सीमा तक यह उससे तटस्थ हो पाती है। ताटस्थ्य की यह सामर्थ्य मनुष्य में जात्या सब प्राणियों से अधिक है, इसी प्रकार पशु-जातियों में भी इसके न्यूनाधिक्य का क्रम है जो जैव विकास में स्तर-क्रम का सहगामी है। जैव आयाम में मस्तिष्क की संरचनात्मक उत्कृष्टता-निकृष्टता के अनुसार चिन्मूलक आयाम में सामर्थ्य-भेद के संकेत कुछ अंश तक पढ़े जा सकते हैं। इस प्रकार जैविक विकास के अनुरूप चेतना के इस आयाम में भी विकासात्मकता देखी जा सकती है, यद्यपि जैविक विकास से भिन्न इस आयाम में प्रगति एक निश्चित गन्तव्य की ओर उन्मुख देखी जा सकती है। इस आयाम की एक पराकाष्ठा है, चेतना की विषयात्मकता, जो वनस्पतियों और कृमियों में देखी जा सकती है, और एक दूसरी पराकाष्ठा है निर्विषयता, जिसकी ओर प्रगति की उच्चतम सिद्धि एक ओर तत्त्व-चिन्तन में और दूसरी ओर मन के नियमन, अथवा कहें नैतिक आत्म-नियोजन में, दृष्टिगत होती है। कुछ दार्शनिक, जैसे हेगल और श्री अरविन्द, प्रथम पराकाष्ठा स्वयं भौतिकता के रूप में ही देखते हैं, क्योंकि विषयता अपने शुद्धतम रूप में भौतिकता में ही उपलब्ध होती है; जीव के आविर्भाव के साथ इस शुद्ध विषयता में एक आत्म-विभाजन घटित हो जाता है जो विषय-मुक्ति की यात्रा का प्रथम चरण बनता है। किन्तु भौतिकता चेतना या चित्त का आयाम नहीं होकर चित् का आयाम है, और इसी प्रकार निर्विषयता भी चेतना का आयाम नहीं होकर चित् का आयाम है, चेतना अनिवार्यत: विषयात्मक है और निर्विषयता इसका साध्य है। इस प्रकार

---

1. इस पर पीछे अनेक स्थलों पर विचार हो चुका है, विशेष विस्तार से अध्याय 7 में।

चेतना चित् के दो छोरों : विषयभाव और निर्विषयता : के बीच चित् की आत्माभिव्यक्ति के इतिहास की माध्यम बनती है।

किन्तु 'इतिहास' शब्द का यह प्रयोग केवल गौण अर्थ में ही समझना चाहिए, क्योंकि जैसाकि हमने पीछे कहा, इतिहास काल में अतीत, वर्तमान और भविष्यत् के आयामों के आविर्भाव को पूर्वापेक्षित करता है और यह आविर्भाव चेतना में विषय-विषयि-द्वैत के आविर्भाव को पूर्वापेक्षित करता है। इस प्रकार मनुष्य से पहले, अथवा कहें भाषा के आविर्भाव से पहले, का काल विकासात्मक तो कहा जा सकता है किन्तु इतिहासात्मक नहीं, जब तक यह नहीं माना जाता कि सम्पूर्ण विकास चित् का आत्माभिव्यक्ति के लिए महाभिनियोजन है और इस प्रकार सम्पूर्ण जगत् एक विराट् इतिहास क्रम में है जिसमें मानव का इतिहास एक अध्याय मात्र है। एक दूसरा विकल्प हो सकता है कि मनष्य के आविर्भाव से पहले का सम्पूर्ण विकास इतिहास के आविर्भाव की तैयारी है और मनुष्य के आविर्भाव के साथ यह सम्पूर्ण कालक्रम इतिहास में रूपान्तरित हो जाता है।

इनमें पहले विकल्प को स्वीकार करने में यह कठिनाई है कि इससे प्राकृतिक विकास को आत्म-चेतन मानना होगा और इस प्रकार प्रकृतिगत आद्य चित् को विषय-विषयि-रूप में आत्म-विभक्त मानना होगा। किन्तु यह आत्म-विभक्तता वैयक्तिकता को पूर्वापेक्षित करती है और वैयक्तिकता सीमितता को। किन्तु वास्तव में ऐसा नहीं है, क्योंकि आत्म-चेतनता के लिए सीमितता को पूर्वापेक्षित मानने का अर्थ होगा कि अनातम-चेतन असीम है और इस प्रकार कृमि-कीट असीम चेतनात्मक हो जाएंगे। इसके विपरीत हमने पीछे देखा है कि चेतना आत्मोन्मुखता के स्तर के अनुसार विषय की और मानसिकता की सीमाओं से मुक्त होती है। इस प्रकार यद्यपि मनुष्य में आत्म-चेतना आत्म-विभक्त रूप में ही मिलती है किन्तु हम यह भी देखते हैं कि आत्मोन्मुखता के उत्कर्ष के साथ क्रमश: विषय की विशिष्टता, गुरुता और स्थूलता भी व्यापकता और सूक्ष्मता में विलीन होती जाती है, और विषयी के विषय-सापेक्ष, अथवा कहें विषय के विषयि-सापेक्ष होने से विषय की सूक्ष्मता और निर्विशिष्टता के साथ विषयी भी सूक्ष्म और निर्विशिष्ट होता जाता है। इस प्रकार पूर्णत: आत्म-चेतन वास्तव में पूर्णत: अविभक्त, पूर्णत: आत्म-अव्यवहित और निस्सीम भी होता है, जोकि चित् है। किन्तु तब यहाँ आपत्ति हो सकती है कि उस अवस्था में अभिनियोजन का कोई अर्थ नहीं रहता, क्योंकि अभिनियोजन अव्यवहितत्व में बाधा का, व्यवहितत्व का, द्योतक है, और अभिनियोजक स्वयं अपने को बाधित करे, यह बात बोधगम्य नहीं है। किन्तु यह द्रष्टव्य है कि भौतिक, जैविक तथा चेतन जगत् में स्पष्ट रूप से एक अभिनियुक्त एवं सलक्ष प्रगति दृष्टिगत होती है, और सलक्ष प्रगति का अर्थ है आत्म-व्यवधान का क्रमश: निवारण। तब इसको कैसे समझा जाय? इसका उत्तर हम पिछले अध्यायों में दे चुके हैं कि, व्यवधान केवल सीमित चेतना के लिए ही है, अन्यथा यह केवल वैविध्य है जो अद्वय की विपुलता है, और जटिलता केवल सम्पन्न सरलता का नामान्तर मात्र है। इस प्रकार विकास को अभिनियोजनात्मक कर्तृत्व के रूप में नहीं देखकर सम्पन्न तादात्म्य के रूप में, अथवा अखण्डता के रूप में देखना ही युक्तियुक्त है।

किन्तु तब आपत्ति होगी कि यह ऐतिहासिकता का निषेध है, क्योंकि इतिहास के लिए अतीतता और भविष्यतता का वास्तविक होना अनिवार्य है। यह सही है और परिणामत: इसका समाधान होगा कि अव्यवहित-अद्वय तत्त्व इतिहासात्मक नहीं है। किन्तु दूसरी ओर इतिहास अनिवार्यत: अव्यवहित तत्त्व का पूर्वापेक्षी है, क्योंकि इतिहास तारतम्य : तर-तमता : को, तारतम्य साध्य लक्ष्य को, लक्ष्य की साध्यता अभाव को, और अभाव पूर्ण भाव को पूर्वापेक्षित करता है।

तब क्या प्राकृतिक विकास को इतिहास कहा जा सकता है? इसका उत्तर दो कारणों से निषेधात्मक होगा, एक तो इस कारण से क्योंकि प्राकृतिक विकास अतीत और भविष्यत् का संग्राहक तो है किन्तु अतीत का अतीतता में और भविष्यत् का भविष्यता में प्रकाशक और प्रतिष्ठापक नहीं है,[1] जो कि इतिहास के लिए

---

1. यहाँ यह द्रष्टव्य है कि बर्गसां ने एक-आयामात्मक काल को सत्ता और सत्ता से समरस चित्त का लक्षण कहा है। हम काल को सत् का लक्षण नहीं मानते और एक-आयामात्मक काल को अनुद्भिन्न : विषय-तदात्म : चेतना का लक्षण मानते हैं।

पूर्वापेक्षित है। दूसरे इस कारण क्योंकि अभाव के आत्म-चेतन हुए बिना अभाव वास्तविक नहीं रहकर निरपेक्ष के भीतर सापेक्ष स्थिति मात्र रह जाता है, जैसे अवयवी के अन्तर्गत उसके अवयव, अथवा वेदना मात्र रह जाता है, जैसे पौधे अथवा कृमि में भूख-प्यास। अवश्य दूसरे प्रकार के अभाव में एक लक्ष्योन्मुखता और नियोजनात्मकता है, किन्तु यह विकासोपयोगी नहीं होकर अस्तित्वोपयोगी है।

इस प्रकार ऐतिहासिकता का आरम्भ मनुष्य के साथ ही होता है, जिसमें काल और क्रम आत्म-चेतन होते हैं। किन्तु यहाँ तीन आपत्तियाँ हो सकती हैं। एक यह कि 'मनुष्य' से अभिप्राय 'व्यक्ति' से है या कि 'समाज' से, यह स्पष्ट नहीं है। और कोई कारण नहीं है कि मनुष्य को व्यक्ति-रूप में नहीं देखकर समाज-रूप में देखा जाय। अब, व्यक्ति-जीवन में यदि ऐतिहासिकता के सभी लक्षणों की विद्यमानता भी स्वीकार कर ली जाय तो भी उसके जीवन को इतिहास नहीं कहा जाता। और वास्तव में व्यक्ति-जीवन में ऐतिहासिकता के सब लक्षण भी नहीं हैं। इसमें प्रमुखतम लक्षण : लक्ष्य के लिए पर्याप्तता : का अभाव है—यदि व्यक्ति को एक जीवन तक ही सीमित माना जाय तो; क्योंकि दैहिक स्तर पर व्यक्ति में यौवन के बाद ह्रास-क्रम आरम्भ हो जाता है और मानसिक स्तर पर अधिकांश जीवनियाँ किसी एक तथा ऐतिहासिकता के लिए पर्याप्त लक्ष्य की ओर उन्मुख दिखायी नहीं देतीं। अधिकांश में उनके साध्य तात्कालिक होते हैं। किन्तु यदि व्यक्ति को पुरुषार्थोपलब्धि-पर्यन्त पुनर्जन्मों की शृंखला के रूप में देखा जाता है, जैसा भारतीय संस्कृति ने देखा और कांट ने अभीष्ट रूप में कल्पित किया है, तब दूसरी बात है। किन्तु वास्तव में व्यक्ति की जीवन-यात्रा को जन्म-जन्मान्तरों के क्रम में भी इतिहास नहीं कहा जाता। इतिहास केवल एक समाज की, या सार्वभौम मानव की, या विश्व की ही, यात्रा को कहा जाता है और यह एक अत्यन्त अर्थ-गर्भ बात है। अर्थ यह कि व्यक्ति अन्ततः अवयव मात्र है, आत्मपूर्ण अवयवी नहीं। इस प्रकार इतिहास के लिए 'मनुष्य' पद का अर्थ व्यक्ति नहीं हो सकता।

इतिहास को अधिकांशत: समाजमूलक ही देखा गया है, कभी-कभी विश्व-मानव-मूलक भी देखा गया है। किन्तु इतिहास का वाहक समाज को मानने पर भी समस्या ज्यों की त्यों रहती है, क्योंकि यद्यपि समाज में सांस्कृतिक परम्परा के रूप में चरितार्थन या क्रियान्वयनपरक एक लक्ष्योन्मुख गति दिखायी देती है किन्तु यह गति न अनवरत होती है और न लक्ष्य-सिद्धि-पर्यन्त, यह एक प्रकार की जैविकता प्रदर्शित करती है, जिसकी ओर ओस्वाल्ड स्पैंग्लर ने संकेत किया है। स्पैंग्लर द्वारा जैव देह और संस्कृति के वृद्धि-क्षय-क्रम में साम्य का प्रतिपादन अत्युक्तिपूर्ण होने पर भी इस बात में युक्त है कि संस्कृतियाँ अभिवर्द्धित और क्षीण होती हैं, अवश्य यह अभिवृद्धि और क्षीणता उतनी संस्कृतिमूलक नहीं होती जितनी सामाजिक कारणतामूलक होती है। संस्कृति किसी मूल्यात्मक प्रत्यय का सामाजिक आयाम में अवधारण है और सांस्कृतिक इतिहास उस प्रत्यय के साक्षात्कार का, अथवा कहें अवधारणा के चरितार्थन और विवेचन का क्रम। अब इसमें यौवन, वार्द्धक्य आदि का कोई क्रम देखना तर्कत: अयुक्त है, जैसे व्यक्ति में होने वाले किसी विचार के विकास में कोई ऐसा क्रम और नियति देखना। व्यक्ति के देह में इस प्रकार का क्रम और नियति अवश्य है, समाज में भी एक प्राणिक उत्कर्ष और प्राणिक ह्रास के काल और क्रम देखे जाते हैं, किन्तु वे जैव नहीं होकर मनोवैज्ञानिक और आगन्तुक होत हैं और बार-बार आते और जाते रहते हैं। इसे **गीता** के "यदा यदा हि धर्मस्य ग्लानिर्भवति भारते, अभ्युत्थानमधर्मस्य, तदात्मानं सृजाम्यहम्" श्लोक के अनुसार देखा जा सकता है, इसके पौराणिक पक्ष को छोड़कर। उदाहरण के लिए भारतीय इतिहास में बुद्ध, गुप्त-साम्राज्य, 14वीं-15वीं शताब्दी के सन्त कवि, अंग्रेज़ी राज्य की प्रतिक्रियास्वरूप स्वतन्त्रता-पर्यन्त का नवजागरण आदि देखे जा सकते हैं, जिनके कारण समाज में नव युगारम्भ हुए। ये नवारम्भ किसी नये विचार के साथ होते हैं जो मूल सांस्कृतिक प्रत्यय का अधिकांश में नवावधारण या नवीनीकरण होता है, किन्तु कुछ समय बाद उसके प्रति सृजनात्मकता समाप्त होकर एक आभ्यासिकता : रूढ़ि-परता : आ जाती है। इस उत्पत्ति-वृद्धि-क्षय का अधिष्ठान संस्कृति को नहीं बल्कि प्राकृतिक मनस् को कहा जा सकता है। आभ्यासिकता देह और प्राकृतिक मनस् का स्वभाव है, जबकि संस्कृति मूल्य-प्रत्यय के क्रियान्वयन में प्राकृतिक मनस्-स्तरीय होने पर भी मूल्य-प्रत्यय के अवधारण और बोध में अतिप्राकृतिक होती है। प्राकृतिक मनस् में ह्रास और क्षय के लक्षण दो आधारों पर प्रकट होते हैं : दैहिक ह्रास के आधार पर और अतिप्राकृतिक मनस् से सम्पर्क

छूट जाने के आधार पर। व्यक्ति में ये दोनों प्रकार के ह्रास देखे जाते हैं, यद्यपि दैहिक ह्रास मानसिक ह्रास को भी उत्पन्न करे, यह आवश्यक नहीं है। दूसरे प्रकार का ह्रास प्रथम प्रकार के ह्रास से स्वतन्त्र होने पर भी उससे प्रेरित होता है और दूसरे प्रकार का ह्रास नहीं होने पर प्राय: ही प्रथम प्रकार का ह्रास भी विलम्बित होता है। किन्तु संस्कृति के क्रियान्वयन का वाहक समाज होने से संस्कृति में देहमूलक ह्रास केवल प्राकृतिक ईतियों अथवा बाह्य आक्रमणों से होता है, अन्यथा इसमें सब ह्रास प्राकृतिक मनोमूलक होता है, जो केवल तब तक रहता है जब तक मन अति-प्राकृतिक मनस् की ओर उन्मुख नहीं होता। व्यक्ति में भी ऐसी उन्मुखता के क्षण आते रहते हैं, यद्यपि अधिकांश व्यक्तियों में ये कभी भी नहीं आते। इसी प्रकार समाज के लिए भी है। किन्तु यह सब होने पर भी किसी एक संस्कृति की ऐतिहासिक यात्रा न अनवरत होती है और न पार्यन्तिक। यदि यह कहा जाय कि इतिहास के लिए यह कोई शर्त नहीं है कि प्रगति लक्ष्य-पर्यन्त और अनवरत हो, केवल लक्ष्योन्मुख गति होना मात्र ही अपेक्षित है, तो इसका उत्तर होगा कि उस अवस्था में व्यक्ति की जीवनी को भी इतिहास क्यों नहीं कहा जाय? व्यक्ति-जीवनी को इतिहास नहीं कहने का कारण एक जीवनी की अन्तर्वस्तु का इतिहास के लिए अपर्याप्त होना है, यद्यपि जीवनी को 'वैयक्तिक इतिहास' कहने में कोई दोष नहीं है, विशेषत: यदि वह व्यक्ति के एक जन्म तक सीमित नहीं हो तो। इसी प्रकार समाज की लक्ष्योन्मुख यात्रा के लिए भी है। किन्तु इस यात्रा में स्थायी स्खलन या पूर्ण विराम इतिहास के लिए समाज या संस्कृति की अपर्याप्तता प्रदर्शित करते हैं। यह अपर्याप्तता एक अन्य प्रकार से भी प्रदर्शित होती है, और वह इससे कि प्रत्येक संस्कृति एक अवधारणा, एक जीवन-विधि, अथवा एक रीति, या एक शैली-जैसी होती है, जो अनेक सम्भव रीतियों या विधियों में से एक होती है, और लक्ष्योन्मुख होने पर भी इसमें लक्ष्य की युक्तता या सत्य के सम्बन्ध में कोई स्वगत प्रामाणिकता नहीं हो सकती, जो तथ्य इसे मात्र एक प्रयोग बना देता है। परिणामत: इतिहास का वाहक केवल मानव-सामान्य ही हो सकता है, और विभिन्न संस्कृतियाँ इसकी विभिन्न रीतियाँ और विभिन्न प्रयत्न मात्र। किन्तु तब प्रश्न होगा कि, ये विभिन्न प्रयोग और प्रयत्न युक्त लक्ष्य की ओर ही उद्दिष्ट हैं, अथवा मानव-सामान्य : मानवता : की यात्रा युक्त दिशा की ओर ही अग्रसर है, अयुक्त की ओर नहीं, यह कैसे कहा जा सकता है?

किन्तु विश्व-मानव-मूलक इतिहास वास्तव में मानव तक सीमित नहीं रहता, वह या तो अतिमानवीय अभियोजन का उपकरण हो जाता है अथवा आत्मा की अलौकिक यात्रा का एक चरण। किन्तु यह वास्तव में ऐतिहासिक दृष्टि का एक दोष नहीं होकर उसकी अनिवार्यता है। यहाँ कांट[1] और हेगल[2] का एक ओर तथा पौराणिक और धार्मिक इतिहास-दृष्टियों का दूसरी ओर स्मरण प्रासंगिक होगा। कांट और हेगल अपने विचार का विषय विश्व-इतिहास को कहते हैं। किन्तु इससे उनका अभिप्राय विश्व-मानव से ही है। किन्तु दोनों में इतिहास का अभियोजनक विशिष्ट या सामान्य मानव नहीं होकर क्रमश: प्रकृति और प्रत्यय (आइडिया) है। कांट में प्रकृति अपने अन्तर्हित लक्ष्य की सिद्धि के लिए मानव-व्यक्तियों की परस्पर अनियोजित क्रियाओं को अपने प्रयोजन की सिद्धि के अनुसार नियुक्त करती है और हेगल में इतिहास : पूर्ण चिदुन्मुख प्रत्यय : अपनी चातुरी (कनिंग) से व्यक्तियों और समूहों तथा समाजों को अपने प्रयोजन के लिए नियुक्त करता है। इस प्रकार मानव-इतिहास इन दोनों के अनुसार विश्व-इदतिहास का एक चरण मात्र हो जाता है। किन्तु मानवता के इतिहास की अवधारणा का यह अनिवार्य आत्मोत्क्रमण इतिहास-दृष्टि के दोष का द्योतक नहीं है बल्कि वास्तव में इस तथ्य के कारण है कि कोई वस्तु स्वरूपत: आत्म-पर्याप्त, आत्म-पर्यवसायी नहीं होती बल्कि सम्पूर्ण में अपनी सिद्धि पाती है।

किन्तु जैसाकि हमने कहा, इतिहास को अधिकांशत: समाजमूलक देखा गया है। इसका कारण यह है कि, जबकि देह के रूप में बाह्यत: और मनस् के रूप में आन्तरत: केवल व्यक्ति ही एक ठोस वस्तु है, भाषा,

---

1. कार्ल जे. फ्रीड्रिख (सम्पा.) **फिलोसोफी ऑफ कांट : मॉरल एण्ड पोलिटिकल राइटिंग्स** में 'आइडिया फॉर ए यूनीवर्सल हिस्ट्री विद् कोस्मोपोलिटन इंटेंट' लेख, पृ. 116-131.
2. हेगल — **दि फिलोसोफी ऑफ हिस्ट्री,** इंट्रोडक्शन।

वाङ्मय-परम्परा, राज्य, भौगोलिक एकत्व आदि के रूप में समाज भी एक पर्याप्त ठोस रूप ले लेता है। अब यह समाज इस वस्तु के रूप में 'हम', 'हमारा', 'अन्य', 'अन्य का' आदि सर्वनामों का प्रयोग भी करने लगता है और इस अस्मिता की देशात्मक काया के समान परम्परा के रूप में कालात्मक मानसिकता का भी आविर्भाव हो जाता है।

यहाँ दो आपत्तियाँ प्रासंगिक हैं : प्रथम यह कि, यदि सामाजिक वैयक्तिकता का अस्तित्व स्वीकार कर भी लिया जाय तो भी उसमें एक समन्वित और लक्ष्योन्मुख अतीत तथा वर्तमान है, यह कैसे कहा जा सकता है? जैसाकि हमने ऊपर देखा, व्यक्ति में भी एक सुनियोजित मानसिकता और स्थायी लक्ष्योन्मुखता अलभ्य होती है, समाज की तो फिर बात ही क्या है। दूसरी यह कि, यदि समाज में सुनियोजित मानसिकता और स्थायी लक्ष्योन्मुखता स्वीकार कर भी ली जाय तो भी क्रिया का केन्द्र और कर्त्ता व्यष्टि होता है और इसके प्रयोजन तथा लक्ष्य समाज के और सामाजिक इतिहास के प्रयोजनों और लक्ष्यों से समरस तथा उनसे निर्दिष्ट नहीं होते। इसके अतिरिक्त : और यह एक मौलिक महत्त्व की बात है कि : समाज भी किसी लक्ष्य की ओर अनवरत प्रगति प्रदर्शित नहीं करता, बल्कि कुछ काल के बाद पथान्तर की ओर अथवा ह्रास और क्षय की ओर अग्रसर होता है।

इसका एक उत्तर हो सकता है कि इतिहास का अर्थ एक निश्चित और उत्कर्षात्मक प्रगति नहीं है बल्कि एक सार्थक क्रम में व्यवस्थापित अतीत है। वास्तव में इतिहास-लेखन के हमें जितने भी उदाहरण मिलते हैं सबमें इतिहास इसी रूप में देखा गया मिलता है। अवश्य पौराणिकों ने, और कुछ दार्शनिकों ने भी, इतिहास को एकदिशोन्मुख सार्वभौम प्रगति के रूप में देखा है, किन्तु इनमें प्रथम ने यह गति साधारणत: पतनोन्मुख ही देखी है, उत्कर्षोन्मुख नहीं। इसके विपरीत कुछ दार्शनिकों ने, जैसे कांट, हेगल और श्री अरविन्द ने, इस गति को उत्कर्षोन्मुख देखा है, किन्तु इनमें केवल हेगल ने ही इस विचार को वास्तव अतीत में प्रदर्शित करने का प्रयत्न किया है, जिस प्रयत्न की असफलता में किसी को सन्देह नहीं है। किन्तु यदि इतिहास को इस कारण एक सार्वभौम दिशोन्मुख प्रगति या अधोगति के रूप में नहीं देखा जाता कि इस दृष्टि को वास्तविक मानव-जीवन से सम्बन्धित नहीं किया जा सकता, तो यह कठिनाई हमें इतिहास-विषयक किसी भी व्यापक दृष्टि से वंचित कर सकती है, क्योंकि किन्हीं भी घटनाओं के दैशिक क्षेत्र, सन्दर्भ और काल बहुत सीमित होते हैं और उन्हें किसी सार्थक ऐतिहासिक व्यवस्था के अन्तर्गत लाने में वस्तु-दृष्टि को छोड़ना अनिवार्य होता है। उदाहरणत: भारतीय इतिहास में गुप्त-युग को लें। सर्वप्रथम, भारत के इतिहास में यह एक बहुत छोटा कालखण्ड है, दूसरे, गुप्त राजा एक राज्य-संस्था के अध्यक्ष थे, जो संस्था कितनी भी महत्त्वपूर्ण होने पर भी परिवार, विद्यालय आदि संस्थाओं और साहित्य, दर्शन, संगीत, चित्र आदि की परम्पराओं के लिए केन्द्रीय नहीं थी, क्योंकि इन सबके अपने-अपने केन्द्र थे, और इनकी परम्पराएँ गुप्तों के काल से सीमित नहीं थीं। राजनीतिक दृष्टि से भी गुप्त युग को अपने में एक पूर्ण, या पर्याप्त भी, व्याख्या-सन्दर्भ नहीं बनाया जा सकता। राजनीतिक घटना-क्रम की दृष्टि से यदि गुप्त-युग को कारण-कार्य-शृंखला से विच्छिन्न कर भी लिया जाय तो भी सांस्कृतिक दृष्टि से : उन प्रवृत्तियों की दृष्टि से जो गुप्त-युग की और गुप्त-राजाओं की मानसिकता के आधार में उसी प्रकार थीं जिस प्रकार खेती की उपज के आधार में खाद होती है, अथवा तूफान के आधार में वायुमण्डल की स्तब्धता होती है : इसे सम्पूर्ण परम्परा से पृथक् नहीं किया जा सकता। और वास्तव में राजीनीतिक घटनाओं की दृष्टि से भी इस युग का कारण-कार्य-सम्बन्ध-विस्तार कम नहीं है। अब, जैसे ही हम इतिहास को इस प्रकार देखते हैं, हमारे वास्तविकता के आग्रह की निरर्थकता स्पष्ट हो जाती है। किन्तु ठीक बात यह है कि किसी छोटे प्रदेश के छोटे कालखण्ड में भी घटना-क्रम का सार्थक व्यवस्थापन, जोकि किसी इतिहास-लेखन या इतिहास-विचार के लिए न्यूनतम शर्त है, प्रदत्त घटनाओं से अनेकधा अधिक कल्पित घटनाओं के आक्षेप की अपेक्षा करता है। उदाहरणत: 'इन्दिरा गाँधी की हत्या क्यों हुई', अथवा 'उसके बाद के उत्पात क्यों हुए' इनका विवरण देने का प्रयत्न करके देखा जा सकता है। इस प्रकार इतिहास-लेखन में हम भले ही खण्डों को विषय बनाएँ किन्तु इन्हें 'वास्तव-इतिहास' कहना युक्तियुक्त नहीं कहा जा सकता। किन्तु यहाँ यह कहा जा सकता है कि, तब भी एक सीमित देश-काल-खण्ड की घटनाओं

का जिस प्रकार आकलन और निर्धारण किया जा सकता है एक समाज के सम्पूर्ण जीवन का वैसा नहीं किया जा सकता, और सम्पूर्ण मानव के इतिहास का निर्धारण तो और भी असाध्य है। किन्तु जितना यह दृष्टिकोण ठीक है उससे कहीं अधिक इसका विपरीत दृष्टिकोण ठीक है : हम सीमित व्यावहारिक प्रयोजनों से तो अवश्य घटनाओं के निर्धारण का एक प्रसंग निर्धारित कर सकते हैं किन्तु इतिहास का उद्देश्य यह नहीं है, उसका उद्देश्य कम-से-कम एक समाज के जीवन में अन्तर्दृष्टि प्राप्त करना होता है, और वह तब तक सम्भव नहीं है जब तक उस जाति के जीवन को पहले समग्र दृष्टि से नहीं देखा जाता। और सीमित देश-काल की घटनाओं को भी यदि हम एक संस्कृति के मनस् को समझने के प्रयोजन से देखते हैं तो वे उसके सांस्कृतिक मनस् के आधार पर ही समझी जा सकती है, उससे पहले और पृथक् नहीं।

किन्तु क्या संस्कृतियों या समाजों को भी एक पूर्ण एकक, अथवा कहें इतिहास का एक अपने-आप में पूर्ण वाहक, कहा जा सकता है? इसका उत्तर सकारात्मक देने का आधार यह हो सकता है कि एक संस्कृति एक ऐसा बृहत्तम एकक होती है जो एक संरचनात्मक आवयविकता प्रदर्शित करती है : मानव-जगत् में संस्कृति से विशालतर संरचनात्मक एकक या अवयवी दिखायी नहीं देता। अवश्य दो या अधिक संस्कृतियाँ परस्पर सम्पर्क में आती और परस्पर को प्रभावित करती हैं, किन्तु ऐसा वे दो अवयवियों के समान ही करती हैं। परिणामत: दो संस्कृतियों की अपनी-अपनी पृथक् ऐतिहासिक नियति होती है। किन्तु इसका नकारात्मक उत्तर भी हो सकता है, जिसका आधार यह है कि एक संस्कृति की नियति मनुष्य की ऐतिहासिक पर्येषणा को सन्तुष्ट नहीं करती, एक संस्कृति का साध्य चाहे पूर्णता ही हो : और वास्तव में यही उसका साध्य होता भी है : किन्तु यह उसके लिए असंख्य सम्भव साधना-मार्गों में से एक का संधान होता है। जैसाकि हमने पीछे कहा, एक संस्कृति अपने लौकिक जीवन में एक अवधारित प्रत्यय या मूल्य के चरितार्थन के उद्देश्य से अग्रसर होती है और कुछ समय के बाद वह क्रमश: अपनी सप्राणता खो देती है। अब, अपने आध्यात्मिक तत्त्व में एक संस्कृति इस तत्त्व के अवधारण को और लौकिक जीवन में इस अवधारणा के क्रियान्वयन के प्रयत्न को प्रकट करती है, किन्तु एक ओर यह अवधारण अनिवार्यत: सीमित होता है और दूसरी ओर यह प्रयत्न केवल न्यूनाधिक सफल। अस्तित्वपरक सब स्थितियों के समान सांस्कृतिक अस्तित्व की भी यह एक अनिवार्य नियति है। परिणामत: एक संस्कृति को एक आत्मपूर्ण ऐतिहासिक सत्ता नहीं कहा जा सकता, इसे केवल एक ऐतिहासिक प्रयत्न कहा जा सकता है।

इस प्रकार विकास और इतिहास दोनों साध्योन्मुख यात्राएँ हैं और वास्तव में विकास ही अपनी यात्रा के अगले चरणों में इतिहास का रूप ले लेता है। विकास का इतिहास में यह रूपान्तरण ऐतिहासिक पर्येषणा की दिशा का संकेत देता है। यह दिशा चित्त की आत्मोपलब्धि है, जिसके प्रथम चरण के रूप में मनुष्य के साथ इतिहास का सूत्रपात होता है।

प्राकृतिक विज्ञान

'प्रकृति' से यहाँ अभिप्राय इन्द्रियगोचर विषय–जगत् से है। 'इन्द्रिय–गोचर विषय–जगत्' पद का वाच्यार्थ : विषय–जगत् : सम्भवत: सबसे अधिक सुपरिचित और सहज प्रदत्त है। किन्तु थोड़ा गहराई से देखने पर हम पाते हैं कि वास्तव में यह अत्यन्त जटिल और समस्यात्मक है। 'इन्द्रियगोचर विषय' पद के घटक दो शब्दों के परस्पर सम्बन्ध को लेकर दर्शन के इतिहास में जो विवाद रहा है उससे हम सुपरिचित ही हैं, किन्तु 'विषय' और 'जगत्' के बीच कोई सम्बन्ध कम बड़ी समस्या नहीं है, यद्यपि उसकी चर्चा दार्शनिकों में उतनी नहीं हुई है। इन्द्रिय–गोचर विषय–ग्रहण में घटना–क्रम की दृष्टि से संवेदप्रदत्त गुण : वर्ण, गन्ध आदि : जबकि पहले घटित होते हैं और उनसे प्रकट विषय : घट, पुरुष आदि : अनन्तर घटित होते हैं, चेतना में यह क्रम इसके उलट रहता है : चेतना संवेद–प्रदत्तों का वस्तु के गुण के रूप में, और स्वयं इन गुणों का भी विषयकरण पूर्वक ग्रहण करती है। किन्तु ये विषय पुन: एक–दूसरे आधार में गृहीत होते हैं, आत्म–पर्याप्त स्वतन्त्र वस्तुओं के रूप में नहीं। यह आधार जगत् है। चेतना में यह आधार विषयों से भी प्राक्तन होता है। वैसा नहीं रहने पर हम विषयों से आगे विषयों पर ही संक्रमण कर सकते थे, जगत् पर नहीं। किन्तु जब हम इस अवगमन–क्रम को घटना–क्रम के अनुसार समझने का प्रयत्न करते हैं तब यह संक्रमण एक असंक्रमणीय पहेली के रूप में प्रस्तुत होता है, क्योंकि वस्तुत: तो प्रत्येक संवेद–प्रदत्त न केवल अपने–आप में एक आत्म–संकुचित घटना होता है, हम इन प्रदत्तों को परस्पर सम्बन्धित करने के लिए भी किसी तात्त्विक सिद्धान्त को नहीं जानते, जगत्परक आवयविक एकत्व के लिए किसी सिद्धान्त को जानने की बात तो दूर है। :

यहाँ कहा जा सकता है कि एकत्व का आकलन कांट की विधि से किया जा सकता है—जगत् को बुद्धि का अतिक्रामी प्रत्यय ट्रांसेडेंटल आइडिया ऑफ रीज़न कहकर। यह सही है, किन्तु कांट ने जबकि विषयता की अतिक्रामी कोटियों (केटेगरीज़ ऑफ अण्डरस्टैंडिंग) को विषयों के ठोस आधार के रूप में और इन कोटियों के विषयों को व्यवहार या संवृति के वास्तविक विषयों के रूप में प्रस्तुत किया, अतिक्रामी बुद्धि के प्रत्यय (ट्रांसेडेंटल आइडिया ऑफ रीज़न) को जगत् के ठोस आधार के रूप में और इस प्रकार जगत् को व्यवहार के वास्तविक विषय (फिनामिनल आब्जेक्ट) के रूप में प्रस्तुत नहीं किया, जबकि वास्तव में अतिक्रामी कोटियाँ भी विषय को सत्ता नहीं देकर उसे सत्ता का छद्म आश्वासन मात्र देती हैं। यह कठिनाई विज्ञान के लिए और विषम हो जाती है, क्योंकि उसके लिए केवल प्रस्तुत आवयविकता के आधार की ही समस्या नहीं है, जिसकी वह एक बार उपेक्षा भी कर सकता है, क्योंकि उसके विषय देश–कालगत वस्तुएँ नहीं होकर घटनाएँ होती हैं, उसके लिए समस्या घटनाओं में प्राकृतिक नियम की विद्यमानता का आधार और इस नियम के माध्यम से प्रस्तुत के आधार–तत्त्व (प्रिंसिपल) को खोजने की है। यह नियम और आधारगत–तत्त्व वैज्ञानिक के लिए उसी प्रकार की किन्तु गम्भीरतर समस्या प्रस्तुत करते हैं जिस प्रकार की समस्या इन्द्रियगोचर विषयों से आरम्भ करने वाले दार्शनिक के लिए विषय और जगत् प्रस्तुत करते हैं, क्योंकि देशकालगत वस्तुएँ और जगत् जबकि सहज प्रस्तुत होते हैं, नियम, और उससे भी अधिक आधार–तत्त्व, इस प्रकार प्रस्तुत नहीं होते, ये तर्कानुमेय भी नहीं होते; बल्कि इसके आगे जाकर यह भी कह सकते हैं कि घटनाएँ स्वरूपत: आगन्तुक होती हैं और परिणामत: किसी नियम से रहित भी होती हैं। इसी से इन घटनाओं में आगमनात्मक सम्बन्ध का उपचार किया जाता है कोई अनिवार्य सम्बन्ध नहीं देखा जाता। इस उपचार या आरोप के औचित्य की समस्या से सब परिचित ही हैं। आगमनात्मक अनुमान के व्यावहारिक औचित्य की बात करना पुनरुक्ति मात्र है, क्योंकि आगमनात्मक अनुमान का अर्थ ही है घटनाओं में स्वयं कोई सम्बन्ध नहीं देख सकने पर सम्बन्ध का आरोप करना। किन्तु विज्ञान इस आरोप की विधि या व्यवस्था नहीं है, यह घटनाओं के परे स्वरूप या स्वभाव की खोज है। घटनाएँ उसके लिए अपने–आप में

अर्थ : वस्तुएँ : नहीं रखतीं, वे मात्र प्रतीक होती हैं, जिनके माध्यम से जगत् का तत्त्वार्थ व्यंजित होता है। इस कारण विज्ञान घटनाओं की व्यवहारानुकूल व्यवस्था नहीं प्रस्तुत करता बल्कि उन्हें किसी सिद्धान्त के उदाहरण के रूप में देखता है। यही कारण है कि विज्ञान के लिए घटनाएँ यथा-प्रस्तुत रूप में विचारार्थ स्वीकृत नहीं होतीं बल्कि सिद्धान्त के अनुसार रूपान्तरित होकर ही स्वीकृत होती हैं। कुछ घटनाएँ इस प्रकार सीधे रूपान्तरित नहीं की जा सकतीं और तब वे वैज्ञानिक विचार के योग्य भी नहीं मानी जातीं। उदाहरण के लिए 'मेज़ पर पुस्तक पड़ी होना' तब वैज्ञानिक विषय हो जाता है जब यह इस जिज्ञासा का विषय होता है कि यह पुस्तक ऊपर क्यों नहीं उड़ जाती, किन्तु जब यह इस जिज्ञासा का विषय होता है कि यह पुस्तक कुर्सी पर नहीं पड़ी होकर मेज़ पर क्यों पड़ी है, तब यह प्रत्यक्षत: वैज्ञानिक विषय नहीं होती; वैसा बनने के लिए उसे पूर्णत: रूपान्तरित होना होता है। उदाहरण के लिए इसमें प्रत्यक्षत: पुस्तक रखने वाले के चुनाव का कारण और रखने का प्रयोजन आदि निहित हैं, और ये तर्कत: वैज्ञानिक तत्त्वमीमांसा में अग्राह्य हैं। इसलिए उपर्युक्त जिज्ञासा के वैज्ञानिक समाधान के लिए सर्वप्रथम इसका प्रयोजन-विहीन पदावली में रूपान्तरण अनिवार्य है, जिसका अर्थ है अन्ततः इस पुस्तक को रखने वाले के इच्छा, प्रयोजन आदि को मस्तिष्कीय घटनाओं में रूपान्तरित करना।

किन्तु किसी प्रस्तुत वस्तुस्थिति के सम्बन्ध में 'क्यों' या 'कैसे' की जिज्ञासा अथवा व्याख्या की अपेक्षा का क्या अर्थ है? इसका अर्थ है कि हम इस घटना के प्रस्तुत रूप को प्रतीक रूप में, किसी गहनतर अर्थ के व्यंजक के रूप में, देख रहे हैं, अपने-आप में स्पष्ट और पर्याप्त रूप में नहीं। उदाहरणत: 'इस पुस्तक का मेज़ पर पड़े होना' प्रस्तुत है और इसके इसी प्रकार पड़े रहने तथा नहीं उड़ने सम्बन्धी जिज्ञासा इस वस्तुस्थिति को उद्गृहीत कर 'पड़े रहने अथवा उड़ जाने' के द्वन्द्व के एक पद में रूपान्तरित करती है, और तब इसकी व्याख्या के लिए हम इसे एक ऐसी वस्तुस्थिति से सम्बन्धित करते हैं जो स्वरूपत: अप्रस्तुत रहती है। इस वस्तुस्थिति : गुरुत्वाकर्षण-तत्त्व : से सम्बन्धित होने के बाद यह घटना हमारे लिए बोधगम्य हो जाती है, किन्तु तब यह एक घटना के रूप में विलीन हो जाती है। घटना के रूप में इसकी समाप्ति का अर्थ है कि अब हम इसके घटित होने से पहले ही बता सकते हैं कि यह कैसे घटित होगी और पीछे के सम्बन्ध में बता सकते हैं कि यह कैसे घटित हुई : और इसका वर्तमान इस कालातीतता अथवा त्रैकालिकता का एक पक्ष मात्र हो जाता है। और बोधगम्यता का अर्थ है कि घटित होना, मेज़ पर पड़े होना आदि इसका स्वरूप नहीं है, इसका स्वरूप है कि यह उस नियम को, उस तत्त्व को, व्यक्त करती है जो सूर्य के वहाँ होने जहाँ वह है, इस पानी के उस प्रकार प्रवाहित होने जिस प्रकार वह प्रवाहित हो रहा है, और इस फल के उस गति से भूमि पर गिरने जिससे वह गिरा है, को समान रूप से धारण करती है।

अब यहाँ यह द्रष्टव्य है कि हम न केवल प्रस्तुत विशिष्ट, व्यष्टि या घटना का अप्रस्तुत सामान्य, प्रत्यय या सिद्धान्त में अन्तर्भाव कर रहे हैं बल्कि इस सामान्य या सिद्धान्त को एक सत्तामीमांसा में भी प्रतिष्ठित कर रहे हैं। इस सम्पूर्ण प्रक्रिया का अर्थ है कि वैज्ञानिक व्याख्या में यह पूर्व-मान्यता निहित रहती है कि प्रस्तुत स्वयं में स्वरूप और सत्ता से युक्त नहीं होकर स्वरूप और सत्ता को केवल व्यक्त करता है, और वैज्ञानिक के लिए यह स्वरूप और सत्ता वह है जो शुद्ध गणित की पदावली में ग्राह्य है। इसे विशेष प्रकार की मात्राएँ भी कह सकते हैं, जो मात्राएँ एक-साथ वस्तुएँ भी हैं और सम्बन्ध भी। किन्तु द्रष्टव्य है कि ये मात्राएँ इन्द्रियग्राह्य-स्थूलता, दीर्घता आदि गुण नहीं हैं, ये गणित के जटिल समीकरणों द्वारा वाच्य सम्बन्ध और सम्बन्धित हैं। इसे इन्द्रिय-विषयता का शुद्ध तत्त्व भी कह सकते हैं जिस विषयता की विषयिता संवेदरहित स्थितिमात्रता, निरिन्द्रिय प्रेक्षकत्व (आइडियल आब्ज़र्वर) हैं, जो स्थिति या प्रेक्षकता किसी विशेष देश-काल में नहीं होकर किसी भी देश-काल में हो सकती है। उदाहरण के लिए गुरुत्वाकर्षण-शक्ति को लें, जिसका उल्लेख हमने पीछे किया था। यह सेब के पेड़ से पृथ्वी पर गिरने और चाँद के पृथ्वी के गिर्द घूमने दोनों की समान रूप से व्याख्या करती है। व्याख्या की दृष्टि से यह किसी व्यक्ति के मूर्छा में हाथ-पैर पटकने और किसी मकान में एकाएक आग भड़क उठने की प्रेत-बाधा से व्याख्या के समान है : दोनों में प्रस्तुत स्थिति अप्रस्तुत से नियमित और निर्दिष्ट होती है और अप्रस्तुत

प्रस्तुत के अस्तित्व का नियामक और उसके प्रकट रूप का वास्तविक स्वरूप होता है। किन्तु इनमें एक महत्त्वपूर्ण अन्तर है और वह यह कि जादुई व्याख्या में व्याख्यात्मक पदार्थ व्याख्येय के समान ही अस्तित्वात्मक और वास्तविक : वस्तुरूप : होता है जबकि वैज्ञानिक व्याख्या में यह अस्तित्वात्मक नहीं होता, यह केवल स्वरूपात्मक : गणित-शब्द-वाच्य नियममात्र : होता है। यहाँ यह द्रष्टव्य है कि वैज्ञानिकों में तथाकथित सैद्धान्ति वस्तुओं (थ्योरिटीकल एंटिटीज़) के अस्तित्व को लेकर विवाद है, कुछ वैज्ञानिक और दार्शनिक इन वस्तुओं को वस्तुता में व्याख्येय पदार्थों से भिन्न नहीं मानते, केवल सूक्ष्मता में भिन्न मानते हैं : अर्थात् व्याख्यात्मक पदार्थ अतिसूक्ष्म होने से या तो सूक्ष्मदर्शी यन्त्र द्वारा दृश्य होते हैं, अथवा ऐसे यन्त्रों से भी इस कारण अदृश्य होते हैं क्योंकि हमारे इन्द्रियोपकरणों : इन्द्रिय-यन्त्रों : की रचना एक विशेष प्रकार की है : जैसे एक्स किरणें और विशेष ध्वनि-तरंगें : किन्तु वे गोचर विषयों से प्रकारतः भिन्न नहीं होते।[1] किन्तु यह वैज्ञानिक व्याख्या के स्वरूप को समझने में भ्रान्ति का द्योतक है। यदि परमाणु उसी प्रकार विस्तारात्मक वस्तुएँ हैं जिस प्रकार मेज़-कुर्सी आदि, और इनमें भेद केवल स्थूलता-सूक्ष्मता का है, अथवा 'गुरुत्वाकर्षण' उसी प्रकार का दबाव विशेष है जिस प्रकार का हम भारी वस्तु उठाने पर अपनी मांसपेशियों में अनुभव करते हैं, तब इसमें एक को सिद्धान्त और दूसरे को व्याख्येय वस्तुस्थिति नहीं कहा जा सकता। सम्भव है यहाँ कोई आपत्ति करे कि व्याख्यापक और व्याख्येय कोई इस प्रकार भिन्न सत्ताएँ नहीं होतीं कि इनमें एक गोचर वस्तु और दूसरी अगोचर सिद्धान्त ही हो, स्वयं विज्ञान में भी व्याख्येय व्याख्यापक का और व्याख्यापक व्याख्येय का स्थान ले सकता है। उदाहरण के लिए 'गुरुत्वाकर्षण शक्ति क्या है' यह प्रश्न किया जा सकता है और तब इसकी व्याख्या उन विभिन्न प्रकार की घटनाओं के उदाहरण से होगी जिनकी व्याख्या के लिए हम 'गुरुत्वाकर्षण' का उपयोग करते हैं। किन्तु यह सही नहीं है, इसमें वास्तव में यह कहा जायगा कि "गुरुत्वाकर्षण वह है जो इस इस प्रकार की स्थितियों की व्याख्या करता है" आदि। यदि व्याख्यापक को भी सूक्ष्मतर वस्तुएँ ही माना जाय जिस प्रकार मैक्सवेल कह रहा है, तब व्याख्यापक और व्याख्येय में केवल सहगामिता का सम्बन्ध होगा, प्रकट और स्वरूप का, सिद्धान्त और उसके उदाहरण का नहीं, जोकि होना अपेक्षित है। वास्तव में जादुई व्याख्या में भी व्याख्यापक अस्तित्ववान् होने पर भी व्याख्यापक के रूप में व्याख्येय का अन्तर्गत तत्त्व होता है और इस रूप में वह सामान्य होता है, जिसकी व्याख्येय वस्तुस्थिति एक उदाहरण होती है। उदाहरण के लिए मूर्च्छित व्यक्ति का व्यवहार न तो स्वयं उस व्यक्ति से नियन्त्रित होता है जिसका प्रकटतः वह व्यवहार होता है, और न वह व्यवहार अनियन्त्रित होता ही होता है, तब वह व्यवहार किसी अन्य से नियन्त्रित होना चाहिए। यह अन्य नियामक कोई अन्य जीव कल्पित किया जाता है। अब यह द्रष्टव्य है कि जब अपने व्यवहार का नियामक व्यक्ति स्वयं होता है तब भी उसके नियामक का जीव-रूप में आक्षेप सैद्धान्तिक है और जादुई व्याख्या उस सिद्धान्त का ही आगे विस्तार है। जीव की वस्तुता केवल नियमित व्यवहार की व्याख्या की अपरिष्कृतता को ही प्रकट करती है व्याख्याओं में स्वरूप-भेद को नहीं। यही बात मेक्सवैल की व्याख्या के सम्बन्ध में कही जा सकती है।

इस प्रकार आकारतः जादुई व्याख्या वैज्ञानिक व्याख्या से भिन्न नहीं है, किन्तु यह अन्तर्वस्तु में उससे स्वरूपतः भिन्न है। वैज्ञानिक व्याख्या की अन्तर्वस्तु असम्यक्तया निर्धारित प्राकृतिक विषयता का सम्यक्तया निर्धारित प्राकृतिक विषयता में रूपान्तरण है और इस प्रकार जादुई व्याख्या से, अथवा कहें किसी भी व्याख्या से, मौलिक रूप में भिन्न है। इसका बहुत समीचीन निरूपण रूडोल्फ कार्नप के शब्दों में इस प्रकार किया जा सकता है—"भौतिक-विज्ञान की सैद्धान्तिक पदावली विशिष्ट देश-काल निर्देशांकों (स्पेस-टाइम कोओर्डिनेट सिस्टम) पर आधारित है, इस प्रकार ये देश-काल-बिन्दु वास्तव में संख्याओं के व्यवस्थित चतुष्क हैं...जब भौतिक विज्ञानी किसी भौतिक व्यवस्था का, अथवा उसमें घटित होने वाली किसी प्रक्रिया का, अथवा उसकी क्षणिक स्थिति का वर्णन करता है तब वह या तो किसी देश-काल-प्रदेश को, अथवा उसके किसी बिन्दु को, भौतिक

1. इस प्रकार के मत के लिए द्रष्टव्य — **मिन्नेसोटा स्टडीज़ इन दि फलोसोफी ऑफ साइंस**, खण्ड 3 (सं.) हर्बर्ट फाइग्ल और ग्रोवर मैक्सवेल, 1962 में ग्रोवर मैक्सवेल का लेख — दि ओंटोलोजीकल स्टेटस ऑफ थ्योरेटीकल एंटिटीज़।

परिमाणात्मक मूल्य देता है...**एक भौतिक व्यवस्था अपने-आप में और कुछ नहीं है सिवाय परिमाणों की पदावली में वर्णित देश-काल-प्रदेश के।**...मनोवैज्ञानिक प्रत्यय भी किन्हीं देश-काल-प्रदेशों (प्राय: मानवीय देहों अथवा उनके समूहों) के विशेषक गुण, सम्बन्ध अथवा मात्राओं के अतिरिक्त और कुछ नहीं है।"[1]

जैसाकि इस निरूपण से स्पष्ट है, यह विषयता वास्तविक साधारण विषयता से उद्ग्रहण (एब्स्ट्रेक्शन) है, भौतिकता के तत्त्व का उद्ग्रहण। यह बहुत सीमा तक, अथवा कहें पूर्णरूप से, डेकार्ट के उस विचार पर आधारित है जिसके अनुसार भौतिक द्रव्य शुद्ध विस्तारात्मक सत्ता है और वह सत्ता चित्त के द्वारा स्पष्ट और विविक्त प्रत्ययों (क्लीयर एण्ड डिस्टिंक्ट आइडियाज़) के रूप में ग्राह्य होती है, इस अन्तर के साथ कि यहाँ इन प्रत्ययों से आगे सत्ता की धारणा नहीं है, बल्कि ये प्रत्यय ही हैं जो इस रूप में गृहीत हैं। यहाँ हाइडेगर का स्मरण उपयोगी होगा जो आधुनिक विज्ञान को और भी अधिक गम्भीर रूप से डेकार्ट-दर्शन में प्रतिष्ठित देखता है। उसके अनुसार "डेकार्टीय सत् प्रत्यय की विषयता"[2] (आब्जेक्टिविटी ऑफ रिप्रिज़ेंटेशन) है, जो मनुष्य को असन्दिग्ध रूप से प्रस्तुत होती है। सत्ता के लिए मनुष्य को प्रस्तुत होने की यह अनिवार्य अपेक्षा विषयनिष्ठ तत्त्वमीमांसा में प्रतिष्ठित है। परिणामत: अब हमारा ज्ञान सत्ता से निर्धारित नहीं होता बल्कि सत्ता ज्ञान से निर्धारित होती है। यह तत्त्वमीमांसा मनुष्य को प्रकृति के नियामक के रूप में और प्रकृति को मनुष्य के द्वारा निर्धारित और नियम्य के रूप में देखती है।[3]

यहाँ हाईडेगर के विवेचन के ऐतिहासिक निर्धारणात्मक पक्ष को छोड़ते हुए, जो किसी भी दार्शनिक विचार के युक्तता के दावे को एक मनोवैज्ञानिक निर्धारण में अपचित कर देता है, यह द्रष्टव्य है कि विज्ञान के इस उद्ग्रहण का उद्देश्य इन्द्रिय-ग्राह्य जगत् के पीछे जाकर उसके तत्त्व का साक्षात्कार है जो तत्त्व अपने को उतना ही स्पष्ट उजागर करता है जितना चित्त अपने में प्रतिष्ठित होता है। हाईडेगर आधुनिक विज्ञान की इस दृष्टि को अरस्तू की सत्ताभिमुख दृष्टि के विपरीत सत्ता पर अवधारणात्मक व्यवस्था (कांसेप्युअल फ्रेमवर्क) का आरोप कहता है,[4] जो उसके अनुसार आधुनिक विज्ञान की आधारशिला भी है और उसका दृष्टि-दोष भी। आधुनिक विज्ञान का हाईडेगर द्वारा यह निरूपण साधारण रूप से युक्त कहा जा सकता है, जैसाकि आईंस्टाईन के सिद्धान्त और हाइज़न्बर्ग के सम्भाव्यता-सिद्धान्त से स्पष्ट है : इनमें प्रथम आदर्श प्रेक्षक (आइडियल आब्ज़र्वर) को आधार बनाता है और दूसरा मापन को, और इस प्रकार ये दोनों ही विषयिमूलक दृष्टियाँ हैं, सत्तामूलक दृष्टियाँ नहीं। इसी प्रकार कुछ आधुनिक दर्शन-सम्प्रदाय भी हैं, जैसे अर्थ-क्रियावाद (प्रैग्मेटिज़्म), लोकभाषा-विश्लेषणवाद और तार्किक प्रत्यक्षवाद; ये विभिन्न प्रकार के विषयिमूलकतावाद ही हैं। किन्तु इन दो : वैज्ञानिक सिद्धान्तों और इन दार्शनिक सिद्धान्तों : में इस बात में महत्त्वपूर्ण अन्तर है कि वैज्ञानिक सिद्धान्त स्पष्ट रूप से अपने उद्देश्य में सीमित हैं जबकि दार्शनिक सिद्धान्त अपने उद्देश्य में असीमित हैं।

किन्तु द्रष्टव्य है कि पूर्ण अर्थ में तत्त्वमीमांसीय नहीं होने पर भी विज्ञान सीमित रूप से प्रकृति के स्वरूप के सम्बन्ध में एक तत्त्वमीमांसा को पूर्व-कल्पित करता है। इस तत्त्वमीमांसा के अनुसार इन्द्रियगोचर विषय अथवा घटनाएँ शाश्वत और सार्वभौम नियमों की एक व्यवस्था को व्यंजित करती हैं। यह नियम-व्यवस्था निगमनात्मक और इस प्रकार पारदर्शी होती है यद्यपि इसकी व्यंजक इन्द्रियगोचर घटनाएँ परस्पर असम्बद्ध अपारदर्शी होती हैं। अपने इस अपारदर्शी स्वरूप के कारण इन्द्रियगोचरताओं में, उनके अपने स्तर पर, कोई आन्तर सम्बन्ध सम्भव नहीं होता, केवल बाह्य : देश-कालपरक : सम्बन्ध ही सम्भव होता है। परिणामत: इन पर हम जो भी सम्बन्ध

1. **मिन्नेसोटा स्टडीज़ इन फिलोसोफी ऑफ साइंस,** खड 1 (सं.) हर्बर्ट फाइग्ल तथा माइकिल स्क्रीवान् में रूडोल्फ कार्नप का लेख 'दि मैथोडोलोजीकल स्ट्रक्चर ऑफ थ्योरैटीकल कांसेप्ट्स', पृ. 43-44 (रेखांकन हमारे द्वारा)
2. हम यहाँ 'प्रत्यय की विषयता' के बजाय 'प्रत्यय का आत्म-प्रस्तुतीकरण' पद का प्रयोग करना चाहेंगे।
3. द्रष्टव्य **हाईडेगर एण्ड मॉडर्न फिलोसोफी** (सं. माइकिल मर्रे, येल यूनीवर्सिटी, 1978 में हैरोल्ड एडमैन का लेख 'हाईडेगर्स क्रिटीक ऑफ साइंस एण्ड टेक्नोलोजी', पृ. 36)।
4. **हाईडेगर एण्ड मॉडर्न फिलोसफी,** वही।

आरोपित करते हैं वे कितने भी विश्वसनीय होने पर केवल आगमनात्मक ही हो सकते हैं, यद्यपि ये सम्बन्ध उस आधार-व्यवस्था के लिए ही प्रतीक बनते हैं जो स्वयं में निगमनात्मक है। उदाहरण के लिए एक प्रतिज्ञप्ति को लें जो सार्वभौम नियम के रूप में प्रस्तुत की जाती है : "जो उत्पन्न होता है उसकी मृत्यु निश्चित है।" एक प्रकार से यह प्रतिज्ञप्ति वस्तुमात्र के सम्बन्ध में है, क्योंकि उत्पत्ति और नाश जगत् की सब वस्तुओं का स्वभाव माना जाता है। किन्तु उत्पन्न और नष्ट एक घट, या असंख्य घटों को देखकर हम इस प्रस्तुत घट के उत्पन्न हुए होने और नष्ट होने के सम्बन्ध में कुछ नहीं कह सकते, क्योंकि गोचर रूप में घट में कोई भी ऐसा लक्षण विद्यमान नहीं है जो इस नियम को प्रकट करता हो। किन्तु यदि घटनाओं या वस्तुओं की यह आत्म-संकुचितता अपने से बाहर खुलते हुए और प्रत्येक को दूसरे में धारण करने वाले नियम की प्रतीक रूप में व्यंजक नहीं होती तो वास्तव में आगमन तर्क की भी कोई सम्भावना नहीं होती। इसे एक दूसरे उदाहरण से देखना उपयोगी होगा : "पत्थर लगने पर चिड़िया उड़ जाती है" यह हम कुछ चिड़ियाओं के व्यवहार से जानते हैं, और तब इसका साधारणीकरण कर देते हैं। यह साधारणीकरण आगमनात्मक रूप में दुष्ट है कि यदि भविष्य में कोई चिड़िया इस प्रकार नहीं उड़ती तब हम इसमें इस प्रकार संशोधन कर लेंगे कि "कुछ चिड़ियाएँ पत्थर लगने पर उड़ जाती हैं और कुछ नहीं उड़तीं।" किन्तु वास्तव में ऐसा नहीं होता, हम किसी चिड़िया के नहीं उड़ने पर यह मानते हैं कि वह या तो मृत होगी अथवा मिट्टी की बनी होगी। दूसरे शब्दों में, हम चिड़िया के दृष्ट व्यवहार को जीव-स्वभाव में प्रतिष्ठित करते हैं और इसे 'एक घटना या घटना-समवाय' से उसके स्वभाव के एक उदाहरण में रूपान्तरित कर देते हैं। अब मान लें कि कोई चिड़िया जीवित भी है और पत्थर लगने पर उड़ती भी नहीं, और मान लें कि अन्ततः हम स्वभाव के सम्बन्ध में अपना मत परिवर्तित करने को बाध्य होते हैं, तो इससे मूल स्थिति में कोई अन्तर नहीं पड़ता, क्योंकि तब हम वस्तु-स्वभाव में और गहरा देखकर उस वस्तु-स्वभाव के सम्बन्ध में अपना मत नये सिरे से स्थिर करना चाहते हैं। यहाँ आपत्ति की जा सकती है कि इसके लिए हमारे पास कोई औचित्य नहीं होता। किन्तु इस आपत्ति का कारण यह है कि आपत्ति करने वाला घटनाओं की गोचररूपता का अतिक्रमण कर उसकी प्रतीकरूपता को नहीं देख रहा है। यहाँ कार्ल पौप्पर के एतत्सम्बन्धी विचार का उल्लेख उपयोगी होगा जो वास्तव में वैज्ञानिक सिद्धान्तों के स्वरूप-विषयक समकालीन चर्चाओं का एक प्रतिनिध है, और यहाँ रोचक बात यह है कि पौप्पर उन कुछ अल्पसंख्यक विचारकों में से एक है जो वैज्ञानिक सिद्धान्तों को निगमनात्मक मानते हैं। वह गिल्बर्ट राईल के इस मत को कि "हम बहुत बार नियमात्मक प्रतिज्ञप्तियों की सत्यता के सम्बन्ध में युक्तियुक्त रूप से निश्चित होते हैं" पूर्वपक्ष के रूप में प्रस्तुत कर कहता है कि "मैं इस प्रकार के विचार के विरुद्ध सर्वप्रथम तब हुआ जब आईंस्टाईन के गुरुत्वाकर्षण-सिद्धान्त ने उस समय तक सार्वभौम और असंदिग्ध रूप से स्वीकृत न्यूटन के गुरुत्वाकर्षण के सिद्धान्त को केवल एक प्राक्कल्पना, एक ऊहामात्र सिद्ध कर दिया।"[1] यहाँ पौप्पर प्राकृतिक नियम और उसके ज्ञान को एक ही बात मान रहा है। यह सही है कि हम प्राकृतिक नियम को पर्याप्त रूप से जानते नहीं हैं, किन्तु हमारा जिज्ञास्य वह नियम ही होता है, और जब विज्ञान तत्त्व-साक्षात्कार के पर्याप्त उत्कृष्ट धरातल को प्राप्त कर लेता है तब वह या तो पक्षतः इसी नियम का अवगमन करता है अथवा इसके अवगमन में भ्रान्त होता है, और परिणामतः एक स्थापना अथवा सिद्धान्त के असत्यापित होने पर दूसरे सिद्धान्त का अन्वेषण करता है जो, चाहे अंशतः ही सही, शाश्वत और अनिवार्य प्राकृतिक नियम का अवगमन कर सके। यही कारण है कि न्यूटन का सिद्धान्त विशेषों का साधारणीकरण नहीं था, वैसा वह आईंस्टाइनीय सिद्धान्त से विस्थापित होने पर भी नहीं हुआ, क्योंकि वह स्वरूपतः ही निगमनात्मक था और इस प्रकार के नियम के रूप में ही वह विस्थापित हुआ। किन्तु इस पर कार्ल पौप्पर कहेगा कि, निगमनात्मक होने पर भी वह केवल एक ऊहा, एक अटकल, ही था, स्वयं नियम नहीं। यह सही है, किन्तु इस ऊहा की संरचना, इसका स्वरूप निगमनात्मक है और इसके वैसा होने का कारण यह है कि हम विज्ञान में प्रकृति को एक सार्वभौम नियम से व्यवस्थित देखते हैं।

---

1. कार्ल पौप्पर — **आब्जेक्टिव नोलेज़**, पृ. 9, यहाँ यह द्रष्टव्य है कि राइल का मत मेरे मत के समान नहीं है।

विज्ञान का स्वरूप इस प्रकार समझ लेने पर यह समझने में कठिनाई नहीं होनी चाहिए कि विज्ञान न इन्द्रियानुभववादी दर्शन से प्रेरित हो सकता है और न उसका प्रेरक ही हो सकता है, क्योंकि इसका आधार यह दृष्टि या आस्था है कि सत्ता निर्दोष बुद्धि द्वारा अवगम्य है और बुद्धि तथा सत्ता अपने आद्यमूल में अभिन्न हैं। इस प्रकार विज्ञान वास्तव में प्लेटोवादी है, यद्यपि इस भेद के साथ कि इसकी अन्वीक्षा की सीमा में यह आद्यमूल केवल भौतिकता का तत्त्व ही हो सकता है।

इसके विपरीत अनुभववाद अपारदर्शी प्रेक्षणों से ऊपर नहीं उठ सकता और परिणामत: वह प्रकृति को एक नियम या व्यवस्था के रूप में नहीं देख सकता। न **क्रिटीक् ऑफ प्योर रीज़न** का लेखक ही अनुभववाद से बहुत आगे जा पाया है, क्योंकि प्रागनुभविक उसके लिए भी आरोप है, वह चाहे अभ्यासमूलक आरोप नहीं होकर विषय-विधायक चिन्मूलक ही क्यों न हो। विज्ञान में प्राकृतिक नियम के प्रेक्षण द्वारा प्रमाणीकरण की व्यवस्था से उसके प्लेटोवाद पर कोई आँच नहीं आती, क्योंकि प्रमाण के रूप में स्वीकृत प्रेक्षण वास्तव में सिद्धान्त के ही बाह्याक्षेप होते हैं, ये नियम के नियामक नहीं होकर उससे निर्धारित और निरूपित होते हैं; जो प्रेक्षण इस प्रकार नियम से आक्षिप्त नहीं होते, जैसे साधारण घटनाएँ और विषय, वे नियम के लिए प्रतीक बनते हैं, उसे प्रमाणित या अप्रमाणित नहीं करते।

ऊपर हमने विज्ञान को एक सीमित तत्त्व-दृष्टि कहा। किन्तु साथ ही यह भी कहा कि कोई तत्त्व-दृष्टि वास्तव में सीमित नहीं हो सकती। ऐसी अवस्था में विज्ञान या तो तत्त्व-दृष्टि नहीं होगा या सीमित दृष्टि नहीं होगा। अथवा यह भी कहा जा सकता है कि यह स्वयं तत्त्व-दृष्टि नहीं होकर तत्त्व-दृष्टि का परिणाम होगा।

वास्तव में पश्चिम में विज्ञान का जिस प्रकार एक सर्वग्रासी आन्दोलन के रूप में उदय हुआ उसमें इसने एक असीमित तत्त्व-दृष्टि का रूप भी लिया, अपने को सीमित तत्त्व-दृष्टि के रूप में भी देखा, और उन लोगों ने जो वैज्ञानिक नहीं थे इसे अन्य तत्त्व-दृष्टि के परिणाम के रूप में भी देखा। किन्तु अत्यन्त प्राचीनकाल में अरस्तू ने फिज़िक्स (भौतिक-विज्ञान) और मैटाफिज़िक्स (तत्त्व-दृष्टि) के बीच बहुत ही सूझपूर्ण भेद कर दिया था, जिसके अनुसार भौतिक-विज्ञान इस कारण तत्त्व-दृष्टि नहीं कहा जा सकता क्योंकि यह भौतिक तत्त्व की सत्ता पूर्वकल्पित करके चलता है। किन्तु इधर पश्चिम में विज्ञान के एक सांस्कृतिक अभिनिवेश के रूप में उत्कर्ष के बाद तत्त्वमीमांसा को ही मृगमरीचिका के रूप में देखा गया और विज्ञान को सत्य का मानदण्ड माना गया। इस प्रक्रिया में स्वयं विज्ञान-दृष्टि में भी एक मौलिक रूपान्तरण घटित हुआ, अब वैज्ञानिकों ने भौतिक तत्त्व को पूर्वसिद्ध सत्य के रूप में नहीं देखकर अनुसन्धान-प्रक्रिया के प्रकार्य (फंक्शन) के रूप में देखना आरम्भ किया और तदनुसार दार्शनिकों ने उनकी इस परम अनासक्त दृष्टि का अनुसरण किया। इस प्रकार कहा जा सकता है कि विज्ञान ने अरस्तू के द्वारा अपने निरूपण का बहुत कुछ परित्याग कर दिया। और पुन: ह्यूम और कांट द्वारा तत्त्वमीमांसा का प्रत्याख्यान, तार्किक प्रत्यक्षवादियों द्वारा एक कदम और आगे जाकर स्वयं दर्शन को ही वैज्ञानिक अन्वेषणों के विवेचन का कार्य सौंपना, और दूसरी ओर विज्ञान का कार्य इन्द्रियगोचर स्थितियों और घटनाओं के लिए व्यवस्था देने को निश्चित करना, इस बात के द्योतक हैं कि पश्चिम में विज्ञान ने अपने और दर्शन दोनों के ही क्षेत्रों को व्यामिश्रित कर दिया है और इस प्रकार अब इसके सम्बन्ध में अरस्तू का वर्गीकरण युक्त नहीं रहता।

किन्तु यह बात दर्शन के सम्बन्ध में वास्तव में बिल्कुल भी सही नहीं है, यह केवल एक दर्शन-सम्प्रदाय का मत रहा है, क्योंकि पश्चिम में भी दर्शन विज्ञान के अन्वेषणों के विवेचन तक सीमित नहीं रहा है। जहाँ तक विज्ञान का सम्बन्ध है, इसके वर्तमान रूप को अवश्य उस प्रकार की पूर्वमान्यता से मुक्त कहा जा सकता है जिस प्रकार की पूर्वमान्यता की बात अरस्तू ने की है, किन्तु तब भी यह अपने क्षेत्र को एक सीमित प्रयोजन के आधार पर ही परिभाषित करता है, जिसकी व्याख्या हम पीछे कर चुके हैं, और इस रूप में यह दर्शन से भिन्न कहा जा सकता है। किन्तु विज्ञान में तत्त्व-विषयक दृष्टि-परिवर्तन के परिणामस्वरूप एक अत्यन्त महत्त्वपूर्ण उपलब्धि यह हुई कि अब विज्ञान को प्रकृति का पूर्वमान्यतारहित दर्शन कहा जा सकता है। उदाहरणत: हमने पीछे 'प्रकृति तत्त्व' अध्याय में प्रकृति के भौतिक आयाम के सम्बन्ध में जो कुछ कहा है वह इस अध्याय में निरूपित विज्ञान की

विषयभूत प्रकृति से विसंगत नहीं है, और हमारा वह निरूपण एक तत्त्वमीमांसीय समग्र सिद्धान्त का अंग है। यह सही है कि आधुनिक विज्ञान में विकल्पित प्रकृति प्लेटो या अरस्तू की, अथवा **क्रिटीक् ऑफ जज्मेंट** के कांट की, अथवा साँख्य और वेदान्त की प्रकृति से मूलत: भिन्न है, क्योंकि इन सबमें प्रकृति भाव्यात्मक है जबकि आधुनिक विज्ञान में यह यान्त्रिक है। किन्तु विज्ञान की यह सिद्धान्त–दृष्टि इन दार्शनिकों की प्रकृति–विषयक सिद्धान्त–दृष्टि के समकक्ष है, अरस्तू के उल्लिखित प्रकार की नहीं।

किन्तु जैसाकि हमने पीछे कहा, बहुतसे उत्साहियों ने तत्त्वमीमांसा के इस उपक्षेत्र को उसका समग्र क्षेत्र मान लिया है और परिणामस्वरूप आधुनिक पश्चिम में बहुतसे सांस्कृतिक विकार उत्पन्न हुए हैं, और पश्चिम के राजनैतिक तथा आर्थिक प्रभुत्व के कारण दूसरे बहुत–से समाजों में भी हुए और हो रहे हैं। विज्ञान के क्षेत्र का यह अनधिकृत विस्तार चेतना का भौतिक में अन्तर्भाव करने के रूप में हुआ जिसके परिणामस्वरूप मनुष्य की मनोमूलक और अतिमानसिक अभीप्साएँ सब इस क्षेत्र में ले ली गईं और परिणामस्वरूप समाज–विज्ञान, मनोविज्ञान आदि–आदि भ्रामक पदों के वाच्य पदार्थों का आविष्कार हुआ। किन्तु क्षेत्र का यह अनधिकृत विस्तार विज्ञान की कोई अपनी अपेक्षा से नहीं है बल्कि एक बाहरी सांस्कृतिक वस्तुस्थितिमूलक है : पश्चिम ने विज्ञान की प्रकृति–स्वरूप–विषयक दृष्टि को इस दृष्टि की व्यावहारिक सफलता के कारण एक समग्र दृष्टि मान लिया और इस प्रकार युक्त समग्र–दृष्टियों को विकृत कर दिया। किन्तु स्वयं विज्ञान की प्रकृति–विषयक दृष्टि क्या है, यह निर्णय दर्शन ने किया, और इस निर्णय में अधिक प्रभावशाली अनुभववादी रहे। किन्तु जैसाकि हमने ऊपर देखा, यह दृष्टि विज्ञान की वास्तविक दृष्टि से संगत नहीं थी।

कला-तत्त्व

इन अन्तिम तीन अध्यायों के विषय : इतिहास, विज्ञान और कला : इस पुस्तक के प्रथम अध्याय : दर्शन : के समकक्ष हैं और शेष अध्यायों के विषयों से मूलत: भिन्न हैं। एक प्रकार से ये ज्ञान के चार रूप या आयाम कहे जा सकते हैं, यद्यपि अधिकांश लोग कला और दर्शन को ज्ञानात्मक नहीं मानते। एक महत्त्वपूर्ण अर्थ में कला ज्ञानात्मक है भी नहीं। यह अर्थ है तर्क-युक्ति-पूर्वक किसी निर्णय या निष्कर्ष पर पहुँचना। यद्यपि कला में युक्तता उतनी ही स्वरूपगत और नियामक रहती है जितनी ज्ञान की अन्य तीन विधाओं में, किन्तु वह तार्किक प्रकार की नहीं होती। 'ज्ञानात्मक' शब्द का यह सीमित प्रयोग भी बहुत व्यापक अर्थ में है, जिसके अनुसार दर्शन और कला-समीक्षा उतने ही ज्ञानात्मक हो जाते हैं जितना विज्ञान और इन्द्रियगोचर विषय-सम्बन्धी कथन। किन्तु इस व्यापक परिभाषा से भी कला ज्ञानात्मक के वर्ग में नहीं आती। इस कारण इसे एक-दूसरे वर्ग में रखा जाता है जिसे रसात्मक या भोगात्मक कहा जाता है। रस या भोग चेतना का विषय से निरपेक्ष व्यापार है। इस व्यापार के क्रम में चेतना अपने अनुकूल विषय की सृष्टि भी कर सकती है, जैसे स्वप्न में, बाह्य विषय को भी प्रस्तुत कर सकती है, जैसे खाद्य या पेय वस्तु को, किन्तु इस सर्जन या प्रस्तुतीकरण में विषय अपनी इदन्ता या वस्तुता में प्रतिष्ठित नहीं होकर आस्वादन में उपयोगी के रूप में सन्निविष्ट होता है। दिवास्वप्न इसका एक उत्कृष्ट उदाहरण है : इस अवस्था में चेतना सायास अवास्तव विषयों की सृष्टि करती है। यद्यपि यह सही है कि वह इस आयास पर यथासम्भव सम्मोहन का आवरण भी डालती है, और जहाँ तक यह ऐसा कर पाती है वहीं तक यह उपभोग में समर्थ भी होती है, किन्तु तब भी विषय की वास्तविकता वहाँ अभीष्ट ही होती है, सिद्ध या प्रदत्त नहीं। इसका और अधिक पुष्ट रूप बच्चों द्वारा सायास कल्पित वस्तुस्थिति में वास्तव स्थिति के समान व्यवहार में दृष्टिगत होता है, जिसमें बच्चा मनोरंजन अथवा आवेग-व्यय के लिए वस्तुस्थिति की सायास कल्पना करता है और उसके कल्पना होने को सायास विस्मृत कर देता है। किन्तु बच्चे को यह वस्तु-आक्षेप और विस्मरण दोनों की सायासता विदित रहती है। उस पर जो आवरण रहता है उसे मोदावरण कहा जा सकता है। इसी प्रकार स्वप्न में भी आक्षेप और विस्मरण होता है : मनोविश्लेषकों का कहना है कि स्वप्न में भी ये दोनों व्यापार सायास ही होते हैं। किन्तु स्वप्न अनायास होने पर भी यह एक आधारभूत अर्थ में बालक के मोदावरण से समानता रखता है और प्रत्यक्ष तथा निर्णय से भिन्न होता है। वह अर्थ यह है कि ज्ञान-व्यापार जबकि चित्त का अतिक्रामी व्यापार है और उसका विषय अतिक्रामी आक्षेप, इसके विपरीत स्वप्न और मोदावरण दोनों चेतनामूलक : अन्त:करणमूलक : व्यापार होते हैं। दूसरे शब्दों में इन्हें हम मनोवैज्ञानिक क्रियाएँ कह सकते हैं। इस प्रकार सायास नहीं होने पर भी स्वप्न को मोदावरण कहा जा सकता है, यद्यपि मनोविश्लेषकों के साथ यह कहना अधिक उपयुक्त प्रतीत होता है कि यह सायास ही होता है, यद्यपि इसमें आयास पूर्णत: अविदित रहता है।

मोदावरण की ये स्थितियाँ : दिवास्वप्न, बाल-कल्पना और स्वप्न : ज्ञानात्मक के विपरीत भोगात्मक कही जा सकती हैं। जैसाकि हमने पीछे कहा, भोजन-पान आदि भी भोगात्मक ही होते हैं, किन्तु इन दो प्रकार के भोगों में यह अन्तर किया जा सकता है कि प्रथम जबकि अन्त:करण मूलक हैं, दूसरे ऐन्द्रिक हैं। इनमें केवल प्रथम प्रकारक भोगों का ही सम्बन्ध भावना से है।

भावना क्या है? स्थूल रूप से इसे संस्कार में उपचरित आवेग कह सकते हैं। इन संस्कारों में मूल्यात्मक संस्कार भी सम्मिलित होते हैं। इस प्रकार रसमीमांसा में परिगणित स्थायी भावों को आवेगों के रूप में नहीं देखना चाहिए, जैसे घट को मिट्टी के रूप में नहीं देखना चाहिए। उदाहरणत: शृंगार का स्थायी भाव प्रेम के बजाय रति कहने में संस्कार-पक्ष की उपेक्षा है और आवेग या वासना-पक्ष को अतिरिक्त महत्त्व दिया गया है। इसका प्रभाव

संस्कृत और प्राचीन हिन्दी-काव्य पर दृष्टिगत भी होता है। किन्तु इस पर हम यहाँ विचार नहीं करेंगे। यहाँ महत्त्वपूर्ण यह देखना मात्र है कि भावना संस्कारित वासना या आवेग होती है।

कला भावनामूलक होती है और वास्तव को लक्षित नहीं कर विषय का कल्पना द्वारा आक्षेप करती है। किन्तु दिवास्वप्न आदि से इसमें यह भेद रहता है कि इसमें कल्पनाक्षेप कलाकार की ओर से मोदावरण सहित नहीं होता। वह अपनी कृति में अवश्य मोदावरण-जनकता संपुटित करना चाहता है : वास्तव में यह किसी भी कल्पना-सृष्टि के लिए अनिवार्य पूर्वापेक्षा है : किन्तु स्वयं कलाकार मोदावृत नहीं होता, जिसका अर्थ है कि कलाकार की कल्पना-सृष्टि भावना के उपभोग के लिए नहीं होती। इस प्रकार कला जहाँ एक ओर ज्ञानात्मक नहीं है वहाँ दूसरी ओर यह भोगात्मक भी नहीं है। कलाकार भावना के भोगित्व का प्रेक्षकत्व में अतिक्रमण करता है और उसकी भावना और भोगित्व उसके लिए उस लोक को व्यंजित और उद्घाटित करते हैं जो लोक अन्यथा इनमें अव्यक्त रहता है। तब वास्तव में वह अपनी कृति में भी मोदावरण-जनकता दर्शक या श्रोता को भावना का भोग कराने के उद्देश्य से संपुटित नहीं करता बल्कि उस अर्थ के दर्शन के लिए तत्परता उत्पन्न करने के लिए करता है जो अर्थ भोगात्मक है। द्रष्टव्य है कि यह प्रेक्षकत्व न वस्तुलोक का होता है और न प्रत्यय-लोक का, यह प्रेक्षकत्व विषयिगत अर्थों का उनकी विषयिता में ही होता है। विषयित्व चैत्त घटना या अस्तित्व है : जैसे संवेद, आवेग, भावना, विचार आदि। जब हम किसी निर्णय या दृष्टि के सम्बन्ध में कहते हैं कि वह 'विषयिनिष्ठ' है तब यह विषयिता ही अभिप्रेत होती है। यह विषयिता दृष्टि को ठीक ही उपरंजित और सम्मोहित करती कही जाती है, किन्तु विमर्श-बुद्धि के लिए यह सम्भव होता है कि वह इस घटना की अन्तर्वस्तु को उद्गृहीत कर उसके तत्त्व का विमर्श कर सके। यह विमर्श विषयरूपेण भी सम्भव होता है और विषयिरूपेण भी। कला में यह विषयित्व का विषयित्व में ही विमर्श होता है, विषयत्व में नहीं। इस विमर्श में दृष्टि विषयित्व से उपरंजित नहीं होती, वह विषयित्व का विषयित्व की वृत्ति या उपाधि से मुक्त होकर अवगमन करती है। इस प्रकार दृष्टि-विषय बनी विषयिता अपने अर्थों का जिस प्रकार उन्मेष करती है उसका रूप विषयगत अर्थों के उद्घाटन से नितान्त भिन्न प्रकार का होता है। उदाहरण के लिए संगीतकार इस अर्थबोध को व्यक्त करने के लिए ध्वनि के उपादान में आकार की सृष्टि करता है। यह आकार विषयिनिष्ठ, दूसरे शब्दों में यादृच्छिक, नहीं होता, बहुत बार कलाकार को समुचित आकार की उपलब्धि के लिए बहुत साधना करनी होती है, अथवा उसकी दृष्टि सहज रूप से ही स्पष्ट होती है और वह भावनागत अर्थों और उनके अनुरूप आकारों का सहज ही प्रत्यक्ष कर लेता है और हम कहते हैं कि यह उसके पूर्वजन्म-संचित संस्कारों का फल है। किन्तु यह सपष्ट है कि भावना के अर्थावगमन और उसकी तदुपयुक्त अभिव्यक्ति के लिए कलाकार को विषयिता से उतना ही मुक्त होना होता है जितना वैज्ञानिक को : वैज्ञानिक देश-काल में निर्विशिष्ट : विषय-निष्ठ : स्थिति सिद्ध करना चाहता है। इसीलिए अन्यत्र हमने कला की परिभाषा 'विषयिगत का विषयिगत सामान्य के रूप में अवगमन' की थी।[1] 'सामान्य' से यहाँ अभिप्राय 'किसी भी विषयिता' से नहीं है, बल्कि उस तत्त्व से है जो विषयिता में उपलक्षित होता है।

कला को विषयितामूलक और भावनामूलक कहने में यह अर्थ नहीं है कि कलाकार अपनी भावनाओं से उदीरित होकर उनके अर्थों का ही विमर्श करता है। एक सीमा तक गीत-काव्य में, और कला की अन्य विधाओं में अवसर विशेष पर, ऐसा भी होता है कि कलाकार अपनी उदीरित भावनाओं का विमर्शक होता है, किन्तु अधिकांशत: तो वह आत्म-निरपेक्ष किन्तु विशिष्ट विषयिता से तदात्म होकर उसमें अन्तर्निहित अर्थों का प्रत्यक्ष करता है। उदाहरण के लिए नाटककार या उपन्यासकार अपनी भावनाओं का विमर्श नहीं करता है। कुछ कहना चाहेंगे कि वह पात्रों पर अपनी भावनाओं का आक्षेप करता है। किन्तु वास्तव में ऐसा भी नहीं है। वह वास्तव में वहाँ एक भावनात्मक साक्षात्कार का चरित्रों के माध्यम से विमर्श करता है, जो चरित्र अपनी विषयिता को तादात्म्यक साक्षात्कार के लिए कलाकार पर प्रकाशित करते हैं : यहाँ होता यह है कि वह भावनात्मक रूप से

1. **चिद्विमर्श** में 'कला-सर्जन' अध्याय।

उदीरित होकर वस्तुस्थितियों के आन्तर अर्थों का प्रज्ञात्मक साक्षात्कार करता है। इसी से उन वस्तुस्थितियों को व्यक्त करने के लिए प्रयुक्त भाषा कथनात्मक नहीं होकर व्यंजनात्मक होती है, चित्र अनुकृत्यात्मक नहीं होकर वास्तव व्यक्ति के चित्रण के प्रसंग में चरित्रगत अर्थ का व्यंजक होता है और भाव-चित्रण के प्रसंग में वह भाव-संकेतात्मक होता है। यही बात मूर्त्ति के सम्बन्ध में भी कही जा सकती है। उदाहरणत: बुद्ध की या नटराज की मूर्त्ति भावचित्रणात्मक है। द्रष्टव्य है कि कला की इन तीनों विधाओं में साक्षात्कारात्मक प्रज्ञा अपने अवगत अर्थ की अभिव्यक्ति के लिए विषयता को माध्यम बनाती है, किन्तु विषयता वहाँ इस प्रज्ञा की उपयुक्त माध्यम होने के लिए अपने को रूपान्तरित कर लेती है। उदाहरण के लिए इतिहास और ऐतिहासिक उपन्यास को लें। यद्यपि इतिहास मुख्यत: वर्णनात्मक नहीं होकर निर्वचनात्मक (इंटर्प्रिटेशनल) और रचनात्मक ही होता है, किन्तु उसका मुख्य उद्देश्य वर्णन ही होता है और उसमें निर्वचन और रचना क्षीण वर्णनात्मक सामग्री की न्यूनता की पूर्ति के लिए ही होते हैं। वास्तव में ये दोनों तत्त्व हमारे इन्द्रिय-विषय-ग्रहणों में भी बहुत अधिक मात्रा में रहते हैं, किन्तु वहाँ भी विषय की बाह्य सत्ता का उपकार ही इनका लक्ष्य होता है। इसी से इतिहास और ऐन्द्रिय प्रत्यक्ष हमारे विषयात्मक ज्ञान के आदर्श माने जाते हैं। इसके विपरीत उपन्यास में पात्र, देश तथा काल कल्पित या अप्रासंगिक होते हैं और इस प्रकार इसमें वर्णनात्मकता और ज्ञानात्मकता आरम्भ से ही निषिद्ध रहती है। यद्यपि कुछ उपन्यास पात्रों के नामान्तर से वास्तविक जीवन-वृत्त ही प्रस्तुत करने का दावा करते हैं, किन्तु यह नामान्तरण लेखक और पाठक दोनों को विषयिता से मुक्त भी करता है : लेखक विषयितात्मक अर्थ की व्यंजना के उपकार के लिए विषयात्मक वास्तविकता को छोड़ सकता है और पाठक की विषय-निबद्ध चेतना इससे आहत नहीं होती। किन्तु ऐतिहासिक नाटकों, उपन्यासों या महाकाव्यों में नामान्तरण भी नहीं होता और वास्तविकता को भी यथासम्भव अक्षुण्ण रखा जाता है, किन्तु तब भी नाटक या उपन्यास इतिहास नहीं होते। नाटककार या उपन्यासकार इतिहास में से किसी ऐसी घटना या चरित्र का चयन करता है जो चारित्रिक गौरव, मूल्य-निष्ठा या आनुभूतिक मार्मिकता को व्यंजित कर सकती हो, और तब उसके भावनात्मक अर्थ के अन्तर में प्रतिष्ठित होकर उसे प्रस्तुत करता है। इतिहास वहाँ एक प्रकार से वही प्रयोजन सिद्ध करता है जो दिवास्वप्नगत मोदावरण सिद्ध करता है : दिवास्वप्न में यह आवरण जबकि अवस्तु की वस्तु-कल्पना के रूप में होता है, यहाँ वस्तुता को ही अपना लिया जाता है; यद्यपि वास्तव में वह निषिद्ध रहती है। इस प्रकार उपन्यास-लेखक अपने कथानक के लिए किन्हीं वास्तविक व्यक्तियों अथवा ऐतिहासिक घटनाओं को कोई सूचना या जानकारी देने के लिए, किसी अज्ञात तथ्य को प्रकट करने के लिए, नहीं चुनता बल्कि वह उनमें किसी विषयिमूलक अर्थ की व्यंजना देखता है और उसके अनुसार उन विषयात्मक घटनाओं या चरित्रों का कल्पना में नव सर्जन करता है।

किन्तु इसका यह अर्थ नहीं है कि एक काव्य कोई एक भावना, या एक सम्बन्ध अथवा सम्बन्धित चरित्रों को ही निरूपित करता है; वास्तव में उपन्यास या महाकाव्य में जितनी ही जटिलता और व्यापकता होती है उतना ही वह महत् होता है : **रामचरित मानस** इसका उत्कृष्टतम उदाहरण है। उसकी व्यापकता अन्यत्र दुर्लभ है, उसमें प्राय: सभी स्थायिभाव और असंख्य प्रकार के चरित्र हैं। किन्तु वास्तव में उसमें निरूपित ये सभी भाव और चरित्र एक अन्य भाव के अनुषंगी हैं और वह है धर्म-भाव। किन्तु टाल्स्टाय के उपन्यास **युद्ध और शान्ति** में इस प्रकार किसी एक भावना की बात भी नहीं की जा सकती। वहाँ केवल एक विषयवस्तु है जो विभिन्न पात्रों की विषयिता के माध्यम से अपने को व्यक्त करती है। इस उपन्यास को दो विशेषताएँ इतिहास से पृथक् करती हैं, एक है विषयिमूलकता और दूसरी है पात्रों की और कथानक की काल्पनिकता। वैसे इनमें से कोई एक भी तत्त्व किसी कथा को इतिहास से पृथक् कर देता है, किन्तु उसके साहित्य होने के लिए दोनों आधारभूत होती हैं।

किन्तु द्रष्टव्य है कि जबकि विषयिता अनिवार्यत: वास्तव और विशिष्ट होती है, काल्पनिकता वास्तवता की और अवास्तवता विशिष्टता की प्रतिषेधक होती है। विषयिता का एक आधारभूत लक्षण 'जीवन-लीला' है : विचार—जो मैंने विचारा है, प्रेम—जो मैंने किया है, अनीति—जिसकी ग्लानि से मैं खिन्न हूँ। यह 'मैं' काल्पनिक नहीं हो सकता, काल्पनिक होते ही यह 'मैं' नहीं रहता। किन्तु इसके कला का विषय होने के लिए इस

असम्भवता को घटित होना होता है : जीये जा रहे, भोगे जा रहे 'मैं' को कल्पित होना होता है। यही चित्त द्वारा विषयिता : भव : में विषयिता का अवगमन है। यहाँ कहा जा सकता है कि, जबकि उपन्यास के पात्र एक-साथ उपभुक्त विषयी और कल्पित होते हैं, आत्मकथा या परकथा के पात्र काल्पनिक नहीं होते। किन्तु ऐसा नहीं है, आत्मकथा का विषयी भी काल्पनिक ही होता है, केवल औपन्यासिक पात्रों के विपरीत उसकी विषयता काल्पनिक नहीं होती : अर्थात् निरूपित घटनाओं के देश, काल और सम्बन्ध काल्पनिक नहीं होते, किन्तु वे आत्मकथा के मर्म के लिए प्रासंगिक भी नहीं होते। उदाहरण के लिए गाँधी जी द्वारा **सत्य के प्रयोग** में घटनाओं की उत्पत्ति की परिस्थितियाँ कोई महत्त्व नहीं रखतीं।

आत्मकथा का विषयी किस प्रकार काल्पनिक होता है? द्रष्टव्य है कि जीवनी वर्तमान को जीने में नहीं बल्कि अतीत के पुनरुज्जीवन में निहित होती है। अब, जबकि केवल वह घटना ही स्मृत कही जाती है जो अपने जीवन में घटित हुई हो, स्मृति में उस घटना का केवल आकार ही प्रदत्त होता है, वह अनुभव नहीं जो उसकी अन्तर्वस्तु होता है। किन्तु घटना का आकार निर्विशिष्ट होता है, इसी कारण बहुत बार हम कल्पित या दूसरे के द्वारा बतायी हुई घटना का भी अपने साथ घटित के रूप में स्मरण कर लेते हैं। इस प्रकार स्मृति में घटनाओं का अन्तरंग प्रस्तुत नहीं होता, केवल बाह्य विषयता ही प्रस्तुत होती है। किन्तु यदि किसी घटना को हम अपने जीवन के आलोचक के रूप में देखते हैं तब एक दूसरी बात होती है, तब हमें यद्यपि उस घटना की अन्तर्वस्तु प्रदत्त नहीं होती, जिसके प्रस्तुत होने का अर्थ है हमारा उस घटना में पुन: घटित होना, किन्तु तब उसका केवल आकार भी प्रस्तुत नहीं होता, तब हम या तो उस घटना की भावना में अधिष्ठित होते हैं अथवा उसकी मूल्य-पर्येष्टृता में। किन्तु आत्मकथा-लेखक की स्थिति अपने अतीत के साधारण आलोचक की स्थिति से कुछ और भिन्न होती है, वह अपने अतीत को अपने सम्पूर्ण जीवन की योजना में, जिसमें अपना भविष्यत् भी सम्मिलित होता है, देखता है और उसके साथ अन्तरंग आलोचक के रूप में भावनात्मक तादात्म्य में स्थित होता है। किन्तु इसमें वह पर-जीवनी-लेखक और उपन्यास-लेखक से भिन्न स्थिति में नहीं होता, सिवाय इस बात के कि पिछली दो स्थितियों में, विशेषत: उपन्यास-लेखक की स्थिति में, वह (लेखक) मुख्यत: पर्येष्टृ नहीं होकर भावक होता है, जबकि पर-जीवनी-लेखन में वह एक-साथ आलोचक और भावक होता है, किन्तु पर्येष्टृ सर्वथा नहीं होता। यहाँ उपन्यास-लेखक को मुख्यत: 'भावुक' कहने के तात्पर्य की व्याख्या अपेक्षित हो सकती है : 'भावक' का अर्थ है भावना का तटस्थ भोक्ता—उपन्यास-लेखक अपने पात्रों की भावनाओं का भोक्ता होता है। यह बात पहली दृष्टि में बहुत अटपटी लग सकती है, क्योंकि पात्र वास्तव में तो होते ही नहीं, वे कल्पित होते हैं और परिणामत: उनकी भावनाओं के वास्तव होने का प्रश्न ही उत्पन्न नहीं होता। किन्तु वास्तव में इसमें कुछ अटपटापन नहीं है। यह सही है कि उपन्यास के पात्र कल्पित होते हैं किन्तु तब भी यह सही है कि उपन्यासकार उनके साथ भावनाओं का सहभोक्ता होता है। इसे यों भी कह सकते हैं कि ये पात्र विषय-रूपेण वास्तव नहीं होते किन्तु विषयिरूपेण वास्तव होते हैं और कवि (उपन्यासकार) उनकी इस वास्तवता में सहजीवी होता है। द्रष्टव्य है कि एक लेखक अपने पात्रों की सृष्टि करता है और यह आवश्यक नहीं है कि उनमें से कोई एक भी पात्र लेखक की अपनी विषयिता के अनुरूप हो : उदाहरण के लिए प्रेमचन्द का कोई भी पात्र उसके अनुरूप नहीं था : इतना ही नहीं, वह अपने से नितान्त विरूप पात्रों की भी सृष्टि करता है और उनका सहजीवी होता है। ऐसा सम्भव होता है यह बात विषयिता और कला के सम्बन्ध में एक बहुत महत्त्वपूर्ण तथ्य है। यह इस बात का द्योतक है कि चेतना विषयिता का विषयिता-सामान्य के रूप में अवगमन कर सकती है, और कला में यही होता है। किन्तु द्रष्टव्य है कि विषयिता-सामान्य विषयता-सामान्य के अनुरूप नहीं होती : विषय-विशेष जबकि इन्द्रिय-ग्राह्य अस्तित्व होता है, विषय-सामान्य बुद्धि-ग्राह्य तत्त्व, जो अस्तित्व-रहित होता है। इसके विपरीत विषयिता विशेष और सामान्य दोनों रूपों में अन्तर्भुक्त होती है। विषयि-सामान्य वह विषयि-विशेष होता है जो वास्तव नहीं होकर कल्पित होता है। किन्तु यहाँ यह भी द्रष्टव्य है कि यह काल्पनिकता विषयी की असत्ता की वाचक नहीं होकर केवल उसके अनस्तित्व की वाचक है और परिणामत: कल्पित विषयी 'कोई भी व्यक्ति या विषयी' नहीं होकर उतना ही विशिष्ट, निर्धारित और भावित होता है जितना वास्तव विषयी, अन्तर केवल यह होता है कि उसकी विषयिता अहंकारोपहित नहीं

होती। उदाहरणत: दुष्यन्त **अभिज्ञान शाकुन्तलम्** का एक पूर्णत: विशिष्ट विषयी है और उन सबके लिए समान रूप से भावनीय है जो उसके साथ तादात्म्य स्थापित कर सकते हैं, किन्तु वह कल्पित और अवास्तव होने से अहंकार-मुक्त है और केवल उसी के लिए, और ऐसे किसी के भी लिए, भावनीय है जो निरहंकार विषयिता में प्रतिष्ठित हो सकता है। विषयिता की यह एक महत् अचरजपूर्ण बात है कि जबकि वास्तवता में चित्त केवल एक व्यक्तित्व को ही धारण करता है, यह धारित व्यक्तित्व उन असंख्य सम्भव व्यक्तियों में से एक होता है जो चेतना में स्थगित या निषिद्ध रूपेण रहते हैं। इन सम्भव व्यक्तियों में वे भी सम्मिलित होते हैं जो अन्यत्र वास्तव होते हैं : जैसे मेरे लिए डॉ. गोविन्दचन्द्र पाण्डे, डॉ. दयाकृष्ण आदि हैं : और वे भी जो सर्वत्र अवास्तव होते हैं, जैसे लेखक और पाठक के लिए उपन्यास के पात्र। पीछे 'मानव-तत्त्व' अध्याय में हमने व्यक्ति को चित्त द्वारा आक्षिप्त आत्म-प्रतिमा के रूप में परिभाषित किया था। उसके साथ उतनी ही महत्त्वपूर्ण बात यह है कि यह आक्षेप वरणात्मक होता है और यह वरण असंख्य वरणीय और अवरणीय आत्म-प्रतिमाओं में से एक होता है। इस वरण का यह अर्थ नहीं है कि वरित और अवरित प्रतिमाएँ चित्त से पृथक् सत्ताएँ होती हैं, जैसे साँख्य में प्रकृति है, ये केवल स्वतन्त्र सृष्टियाँ और वृत्तियाँ ही होती हैं, इसीलिए ये विषयात्मक नहीं होकर विषयि-आत्मक होती हैं। यहाँ अवान्तरत: यह देखना भी अस्थाने नहीं होगा कि साँख्य में भी व्यक्तित्व चित्परक और स्वतन्त्र सर्जन ही है, वह प्राकृतिक नहीं है। यहाँ कहा जा सकता है कि यदि व्यक्तित्व स्वतन्त्र सर्जन है तब उसे वरण कहना युक्त नहीं है, और वह भी असंख्य विकल्पों में से एक का वरण। वास्तव में यह तर्क सही होता यदि यह सांवृतिक : औपाधिक : वस्तुविषयक स्तर की बात होती, किन्तु यह अतिक्रामी वस्तु-विषयक स्तर की बात है। इसे अध्यवसाय या विचार के उदाहरण से समझना सहायक होगा। एक अध्यवसाय एक तथ्य को आविर्भूत करता है, जैसे 'यह गाय है' कथन में, और तथ्य का यह आविर्भाव असंख्य सम्भव आविर्भावों में से एक का वरण और अन्य असंख्य का स्थगन करता है। यह अध्यवसाय एक-साथ स्वतन्त्र सर्जन भी होता है और वरण भी, सर्जन इसलिए क्योंकि अध्यवासाय का यह कर्म अकारण और आद्य होता है और तत्कृत आविर्भाव अपूर्व होता है : संवेद को यदि प्रदत्त भी मानें तो भी उसे अध्यवसाय का अंशत: निर्धारक तो कहा जा सकता है, कारक नहीं : और वरण इसलिए क्योंकि यह कर्म उन तथ्यों में से किसी को भी आविर्भूत कर सकता था जो तथ्य इस आविर्भाव के साथ स्थगित हो गए।

यहाँ आपत्ति हो सकती है कि अध्यवसाय को आद्य-अकारण कर्म कहना अयुक्त है, क्योंकि अध्यवसाय अध्यवसायी की मन:स्थिति और बाह्य कारकों का फल होता है। इसके सम्बन्ध में यहाँ इतना कहना ही अपेक्षित है कि प्रथमत: तो मनो-विज्ञान और भौतिक-विज्ञान अध्यवसाय को पूर्वापेक्षित करते हैं और दूसरे, अध्यवसाय का मूल अन्त:करण में नहीं होकर अतिक्रामी होता है। यह बात विचार के सम्बन्ध में और भी स्पष्ट है : विचार एक युक्ति-व्यवस्था का स्वतन्त्र सर्जक होता है, जो सर्जन अपने आविर्भाव के साथ असंख्य अन्य वैकल्पिक व्यवस्थाओं को स्थगनपूर्वक आविर्भूत करता है। अध्यवसाय और विचार का यह स्वरूप होने के कारण ही यह सम्भव होता है कि चाहने पर हम अन्य अध्यवसायों और व्यवस्थाओं का उनकी अवास्तवता में निरीक्षण कर सकते हैं। यह व्यष्टित्व के आविर्भाव की अनिवार्यता है कि वह चित्त में सब सम्भव व्यष्टित्वों के सहित ही आविर्भूत होता है, वे लोक में चाहे अस्तित्व ले पायें या नहीं ले पायें। व्यष्टित्व का आविर्भाव अभिन्न चित्-सत्ता का भिन्न होना होता है, इसलिए सब व्यष्टि-विषयिताएँ चित्त के लिए पारदर्शी और आन्तरत: अवगम्य तथा भोग्य होती हैं। इसलिए यह कहना कि कवि और पाठक या दर्शक पात्र के साथ तादात्म्य स्थापित करते हैं, इस तथ्य को अव्याख्यायित ही छोड़ देता है कि विषयी और विषय में तादात्म्य कैसे सम्भव है, अथवा यदि दोनों को विषयी भी मानें तो दो भिन्न विषयियों में तादात्म्य कैसे सम्भव है? यहाँ अभिनवगुप्त के साधारणीकरण-सिद्धान्त का उल्लेख उपयोगी होगा जो एतद्विषयक भारतीय मतों में सबसे अधिक सूझपूर्ण है। उसके अनुसार—"सर्वप्रथम सहृदय काव्यात्मक शब्द को सुनता है। उसको सुनने से उसे काव्यार्थ का बोध होता है, काव्यार्थ-बोध से सहृदय की सहृदयता जग जाती है तथा काव्यात्मक शब्द में रहने वाली व्यंजना (भावना) भी क्रियाशील हो जाती है। सहृदयता तथा काव्य-शक्ति की महिमा से सम्पूर्ण काव्यार्थ साधारणीकृत हो जाता है, अर्थात् शकुन्तला आदि के

विशेष-विशेष रूप आवृत हो जाते हैं और उनके साधारण रूप सम्मुख आते हैं। इस साधारणीकरण के साथ ही वह सब विभावानुभावादि भी सहृदय के हृदय में प्रविष्ट होकर भावमय बन जाते हैं।"[1] दूसरे शब्दों में, अभिनवगुप्त के अनुसार शकुन्तला नारि-सामान्य के लिए संकेत बन जाती है। यहाँ इस बात को छोड़ते हुए कि इस उद्धरण में, और सम्पूर्ण अभिनवगुप्त में भी, अनेक आधारभूत पद अव्याख्यायित हैं, प्रश्न होगा कि यदि शकुन्तला नारि-सामान्य के लिए संकेत बन जाती है तो फिर सीता किसके लिए संकेत बनती है? दोनों नारि-सामान्य के लिए किस प्रकार संकेत बन सकती हैं? तब संशोधन किया जा सकता है कि नहीं, शकुन्तला प्रेमिका-सामान्य के लिए और सीता पत्नीत्वादर्श के लिए संकेत बनती है। किन्तु तब वे विषयात्मक सामान्य हो जायेंगी और व्याप्ति द्वारा पर-हृदय-ज्ञान के लिए आधार होंगी। अन्तर केवल यह होगा कि यह अनुमान पाठक के हृदय को उद्वेलित करेगा, बहुत कुछ उसी प्रकार जिस प्रकार आधुनिक पाश्चात्य अनुभववादियों के सिद्धान्त के अनुसार दूसरे का पीड़ा से तड़पना (व्यवहार) हमें उसकी पीड़ा का विषयात्मक अनुमान देता है और यह अनुमान हमारे मन में दया, वेदना आदि का उद्दीपन करता है। किन्तु यह सिद्धान्त ठीक नहीं है, शकुन्तला नारि-सामान्य के लिए संकेत नहीं बनती, वह अखण्ड रूप से विशिष्ट व्यक्ति : शकुन्तला : ही रहती है, और उसके चरित्र का अभिनय करने वाली वास्तव अभिनेत्री में यह अवास्तव विशिष्ट, अर्थात् विषयता से विरहित विषयी, उसी प्रकार व्यंजित होता है जिस प्रकार शब्द से अर्थ। इस प्रकार सामान्यीकरण या साधारणीकरण शकुन्तला का नहीं होता, वह होता है तो लेखक और पाठक का, किन्तु इस रूप में कि वह अपने अहंकार से मुक्त होकर शकुन्तला, दुष्यन्त, कण्व, हरिण सबके साथ उनकी विशिष्ट विषयिताओं में संक्रमित हो सकता है। यहाँ एक और महत्त्वपूर्ण तथ्य की ओर ध्यान आकर्षित करना स्थाने होगा : काव्य-लेखक के लिए यह भी सम्भव नहीं होता कि वह कोई सामान्य संदेश भी दे सके। उदाहरण के लिए, मान लें कि कोई नाटककार प्रेम-विवाह की असफलता दिखाना चाहता है। अब, इस सामान्य प्रतिज्ञप्ति की सत्यता वह विशेष चरित्रों के माध्यम से ही दिखा सकता है। ये चरित्र विशेष होने से वहाँ केवल विशेष प्रकार के व्यक्तियों के विशेष सम्बन्ध और उनकी विशेष परिणति ही दिखा सकता है। अब, नाटक की समाप्ति पर यदि वह मंच पर आकर कहता है कि, "तो इस प्रकार यह सिद्ध हुआ कि प्रेम-विवाह कभी सफल नहीं हो सकता" तो दर्शक कह सकता है कि, "क्यों नहीं हो सकता? यदि रमेश उतना तेज स्वभाव का नहीं होता और थोड़ी समझदारी दिखाता तो अनुराधा उससे उस प्रकार खिन्न नहीं होती!"

इसी प्रकार दूसरी कलाओं में भी होता है : मान लें कि चित्रकार वार्द्धक्य को चित्रांकित करना चाहता है; तब वह क्या करता है? यह द्रष्टव्य है कि हम आकृतियों को व्यक्ति-विशेष की आकृतियों के रूप में भी देखते हैं और भाव के निर्वैयक्तिक अभिव्यंजक संकेतों के रूप में भी। आकृति-विशेष भाव की निर्वैयक्तिक अभिव्यंजक तब होती है जब वह दर्शक के लिए किसी प्रस्तुत व्यक्ति से सम्बन्ध छोड़कर निर्विशिष्ट आकृति मात्र में रूपान्तरित हो जाती है—उदाहरणत: अजन्ता के भित्ति-चित्र, या बेन्द्रे के चित्र। किन्तु यह रूपान्तरण ज्यामितिक आकृतियों के रूपान्तरण के समान नहीं होता जिसमें ब्लैक बोर्ड पर त्रिकोण-विशेष का आरेखन मूलत: त्रिकोण-सामान्य के रूप में ही होता है। प्रस्तुत वृद्ध की आकृति का निर्वैयक्तिक वृद्धाकृति में रूपान्तरण उसके द्वारा उद्दीप्त भावना के भावना-दृष्टि में रूपान्तरण के द्वारा होता है जो भावना-दृष्टि वृद्धाकृति को संकेत बनाकर वार्द्धक्य की अनवच्छिन्न विषयिता का साक्षात्कार करती है। किन्तु पुन:, यह साक्षात्कृत अर्थ उद्गृहीत सामान्य (एब्स्ट्रेक्ट यूनीवर्सल) नहीं होता, यह ठोस और सजीव होता है, सामान्य यह इस अर्थ में होता है कि यह देश-कालानवच्छिन्न होता है। यही बात चित्रित वास्तव आकृति के लिए भी सत्य होती है। द्रष्टव्य है कि जब चित्रकार किसी वास्तव व्यक्ति का चित्र बनाता है तब विशिष्ट आकृति अपने वैशिष्ट्य में ही चित्रणीय होती है, किन्तु इस अन्तर के साथ कि उसका गोचर रूप नहीं बल्कि अभिव्यंग्यार्थ चित्रणीय होता है, वह व्यक्तित्व चित्रणीय होता है जो दैहिक आकृति को आश्रित कर अपने को व्यक्त करता है। एक चित्रकार की महत्ता आकृति-व्यंजित व्यक्तित्व के साक्षात्कार की गहराई, उस

1. चिन्मयी माहेश्वरी कृत — **रसगंगाधर : एक समीक्षात्मक अध्ययन** में पण्डितराज जगन्नाथ कृत रसगंगाधर से उद्धृत और अनूदित, पृ. 27.

साक्षात्कृत व्यक्तित्व के चित्रण के लिए उपयुक्त प्रतीकों और संकेतों के प्रातिभ साक्षात्कार की स्फुटता तथा उस साक्षात्कार और प्रातिभ को चित्रपट पर अंकित करने के कौशल में होती है। यद्यपि यह तीसरा पक्ष ही है जो लोक में प्रकट होता और दर्शक को प्रस्तुत होता है, किन्तु चित्र का तत्त्व प्रथम दो में होता है और वह चित्र उनकी महत्ता से ही महत् होता है। अब, इस आकृति द्वारा व्यंजित व्यक्तित्व यद्यपि कल्पित नहीं होता किन्तु वह वास्तव के किसी भी अर्थ में वास्तव भी नहीं होता : व्यक्तित्व एक अर्धचरितार्थ और अर्धस्फुट मूल्य-प्रत्यय होता है, परिणामत: उसको वास्तव कहने का कोई अर्थ नहीं बनता, इसलिए वह विषय-बुद्धिगम्य नहीं होता, वह केवल तत्त्व-साक्षात्कारी कल्पना-गम्य होता है, और क्योंकि यह तत्त्व विषयितात्मक होता है इसलिए इसका अवगमन चित्त की उस भूमि पर प्रतिष्ठित होकर होता है जो व्यक्तित्वों के सर्जन में उत्क्रमित होती है, अथवा कहें व्यक्तित्वों को संकल्पित करती है। जहाँ तक इस साक्षात्कार के व्यंजक प्रतीकों का सम्बन्ध है, यद्यपि ये व्यंग्य अर्थ से सम्बद्ध होते हैं किन्तु प्राय: ही ये संस्कार-सापेक्ष भी होते हैं, अर्थात् कलाकार किस प्रतीक-परम्परा से सम्बद्ध है इसके सापेक्ष; यद्यपि कभी-कभी कलाकार परम्परागत प्रतीकों को अनुपयुक्त भी पाता है और उन्हें त्यागने को बाध्य होता है, जो इस बात का द्योतक है कि प्रतीकों का अर्थ से सम्बन्ध केवल रूढ़ ही नहीं होता बल्कि सृजनात्मक और साक्षात्कारात्मक भी होता है। यही कारण है कि कौन-सा रंग कहाँ और कौन-सी रेखा कहाँ अभिप्रेत अर्थ को अधिक सम्यक् और प्रभावशाली रूप में व्यक्त करेगी, यह बोध अर्थ और प्रतीक में विद्यमान गुह्य सम्बन्ध को देख सकने की अन्तर्दृष्टि की अपेक्षा करता है। यद्यपि ये प्रतीक सांस्कृतिक परम्परारूढ़ होते हैं, किन्तु यह तथ्य उनकी यथार्थता की हानि नहीं करता, केवल उनकी औपाधिकता प्रकट करता है। इसीसे कवि को कभी-कभी उपयुक्त पद, या भंगी, या अलंकार की खोज में गहन मनन करना होता है। यही बात अन्य विधाओं के कलाकारों के लिए भी सही है। इस बात में कला का अभिव्यक्ति-पक्ष जगत् या जैव देहों की रूप-रचना के समान होता है : आगन्तुक और वैकल्पिक, किन्तु तब भी अभिव्यक्त आत्मा से अन्त:सम्बद्ध।

किन्तु द्रष्टव्य है कि इस बात में कला-प्रतीक और विषय-प्रतीक में कोई भेद नहीं होता, सिवाय इस बात के कि कला में अर्थ और उसके व्यंजक में उससे बहुत गहरा और निकट सम्बन्ध होता है जितना विषय-ज्ञान-प्रसंग में इनमें होता है। विषय-ज्ञान-प्रसंग में भाषा अभिव्यक्ति का आदर्श उपकरण होती है और अन्य विधाएँ उसकी उपजीवी होती हैं। उदाहरण के लिए चौराहे पर यातायात का नियन्त्रण करने वाले संकेत, मानचित्र और पोस्टर आदि भाषा में न केवल अनुवाद्य होते हैं बल्कि भाषा के माध्यम से ही अर्थ से सम्बद्ध होते हैं। इसके विपरीत कला में स्वयं भाषा अपने मुख्य व्यापार : अभिधान : में स्थगत हो जाती है और अन्य प्रतीक-व्यवस्थाएँ भाषा अथवा किसी अन्य प्रतीक-व्यवस्था में अन्तर्भाव्य नहीं होतीं : किसी गान, या चित्र, या नृत्य, या कविता का परस्पर में या किसी एक में अनुवाद सम्भव नहीं है। इतना ही नहीं, विषयात्मक प्रतीक-व्यवस्था में एक वाक्य-रचना उसी भाषा की अन्य वाक्य-रचनाओं में और एक भाषा के वाक्य दूसरी भाषा के वाक्यों में बहुत थोड़ी अर्थ-हानि के साथ अनुवाद्य होते हैं, किन्तु अद्वितीयता प्रतीक और उससे व्यंज्य में सम्बन्ध की आन्तरता, अथवा कहें सत्तात्मक तारतम्य, की द्योतक है, जो आन्तरता भाषा और उसके वाच्य में नहीं रहती। कला की इस विशेषता का कारण हेगल की सहायता से यह कहा जा सकता है कि कला निरुपाधिक चित् का ऐन्द्रिय आकार में निरूपण है, अथवा कहें, यह परमार्थ (ट्रूथ) की ऐन्द्रिक अभिव्यक्ति है। इसके विपरीत कथनात्मक या अभिधानात्मक प्रतीक-व्यवस्था को बुद्धि-विकल्पमूलक अभिव्यक्ति कहा जा सकता है। ऐन्द्रिक अभिव्यक्ति होने के कारण कलात्मक प्रतीक अपने अस्तित्व में पर्यवसायी होते हैं यद्यपि चित् की अभिव्यक्ति होने से ये निरुपाधिक को व्यंग्यतया प्रकट करते हैं।

यहाँ कहा जा सकता है कि भावना अपने-आप में आकारित नहीं होती, आकार उस पर आरोपित होता है। परिणामत: एक ही भावना गान, नृत्य या कविता में व्यक्त हो सकती है, विशेषत: तब जब वह सामान्य के रूप में भावित हो जाती है, वह भावन चाहे विषयितात्मक ही क्यों नहीं हो। यह सही है, एक ही प्रेम-भावना असंख्य कला-कृतियों में निरूपित होती है, जैसे एक ही विषय-प्रत्यय अथवा शुद्ध प्रत्यय विभिन्न प्रकार की प्रतिज्ञप्तियों

अथवा सिद्धान्त-व्यवस्थाओं में निरूपित हो सकता है। इस रूप में वास्तव में ही कला-कृतियों और वर्णनात्मक या सैद्धान्तिक (विषयात्मक) रचनाओं में कोई आधारभूत अन्तर नहीं होता। किन्तु वर्णनात्मक-सैद्धान्तिक भाषा में शब्द और अर्थ के बीच सम्बन्ध की परोक्षता निर्विवाद है, प्रश्न कलात्मक प्रतीक और उसके व्यंग्य के बीच सम्बन्ध के स्वरूप का है : ऐसा क्यों है कि कलाकृति अननुवाद्य, अद्वितीय और अखण्ड होती है जबकि वर्णनात्मक और सैद्धान्तिक रचनाएँ उस प्रकार और उतनी वैसी नहीं होतीं? एक चित्र या कविता की विलक्षणता किस बात में होती है?

चित्र को विशिष्ट वर्ण-व्यवस्था और दैशिक व्यवस्था का अन्त:संवाद कह सकते हैं। ये दोनों व्यवस्थाएँ संयुक्त रूप से एक छन्द से अन्त:प्रविष्ट और अन्त:शासित होती हैं, जो छन्द इस वर्ण-संस्थान के प्रत्येक बिन्दु को अन्य सब बिन्दुओं का धारक केन्द्र बनाता है। इसी में इस चित्र का वैलक्षण्य और अखण्डता निहित होती है। यद्यपि नियुक्तता और रचनात्मकता ज्यामितिक आकृतियों में भी रहती है, किन्तु सर्वप्रथम, वे मूलत: ही सामान्य वाचक होती हैं और दूसरे, उनकी रचनात्मकता में कोई बिन्दु केन्द्र नहीं होता, केवल रेखाओं या कोणों के अनुपात की व्यवस्था होती है; वर्ण वहाँ होता ही नहीं। द्रष्टव्य है कि छन्दोमयता चित्र का आदर्श होती है, वास्तव चित्र में वह न्यूनाधिक ही क्रियान्वित होती है, क्योंकि यदि आदर्श और वास्तव में यह दूरी नहीं हो तो प्रत्येक चित्र अनिवार्यत: निर्दोष हो। चित्रगत यह छन्द, जो उसकी विलक्षणता का अधिष्ठान होता है, प्रत्यय के सभी लोकावतरणों को उपलक्षित करता है। इस प्रकार वास्तव में भाषा के सैद्धान्तिक या वर्णनात्मक प्रयोगों में भी यह छन्द रहता है। इस छन्द के कारण ही वर्णनात्मक और सैद्धान्तिक कृतियाँ भी व्यक्तित्व से युक्त होती हैं और उनमें एक आन्तर संगति अथवा उसकी न्यूनता होती है। किन्तु सिद्धान्त और वर्णन दोनों में छन्द के अधिष्ठान क्रमश: तत्त्व और उद्गृहीतार्थ (एब्स्ट्रेक्ट कांसेप्ट्स) होते हैं जो भाषा से केवल परोक्षत: सम्बन्धित होते हैं जबकि कलाओं में इस छन्द का अधिष्ठान बिम्ब, कल्पना-कृतियाँ, या प्रतिमाएँ होती हैं। कविता में शब्द-विन्यास, चित्र में रंग-रेखाएँ और संगीत में ध्वनि-संस्थान इन प्रत्ययों की गोचर प्रतिकृतियाँ ही प्रस्तुत करने का प्रयत्न करते हैं। इस कारण कला में प्रत्यय और उसकी अभिव्यक्ति में अधिक निकट सम्बन्ध होता है। किन्तु इसका अर्थ यह नहीं है कि कलाकृतियों में शब्द, वर्ण, रेखा, स्वर आदि में कोई भी परिवर्तन उनकी संवादिता, आवयविकता आदि के लिए नितान्त असह्य होता है। महाकाव्य, नाटक, उपन्यास आदि में तो बहुत कुछ घटाया-बढ़ाया जा सकता है और उससे उनकी अन्त:संवादिता प्रभावित नहीं होती, लघु कविता, चित्र, मूर्त्ति आदि में भी एक सीमा में यह समभव हो सकता है। इसका यह अर्थ नहीं है कि कलाकृतियों में यह अन्त:संवादिता या छन्द होता नहीं है, इसका केवल इतना ही अर्थ है कि यह अवयवों के एक सीमा तक घटाव-बढ़ाव से भंग नहीं होता, अथवा होता है तो उसका सबको पता नहीं चलता। इसका एक बड़ा कारण यह है कि दर्शक को भी पहले छन्द का, समग्रता में अवयवी का, ही प्रत्यक्ष होता है और उसमें अवयवों की थोड़ी क्षति बाधा नहीं बनती।

द्रष्टव्य है कि अवयव-क्षति केवल कलाकृति में ही नहीं होती, और वह केवल कलाकृति में ही अनवगत नहीं रहती बल्कि उसके बिम्ब के अवगमन में भी रहती है। कलाकृति की, अथवा सभी प्रकार की कृतियों की, असम्यक्ता और अपर्याप्तता अवगमन की इस अपर्याप्तता के कारण ही होती है।

यहाँ कलाकृति और उसके व्यंग्य बिम्ब के बीच सम्बन्ध पर संक्षेप में विचार स्थाने होगा। संस्कृत-काव्य-शास्त्र में एक ही बाह्य स्थिति के दो प्रकार के वाक्यों द्वारा वर्णन का एक उदाहरण प्रचलित है। यह प्रकार-भेद केवल श्रुति-गुण : कोमल-कर्कश : के प्रसंग से है। वाक्य हैं—

1. शुष्क: वृक्षस्तिष्ठत्यग्रे।

2. नीरसस्तरुरिह विलसति पुरत:।

इन दोनों का वर्ण्य विषय है—सामने सूखा पेड़ है। इस उदाहरण द्वारा प्रतिपाद्य है कि इन दोनों का अभिधार्थ एक होने पर भी इनमें एक श्रुति-कर्कश है और दूसरा श्रुति-मधुर। किन्तु द्रष्टव्य है कि 'तिष्ठति' और

'विलसति' शब्द केवल स्थूल रूप से ही पर्यायवाची हैं, वास्तव में नहीं, क्योंकि 'स्थ' और 'लस्' धातुएँ पर्यायवाची नहीं हैं न इनसे व्युत्पन्न शब्द सब प्रसंगों में रूढ़ि से पर्यायवाची हैं। यहाँ वाच्य तथ्य के प्रति आग्रह से वाचक वाक्य के अपने अर्थ की उपेक्षा है। अब, शब्दार्थ की दृष्टि से पहला वाक्य वर्ण्य तथ्य का अधिक अनुसारी है और श्रुति गुण की दृष्टि से भी पहला ही वाक्य अधिक तथ्यानुसारी है। किन्तु यह अनुसारिता वर्ण्य-विषय की नहीं, वर्ण्य से सम्बद्ध भाव की है, जो काव्य का विषय है। काव्य सम्मुख स्थित शुष्क : नीरस : वृक्ष से उद्दीप्त भावना की भाव-प्रतिमा को व्यक्त करना चाहता है, जो प्रतिमा किसी शब्द द्वारा अभिधेय नहीं होती, क्योंकि शब्द इन प्रतिमाओं के निरूपण के लिए नहीं बने हैं, ये प्रतिमाएँ शब्द-रचनाओं द्वारा केवल व्यंग्यतया संकेतित और अनुरणित होती हैं। यहाँ यह ध्यान रखना आवश्यक है कि यहाँ व्यंग्य भावनाएँ नहीं होतीं बल्कि भाव-प्रतिमाएँ : विषयि-दृष्टि को प्रस्तुत भावनाएँ : होती हैं। भाव-दृष्टि की विषय होने से ये प्रतिमाएँ विशिष्ट : अन्तःकरण या अन्य इन्द्रिय द्वारा ग्राह्य अर्थ : नहीं होकर तत्त्वात्मक होती हैं और विषयात्मक होने से ये न अपने देश-कालगत संस्थान में विभाज्य होती हैं और न वाच्यार्थ में विषय-प्रत्ययों के समान विश्लेष्य। इसके अतिरिक्त, वस्तु-वर्णनात्मक वाक्यों के वाच्य जबकि सामान्य होते हैं और वर्ण्य-वस्तुस्थिति उन समान्यों के व्यष्टीकृत विषय, भाव-प्रतिमा मौलिक रूप से सावयव और विलक्षण होती है और इस सावयव विलक्षणता में भी सौर्वभौम होती है, क्योंकि ये प्रतिमाएँ भाव-घटनाएँ नहीं होकर विषयि-दृष्टि-ग्राह्य भाव-प्रत्यय होती हैं : 'विषयि-दृष्टि' का अर्थ है विषयिता का विषयि-प्रत्यय के रूप में विमर्श :। प्रतिमा या बिम्ब की यह सावयवता इसकी व्यंजक कलाकृतियों में भी उसी प्रकार रहती है, क्योंकि ये उन प्रतिमाओं की यथासम्भव सम्यक् प्रतिकृतियां होती हैं। किन्तु सर्वप्रथम, प्रतिमा के मानसिक अवगमन या प्रत्यक्ष की सम्यक्ता भी साधना-सापेक्ष होती है, बाह्य अभिव्यक्ति में उसके योग्य सम्यक्ता तो और भी अधिक साधना की अपेक्षा रखती है, क्योंकि इसके लिए मूल प्रतिमा के सम्यक् अवगमन के अतिरिक्त लोक में उसके अनुदर्शन के उपयुक्त प्रतीक-व्यवस्था का साक्षात्कार भी अपेक्षित होता है, जो और अधिक दुरूह होता है। यहाँ द्रष्टव्य है कि यह सम्यग्दर्शन या अनुकरण छायाचित्र जैसा नहीं होता, यह प्रतीकात्मक और संरचनात्मक आविष्कार होता है, इसी से एक भाव-प्रतिमा के लिए सर्वथा भिन्न प्रकार की विभिन्न प्रतीक-व्यवस्थाएँ सम्भव होती हैं। कला की विभिन्न शैलियाँ इसके लिए प्रमाण हैं। किन्तु तब आपत्ति हो सकती है कि प्रतीक-व्यवस्थाओं के आविष्कार होने पर प्रतिमा साक्षात्कारात्मकता का कोई अर्थ नहीं रहता, तब प्रतीक और व्यंग्य या वाच्य का सम्बन्ध केवल रूढ़िगत ही रह जाता है। किन्तु जैसाकि हमने पीछे भी संकेत किया, ऐसा नहीं होता। अवश्य प्रतीक और व्यंग्य में सम्बन्ध भावना और विषयि-प्रत्यय के समान आन्तर तारतम्य का नहीं होता, किन्तु तब भी यह बाह्य और रूढ़िमूलक भी नहीं होता। प्रतीक व्यंग्य के द्वारा अपनी अभिव्यक्ति के लिए आविर्भूत होते हैं, और उनसे अवियोज्यवत् होते हैं। और उपयुक्त प्रतीक के प्रत्यक्ष का अर्थ होता है उसके द्वारा व्यंजित का प्रत्यक्ष करना। इस प्रकार एक ओर एक ही भाव-प्रतिमा के लिए विभिन्न प्रतीक-शैलियाँ होती हैं और दूसरी ओर ये शैलियाँ उस भाव-प्रतिमा के प्रति अधिकाधिक सम्यक् होने के प्रयत्न के फलस्वरूप होती हैं, निराधार क्रीड़ाएँ नहीं होतीं।

यहाँ अन्त में कला की बिम्बात्मकता या प्रतिमात्मकता पर विचार स्थाने होगा। प्रत्ययों के स्थूल रूप से चार प्रकार कहे जा सकते हैं—(1) ऐन्द्रिक, (2) उद्ग्रहणात्मक, (3) सत्त्व-धर्मात्मक और (4) बिम्बात्मक। जैसाकि स्पष्ट है, इनमें प्रथम और अन्तिम परस्पर सीधे सम्बन्धित हैं : बिम्ब का एक महत्त्वपूर्ण घटक ऐन्द्रिय प्रत्यय का प्रतिबिम्ब होता है, जो विषयि-दृष्टि को प्रस्तुत भावना से उपरक्त होकर बिम्ब बनता है और कला-प्रतीक का वाच्य होता है। हेगल जब कहता है कि 'कला निरुपाधिक चित् का ऐन्द्रिक आकार में निरूपण है, अथवा कहें, यह परमार्थ (ट्रुथ) की ऐन्द्रिय अभिव्यक्ति है' तो वह बहुत कुछ हमारी इस दृष्टि के अनुरूप ही कह रहा है। यहाँ हम उदाहरणार्थ एक कविता उद्धृत करेंगे। कविता का शीर्षक है 'वाक्'—

आरती करती वाक्
झलमला ज्योतिश्चक्र

देखते-सुनते अवाक्
स्पन्दित प्राण समग्र।
मध्य में रश्मि-प्रसार
झलकते अर्थ-भुवन
शंख से शुभ्राकार
खिलते उत्पल-नयन।[1]

इस कविता में अमूर्त्त प्रत्यय : वाक् : ऐन्द्रिय प्रत्ययों के माध्यम से व्यंजित हुआ है, जिस व्यंजना में मूर्त्त प्रत्यय भी विषयात्मक नहीं रह कर भावना-व्यंजक हो गए हैं, जिस कारण यह वर्णन नहीं होकर भावाभिव्यंजन हो गया है। अमूर्त्त-सामान्य प्रत्ययों का मूर्त्त-सामान्य प्रत्ययों में यह अनुवाद ही इस कारण हुआ है, और इस कारण ही यह अनुवाद सम्भव भी हुआ है, कि यहाँ चित्त विषय-वृत्ति से विषयि-वृत्ति में संक्रमित हो गया है। इस कविता का प्रेरक सम्भवत: शैवों का भाषाविषयक सिद्धान्त है, जिसके अनुसार परावाक् द्वारा साक्षात्कृत अविकल्प्य दिव्य तत्त्व वैखरी द्वारा व्यक्त विकल्पों के माध्यम से जगद्-रूप में विवर्तित हुआ है। किन्तु इस कविता में इस सिद्धान्त का प्रतिपादन नहीं हुआ है, होता तो यह कविता नहीं रहती, बल्कि यह सिद्धान्त कवि-मानस में भावना का उद्दीपक होकर विषयि-वृत्तिक द्रष्टृत्व के लिए बिम्बात्मक प्रत्ययों में रूपान्तरित हो गया है। यह रूपान्तरण चित्र-कला और मूर्त्ति-कला में और भी सरलता से देखा जा सकता है। उदाहरणत: बुद्ध की मूर्त्ति को लें। इसमें सम्बुद्ध, महाकारुण्यमय और प्रशान्त चित्त का अमूर्त्त प्रत्यय उद्दीपक है जो उद्दीप्त भावना के आलम्बन के लिए ऐन्द्रिय प्रत्यय : कल्पित सिद्धार्थ : को भावना-बिम्ब में रूपान्तरित कर प्रस्तर में व्यंजित हुआ है। यही प्रक्रिया संगीत में स्वर-व्यवस्था को माध्यम बनाती है।

इस प्रकार कला विषयिता का विषयि-भाव में विमर्श, चिन्तन या मनन है जो बिम्बात्मक प्रत्ययों के माध्यम से निष्पन्न होता है।

1. गोविन्दचन्द्र पाण्डे — **क्षण और लक्षण** कविता-संग्रह।